KB088224

Textbook of the PANCREATOLOGY

췌장학

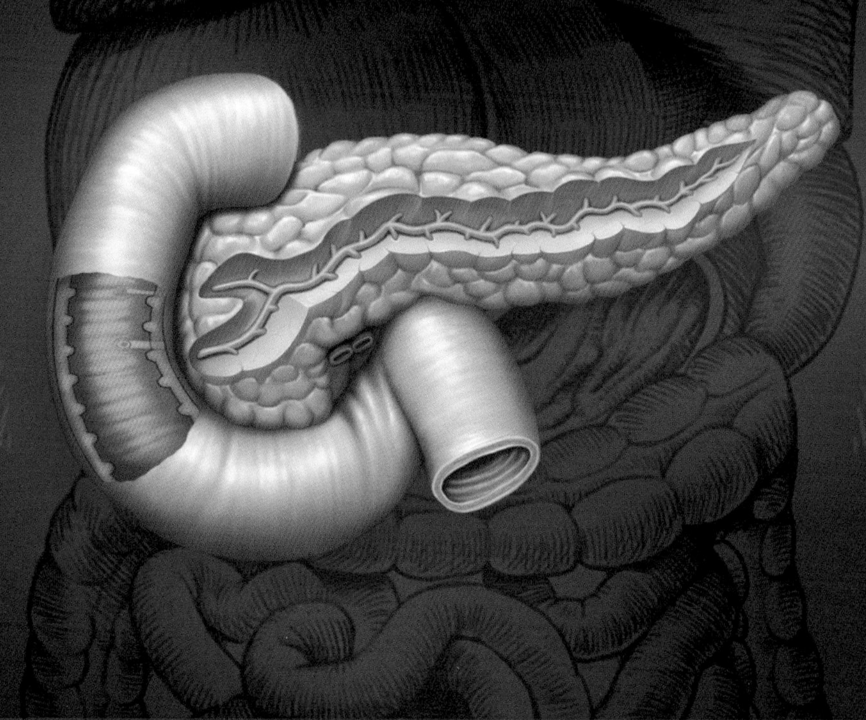

PANCREATOLOGY

연세대학교 의과대학 소화기병 연구소
대표저자 **정재복**
편집위원 **이동기, 이돈행, 박승우**

군자출판사

췌장학
PANCREATOLOGY

첫째판 1쇄 인쇄 | 2018년 04월 09일
첫째판 1쇄 발행 | 2018년 04월 20일

지 은 이 정재복
발 행 인 장주연
출 판 기 획 노수나
편집디자인 유현숙
표지디자인 김재욱
발 행 처 군자출판사(주)
등록 제4-139호(1991. 6. 24)
(10881) **파주출판단지** 경기도 파주시 회동길 338(서패동 474-1)
전화 (031) 943-1888 팩스 (031) 943-0209
www.koonja.co.kr

ISBN 979-11-5955-293-9

정가 80,000원

Textbook of the PANCREATOLOGY

췌장학

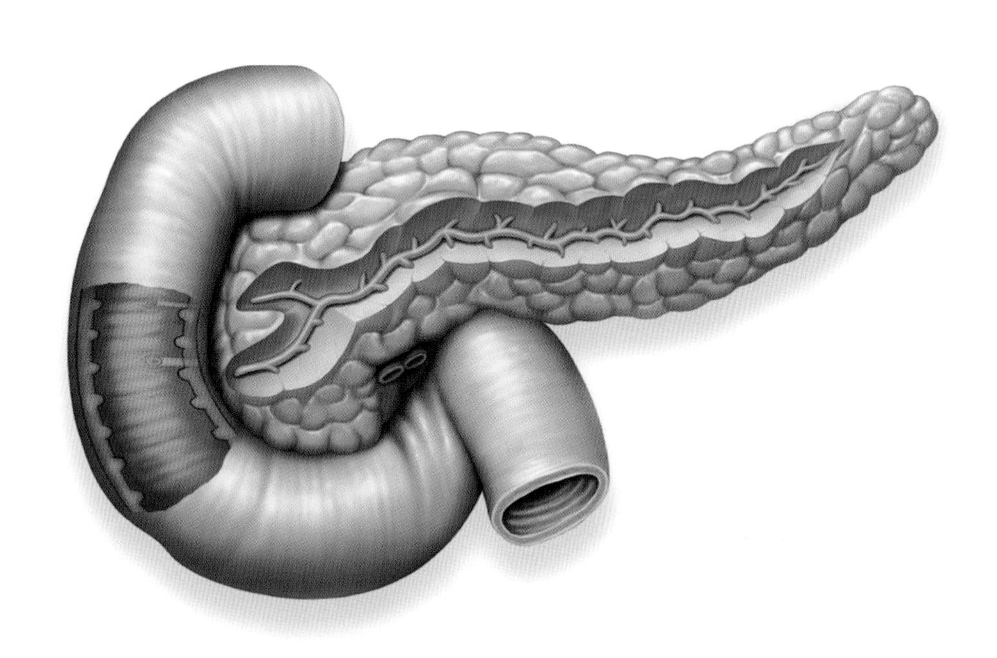

PANCREATOLOGY

···› 집필진 가나다 순

강창무
연세대학교 의과대학 외과학교실 부교수
세브란스병원 간담췌외과 전문의

김명진
연세대학교 의과대학 영상의학교실 교수
세브란스병원 영상의학과 전문의

김순일
연세대학교 의과대학 외과학교실 교수
세브란스병원 이식외과 전문의

김은경
국민건강보험 일산병원 병리학과 전문의

김재근
연세대학교 의과대학 외과학교실 임상조교수
강남세브란스병원 간담췌외과 전문의

김한솔
성균관대학교 의과대학 영상의학교실 부교수
삼성서울병원 영상의학과 전문의

김혜령
서울대학교 의과대학 병리학교실 부교수
서울대학교병원 병리학과 전문의

박미숙
연세대학교 의과대학 영상의학교실 교수
세브란스병원 영상의학과 전문의

박병규
연세대학교 의과대학 내과학교실 임상교수
국민건강보험 일산병원 소화기내과 전문의

박세우
한림대학교 의과대학 내과학교실 조교수
동탄성심병원 소화기내과 전문의

박승우
연세대학교 의과대학 내과학교실 교수
세브란스병원 소화기내과 전문의

박진석
인하대학교 의과대학 내과학교실 조교수
인하대병원 소화기내과 전문의

박영년
연세대학교 의과대학 병리학교실 교수
세브란스병원 병리학과 전문의

박정엽
연세대학교 의과대학 내과학교실 부교수
세브란스병원 소화기내과 전문의

박준성
연세대학학교 의과대학 외과학교실 부교수
강남세브란스병원 간담췌외과 전문의

방승민
연세대학교 의과대학 내과학교실 교수
세브란스병원 소화기내과 전문의

백송이
연세대학교 의과대학 영상의학교실 임상조교수
세브란스병원 영상의학과 전문의

서니은
연세대학교 의과대학 영상의학교실 임상조교수
세브란스병원 영상의학과 전문의

서정훈
연세대학교 의과대학 내과학교실 임상교수
국민건강보험 일산병원 소화기내과 전문의

성진실
연세대학교 의과대학 방사선종양학교실 교수
세브란스병원 방사선종양학과 전문의

송시영
연세대학교 의과대학 내과학교실 교수
세브란스병원 소화기내과 전문의

신수진
한양대학교 의과대학 병리학교실 조교수
한양대학교병원 병리학과 전문의

안찬식
연세대학교 의과대학 영상의학교실 임상조교수
세브란스병원 영상의학과 전문의

오탁근
연세대학교 의과대학 내과학교실 외래조교수
한국건강관리협회 인천광역시지부 소화기내과 전문의

윤동섭
연세대학교 의과대학 외과학교실 교수
세브란스병원 간담췌외과 전문의

윤미진
연세대학교 의과대학 핵의학교실 교수
세브란스병원 핵의학과 전문의

이경주
연세대학교 원주의과대학 내과학교실 조교수
원주세브란스기독병원 소화기내과 전문의

이돈행
인하대학교 의과대학 내과학교실 교수
인하대병원 소화기내과 전문의

이동기
연세대학교 의과대학 내과학교실 교수
강남세브란스병원 소화기내과 전문의

이상원
연세대학교 의과대학 내과학교실 부교수
세브란스병원 류마티스내과 전문의

이상훈
연세대학교 의과대학 내과학교실 강사
세브란스병원 소화기내과 전문의

이세준
연세대학교 의과대학 내과학교실 교수
용인세브란스병원 소화기내과 전문의

이승우
연세대학교 의과대학 내과학교실 임상조교수
용인세브란스병원 소화기내과 전문의

이우정
연세대학교 의과대학 외과학교실 교수
세브란스병원 간담췌외과 전문의

이재길
연세대학교 의과대학 외과학교실 부교수
세브란스병원 중환자외상외과 전문의

이진헌
한림대학교 의과대학 내과학교실 교수
강동성심병원 소화기내과 전문의

이현직
계명대학교 의과대학 내과학교실 임상조교수
계명대학교 동산의료원 소화기내과 전문의

이희승
연세대학교 의과대학 내과학교실 임상조교수
세브란스병원 소화기내과 전문의

장성일
연세대학교 의과대학 내과학교실 조교수
강남세브란스병원 소화기내과 전문의

전태주
인제대학교 의과대학 내과학교실 부교수
인제대학교 상계백병원 소화기내과 전문의

···› 집필진 가나다 순

정문재
연세대학교 의과대학 내과학교실 조교수
세브란스병원 소화기내과 전문의

정석
인하대학교 의과대학 내과학교실 교수
인하대병원 소화기내과 전문의

정용은
연세대학교 의과대학 영상의학교실 부교수
세브란스병원 영상의학과 전문의

정장한
한림대학교 의과대학 내과학교실 임상조교수
동탄성심병원 소화기내과 전문의

정재복
연세대학교 의과대학 내과학교실 명예교수
국민건강보험 일산병원 소화기내과 전문의

정주원
연세대학교 의과대학 내과학교실 외래부교수
국립중앙의료원 소화기내과 전문의

정준표
연세대학교 의과대학 내과학교실 외래교수
정준표내과의원 전문의

조미연
연세대학교 원주의과대학 병리학교실 교수
원주세브란스기독병원 병리학과 전문의

조인래
가톨릭관동대학교 의과대학 내과학교실 임상조교수
국제성모병원 소화기내과 전문의

조재희
가천대학교 의과대학 내과학교실 부교수
가천대 길병원 소화기내과 전문의

조중현
연세대학교 의과대학 내과학교실 임상연구조교수
세브란스병원 소화기내과 전문의

주동진
연세대학교 의과대학 외과학교실 조교수
세브란스병원 이식외과 전문의

진소영
순천향대학교 의과대학 병리학교실 교수
순천향대학교 서울병원 병리학과 전문의

최진영
연세대학교 의과대학 영상의학교실 교수
세브란스병원 영상의학과 전문의

홍승모
울산대학교 의과대학 병리학교실 부교수
서울아산병원 병리학과 전문의

황호경
연세대학교 의과대학 외과학교실 부교수
세브란스병원 간담췌외과 전문의

머리말

세브란스병원에 관한 초기 기록에 의하면 췌장 · 담도 분야에 관한 최초의 연구 논문으로는 1927년경 학술지에 발표되지 않은 논문, Cholelithiasis in the Korean (AI Ludlow 교수)이 있으나, 학술지에 발표된 것으로는 1939년 윤일선, 최성장, 한용표가 발표한 '췌장 히베에르키성 변화에 관한 실험적 연구'(세브란스의전 제29권 1호, 8쪽)가 처음입니다.

췌장학에 관한 분야를 처음으로 연구한 교수로는 우현 최흥재 교수님이 계시는데, 최흥재 교수님은 1961년부터 1964년까지 미국 펜실베니아대학 및 토마스제퍼슨의대에서 소화기학을 연수하시고 췌장 효소 분비에 관한 논문을 발표하셨고(Gastroenterology 1967;53(3):397-402), 1964년 국내 최초로 경피경간담도조영술(PTC)을 실시하셨으며, 1973년 7월 16일 내시경적역행성담췌관조영술(ERCP) 역시 국내 최초로 실시하시어, 연세의료원 소화기내과가 췌장 분야의 진료 및 연구에서 우리나라를 대표하는 기관이 될 수 있는 기틀을 만드셨습니다. 이 시기에 강진경 교수님이 함께 췌장 분야에서 진료, 교육 및 연구를 하셨는데, 강진경 교수님은 ERCP 시술을 너무 잘하셔서, 본인 스스로 ERCP 올림픽이 있으면 틀림없이 메달을 획득할 수 있다는 말씀을 하시곤 하셨습니다.

연세의료원에서는 1973년 3월 국내 최초로 내과 전문분야별로 분과가 확정되어 소화기병학(제1내과)의 이름으로 진료를 시작하였으며, 1991년 박인서 교수님의 소화기내과 과장 재임 시 국내에서 처음으로 소화기내과를 위장관, 간, 췌장 · 담도 분야로 구분하여, 소화기내과 세부 분야의 진료 및 학술 발전에 이정표를 세웠습니다.

이러한 역사적 배경을 바탕으로, 이미 13년 전(고 강진경 교수님 정년퇴임 시기)에 "췌장학"을 저술할 계획을 세웠으나, 강진경 교수님께서 정년퇴임 전에 작고하시어서 진행이 중단되었습니다. 이후 항상 생각은 하고 있었지만 "췌장학" 저술 시작을 차일피일 미루게 되었는데, 저의 정년퇴임 2년을 앞두고 있는 시점에 저를 포함한 편집위원들(이동기, 이돈행 및 박승우 교수)이 모임을 갖고 구체적인 계획을 세우면서 시작할 수 있게 되었습니다.

언제나 느끼는 일이지만, 책을 만드는 일은 쉽지 않은 일이며, 많은 인내심과 노력이 필요하고, 책임감이 필요한 작업임을 다시 한 번 느낄 수 있었습니다. 원고를 작성해 주신 모든 저자 분들께 감사드리고, 처음 기획 단계부터 원고 수정 및 감수까지 해주신 편집위원 분들에게도 감사드립니다.

"췌장학" 출판을 흔쾌히 허락해주신 장주연 사장님과 편집을 마무리해주신 노수나 기획자님에게도 감사를 드립니다. 또한 지난 42년 동안 한결같은 마음으로 내조를 잘해준 사랑하는 부인(박이선)과 언제나 아낌없는 응원을 해주는 두 아들과 며느리들(원준과 우민정, 원조와 박연주), 그리고 항상 즐거움을 주는 손주들(우현, 승현, 승우)과 함께 "췌장학" 발간의 기쁨을 같이 하고자 합니다.

2018년 3월 27일 저자 **정 재 복**

목차

췌장의 해부학
ANATOMY OF THE PANCREAS

췌장기능의 생리 및 병태생리
PHYSIOLOGY AND PATHOPHYSIOLOGY OF PANCREATIC FUNCTIONS

급성췌장염
ACUTE PANCREATITIS

···› 목차

PART 04 만성췌장염
CHRONIC PANCREATITIS

PART ▸▸ 05 자가면역 췌장염
AUTOIMMUNE PANCREATITIS

PART 06 췌장의 외분비 종양
TUMORS OF THE EXOCRINE PANCREATIC TISSUE: PANCREATIC CANCER

PART ▸▸ 07 췌장의 신경내분비 종양

NEUROENDOCRINE TUMORS OF THE PANCREAS

췌장의 낭성종양
CYSTIC TUMORS OF THE PANCREAS

PART 09 췌장 손상
PANCREATIC INJURY

PART 10 췌장이식
PANCREAS TRANSPLANTATION

찾아보기

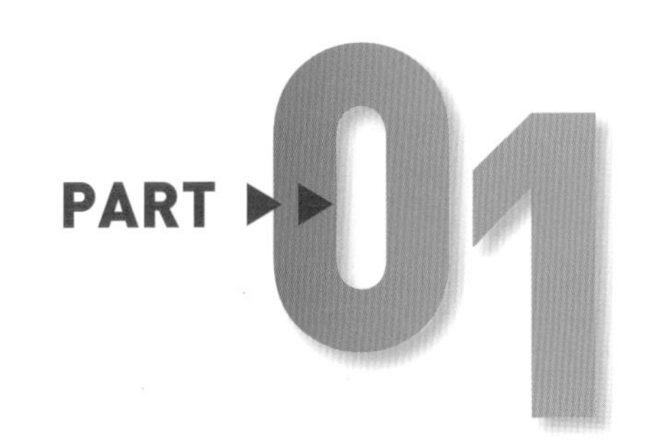

췌장의 해부학

ANATOMY OF THE PANCREAS

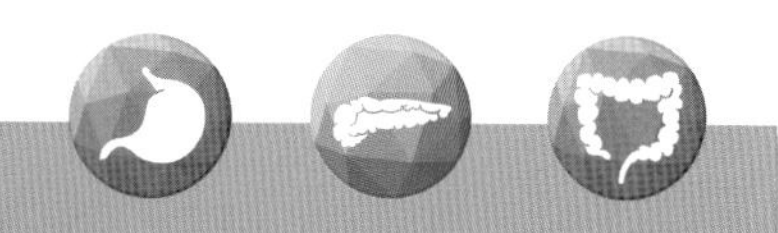

CHAPTER 01

췌장 및 관련 구조의 발생

Development of the pancreas and related structures

전태주

1. 췌장 및 관련 구조의 발생 (development of the pancreas and related structures)

췌장은 태생 4주 약 4 mm 크기의 배아에서 처음 나타난다[1,2]. 십이지장 내배엽(endoderm)에서 팽출(outpouching)된 2개의 싹(bud)이 발생하며 각각 배측 췌장(등쪽이자, dorsal pancreas)과 복측 췌장(배쪽이자, ventral pancreas)이라고 한다(그림 1-1A). 복측 췌장은 담낭(gallbladder)과 총담관(common bile duct)에 연결되어 위치해 있다. 배측 췌장싹은 태생 6주까지 빠른 속도로 자라 긴 결절구조로 배측 장간막(dorsal mesentery)까지 위치한다(그림 1-1B). 복측 췌장은 작은 상태로 남아있다가 십이지장이 시계 방향으로 회전하여 C자 모양이 되면 총담관과 같이 움직여 배측 췌장의 아래, 그리고 뒤쪽에 위치하게 된다. 배측 췌장과 복측 췌장은 십이지장의 불규칙한 성장으로 덧붙여져 태생 7주에 융합된다(그림 1-1C). 배측 췌장에서 췌장의 꼬리, 몸통, 머리 윗부분이 형성되며 복측 췌장에서 췌장의 머리 아래 부분과 갈고리돌기(uncinate process)가 형성된다. 이런 원시적인 관계는 성인 췌장에서도 여전히 구분할 수 있다[2].

배측 췌장과 복측 췌장은 축방향의 관(axial duct)을 가진다. 배측관(dorsal duct)은 십이지장벽에서 직접 발생하고, 복측관(ventral duct)은 총담관으로부터 발생한다. 배측과 복측이 융합할 때 배측관의 원위부와 복측관 전체가 합쳐져 주췌관(main pancreatic duct of Wirsung)을 형성한다. 배측관의 근위부는 막혀버리거나 70%에서는 부췌관(덧이자관, accessory pancreatic duct of Santorini)이 된다[3]. 주췌관은 담관과 함께 주십이지장유두(major duodenal papilla)를 통해 십이지장으로 들어간다. 부췌관은 부십이지장유두(minor duodenal papilla)와 연결되어 있다(그림 1-1D). 대부분의 성인에서 담관과 췌관이 공통적인 배출구를 갖는 것은 담관과 복측관의 기원이 같기 때문이다.

태생 6주에 복측 췌장과 같이 회전한 총담관은 내강 형성이 시작되며 간문부를 향하여 서서히 자라 태생 10주에 완성된다. 간세포에서 형성된 간내 담관은 태생 10주에 간문부에서 합쳐진다. 총담관 원위부와 복측관 합류부는 태생 10주에 십이지장 벽 내에 묻혀 유두부가 형성된다. 태생 11주에는 십이지장 고유근층과 함께 오디괄약근(sphincter of Oddi)이 완성되며 태생 12주에 담낭의 내강이 완성된다.

2. 췌장 샘꽈리 및 내분비 췌장의 발생 (development of pancreatic acini and endocrine pancreas)

췌장 샘꽈리(pancreatic acini)는 임신 3개월째 원시관의 말단이나 곁가지관에서 나타난다. 샘꽈리는 작은 분비세관(secretory ductule)에 의해 더 큰 췌관과 연결된다. 원시 췌장은 상대적으로 미분화된 상피 세포로 이루어져 있으며, 관 세포와 형태가 비슷하다. 중간엽 조직(mesenchymal tissue)은 샘이 자랄 수 있도록 얇은 결합 조직 캡슐(connective tissue capsule)을 제공하고 샘을 엽(lobe)과 소엽(lobule)으로 나눈다[4-10]. 배아와 성인 췌장 사이에는 형태, 효소 함량, 분비 능력의 차이가 있다. 발달 초기에, 췌장에는 효소원과립(zymogen granule)이 없고 과립세포질그물(granular endoplasmic reticulum)이 거의 없다[4-8]. 췌장은 임신 9주에 미분화된 상피 세포로 이루어져 있다[4]. 세포가 분화하면서 소화 효소의 활성도가 수천 배 증가하고[9,10], 과립(granule)은 커지면서 세포의 기저외측부분(basolateral regions)을 포함하여 대부분의 세포질을 차지하게 된다[5-8]. 전자현미경에서 효소원 과립은 임신 12주에 처음 관찰된다. 또한 세포들은 골지복합체(Golgi complex)와 과립세포

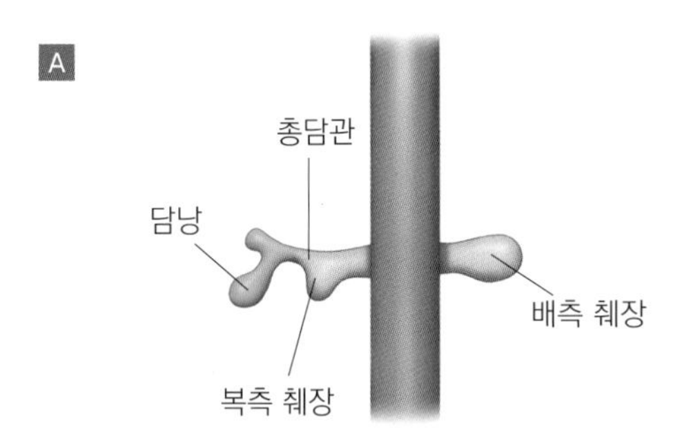

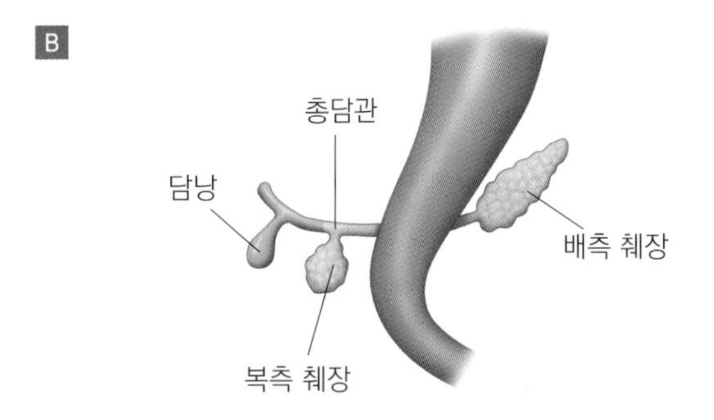

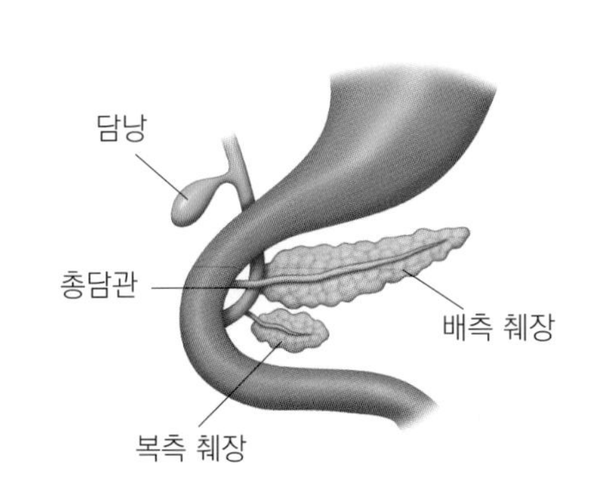

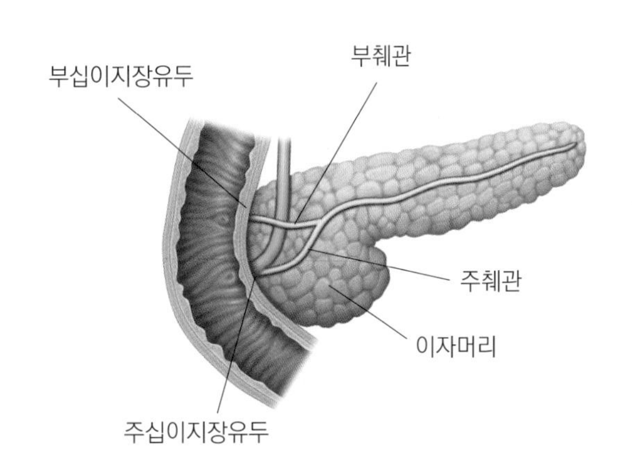

그림 1-1. **췌장의 배아 발달 단계.**
A. 태아 4주에 십이지장으로부터 배측과 복측 싹이 형성된다.
B. 태아 6주에 배측 싹은 긴 결절 구조의 배측 췌장이 된다.
C. 태아 7주에 배측 췌장은 복측 췌장과 융합하며 췌관의 융합이 시작된다.
D. 출생 시 췌장은 1개의 장기로 췌관의 융합이 완료된다.

질그물을 소량 함유하고 있다. 성인 췌장에서 관찰되는 전형적인 큰 효소원 과립은 임신 20주에 관찰된다[4]. 각각의 소화 효소는 특징적인 축적 속도를 갖고, 여러 차례에 걸쳐 농도가 증가된다[9-10]. 출생 시 과립의 부피는 성인 때의 6배로 최대 크기이다[11-12]. 대략 이 시기쯤, 자극분비능을 얻는다. 출생 후에도 조직 효소 함량뿐 아니라 효소원 과립의 크기와 관련된 분화는 계속된다[13-14].

내분비 췌장은 외분비 부분과 거의 동일한 시기에 분화한다[15,16]. 세포에서 섬 호르몬(islet hormone)이 분비 과립보다 먼저 생긴다. 내분비 세포들은 태생 9~10주에 미분화된 샘꽈리세포(acinar cell)의 기저외측부분을 따라 단독 혹은 작은 다발로 처음 관찰된다. 태생 12주에서 16주 사이에는 다양한 단계의 섬들이 복잡하게 관찰될 수 있다. 인슐린 세포(insulin cell)들은 나이에 따라 지속적으로 증가하는 반면, 글루카곤 세포(glucagon cell)들은 태아 때 증가하고 유아와 성인에서는 감소한다. 소마토스타틴 세포(somatostatin cell)들의 수는 태아 및 유아에서 증가하나 췌장의 폴리 펩타이드 세포(polypeptide cell)들은 숫자가 적은 편이다[17].

References

1. Arey LB. Developmental Anatomy. A Textbook and Laboratory Manual of Embryology, 7th ed. Philadelphia, WB. Saunders, 1974.
2. Pattern BM. Human Embryology, 3rd ed. New York, McGraw-Hill, 1968.
3. Kleitsch WP. Anatomy of the pancreas. A study with special reference to the duct system. AMA Arch Surg 1955;71:795-802.
4. Laitio M, Lev R, Orlic D. The developing human fetal pancreas: An ultrastructural and histochemical study with special reference to exocrine cells. J Anat 1974;117:619-34.
5. Parsa I, Marsh WH, Fitzgerald PJ. Pancreas acinar cell differentiation: I. Morphologic and enzymatic comparisons of embryonic rat pancreas and pancreatic anlage grown in organ culture. Am J Pathol 1969;57:457-87.
6. Pictet RL, Clark WR, Williams RH, Rutter WJ. An ultrastructural analysis of the developing embryonic pancreas. Dev Biol 1971;29:436-67.
7. Ermak TH, Rothman SS. Increase in zymogen granule volume accounts for increase in volume density during prenatal development of pancreas. Anat Rec 1983;207:487-501.
8. Uchiyama Y, Watanabe M. A morphometric study of developing pancreatic acinar cells of rats during prenatal life. Cell Tissue Res1984; 237:117-22.
9. Rutter WJ, Kemp JD, Bradshaw WS, et al. Regulation of specific protein synthesis in cytodifferentiation. J Cell Phyisol 1968;72(Suppl 1):1-18.
10. Sanders TG, Rutter WJ. The developmental regulation of amylolytic and proteolytic enzymes in the embryonic rat pancreas. J Biol Chem 1974;249:3500-9.
11. Ermak TH, Rothman SS. Large decrease in zymogen granule size in the postnatal rat pancreas. J Ultrastruct Res 1980;70:242-56.
12. Uchiyama Y, Watanabe M. Morphonometric and fine structural studies of rat pancreatic acinar cells during early postnatal life. Cell Tissue Res 1984;37:123-9.
13. Descholdt-Lanckman M, Robberecht P, Camus J, et al. Hormonal and dietary adaptation of rat pancreatic hydrolase before and after weaning. Am

J Physiol 1974;226:39-44.

14. Robberecht P, Descholdt-Lanckman M, Camus J, et al. Rat pancreatic hydrolases from birth to weaning and dietary adaptation after weaning. Am J Anat 1971;221:376-81.
15. Like AA, Orci L. Embryogenesis of the human pancreatic islets: A light and electron microscopic study. Diabetes 1972;21:511-34.
16. Baxter-Grillo D, Blazquez E, Grillo TAI, et al. Functional development of the pancreatic islets. In Coopers SJ, Watkins D (eds): The Islets of Lnagerhans, New York, Academic Press, 1981, p 35
17. Stefan Y, Grasso S, Perrelet A, Orci L. A quantitiative immunofluorescent study of the endocrine cell populations in the developing human pancreas. Diabetes 1983;32:293-301.

CHAPTER 02

췌장의 조직학
Histology of the pancreas

김혜령, 박영년

췌장은 후복막강에 위치하는 샘 장기로, 앞쪽 부분은 복막으로 덮여 있다. 성인에서의 무게는 85~120 g이며, 길이는 15~20 cm이다. 해부학적으로 두부, 갈고리돌기, 체부 및 미부로 나누어진다.

현미경 관찰 소견상 췌장은 외분비 췌장과 내분비 췌장으로 나누어진다. 외분비 췌장은 전체 췌장 부피의 약 85%를 차지하고 있으며, 다수의 소엽(lobule)으로 구성된 엽상 구조를 보인다[1]. 소엽들의 크기는 1~10 mm로 다양하고, 결합조직에 의하여 서로 분리되어 있다(그림 2-1). 소엽은 다수의 세엽(acinus)과 관(duct)으로 구성되어 있다. 세엽의 중앙에는 사이관(intercalated duct)이 위치하고, 췌세엽세포(pancreatic acinar cell)에 의해 둘러싸여 있는 모습이다(그림 2-2). 췌세엽세포의 모양은 삼각형이며 핵이 기저부 쪽에 위치하고 있다. 췌세엽세포 세포질의 세엽 내강 쪽에는 풍부한 효소원과립(zymogen granule)이 있어서 H-E 염색에서 진한 분홍색으로 염색되며, 핵의 기저부 쪽 세포질은 풍부한 내형질세망(endoplasmic reticulum)으로 인하여 보라색으로 염색된다. 췌세엽세포의 효소원 과립들은 다양한 전구효소(proenzyme)를 함유하는데, 트립시노겐(trypsinogen), 카이모트립시노겐(chymotrypsinogen), 카복시펩타이드분해효소전구체(procarboxypeptidase), 탄력고분해효소전구체(proelastase), 칼리크레인효소전구체(kallikreinogen), 인산지질분해효소 A와 B(phospholipase A, B), 지방분해효소전구체(lipase) 및 아밀라아제(amylase) 등이 대표적이다. 이러한 전구효소들은 췌세엽세포에서 중앙내강으로 분비되어 사이관(intercalated duct), 소엽내관(intralobular duct), 소엽간관(interlobular duct) 및 주관(major duct) 순으로 운반되어 마지막으로 바터팽대부를 통하여 십이지장으로 분비된다[1].

췌장의 사이관과 소엽내관은 한 층의 입방형 상피세포로 피복되어 있다. 소엽간관과 주관은 원주세포로 피복되며, 바터팽대부에 가까워질수록 원주세포의 키가 커진다. 굵은 췌관 주위에는 두꺼운 결합조직 층이 있으며, 이 결합조직 내부에 점액을 분비하는 소수의 작은 샘들의 군집을 볼 수 있다.

췌장의 내분비 세포들은 군집을 이루어 랑게르한스섬(islet of Langerhans)을 구성한다(그림 2-3). 내분비 세포들은 비교적 균등한 크기의 다각형 세포들이며, 핵은 둥글고 세포질이 창백하여 형태학적으로 섬 주변의 외분비 췌장과 쉽게 구별된다. 내분비 세포들은 얇

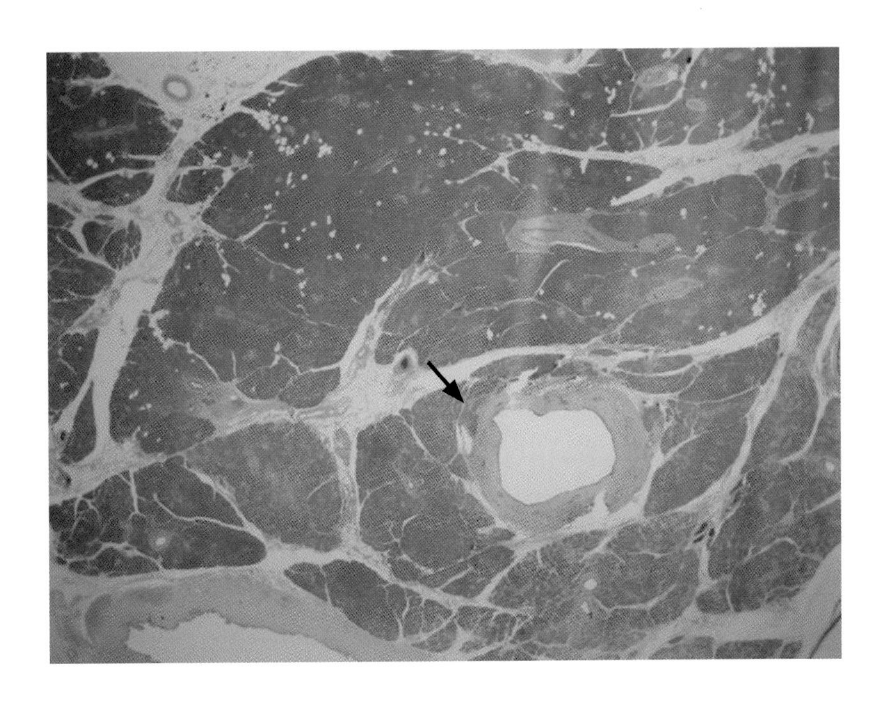

그림 2-1. **정상 췌장의 형태학적 소견.**
췌장의 저배율 현미경 소견상 주췌관(화살표) 주변으로 다수의 소엽들이 관찰되며, 소엽들은 결합조직에 의하여 서로 분리되어 있다.

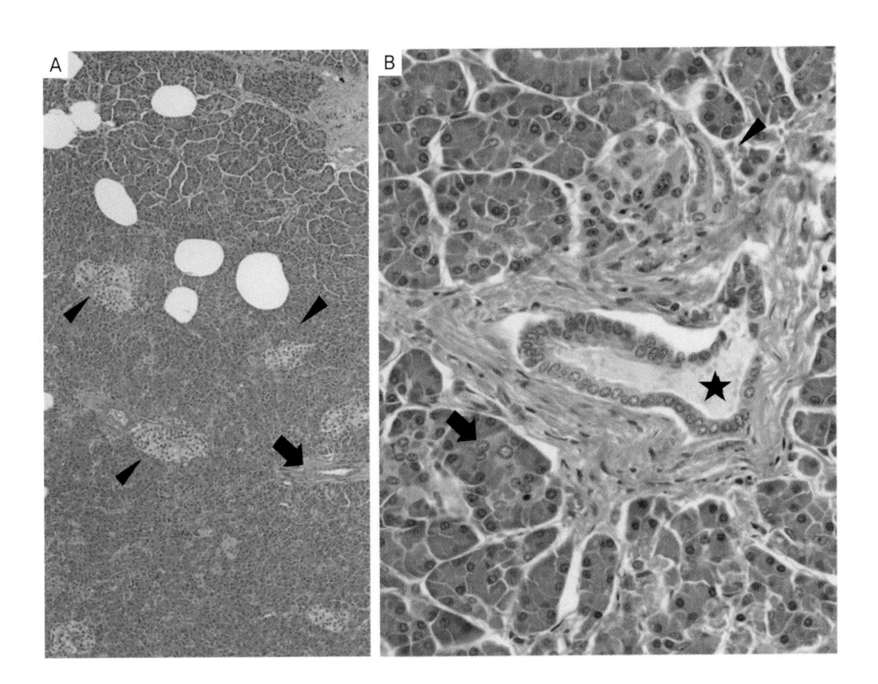

그림 2-2. **정상 췌장의 형태학적 소견.**
A. 췌장 소엽은 대부분 췌장세엽 세포들로 구성되어 있으며, 중앙에 관 구조물(화살표)이 있고 랑게르한스섬(화살촉)이 흩어져 있다(×100).
B. 고배율 소견상 소엽내관(별표)이 섬유성 결합조직에 둘러싸여 있으며, 주변에는 다수의 피라미드형 세엽세포들이 둥글게 배열되어 있고, 중앙에 사이관(화살표)이 관찰된다. 소엽과 결합조직의 경계부에 사이관과 소엽내관을 연결시켜 주는 작은 관 구조가 관찰된다(화살촉)(×400).

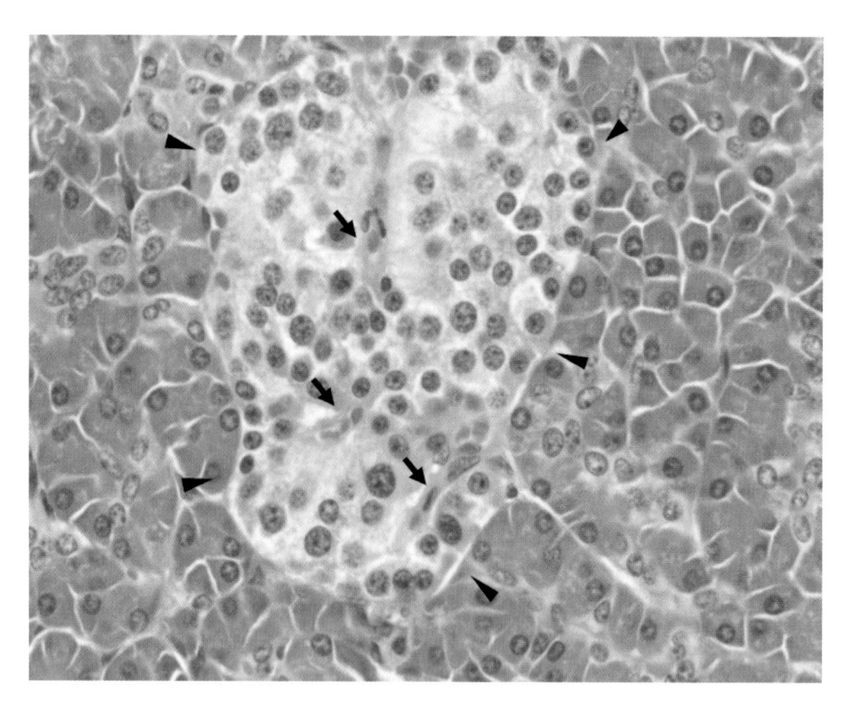

그림 2-3. **내분비 췌장의 형태학적 소견.**
둥근 핵과 창백한 세포질이 특징인 비교적 균등한 크기의 세포들로 구성되어 있는 랑게르한스섬(화살촉)은 주변 외분비 췌장과 쉽게 구별 가능하다. 내분비 세포들 사이에는 모세혈관들이 위치하고 있다(화살표)(×400).

은 기둥 모양으로 배열되어 있으며 기둥 사이사이에는 모세혈관이 풍부하다. 내분비 세포들은 다양한 호르몬 펩티드를 분비한다. 인슐린을 분비하는 베타세포는 소도의 60~80%를 차지하며 소도의 중앙쪽에 위치하고 있으며, 글루카곤을 분비하는 알파세포는 소도의 15~20%를 차지하며, 소도의 가장자리에 위치한다. 그 외에 델타세포(5~10%)는 소마토스타틴을 분비하며, PP세포(< 2%)는 췌장 폴리펩타이드를 분비한다[2]. 랑게르한스섬들은 췌장조직의 1~2% 정도를 차지하며, 췌장 전체에 산발적으로 분포되어 있으나, 체부와 미부에 더 풍부하다. 랑게르한스섬의 크기와 모양은 다양하며 췌장 체부와 미부에서는 주로 50~280 ㎛ 크기의 경계가 분명한 군집을 이루고, 두부에서는 경계가 비교적 불명확한 450 ㎛ 크기에 달하는 군집을 이룬다[2].

References

1. Klimstra DS, Hruban, R. H., Pitman, M. B. Pancreas. In: Mills SE, (ed.). Histology for pathologists. Philadelphia, PA, USA: Lippincott Williams & Wilkins, 2012, p. 777-816.
2. Grube D, Bohn R. The microanatomy of human islets of Langerhans, with special reference to somatostatin (D-) cells. Arch Histol Jpn. 1983; 46: 327-53.

CHAPTER 03

췌장과 간외담관의 선천성 기형 및 변이

Congenital anomalies and variations of the pancreas and extrahepatic bile duct

전태주

서론

정상 췌 · 담관 구조와 선천성 췌 · 담관 변이 및 기형에 대한 올바른 이해는 췌 · 담관 질환의 규명, 진단 및 치료에 있어 우선적으로 고려되어야 할 사항 중의 하나이다. 특히 서양에 비해 담관 질환의 발생이 높은 우리나라에서 담관 변이 및 기형에 관한 이해는 필수적이다[1-3]. 한국인 췌담관의 정상 구조 및 기형에 관한 종합적인 연구는 대한췌담도학회에서 다기관 연구를 실시(고 강진경 교수, 회장 재임 시절, 1998년도 대한소화기내시경학회 Paul Janssen 연구비)하여 대한소화기내시경 학회지에 보고[3]하였다. 연구는 7개 대학병원에서 1997년 3월부터 1999년 6월 까지 시행한 10,243명의 ERCP를 대상으로 하였는데, 1997년 3월부터 1999년 2월 까지는 후향적으로, 1999년 3월부터 1999년 6월 까지는 전향적으로 ERCP사진을 분석하였다.

1. 한국인 췌담관의 정상 구조 및 기형에 관한 연구 결과[3]

담낭이 충분히 조영되어 담낭의 변이 및 기형의 판정이 가능하였던 450명 중 19명(4.2%)에서 담낭이상이 관찰되었는데, 모래시계(hourglass) 모양이 16명, 프리지아 모자(phrygian cap) 모양 2명 및 담낭게실 1명이었다.

담관낭종은 26예(26/8,194명) 0.32%에서 관찰되었는데, 이 중 17명은 AUPBD(anomalous union of pancreatobiliary duct)가 동반되었다. 17명 중 1예는 AUPBD 및 분리췌장이 같이 있었다. 담관낭종 26예의 유형(Todani 분류법)은 I형이 18명(69%)로 가장 많았고, II형 및 III형이 각각 1명(4%), IV형이 5명(19%), V형이 1명(4%)이었다. AUPBD는 연구 대상 총 8194예 중 췌 · 담관합류부가 잘 조영된 740예 중 30예(4.1%)에서 관찰되었다. 총 30예 중 17명에서 담관낭종이 동반되었다. 분리췌장은 췌관의 1차 분지 이상 적절히 조영된 4097예 중 20예(0.49%)에서 있었는데, 이 중 1예는 AUPBD 및 담관낭종이 동반되었다.

분리췌장 20예 중 완전형과 불완전형이 각각 10예이었다. 고리췌장(annular pancreas)은 2예(0.05%)에서 관찰되었다. 주췌관이 미부까지 충분히 조영된 1216명 중 주행 방향이 상방향형이 85.3%로 가장 많았고, 평행형이 7.3%, S자형이 7.1%,하방향형이 0.3% 순이었다.

주췌관모양의 변이는 4.2%에서 보였는데, 이 중 이분(二分)형이 0.5%, 고리형이 3.7%에서 관찰되었다.

2. 고리췌장(annular pancreas)

고리췌장은 십이지장 두 번째 부위를 둘러싸는 띠 모양의 췌장조직이며 복측 췌장 기원이다[4](그림 3-1). 발생률은 약 2만 명 중 1명이며[5], 우리나라에서는 ERCP를 시행한 4,097예 중에서 2예에서 관찰되어 0.05%의 유병률을 보였다[3]. 신생아와 30~40대 성인에서 가장 많이 나타나며, 흔히 유아기 때 십이지장의 비정상적인 폐쇄를 일으키고 십이지장 벽으로의 췌장조직의 성장과 관련된다. 고리는 일반적으로 십이지장 두 번째 부분을 포함하는, 팽대부위에 인접해 있다[6]. 세염색체(trisomy) 21, 십이지장 폐쇄증(duodenal atresia), 기관식도샛길(tracheoesophageal fistula), 심장콩팥 기형(cardiorenal anomalies) 등과 같은 다른 선천성 기형과도 연관이 있다[4,5]. 따라서, 신생아에서는 다른 가능한 선천적 기형을 주의하면서 수술적 우회술을 할 수 있다. 증상이 성인에서 처음으로 나타날 수 있는데, 십이지장 협착(duodenal stenosis), 소화성 궤양 (peptic ulcer), 만성췌장염(chronic pancreatitis)이 생기거나 우연히 발견된다[5]. 성인에서 가장 흔한 증상은 상복부 통증이며, 담도 폐쇄는 드문 합병증이다. 췌장 조직이 종종 십이지장 벽으로 확장되어 있고, 고리 조직에 큰 췌관이 포함될 수 있으므로 증상이 있는 경우 외과적 절제가 아닌 수술 우회술이 효과적이다[6].

3. 분리췌장(pancreas divisum)

분리췌장은 발생학적으로 배측 췌장과 복측 췌장의 췌관 융합이 실패하여 생긴다. 그 결과 췌장 외분비 분비물(exocrine secretion)의 대부분이 Santorini 관을 통해 부유두로 배출되고 아주 작은 부분만이 Wirsung 관을 통해 바터팽대부로 배출된다(그림 3-2). 정상 췌장에서는 대부분의 췌장 배액은 Wirsung 관을 통해 이루어지고, Santorini 관을 통한 배출은 상대적으로 적다.

분리췌장은 부검 시에 5~10%에서 관찰되며[7,8], 내시경역행췌담관조영술을 시행받은 환자의 2~7%에서 관찰된다[9-11]. 특발성 췌장염 환자에서는 발병률이 25%까지 증가하였다[12]. 분리췌장이 병적 의미가 없는 단순한 해부학적 변이인지 재발성 급성췌장염의 일부 원인이 되는 선천성 기형인지는 논란의 여지가 있다. 분리췌장을 가진 환자의 대부분은 무증상이다. 임상적으로 췌장

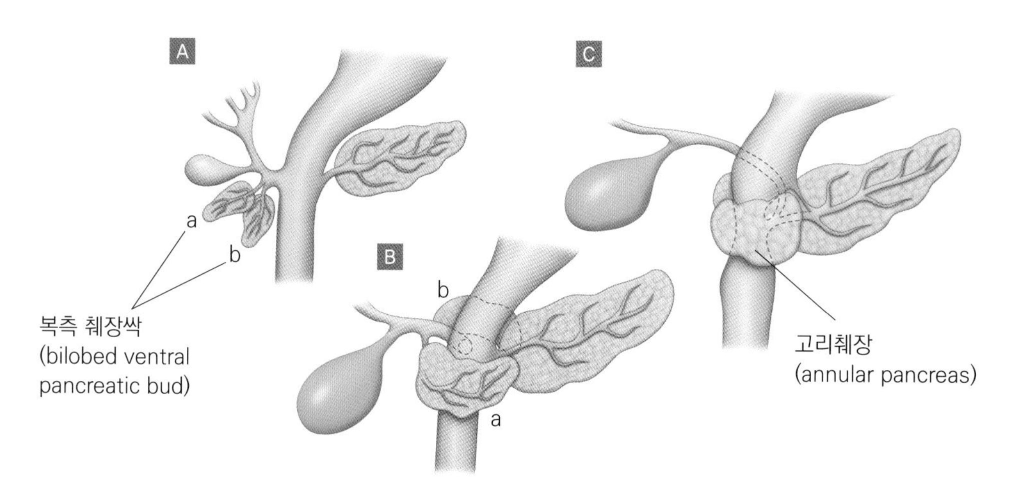

그림 3-1. **고리췌장(annular pancreas).**

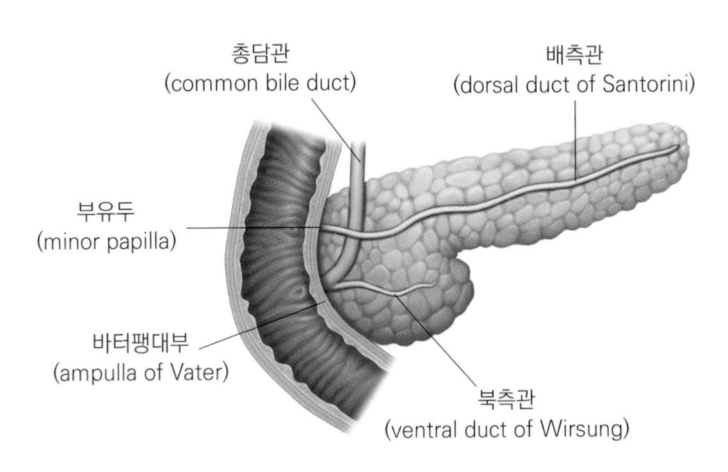

그림 3-2. **분리췌장(pancreas divisum).**

질환을 일으키는 것은 분리췌장과 상대적으로 협착을 보이는 부유두 때문으로 생각된다. 일반적으로 내시경역행췌담관조영술을 통해 진단되나 내시경초음파[13]나 자기공명췌담관조영술 같은 비침습적인 술기도 진단에 효과적이다[14].

부유두의 협착과 분리췌장을 가진 재발성 특발성 췌장염 환자의 치료로 대부분의 연구에서 내시경적 괄약근 절개술 및 부유두를 통한 스텐트 삽입술[15-17]이나 부유두의 수술적 괄약근 성형술[18,19]을 치료로 제시하고 있다. 하지만, 분리췌장 환자 중 재발성 급성췌장염이 명확히 없는 상태에서 만성 복통이 있는 경우 이런 치료는 효과가 거의 없다.

4. 이소성 췌장조직 (ectopic pancreatic tissue)

이소성 췌장 조직과 부췌장(accessory pancreas)은 흔하고 위장관의 다양한 곳에서 발생한다. 발생빈도는 부검시에 0.55~13.7%로 발견된다[20]. 가장 흔한 발생 장소는 위, 십이지장, 근위부 공장 및 회장이다. 대부분은 기능성이나 대개 무증상이고, 내시경, 수술 혹은 부검 시에 우연히 발견된다.

5. 췌장 무발생(pancreatic agenesis)

췌장 무발생은 아주 드물게 발생하며 다른 기형과 동반되거나 단독으로 발생할 수 있고 자궁내 성장 지연과 관련될 수 있다[21,22]. 영아의 대부분은 출산 후 곧 사망한다. 또한 배측 췌장만 발생하지 않거나 드물게 복측 췌장만 발생하지 않는 경우도 있다. 이런 경우에는 일부 정상 췌장 조직이 형성되기도 한다. 췌장 형성저하증(pancreatic hypoplasia)이 있는 경우도 있다. 이 경우 큰 췌관과 샘은 정상이지만 작은 관의 숫자는 감소되어 있고 말단 관 조직의 분화가 결여되어 있다[23].

6. 선천성 낭종(congenital cysts)

췌장의 선천성 낭종은 드문 질환이고 상피 세포의 유무로 가성낭종과 구분된다. 이러한 낭종은 췌관 조직의 비정상적인 발달로 생기고 원시 관조직에서 분리된 분절에서 현미경적 혹은 육안적 낭종들이 발생한다고 믿고 있다[24]. 선천성 낭종은 태아, 유아, 소아, 성인 모두에서 관찰될 수 있다. 단일 선천성 낭종은 드물다. 소아는 2세 이전에 대부분 발견되고 30%에서 동반 기형이 있다[25]. 임상 양상은 무증상의 종괴, 복부 팽만, 구토, 담도

폐쇄로 인한 황달 등이 있다. 증상이 있는 선천성 낭종은 가능하면 수술적 제거를 해야 한다.

7. 간외담관의 선천성 이상(congenital anomalies of the extrahepatic ducts)

부담관(accessory bile duct)은 간의 각 분절로 배액되는 이상 관(aberrant duct)이며 담낭(gallbladder), 담낭관(cystic duct), 좌우 간관(hepatic duct), 총담관(common bile duct)으로 직접 배액되기도 한다[26]. 드물게 우측 간관이 담낭이나 담낭관과 연결될 수 있다. 담관 수술을 하는 경우 의도하지 않은 절단 혹은 결찰을 막기 위해 담관조영술로 이런 기형은 확인하여야 한다.

총담관의 완전 중복(complete duplication)은 드물게 발생한다. 대부분의 경우 분리된 담관은 간의 우엽과 좌엽에 나누어져 배액되고 십이지장으로 열린다.

담낭관의 배액과 경로 변이는 흔하다[26]. 담낭관의 중복 역시 발생할 수 있다. 담낭 무발생(agenesis)에서는

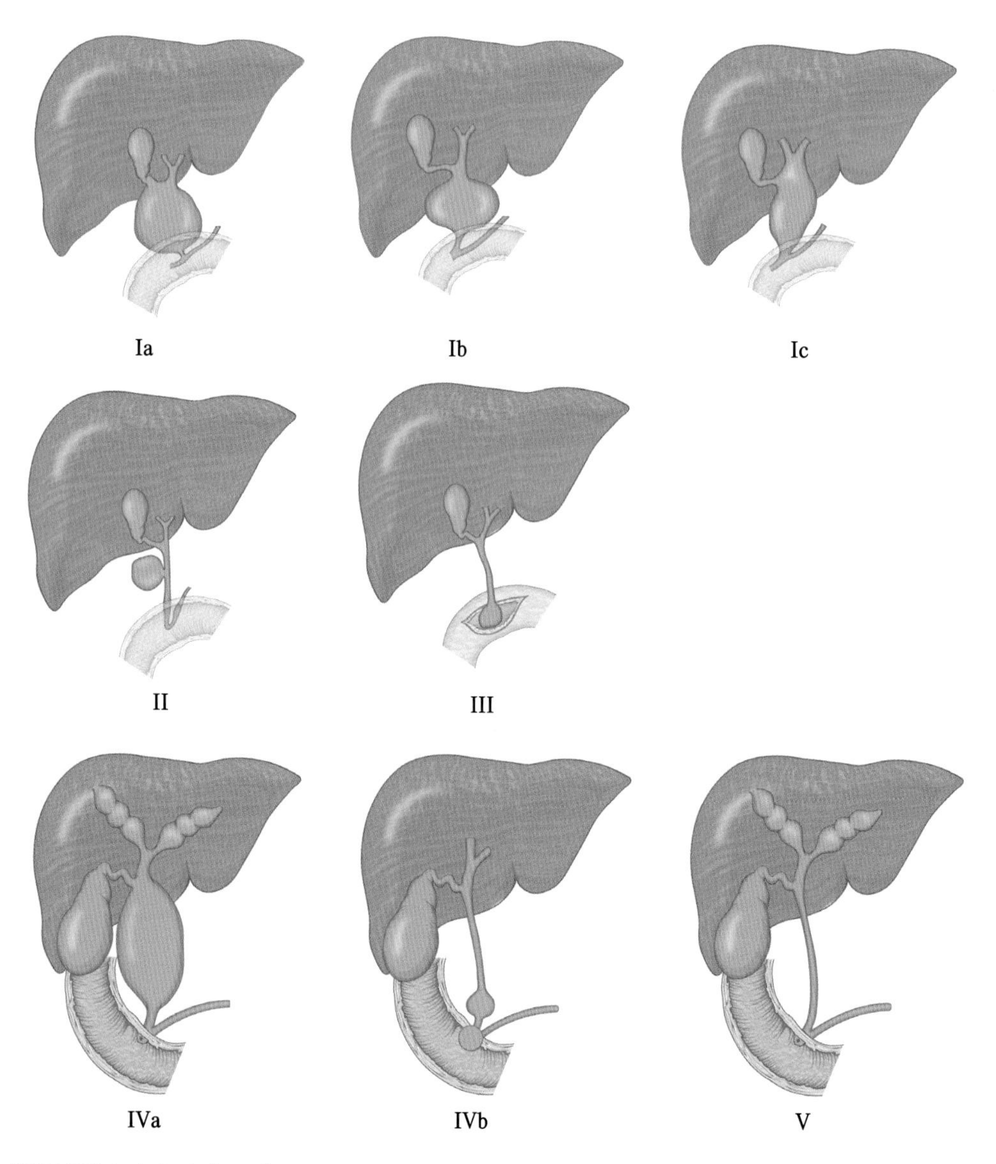

그림 3-3. **담관 낭종(choledochal cyst).**

담낭관이 대부분 존재하지 않는다. 드물게는 담낭관만 존재하지 않을 수 있어 이 경우에는 담낭에서 총간관(common hepatic duct)으로 바로 배액되기도 한다.

담관낭종(choledochal cyst)은 담관에 단발성 혹은 다발성으로 발생할 수 있는 낭성확장을 말한다. 비정상담췌관융합(anomalous union of pancreatobiliary duct, AUPBD)이 약 70%에서 나타난다. 담관 협착, 담석, 담관염, 담관 파열, 담관간경화(biliary cirrhosis)가 발생할 수 있으며 담관암과 밀접한 관련이 있다[27]. 현재 Todani 분류법을 가장 많이 이용하고 있다(그림 3-3). I형은 간외담관이 확장되는 형태로 낭종 근위부의 총간관과 간내담관은 정상이다. II형은 가장 드물며 간외담관의 게실형 확장으로 췌담관합류이상을 동반하지 않는다. III형은 십이지장내 간외담관의 국소 확장으로 총담관류(choledochocele)라고도 부른다. IV형은 간외담관과 간내담관이 모두 확장되는 형태로 가장 흔하다. V형은 간내담관에 국한된 낭종으로 Caroli disease라고 하며 단발성 혹은 다발성으로 발생한다. 종양 발생률은 I, II, III, IV, V형 각각 약 68%, 5%, 2%, 21%, 7~15%로 알려져 있으며 주로 I형과 IV형에서 발생한다[28-31]. 치료는 종양 발생의 위험성 때문에 담관낭종절제술을 시행한다.

References

1. Kang JK, Chung JB, Moon YM, Choi HJ. The normal endoscopic pancreatogram in Koreans. Korean J Intern Med 1989;4:74-9.
2. 서정훈, 이진헌, 박승우, 이준규, 정재복, 송시영, 강진경. 내시경적 역행성 담췌관 조영술상 췌관의 형태와 질환과의 관계. 대한소화기내시경학회지 2000;20:14-20.
3. 김명환, 임병철, 박현주 등. 한국인 췌담관의 정상 구조 및 기형에 대한 연구: 다기관 협동 조사. 대한소화기내시경학회지 2000;21:624-32.
4. Dowsett JF, Rude J, Russell RCG. Annular pancreas. A clinical endoscopic and immunohistochemical study. Gut 1989;30:130-5.
5. Salonen IS. Congenital duodenal obstruction-a review of the literature and a clinical study of 66 patients, including a histopathological study of annular pancreas and a follow-up of 36 survivors. Acta Paediatr Scand(Suppl) 1978;272:1-87.
6. Ravitch NM. The pancreas in infants and children. Surg Clin North Am 1975;55:377-85.
7. Kiernan PD, ReMine SG, Kiernan PC, ReMine WH. Annular pancreas: Mayo Clinic experience from 1957 to 1976 with review of the literature. Arch Surg 1980;115:46-50.
8. Dawson W, Langman V. An anatomical-radiological study of the pancreatic duct pattern in man. Anat Rec 1961;139:59-68.
9. Smanio T. Proposed nomenclature and classification of the human pancreatic ducts and duodenal papillae. Study based on 200 postmortems. Int Surg 1969;52:125-41.
10. Sahel J, Cros RC, Bourry J, Sarles H. Clinico-pathological conditions associated with pancreas divisum. Digestion 1982;23:1-8.
11. Delhaye M, Engelholm L, Cremer M. Pancreas divisum: Congenital anatomic variant or anomaly? Contribution of endoscopic retrograde dorsal pancreatography. Gastroenterology 1985; 89:951-8.
12. Cotton PB. Congenital anomaly of pancreas divisum as cause of obstructive pain and pancreatitis. Gut

1980;21:105-14.
13. Bhutani MS, Hoffman BJ, Hawes RH. Diagnosis of pancreas divisum by endoscopic ultrasonography. Endoscopy 1999;31:167-9.
14. Bret P, Reinhold C, Taourel P, et al. Pancreas divisum: Evaluation with MR cholangiopancreatography. Radiology 1996;199:99-103.
15. Coleman SD, Eisen GM, Troughton AB. Endoscopic treatment in pancreas divisum. Am J Gastroenterol 1994;89:1152-5.
16. Lans JI, Geenen JE, Johanson JF. Endoscopic therapy in patients with pancreas divisum and acute pancreatitis: A prospective, randomized, controlled clinical trial. Gastrointest Endosc 1992;38:430-4.
17. Lehman GA, Sherman S, Nizi R. Pancreas divisum: Results of minor papilla sphincterotomy. Gastrointest Endosc 1993;39:1-8.
18. Warshaw AL, Simeone JF, Schapiro RH. Evaluation and treatment of the dominant dorsal duct syndrome (pancreas divisum redefined). Am J Surg 1990;159:59-64.
19. Richter JM, Schapiro RH, Mulley AG, Warshaw AL. Association of pancreas divisum and pancreatitis, and its treatment by sphincteroplasty of the accessory ampulla. Gastroenterology 1981;81:1104-10.
20. Dolan RV, ReMine WH, Dockerty MB. The fate of heterotopic pancreatic tissue. A study of 212 cases. Arch Surg 1974;109:762-5.
21. Wakany J, Passarge E, Smith LB. Congenital malformations in autosomal trisomy syndromes. Am J Dis Child 1966;112:502-17.
22. Lemons JA, Ridenour R, Orsini EN. Congenital absence of the pancreas and intrauterine growth retardation. Pediatrics 1979;64:255-7.
23. Bodian M. Fibrocystic Disease of the Pancreas. New York, Grune and Stratton, 1953.
24. Cotran RS, Kumar V, Robbins SL. Robbins Pathologic Basis of Disease. Philadelphia, WB Saunders, 1989.
25. Auringer ST, Ulmer JL, Sumner TE, Turner CS. Congenital cyst of the pancreas. J Pediatr Surg 1993; 28:1570-1.
26. Adkins RB Jr, Chapman WC, Reddy VS. Embryology, anatomy, and surgical applications of the extrahepatic biliary system. Surg Clin North Am 2000;80:363-79.
27. Søreide K, Søreide JA. Bile duct cyst as precursor to biliary tract cancer. Ann Surg Oncol 2007;14:1200-11.
28. Todani T, Tabuchi K, Watanabe Y, Kobayashi T. Carcinoma arising in the wall of congenital bile duct cysts. Cancer 1979; 44:1134-41.
29. Ohtsuka T, Inoue K, Ohuchida J, et al. Carcinoma arising in choledochocele. Endoscopy 2001;33:614-9.
30. Singham J, Yoshida EM, Scudamore CH. Choledochal cysts: part 1 of 3: classification and pathogenesis. Can J Surg 2009;52:434.
31. Dayton MT, Longmire WP Jr, Tompkins RK. Caroli's Disease: a premalignant condition? Am J Surg 1983;145:41-8..

췌장기능의 생리 및 병태생리

PHYSIOLOGY AND PATHOPHYSIOLOGY OF PANCREATIC FUNCTIONS

CHAPTER 04

췌장 외분비: 기전 및 조절

Pancreatic exocrine secretion: mechanism and control

이진헌

서론

췌장은 음식물 섭취에 의해 여러 소화 효소와 중탄산염을 포함한 췌액을 십이지장내로 분비하며 이과정은 각종 위장관 호르몬과 위 십이지장 신경 반사(gastroduodenal neural reflex) 및 흡수된 영양소에 의해 조절된다. 이러한 외분비 기능은 섭취된 각종 음식물에 대한 소화와 영양분 흡수에 매우 중요하다. 따라서 적절한 췌장의 소화액 분비가 없다면, 음식 섭취와 상관없이 영양불량과 영양실조를 피하기 어렵고 이에 따른 각종 질환 및 합병증에 시달리게 된다.

1. 섭취된 음식물에 대한 반응

음식물에 대한 췌장의 소화액 분비는 섭취한 음식물의 위치에 따라 일부 중복은 있을 수 있지만 크게 4 단계로 구분되는데 즉, 두부단계(cephalic phase), 위장단계(gastric phase), 소장단계(intestinal phase), 및 영양분흡수 단계(absorbed nutrient phase)이다. 이러한 각 단계마다 위장관 신경계와 근거리 분비 호르몬(paracrine hormone)에 의해 단계별 외분비 조절이 적절히 시행되면서 음식물의 소화와 흡수가 정상적으로 이루어진다.

1) 두부단계(cephalic phase)

음식물에 대한 시각, 후각, 미각 및 삼키기 전의 저작작용(mastication)과 같은 감각적인 요소만으로도 췌장의 소화액은 분비가 되는데, 이러한 단계를 두부단계라고 한다. 놀랍게도 총 췌장 외분비의 약 20~25%가 이미 두부단계에서 발생하는데, 이러한 추정치는 위이법(가짜음식 또는 sham feeding)으로 얻은 연구 데이터이다[1]. 인간에서 가짜 먹이에 대한 췌장 반응은 약 60분 동안 지속되지만 개에서는 4시간 이상 지속된다[2]. 가짜 음식 섭취에서 분비되는 소화액은 상대적으로 중탄산염은 적지만 효소가 풍부하여 췌관세포(ductal cell)보다 세엽세포(acinar cell)가 더 자극받는다는 것을 알 수 있다[1]. 이 단계에서는 또한 긴 사슬 지방산(long chain fatty acid)에 대한 구강내 수용체 반응도 관련이 있는 것으로 알려져 있다[3].

두부단계에서 발생한 감각은 뇌간(brain stem)에 통합되어 미주 신경을 통해 외분비 췌장으로 전달된다[4].

콜린성 작용제(cholinergic agonists)는 두부단계에서의 자극과 비슷한 효과를 내며 미주신경 절단 시 이러한 효과가 없어지는 것으로 보아, 미주 신경에 의해 방출되는 아세틸콜린(acetylcholine)이 췌장의 외분비 기능을 유도하는 주요 기전임을 시사한다[5]. 또한 아세틸콜린 차단제는 위이법에 의해 증가된 췌장 폴리 펩타이드(PP)와 췌분비 호르몬의 분비까지 줄여준다. 이 단계에서 혈관활동성장펩타이드(VIP)와 가스트린방출펩타이드(GRP) 그리고 갑상선자극방출호르몬(TRH) 등이 췌장의 외분비 기능을 자극하나, 뇌칼시토닌유전자관련펩타이드(CGRP) 등은 교감신경계를 통해 길항작용을 한다[6].

2) 위장단계(gastric phase)

위장에 음식이 들어가면 위장단계가 시작되는데, 실제로 마취가 되지 않은 동물의 위장관내 음식 투여로 인한 신경반사 및 호르몬 검사를 시행하기는 쉽지 않았다. 따라서 이 단계에 관한 생리학적 자료는 대부분 위장관내 풍선 팽창 또는 전정부내 L-tube 를 통한 음식 투여로 유도된 연구에 의한 것인데, 위 내용물이 십이지장으로 진행하는 것을 막는 실험에서 보면 위장단계는 췌장 분비의 약 10%를 차지하는 것으로 나타났다. 이 단계 역시 주로 중탄산염보다는 효소가 주로 분비되어 췌관세포(ductal cell)보다 세엽세포(acinar cell)가 더 자극받는다는 것을 알 수 있다[7]. 이 단계에서 가스트린의 역할은 불분명하다. 전정부가 알칼리성 음식으로 팽창이 되면 가스트린이 그 정도에 따라 분비되는 것은 알려져 있으나, 실제로 이 가스트린이 췌장의 외분비 자극을 한다는 명확한 연구 결과는 없다. 실제 동물실험에서 투여된 외부 가스트린이 췌장의 외분비 기능을 자극하는 것은 알려져 있으나, 투여된 용량이 일반 생리적 용량의 수배에 달하는 것으로 알려져, 실제로 체내 가스트린이 췌장의 외분비 기능을 자극한다고 보기 어렵다.

미주 신경은 위장단계에서도 중요한 역할을 하는데 마취 된 고양이를 이용한 초기 실험에서 전정부의 확장은 부교감신경 자극을 통해 췌장 아밀라아제의 분비를 유도하였는데, 이러한 결과는 개에서도 유사하였다[8]. 헥사메쏘늄(hexamothonium)과 아트로핀은 이러한 전정부췌장반사(antropancreatic reflex) 작용을 차단하는데, 특히 아트로핀과 미주신경 절단에 의한 췌장의 외분비 기능감소는 전정부 자극에 의해 시작되고 췌장의 외분비 기능이 일어나는 최종단계에 이러한 부교감 신경체계가 매우 중요함을 암시하고 있다[9].

위장에서는 이미 펩신과 위장 리파아제가 각각 단백질과 지방을 펩타이드 및 트리글리세라이드와 지방산으로 분해하기 시작하고 탄수화물 역시 타액 아밀라아제에 의해 지속적으로 소화가 되고 있는 상태이다. 이 가운데 단백질 소화물질과 산성 유미즙(chyme) 등의 십이지장 이동은 췌장의 외분비에 매우 강한 자극을 하며, 이에 못지않게 중요한 것은 이러한 음식물의 위장에서 배출되는 속도이다. 임상 환경에서 위 배출 속도를 늦추는 외과 수술은 췌장의 외분비를 감소시킨다[10].

(1) 위산의 역할

췌장의 외분비에 대한 위산의 생리적 효과는 위산을 누관으로 빼내 없앤다든지 또는 산성 용액을 십이지장 내로 직접 주입하는 것과 같은 다양한 방법으로 시행되었다. 위산과 외인성 HCl은 모두 췌장 중탄산염의 강력한 분비 인자이며 이는 미주신경과 세크레틴 및 CCK와 같은 호르몬에 의해 조절된다. 이러한 생리 효과는 위산의 농도에 비례하는데, 이는 십이지장내의 pH 변화가 이러한 췌장의 외분비 기능에 중요한 영향을 미침을 시사한다. 다양한 pH(pH 1~5)의 음식물 투여 시 pH 3.0에서 최대 췌장 외분비 반응을 되었으며, 이는 외인성 세크레틴 투여로 얻은 결과와 비슷하였다[11]. 이러한 산성 물질에 대한 췌장의 반응은 십이지장에서부터 근위부 공장까지 두드러지는 것을 보아 근위부 소장이 위산에 민감함을 알 수 있다. 일반적으로 십이지장내로 의 위 내용물의 유입 시작 시 십이지장내 초기 pH는 약 2.0~3.0의 산성 환경이나 음식물의 마지막이 유입될 시점에서는 이미 알칼리성 pH를 유지한다[12]. 물론 이러한 pH의 차이는 췌장의 중탄산염 방출에 기인한다.

췌장의 중탄산염 분비반응은 순전히 자유 수소 이온(free H^+)의 농도에 의존하며 십이지장으로 들어가서 이미 완충된 산의 총 부하와는 상관없다. 따라서 자유 수소 이온의 분비를 줄여 위산을 억제시키는 효과를 지닌 시메티딘(H_2 수용체 차단제) 또는 오메프라졸(H^+/K^+ ATPase 억제제) 투여 시 식사에 대한 췌장의 중탄산염 분비는 실질적으로 줄어든다. 현재 알려져 있기로 십이지장내로 들어오는 음식물의 pH 4.5 이상에서는 췌장 중탄산염 분비가 거의 없었고 pH 4.0 미만에서는 분비가 증가하기 때문에 pH 4.5가 췌장 중탄산염 분비 자극에 중요한 기준점임을 시사한다[13].

3) 소장단계(intestinal phase)

십이지장으로의 음식물 진입에 의해 췌장의 혈류증가 및 췌장 소화액 분비의 대다수(50~80%)가 발생하며 이 단계 역시 주변 호르몬 및 신경 기전으로 조절된다. L-tube 등으로 음식물을 소장으로 투여하면서 하는 이러한 소장단계의 연구가 위의 음식배출속도와 관련이 없기 때문에 위장단계 연구보다 쉬운 것으로 알려져 있다. 이 단계에서는 췌장의 효소와 중탄산염의 분비가 매우 활발히 일어나고, 실제로 췌장 아밀라제는 쏘듐올레이트(sodium oleate), 모노글리세라이드, 펩티드 및 아미노산(특히 트립토판과 페닐알라닌)과 같은 물질에 의하여 분비된다[14]. 또한 십이지장에서 대량의 중탄산염이 방출되어 위장에서 내려온 음식물은 그 산도가 중화됨에 따라 췌장 효소에 의해 보다 효율적으로 음식물이 분해되어 결국 장세포에 흡수되기 용이하게 된다. 앞에서 언급한 바와 같이 이 단계에서 췌장의 소화액 분비는 주변 호르몬과 신경기전에 의해 중재 되는데, 주로 세크레틴(secretin) 및 CCK 호르몬 및 장관췌장반사(enteropancreatic reflex)에 의해 조절된다.

십이지장 내로의 낮은 pH 음식물의 진입은 십이지장 벽 내 S-세포를 자극하여 혈중내 세크레틴 분비를 자극하고 세크레틴은 다시 췌관 세포을 자극하여 중탄산염을 장내 방출시키나, 사실 세크레틴은 미미하지만 세엽세포 자극 및 일부 효소 분비에도 역할을 한다. 또한 세크레틴 외부 주입량에 비해 실제 인체 내 중탄산염 분비가 예상만큼 많지 않은 것으로 보아 다른 요소 역시 관여하리라 생각된다. CCK는 십이지장의 장내분비세포(enteroendocrine cell)에서 단백질과 지방의 분해된 상태인 펩티드와 지방산에 의해 자극받아 분비되며 만성췌장염 모델 개를 대상으로 한 실험에서 CCK 길항제는 췌장의 단백질에 대한 반응 감소를 보여주었고, 이러한 현상은 인체를 대상으로 한 연구에서도 관찰되었다[15]. 부교감 신경계가 십이지장 단계에서 중요한 역할을 하는데, 세크레틴이 없는 경우 아트로핀은 부분적으로 십이지장의 산성 유미즙에 의해 자극되는 췌장의 중탄산염 분비를 억제한다. 또한 아트로핀은 식사 섭취 후 30~120분 동안 췌장 효소 분비를 억제하는 것은 부교감 신경이 이 과정에 밀접히 작용함을 시사한다. 즉, M1 및 M3 무스카린성 수용체 및 CCK 수용체에 의해 매개되는 미주신경반사(vagovagal reflex) 및 소장췌장반사(enteropancreatic reflex)가 관여된다[16].

회장내 영양소가 췌효소에 미치는 영향을 보면 Spiller 등[17]은 공장내 지방관류 시 아밀라제 분비가 증가하였다고 하였다. Tohno 등[18]은 개에서 탄수화물 관류 시 췌효소 중 아밀라제 분비가 증가하였으며, peptide YY호르몬이 관여함을 보고하였고, 정 등[19]은 회장내 단백관류 시에도 췌효소(아밀라제, 리파아제, 트립신)분비가 증가하였는데, 특히 아밀라제 분비가 통계적으로 의의있게 증가하면서, neurotensin(NT) 호르몬이 의미있는 상승을 보였다고 하였다. 즉 회장내 영양소의 종류에 상관없이 아밀라제 분비가 증가함을 알 수 있다[19].

(1) 지방의 역할

음식물 속의 지방은 대부분 중성지방(triglyceride)으로 이루어져 있으며, 그 외에도 콜레스테롤, 인지질(phospholipid)이 포함되어 있다. 이러한 지방 음식물은 췌장 효소뿐만 아니고 중탄산염 분비 역시 촉진한다. 사람에서 십이지장내 모노올레인(monoolein) 투여는 정맥 내 CCK 주사와 같은 정도로 췌장 효소 분비가 크다. 대조적으로 리파아제 없이 십이지장 내로 직접 투여 된 트리글리세라이드 및 글리세롤은 췌장 분비 유도효과가 거의 없고 지방산이 췌장의 외분비를 자극하는 주요 물질로 알려져 있다[20]. 중성지방은 소장 내에서 지방산, 글리세롤 및 모노글리세라이드(monoglyceride)로 가수분해된다(그림 4-1). 지방 중에서 탄소수가 많지 않은 지방의 경우 분해되었을 때에 글리세롤과 탄소 수 10개 이하의 지방산을 형성하게 되는데, 이들은 가용성이므로 소장점막을 통해 직접 문맥으로 수동적인 흡수를 할 수 있다. 그러나 음식물 속에 포함된 지방은 탄소 수가 많은 지방이 대부분으로, 이들이 가수분해 되면 글리세롤과 탄소 수 14개 이상인 지방산 및 모노글리세리드를 형성하게 된다. 따라서 탄소수가 많으면 반사작용으로 췌장의 외분비 기능을 향상시키는 것으로 과거에는 알려졌으나, 이후 연구결과는 상이하여 아직까지 확인되지 못하였다. 현재로는 미셀(micelle)형태의 물질만 췌장 외분비에 영향을 주는 것으로 알려져 있다. 지방 투여 경로 또한 췌장 분비에 영향을 미친다. 지방 정맥 투여는 췌장 분비를 일으키지 않았고, 십이지장 내 투여는 단백질, 중탄산염 및 체액 분비를 증가시켰다[21].

(2) 단백질, 펩티드 및 아미노산의 역할

개, 쥐 및 인간에서 수행 된 연구에 따르면 단백질, 펩타이드 및 아미노산은 췌장의 외분비를 자극하지만 그 정도는 종에 따라 반응이 다른 것으로 알려져 있다. 사람의 아미노산 정맥 내 주입은 췌장 소화 효소와 중탄산염 분비를 자극했지만 개에게 정맥 내 주입 시 효과가 없었다. 정맥 내 주입과 달리 개에게 아미노산의 십이지장 내 전달은 췌장액, 중탄산염 및 단백질 분비를 유도한다. 이는 췌장 분비에 대한 투여 경로의 중요성을 시사한다. L-아미노산만이 종과 상관없이 췌장 외분

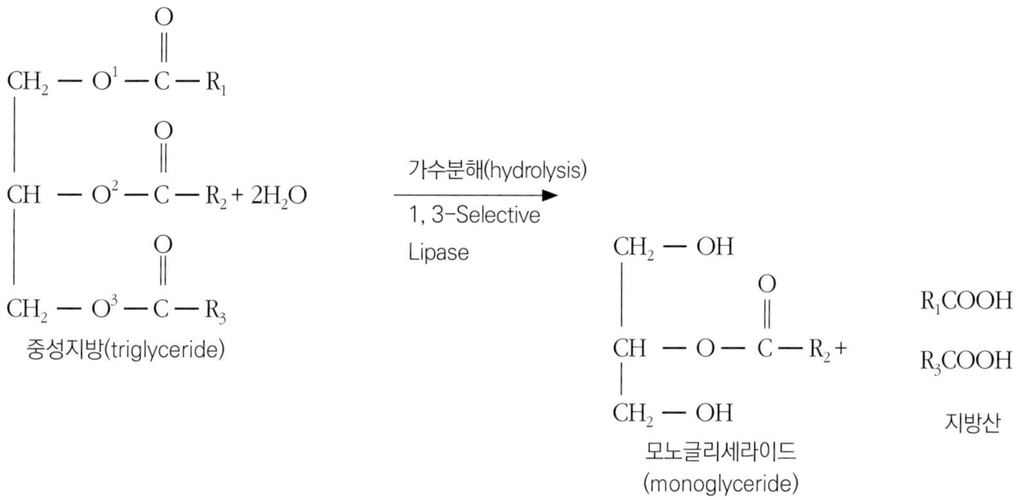

$CH_2-O^1-C(=O)-R_1$

$CH-O^2-C(=O)-R_2 + 2H_2O$

$CH_2-O^3-C(=O)-R_3$

중성지방(triglyceride)

가수분해(hydrolysis) → 1, 3-Selective Lipase

CH_2-OH

$CH-O-C(=O)-R_2$ +

CH_2-OH

모노글리세라이드(monoglyceride)

R_1COOH

R_3COOH

지방산

그림 4-1. 중성지방의 가수분해 과정으로 췌장 리파아제에 의해 생성된 지방산(fatty acid)이 췌장의 외분비를 자극하는 주요 물질이다.

비를 일관적으로 자극하며 이는 이들 입체 이성질체의 성질상 갖는 생리학적 특성이다. 또한 이런 아미노산 중에서 페닐알라닌 및 트립토판과 같은 방향족 아미노산이 가장 큰 자극효과를 갖는다[22].

방향족 아미노산은 췌장 분비 자극에 매우 효과적이지만 실제 장내에는 각각의 아미노산 보다는 펩타이드가 대부분으로 결국 이에 의해 췌장의 소화효소 분비가 좌우되며, 따라서 페닐알라닌과 트립토판을 포함하는 펩타이드는 췌장 분비의 효과적인 자극제가 된다. 염산으로 아미노산과 펩타이드를 산성화하면 중탄산염 반응이 강화되지만 췌장 효소 분비는 산이 유무에 따라 영향받지 않는다.

아미노산의 십이지장 내 투여에 대한 췌장 분비 반응은 농도 의존성인 것으로 보인다. 트립토판 같이 보다 강력한 방향족 아미노산이 3 mM 농도로 췌장의 외분비 자극이 가능하나, 통상 대부분의 아미노산은 8 mM의 최소 농도가 필요하다[23]. 아미노산에 자극받은 장의 길이 또한 췌장 분비에 있어 중요한 요인이다. 개의 경우 첫 10 cm의 노출은 효과가 적었고 전체 소장에서 아미노산에 반응을 한다. 따라서 췌장의 효소 생산량은 아미노산의 농도뿐만이 아니고 전체 장에 노출된 아미노산의 양도 중요함을 알 수 있다. 그러나 사람의 경우 아미노산은 십이지장으로 투여될 때만 췌장 분비를 자극했으며 회장 투여 시 반응을 보이지 않았다. 따라서 지방과 마찬가지로 췌장 분비를 자극하는 주요 메커니즘은 소장의 근위부에 국한된 것으로 보여진다.

(3) 담즙과 담즙산의 역할

담즙은 간세포에서 생산되며 담즙산, 콜레스테롤 및 유기 분자의 복합 혼합물이다. 콜레이트(cholate), 데옥시콜레이트(deoxycholate) 및 케노데옥시콜레이트(chenodeoxycholate)와 같은 담즙산은 글리신(glycine) 또는 타우린(taurine)과 합쳐져 용해도가 증가한다. 장에서 담즙산은 지방산, 모노아실 글리세롤(monoacylglycerol) 및 지질의 유화 및 흡수를 돕고 췌장 리파아제와 그 보조 리파아제의 결합을 촉진하여 지방 분해를 촉진한다.

담즙성분에 대한 췌장의 반응도 종에 따라 다른데, 사람에서 소의 담즙을 주입하면 액상, 중탄산염 및 효소 등 췌장 외분비 기능이 활발해진다[24]. 그러나 담즙산을 아미노산이나 지방과 병용 투여 한 일부 연구에서는 췌장 효소 분비의 억제가 관찰되었다. 담즙산이 CCK 방출을 억제하여 담낭을 이완시키는 네가티브 피드백 메커니즘이 작용한다고 알려져 있으나 그 과정은 완전히 이해되지 않았다.

4) 영양분흡수 단계(absorbed nutrient phase)

영양분이 장내 점막에서 흡수되면 영양분흡수단계가 시작되는데 이때 흡수된 영양소는 췌장의 세엽세포를 직접적으로 자극하거나, 호르몬 및 신경 회로를 활성화시켜 간접적으로 췌장의 외분비 기능을 조절한다. 췌장의 분비를 자극함에 있어 아미노산의 정맥 내 투여는 트립신과 키모트립신 분비량을 증가시키지만 리파아제 또는 아밀라아제는 증가시키지 못한다. 즉, 췌장의 외분비를 자극함에 있어 정맥 내 지질과 포도당 투여에 대한 확실한 증거는 없다. 아미노산의 십이지장 내 투여는 췌장 분비를 크게 증가시키기 때문에 정맥 내 아미노산 주입은 호르몬 또는 간접 효과에 의해 췌장의 외분비를 일으키는 것으로 이해하고 있다[25]. 췌장 분비에 대한 점막으로 흡수된 영양소의 역할은 잘 이해되지 않고 있으며 이러한 효과를 완전히 조사하기 위해서는 추가적인 연구가 필요하다.

2. 췌장 분비의 피드백 조절

췌장은 내분비 기능을 담당하는 랑게르한스섬(islands of Langerhans) 내에 있는 α, β, δ, ε, PP (F)세포 등에 의해 인슐린, 글루카곤, 소마토스타틴, 그렐린, 아밀린 및 췌장분비 펩타이드 등이 분비되나, 췌장의 90%는 세엽세포가 차지하고 있다. 이 세엽세포가 십이지장 내로 들어온 음식물에 반응하여 아밀라제, 트립신, 키모트립신 등의 소화효소와 중탄산액을 십이지장내로 분비하나 이외에도 많은 물질이 관여한다. 세부적인 조절 제어 역할을 간략히 정리하면 하기의 표와 같다(표 4-1).

표 4-1. **췌장 외분비의 조절.**

AGENT	TYPE OF SECRETION	SITE OF ACTION
STIMULATE		
Neurotransmitter		
Acetylcholine	Protein	Acinar cell
	Bicarbonate	Acinar cell
Gastrin Releasing Peptide (GRP)	Protein	Acinar cell
Neuromedin C	Protein	Acinar cell
Pituitary adenylate cyclase-activating polypeptide ituitary (PACAP)	Bicarbonate, Protein	Acinar cell
Neurotension	Bicarbonate, Protein	Direct effect on acinar cells;indirect effect via dopamine and bile acids
Substance P	Protein, Fluid, Bicarbonate	Acinar cell, ductal cell
Calcitonin Gene Related Peptide	Protein	Perivascular nerves
Cholecystokinin (CCK)	Protein	Acinar cell
Peptide Histidine Isoleucine	Bicarbonate, Fluid	Pancreatic nerves, ganglia, blood vessels, acinar cells
Catecholamine	Protein	Acinar cell
Dopamine	Protein, Fluid, Bicarbonate	Acinar cell, blood vessels, ?
Serotonine	Protein	Paracrine effect via vagal afferent fibers in duodenal mucosa
Nitric Oxide	Fluid, Protein	Acinar cell, nerve terminals
Hormone		
Secretin	Bicarbonate, Fluid, Protein	Acinar cell, ductal cell
A-Natriuretic Peptide	Fluid, Protein	Acinar cell
C-Natriuretic Peptide	Protein	Acinar cell
Insulin	Protein	Acinar cell
Bombesin	Protein, Bicarbonate	Acinar cell
Melatonin	Protein	Acinar cell
Amylin	Amylase release from AR42J cells	?
Histidine	FluidProtein	Presynaptic parasympathetic nerve terminals;Acinar cell

INHIBIT		
Neurotransmitter		
Calcitonin Gene Related Peptide	Protein	Neurons
Neuropeptide Y	Protein	Neurons
Hormone		
Peptide YY	Fluid, Protein	Smooth muscle cells of blood vessels
Pancreatic polypeptide	Protein	?
Somatostatin	Protein	Acinar cell, ganglia, cholinergic neurons
Galanin	Fluid, Protein	Acinar cell
Pancreastatin	Fluid, Protein	Blood vesses?
Glucagon	Bicarbonate, Protein	Acinar cell
Ghrelin	Protein	Intrapancreatic neurons
Leptin	Protein	Neurons
Adrenomedullin	Protein	Acinar cell

References

1. Anagnostides A, Chadwick VS, Selden AC, Maton PN. Sham feeding and pancreatic secretion. Evidence for direct vagal stimulation of enzyme output. Gastroenterology 1984;87:109-14.
2. Sarles H, Dani R, Prezelin G, Souville C, Figarella C. Cephalic phase of pancreatic secretion in man. Gut 1968;9:214-21.
3. Hiraoka T, Fukuwatari T, Imaizumi M, Fushiki T. Effects of oral stimulation with fats on the cephalic phase of pancreatic enzyme secretion in esophagostomized rats. Physiol Behav 2003;79:713-7.
4. Furukawa N, Okada H. Effects of stimulation of the hypothalamic area on pancreatic exocrine secretion in dogs. Gastroenterology 1989;97:1534-43.
5. Becker S, Niebel W, Singer MV. Nervous control of gastric and pancreatic secretory response to 2-deoxy-D-glucose in the dog. Digestion 1988;39:187-96.
6. Messmer B, Zimmerman FG, Lenz HJ. Regulation of exocrine pancreatic secretion by cerebral TRH and CGRP: role of VIP, muscarinic, and adrenergic pathways. Am J Physiol Gastrointest Liver Physiol 1993;264:G237-42.
7. Vagne M, Grossman MI. Gastric and pancreatic secretion in response to gastric distention in dogs. Gastroenterology 1969;57:300-10.
8. Debas HT, Yamagishi T. Evidence for pyloropancreatic reflux for pancreatic exocrine secretion. Am J Physiol Endocrinol Metab 1978;234:E468-71.
9. White TT, Lundh G, Magee DF. Evidence for the existence of a gastropancreatic reflex. Am J Physiol Gastrointest Liver Physiol 1960;198:725-8.
10. Macgregor I, Parent J, Meyer JH. Gastric emptying of liquid meals and pancreatic and biliary secretion

after subtotal gastrectomy or truncal vagotomy and pyloroplasty in man. Gastroenterology 1977;72:195-205.

11. Dembinski A, Konturek SJ, Thor P. Gastric and pancreatic responses to meals varying in pH. J Physiol 1974;243:115-28.
12. Rune SJ. pH in the human duodenum. Its physiological and pathophysiological significance. Digestion 1973;8:261-68.
13. Dembinski A, Konturek SJ, Thor P. Gastric and pancreatic responses to meals varying in pH. J Physiol 1974;243:115-28.
14. Dale WE, Turkelson CM, Solomon TE. Role of cholecystokinin in intestinal phase and meal-induced pancreatic secretion. Am J Physiol Gastrointest Liver Physiol 1989;257:G782-90.
15. Gabryelewicz A, Kulesza E, Konturek SJ. Comparison of loxiglumide, a cholecystokinin receptor antagonist, and atropine on hormonal and meal-stimulated pancreatic secretion in man. Scand J Gastroenterol 1990;25:731-8.
16. Singer MV, Niebergall-Roth E. Secretion from acinar cells of the exocrine pancreas: role of enteropancreatic reflexes and cholecystokinin. Cell Biol Int 2009;33:1-9.
17. Spiller RC, Trotman IF, Adrian TE, Bloom SR, Misiewicz JJ, Silk DBA. Further characterization of the 'ileal brake' reflex in amn--effect of ileal infusion of partial digests of fat, protein, and starch on jejunal motility and release of neurotensin, enteroglucagon, and peptide YY. Gut 1988;29(8):1042-51.
18. Tohno H, Sarr MG, DiMagno EP. Intraileal carbohydrate regulates canine postprandial pancreatobiliary secretion and upper gut motility. Gastroenterology 1995;109:1977-85.
19. 정재복, 송시영, 정준표, 등. 개에서 회장내 단백이 췌효소 및 담즙분비와 위배출 및 소장주행 시간에 미치는 영향. 대한소화기병학회지 1993;25:1135-47.
20. Meyer JH, Jones RS. Canine pancreatic responses to intestinally perfused fat and products of fat digestion. Am J Physiol Gastrointest Liver Physiol 1974;226:1178-87.
21. Niederau C, Sonnenberg A, Erckenbrecht J. Effects of intravenous infusion of amino acids, fat, or glucose on unstimulated pancreatic secretion in healthy humans. Dig Dis Sci 1985;30:445-55.
22. Fink AS, Miller JC, Jehn DW, Meyer JH. Digests of protein augment acid-induced canine pancreatic secretion. Am J Physiol Gastrointest Liver Physiol 1982;242:G634-41.
23. Meyer JH, Kelly GA, Spingola LJ, Jones RS. Canine gut receptors mediating pancreatic responses to luminal L-amino acids. Am J Physiol Gastrointest Liver Physiol 1976;231:669-77.
24. Osnes M, Hanssen LE, Lehnert P, et al. Exocrine pancreatic secretion and immunoreactive secretin release after repeated intraduodenal infusions of bile in man. Scand J Gastroenterol 1980;15:1033-39.
25. Konturek SJ, Tasler J, Cieszkowski M, Jaworek J, Konturek J. Intravenous amino acids and fat stimulate pancreatic secretion. Am J Physiol Physiol Endocrinol Meta 1979;236:E678-84.

CHAPTER 05

췌장의 효소 및 소화

Pancreatic enzymes and digestion

이진헌

서론

췌장은 인체에서 가장 많이 단백질을 합성하는 장기이다. 그 대부분의 단백질은 음식물을 소화시키기 위한 효소의 생성에 기인한다. 췌장의 효소는 음식물을 소화시키기 위해 췌장의 세엽세포(acinar cell)에서 십이지장으로 방출하는 화학적 촉매제이다. 소위 이러한 췌장 외분비기능의 산물인 췌장 소화액은 효소와 점액 그리고 중탄산염이 포함되는데 하루에 췌장에서 방출되는 소화액은 약 1 L 정도이다. 췌장은 또한 인슐린 및 글루카곤 등의 혈당 조절을 위한 내분비 호르몬을 혈액내로 분비하는데, 이 역시 소화효소 방출에 일부 기여한다. 그러나 결국 섭취한 음식물 즉, 탄수화물, 단백질 및 지방 등을 보다 잘게 부수어 소장 점막내로 흡수되기 용이한 형태로 바꾸는데 결정적인 역할을 하는 것은 췌장에서 분비된 효소 그 자체이다[1]. 췌장 효소는 주로 음식물의 가수분해 과정에 관여하며, 구강에서의 저작작용과 위장의 연동운동에 의한 음식물 분쇄 과정을 포함한 이 과정을 '소화' 라 한다. 작아진 분자량의 영양분, 수분, 미네랄 및 비타민 등이 위장관 점막을 통해 모세 혈관이나 림프관으로 이동하는 것을 '흡수' 라 한다.

1. 췌장의 분비 효소

췌장에서 분비되는 효소는 대략 다음과 같다. 먼저 탄수화물을 분해시키기 위한 아밀라제, 지방 분해를 위한 리파아제, 콜레스테롤에스터라제(cholesterol esterase), 프로포스포리파아제(prophospholipase I, II) 단백질 분해를 위한 트립시노겐(trypsinogens 1, 2, 3), 키모트립시노겐(chymotrypsinogen A, B), 프로카르복시펩티다제(procarboxypeptidase A(1, 2), B(1, 2)), 프로엘라스타제(Proelastase) 및 DNA 와 RNA를 분해하기 위한 효소(DNase, RNase) 등이 있다. 이 가운데 상당수는 방금 언급된 바와 같이 한 가지 이상의 형태로 존재한다(예, cationic trypsinogen, anionic trypsinogen, mesotrypsinogen). 그리고 이러한 효소는 음식물의 세포와 핵산에 심각한 손상을 일으키고 소화를 시킬 수 있다. 따라서 이러한 효소로 부터 췌장 자체가 보호받기 위해 여러 가지 기전이 동반되는데 대표적인 것이 불활성화된 전구체(precursor)로 방출되는 것과 산성의 효소원과립(acidic zymogen granule) 형태로 십이지장 내로 배출되는 것이다. 이러한 전효소(proenzyme)은 십이지장 내로 들어왔을 때 비로소 활성화된다(그림 5-1). 즉,

트립시노겐이 십이지장내로 들어왔을 때 장상피세포의 융모에 있는 당단백분해효소인 엔테로키나제에 의해 N-terminal의 6개 아미노산기(Val-Asp-Asp-Asp-Asp-Lys)가 가수분해로 떨어져 나가면서 트립신으로 활성화 된다. 이렇게 활성화된 트립신은 불활성화 상태로 배출된 다른 소화 효소를 활성화시킨다.

중요한 것은 다른 중요한 일부 효소, 즉 아밀라제와 리파아제는 췌장내에서도 활성화된 상태로 존재한다. 아마도 이러한 효소가 췌장 손상을 일으키지 않는 이유는 췌장 조직 내에 전분(starch) 같은 다당류, 글리코겐 또는 중성지방 같은 성분이 없기 때문으로 추정된다. 또 다른 췌장내 효소 활성화 예방기전은 췌장에서 췌장분비트립신억제제(pancreatic secretory trypsin inhibitor, PSTI)를 생성하여 효소방출 통로인 췌관과 효소원과립(zymogen granule)에 분비함으로 이루어진다. PSTI는 56개의 아미노산으로 구성된 안정된 물질로 트립신의 작용부위 근처에서 트립신 활성화를 예방하는 것으로 알려져 있다. 또한 이 물질은 췌액이 췌장 실질이나 췌도 내에 있을 경우 트립신의 활성화를 '자동적'으로 막아 췌장의 손상이나 췌장염을 예방한다[2]. 각각의 효소 배출량과 십이지장내 활성도는 다음과 같다(표 5-1).

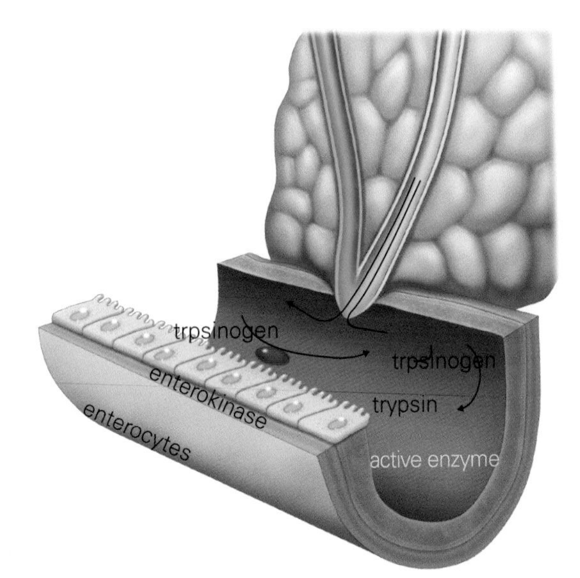

그림 5-1. **장내 효소의 활성화 과정.**
전효소(트립시노겐)가 십이지장내로 유입되면 장벽의 소장상피세포 표면에 있는 엔테로키나제(enterokinase)에 의해 트립신으로 활성화 되고, 이는 다른 전효소 과립을 분해시켜 결국 다양한 활성화된 효소들이 방출된다.

표 5-1. **십이지장내 효소 배출량(활성화된 효소의 양)**

	식간	식사 직후	식사 후 평균
리파아제(U/min)	1,000 (100-400)	3,000-6,000 (500-1,500)	2,000-4,000 (400-1,000)
아밀라제(U/min)	50-250 (100-150)	500-1,000 (150-300)	500 (150-300)
트립신(U/min)	50-100 (20-50)	200-1,000 (80-180)	150-500 (60-150)

테스트 식이 300-600 Kcal 섭취 후 측정된 결과이다.

1) 아밀라제(amylase)

아밀라제는 췌장에서 뿐만 아니라 침샘에서도 분비가 되는데 분자량은 다르나, 역할과 탄수화물 분해기전은 대부분 같다. 아밀라제는 α, β, γ 3 가지의 형태가 있는데, 각각의 최적 활동 pH는 각각 6.7-7.0, 4.0-5.0, 3이다. 이 가운데 침샘과 췌장에서 분비되고 주로 소화에 관여하는 것은 α-아밀라제이다. 침샘 아밀라제는 구강 내에서 음식물과 섞여 전분과 글리코겐 소화를 시작하며, 이러한 소화 활동은 위장과 소장에서도 지속된다. 침샘 아밀라제는 상기 언급한 바와 같이 중성 pH에서 가장 높은 활성도를 보여 과거에는 위장 내에서 위산으로 인해 그 역할이 미미한 것으로 알려졌으나, 실제 식사 중에는 위산의 분비에도 불구하고 위장 내 pH는 중성까지 올라갈 수 있는 것으로 알려졌다. 이는 침샘과 위 점막에서 분비되는 알카라인(alkaline) 분비와 섭취된 음식물의 버퍼링 효과에 기인한다. 따라서 침샘 아밀라제는 많게는 섭취된 전분과 글리코겐 소화의 50%까지 기여할 수 있고, 나머지는 췌장 아밀라제에 의해 소화가 된다. 우리가 흔히 섭취하는 전분(starch: 쌀, 밀가루, 감자, 옥수수 등)은 다당류로 포도당의 결합 모습에 따라 가지형의 아밀로펙틴(amylopectin)과 일차곡선형의 아밀로오즈(amylose) 두 가지 형태가 있는데 아밀로펙틴 성분은 곡물에 따라 다르나 대략 65~99%를 차지한다(그림 5-2).

아밀라제는 산소기로 연결된 포도당 분자의 1,4 결합을 가수분해하여 다당류을 삼당 또는 이당류로 분해하나 1,6 결합은 분해시키지는 못한다. 따라서 일차 가수분해후 1,6 결합이 포함된 소화물(특히 덱스트린)은 융모에 있는 효소에 의해 추가 분해되거나, 소화 및 흡수 되지 못한 상태로 배설되어 최근에 혈당조절 식품으로 부상되고 있다. 아밀라제에 의해 분해된

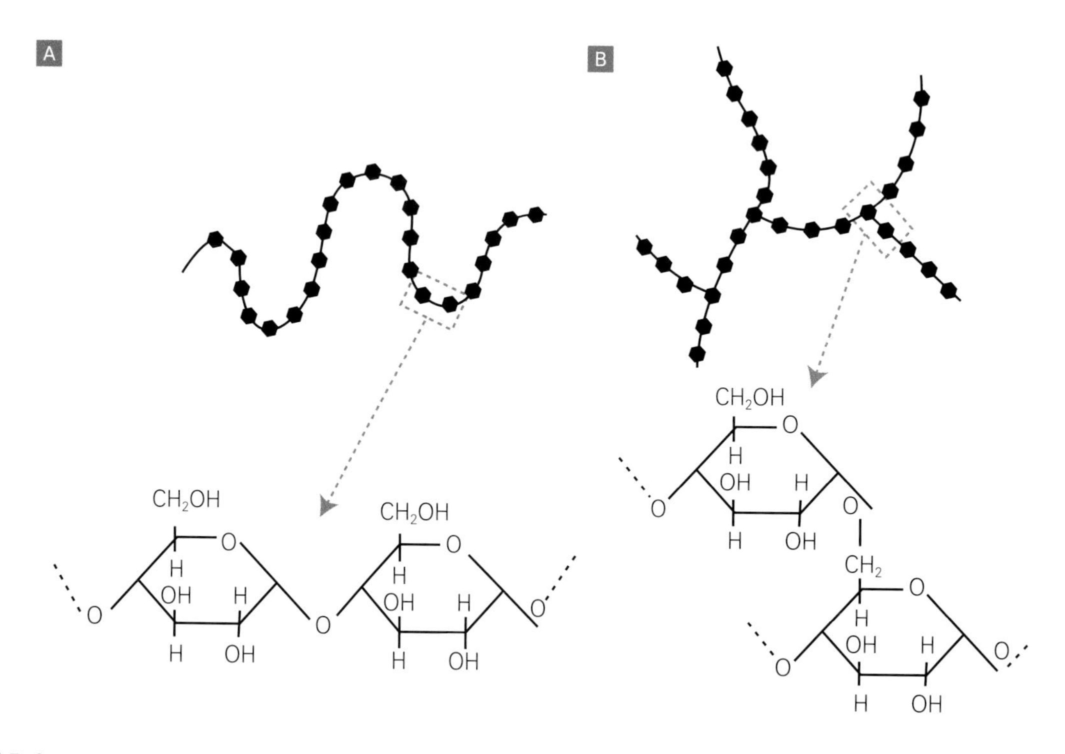

그림 5-2. 아밀로오즈(A)와 아밀로펙틴(B).
아밀로오즈는 α-1,4 결합의 중합체임에 비해, 아밀로펙틴의 가지(branch) 시작부위는 α-1,6 결합을 포함하여 아밀라제에 의해 완전히 가수분해되지 않는다.

맥아당(maltose), 자당(sucrose), 유당(lactose) 등 이당류는 말타제(maltase)와 락타제(lactase) 등에 의해 각각 포도당(glucose), 과당(fructose) 및 갈락토오스(galactose)와 같은 단당류로 분해되어 소장에서 흡수된다[3](그림 5-3).

2) 리파아제(lipase) 및 포스포리파아제(phospholipase)

고등 척추동물에서는 적어도 3가지 이상의 동위효소(isoenzyme) 즉, 조직특이 리파아제(췌장, 간, 위/구강)가 있는 것으로 알려져 있으나, 그 기능은 비슷한 것으로 알려져 있다(그림 5-4). 췌장의 리파아제는 대부분의 지방질 소화에 관여하며, 중성지방 분자, 즉 1, 3번 탄소의 지방산 연결고리를 가수분해하는 과정을 활성화시켜 결국 2개의 지방산과 1개의 모노글리세리드(monoglyceride)를 형성한다[4](그림 5-5). 췌장의 리파아제는 지방질의 물과 접촉부위(water/oil surface)에 작용하여 가수분해를 시작하는데, 따라서 이러한 리파아제의 접촉 면적을 넓히는 과정이 중요하다. 따라서 담낭에 의해 배출된 담즙산에 의한 유화(emulsification) 과정이 중요하며, 담즙산은 부분 소화된 지방성분을 미셀화(micelle formation)시켜 리파아제의 활동을 극대화시키며, 미세 미셀의 장관내 흡수를 용이하게 한다.

포스포리파아제는 A, B, C, D 의 형태로 나누어지며, A1, A2는 중성지방 각각 1, 2번 에스테르 결합 분리에 관여하고, B 는 1, 2 번, C 는 3번 결합 분리에 관여한다[2].

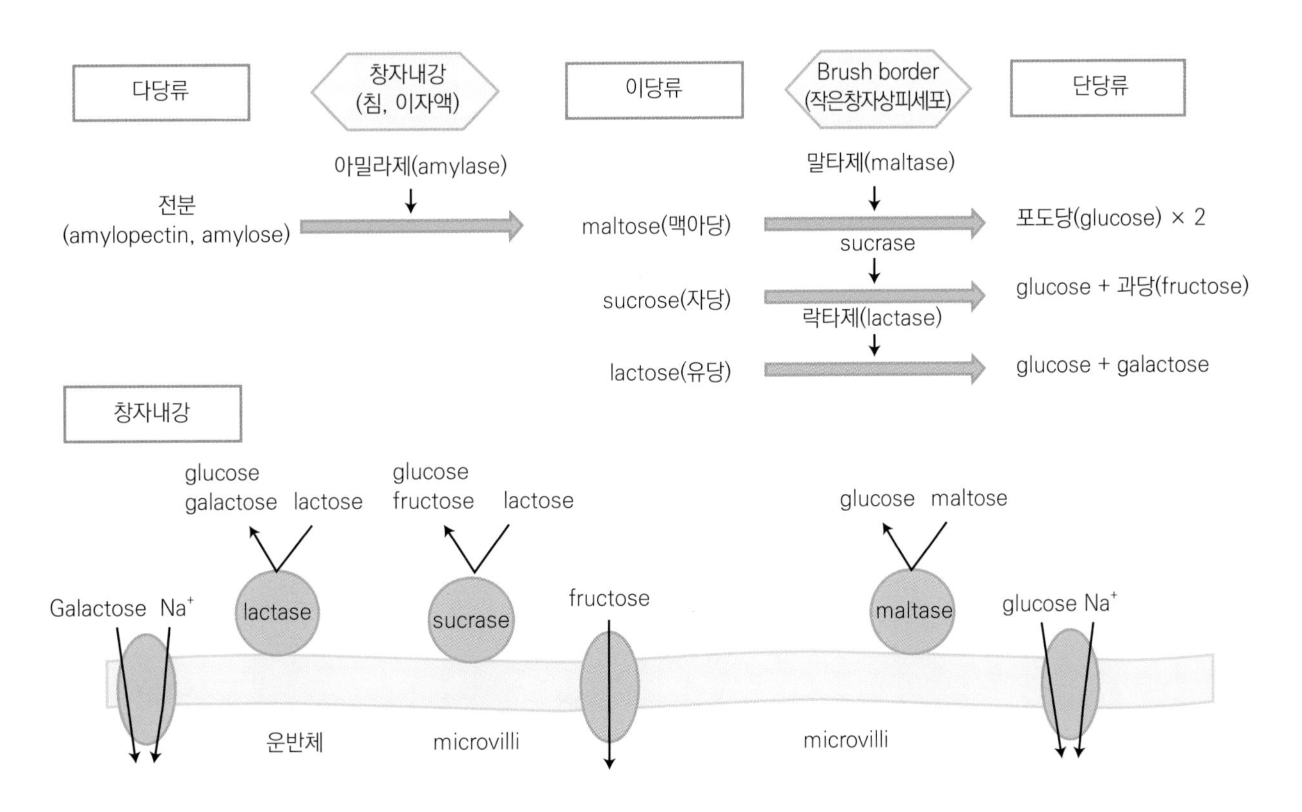

그림 5-3. 전분이 아밀라제 및 융모상피 효소에 의해 단당류로 분해되어 흡수되는 과정.
가장 마지막 단계에서 포도당은 Na 동반 흡수가 된다(Na^+-coupled transport).

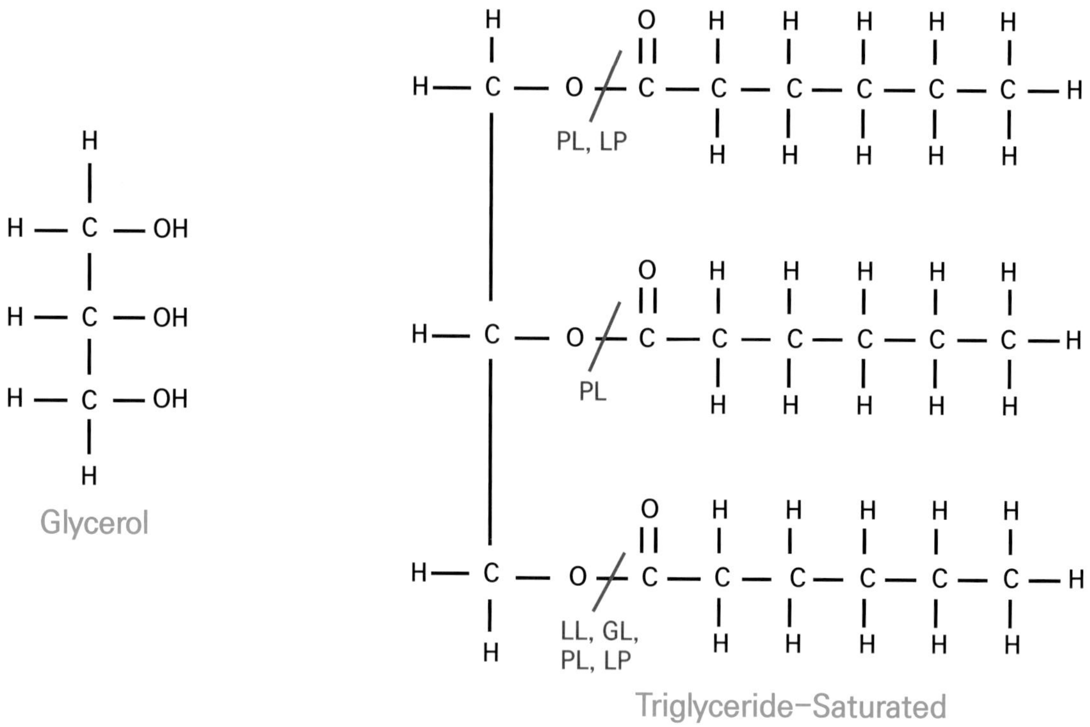

Glycerol
PL, LP
PL
LL, GL,
PL, LP
Triglyceride-Saturated

그림 5-4. **중성지방의 분해에 작용하는 동위효소.**
글리세롤(좌측)에 3개의 지방산이 결합되어 있는 형태의 중성지방. 췌장 리파아제는 1, 3 번 에스테르 결합 분리에 관여한다. 이에 비해 포스포리파아제(우측)는 1, 2, 3번 에스테르 결합을 모두 끊을 수 있다.
LL: lingual lipase; LP: pancreatic lipase; LG: gastric lipase; PL: phospholipase.

H_2O
lipase
H_2O
lipase
Triglyceride
Diglyceride
Monoglyceride
Fatty acid
Fatty acid

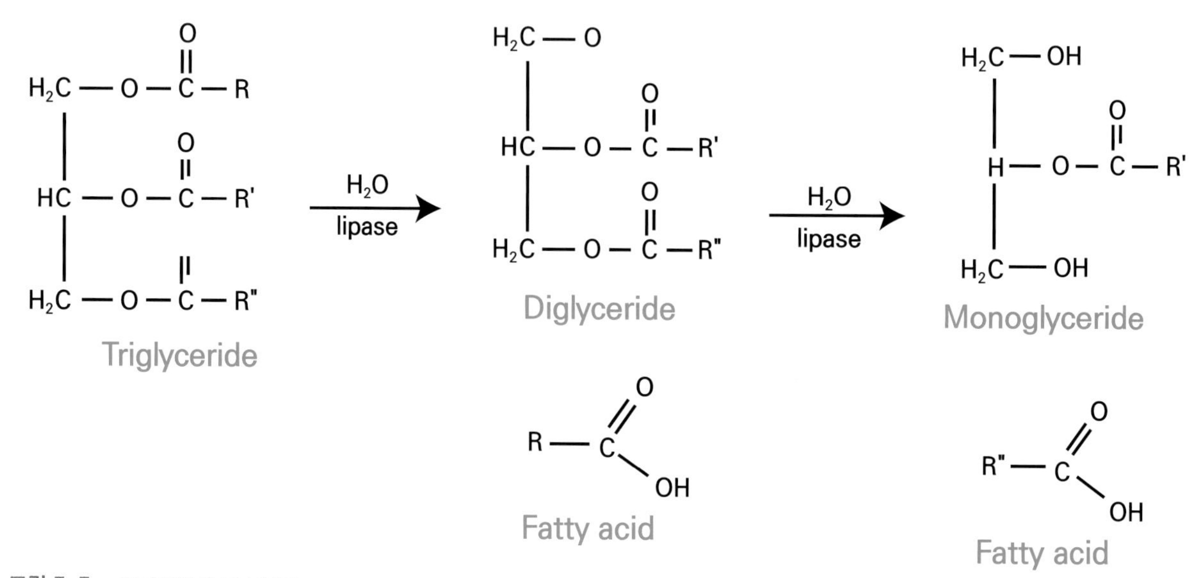

그림 5-5. **중성지방의 가수분해.**
리파아제에 의해 2개의 물분자와 반응하여 2개의 지방산과 모노글리세리드가 형성된다.

3) 단백분해효소(protease)

췌장에서 분비되는 단백분해효소는 2가지 부류로 나눠진다. 펩티드내부가수분해효소(endopeptidase)와 펩티드외부가수분해효소(exopeptidase)이다.

모든 단백분해효소는 앞에서 언급한 바와 같이 불활성화된 형태로 십이지장으로 배출되고 엔테로키나제에 의해 활성화된 트립신에 의해 장내 활성화된다. 키모트립시노겐, 프로카르복시펩티다제 및 프로엘라스타제는 각각 키모트립신, 카르복시펩티다제 및 엘라스타제로 활성화되며 이 가운데 트립신, 키모트립신, 엘라스타제는 펩티드내부가수분해효소(endopeptidases)이기에 펩타이드의 특정 연결부위를 끊는다. 카르복시펩티다제는 펩티드외부가수분해효소(exopeptidase)인데, COOH 터미널부터 아미노산을 한 개씩 끊어낸다(그림 5-6).

중요한 점은 이러한 조직적인 단백질 소화 활동에 위장에서 분비된 펩신이 중요한 역할을 한다는 점이다. 펩신(pepsin)은 위장의 주세포(chief cell)에서 분비된 펩신노겐이 위산에 의해 활성화된 형태이며, 트립신, 키모트립신과 더불어 인체 3대 단백분해효소이다. 펩신에 의해 고분자량의 단백질이 잘게 부수어지고 상기 췌장 단백분해효소의 효과적인 작용으로 단백질은 결국 작은 분자량의 올리고펩타이드(oligopeptide)와 자유 아미노산(free amino acid)으로 분해된다. 올리고펩타이드는 점막 융모에 효소에 의해 더욱 잘게 부숴지고 자유 아미노산과 같이 흡수된다[5].

여기서 흥미로운 점은 영양소가 흡수되기 직전에는 주로 몇몇 특정 형태의 올리고펩타이드와 자유 아미노산(주로 필수 아미노산)이 관찰된다는 점이다. 이점은 상기 단백분해효소들이 협동적으로 작용하여 무작위로 펩타이드 체인을 분해하지 않는다는 것을 뜻한다. 그리고 이러한 특정 단백 분해물들은 췌장의 효소 분비를 더욱 촉진시키고 위 배출을 지연시키고 소장의 연동운동을 조절하게 하여 포만감을 일으킨다. 따라서 이러한 일부 단백분해효소 역시 장의 생리적 조절에 기여한다.

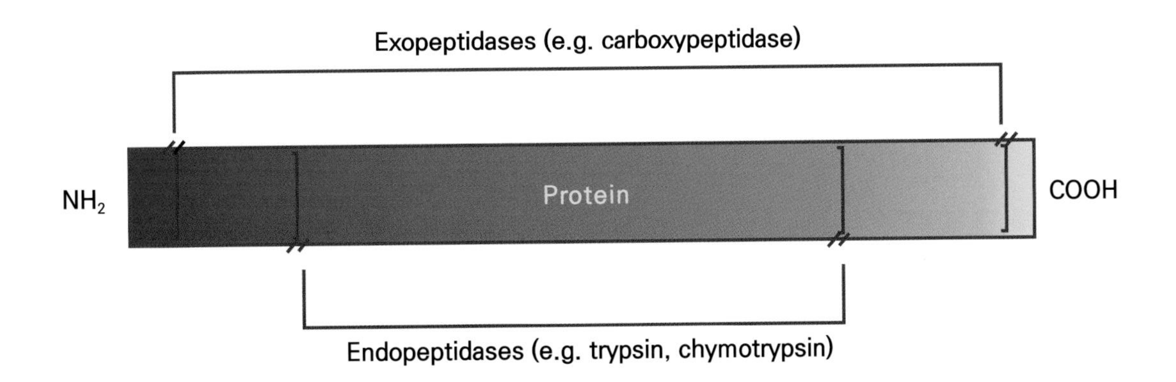

그림 5-6. **단백분해효소.**
두 가지 작용 형태로 나눠진다. 먼저 카르복시펩티다제와 같은 펩티드외부가수분해효소(exopeptidase)는 단백질의 NH2 또는 COOH 터미널에서 아미노산을 한 개씩 분리시킨다. 이에 반해 펩티드내부가수분해효소(endopeptidases)는 단백질 내부 아미노산 고리의 특정부위를 분리시킨다. 트립신과 카이모트립신이 이 부류인데, 예를 들어 트립신의 경우 아르기닌(arginine)과 리신(lysine) 다음의 연결고리를 끊으며, 카이모트립신의 경우 방향족 아미노산 이후 연결고리를 분리시킨다.

2. 영양분의 흡수

각종 효소에 의해 가수 분해된 포도당, 아미노산, 지방산, 글리세롤, 비타민, 무기질 및 수분 등은 소화관의 점막을 통해 혈액이나 림프관으로 들어오는데, 이러한 작용을 흡수라고 한다. 흡수는 음식물에 따라 다르지만 약 10~20%는 위장과 대장에서 일어나며 나머지 대부분은 소장에서 일어난다. 소장점막은 같은 형태의 파이프(pipe)에 비해 윤상주름(circular fold), 융모 및 미세융모 등으로 인해 약 20여 배의 표면적을 갖는다. 아울러 소장은 미세융모에는 혈관과 림프관이 풍부하게 분포되고, 연동운동이 더해져 영양분의 흡수가 용이해 지는 구조이다. 위장관의 부위별로 흡수되는 양은 차이가 크며, 이 또한 에너지를 소모하는 능동적인 이동과 수동적인 확산 같은 방법에 의해 흡수가 된다. 영양분의 흡수 대부분은 십이지장과 근위부 공장에서 일어나며, 대장에서는 전해질과 수분이 흡수된다. 위에서는 알코올 이외에 흡수되는 것이 거의 없다.

1) 탄수화물의 흡수

탄수화물은 십이지장과 근위부 공장에서 대부분 단당류 또는 이당류로 가수분해된 후에 흡수가 되고 이 가운데 80%는 포도당이다. 흡수 속도는 포도당을 100% 로 보았을 때 갈락토오스(galactose)(110%), 핵산을 이루는 리보스(ribose)(74%), 혈액형 ABO형을 결정하는 인자 중 하나인 푸코스(fucose)(43%), 포도당의 광학이성질체(epimer)인 만노스(mannose)(19%) 그 외 아라비노스(arabinose)(9%) 정도이다. 이당류는 흡수될 때 소장 점막 세포의 세포막에 있는 락타제(lactase)와 말타제(maltase) 같은 이당분해효소(membrane bound disaccharidase)에 의해 단당류로 분해되면서 흡수되는 막 소화 과정을 겪는다. 포도당은 운반체 및 나트륨 이온과 결합된 상태로 세포막의 나트륨 이온 농도차에 의해 점막 세포내로 들어온다. 따라서 점막세포 안과 밖의 나트륨 농도 차이가 크면 포도당 흡수는 빨라진다. 일단 결합체가 세포 안으로 들어오면, 포도당은 모세혈관으로 확산 이동되고, 나트륨은 나트륨 펌프에 의해 능동적으로 방출된다. 따라서 포도당 흡수과정은 이차성 능동수송의 예가 된다. 갈락토오스 역시 포도당과 같은 운반체를 이용하나, 과당(fructose)은 다른 운반체로 이동된다[6](그림 5-7).

2) 단백질의 흡수

단백질은 자유 아미노산뿐만 아니라 올리고펩타이드 형태로도 흡수된다. 이렇게 분해된 영양소 역시 탄수화물과 같이 소장에서 수동적인 방법과 능동적인 방법으로 장 점막을 통해 흡수된다. 올리고펩타이드는 점막의 미세융모 즉, 솔변연(brush border)에서 여러 가지 펩티다제에 의해 디펩티드(dipeptide)와 트리펩티드(tripeptide)로 된 후 세포질로 들어가서 결국 아미노산으로 분해되어 혈액내로 흡수된다(그림 5-8). 따라서 간으로 가능 문맥혈류에 나타나는 것은 거의 모두 아미노산 형태이며, 극히 적은 양만이 올리고펩타이드의 형태로 이동된다[5].

3) 지방산과 글리세롤의 흡수

지방은 소장 내에서 지방산, 글리세롤 및 monoglyceride로 가수분해된다. 지방 중에서도 탄소수가 많지 않은 지방의 경우에는 분해되었을 때에 글리세롤과 탄소 수 8~10[12]인 지방산을 형성하게 되는데, 이를 소위 중간사슬지방(MCT; medium chain triglyceride)이라 하고 우유지방, 코코넛유 등에 포함되어 있다. 중간사슬지방산은 물에 약간 용해되는 성질을 갖고 있고, 소화와 흡수시 담즙산이나 췌장 리파아제를 반드시 필요로 하지는 않으며, 또한 흡수되면 문맥을 거쳐 간으로

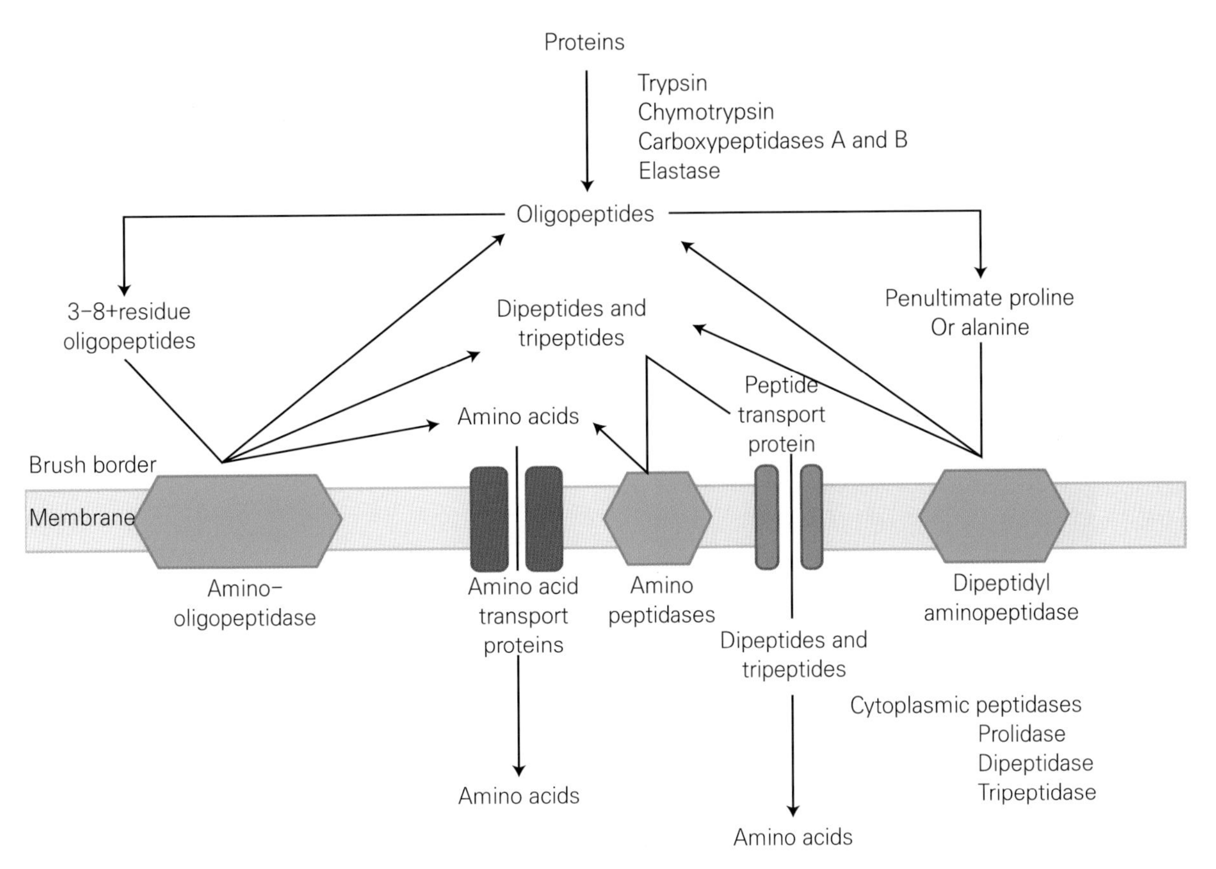

그림 5-7. **올리고펩타이드의 세포막 소화과정.**
대부분의 단백질은 결국 장내상피세포 내에서 아미노산으로 분해가 된다.

직접 운반되어 쉽게 산화된다. 따라서 간(담즙)이나 췌장기능에 장애가 있을 때 좋은 에너지원이 되고 영양제로도 제조되어 판매되고 있다. 그러나 천연 및 음식물에 존재하는 지방을 구성하고 있는 지방산은 대부분이 탄소 수 14 이상인 긴사슬지방산으로, 이들이 가수분해되면 결국 글리세롤과 탄소 수 14개 이상인 지방산 및 모노글리세리드를 형성하게 된다. 긴사슬지방산과 모노글리세리드는 담즙산염과 함께 미셀화가 되어 세포막까지 이동되고 미셀이 제거되며 결국 점막세포내로 이동한다. 일단 세포 내로 이동된 지방산과 모노글리세리드는 세포 내에서 다시 중성지방으로 재합성된다. 재합성된 지방은 골지체 내에서 일련의 흡수된 영양소와 단백질과 합쳐져 가용성 형태의 직경 1 ㎛ 이하의 작은 지방질 알맹이인 유미미립(chylomicron)을 형성한다. 유미미립의 80%가 중성지방이고, 그 밖에 콜레스테롤. 인지질 및 지용성 비타민 등으로 구성되며, 표면은 수용성의 인지질과 단백질로 둘러 싸여 있다. 유미미립은 그 크기가 크므로 모세혈관으로 들어가지 못하고 융모세포 중앙의 중심유미관(central lacteal)을 통해 림프관으로 들어가는데, 결국 순환 혈액 내로 유입된다. 지방의 70~80%가 이와 같은 형태로 흡수된다(그림 5-9). 콜레스테롤 역시 담즙산염과 함께 미셀화 되어 소장점막 세포내로 이동되고 여기서 지방과 함께 유미미립을 형성하여 임파관으로 흡수된다[7].

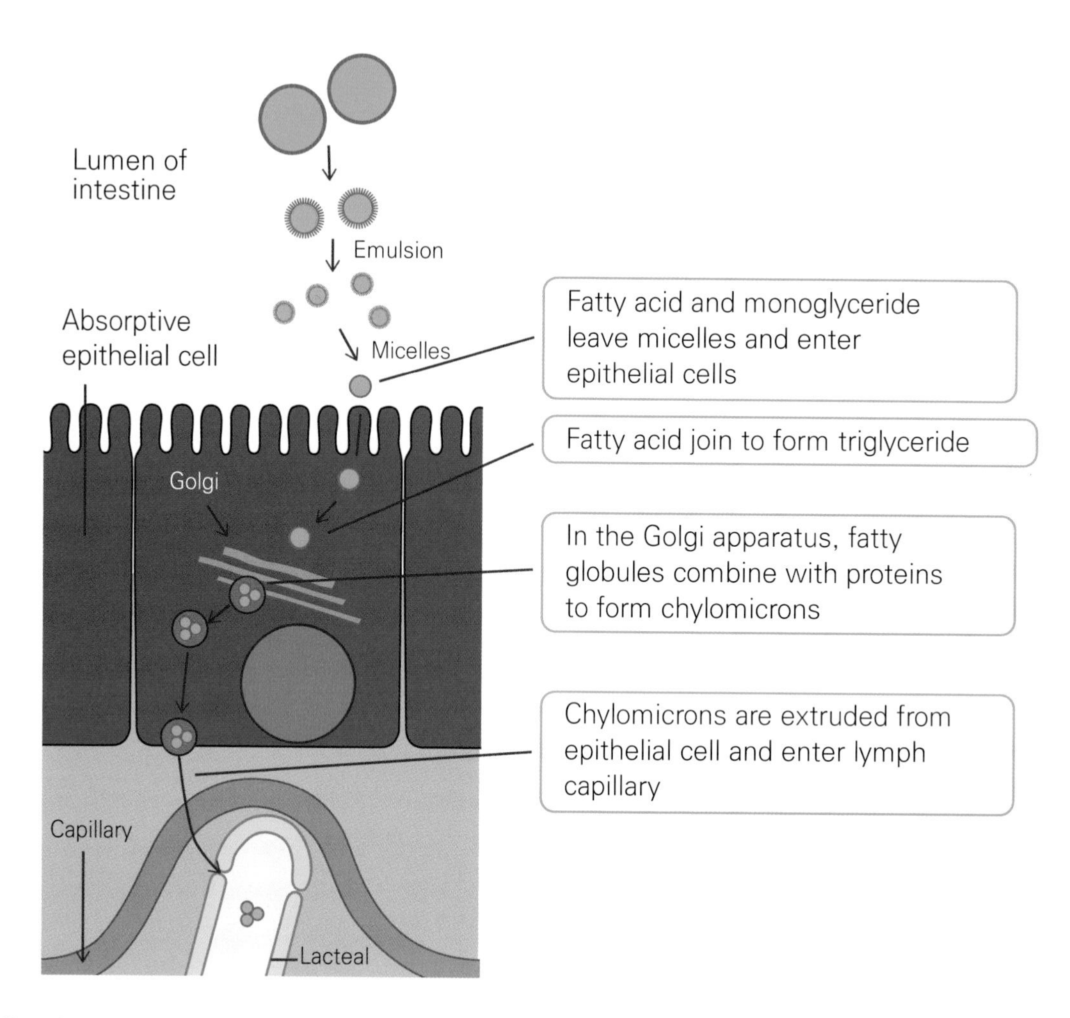

그림 5-8. **지방의 흡수과정.**
세포내로 흡수된 모노글리세라이드와 지방산은 다시 세포내에서 중성지방이 되어 결국 유미미립(chylomicron) 형태로 존재하며 이는 다시 림프관을 통해 이동된다.

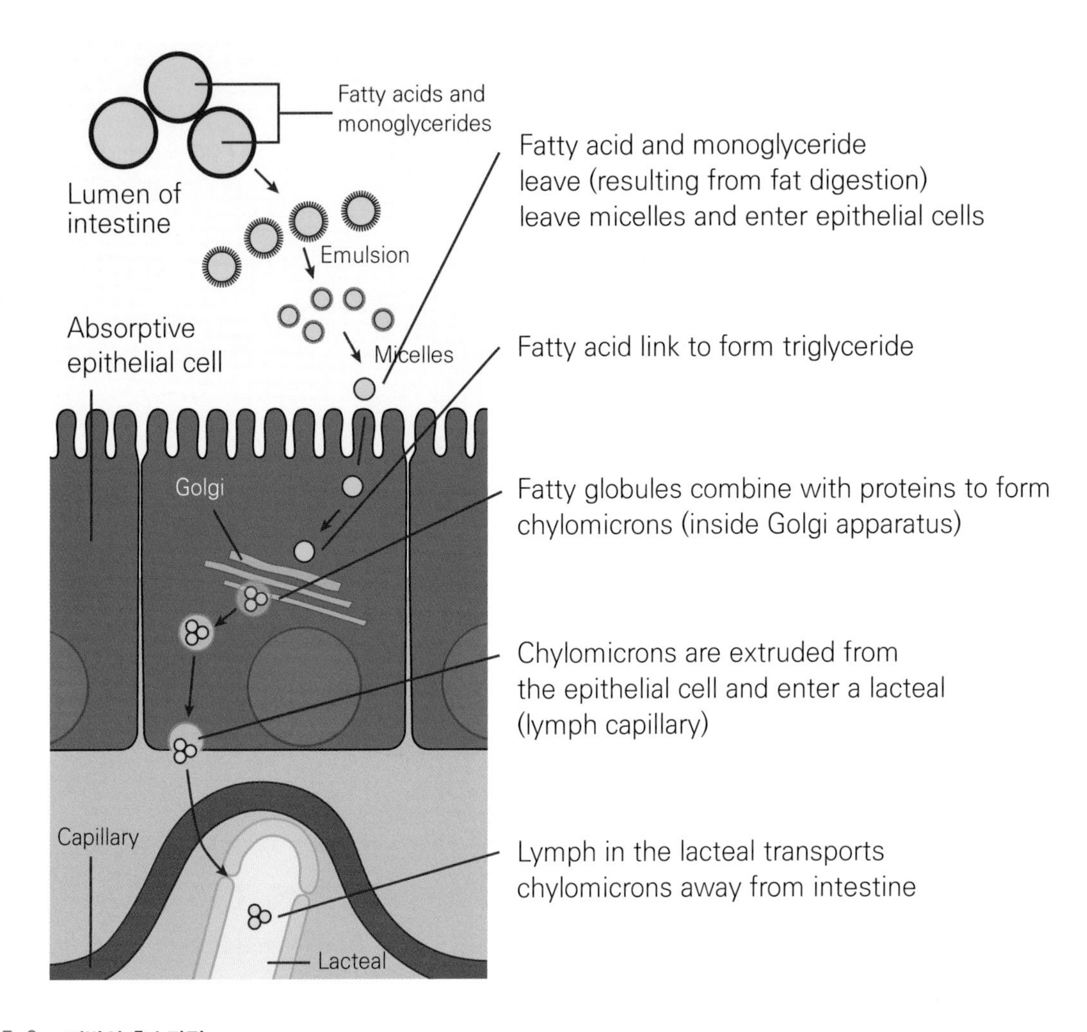

그림 5-9. **지방의 흡수과정.**
세포내로 흡수된 모노글리세라이드와 지방산은 다시 세포내에서 중성지방이 되어 결국 유미미립(chylomicron) 형태로 존재하며 이는 다시 림프관을 통해 이동된다.

References

1. Beck IT. The role of pancreatic enzymes in digestion. Am J Clin Nutr 1973; 26:311-25.
2. Whitcomb DC, Lowe ME. Human pancreatic digestive enzymes. Dig Dis Sci 2007;52:1-17
3. Kimmich GA. Membrane potentials and the mechanism of intestinal Na+-dependent sugar transport. J Membr Biol 1990;114:1-27.
4. Hofmann AF, Borgstrom B. Hydrolysis of long-chain monoglycerides in micellar solution by pancreatic lipase. Biochim Biophys Acta 1963;70:317-31.
5. Kilberg MS, Stevens BR, Novak DA. Recent advances in mammalian amino acid transport. Annu Rev Nutr 1993;13:137-65.
6. Holmes R. Carbohydrate digestion and absorption. J Clin Pathol Suppl (R Coll Pathol) 1971;5:10-13.
7. Igbal J, Hssain MM. Intestinal lipid absorption. Am J Physiol Endocrinol Metab 2009;296:1183-94.

CHAPTER 06

췌장 효소결핍 및 외분비 기능검사
Pancreatic enzyme deficiency and exocrine function test

박승우

서론

췌장의 효소결핍으로 인간 외분비 기능부전은 섭취된 음식물의 정상적인 소화 및 흡수에 영향을 준다. 유전질환이 낭포섬유증(cystic fibrosis) 환자에서 췌장 외분비 기능부전이 발생할 수 있으나 가장 흔한 원인은 만성췌장염이다. 점진적인 췌장 선방세포의 위축과 소실로 인한 소화액의 감소, 췌관의 협착과 폐쇄로 인한 소화액 분비의 장애로 인하여 탄수화물, 단백, 지방의 소화에 충분한 양의 췌장소화액이 분비되지 않아 외분비 기능부전으로 인한 증상이 발생한다. 대개 90% 이상의 lipase 소실이 발생하면 지방변이 나타난다.

췌장의 조직 채취를 통한 병리적 진단은 침습적이기 때문에 통상적으로 수행하기 어렵고, 초음파, CT, MRI, ERCP를 통한 형태학적인 변화 또는 기능평가를 통하여 췌장의 외분비 기능부전을 진단한다(표 6-1). 췌장의 외분비 기능 평가법은 다음의 경우에 유용하다. 첫째, 증상이나 징후가 췌장 외분비 기능부전에 의한 것인지 확인할 필요가 있을 때. 둘째, 만성췌장염을 앓는 환자에서 외분비 기능부전이 발생하였는지 확인이 필요할 때. 셋째, 췌장 효소 처방이 필요한 지 확인이 필요할 때이다.

1. 직접 및 간접 검사 (direct and indirect test)

췌장의 외분비 기능 평가법은 직접법과 간접법으로 나눈다. 직접법은 췌장을 자극한 다음 분비되는 췌장액의 양, 중탄산염, 또는 소화효소를 정량적으로 측정하는 방법이고, 간접법은 소화효소가 소화에 미치는 효과를 측정하는 방법이다[1].

직접법 중에 secretin-pancreozymin test는 표준적인 검사법이다. 췌장을 자극한 뒤에 십이지장으로 삽관된 튜브를 통하여 췌장액을 회수하여 분석하는 방법이다. 민감도와 특이도가 90% 이상으로 췌장 외분비기능을 민감하게 반영할 수 있으나[2], 침습적이고 시간이 많이 걸리며, 고비용일 뿐 아니라 기관마다 검사 프로토콜에 차이가 있어서 일관적이지 않기 때문에 흔히 이용되지 않는다. 보다 손쉽게 이용할 수 있는 직접법에는 췌장을 자극한 뒤에 MR을 통하여 췌관을 조영하는 방법으로 비침습적이며 췌관의 형태학적 변화와 아울러 기능적인 평가를 할 수 있기 때문에 유용하다.

대변의 elastase나 chymotrypsin 양을 측정하는 직접법은 간편하고 저렴한 비용을 시행할 수 있어 임상에서

표 6-1. **췌장 외분비기능 평가법**

	직접 검사	간접 검사
침습적	Secretin test	Pancreolauryl test
	Secretin-cholecystokinin test	Bentiromide test
	Secretin-cerulein test	Dual-label Schilling test
	Intraductal secretin test	Quantitative fecal fat excretion
	75 Se-methionine test	Fecal fat analysis
	Serum pancreatic polypeptide	Serum glucose level
	Lundh test	Breath tests
비침습적	Serum tyrpsin assay	
	Amino acid Consumption test	
	Fecal chymotrypsin	
	Fecal elastase-1	
	MR after secretin infusion	

다음의 출처에서 변형함: Chowdhurry RS, Forsmark CE[3].

흔히 이용된다.

대변의 chymotrypsin 검사는 일회 채취한 분변에서 chymotrypsin의 활성도를 측정하는 방법이다. 민감도는 70~90%이며 특이도는 50~100%이다[3]. 췌장에서 분비된 chymotrypsin은 소화관을 통과하면서 불활성화되거나 설사로 인하여 희석될 수 있기 때문에 췌장에서 분비되는 chymotrypsin의 양을 일정하게 반영하지는 못한다. 중등도 이상의 외분비 기능부전을 가진 환자에서 유용하게 이용될 수 있다.

대변의 elastase 검사는 분변의 elastase 양을 측정하는 방법이다. Chymotrypsin보다 안정적이어서 소화관을 통과하는 동안에 변성이 적게 일어나기 때문에 췌장에서 분비되는 elastase 양과 어느 정도 비례한다. 민감도는 73~100%로 chymotrypsin 활성도 검사보다 우수하지만 경도의 외분비 기능부전을 진단하기에는 미흡하다[4].

대변의 무게와 지방을 정량적으로 측정하는 간접법은 소화되지 않은 지방으로 인하여 대변양이 하루 200g을 초과하거나, 지방성분이 7 g/100 g 이상인 경우에 췌장 외분비 기능부전으로 진단하는 검사법이다[4]. 민감도와 특이도가 낮아서 검사의 정확도는 높지 않으며 크론병 등 다른 소화관 질환으로 인하여 지방의 흡수에 장애가 발생해도 위양성으로 나올 수 있다[5].

2. 호기검사(breath test)

호기검사(표 6-2)는 동위원소 ^{13}C로 표지한 탄수화물, 단백 또는 지방을 경구 투여한 뒤에 호기로 배출되는 ^{13}C의 양을 측정하여 췌장의 외분비 기능을 평가하는 방법이다[1]. ^{13}C로 표지된 음식물이 십이지장에서 췌장 소화효소에 의해 분해되면 흡수 및 산화되어 $^{13}CO_2$로 대사된다. 그 다음 혈류를 통하여 폐에서 호기로 배출되는 양을 측정하는 것이 검사의 원리이다. 표시한 영양분의 종류에 따라 몇 가지 검사법이 개발되어 있다.

^{13}C로 표지된 전분을 이용하는 탄수화물 호기검사는 amylase의 활성도를 측정한다. 자연계에 흔히 존재하는 전분을 이용한다는 장점이 있지만 민감도나 특이도가 대변 elastase 측정법에 미치지 못한다. ^{13}C로 표지된 단백 또는 펩타이드를 이용하는 호기검사는 trypsin 활성도를 측정한다. 췌장액을 수집하여 실제로 측정한 trypsin 활성도와 결과가 비례하지만 위나 소장에 존재하는 단백분해효소에 영향을 받는 단점이 있다.

지방 호기검사는 lipase의 활성도를 측정한다. Lipase는 췌장 외분비 기능부전이 발생할 때 제일 먼저 소실되는 효소이기 때문에 가장 민감하다. ^{13}C 표지 tripalmitin, triolein, hiolein, trioctanoin 등은 중성지방을 이용하여 lipase 활성도를 측정하는 검사법이고 cholesteryl octanoate는 cholesteryl esterase의 활성도를 측정하는 검사법이다.

표 6-2. **호기검사**

기질	효소	양	기간
Carbohydrate starch	Amylase	50g starch	5h
Peptide/protein			
Benzoyltyrosylalanine	Peptidase	5 mg/kg	90 min
Eggwhite	Peptidase	22 g eggwhite	6h
Lipids			
Tripalmitin	Lipase	10 mg/kg	8 h
Triolein	Lipase	10 mg/kg	9 h
Hiolein	Lipase	2 mg/kg	10 h
Trioctanoin	Lipase	7.5 mg/kg	4 h
Cholesteryl octanoate	Esterase	500 mg	6 h
Mixed triglycerides	Lipase	250 mg	4-6 h

다음의 출처에서 변형함: Braden[6].

3. 췌장 외분비 기능부전과 형태적 변화

췌장 외분비기능이 감소함에 따라 가장 먼저 나타나는 증상은 지방변인데 이는 지방분해효소가 가장 먼저 감소하기 때문이다. 만성췌장염이 통증을 수반하는 질환이지만 30%의 환자에서는 발병 시 전혀 통증이 없을 수 있으며 이러한 환자에서는 외분비 기능부전으로 인한 지방변이 처음으로 나타나는 증상일 수 있다. ERCP 또는 MRP를 이용한 췌관조영상으로 확인되는 췌관의 형태학적인 변화로 만성췌장염의 중증도를 평가할 수 있지만 췌관의 변화와 외분비 기능부전이 항상 일치하는 것은 아니다. 15%에서는 췌관의 경미한 형태학적 변화를 보임에도 불구하고 심한 외분비 기능부전이 나타날 수 있다. 반대로 췌관의 심한 형태 변화에도 불구하고 외분비기능이 잘 보존되어 있는 경우도 드물지 않다[7].

References

1. Laterza L, Scaldaferri F, Bruno G, et al. Pancreatic function assessment. Eur Rev Med Pharmacol Sci. 2013;17:65-71.
2. Wormsley KG. Tests of pancreatic secretion. Clin Gastroenterol 1978;7:529-44.
3. Chowdhurry RS, Forsmark CE. Review article: Pancreatic function testing. Aliment Pharmacol Ther 2003;17:733-50.
4. Lankisch PG, Schmidt I. Fecal elastase 1 is not the indirect pancreatic function test we have been waiting for. Dig Dis Sci 2000;45:166-7.
5. DiMagno EP, Go VL, Summerskill WH. Relations between pancreatic enzyme outputs and malabsorption in severe pancreatic insufficiency. N Engl J Med 1973;288:813-5.
6. Braden B. (13)C breath tests for the assessment of exocrine pancreatic function. Pancreas 2010;39:955-9.
7. Lankisch PG, Seidensticker F, Otto J, et al. Secretin-pancreozymin test (SPT) and endoscopic retrograde cholangiopancreatography (ERCP): both are necessary for diagnosing or excluding chronic pancreatitis. Pancreas 1996;12:149-52.

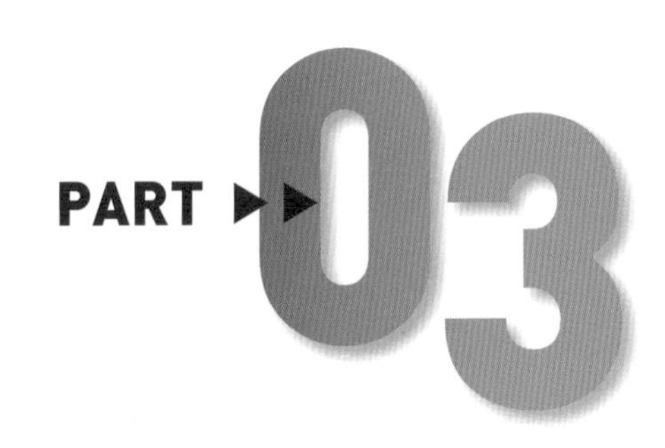

급성췌장염

ACUTE PANCREATITIS

급성췌장염의 원인 및 역학

Etiology and epidemiology of acute pancreatitis

정재복, 이세준

서론

급성췌장염은 담석, 음주 및 고지혈증 등의 다양한 원인에 의해 췌장의 선방세포(acinar cell)가 손상되어 췌장에 국소적 염증이 발생하고, 췌장 주변조직과 타 장기까지 손상을 초래하는 췌장의 급성염증성 질환이다. 임상 발현양상이 매우 다양하며, 대부분 경증으로 합병증 발생 없이 회복되는 양호한 경과를 보이지만[1], 약 20%에서는 중증으로 진행된다[2]. 사망률은 점점 감소하는 양상으로 약 2%이나[3], 중증췌장염이어서 합병증이 발생할 시에는 사망률이 증가한다[2].

중증의 급성췌장염에 대한 임상상 및 병리학적 소견이 1889년[4,5] 기술되었으며, 1901년 Opie[6]는 담석과 급성췌장염과의 연관성을 기술하였다. 혈청 아밀라제 치의 측정은 1929년부터 이용되기[7] 시작하여 급성췌장염의 진단에 필수적인 검사로 시행되고 있으며, 근래에는 복부초음파검사, 복부전산화단층촬영, MRI 등의 영상진단 검사를 시행하면서 급성췌장염의 진단이 비교적 용이하게 되었다. 급성췌장염의 발병 시 초기에 중증도를 분류해서[8-12], 중증도에 따른 적절한 치료를 조기에 시행하여 합병증 발생을 줄이고[13,14], WOL(walled-off necrosis) 등의 합병증 발생 시 내시경을 이용한 치료로 사망률을 줄일 수 있게 되었다[15-17].

1. 역학

1) 발생빈도

급성췌장염의 발생빈도는 국가별로 차이가 많으며, 한 국가 안에서도 지역별로 차이가 많은데 보고에 의하면 년간 인구 10만 명당 7~60명이며[18-25], 우리나라에서는 1995년도 인구 10만 명당 15.6에서 2000년도에는 19.4로 증가하였으며[26], 일본에서도 1987년 12.1에서 1998년 15.4로 다소 증가하였다[25].

급성췌장염으로 입원하는 환자는 미국에서 연간 275,000명인데[27], 다른 국가에서도 급성췌장염으로 입원하는 환자가 지난 10년 동안 약 20% 증가하였다[28-30]. 연세대학교 의과대학부속 세브란스병원에서 급성췌장염으로 입원한 환자는 1988년 전체 입원환자수의 0.12%였고, 1995년 0.16%로 1988년부터 1995년까지 10년 동안 다소 증가하는 경향을 보였다[1]. 이유는 알코올 섭취의 증가, 담석관련 췌장염의 증가 및 비만 인구의 증가[30-33]와 더불어 혈청검사[34]를 비롯한 영상학적 진단법 등의 발전 등에 기인한 것으로 생각된다.

2) 성별 및 연령분포

급성췌장염 발생의 성별분포는 일반적으로 남자에서 다소 많이 발생하는데 유럽에서 남녀비가 1.8-1.31:1[35], 일본에서도 1.9:1로 남자에서 많았다[36]. 1967년 부터 1994년 사이에 발표된 국내보고[37-53]에 의하면 남녀비는 1.1:1로 차이가 없었으나[1], 2012년 1월부터 2013년 6월까지 대구 경부 지역 6개병원에 입원하였던 급성췌장염 환자의 성별비는 1.9:1로 외국 보고와 같이 남자에서 많았다[12].

연령분포를 보면 급성췌장염은 대부분 중년이후의 연령에서 발생하는데[54], 1986년 미국보고의 경우 15세 이하에서의 발생률은 인구 10만 명당 2.7이며, 65세 이상에서는 200배 이상의 발생빈도를 보였고[55], 네델란드에서[29]도 15세 미만에서 급성췌장염 발생률이 1.0미만인 반면 85세 이상에서는 50.7로 높았다. 일본에서는 급성췌장염 환자의 평균연령은 60.9세이었고, 남자에서는 60~69세 사이가, 여자에서는 70~79세 사이가 제일 많았다[36]. 원인별로 보면 알코올인 경우 중년, 남성에서 많았고, 특발성인 경우는 남녀 비슷하였고, 담석성 췌장염은 65세 이상의 여성에서 많았다[56].

우리나라에서는 40대와 50대에 가장 많았으며, 성별분포는 남자에서는 30~60대에서, 여성은 70세 이상에서 높은 빈도를 보였다[1]. 우리나라 대구 경북지역 환자를 대상으로 한 최근 연구 보고에 의하면 급성췌장염 환자의 평균 연령은 55.4세이었다[12].

3) 원인

급성췌장염의 원인으로 밝혀진 것은 매우 다양한데, 가장 흔한 것이 담석과 알코올로 두 가지가 약 80%이며, 나머지는 원인불명이 10%, 그리고 기타 10%이다[57]. 급성췌장염의 원인은 각 나라별로 다르며, 같은 지역에서도 시기에 따라 변화할 수 있다.

급성췌장염의 발생빈도는 그 지역의 알코올 소비량과 밀접한 관계가 있어, 영국에서 1950년부터 1980년 사이의 연간 일인당 알코올 소비량이 86%(3.9 L에서 7.3 L) 증가하였으며, 이태리에서는 10%(9.5 L에서 10.5 L) 증가가 있었는데, 같은 기간 동안 영국에서는 알코올로 인한 급성췌장염은 4% 이하에서 23%로 증가하였고, 이태리에서는 16%에서 33%로 증가하였다[20].

Scuro 및 Cavallini[24]는 급성췌장염의 위험인자로 담석이 알코올보다 더 위험하나, 알코올 섭취가 하루 40 g 이상이면 알코올이 더 위험하며, 알코올 섭취가 80 g 이상이면 그 위험은 두 배 이상이며, 담석과 알코올 섭취가 같이 있을 경우에는 그 위험이 배가 된다고 하였다.

최근 보고된 일본 급성췌장염의 원인을 보면[36] 남자에서는 알코올(46.2%), 담도질환(19.7%) 및 원인불명(13.4%) 등의 순이었고, 여자에서는 담도질환(40.3%), 원인불명(22.8%) 및 알코올(9.9%) 등의 순으로 3가지가 대부분을 차지하였는데, 남자에서는 일코올, 여자에서는 담도질환이 제일 많았다. 우리나라에서도 급성췌장염의 원인이 다양하나, 알코올과 담석이 가장 중요한 원인으로, 1963년부터 최근 까지의 국내보고에 의하면 알코올 및 담도계 질환은 증가한 반면, 원인불명은 감소하였다[1,12](표 7-1).

근래 급성췌장염의 진단에는 혈청 검사를 비롯하여, 복부초음파검사, 복부전산화단층촬영 및 자기공명촬영 등의 영상검사와 함께, ERCP와 내시경초음파(endoscopic ultrasonography) 등의 내시경검사, 그리고 ERCP 시행 시 채취한 담즙을 검사하여 미세담석을 찾거나, 오디괄약근 운동 검사 등을 시행하고, 아울러 유전자 검사를 시행함으로써, 예전에 원인불명으로 진단되었던 급성췌장염 환자들의 원인을 규명하게 되어, 앞으로는 원인불명의 급성췌장염이 대부분 규명될 수 있을 것으로 생각된다.

표 7-1. 우리나라 급성췌장염의 주요 원인: 시대적 변화양상

연도	1963-'73[41]	1976-'79[46]	1978-'82[48]	1990-'96[60]	2006-'15[14]	2012-'13[12]
N	344	129	99	188	748	574
Unknown(%)	58.7	52.7	35.4	21.9	8.8	19.4
Alcohol(%)	6.9	12.4	11.1	31.4	39.7	41.5
Biliary TD(%)	5.8	4.6	17.2	36.2	37.0	33.6

TD: Tract Disease.

4) 경과 및 예후

급성췌장염은 대부분 합병증 없이 치유되어 전체 환자의 사망률은 2%이지만[3], 약 25%에서는 중증 급성췌장염으로 합병증을 유발하며 사망률은 증가한다[57]. 일본 보고에서 급성췌장염의 사망률은 2.6%이었는데, 이 중 중증췌장염인 경우에는 10.1%이었다[58].

국내 보고를 분석한 논문에 의하면 급성췌장염에서 합병증의 발생빈도는 22.7%이었고, 사망률은 3.5%이었는데, 시기별로는 1967년부터 1989년 사이는 2.2~2.8%에서 1990년부터 1996년 사이 4.9%로 1990년 이후 사망률이 증가하였으나[1], 2006년 3월부터 2015년 1월 기간 동안 748명대상의 보고에서는 사망률이 2.8%로 감소하였고[14], 최근 발표된 국내보고(대상환자; 2012년 1월부터 2013년 7월, 574명)에서는 1.7%로 사망률이 예전에 비해 감소하였다[12](표 7-2).

표 7-2. 우리나라 급성췌장염의 사망률; 시대적 변화양상

연도	환자수	사망	(%)
1967-'69[1]	230	5	(2.2)
1970-'79[1]	66	18	(2.7)
1980-'89[1]	228	6	(2.6)
1990-'96[1]	627	31	(4.9)
2006-'15[14]	748	21	(2.8)
2012-'13[12]	574	10	(1.7)

사망률이 예전에 비해 감소한 이유는 근래 들어 급성췌장염 발병 초기에 환자의 중증도 분류를 시행하고, 이에 따른 적절한 영양 및 수액 공급, 호흡치료 등으로 합병증의 발생을 감소시키고, 합병증 발생 시 경피배액도관 삽입 및 내시경적 치료를 시행하여 치료함으로서 수술 빈도를 줄여, 사망률을 감소시킨 것으로 생각된다.

급성췌장염에서의 사망 시기는 전체 사망환자의 65.5%가 발병 14일 이내 사망하고, 30일 이내 86%가 사망한다[59]. 사망률은 성별에 따른 차이는 없고, 연령이 증가할수록 사망률이 증가하며[60], 합병증 중 쇼크, 신부전증, 호흡부전 및 출혈성위염이 있는 경우 사망률이 높았다[61].

Netherlands에서 시행된 연구보고[55](2000~2005년 환자대상 연구)에서도 사망률(per million persons per year)을 보면 성별에 따른 사망률의 차이는 없었고, 연령이 50세 이상인(50~74세) 경우 사망률이 18.6으로 , 50세 미만인 경우의 3.6보다 약 5배 높았으며, 가장 연령이 많은 그룹의 경우에는 85.3으로 연령이 증가할수록 사망률이 증가하였다. 일본에서도 급성췌장염 환자 중 30세 미만에서는 사망률이 0%인 반면, 80세 이상에서는 사망률이 20%라고 하였다. 연령이 증가하면 사망률이 증가하는 연구 보고는 많다[60,62].

급성췌장염의 원인별 사망률은 특발성 췌장염(14.1%)으로 담석성 췌장염(7.2%)에 비해 높다는 보고[63]도 있으나, 원인별 차이가 없다는 보고가 더 많다[64-66]. 중증의 급성췌장염은 알코올성인 경우에 31%로 담석성

인 경우의 14%에 비해 많았으며[67], 재발성 급성췌장염인 경우 사망률은 첫번째 췌장염보다 낮다[63,68-71].

사망률과 의미 있게 연관되는 예후인자로는 단변량 분석에서 9개의 인자가 있었는데 ① BE <-3 m Eq/L 혹은 쇼크, ② PaO_2 < 60 mmHg 혹은 호흡부전, ③ BUN > 40 mg/dL or Cr > 2 mg/dL 혹은 핍뇨, ④ LDH 상승: 정상의 2배 이상, ⑤ 혈소판 수(< 100,000/uL), ⑥ 혈청 Calcium(< 7.5 mg/dL), ⑦ CRP(> 15 mg/dL), ⑧ 3가지 이상의 SIRS 기준 충족, ⑨ 연령(> 70세), 다변량 분석에서는 4가지만(①,③,⑧,⑨)이 의미 있는 연관이 있었다[36]. 급성췌장염의 원인에 상관없이, 내원 72시간 내 혈청 중성지방 수치가 장기 부전과 상관관계가 있다고도 한다[72].

급성췌장염의 예후를 보면 췌장염의 재발은 20~27%로 보고되고[73-75], 알코올 급성췌장염인 경우 46%에서 재발하였는데, 처음 발병 후 4년 내에 80%에서 재발하였다[76]. 만성췌장염의로의 이행은 14.8~16%로 보고되는데[73,77], 추적 관찰 10년 후 13%, 20년 후 16%로[78], 관찰기간이 긴 경우 24.1%까지 보고되며[79], 췌장염이 한번이상 재발하면 36%에서 만성췌장염으로 이행된다[80]. 원인이 알코올성 급성췌장염에서만 만성으로 이행된다는 보고[78]와 알코올 이외의 다른 원인에서도 만성췌장염으로 이행된다는 보고[79]도 있다. 당뇨병은 13%에서 발생하는데[58], 중증의 경우 당뇨병 발생이 높아지는 경향이 있다[58-60,64,81](16.1~54%). 급성췌장염후 사망률은 장기추적 관할한 연구에 의하면 일반인구보다 5~6배 높다[79].

Takayama[73]는 급성췌장염 환자들을 장기 추적 관찰한 결과 713명 중 199명이 사망하였는데, 이 중 악성종양으로 사망한 경우가 43명(21.6%)이었고, 췌장암은 5명(남자 4명 및 여자 1명)으로 11.6%(악성종양 43명 중 췌장암 5명)를 차지하여, 일반 인구에서의 6.4%에 비해 높았다고 보고하면서, 대상 환자수가 적어 급성췌장염과 췌장암의 관련성에 대해 결론을 내리지는 못하였다. 급성췌장염 발병 후 췌장암 발생위험에 대한 문제는 향후 해결되어야 할 과제로 생각된다.

2. 급성췌장염의 원인

급성췌장염을 유발하는 원인은 매우 다양한데, 담석과 알코올이 가장 많은 원인으로 70~80%를 차지한다[56,82]. 오래전부터 급성췌장염의 3대 주요 원인이라고 하면 담석, 알코올과 함께 급성췌장염 발병 초기에 원인이 규명되지 않는 특발성 췌장염 등이다.

급성췌장염의 원인은 성별과 연령별로 발생빈도에 차이가 날 수 있으며, 국가별, 지역별, 혹은 시대적으로 발생빈도가 다르다. 국가별 및 지역별 알코올 섭취량에 따라, 알코올로 발생되는 급성췌장염의 비율이 많아진다. 또한 시대적인 변화에 따라 식생환 습관의 변화로 인한 고지혈증에 의한 급성췌장염의 증가, 수명이 길어지면서 발생하는 질병이 변화되고 증가하며, 진단방법의 보편화(ERCP)로 인한 시술 후 발생하는 췌장염, 새로운 약물의 사용으로 인해 발생되는 췌장염, 새로운 진단 방법으로 예전에 특발성으로 진단되었던 환자에서의 원인 규명 등으로 인해, 급성췌장염의 원인이 예전에 비해 다양해지면서, 특발성으로 분류되었던 환자의 비율이 감소하였다.

우리나라에서 급성췌장염의 원인도 다양하나(표 7-3), 알코올과 담석이 가장 중요한 원인이다. 1963년부터 1994년 사이의 국내보고에 의하면 급성췌장염의 원인으로 원인불명이 44.3%로 가장 많았으며, 알코올 15.1%, 담석 13.7% 등의 순이었는데, 시간이 지나면서 알코올 및 담도계 질환이 증가한 반면 원인불명은 감소하였다[1]. 가장 최근 자료[83]에 의하면 알코올 41.5%, 담석 33.6% 및 특발성 19.4%로 알코올 및 담석이 증가하였으며, 특발성은 감소하였다(표 7-3).

3대 주요 원인 이외에 2000년 이전에는 기생충, 과식, 외상, 임신, 간암, 감염, 약물, ERCP 시술 후, 수술 후, 십

표 7-3. **우리나라 급성췌장염의 원인: 시대적 변화**

1960~'96 (N = 1926)[1]			2012~'13 (N = 574)[12]		
원인	환자수	(%)	원인	환자수	(%)
Unknown	853	(44.3)	Alcohol	238	(41.4)
Alcohol	291	(15.1)	Gallstone	193	(33.6)
Gallstone	64	(13.7)	Unknown	111	(19.3)
Parasite	51	(2.6)	HyperTG	8	(1.4)
Heavy meal	46	(2.4)	Pancreas divisum	6	(1.0)
Trauma	35	(1.8)	PD stricture	4	(0.7)
Pregnancy	31	(1.6)	Alcohol + gallstone	4	(0.7)
Hepatoma	17	(0.9)	Others*	11	(1.9)
Infection	15	(0.8)			
Drug	12	(0.6)			
Post ERCP	10	(0.5)			
Duodenal diverticulum	7	(0.3)			
Mumps	5	(0.25)			
HyperTG	1	(0.05)			
Others	27	(1.4)			

* hereditary(1), groove(1), alcohol with hyperTG(1), gallstone with hyperTG(1), autoimmune(1), diabetic ketoacidosis(1), hyperglycemia(1), pancreatic duct stricture(1), panperitonitis(1), SOD(1) and trauma(1).

이지장게실 등이 있었는데[1], 최근에는 고중성지방혈증, 유전성, 자가면역췌장염, 오디괄약근운동장애 등이 원인에 포함되어[83] 급성췌장염의 원인이 다양하게 변화되는 양상이다(표 7-3).

1) 담석

담석과 췌장염과의 연관성에 대한 기술은 1882년 Prince[84]가 기술하였다. 즉 담석이 공통관에 감돈되어 췌관의 폐쇄가 일어나면 췌장에 손상이 일어남을 보고하였으며, 1901년 Opie[6,85]는 공통관을 갖고 있었던 환자에서 담석이 오디괄약근에 감돈 되어 치명적인 췌장염이 발생하였던 경우를 보고하면서, 100명 중 89명에서 공통관이 있었으며 그 길이가 1~11 mm라고 하였다.

담석이 급성췌장염을 유발하는 기전으로는 첫째, 담췌관 합류부위의 공통관에 담석이 감돈되면 이차적으로 담즙이 췌관내로 역류되어 췌장염을 일으킨다는 공통관이론(common channel theory)[6,85], 둘째, 담석이 담관에서 십이지장내로 통과할 때 오디괄약근을 무력하게 함으로써 활성화된 췌장 소화효소를 지닌 십이지장액이 무력화된 오디괄약근을 통해 췌관내로 역류되어 췌장염을 초래 한다는 duodenal reflux theory[86], 셋째, 담석에 의한 직접적인 췌관 폐색 또는 담석이 담췌관 말단부를 통과할 때 야기되는 부종 또는 염증에 의한 췌관 폐색이 발생되면, 폐색된 췌관으로 계속적인 췌액 분비는 췌관 압력의 상승을 초래하여 급성췌장염을 일으킨다는 설(pancreatic duct obstruction theory)이다[87].

담석성 췌장염 환자에서는 담도, 담췌관합류 부위 및 췌관의 여러 가지 해부학적인 특징이 있다고 하는데, Armstrong 및 Taylor[88]는 수술 중 담관조영술을 촬영하였던 614명 중 담석성 췌장염의 병력이 있었던 환자에서는 62%에서 췌관내로의 역류가 관찰된 반면 췌장염의 병력이 없었던 경우는 15%만 있었다고 하였다. 췌관으로의 역류가 있었던 경우 췌장염의 병력이 있는 경우에는 담낭관, 담관 및 췌관이 모두 직경이 컸고, 담관과 췌관이 이루는 각도가 40 ± 12도로 췌장염의 병력이 없었던 21 ± 15도에 비해 넓었다. 또한 공통관의 길이가 췌장염의 병력이 있었던 경우 8 mm로 췌장염의 병력이 없었던 경우이 4 mm에 비해 길었으며, 5 mm 이상 긴 공통관을 갖는 경우가 72%로, 췌장염의 병력이 없었던 경우의 20%보다 많았다. 췌장염의 병력이 있는 경우 공통관이 67%에서 있어, 췌장염의 병력이 없는 경우 32%에 비해, 공통관이 더 많았다[89]. 담석성 췌장염으로 담낭절제술을 받은 환자는 췌장염의 병력이 없는 환자에 비해 담낭에 작은 담석이 다발성으로 있으면서, 담낭관의 직경이 크다[90-93].

췌장염을 일으키는 담석은 대부분 작으며, 3 mm 이하의 결석도 췌장염을 일으킬 수 있다. Vater 팽대부에 지속적으로 감돈 되어 있는 시간이 췌장염의 중등도와 상관관계가 있으며[94], 감돈된 담석이 48시간 이내에 배출되면 췌장염의 신속한 관해를 기대할 수 있지만, 이보다 시간이 경과 하면 췌장에 비가역적인 염증 변화를 초래하는데, 동물실험[95]에서도 췌관의 폐쇄기간이 길수록 췌장의 선세포의 파괴가 심하였다.

결론적으로 담석췌장염이 있었던 환자는 담낭으로부터 작은 담석의 이동이 용이하며, 담관과 췌관이 합류하는 부위에 감돈이 쉽고, 답즙이 췌관내로의 역류가 용이한 해부학적 특징을 갖고 있지만, 담석 췌장염의 발병 기전에는 해부학적인 특징과 함께, 여러 기전이 관여할 것으로 생각된다[96].

2) 알코올

알코올은 다른 요인(유전적 혹은 환경적)으로부터의 췌장이 손상을 받는 민감도를 상승시킴으로서 췌장염을 유발하는데[97], 췌장염 유병률은 알코올 중독 병력이 있는 경우가 없는 경우에 비해 4배이다[98]. 많은 양의 알코올을 섭취한 사람의 2~5%에서 췌장염이 발생하며[97-99], 알코올 섭취량에 비례해서 췌장염의 위험이 증가한다[100]. 알코올 유발 급성췌장염이 만성췌장염으로의 이행은 14~41%이다. 췌장염 발병 후 완전 금주하는 경우나 간혹 음주하는 경우에는 14%에서 이행되지만, 알코올 섭취량을 줄이지만 매일 음주하는 경우는 23%로 증가하며, 췌장염 발생 전과 똑같이 음주하는 경우에는 41%이다[73]. 알코올 종류에 따른 췌장염 발생 관계를 보면, 맥주(>14 beers/wk)는 연관이 있고, 와인이나 spirit는 연관이 없다고 하였으나[100], 향후 연구가 더 필요한 문제이다. 흥미로운 것은 알코올 급성췌장염 환자의 50%에서는 임상증상이 음주 후 2일째 발생하는데[101], 알코올 섭취량, 섭취 기간, 알코올 중단이 급성췌장염을 일으키는 연관성에 대해서 의문이 정확히 풀리지 않은 문제이다[82].

3) 고중성지방혈증(hypertriglyceridemia)

식습관의 서구화로 최근에 비만이 주요 문제로 대두되면서, 고중성지방혈증도 증가하는 추세에 있는데, 2000년 이전에는 우리나라에서 급성췌장염의 원인으로 매우 드물었는데[1], 최근에는 증가하는 추세이며, 향후 계속 증가할 것으로 추정된다. 고중성지방혈증으로 인한 급성췌장염은 2~5% 정도로 추정되며 대개 혈중 중성지방이 1,000 mg/dL 이상에서 발생하는 경향이 있다. Rashid 등[102]은 혈중 중성지방이 1,000 mg/dL 이상인 5,550명 중 5.4%에서 급성췌장염이 발생하였다고 하였다.

장기 관찰한 연구보고[103]에 의하면, 고중성지방혈증에 의한 췌장염 환자는 대부분 중년, 남성으로, 중성지방이 1,000 mg/dL 이상이 48%에서 있었고, 고중성지방혈증 이외에 이차적인 위험인자(당뇨병, 과음, 비만, 약물 사용 등)를 적어도 한 가지 갖고 있었으며(78%), 재발은 32%에서 되었고, 중성지방이 1,000 mg/dL 이상인 경우 국소적인 합병증이 많이 발생하였으며, 만성췌장염은 16.5%에서 발생하였다.

고중성지방혈증에 의한 췌장염은 재발되기 쉬운데 이유는 고중성지방혈증뿐만 아니라 당뇨 및 과음 등의 위험인자도 잘 조절되지 않기 때문이다. 그러므로 재발을 예방하기 위해서는 음식 섭취 등의 생활습관을 철저히 관리하고, 약물치료를 적절하게 해야 한다[103]. 고중성지방혈증에 의한 췌장염에서의 국소합병증 및 전신합병증은, 환자들의 비만과 췌장지방이 많은 것이 연관될 것으로 생각된다[104, 105].

최근 고중성지방혈증 유발 급성췌장염 환자에서 유전자 변이가 발견되었다는 보고[106]가 있는데 향후 추가 연구가 필요할 것으로 생각된다.

4) RECP후-췌장염 (post-ERCP pancreatitis, PEP)

ERCP 시술 후 발생하는 췌장염은 ERCP 받은 환자의 1.6~15.7%에서 발생하며, 평균 3.5%에서 발생한다[107]. 대부분은 경미한 췌장염으로 발생하지만, 10~20%에서는 중증의 췌장염이 발생하며[108], 드물지만 사망에 이를 수도 있다. 복부전산화단층 촬영, MRI 검사 등이 보편화되지 않았을 시기에는 진단목적으로 ERCP를 시행한 후 췌장염이 발생하였는데, 최근에는 진단 목적으로는 ERCP를 거의 시행하지 않지만, 치료 목적의 ERCP가 증가하면서 ERCP 시술과 연관되어 발생하는 췌장염의 빈도는 감소되지 않고 있다.

ERCP 시술 후 발생하는 급성췌장염의 위험인자로는 부유두 절개술, 오디괄약근 기능이상, 이전에 ERCP후 췌장염의 기왕력, 60세 미만, 젊은 여성, 췌관에 2번 이상의 조영제 주입, 미숙련자의 시행 등이 있는데[3], 최근 보고에 의하면 ERCP 종료 시 췌관에 조영제가 남아있는 경우, ERCP 시술 후 3시간 이내 복통이 있는 경우 의미 있는 위험인자라고 하였다[109].

임상에서 급성췌장염의 발병 초기를 비교적 정확하게 알 수 있는 유일한 급성췌장염이 ERCP 시술 후 발생하는 췌장염인데, 이 ERCP 시술 후 급성췌장염을 예방하고 중증도를 감소시키기 위해 많은 노력이 있어왔다. 최근 meta-analysis 연구 보고[108]에 의하면, 모든 ERCP 시행 환자에게 예방적 직장 내 indomethacin투여는 적절하지 않고, ERCP후-췌장염 발생 고위험군에서는 ERCP 시술 전 직장 내 indomethacin 투여가 ERCP 후 투여보다 췌장염 예방에 효과적이라고 하였다. 향후 ERCP 시술 전, 시술 중 및 시술 후 등의 단계별로 ERCP 후-췌장염에 대한 진료 지침이 작성되기를 기대한다.

5) 수술

수술 후 발생되는 급성췌장염의 빈도는 약 8~10%로 보고된다[26]. 이유는 췌액배출의 폐쇄 또는 췌장의 인위적 손상에 의해 발생되는 것으로 생각된다[110]. 심폐우회술, 심장이식술 후에도 급성췌장염이 발생하는데 이유는 췌장 혈류 순환의 저관류 또는 색전이 원인으로 생각된다[111,112]. 세브란스병원에서 심장수술(심폐우회술 사용)을 받은 986명 중 급성췌장염은 5.9%에서 발생하였으며, 이 환자들의 원내 사망률은 15.5%로 수술 후 췌장염이 없었던 환자들의 2.0%보다 높았으며, 고혈압, 만성신질환, 수술 전후 norepinephrine 사용 등이 독립적인 위험인자였다[113].

6) 약물

약물에 의한 급성췌장염은 5% 미만으로, 많지는 않으나, 최근 여러 질환에서 새로운 치료 약물이 임상에 사용됨으로서, 예전에 비해 약물에 의한 췌장염의 빈도가 증가하는 경향이다. 현재까지 약 100종 이상의 약물이 급성췌장염과 연관이 있다고 보고된다[114].

가장 연관성이 알려진 약물들은 azathioprine (immunosuppressant), 6-mercaptopurine (anticancer drug), didanosine (anti-HIV drug), L-asparagineae (anticancer duug), estrogen, furosemide (diuretic), pentamidine (for pneumocystis carninii infection), salicylates (antipyretic drug), stibogluconate sodium (antiprotozoal drug), sulfonamide (antimicrobial drug), sulindas (antipyretic drug), vincristine (anticancer drug), vinblastine (anticancer drug) valproic acid, angiotensin-converting-enzyme inhibitors, mesalamine 등이다[114, 25].

약물 복용 후 췌장염이 발생하는 기간은 약물의 종류에 따라 다양해서 한 번 복용 후 발생하는 경우도 있고, 복용 후 한 달 혹은 수 주에서 수개월 뒤 발생하는 경우도 있다[25]. 약물성 급성췌장염은 대개 경증으로 유발 원인 약물을 제거하면 되나, 대개 한 가지 약물을 복용하는 경우보다 여러 약물을 혼합 복용하는 경우에서 더 많이 발생하므로 약물의 상호 작용이나 약물에 대한 과민 반응 같은 면역 기전도 관여할 수 있으므로 유발 약물을 정확히 밝혀내는 것이 쉽지 않다[115].

임상에서 이유를 설명할 수 없는 복통을 호소하는 환자에서는 만일 약물 복용 중이라면 혈정 amylase 검사와 약물 조사를 실시하여 약물에 의한 췌장염인지를 확인하는 것이 중요하다. 급성췌장염으로 진단된 환자에서 원인이 확실하지 않은 특발성일 경우에는 사용 중인 약물의 중단도 고려해서, 약물에 의한 췌장염 유무를 확인하는 것이 중요하다.

7) 유전성췌장염

유전성췌장염은 췌장의 단백분해효소에 관여하는 유전자의 변이(mutations)나 다형성(polymorphisms)으로 발생하며 임상적으로 급성재발성췌장염이다. 대개 만성췌장염으로 진행되며 결국 정상인보다 높은 50배 이상의 췌장암 발생 위험성을 가지게 된다[116,117].

PRSS1 (cationic trypsinogen), SPINK1 (serine protease inhibitor Kazal type 1), CFTR (cystic fibrosis transmembrane conductance regulator), chymotrypsin C, calcium-sensing receptor, claudin-2 등과 같은 유전자들에 변이가 생길 경우 췌장염이 발생할 수 있다고 알려져 있으며, 단독으로 유발되는 경우도 있지만 claudin-2 유전자 변이는 보조요인으로 작용하여 알코올 음주 시에 췌장염 발생률이 더 높아지는 효과를 나타낸다[118].

우리나라에서 유전성췌장염은 외국에 비해 드물 것으로 생각되었지만, PRSS1 유전자변이는 대상 환자(급성재발성췌장염, 특발성췌장염 및 가족성췌장염) 중 12.5~12.8%[119,120], SPINK1유전자 변이는 대상 환자(급성재발성췌장염 및 만성췌장염) 중 34.4%[120], CFTR 유전자 변이는 특발성 만성췌장염 환자 중 19%[121]로 보고되어 향후 추가 연구가 필요한 분야이다.

8) 감염

급성췌장염 환자 중 감염의 원인이 되는 것들은 cytomegalovirus, mumps, EBV virus, mixovirus, HIV, measles, coxsackie B, hepatitis B, C, varicella-zoster, herpes simplex II, influenza A (H1N1) 등의 virus와[122], Salmonella typhi, leptospira, Legionella 등의 박테리아 감염, fungal infection (Aspergillus) 및 기생충(Toxoplasma, Cryptosporidium, Ascaris lumbricoides, Mycoplasma, clonorchiasis) 등이다[25,122].

원인이 불명확한 급성췌장염인 환자에서 다른 장기에 감염 증상이 있는 경우에는 감염에 의한 췌장염을 염두에 두어야 하며, 특히 면역력이 저하되어 있는 환자에서는 virus에 의한 췌장염의 가능성을 항상 염두에 두어야 한다. 또한 다른 증상이 없는 경우에는 대변 검사를 시행하는 것이 유용할 것으로 생각된다.

9) 종양

십이지장, 췌장두부, 원위부 담도에서 발생되는 유두부 주위 종양에 의해 급성췌장염이 유발될 수 있다. 급성췌장염 환자에서 약 2%까지 췌장암이 진단되며[123], 췌장암 환자 중 6.8~13.8%에서 급성췌장염이 발생한다[123,124]. 췌장암에서 췌장염이 발생하는 이유는 췌관의 폐쇄가 주된 이유로 생각되나, 모든 환자에서 췌관의 확장이 있는 경우 것은 아니어서 다른 이유가 있을 가능성이 있을 것으로 생각된다[125].

극히 일부 환자에서는 악성 종양의 초기에 급성췌장염 환자에게서 감염을 일으키는 것들은 영상의학적 검사에서는 뚜렷하지 않고, 미미한 변화만 보이는 경우가 있어, 원인 불명의 췌장염이 있는 경우 주기적인 추적검사를 통해 이상 유무를 확인하는 것이 필요하다.

10) 재발성 급성췌장염

급성췌장염의 첫 번째 발병 후 재발하는 재발성 급성췌장염은 연구결과 보고 연도에 따라 다른데, 1985년 이전 18~31%에서[63,64], 1985년 이후는 4.2~14.4%로 낮아졌다[65,66,69].

재발성췌장염 환자는 비교적 30~40대의 젊은 남성에서 흔하다[126]. 원인은 알코올과 담석이 가장 흔하며, 이외에 오디괄약근 기능장애, 해부학적 변이(분리췌장, 고리췌장, 긴 췌담관공통관 등), 유전성(PRSS1, SPINK1 및 CFTR 유전자변이), 고중성지방혈증(hypertriglyceridemia), 자가면역췌장염, 폐쇄성 원인(협착, 종양 등), 고칼슘혈증, 약물 등이다[126,127].

11) 기타

기타 급성췌장염의 원인으로는 자가면역췌장염, 교원성질환(SLE, rheumatoid arthritis, Sjögren 증후군, systemic sclerosis 등), 부갑상선기능항진증 및 말기신부전 등이다[26]. 비만(morbid obesity)은 급성췌장염의 위험인자이며, 중증의 췌장염을 일으킨다[128]. 소아에서 급성췌장염의 주요 원인으로는 특발성, 담도질환, 약물, 감염 및 선천성기형 등이다[57].

References

1. 정재복. 한국의 급성췌장염. Medical Postgradurates 1997;3:145-9.
2. Bank S, Sinqh P, Pooran N, Stark B. Evaluation of factors that have reduced mortality from acute pancreatitis over 20 years. J Clin Gastroenterol 2002;35:50-60.
3. Forsmark CE, Vege SS, Wilcox C. Acute pancreatitis. N Engl J Med 2016;375:1972-81.
4. Fitz RH. Acute pancreatitis; a consideration of pancreatic hemorrhage, hemorrhagic, suppurative, and of disseminated fat necrosis. Boston Med Surg J 1889; 120:181.
5. Leach SD, Gorelick FS, Modilin IM. Acute pancreatitis at its centenary: the contribution of Reginald Fitz. Ann Surg 1990;212:100-13.
6. Opie EL. The relation of cholelithiasis to disease of the pancreas and to fat necrosis. Am J Med Sci 1901; 212:27.
7. Elman R, Arneson AN, Graham EA. Value of blood amylase in the diagnosis of pancreatic disease. Arch Surg 1929; 19:943.
8. Ranson JH, Rifkind KM, Roses DF, Fink SD, Eng K, Spencer FC. Prognostic signs and the role of operative management in acute pancreatitis. Surg Gynecol Obstet 1974;139:69-81.
9. 정재복, 이돈행. 급성췌장염 - 4. 중등도 판정. 췌장염. 윤용범. 대한소화기학회총서 9. 2003. 군자출판사. p 79-93.
10. 양희철, 정재복, 김명진 등. 급성췌장염에서 CT 예후인자의 유용성. 대한소화기학회지 1997;29: 362-9.
11. Banks PA, Bollen TL, Dervenis C, et al. Classification of acute pancreatitis-2012: revision of the Atlanta classification and definitions by international consensus. Gut 2013;62:102-11.
12. 이현철, 김현희, 한지민 등. 급성췌장염에서 애틀란타 분류 개정안 적용과 임상경과 예측:후향적, 다기관 연구. 대한췌담도학회지 2015;20:64-70.
13. 이윤석, 조광범. 급성췌장염의 중증도 평가 및 수액치료. 대한췌담도학회지. 2016;21:11-8.
14. Choi JH, Kim MH, Cho DH, et al. Revised Atlanta classification and determinant-based classification: Which one better at startifying outcomes of patients with acute pancreatitis? Pancreatology 2017;17:194-200.
15. Van Santvoort HC, Besselink MG, Bakker OJ, et al. A step-up approach or open necrosectomy for necrotizing pancreatitis. N Engl J Med 2010;362:1491-502.
16. Yasuda I, Nakashima M, Iwai T, et al. Japanese multicenter experience of endoscopic necrosectomy for infected walled-off pancreatic necrosis: The JENIPaN study. Endoscopy 2013;45:627-34.
17. Thompson CC, Kumar N, Slattery J, et al. A standardized method for endoscopic necrosectomy improves complication and mortality rates. Pancreatology 2016;16:66-72.
18. Bourke JB, Giggs JA, Ebdon DS. Variations in the incidence and the spatial distribution of patients with primary acute pancreatitis in Nottingham 1969-1976. Gut 1979;20:366-71.
19. Corfield AP, Cooper MJ, Williamson RCN. Acute pancreatitis: a lethal disease of increasing incidence. Gut 1985;26:724-9.
20. Cavallini G, Riela A, Brocco G, et al. Epidemiology of acute pancreatitis. In Berger HG, Bucher M, eds. Acute pancreatitis. Berlin, Springer-Verlag, 1987, p25-31.
21. Trapnell JE, Duncan EH. Pattern of incidence in acute pancreatitis. Br Med J 1975;2:179-83.
22. Jaakkola M, Nordback I. Pancreatitis in Finland between 1970 and 1989. Gut 1993;34:1255-60.

23. Wilson C, Imrie CW. Changing patterns of incidence and mortality from acute pancreatitis in Scotland. Br J Surg 1990;77:731-4.
24. Scuro LA, Cavallini G. Data reported at symposium, Treatment of acute pancreatitis. 8th Congress of Gastroenterology, Sao Paulo(Brazil), September 7-12, 1986.
25. 김창덕. 급성췌장염 - 1. 역학 및 원인 - . 췌장염. 윤용범. 대한소화기학회총서 9. 2003. 군자출판사 p31-42.
26. Sekimoto M, Takasa T, kawarada Y, et al. JPN guidelines for management of acute pancreatitis: epidemiology, etiology, natural history, and outcome predictors in acute pancreatitis. J Hepatobiliary Pancreat Surg 2006;13:10-24.
27. Peery AF, Crockett SD, Barritt AS, et al. Burden of gastrointestinal, liver, and pancreatic diseases in the United States. Gastroenterology 2015;149:1731-41. e1.
28. Hazra N, Gulliford M. Evaluating pancreatitis in primary care: a population based cohort study. Br J Gen Pract 2014;64:e295-301.
29. Spainer B, Bruno MJ, Dijkgraff MG. Incidence and mortality of acute and chronic pancreatitis in the Netherlands: a nitionwide record-linked cohort study for the years 1995-2005. World J Gastroenterol 2013;19:3018-26.
30. Lindkvist B, Appelros S, Manjer J, Börgstrom A. Trends in incidence of acute pancreatitis in a Swedish population: is there really an increase? Clin Gastroenterol Hepatol 2004;2:831-37.
31. Frey IA, Zhou H, Harvey DJ, White RH. The incidence and case-fatality rates of acute biliary, alcoholic, and idiopathic pancreatitis in California, 1994-2001. Pancreas 2006;33:336-344.
32. Goldacre MJ, Roberts SE. Hospiatl admission for acute pancreatitis in an English population, 1963-98:database study of incidence and mortality. BMJ 2004;328:1466-1469.
33. Spanier BW, Dijkgraaf MG, Bruno MJ. Epidemiology, aetiology and outcome of acute and chronic pancreatitis: An update. Best Pract Res Clin Gastroenterol 2008;22:45-63.
34. Yadav D, Ng B, Saul M, Kennard ED. Relationship of serum pancreatic enzyme testing trends with the diagnosis of acute pancreatitis. Pancreas 2011;40: 383-89.
35. Gullo L, Migliori M, Olah A, et al. Acute pancreatitis in five European countries: etiology and mortality. Pancreas 2002;24:223-7.
36. Hamada S, Masamune Atsushi, Shimosegawa T. Management of acute pancreatitis in Japan: Analysis of nationwide epidemiological survey. WJG 2016;22:6335-44.
37. 이재풍, 이원로, 한심석. 급성췌장염의 임상적 관찰 - 65예의 임상적 분석 -. 대한내과학회잡지 1967;10:37-43.
38. 이규면, 정규원, 전종휘. 급성췌장염에 대한 임상관찰. 대한내과학회잡지 1969;12:51-6.
39. 최명부. 급성 췌염의 임상적 관찰. 대한내과학회잡지 1969;12:83-8.
40. 이종석, 최진학. 급성췌장염의 임상적 관찰. 대한내과학회잡지 1969;12:195-201.
41. 홍천수, 이호영, 채일석, 강진경, 최흥재. 췌장염의 임상적 고찰. 1975;7:25-34.
42. 이광웅, 신영우, 유방현. 급성췌장염에 관한 임상적 관찰. 대한내과학회잡지 1975;18:879-87.
43. 정기호, 황의호, 김춘규. 급성췌장염에 대한 임상적 고찰. 대한외과학회잡지 1976;18:296-305.
44. 김영조, 강신덕, 박실무, 이기환, 김종숙. 급성췌장염 200예의 임상적 구분. 대한소화기병학회잡지 1979;11:21-9.
45. 황인구, 김병학, 송기원, 안영락, 김광희, 최진학. 급성췌장염에 관한 임상적 관찰. 대한내과학회잡지 1979;22:40-6.
46. 박병기, 동영호, 이선주, 남영근, 신현주, 도사금. 급성췌장염에 관한 임상적 관찰. 대한내과학회잡지 1982;25:331-7.

47. 조한성, 변희섭, 박동철, 심찬섭, 백정민. 급성췌장염에 대한 임상적 고찰. 대한소화기병학회잡지 1982;14:171-7.
48. 고승석, 정기수, 이동훈, 김창식, 이종건, 이경원. 급성췌장염의 임상적 고찰. 대한소화기병학회잡지 1983;15:95-101.
49. 임동현, 오지웅, 박찬흔, 배수동. 급성췌장염의 임상적 고찰. 대한소화기병학회잡지 1993;25: 363-8.
50. 이성구, 이미화, 한동수 등. 담석췌장염의 임상적 고찰. 대한소화기병학회잡지 1993;25:730-7.
51. 신건성, 김용태, 윤용범, 김정용. 급성췌장염의 임상적 고찰. 대한소화기병학회 학술대회초록 1994
52. 안신기, 김원호, 정준표 등. 급성췌장염의 예후 평가-다단계 판별분석법을 이용한 예후 평가. 대한내과학회잡지 1994;47:493-8.
53. 주기중, 서대홍, 김춘섭, 이창환, 심영웅, 송갑영. 급성췌장염에 대한 임상적 고찰. 대한소화기병학회잡지 1994;16:995-1001.
54. Andersson R, Andersson B, Haraldsen P, Drewsen G, Eckerwall G. Incidence, management, and recurrence rate of acute pancreatitis. Scand J Gastroenterol 2004;39:891-4.
55. Go VLW. Etiology and epidemiology of acute pancreatitis. In:GO VLW et al, eds. The pancreas:biology, pathology, and disease. New York:Raven Press, 1986:235-239.
56. Yadav D, Lowenfields. Trend in the epidemiology of the first attack of acute pancreatitis. Pancreas. 2006;33:323-30.
57. Steinberg W, Tenner S. Acute pancreatitis. N Engl J Med 1994;330:1198-210.
58. Hamada S, Masamune A, Kikuta K, Hirota M, Tsuji I, Shimosegawa T. Nationwide epidemiological survey of acute pancreatitis in Japan. pancreas 2014;43:1244-8.
59. Floyd A, Pedersen L, Nielsen GL, et al. Secular trends in incidence and 30-day case fatility of acute pancreatitis in North Jutland county, Denmark: a register-based study from 1981-2000. Scand J Gastroenterol 2002;37:1461-5.
60. 백용환, 서정훈, 송건훈 등. 고령자 급성췌장염의 임상적 고찰. 대한소화기학회지 1998;32:370-5.
61. Fernandez-Cruz L, Navarro S, valderrama R. et al. Acute necrotizing pancreatitis : a multicenter study. Hepato-gastroenterol 1994;41:185-9.
62. Eland IA, Sturkenboom MJ, Wilson JH, Stricker BH. Incidence and mortality of acute pancreatitis between 1985 and 1995. Scand J Gastroenterol 2000;35:1110-6.
63. Thomson HJ. Acute pancreatitis in north and noryh-east Scotland. J R Coll Surg Edinb 1985;30:104-11.
64. Trapnell JE, Duncan EH. Patterns of incidence in acute pancreatitis. Br Med J 1975;2:179-83.
65. 089. Thomson SR, Hendry WS, McFarlane GA, et al. Epidemiology and outcome of acute pancreatitis. Br J Surg 1987;74:398-401.
66. 091. Halvorsen FA, Ritland S. Acute pancreatitis in Buskerud county, Norway. Incidnece and etiology. Scand J Gastroenterol 1996;31:411-4.
67. Gislason H, Horn A, Hoem D, et al. Acute pancreatitis in Bergen, Norway. A study on incidence, etiology and severity. Scand J Surg 2004; 93:29-33.
68. Corfield AP, Cooper MJ, Williamson RC. Acute pancreatitis: a lethal disease of increasing incidence. Gut 1985;26:724-29.
69. Eland IA, Sturkenboom MJ, Wilson JH, et al. Incidence and mortality of acute pancreatitis between 1985 and 1995. Scand J Gastroenterol 2000;35:1110-6.
70. Birgisson H, Moller PH, Birgisson S, et al. Acute pancreatitis: a prospective study of its incidence, aetiology, severity, and mortality in Iceland. Eur J Surg 2002;168:278-2.
71. Svensson JO, Norback B, Bokey EL, et al. Changing pattern in aetiology of acute pancreatitis in an urban Swedish area. Br J Surg 1979;66:159-61
72. Nawaz H, Koutroumpakis E, Easler J, et al. Elevated serum triglycerides are independently associated

with perisistent organ failure in acute pancreatitis. Am J Gastroenterol 2015;110:1497-503.

73. Takayama Y. Long-term prognosis of acute pancreaitis in Japan. Clin Gastroenterol Hepatology 2009; 7:S15-7.
74. Appelros S, Lindgren S, Borgstrom A. Short and longterm outcome of severe acute pancreatitis. Eur J surg 2001;167:281-6.
75. Halonen KI, Pettila V, Leppaniemi AK, et al. Longterm health-related quality of life in survivors of severe acute pancreatitis. Intensive Care Med 2003;29:782-6.
76. Pelli H, Sand J, Laippala P, et al. Long-term followup after first episode of acute pancreatitis: time course and risk factors for recurrence. Scand J Gastroenterol 2003;35:552-5.
77. Seidensticker F, Otto J, Lankisch PG. Recovery of the pancreas after acute pancreatitis is not necessarily complete. Int J pancreatol 1995;17:225-9.
78. Lankisch PG, Breue N, Burns A, et al. Natural history of acute pancreatitis: a long-term populationbased study. Am J Gastroenterol 2009;104:2797-805.
79. Nojgaard C, Becker U, Matzen P, Anderson JR, Holst C, Bendtsen F. Progression from acute to chronic pancreatitis: prognostic factors, mortality, and natural course. Pancreas 2011;40:1195-200.
80. Sankaran SJ, Xiao AY,Wu LM, Windsor JA, Forsmark CE, Petrov MS. Frequency of progression from acute to chronic pancreatitis and risk factors: a metaanalysis. Gastroenterology. 2015;149:1490-1500.e1
81. Doepel M, Eriksson J, Halme L, Kumpulanen T, Hockerstedt K. Good long-term results in patients surviving severe acute pancreatitis. Br J Surg 1993;80:1583-6.
82. Yadav D, Lowenfels AB. The epidemiology of pancreatitis and pancreatic cancer. Gastroenterology 2013;144:1252-61.
83. 한지민. 참고문헌 12번 논문 작성 자료중 미발표 자료 제공함.
84. Prince M. Pancreatic apoplexy with a report of two cases. Boston Medical Surgical Journal 1882;107:28
85. Opie EL. the etiology of acute hemorrhagic pancreatitis. Bulletin of the Johns Hopkins Hospital 1901;12:182-8.
86. McCutcheon AD, Race DS. Experimental pancreatitis: a possible etiology of post-operative pancreatitis. Ann Surg 1962;155:523-31.
87. Lerch MM, saluja AK, Dawra R, Ramarao P, Saluja M, Steer ML. Acute necrotizing pancreatitis in the opposum: earliest morphological changes involve acinar cells. Gastroenterology 1992;103:205-13.
88. Armstrong CP, Taylor TV. Pancreatic duct reflux and acute gallstone pancreatitis. Ann Surg 1986;204:59-64.
89. Jones BA, Salsberg BB, Bohen JMA, Mehta MH. Common pancreaticobiliary channel and their relationship to gallstone size in pancreatitis. Ann Surg 1987;205:123-5.
90. McMahon MJ, Shefta JR. Physical characteristerisation of gallstones and the calibre of the cystic duct in patients with acute pancreatitis. Br J Surg 1980;67:6-9.
91. McMahon MJ, Playforth MJ, Booth EW. Identification of risk factoes for acute pancreatitis from routine radiological investigation of the biliary tract. Br J Surg 1981;68:465-7.
92. Kelly TR. Gallstone pancreatitis: local predisposing factors. Ann Surg 1984;200:479-84.
93. Armstrong CP, Taylor TV, Jeacock J, Lucas S. The biliary tract in patients with acute gallstone pancreatitis. Br J Surg 1985;72:551-5.
94. Acosta JM, Pellegrini CA, Skinner DB. Etiology and pathogenesis of acute biliary pancreatitis. Surgery 1980;88:118-25.
95. Runzi M, Saluza A, Lerch MM, Dawra R, Nishini H, Steer ML. Early ductal decompression prevents the

progression of biliary pancreatitis: An experimental study in the opossum. Gastroenterology 1993;105: 157-64.

96. Gumaste VV. The pathogenesis of gallstone-induced pancreatitis. Gastroenterology 1994;106:269-70.
97. Pandol SJ, Lugea A, Mareninova OA, et al. Investigating the pathobiology of alcoholic pancreatitis. Alcohol Clin Exp Res 35:830-7. pubmed;21284675.
98. Yadav D, Eigenbrodt ML, Briggs MJ, et al. Pancreatitis: prevalence and risk factors among male veterans in a detoxification program. Pancreas 2007;34:390-8.
99. Lankisch PG, Lowenfels AB, Maisonneuve P. What is the risk of alcoholic pancreatitis in heavy drinkers? Pancreas 2002;25:411-2.
100. Kristiansen L, gronbaek M, Becker U, et al. Risk of pancreatitis according to alcohol drinking habits: a population-based cohort study. Am J Epidemiol 2008;168:932-7.
101. Nordback I, Pelli H, Lappalainen-Lehto R, et al. Is it long-term continuous drinking or the post-drinking withdrawal period that triggers the first acute aocoholic pancreatitis? Scand J Gastroenterol 2005;40:1235-9.
102. Rashid N, Sharma PP, Scott RD, Lin KJ, Toth PP. All-cause and acute pancreatitis health care costs in patients with severe hypertriglyceridemia. Pancreas 2017;46:57-63.
103. Vipperla K, Sommerville C, Eurlan A, et al. Clinical profile and nutural course in a large Cohort of patients with hypertriglyceridemia and pancreatitis. J Clin Gastroenterol 2017;51:77-85.
104. Navina S, Acharya C, DeLany JP, et al. Lipotoxicity cuases multisystem organ failure and excerbate acute pancreatitis in obesity. Sci transl Med 2011:3: 107-10.
105. Noel P, Patel K, Durgampudi C, et al. Peripancreatic fat necrosis worsens acute pancreatitis independent of pancreatic necrosis via unsaturated fatty acids increased in human pancreatic necrosis collections. Gut 2016:65:100-11.
106. Chen WJ, Sun XF, Zhang RX. Hypertriglyceridemic acute pancreatitis in an emergency department: the typical clinical features and genetic variants. J Dig Dis 2017 doi:10.1111/1751-2980.12490
107. Anderson MA, Fisher L, Jain R, et al. Complications of ERCP. Gastrointest Endosc 2012;75:467-73.
108. Wan J, ren Y, Zhu Z, et al. How to select patients and timing for rectal indomethacin to prevent post-ERCP pancreatitis: a systematic review and meta-analysis. BMC Gastroenterology 2017;17:43-52.
109. Matsubara H, Urano F, Kinoshita Y, et al. Analysis of the risk factors for severity in post endoscopic retrograde cholangiopancreatography pancreatitis: The indication of prophylactic treatments. World J gastrointest Endosc 2017;9:189-95.
110. Steer ML. Etiology and pathophysiology of acute pancreatitis. In:Go VLW et al, ed. The Pancreas: biology, pathology, and diseases. New York: Raven Press 1986:581-92.
111. Adiseshiah M. Acute pancreatitis after cardiac transplantation. World J Surg 1983;7:519-21.
112. Feiner H. Pancreatitis after cardiac surgery. Am J Surg 1976;131:684-8.
113. Chung JW, Ryu SH, Park JY, et al. Clinical implications and risk factors of acute pancreatitis after cardiac valve surgery. Yonsei Med J 2013;54:154-9.
114. Nitsche C, Maertin S, Scheiber J, et al. Drug-indiced pancreatitis. Curr Gastroenterol Rep 2012;14:131-8.
115. Bertilsson S, Kalaitzakis E. Acute pancreatitis and use of pancreatitis-associated drugs: a 10-year population-based cohort study. Pancreas 2015; 44: 1096-104.
116. Whitcomb DC. Genetic risk factors for pancreatic disorders. Gastroenterology 2013; 144: 1292-302.
117. Rebours V, Boutron-Ruault MC, Schnee M, et al. Risk of pancreatic adenocarcinoma in patients with hereditary pancreatitis: a national exhaustive series.

Am J Gastroenterol 2008;103:111-19.

118. Whitcomb DC, LaRusch J, Krasinskas AM, et al. Common genetic variants in the CLDN2 and PRSS1-PRSS2 loci alter risk for alcohol-related and sporadic pancreatitis. Nat Genet 2012; 44: 1349-54.
119. Oh HC, Kim MH, Choi KS, et al. Analysis of PRSS1 and SPINK1 mutations in Korean patients with idiopathic and familial pancreatitis. Pancreas 2009;38:180-3.
120. Lee YJ, Kim KM, Choi JH, Lee BH, Yoo HW. High incidnece of PRSS1 and SPINK1 mutations in Korean children with acute recurrent and chronic pancreatitis. JPGN 2011;52:478-81.
121. Lee JH, Choi JH, Namkung W, et al. A halotype-based molecular analysis of CFTR mutations associated respiratory and pancreatic disease. Human Mol Genet 2003;12:2321-32.
122. Rodriguez Schulz D, Martinez A, guzman MB, et al. Severe acute pancreatitis and infection by influenza A (H1N1) virus in a child: case report. Arch Argen Pediatr 2015;113:e215-8.
123. Kimura Y, Kikuyama M, Kodama Y. Acute pancreatitis as a possible indicator of pancreatic cancer: the importance of mass detection. Intern Med 2015;54:2109-14.
124. Kohler H, Lankisch PG. Acute pancreatitis and hyperamylasemia in pancreatic carcinoma. Pancreas 1987;2:117-9.
125. Li S, Tian B. Acute pancreatitis in patients with pancreatic cancer: timing of surgery and survival duration. Medicine 2017;96(3);e5908. doi:10.1097/MD. 0000000000005908. PMID:28099352
126. Machicado JD, Yadav D. Epidemiology of recurrent acute and chronic pancreatitis: Similarities and differences. Dig Dis Sci 2017;DOI 10.1007/s10620-017-4510-5
127. 조동희, 송태준. 재발성 급성췌장염의 진단과 치료. 대한췌담도학회지. 2016;21;1-10.
128. Krishna SG, Hinton A, Oza V, et al. Morbid obsity is associated with adverse clinical outcomes in acute pancreatitis: a propensity-mathced study. Am J Gastroenterol 2015;110:1608-19.

CHAPTER 08

급성췌장염의 병인 및 병태생리
Pathogenesis and pathophysiology of acute pancreatitis

장성일, 이세준

서론

급성췌장염의 병인과 병태생리는 임상 연구자들이나 기초 학자들에게 아직까지도 완전히 밝혀지지 않은 채로 남아있다. 1896년 Chiari H[1]에 의해 처음으로 급성췌장염의 병인에 대해 활성화된 췌장 효소들에 의한 자가소화(auto digestion)의 개념이 제시되었다. 이후 트립신 중심 가설(trypsin-centered hypothesis)이 급성췌장염에서 세엽세포 내(intra-acinar)에서 발생하는 중요한 병태생리로 여겨져 왔다. 이러한 세엽세포 내 병적인 트립시노겐의 활성화와 이에 따른 자가소화에 의한 췌장 손상이 지난 세기 동안 췌장염을 이해하는 기본을 형성해 왔다[2]. 그러나 최근 다양한 췌장염 모델을 통해 기존의 트립신 중심 가설(trypsin-centered hypothesis) 뿐만 아니라 세엽세포 내 중요한 병적인 반응들에 대한 연구들이 수행되어 급성췌장염의 새로운 병인과 병태생리가 밝혀지고 있다.

급성췌장염의 병인과 병태생리는 여러 요인들에 의해 복합적으로 발생하며, 크게 3단계(초기 단계, 지속 단계, 이차 확대 단계)로 구분될 수 있다[3](그림 8-1). 시작단계(initiation phase)는 췌장 세포를 손상하는 세엽세포 내 변화와 nuclear factor kappa-light-chain-enhancer of activated B cells (NF-κB)를 통한 췌장 내 국소 염증 반응이 시작되는 단계이다. 지속 단계(perpetuation phase)는 초기 염증 반응에서 백혈구를 주축으로 하는 면역세포들이 모여서 다양한 염증 시토카인(cytokines)과 케모카인(kemokines)을 분비하여 전신적 염증 반응이 일어나는 단계이다. 이차 확대 단계(secondary escalation phase)는 괴사된 췌장 혹은 췌장주변 조직과 체액 저류에 감염이 발생하여 기존의 국소적, 전신적 감염이 악화되어 기관 부전(organ failure)까지 발생할 수 있는 단계이다.

1. 세엽세포 내 변화들(intra-acinar events)

1) 효소원(zymogen) 활성

췌장은 정상적으로 비활성화된 효소원 상태로 소화 효소를 분비하고, 십이지장에서 트립시노겐(trypsinogen)이 트립신(trypsin)으로 활성화된 후 다른 효소들을 활성화시킨다[2]. 급성췌장염의 초기 단계에서 중요한 변화는 췌장세포 내에서 췌장 효소들의 미성숙 활성화이

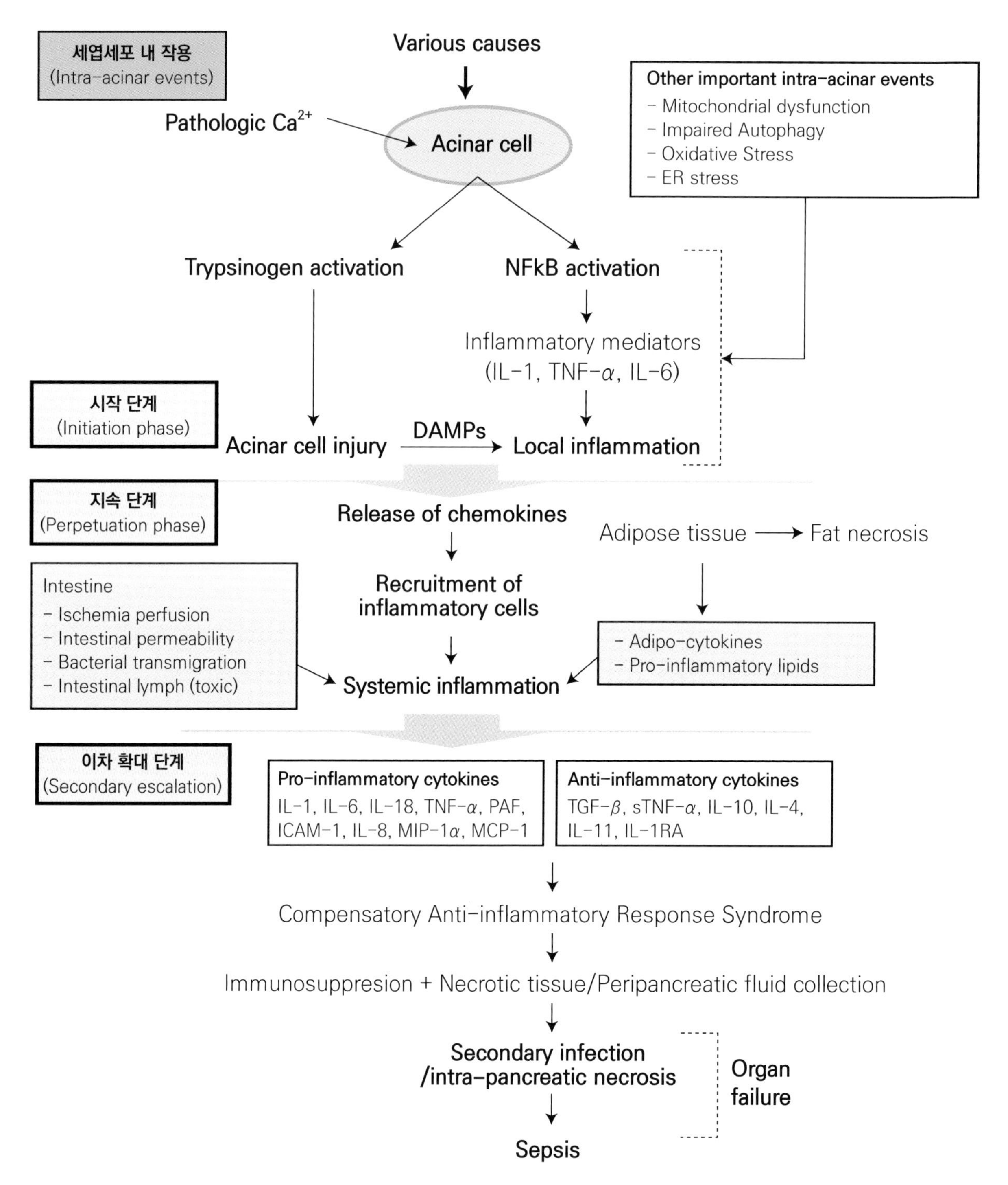

그림 8-1. **급성췌장염에서의 병태생리**[3].

다. 비활성화된 트립시노겐이 트립신으로 병적인 전환은 오랫동안 급성췌장염이 시작되는 주요 기전으로 생각되어 왔다. 세엽세포 내에서 트립신의 발현은 췌장조직의 세포 괴사와 염증을 유도한다[4]. 최근 세엽세포 내에서 초기 트립시노겐의 병적인 활성화를 억제한 T-/- 마우스를 이용하여 caerulein으로 급성췌장염을 유발시킨 동물실험에서, 세엽세포의 세포 사망(cell death)은 거의 완벽히 억제되고 세포 괴사(cell necrosis)는 50%로 줄었다. 그러나 국소적 염증과 전신적 염증은 트립신노겐을 억제하지 않은 마우스(wild type)와 유사하게 관찰되었다[5]. 이러한 결과는 cathepsin B를 동시에 억제한 CB-/- 마우스 연구에서도 관찰되었다[6]. 이러한 연구들을 통해 트립시노겐의 활성화가 급성췌장염 초기에 세포 손상에 중요한 역할을 하지만, 국소적, 전신적 염증의 진행에는 트립신 비의존성 기전(trypsin-independent mechanism)이 존재함을 알 수 있다[7]. 트립시노겐의 병적인 활성화로 췌장 세포의 50%가 손상되지만 나머지는 트립신과 관련 없이 췌장세포 손상이 일어남을 알 수 있다. 즉 급성췌장염 초기에는 트립신 매개 췌장세포 손상이 있는 반면, 후기 동안에는 트립신 비의존성 국소 염증반응에 의한 췌장 손상이 있을 수 있다[8]. 이러한 트립신 비의존성 기전은 기존의 급성췌장염의 병인에 대한 새로운 패러다임을 제시한다. 이전에 cathepsin B의 억제제, PI3K knockout, protease 억제제를 이용한 여러 연구들에서도 유사한 결과를 보였으나, 이러한 새로운 기전을 설명하지 못하였다[9]. 현재 이러한 트립신 비의존성 기전에 대해서는 세엽세포 내에서 nuclear factor kappa-light-chain-enhancer of activated B cells (NK-κB) 활성화로 여겨지고 있다[3,7]. 이 부분에 대해서는 다음 장에서 논하고 전통적으로 급성췌장염의 기전으로 여겨진 트립시노겐의 병적인 활성화에 대해 우선 논하고자 한다. 트립시노겐의 미성숙 활성에는 여러 세포내 기전들이 관여하며, 이러한 기전들에는 칼슘 항상성(calcium homeostasis)의 변화, 용해소체(lysosome)와 효소원의 공동 구역화(co-localization), pH (hydrogen ion concentration, 수소이온농도 지수)의 변화가 있다[3].

(1) 칼슘 신호(calcium signaling)

세엽세포질 내로 유입되는 칼슘(Ca^{2+})은 세엽세포 내에서 생리적 혹은 병태생리적 반응을 유발하는데 중요한 역할을 한다. Ca^{2+}이 세엽세포의 꼭대기과립부위(apical granular area)에서 일시적으로 상승하는 것은 생리적인 반응을 유발하는 데 비해, 세포 전체적으로 지속적인 상승은 병태생리적 반응을 유도한다[9]. 트립시노겐의 활성화나 트립신의 비활성화는 주로 트립신에 의해 조절되는데, 세포 내 Ca^{2+} 농도는 트립신의 활성화에 영향을 미친다[10]. 이러한 Ca^{2+} 농도의 이상 상승은 Ca^{2+}의 과도한 유입이나 세포 내 Ca^{2+}의 배출 기전에 문제가 생길 때 발생한다.

(2) 용해소체(lysosome)와 효소원의 공동 구역화

췌장효소는 세엽세포의 세포질 내에서 비활성화된 효소원 과립(granule)의 형태로 존재한다. 급성췌장염의 초기에 췌장 효소원은 cathepsin B와 같은 용해소체 가수분해효소(lysosomal hydrolase)와 같은 공간에 존재하게 되어 미성숙 트립시노겐을 활성화시킨다[11]. 그러나 분비구획 내로 cathepsin B만으로는 트립시노겐을 활성화시키지 못하며, 단지 급성췌장염에서 트립신 활성도를 증가시킬 수는 있다. 이는 용해소체 가수분해효소가 같은 공간에만 있는 조건만으로 트립시노겐을 활성화시키는데 충분하지 않다는 것을 시사한다. 트립시노겐을 활성화시키는 데는 공포(vaculole)내 낮은 pH와 같은 조건이 필요하다. 산성 pH는 cathepsin B의 촉매 작용을 강화하여 트립시노겐을 활성화시킬 수 있다. 이러한 공포내 산성도는 공포내로 양성자(proton)을 펌프하는 공포 ATPase가 관여함을 최근 밝혀졌다[3].

(3) pH 변화

세엽세포에서 효소원 과립이 분비되면 췌장내강(lumen)은 산성화가 된다[12]. 세엽세포 밖에서 어느 정도로 산성화되어야 세엽세포에 영향을 미치게 되는지는 명확하지 않다. 낮은 pH에 의한 해로운 효과는 대부분 세포질 그물막 ryanodine 수용체(endoplasmic reticulum membrane ryanodine receptor)를 매개로 한 Ca^{2+}의 병적 증가, 공포 ATPase매개로 한 공포 내로의 양성자 펌프 증가, 세포간 연결의 장애로 인해 발생하며, 이로 인해 효소원이 활성화 되고 세포들 사이로 퍼지게 된다[13,14]. 산성화된 내강은 또한 음성 되먹임(negative feedback)에 의해 내강 내로 중탄산염(bicarbonate)의 분비를 억제하여 내강의 산성화를 초래하는 또 다른 기전으로 여겨진다.

2. 기타 세엽세포 내의 변화들 (other important intra-acinar events)

1) 미토콘드리아 장애(mitochondrial dysfunction)

미토콘드리아는 체내로 흡수된 산소를 이용하여 ATP형태의 에너지를 생산하고 반응 산소종(reactive oxygen species, ROS)를 생성한다. 문턱값(threshold) 이하로 ATP를 심각하게 만들지 못하면 세포괴사가 발생한다. 또한 미토콘드리아는 세포질 내로 미토콘드리아 시토크롬 C(mitochondrial cytochrome C)를 방출하여 세포자멸을 시작할 수 있다. 미토콘드리아 장애는 급성췌장염에서 중요한 병인 중 하나로 인식되고 있다[3]. ROS, nitric oxide, 다른 화합물들이 과도하게 생성되면 미토콘드리아에 직접적인 손상을 입히고, 이로 인해 미토콘드리아의 투과이행구멍(permeability transition pore)이 열리고 양성자펌프(proton pumping) 작용에 의해 미토콘드리아 막 전위(mitochondrial membrane potential)를 상실하게 된다[15]. 이로 인해 미토콘드리아의 내용물들이 세포질로 분비되고, ATP가 고갈되면서 결국 세포 손상을 초래하게 된다[15,16].

미토콘드리아의 ROS는 inflmmasome 의존 염증 활성화에서도 잘 알려진 유발 요인이다. 미토콘드리아 연관 막(mitochondrial-associated membrane, MAM) 복합체(IP3R-GRP75-VDAC complex)로 알려진 세포질그물-미토콘드리아 막(endoplasmic reticulum-mitochondrial membrane microdomains)은 Ca^{2+}을 세포질그물(endoplasmic reticulum, ER)에서 미토콘드리아로 전달하여 미토콘드리아가 ATP를 생성하고 산화 인산화(oxidative phosphorylation)를 하도록 하며, 세포자멸을 조절할 수 있게 한다[17]. 꼭대기 부위 Ca^{2+}은 정상적인 상태에서는 미토콘드리아 완충층 (mitochondrial buffering layer)에 의해 흡수되나, 병적인 상태에서는 미토콘드리아 완충능(mitochondrial buffering capacity)이 과도하게 증가된 Ca^{2+}를 이겨내지 못하여, 미토콘드리아 장애가 발생하고 세포질 내 비정상적인 Ca^{2+}상태가 유지된다.

2) 자가포식현상(autophagy)의 손상

자가포식현상은 오래된 단백질과 세포질 소기관들을 제거하고 재사용하기 위한 세포의 근본적인 작용이다[18]. 자가포식현상은 용해소체(lysosome) 매개 과정에 관련하여 복잡한 생리적 반응으로 진화한 생물학적 과정으로 손상된 단백질 집합체, 세포 소기관 또는 미생물을 제거한다[3]. 자가포식현상에 대한 이해가 증가함에 따라 급성췌장염에서의 그 역할에 대해 연구되고 있다[16]. Vacuolar membrane protein 1에 의해 유도되는 자가포식현상인 zymophagy현상은 급성췌장염의 초기에 발생한다[19]. Zymophagy는 급성췌장염 초기에 잠재적으로 해로운 효소원을 제거하는 보호작용을 한다[19]. 그리고 미토콘드리아 기능부전, 세포질그물 스트레스

(endoplasmic reticulum stress, ER stress), 병리적 Ca^{2+}도 자가포식현상을 초래할 수 있다[2]. 급성췌장염에서 자가 포식현상은 복잡하며 최근 진행된 일부 연구들에서 서로 상충되는 부분들이 있다. 급성췌장염이 발생하는 시점에서 트립시노겐을 용해소체로 이동시켜 트립시노겐을 활성화하여 오히려 해로운 효과를 조장한다는 보고도 있다[20].

급성췌장염에서 많은 공포들(vacuoles)이 축적되는 것은 확실히 병적인 현상이다. 이러한 공포들이 최근에 자가포식현상의 기능이상에 따라 축적되는 자기포식소체(autophagosome)로 여겨진다[21,22]. 자기포식소체와 라이소솜(lysosomes)의 결합을 매개하는 라이소솜막 단백질이 고갈되어 라이소솜의 기능이 저하되면 자가포식현상이 손상된다[16]. 자가포식현상이 손상되는 경우 트립시노겐과 트립신을 제거하는 cathepsin L과 트립시노겐을 트립신으로 전환하는 cathepsin B간의 불균형이 초래되어 세엽세포 내에 활성화된 트립신이 축적될 수 있다[8,22].

3) 산화 스트레스(oxidative stress)와 산화환원 신호(redox signaling)

초과산화물 불균등화효소(superoxide dismutase) 과 산화수소 분해효소(catalase)와 같은 항산화 물질이 급성췌장염에서 유익한 효과를 보여주었다. 이는 급성췌장염에서 산화 스트레스가 병인으로 관여하는 것을 시사한다[23]. 산화 스트레스는 급성췌장염 초기 세엽세포 내 반응뿐만 아니라 전신적 염증반응에 중요한 매개체이다. 췌장염에서 산화 스트레스는 주로 NADPH 산화요소와 미토콘드리아 기능저하에 의해 발생한다[24]. 세엽세포 내에서 반응산소종이 유도되면 세포자멸이 초래되며, 반응 산소종의 생성을 억제하면 세포괴사를 줄인다[25]. 또한 중성구에서 활성화된 산화 스트레스는 국소적, 전신적 염증반응에도 관여하는 것으로 추정된다[25].

세포의 산화환원반응에 불균형이 초래되면 산화손상(oxidative damage)이 발생하고, NK-κB를 활성화 시켜 전염증 유전자(pro-inflammatory gene)의 발현이 증가된다[26]. 이로 인해 interleukin-1β(IL-1β), IL-6, TNF-α의 생성이 증가된다. 또한 이러한 산화환원반응은 Ca^{2+} 조절에도 영향을 미쳐 세포내 Ca^{2+}농도를 높일 수도 있다.

4) 세포질그물 스트레스 (endoplasmic reticulum stress, ER stress)

세포질그물 스트레스는 급성췌장염의 초기에 일어나며, 특히 알코올 유발 췌장 손상에서 많이 연구되어 알코올 유발 췌장염에서 중요한 반응으로 여겨지고 있다[27]. 알코올에 의해 유도된 펼쳐진 단백질 반응(unfolded protein response)과 세포질그물 스트레스를 억제하면 알코올 유발 췌장 손상이 줄어들고 저항성을 가질 수 있다[27]. 세포질그물 스트레스는 자체적으로 세포 사망 경로와 염증경로를 유발할 수 있다. 그러나 아직까지 트립시노겐 활성에 의존적인지에 대해서는 명확하지 않다. 세포질그물에 잘못 접힌 키모트립신(chymotrypsin)이 축적되면 세엽세포에서 세포질 그물 스트레스를 유발하고 세포 자멸에 의해 세포 사망이 발생한다[28].

3. 급성췌장염에서의 염증 반응

1) Nuclear factor kappa-light-chain-enhancer of activated B cells (NK-κB) 활성화

급성췌장염이 시작되면 세엽세포는 염증세포로 기능을 하게 된다[3]. 1998년 Gukovsky[29]는 급성췌장염에서 세엽세포 내에서 NK-κB의 활성화를 처음으로 보고하였다. 이후 여러 연구를 통해 급성췌장염에서 NK-κB

의 활성화는 트립시노겐 활성화와 시간적으로 동시에 일어나는 변화로 받아들여지고 있으며 그 중요성이 커지고 있다[7,30]. 그러나 아직 트립시노겐 활성화와 NK-κB의 활성화 간에 연관성에 대해서는 명확히 정립되지 않은 상태이다[2]. 트립시노겐 유전자를 knockout한 마우스 연구에서 트립시노겐 활성화와 관계없이 NK-κB가 세엽세포 내에서 활성화되고, NK-κB 단독으로도 급성췌장염을 유발할 수 있음을 보고하였다[5]. 따라서 NK-κB 활성화는 급성췌장염의 병인에서 중요한 염증 경로로 여겨지고 있으며, 트립시노겐 활성화와 독립적으로 일어나는 것으로 여겨진다[31].

급성췌장염에서 inhibitory κB가 분해되면 NK-κB의 핵전사 신호를 분비하여 NK-κB가 핵 내로 이동한다. 이후 DNA 조절 결합 부위에 결합하여 전 염증 사이토카인 유전자를 상향 조절한다. 이러한 NK-κB 활성화에는 세포질 내 상승된 Ca^{2+} 농도와 protein kinase C 활성화가 관여한다. 실험적으로 NK-κB의 활성화를 낮추게 되면 급성췌장염의 중증도도 감소한다. 세엽세포 내에서 NK-κB 활성화에 의해 염증 반응은 다른 체내에 이미 존재하는 다른 염증반응(innate immune response)보다 우선 시작된다[32]. 이러한 NK-κB 활성화는 여러 실험들을 통해 급성췌장염의 국소적 및 전신적 염증 반응을 유도하는데 충분하며 필요한 반응으로 여겨지고 있다[7].

2) 국소 염증(local inflammation): 선천면역 반응의 역할(role of innate immune response)

세포 괴사에 의한 세포 사망은 염증반응을 자극하는 것으로 알려져 있다. 이러한 면역 활성화를 멸균염증반응(sterile inflammatory reaction)으로 명명하기도 한다[33]. 염증이 발생하기 전 췌장은 멸균 상태로 초기 세포 손상은 이러한 무균상태에서 일어나기 때문이다[8]. 세포가 괴사 후 사망하는 과정에서 많은 자가 항원들이 분비되며 이들을 "damage-associated molecular pattern (DAMPs)"로 알려져 있다[34]. 선천 면역 세포들은 DAMPs의 표면에 있는 패턴 인식 수용체(pattern recognition receptors, PRRs)를 통해 DAMPs를 인식한다. PRRs는 "pathogen-associated molecular patterns"로 명명하기도 하며, DAMPs를 외부 항원으로 치료하고 선천면역을 활성화한다. DAMPs로 활동하는 분자들에는 high mobility group box protein 1, self-DNA, nucleosomes, ATP, heat shock protein 70이 있다. 세포 사망에 따라 이러한 분자들이 세포 밖으로 유리되고 PRRs를 활성화시키게 된다.

3) 전신염증(systemic inflammation): 면역 세포(immune cell)와 염증 시토카인(inflammatory cytokine)의 역할

DAMPs에 의한 초기 염증 반응으로 면역 세포들은 2가지 주요 시토카인들인 TNF-α와 IL-1을 분비한다[8]. 이러한 초기 반응은 그 자체로 주요 임상 결과를 초래할 정도로 강하지는 않다. 그러나 DAMPs에 의해 선천면역이 자극이 되면 inflmmasome을 활성화 시키고 IL-1β를 분비하게 되는데, 백혈구부착분자들(leukocyte adhesion molecules)을 상향 조절(up-regulation)하여 강력한 중성구 화학쏠림인자(chemotactic factor)로 작용한다[35]. 이러한 작용은 췌장 염증이 시작되는 원인과 결과에서 조기에 중성구가 관찰되는 췌장염의 특징과 연관된다[8]. 또한 이 반응은 백혈구의 활성화와 혈관부착분자들의 상향조절을 유도하여 췌장내로 활성화된 백혈구를 침윤시키게 된다[3].

4) 염증에서의 백혈구(leukocyte)의 역할

급성췌장염의 동물 실험에서 급성췌장염의 발병 후

3시간 이내에 중성구가 췌장내로 침윤한다[36]. 중성구 반응은 모든 염증에서 24시간 이내에 일어나는 방어의 첫 단계이다. IL-8과 같은 케모카인(kemokine)은 세엽세포에서 분비되어 염증이 일어난 곳으로 중성구를 모집하게 된다[37]. 단핵구(monocyte)도 중성구를 따라 췌장에 침윤되며, 보통 염증이 발생한 뒤 24시간 후에 중성구를 대체한다. 단핵구는 IL-1, IL-6, TNF-α와 같은 전염증 시토카인(pro-inflammatory cytokine)을 분비한다. 적응면역반응(adaptive immune response)의 매개체인 림프구(lymphocyte)도 급성췌장염에 관여하며, caerulein으로 유도된 급성췌장염 동물 실험에서 6시간 이내에 췌장에서 발견된다[38]. 그러나 인간에서는 림프구 활성과 그에 연관된 급성췌장염의 중증도에 대해선 아직 정확히 밝혀지지 않았다[39]. T 림프구와 B 림프구의 조절 장애로 인한 포식 백혈구(phagocytic leukocyte)의 과발현이 심한 급성췌장염에서 중요할 역할을 할 것으로 추정된다[3].

백혈구가 이동을 하기 위해서는 혈관내피부착분자들(vascular endothelial adhesion molecules)이 상향 조절(up-regulation)되고, 이러한 분자들이 활성화된 백혈구와 상호작용이 일어나야 한다. 활성화된 백혈구가 이동하면 혈관내피세포들과 췌장 실질세포를 손상시키는 proteolytic enzymes과 oxygen radicals를 분비하게 된다[40].

5) 급성췌장염에서의 염증 매개체들

염증 시토카인(IL-I, IL-6, TNF-α)는 급성췌장염의 진행에 중심 역할을 담당한다[41,42]. 이러한 시토카인은 주로 활성화된 대식세포(macrophage), 림프구, 섬유모세포(fibroblast)에 의해 생성된다. TNF-α와 IL-1β는 처음 분비되는 시토카인으로 대식세포를 활성화하여 염증 반응을 증강시키고, 다른 염증 매개체들(IL-6, IL-8, macrophage migratory inhibitor factor 등)의 분비를 조절한다. 급성췌장염에 관련되어 있는 주요 염증 매개체들 표 8-1과 같다[3,8,42].

4. 급성췌장염에서의 다발성기능부전 증후군 (multi-organ dysfunction syndrome, MODS)

전신적 염증반응은 임상적으로 전신염증반응 증후군(systemic inflammatory response syndrome)과 기관기능부전(organ dysfunction)으로 나타난다. 전신염증반응 증후군은 시토카인과 염증매개체들이 분비되어 심한 전신 염증이 보이는 임상 증상이다. 심한 전신적 염증의 결과는 결국 기관기능부전이다. 면역과 염증반응은 본질적으로 보호반응이며 침입하는 병원균의 경우 감염을 억제하고자 한다. 그러나 면역 반응이 불균형을 이루거나 조절이 불가능해지면 다발성기능부전 증후군이 발생할 수 있다.

급성췌장염에서 기관기능부전의 기전에 대해서는 잘 알려져 있지 않다. 급성췌장염이 발생한지 며칠만에 발생하는 기관부전은 주로 무균의 염증으로 발생하고 사망률이 높다. 또한 기관부전은 감염된 췌장 괴사에 따른 질환의 진행으로 후기에 발생할 수 도 있다. 이처럼 초기와 후기의 기관부전은 병태생리가 다르다. 그러나 기관부전의 기전에 대해서는 명확히 알려지지 않았다. 기관부전을 발생시키는 주요 원인은 다음과 같다[3]. ① 미세순환 이상에 따른 혈관확장(vasodilatation), 모세관누출(capillary leakage), 부종, ② 조직 저산소증(tissue hypoxia)과 동맥 혈압저하를 유발하는 혈액응고장애, ③ 세포 손상과 조직 손상을 발생시키는 염증과 미토콘드리아 손상, 이와 더불어 세균전위(bacterial translocation)로 인한 괴사조직의 감염과 폐혈증도 기관기능부전을 초래할 수 있다. 지방조직(adipose tissue)과 지방-시토카인(adipo-cytokines)도 이러한 기관기능부전에 관여한다고 밝혀져 있다[3].

표 8-1. **급성췌장염에서 주요 염증 매개체들**[3,8,42]

전염증 시토카인들 (pro-inflammatory cytokines)	Tumor necrosis factor α (TNF-α), Interleukins (IL-1β, IL-6, IL-17, IL-18) Macrophage migratory inhibitor factor (MIF)
케모카인 (chemokines)	Neutrophils: IL-8, growth-related oncogene-α (GRO-α) Monocytes: monocyte chemoattractant protein-1 (MCP-1), Macrophage inflammatory protein-1 α(MIP 1 α)/RANTES
다른 염증 매개체들 (other imflammatory mediators)	Platelet-activating factor (PAF) Substance P Hydrogen sulfide (H2S) Nendopeptidase (NEP)
항염증 매개체들 (anti-inflammatory mediators)	Soluble TNF receptors (sTNFR), IL-10, IL-11, IL-1ra Complement component C5a

1) 혈액 순환 장애(circulatory disturbances)

급성췌장염에서는 췌장의 미세혈액순환과 전신적 혈액순환이 모두 영향을 받는다[43]. 이러한 혈액 순환 장애의 기전은 다음과 같은 다발적 원인에 의한다. ① 백혈구 유착, 혈소판 응집, 혈액농축, 혈관수축에 따라 췌장내 혈류가 감소하고 췌장의 허혈을 초래되면서 미세혈관의 투과성이 증가한다[44]. 혈관의 투과성이 증가하는 것은 급성췌장염의 중요한 과정으로 췌장 부종을 초래하고 전신적인 혈류역학장애를 초래하여 흉수나 복수를 형성하게 된다[45]. ② 급성췌장염에서 혈류역학장애로 발생한 내피세포의 기능부전도 장벽기능상실, 모세혈관누출, 부종, 염증부위로 활성화된 면역세포들의 격리하는데 기여한다. ③ 순환의 변화에 따라 nitric oxide를 포함하는 염증 매개체들이 증가하여 심근 수축력이 억제되는 것도 관여한다[46]. 이러한 미세순환장애는 결국 조직 산소공급에 문제를 일으키고 결국 순환장애와 신기능저하를 초래한다.

2) 혈액 응고 이상들(coagulation abnormalities)

혈액 응고 경로를 자극하는 전신적 염증 과정으로 인해 아마도 급성췌장염에서 혈액응고 이상들이 발생할 수 있다[47]. 혈액 응고는 주로 독소, 세균 및 DAMPs의 확산을 방지하기 위해 손상된 부위에서 혈액이 유출되는 것을 방지하기 위한 보호 반응으로 활성화된다[48]. 그러나 혈액 응고가 과도하게 되면 조직 허혈이나 손상을 초래할 수 있다.

3) 염증과 미토콘드리아 손상

중성구가 활성화되면 산화 돌발파(oxidative burst)와 반응 산소종(reactive oxygen species)이 생성된다. 증가된 산화 스트레스는 미토콘드리아의 투과성을 증가시키고 ATP생성을 감소시킨다. 미토콘드리아는 DAMPs를 분비하고, 이 DAMPs는 중성구를 활성화 시켜 조직을 손상시킨다. 미토콘드리아 손상에 의한 세포 활동의 급격한 저하로 인해 결국 기관기능부전이 발생한다. 감염을 조절하거나 급성췌장염을 회복한 뒤 수일에서 수주 내 기관이 회복되는 것은 기관기능부전을 유도하는 것이 세포 사망이 아니라 세포의 불활성화라는 것이라는 것을 유추할 수 있다[3].

4) 세균전위와 이차 감염(bacterial translocation and secondary infection)

심한 혈관변화와 응고변화로 인해 장허혈이 발생하고 재관류(reperfusion)가 발생한다[49]. 이로 인해 장의 투과성이 증가되고 장벽의 기능이 떨어진다[50]. 메타분석에서 급성췌장염 환자의 59%에서 창자장벽 기능부전(gut barrier dysfunction)이 발생하였다[51]. 장의 투과성이 증가하면 박테리아가 장벽을 지나 미생물에 의한 중복감염 에 취약한 괴사된 부위와 저류된 체액(fluid collection)에 쉽게 이동할 수 있다[52]. 이러한 세균 전위는 대장보다는 소장에서 주로 일어나며[53], 감염된 췌장 괴사에서 동정되는 주된 균주는 Escherichia coli, Pseudomonas, Klebsiella이다[54].

5) 보상적 항염증반응 증후군과 면역억제(compensatory anti-inflammatory response syndrome and immunosuppression)

전염증반응(pro-inflammatory response)이 어느 정도까지는 유익하지만, 한계를 넘은 염증은 해로운 전신 효과를 유발한다. 염증반응에서 균형을 유지하기 위해 보상적 항염증반응 증후군(compensatory anti-inflammatory response syndrome)이라는 보상적 염증반응이 존재한다[55]. 항염증반응이 적절하면 환자는 회복되지만, 면역 반응을 억제할 정도로 항염증반응이 과도하면 환자는 면역이 저하되고 감염성 합병증이 발생한다. 따라서 세포 면역 부전에 따라 발생하는 감염성 합병증들은 질병의 후반부에 발생하게 된다[56]. 면역이 저하되면 사람백혈구항원(human leukocyte antigen, HLA)-DR의 발현이 저하되며, 이러한 발현의 저하는 급성췌장염에서 기관 부전, 이차 감염, 부작용을 예측할 수 있다[57].

6) 다발성장기부전에서의 지방 조직의 역할(role of adipose tissue in MODS)

지방조직 자체는 내분비 기관으로 작용하여 많은 전염증 시토카인(IL-6, IL-1β, TNF-α)과 adipokine (adiponectin, leptin)을 분비한다. 이러한 지방조직의 기능으로 인해 급성췌장염에서 비만인 환자에서 염증 반응이 더 증가되고 임상 경과도 더 악화되는 것으로 예측되기도 한다[58]. 활성화된 췌장 효소에 의해 췌장주변 지방 조직에서 지방분해가 되면 불포화지방산(unsaturated fatty acids)과 전염증 매개체 역할을 하는 다른 지질이 분비된다. 이러한 불포화지방산과 지질은 급성췌장염에서 불량한 예후를 예측하는 독립적인 인자가 될 수 있다[59]. 비만 쥐에서 췌장염을 유도한 실험 모델에서 비만은 경증의 췌장염을 중증의 췌장염으로 바꾸는 것이 확인되었다[60]. 여기에 관여되는 것이 증가된 시토카인, 불포화지방산, 다발성장기부전이었다. 최근의 연구 결과들로 지방분해에 의해 발생된 불포화지방산이 급성췌장염에서 전신적 손상의 병인에 중요한 역할을 담당하는 것으로 여겨진다[3].

결론

여러 종류의 자극에 의한 급성췌장염의 가장 초기 반응의 시작은 병적인 Ca^{2+}신호이며, 이에 따른 세엽세포 내 트립시노겐의 활성화와 NK-κB의 활성화가 병행된다. 이와 더불어 미토콘드리아 장애, 자가포식현상의 손상, 산화 스트레스, 세포질그물 스트레스와 같은 여러 다른 세엽세포 내 반응들에 의해 국소적 염증반응이 발생한다. 이후 전신적 염증 반응은 다양한 면역세포와 시토카인들에 의해 유도되며, 장관과 지방조직은 이러한 변화에 관여한다. 이러한 일련의 과정에서 전염증성 시토카인과 항염증시토카인 간의 불균형과 괴사된 췌장조직이나 저류된 액체에서의 이차적인 감염이 동반되어 기관 부전을 초래할 수 있다.

급성췌장염의 병태생리에 대한 많은 연구에도 불구하고 급성췌장염 환자의 임상적 결과는 아직 의미 있게 향상되지 않았다. 이는 급성췌장염의 병태생리에 대한 결정적인 분자생물학적 기전에 대해 충분히 연구되지 않은 상태를 반영한다. 특히 췌장염의 초기 자극에 의한 세엽세포의 손상이 어떻게 국소적 염증과 전신적 염증을 유발하는 지에 대해 아직 명확하게 밝혀지지 않았다. 따라서 향후 급성췌장염의 정확한 병태생리 대한 지속적인 연구가 아직은 필요한 상태이다.

References

1. Chiari H. About the digestion of the human pancreas (in German). ZeitschriftfuHeilkunde 1896;17:69-96.
2. Sah RP, Garg P, Saluja AK. Pathogenic mechanisms of acute pancreatitis. Curr Opin Gastroenterol 2012;28:507-15.
3. Singh P, Garg PK. Pathophysiological mechanisms in acute pancreatitis: Current understanding. Indian J Gastroenterol 2016;35:153-66.
4. Gaiser S, Daniluk J, Liu Y et al. Intracellular activation of trypsinogen in transgenic mice induces acute but not chronic pancreatitis. Gut 2011;60:1379-88.
5. Dawra R, Sah RP, Dudeja V, et al. Intra-acinar trypsinogen activation mediates early stages of pancreatic injury but not inflammation in mice with acute pancreatitis. Gastroenterology 2011;141:2210-7 e2.
6. Halangk W, Lerch MM, Brandt-Nedelev B, et al. Role of cathepsin B in intracellular trypsinogen activation and the onset of acute pancreatitis. J Clin Invest 2000;106:773-81.
7. Sah RP, Dawra RK, Saluja AK. New insights into the pathogenesis of pancreatitis. Curr Opin Gastroenterol 2013;29:523-30.
8. Watanabe T, Kudo M, Strober W. Immunopathogenesis of pancreatitis. Mucosal Immunol 2017;10:283-98.
9. Petersen OH. Ca^{2+} signalling and Ca^{2+}-activated ion channels in exocrine acinar cells. Cell Calcium 2005;38:171-200.
10. Sutton R, Criddle D, Raraty MG, Tepikin A, Neoptolemos JP, Petersen OH. Signal transduction, calcium and acute pancreatitis. Pancreatology 2003;3:497-505.
11. Saluja AK, Donovan EA, Yamanaka K, Yamaguchi Y, Hofbauer B, Steer ML. Cerulein-induced in vitro activation of trypsinogen in rat pancreatic acini is mediated by cathepsin B. Gastroenterology 1997;113:304-10.
12. Behrendorff N, Floetenmeyer M, Schwiening C, Thorn P. Protons released during pancreatic acinar cell secretion acidify the lumen and contribute to pancreatitis in mice. Gastroenterology 2010;139:1711-20, 20 e1-5.
13. Waterford SD, Kolodecik TR, Thrower EC, Gorelick FS. Vacuolar ATPase regulates zymogen activation in pancreatic acini. J Biol Chem 2005;280:5430-4.
14. Reed AM, Husain SZ, Thrower E, et al. Low extracellular pH induces damage in the pancreatic

acinar cell by enhancing calcium signaling. J Biol Chem 2011;286:1919-26.
15. Mukherjee R, Criddle DN, Gukovskaya A, Pandol S, Petersen OH, Sutton R. Mitochondrial injury in pancreatitis. Cell Calcium 2008;44:14-23.
16. Gukovsky I, Pandol SJ, Mareninova OA, Shalbueva N, Jia W, Gukovskaya AS. Impaired autophagy and organellar dysfunction in pancreatitis. J Gastroenterol Hepatol 2012;27(Suppl 2):27-32.
17. Cardenas C, Miller RA, Smith I, et al. Essential regulation of cell bioenergetics by constitutive InsP3 receptor Ca^{2+} transfer to mitochondria. Cell 2010;142:270-83.
18. Mizushima N, Levine B, Cuervo AM, Klionsky DJ. Autophagy fights disease through cellular self-digestion. Nature 2008;451:1069-75.
19. Grasso D, Ropolo A, Lo Re A, et al. Zymophagy, a novel selective autophagy pathway mediated by VMP1-USP9x-p62, prevents pancreatic cell death. J Biol Chem 2011;286:8308-24.
20. Hashimoto D, Ohmuraya M, Hirota M, et al. Involvement of autophagy in trypsinogen activation within the pancreatic acinar cells. J Cell Biol 2008; 181:1065-72.
21. Muili KA, Ahmad M, Orabi AI, et al. Pharmacological and genetic inhibition of calcineurin protects against carbachol-induced pathological zymogen activation and acinar cell injury. Am J Physiol Gastrointest Liver Physiol 2012;302:G898-905.
22. Mareninova OA, Hermann K, French SW, et al. Impaired autophagic flux mediates acinar cell vacuole formation and trypsinogen activation in rodent models of acute pancreatitis. J Clin Invest 2009;119:3340-55.
23. Sanfey H, Bulkley GB, Cameron JL. The role of oxygen-derived free radicals in the pathogenesis of acute pancreatitis. Ann Surg 1984;200:405-13.
24. Escobar J, Pereda J, Lopez-Rodas G, Sastre J. Redox signaling and histone acetylation in acute pancreatitis. Free Radic Biol Med 2012;52:819-37.
25. Booth DM, Murphy JA, Mukherjee R, et al. Reactive oxygen species induced by bile acid induce apoptosis and protect against necrosis in pancreatic acinar cells. Gastroenterology 2011;140:2116-25.
26. Pantano C, Reynaert NL, van der Vliet A, Janssen-Heininger YM. Redox-sensitive kinases of the nuclear factor-kappaB signaling pathway. Antioxid Redox Signal 2006;8:1791-806.
27. Lugea A, Tischler D, Nguyen J, et al. Adaptive unfolded protein response attenuates alcohol-induced pancreatic damage. Gastroenterology 2011;140:987-97.
28. Szmola R, Sahin-Toth M. Pancreatitis-associated chymotrypsinogen C (CTRC) mutant elicits endoplasmic reticulum stress in pancreatic acinar cells. Gut 2010;59:365-72.
29. Gukovsky I, Gukovskaya AS, Blinman TA, Zaninovic V, Pandol SJ. Early NF-kappaB activation is associated with hormone-induced pancreatitis. Am J Physiol 1998;275:G1402-14.
30. Hietaranta AJ, Saluja AK, Bhagat L, Singh VP, Song AM, Steer ML. Relationship between NF-kappaB and trypsinogen activation in rat pancreas after supramaximal caerulein stimulation. Biochem Biophys Res Commun 2001;280:388-95.
31. Rakonczay Z, Jr., Hegyi P, Takacs T, McCarroll J, Saluja AK. The role of NF-kappaB activation in the pathogenesis of acute pancreatitis. Gut 2008;57: 259-67.
32. Gukovskaya AS, Mouria M, Gukovsky I, et al. Ethanol metabolism and transcription factor activation in pancreatic acinar cells in rats. Gastroenterology 2002;122:106-18.
33. Strowig T, Henao-Mejia J, Elinav E, Flavell R. Inflammasomes in health and disease. Nature 2012; 481:278-86.
34. Kono H, Rock KL. How dying cells alert the

immune system to danger. Nat Rev Immunol 2008; 8:279-89.
35. Kubes P, Mehal WZ. Sterile inflammation in the liver. Gastroenterology 2012;143:1158-72.
36. Lampel M, Kern HF. Acute interstitial pancreatitis in the rat induced by excessive doses of a pancreatic secretagogue. Virchows Arch A Pathol Anat Histol 1977;373:97-117.
37. Grady T, Liang P, Ernst SA, Logsdon CD. Chemokine gene expression in rat pancreatic acinar cells is an early event associated with acute pancreatitis. Gastroenterology 1997;113:1966-75.
38. Demols A, Le Moine O, Desalle F, Quertinmont E, Van Laethem JL, Deviere J. CD4(+)T cells play an important role in acute experimental pancreatitis in mice. Gastroenterology 2000;118:582-90.
39. Pietruczuk M, Dabrowska MI, Wereszczynska-Siemiatkowska U, Dabrowski A. Alteration of peripheral blood lymphocyte subsets in acute pancreatitis. World J Gastroenterol 2006;12:5344-51.
40. Powell JJ, Siriwardena AK, Fearon KC, Ross JA. Endothelial-derived selectins in the development of organ dysfunction in acute pancreatitis. Crit Care Med 2001;29:567-72.
41. Bhatia M, Neoptolemos JP, Slavin J. Inflammatory mediators as therapeutic targets in acute pancreatitis. Curr Opin Investig Drugs 2001;2:496-501.
42. Manohar M, Verma AK, Venkateshaiah SU, Sanders NL, Mishra A. Pathogenic mechanisms of pancreatitis. World J Gastrointest Pharmacol Ther 2017;8:10-25.
43. Cuthbertson CM, Christophi C. Disturbances of the microcirculation in acute pancreatitis. Br J Surg 2006;93:518-30.
44. Pitkaranta P, Kivisaari L, Nordling S, Nuutinen P, Schroder T. Vascular changes of pancreatic ducts and vessels in acute necrotizing, and in chronic pancreatitis in humans. Int J Pancreatol 1991;8:13-22.
45. Foitzik T, Eibl G, Hotz HG, Faulhaber J, Kirchengast M, Buhr HJ. Endothelin receptor blockade in severe acute pancreatitis leads to systemic enhancement of microcirculation, stabilization of capillary permeability, and improved survival rates. Surgery 2000;128:399-407.
46. Rudiger A, Singer M. Mechanisms of sepsis-induced cardiac dysfunction. Crit Care Med 2007; 35:1599-608.
47. Salomone T, Tosi P, Palareti G, et al. Coagulative disorders in human acute pancreatitis: role for the D-dimer. Pancreas 2003;26:111-6.
48. Dixon B. The role of microvascular thrombosis in sepsis. Anaesth Intensive Care 2004;32:619-29.
49. Farrant GJ, Abu-Zidan FM, Liu X, Delahunt B, Zwi LJ, Windsor JA. The impact of intestinal ischaemia-reperfusion on caerulein-induced oedematous experimental pancreatitis. Eur Surg Res 2003; 35:395-400.
50. Flint RS, Windsor JA. The role of the intestine in the pathophysiology and management of severe acute pancreatitis. HPB (Oxford) 2003;5:69-85.
51. Wu LM, Sankaran SJ, Plank LD, Windsor JA, Petrov MS. Meta-analysis of gut barrier dysfunction in patients with acute pancreatitis. Br J Surg 2014; 101:1644-56.
52. Ammori BJ. Role of the gut in the course of severe acute pancreatitis. Pancreas 2003;26:122-9.
53. Fritz S, Hackert T, Hartwig W, et al. Bacterial translocation and infected pancreatic necrosis in acute necrotizing pancreatitis derives from small bowel rather than from colon. Am J Surg 2010; 200:111-7.
54. Garg PK, Khanna S, Bohidar NP, Kapil A, Tandon RK. Incidence, spectrum and antibiotic sensitivity pattern of bacterial infections among patients with acute pancreatitis. J Gastroenterol Hepatol 2001; 16:1055-9.
55. Mentula P, Kylanpaa ML, Kemppainen E, et al. Plasma anti-inflammatory cytokines and monocyte

human leucocyte antigen-DR expression in patients with acute pancreatitis. Scand J Gastroenterol 2004; 39:178-87.

56. Beger HG, Bittner R, Block S, Buchler M. Bacterial contamination of pancreatic necrosis. A prospective clinical study. Gastroenterology 1986;91:433-8.
57. Mentula P, Kylanpaa-Back ML, Kemppainen E, et al. Decreased HLA (human leucocyte antigen)-DR expression on peripheral blood monocytes predicts the development of organ failure in patients with acute pancreatitis. Clin Sci (Lond) 2003;105:409-17.
58. Premkumar R, Phillips AR, Petrov MS, Windsor JA. The clinical relevance of obesity in acute pancreatitis: targeted systematic reviews. Pancreatology 2015;15:25-33.
59. Noel P, Patel K, Durgampudi C, et al. Peripancreatic fat necrosis worsens acute pancreatitis independent of pancreatic necrosis via unsaturated fatty acids increased in human pancreatic necrosis collections. Gut 2016;65:100-11.
60. Patel K, Trivedi RN, Durgampudi C, et al. Lipolysis of visceral adipocyte triglyceride by pancreatic lipases converts mild acute pancreatitis to severe pancreatitis independent of necrosis and inflammation. Am J Pathol 2015;185:808-19.

CHAPTER 09

급성췌장염의 진단

Diagnosis of acute pancreatitis

서정훈

서론

급성췌장염 발생 시 초기 진단과 원인에 대한 감별이 되어야 적절한 치료를 할 수 있기 때문에 정확한 진단이 예후에 매우 중요하다. 전형적인 증상과 영상 소견, 췌장 효소 수치의 급격한 상승 등이 모두 나타나는 경우도 있지만, 전형적인 임상 소견이 없거나 검사 결과가 모호하여 다른 복부 질환과의 감별이 어려운 경우도 있다.

급성췌장염의 진단은 생화학 검사와 영상의학의 발달로 조금씩 변화하고 있으며 진단기준을 포함한 가이드라인을 세계 여러 나라에서 각자의 실정에 맞게 만들어 사용하고 있다. 우리나라에서도 2013년도 대한췌담도학회에서 급성췌장염의 진단에 대한 권고사항을 제시하였다[1](표 9-1). 일반적으로 인정받는 기준은 상복부의 급성 복통과 압통, 혈액 췌장 효소 수치의 상승(아밀라아제 그리고/또는 리파아제 ≥ 정상 상한치의 3배), 복부 초음파나 복부 CT, 복부 MRI에서 급성췌장염 소견 등이며 이러한 3가지 중 2가지 이상이면서 다른 췌장 질환이나 급성 복통을 질환이 감별된다면 급성췌장염으로 진단할 수 있다[2].

표 9-1. **급성췌장염의 진단기준(대한췌담도학회 제안)**

(1) 상복부의 급성 복통과 압통
(2) 혈액췌장효소수치의 상승 (아밀라아제 그리고/또는 리파아제 ≥ 정상 상한치의 3배)
(3) 복부 초음파, 복부 CT, 혹은 복부 MRI에서 급성췌장염의 소견

이러한 진단기준은 중증의 급성췌장염 환자가 의식이 없는 상태에서 내원하거나 증상 발생과 내원 시기의 차이에 따른 췌장 효소 수치가 정상인 경우에도 진단을 내릴 수 있다. 그러나 이러한 진단기준에 부합되더라도 다른 급성 복통을 일으킬 수 있는 위장관 천공, 급성 담낭염, 장마비, 장간막동맥 허혈 또는 경색, 급성 대동맥 박리, 급성 심근경색 등에 대한 감별은 반드시 필요하다.

1. 임상 증상과 징후

급성췌장염을 의심하는 데 있어 가장 중요한 임상 증상은 상복부의 급성 통증과 압통이다. 급성췌장염 환자의 90% 이상에서는 상복부 복통을 호소하며, 40~70%에서는 등으로 방사되는 전형적인 복통을 호소한다[3,4].

복통의 특징은 시작과 동시에 30분 안에 빠르게 최고조로 이르게 되어 참기 어려울 정도의 통증을 유발하며 호전 없이 24시간 이상 지속된다는 것이다[5]. 통증은 주로 상복부 또는 좌상복부에서 나타나고 등뿐만 아니라 흉부 또는 하복부로 방사될 수 있다. 통증의 정도는 심하다고 표현하나 다양할 수 있으며 통증의 정도가 질병의 중증도를 반영하지는 않는다. 복통 이외에 나타나는 증상은 식욕부진, 오심과 구토, 위장 운동저하로 인한 복부 팽만감 등이 있다[3].

신체검사 소견은 질병의 중증도에 따라 다른데 발열(76%), 빈맥(65%)은 흔히 관찰되고, 심한 복부압통, 근육강직(68%), 복부팽만(65%), 황달(28%) 등이 동반된다[6]. 복부압통은 주로 전반적인 압통을 호소하며 다음으로 상복부나 우상복부 압통을 호소하는 경우가 많다[7]. 드물지만 모든 환자에서 복통이 나타나는 것은 아닌데 특히 중증 급성췌장염 환자의 30~40% 정도에서 전형적인 복통 증세를 나타내지 않아 부검으로 급성췌장염이 진단되었다[7]. 이는 복통이 없이 혼수상태나 다발성 장기 부전 상태로 내원하여 진단이 어려웠기 때문으로 설명된다[4,8]. 일부 환자에서는 호흡곤란(10%)을 경험하는데 염증으로 인한 횡경막의 자극, 흉막삼출 또는 더 심한 경우에는 성인 호흡곤란증후군(ARDS)이 원인이 된다. 중증의 환자는 종종 창백하고 발한을 동반하고, Cullen sign (hemoperitoneum으로 인한 배꼽 주위의 청색 변색)과 Grey Turner sign(조직면을 따라 후복막 혈액이 흘러가서 옆구리에서의 붉은 갈색 변색)과 같은 소견이 중증 괴사성 췌장염 환자에서 관찰될 수 있다.

2. 생화학적 검사

임상적으로 급성췌장염이 의심될 때 혈청의 췌장 효소상승은 진단에 중요한 역할을 한다. 현재 많이 이용되는 생화학적 검사는 혈청 아밀라아제와 리파아제 검사이지만 리파아제가 아밀라아제보다 민감도는 비슷하지만 특이도가 높아 급성췌장염의 진단에 더 유용하다[9]. 한편 급성췌장염이 진단되면 췌장 효소 검사를 매일 검사하는 것은 병의 경과나 예후를 예측하는데 큰 도움을 주지는 않는다.

1) 혈청 아밀라아제

혈청 아밀라아제의 근원은 췌장이 약 40% 정도를 차지하고 있고 나머지는 주로 침샘과 다른 부분에 있다. 따라서 혈청 아밀라아제 상승되더라도 급성췌장염이 아닐 수 있기 때문에 다른 질환이나 상태를 고려해야 한다(표 9-2).

급성췌장염 환자에서 혈청 아밀라아제는 증상발현 후 3~6시간 이내로 급격히 상승하며 반감기는 10~12시간이다. 이후 3~5일 정도 상승되다가 신장으로 배출되어 정상화된다. 혈청 아밀라아제 민감도와 특이도는 기준에 따라 변하는데 정상 상한치의 3배 이상을 기준으로 하면 급성췌장염 진단의 민감도는 85%, 특이도는 91%였다[11]. 급성췌장염 환자의 약 1/5에서는 입원 시 혈청 아미라아제가 상승하지 않을 수 있는데 이는 혈청 아밀라아제가 췌장염 발병 후 바로 감소하기 때문에 경한 급성췌장염에서 혈액 검사시기가 늦어는 경우, 만성췌장염 특히 알코올성 만성췌장염의 급성 악화의 경우, 중성지방의 상승이 검사를 방해하여 고중성지방혈증이 있는 경우 등에서는 정상수치로 나올 수 있다[12-15]. 반대로 혈청 아밀라아제는 급성췌장염이 아니더라도 신부전이 있거나 macroamylasemia 등에서는 상승할 수 있다. Macroamylasemia는 아밀라아제와 면역글로블린이 결합하여 소변으로 아밀라아제 배출을 감소시켜 아밀라아제 상승을 유발하는데 일반인에서의 유병률은 0.1~0.25%으로 드물지만 고아밀라제혈증 환자에서는 10% 정도까지 증가한다. 이외에 침샘질환, 급성 충수염, 담낭염, 장폐색 또는 허혈, 소화성 궤양, 그리고 부인과적 질환에서도 상승할 수 있다(표 9-2).

2) 혈청 리파아제

혈청 리파아제는 급성췌장염의 진단에 있어서 혈청 아밀라아제보다 우수한데 이러한 이유는 혈청 리파아제는 췌장 이외의 장기에서는 분비되지 않고 혈청 아밀라아제에 비해 더 오랫동안 상승되기 때문이다[16]. 급성췌장염에서 리파아제는 발병 후 3~6시간 이내에 상승하고 24시간 이내에 최고치에 이르며 1~2주까지 정상 상한치보다 증가할 수 있다. 리파아제가 아밀라아제보다 더 오랫동안 혈액내에서 상승하는 이유는 신장 세관에서 재흡수되기 때문이다. 췌장염의 진단에 있어서 혈청 리파아제의 민감도는 85~100%, 특이도는 84.7~99.0% 정도로 알려져 있다[17]. 혈청 리파아제도 급성췌장염 이외의 상태에서도 상승 할 수 있는데 특히 신부전이 있을 때 아밀라아제와 마찬가지로 신장 기능이 저하되면 제거기능이 감소하여 수치가 상승하게 된다. 크레아티닌 청소율이 13~39 mL/min에서 아밀라아제는 반 이상, 리파아제는 1/4 정도에서 상승되어 있는데 이러한 점도 리파아제가 아밀라아제보다 우수한 요인이 된다[18]. 이외에 담낭염이나 충수염, 장폐색 또는 허혈, 또는 매우 드물게 macrolipasemia(리파아제와 면역글로블린의 복합체)에서도 췌장과 무관하게 상승할 수 있다. 그리고 이유는 명확하지 않지만 당뇨병 환자에서는 비당뇨병 환자에 비해 혈청 리파아제가 높은 경

표 9-2. **아밀라아제와 리파아제 상승 원인들(causes of increased amylase and lipase levels)[10]**

아밀라아제	리파아제
급성췌장염	**급성췌장염**
급성췌장염과 감별이 필요한 질환	
Pancreatic pseudocyst	Pancreatic pseudocyst
Chronic pancreatitis	Chronic pancreatitis
Pancreatic carcinoma	Pancreatic carcinoma
Biliary tract disease (cholecystitis, cholangitis, choledocholithiasis)	Biliary tract disease (cholecystitis, cholangitis, choledocholithiasis)
Intestinal obstruction, pseudoobstruction, ischemia, or perforation	Intestinal obstruction, pseudoobstruction, ischemia, or perforation
Acute appendicitis	Acute appendicitis
Ectopic pregnancy	
그 외 질환	
Renal failure	Renal failure
Parotitis	
Macroamylasemia	
Ovaian cyst or cystic neoplsam	
Carcinoma of the lung	
Diabetic ketoacidosis	
Human immunodeficiency virus infection	
Head trauma with intracranial bleeding	

향을 보이기 때문에 급성췌장염의 진단에서 정상 상한치의 3~5배 이상을 적용할 수 있다.

3) 다른 췌장 효소 검사

다른 췌장 효소 검사로는 혈액이나 소변으로 아밀라아제 isoenzyme, phospholipase A2, elastase 1, anionic trypsinogen (trypsinogen-2) 등을 측정할 수 있다[19]. 비록 이러한 췌장 효소 검사가 몇몇 연구에서 좋은 임상결과를 보여주고 있으나 임상에서 흔하게 이용되지는 않고 있다.

4) 기타 생화학적 검사

급성췌장염에서는 췌장 효소이외에 여러 생화학적 이상이 관찰되는데 저칼슘혈증, 고혈당, 백혈구증가, 빈혈, 빌리루빈이나 간기능이상 등도 동반된다. 저칼슘혈증은 췌장에서의 글루카곤과 가스트린 분비뿐 아니라 비누화(saponification)와 관련된 복잡한 현상으로 갑상선에서 칼시토닌을 분비시켜 칼슘뇨를 유발하여 발생하는데 칼슘의 50%는 단백질과 결합되어 있기 때문에 저알부민혈증은 칼슘 수치를 더욱 감소시킬 수 있다. 저칼슘혈증의 정도는 췌장염의 중증도와 연관이 있는데 7 mg/dL이하이면 사망률이 증가한다. 급성췌장염은 종종 일시적인 고혈당과 내당기능장애를 유발하고, 담관 폐쇄의 증가가 없는 환자에서도 고빌리루빈 혈증이 관찰되는데 원인을 확실하지는 않지만 췌장에서의 출혈 때문일 수 있다. 혈청 methemalbumin 검사는 출혈성 췌장염과 부종성 췌장염을 감별하는데 도움이 되는데 췌장내에서 혈관 밖으로 출혈된 혈액에서 췌장효소의 소화작용으로 hemin이 유리되고 이것이 알부민과 결합하여 methemalbumin을 형성하기 때문이다. 빌리루빈, ALT, AST, alkaline phosphatase 등은 담석성 췌장염을 감별하는 데 도움이 되는데[20,21], ALT가 150 IU/L 이상인 경우나 빌리루빈, alkaline phosphatase, γ GTP, ALT, ALT/AST 중에 3개 이상 증가된 경우도 담석성 급성췌장염일 가능성이 높다[22,23]. 중성지방이 1,000 mg/dL 이상 증가한 경우에는 고지혈증에 의한 췌장염 가능성이 높으며, 고칼슘혈증이 있으면 부갑상선 기능항진증 등도 생각해보아야 한다[20].

References

1. 고동희, 김종혁, 이진, 최호순. 급성췌장염 진료 권고안: 급성췌장염의 진단. 대한췌담도학회지 2013:18(2):4-13.
2. Banks PA, Bollen TL, Dervenis C, et al. Classification of acute pancreatitis 2012: revision of the Atlanta classification and definitions by international consensus. Gut 2013; 62: 102-11.
3. Malfertheiner P, Kemmer TP. Clinical picture and diagnosis ofacute pancreatitis. Hepatogastroenterology 1991;38:97–100.
4. Forsmark CE, Baillie J. AGA Institute Clinical Practice and Economics Committee; AGA Institute Governing Board. AGA Institute technical review on acute pancreatitis. Gastroenterology 2007;132: 2022-44.
5. Banks PA, Freeman ML. Practice guidelines in acute pancreatitis. Am J Gastroenterol 2006;101: 2379-400.
6. Kwon RS, Banks PA. How should acute pancreatitis be diagnosed in clinical practice? In: Dom ınguez-

Mũnoz JE, ed. Clinical pancreatology for practicing gastroenterologistsand surgeons. Malden, MA: Blackwell 2005;4:34–9.
7. Read G, Braganza JM, Howat HT. Pancreatitis: a retrospective study. Gut 1976;17:945–52.
8. Lankisch PG, Schirren CA, Kunze E. Undetected fatal acute pancreatitis: why is the disease so frequently overlooked? Am J Gastroenterol 1991; 86:322–6
9. Yokoe M, Takada T, Mayumi T, et al. Japanese guidelines for the management of acute pancreatitis: Japanese Guidelines 2015. J Hepatobiliary Pancreat Sci 2015;22:405-32.
10. Forsmark CE, Baillie J. AGA Institute Clinical Practice and Economics Committee; AGA Institute Governing Board. AGA Institute technical review on acute pancreatitis. Gastroenterology 2007;132: 2022-44.
11. Kemppainen EA, Hedstrom JI, Puolakkainen PA, et al. Rapid measurement of urinary trypsinogen-2 as a screening test for acute pancreatitis. N Engl J Med 1997;337:1394–5.
12. Clavien PA, Robert J, Meyer P, et al. Acute pancreatitis and normoamylasemia. Not an uncommon combination. Ann Surg 1989;210:614–20.
13. Eckfeldt JH, Kolars JC, Elson MK, Shafer RB, Levitt MD. Serum tests for pancreatitis in patients with abdominal pain. Arch Pathol Lab Med 1985; 109:316–9.
14. Ventrucci M, Pezzilli R, Naldoni P, et al. Serum pancreatic enzyme behavior during the course of acute pancreatitis. Pancreas 1987;2:506–9.
15. Toskes PP. Hyperlipidemic pancreatitis. Gastroenterol Clin North Am 1990;19:783–91.
16. Gwozdz GP, Steinberg WM, Werner M, Henry JP, Pauley C. Comparative evaluation of the diagnosis of acute pancreatitis based on serum and urine enzyme assays. Clin Chim Acta 1990;187:243–54.
17. Agarwal N, Pitchumoni CS, Sivaprasad AV. Evaluating tests for acute pancreatitis. Am J Gastroenterol 1990;85:356–66.
18. Seno T, Harada H, Ochi K, et al. Serum levels of six pancreatic enzymes as related to the degree of renal dysfunction. Am J Gastroenterol 1995;90:2002–5.
19. Yadav D, Agarwal N, Pitchumoni CS. A critical evaluation of laboratory tests in acute pancreatitis. Am J Gastroenterol 2002;97:1309–18.
20. Kiriyama S, Gabata T, Takada T et al. New diagnostic criteria of acute pancreatitis. J Hepato-biliary Pancreat Sci 2010;17:24-36.
21. Pezzilli R, Zerbi A, Di Carlo V, Bassi C, Delle Fave GF. Practical guidelines for acute pancreatitis. Pancreatology 2010;10:523-35.
22. Liu CL, Fan ST, Lo CM, et al. Clinico-biochemical prediction of biliary cause of acute pancreatitis in the era of endoscopic ultrasonography. Aliment Pharmacol Ther 2005;22:423–31.
23. Wang SS, Lin XZ, Tsai YT, et al. Clinical significance of ultrasonography, Computed tomography, and biochemical tests in the rapid diagnosis of gallstone-related pancreatitis: a prospective study. Pancreas 1988;3:153–8.

급성췌장염의 영상진단
Imaging diagnosis of acute pancreatitis

정용은, 최진영

서론

Atlanta classification은 급성췌장염의 다양한 임상양상을 분류하고, 중증도와 부작용을 평가하기 위한 기준을 제시하고자 1992년에 처음 발표되었다[1]. 이후 급성췌장염에 대한 병태생리학적 이해가 높아지고, 비침습적 치료 방법들이 다양하게 개발되었으며, 특히 영상 의학의 비약적인 발전으로 인해 새로운 기준의 필요성이 대두되어, 2013년 개정판이 발표되었다[2,3]. 개정된 Atlanta classification의 목적은 표준화된 기준을 제시함으로써, 급성췌장염의 진단과 치료에 의사 또는 의료기간 사이에 객관적인 의사소통을 원활하게 하여 최선의 치료방침을 결정하도록 도움을 주는 것이다. 개정판에서는 급성췌장염에서 췌장 실질 및 췌장 주위 액체저류의 시간 경과에 따른 영상 소견에 대한 내용이 포함되었다[4].

1. 급성췌장염에서 영상검사의 역할

급성췌장염은 특징적인 복통(명치 부위에서 시작하여 등쪽으로 방사되는 통증), 혈청 리파아제(lipase)나 아밀라아제의 상승(정상 상한선의 3배 이상 상승), 또는 특징적인 영상 소견 중 2가지를 만족하는 경우 진단을 할 수 있다[2]. 영상 검사는 특징적인 복통은 있으나 혈청 리파아제나 아밀라아제가 정상 상한선보다 3배 이상 상승하지 않은 환자나, 반대로 혈청 리파아제나 아밀라아제는 정상 상한선에 비해 3배 이상 상승하였으나, 급성췌장염에 특징적인 복통이 없는 환자에서 진단을 위하여 시행할 수 있다. 개정된 Atlanta classification에 따르면 급성췌장염은 초기(증상 발현 후 1주 이내)와 후기(1주 이후)로 나눌 수 있는데, 초기에는 췌장이나 췌장 주변의 형태학적인 변화(morphologic changes)나 국소적인 합병증 유무보다는 장기 부전(organ failure)과 같은 임상 소견이 예후와 밀접한 연관성을 보인다. 따라서 모든 급성췌장염 환자에서 영상 검사를 꼭 해야 할 필요는 없다. 특히 증상 발현 후 48시간 이내에는 췌장 실질 부종과 괴사를 구분하지 못하는 경우가 많으므로, 72시간 이후에 CT를 촬영하는 것이 좋다. 후기에는 임상 소견과 더불어 영상 소견이 예후와 밀접한 연관성을 보이고, 국소적인 합병증이 있는 경우 치료 방침 결정에 중요한 정보를 제공할 수 있어 영상검사가 중요한 역할을 담당한다.

2. 급성췌장염에서 영상 검사

급성췌장염 평가에 있어서 가장 중요하고 유용한 검사는 CT이다. 미국 방사선학회(American College of Radiology)가 제시한 상황에 따른 적절한 검사(Appropriateness Criteria, ACR) 기준에서도 췌장염이 의심되는 환자에서 복부 CT를 가장 적절한 검사 방법으로 추천하고 있다[5]. 신장 기능저하나 조영제 과민 반응 등의 특별한 사유가 없는 한, 조영증강 CT를 촬영하는 것이 좋으며, 특히 췌장 실질의 괴사 유무를 진단하는 데 있어서는 조영제 사용이 필수적이다. 급성췌장염 환자에서 조영증강 CT를 촬영하기 가장 적절한 시점은 증세 발현 48~72시간 후이다. 48시간 이내에 촬영하는 경우 췌장 부종과 췌장 실질 괴사의 구분이 어려운 경우가 있으며, 급성췌장염 환자에서 신기능저하가 동반된 경우가 드물지 않으므로 투여하는 조영제의 양을 최소화하기 위해서도 가장 적절한 시점에 CT 촬영을 하는 것이 바람직하다[5]. 하지만, 증상 발현 48시간 이내라도 췌장염이 의심이 되지만, 임상적으로 확실하지 않은 경우에는 CT를 촬영하여 급성췌장염과 다른 질병을 감별할 수 있다. CT촬영 후에도 환자의 임상 경과가 급격하게 악화되는 경우에는 추적 CT 검사를 시행하여 환자를 재평가할 필요가 있다. 또한 국소 합병증이 동반된 경우 적절한 치료 방법 결정을 위해 CT 검사를 재시행할 수도 있다. 40세 이상의 환자에서 다른 원인 없이 급성췌장염이 첫 발병한 경우, 동반된 췌장 종양 유무를 판단하기 위해 CT 검사를 시행하는 것이 좋다[6](그림 10-1).

MRI의 경우 일차 선택 검사법은 아니지만, 급성 신부전이나 요오드 조영제에 대한 과민 반응으로 인해 조영증강 CT를 촬영하지 못 하는 경우, 조영 전 CT(precontrast CT)에 비해서는 진단 정확도가 높은 MR 검사를 고려해 볼 수 있다. 또한 젊은 여성이나 임신중인 여성의 경우에도 방사선 피폭을 피하기 위해 CT 대신 MR 검사를 고려해 볼 수 있다. 또한 담석이 의심되나, CT상 관찰되지 않는 경우(iso-attenuating stone)에도 MR을 시행하여 진단에 도움을 받을 수 있다[5,7]. 액체 저류가 있을 경우 저류 내에 괴사조직(necrotic debris)이나 출혈이 동반되어 있는지, 액체저류와 주췌관 사이에 연결성 유무를 판단하는데 있어 MR이 CT보다 우수하다[8-10]. 초음파는 높은 민감도로 담석을 진단할 수 있지만, 환자가 비만이거나 음창(sonic window)이 좋지 않은 경우 충분한 검사를 할 수 없는 경우들이 있으며,

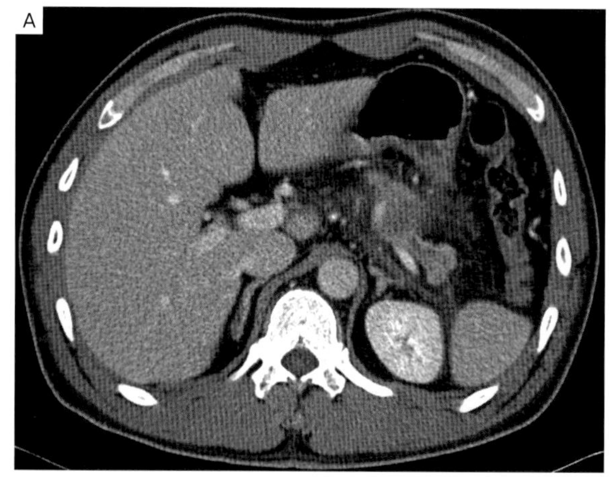

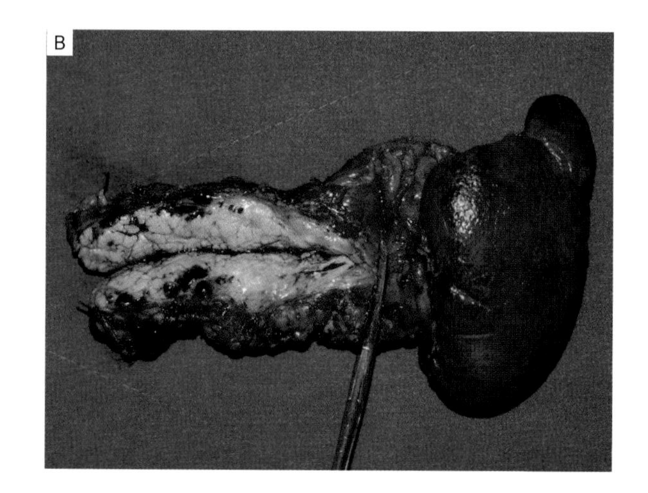

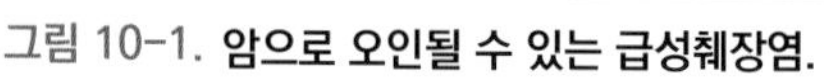

그림 10-1. **암으로 오인될 수 있는 급성췌장염.**

A. 복통을 호소해 촬영한 조영증강 CT에서 췌장 체부에 저음영의종괴가 관찰되며, 주변에 염증소견이 동반되어 있다.

B. 췌장암 가능성을 배제하지 못해 수술을 시행하였으며, 급성췌장염으로 확진되었다.

검사자의 경험에 진단 정확도가 좌우될 수 있어 급성췌장염이 의심되는 환자에서 첫 검사로 권고되지는 않는다. 다만 ACR 가이드라인에 따르면, 특징적인 복통과 혈청 리파아제/아밀라아제 상승을 동반환 환자 중 해당 증상으로 처음 병원을 방문한 경우 48~72시간 이내에 담낭이나 담도 결석 유무를 진단하기 위한 첫 번째 영상검사로 수행할 수 있다[5].

3. 급성췌장염의 영상 소견

1) 급성 간질부종성 췌장염 (acute interstitial edematous pancreatitis)

개정된 Atlanta classification에 의하면 췌장 실질 및 췌장 주변에 괴사가 없는 경우 급성 간질부종성 췌장염으로 진단할 수 있다. 급성 간질부종성 췌장염은 조영증강 CT에서 췌장 전체 또는 일부분이 비대(enlargement)해 보이며, 조영증강은 균질할 수도 비균질할 수도 있다. 췌장 주변 지방에 줄모양의 염증소견(peripancreatic stranding)이나 액체저류가 동반될 수 있다(그림 10-2). 경미한 췌장염의 경우나 췌장염 초기에는 췌장 부종이나 췌장 주변 염증소견이 거의 관찰되지 않을 수도 있어 영상학적 진단이 어려운 경우도 있다. 증상 발현 72시간 이내에는 염증으로 인한 국소 부종과 초기 괴사 모두 췌장 실질에 국소적으로 조영증강이 잘 되지 않는 병변으로 보일 수 있고, 괴사의 약 30% 이상에서 증상발현 72~96시간 이후에 CT에서 발견 가능하다고 보고되어 있어, 진단이나 치료방침 결정 시 주의를 해야 한다[3,4,11-13](그림 10-3).

2) 급성 괴사성 췌장염 (acute necrotizing pancreatitis)

췌장 실질이나 췌장 주변 조직에 괴사가 있는 경우 급성 괴사성 췌장염으로 진단한다. 췌장 실질과 주변 조직에 모두 괴사가 있는 경우가 약 75~80%로 가장 흔하고, 췌장 주변조직(20%) 또는 췌장 실질(< 5%)에만 괴사가 존재하는 경우는 상대적으로 드물다[14]. 췌장 실질에 조영증강이 되지 않는 부위가 관찰되면 실질 괴사를 의심할 수 있다(그림 10-3). 실질 괴사 부위는 초

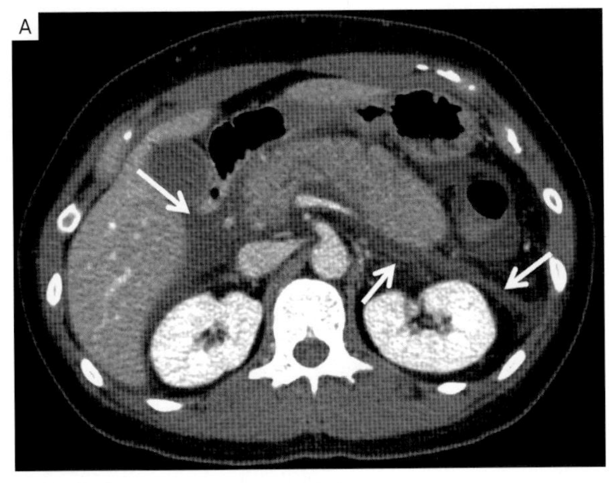

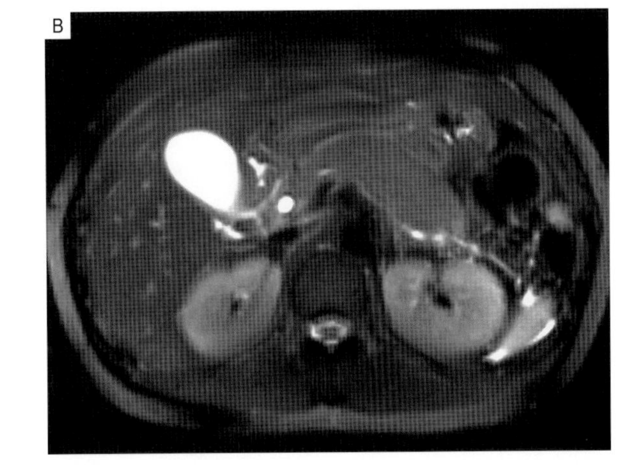

그림 10-2. **급성 간질부종성 췌장염.**
A. 췌장이 전반적으로 부종성 변화를 보이고 있고, 이로 인해 췌장 표면이 매끈하게 보인다. 췌장 주변으로 줄모양의 염증소견(peripancreatic stranding)과 액체저류가 관찰된다(화살표). 췌장 실질에 괴사를 의심할 만한 소견은 없다.
B. MR T2 강조영상에서 췌장이 전반적으로 부어있으며, 부종으로 인해 신호강도가 증가되어 있다.

기에는 균질한 저음영으로 관찰되고, 시간이 지날수록 비균질하게 관찰되는데, 이는 괴사된 조직의 액화(liquefaction)로 인한 소견이다[3]. 췌장 주변에 조영증강이 되지 않는 비균질한 부위가 있을 경우 췌장 주변 괴사로 진단할 수 있다. CT에서 췌장 실질이나 췌장 주변 조직에 저음영 병변이 관찰되나, 괴사 여부를 판단하기 어려운 경우에는 MR이나 초음파를 시행하면 괴사조직 유무를 판단하는데 도움을 받을 수 있다[3].

3) 급성 췌장주변 액체저류(acute peripancreatic fluid collection) 및 가성낭종(pseudocyst)

급성 간질부종성 췌장염과 동반될 수 있는 액체저류가 급성 췌장주변 액체저류와 가성낭종이다. 췌장염 발병 4주 이내에 췌장 주변 조직에 괴사 없이 액체저류만 있는 경우 급성 췌장주변 액체저류로 진단할 수 있다. 주로 염증이 있는 췌장에서 기원한 삼출물로 구성되어 있다고 알려져 있다. 췌장주변 액체저류는 대부분의 경우 수 주 이내에 호전되며, 감염이 없는 경우 치료는 필요 없다. CT에서는 균일한 음영의 액체로 관찰되며, MR T2 강조영상에서 고신호 강도로 관찰된다. 췌장염 발병 후 약 4주가 지나면 육아조직으로 둘러싸인 액체저류가 생길 수 있는데, 이를 가성낭종이라고 한다. 내부 액체는 아밀라아제와 리파아제가 높은 췌장액 성분으로 이루어져 있으며, 췌관과의 연결이 CT나 MR에서 보이기도 한다. 가성낭종은 CT에서 주변에 육아조직으로 둘러싸인 균일한 액체음영으로 관찰되며, MR T2 강조영상에서는 육아조직으로 둘러싸인 균질한 고신호

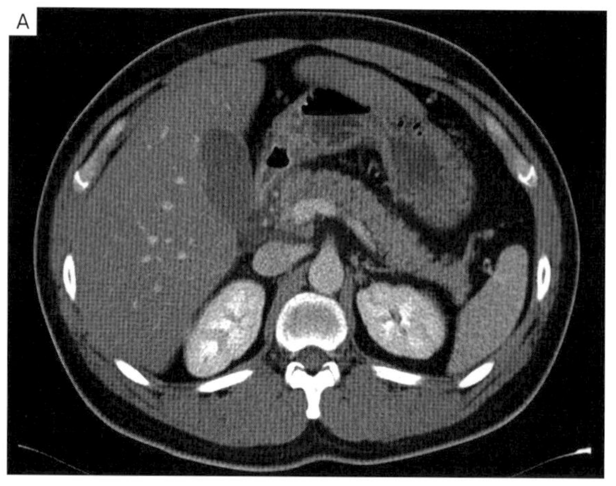

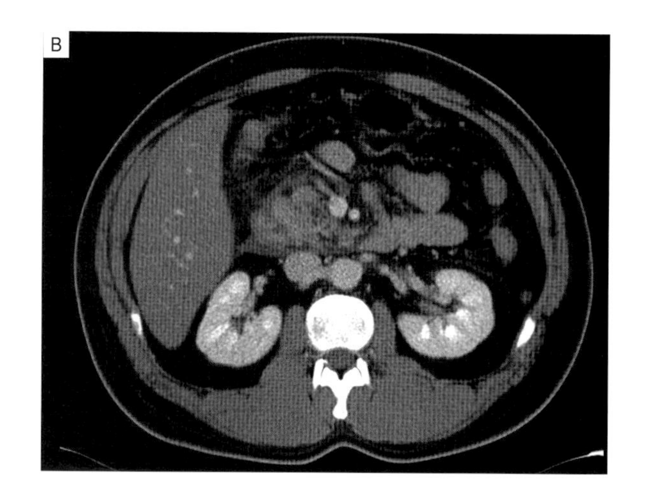

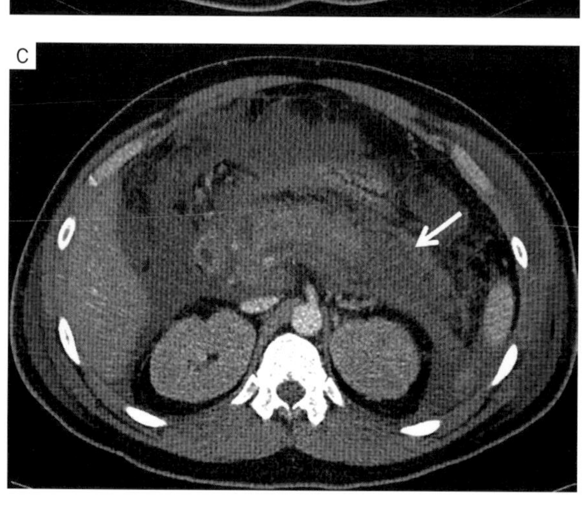

그림 10-3. **급성 괴사성 췌장염.**
A, B. 4일간의 복통을 주소로 내원한 환자의 내원 당시 촬영한 조영증강 CT로 췌장 주변에 액체저류와 줄모양의 염증소견이 관찰되나 괴사소견은 관찰되지 않는다.
C. 7일 후 추적 CT검사에서 췌장 미부에 괴사(화살표)가 새로 관찰되며 췌장 주변의 액체저류와 줄모양의 염증소견도 증가하였다.

강도 병변으로 관찰된다.

4) 급성 괴사성 저류(acute necrotic collection) 및 Walled off necrosis (WON)

급성 괴사성 췌장염 발생 후 4주까지 주변에 발생한 액체저류를 급성 괴사성 저류로 정의한다. 액체저류 내부에 괴사성 조직은 CT에서 불균질한 저음영으로 관찰된다. CT에서 급성 췌장주변 액체저류와 감별이 어려운 경우 초음파 또는 MR T2 강조영상을 시행하여 액체저류내에 불균질한 고형 성분 유무를 확인할 수 있다. 급성 괴사성 저류는 약 20%에서 자연적으로 소실되고, 20%에서는 중복감염이 발생하는 것으로 보고되어 있다. 췌장염 발병 4주가 지나 괴사성 액체저류가 육아조직으로 둘러싸이게 되면, walled off necrosis로 진단할 수 있다(그림 10-4). Walled off necrosis의 경우에도 급성 괴사성 저류와 마찬가지로 영상 검사에서 액체저류 내부에 괴사 조직을 확인할 수 있으며, 시술이나 수술을 통한 괴사 조직 배액이 필요한 경우도 있다[15, 16].

5) 액체저류의 중복감염(superinfection)

중복감염은 주로 급성췌장염 발병 2~4주 후에 발생하는 것으로 알려져 있으며, 액체저류 종류에 상관없이 동반될 수 있다[17]. 중복감염 동반 유무는 치료방침 결정에 중요하므로 정확한 진단이 필요하다[18]. CT에서 액체저류 내부에 기포가 관찰되면 중복감염을 쉽게 진단할 수 있으나(그림 10-5), 중복감염이 의심되나 특징적인 영상소견이 보이지 않는 경우에는 세침흡인(fine needle aspiration)을 통해 저류된 액체를 흡인하여 gram염색이나 배양을 통해 감염 여부를 진단할 수 있다. 배액을 위해 시술을 하였거나 액체저류와 위장관과 누공이 있는 경우 중복감염이 없이도 액체저류 내에 기포가 관찰될 수 있으므로 유의해야 한다.[4]

6) 급성췌장염과 동반될 수 있는 합병증

급성췌장염으로 인해 비장 정맥, 문맥, 장간막 정맥에 혈전이 발병할 수 있으며, 췌장 주변 동맥에 가성 동맥류(그림 10-6)나 출혈(그림 10-7)이 발생할 수 있다. 또한 복수나 흉수가 동반될 수 있고, 췌장 주변 장기에 염증소견이 동반될 수 있다[4].

4. 췌장염의 영상학적 중증도 평가

췌장염의 중등도 평가는 환자의 예후 예측 및 치료방침 결정에 중요하다. 경증 췌장염의 경우 보존적 치료(supportive care)만으로 충분하지만, 중증 췌장염의 경우 예후가 좋지 않을 가능성이 높으므로 집중적인 감시(monitoring)와 환자 개개인에 맞는 치료가 필요하다[19]. 임상적으로는 Ranson's criteria, Modified Glasgow scale, APACHE II (acute physiology score and the chronic health evaluation), BISAP (Bedside Index of severity in acute pancreatitis) 등으로 평가가 가능하며[19-23], 영상의학적으로 가장 널리 쓰이는 중증도 평가 기준은 CT severity index (CTSI)이다[24-26] (표 10-1). 췌장 실질이나 췌장 주변 염증 반응 정도와 췌장 실질의 괴사 정도를 평가한 후 각각의 점수를 합하여 CTSI를 계산한다. CTSI가 0~3점일때는 이환율/사망률이 각각 8%, 3%이지만 4~6점일 때는 6%, 35%, 7~10점일 때는 이환율이 17%, 사망률이 92%로 보고되어 있다[24]. CTSI가 발표된 지 20여 년이 지났고, 그동안 특히 비침습적 치료방법이 획기적으로 발달하여, 현재 이환율/사망률은 과거에 비해 줄었지만, 현재까지도 CTSI는 췌장염 환자의 중등도 평가에 중요한 도구로서 사용되고 있다. 최근 연구 결과에 의하면 급성췌장염의 중등도 평가에 있어 CTSI는 임상지표를 이용한 중등도 평가 방법들과 비슷한 정도의 정확도를 보이는 것으로 보고되었다[27].

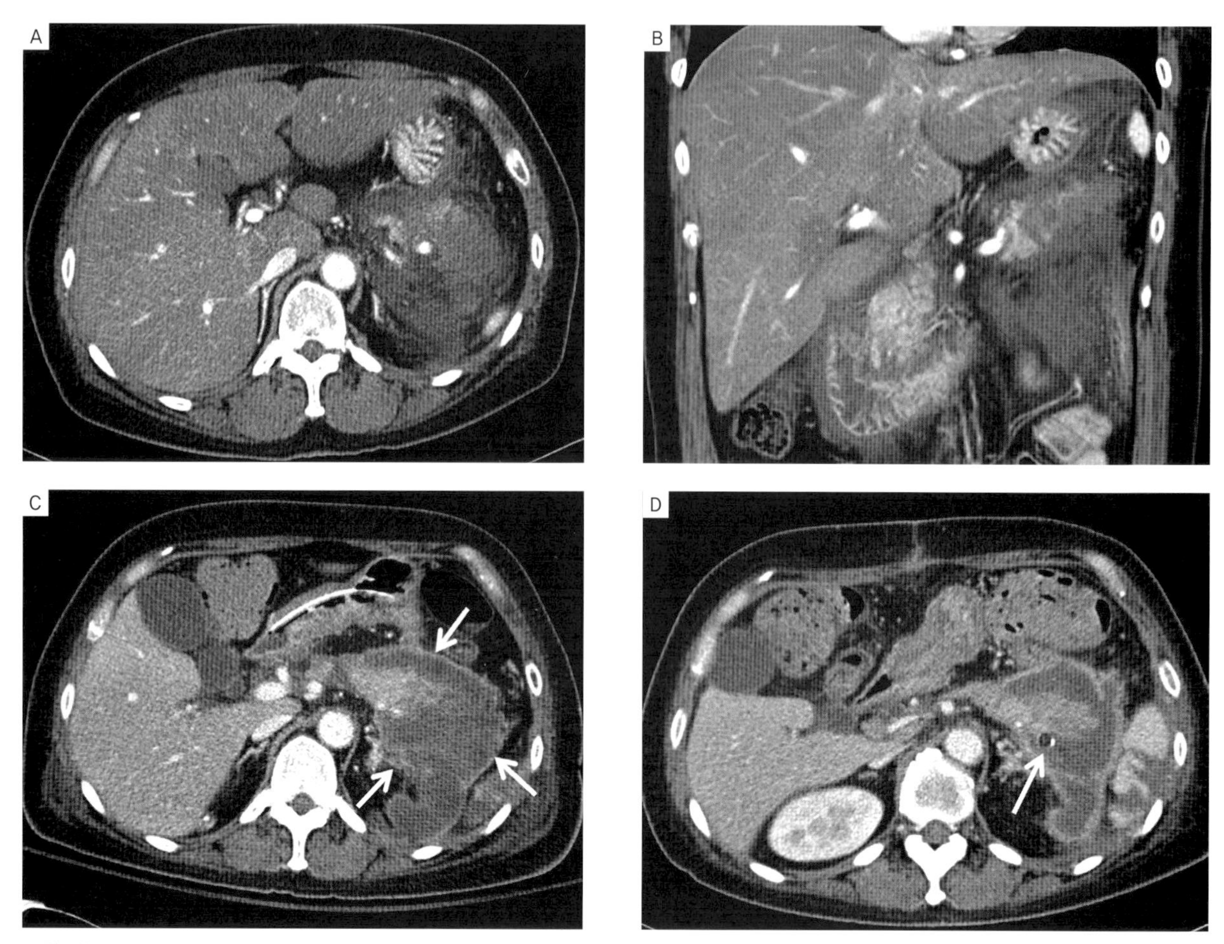

그림 10-4. **괴사성 액체저류와 walled off necrosis.**

A, B. 췌장 미부에 실질 괴사가 관찰되고, 주변에 액체저류와 염증소견이 동반되어 있다.

C. 한 달 후 추적 CT검사에서 괴사성 액체저류 주변으로 육아조직(화살표)이 생성되어 walled off necrosis가 된 것을 관찰할 수 있다.

D. 급성췌장염 발병 두 달 후 추적 CT에서 액체저류 주변의 육아조직이 좀 더 잘 관찰된다. Walled off necrosis 내부에는 배액을 위한 카테터가 들어가 있다(화살표).

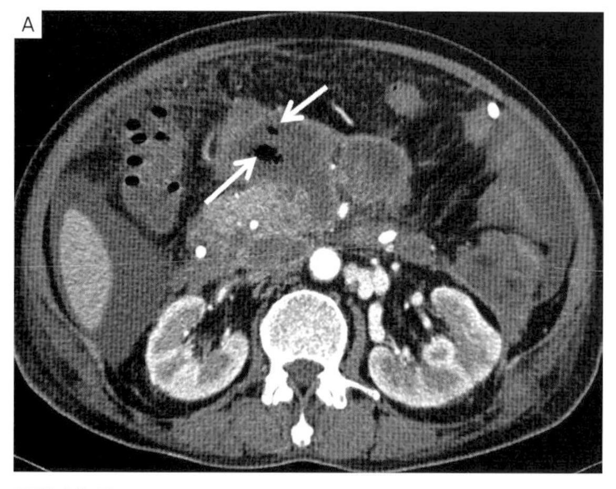

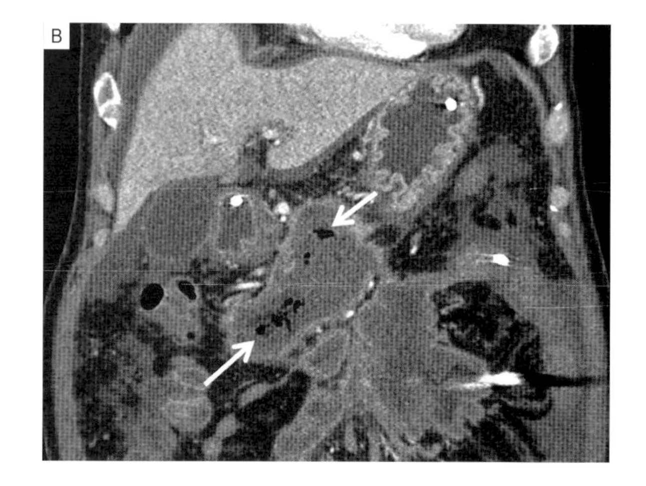

그림 10-5. **감염이 동반된 급성 괴사성 췌장염.**

조영증강 축상(A) 및 관상(B) 영상에서 췌장 실질 괴사가 동반된 액체저류가 있다. 액체저류 내부에 기포(화살표)가 관찰되며 중복감염을 의심할 수 있다.

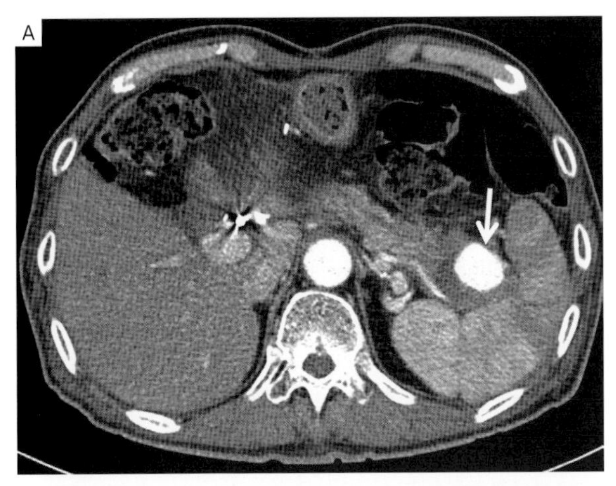

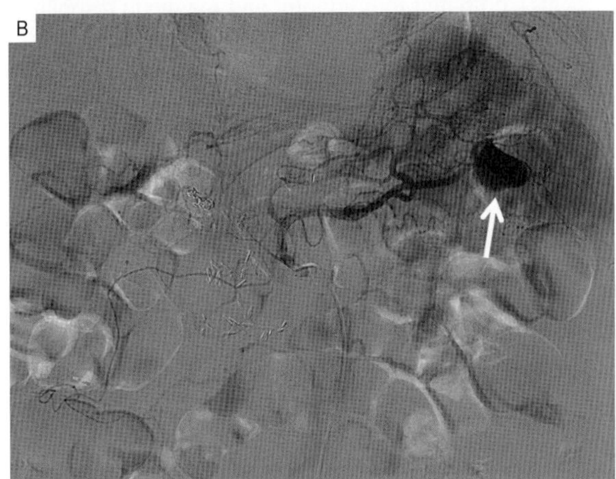

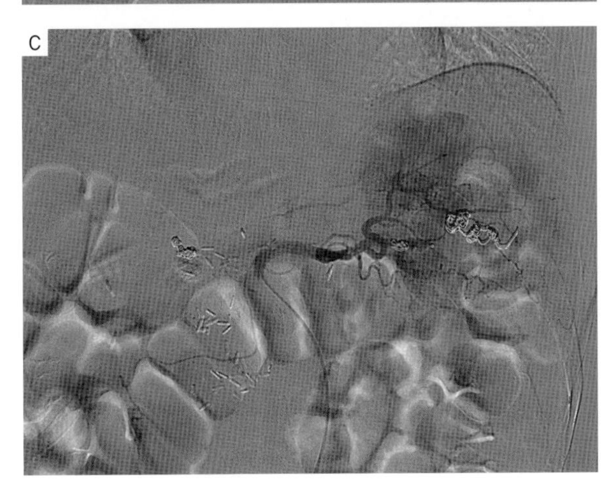

그림 10-6. **가성동맥류.**

A. 췌장 두부암으로 수술받은 과거력이 있는 환자로 추적 CT 검사에서 췌장 미부에 급성췌장염 소견과 동반된 비장 동맥에서 기원한 가성동맥류(화살표)가 발견되었다.

B. 혈관 촬영술에서 비장동맥에서 기원한 가성동맥류(화살표)를 확인하고,

C. 코일을 이용하여 치료하였다.

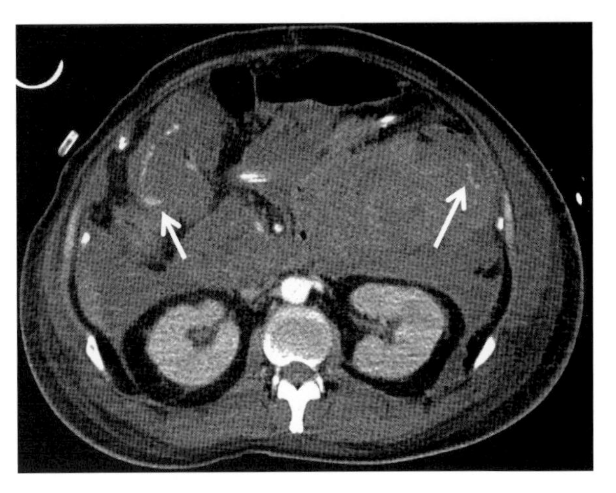

그림 10-7. **급성췌장염으로 인한 출혈.**

알코올 중독으로 인한 급성췌장염이 발생한 환자로, 췌장 체부/미부 주변과 장간막에 혈종이 관찰되고 혈종 내부에 조영제의 혈관 외 유출(화살표)이 관찰된다. 집중적인 치료에도 불구하고 환자는 사망하였다.

표 10-1. **컴퓨터 단층 촬영 중증도 색인 (CT Severity Index)**[24-26]

CT Severity Index (CTSI)		Score
a. Inflammatory process		
Grade A	Normal pancreas	0
Grade B	Pancreatic enlargement	1
Grade C	Pancreatic inflam mation &/or peripancreatic fat	2
Grade D	Single fluid collection	3
Grade E	Two or more fluid collection &/or retroperitoneal air	4
b. Parenchymal necrosis		
0%		0
30%		2
30~50%		4
50%		6
CT Severity Index (CTSI)		a + b

References

1. Bradley EL, 3rd. A clinically based classification system for acute pancreatitis. Summary of the International Symposium on Acute Pancreatitis, Atlanta, Ga, September 11 through 13, 1992. Arch Surg 1993;128:586-90.
2. Banks PA, Bollen TL, Dervenis C, et al. Classification of acute pancreatitis--2012: revision of the Atlanta classification and definitions by international consensus. Gut 2013;62:102-11.
3. Thoeni RF. Imaging of Acute Pancreatitis. Radiol Clin North Am 2015;53:1189-1208.
4. Thoeni RF. The revised Atlanta classification of acute pancreatitis: its importance for the radiologist and its effect on treatment. Radiology 2012;262: 751-64.
5. ACR. ACR Appropriateness Criteria. https://acsearch.acr.org/list
6. Mujica VR, Barkin JS, Go VL. Acute pancreatitis secondary to pancreatic carcinoma. Study Group Participants. Pancreas 2000;21:329-32.
7. Moon JH, Cho YD, Cha SW, et al. The detection of bile duct stones in suspected biliary pancreatitis: comparison of MRCP, ERCP, and intraductal US. Am J Gastroenterol 2005;100:1051-57.
8. Xiao B, Zhang XM, Tang W, Zeng NL, Zhai ZH. Magnetic resonance imaging for local complications of acute pancreatitis: a pictorial review. World J Gastroenterol 2010;16:2735-42.
9. Hirota M, Kimura Y, Ishiko T, Beppu T, Yamashita Y, Ogawa M. Visualization of the heterogeneous internal structure of so-called "pancreatic necrosis" by magnetic resonance imaging in acute necrotizing pancreatitis. Pancreas 2002;25:63-7.
10. Macari M, Finn ME, Bennett GL, et al. Differentiating pancreatic cystic neoplasms from pancreatic pseudocysts at MR imaging: value of perceived internal debris. Radiology 2009;251:77-84.
11. Zaheer A, Singh VK, Qureshi RO, Fishman EK. The revised Atlanta classification for acute pancreatitis: updates in imaging terminology and guidelines. Abdom Imaging 2012;8;32-45.
12. Balthazar EJ. Acute pancreatitis: assessment of severity with clinical and CT evaluation. Radiology 2002;223:603-13.
13. Arvanitakis M, Delhaye M, De Maertelaere V, et al. Computed tomography and magnetic resonance imaging in the assessment of acute pancreatitis. Gastroenterology 2004;126:715-23.
14. Brand M, Gotz A, Zeman F, et al. Acute necrotizing pancreatitis: laboratory, clinical, and imaging findings as predictors of patient outcome. AJR Am J Roentgenol 2014;202:1215-31.
15. Baron TH, Harewood GC, Morgan DE, Yates MR. Outcome differences after endoscopic drainage of pancreatic necrosis, acute pancreatic pseudocysts, and chronic pancreatic pseudocysts. Gastrointest Endosc 2002;56:7-17.
16. Shyu JY, Sainani NI, Sahni VA, et al. Necrotizing pancreatitis: diagnosis, imaging, and intervention. Radiographics 2014;34:1218-39.
17. Triantopoulou C, Delis S, Dervenis C. Imaging evaluation of post-pancreatitis infection. Infect Disord Drug Targets 2010;10:15-20.
18. Buchler MW, Gloor B, Muller CA, Friess H, Seiler CA, Uhl W. Acute necrotizing pancreatitis: treatment strategy according to the status of infection. Ann Surg 2000;232:619-26.
19. Mortele KJ, Wiesner W, Intriere L, et al. A modified CT severity index for evaluating acute pancreatitis: improved correlation with patient outcome. AJR Am J Roentgenol 2004;183:1261-5.
20. Suvarna R, Pallipady A, Bhandary N, Hanumanthappa. The Clinical Prognostic Indicators of Acute Pancreatitis by APACHE II Scoring. J Clin Diagn

Res 2011;5:459-63.

21. Wu BU, Johannes RS, Sun X, Tabak Y, Conwell DL, Banks PA. The early prediction of mortality in acute pancreatitis: a large population-based study. Gut 2008;57:1698-1703.
22. Ranson JH, Rifkind KM, Roses DF, Fink SD, Eng K, Spencer FC. Prognostic signs and the role of operative management in acute pancreatitis. Surg Gynecol Obstet 1974;139:69-81.
23. Knaus WA, Draper EA, Wagner DP, Zimmerman JE. APACHE II: a severity of disease classification system. Crit Care Med 1985;13:818-29.
24. Balthazar EJ, Robinson DL, Megibow AJ, Ranson JH. Acute pancreatitis: value of CT in establishing prognosis. Radiology 1990;174:331-6.
25. Balthazar EJ, Ranson JH, Naidich DP, Megibow AJ, Caccavale R, Cooper MM. Acute pancreatitis: prognostic value of CT. Radiology 1985;156:767-72.
26. Balthazar EJ, Freeny PC, vanSonnenberg E. Imaging and intervention in acute pancreatitis. Radiology 1994;193:297-306.
27. Bollen TL, Singh VK, Maurer R, et al. A comparative evaluation of radiologic and clinical scoring systems in the early prediction of severity in acute pancreatitis. Am J Gastroenterol 2012;107: 612-9.

급성췌장염의 임상적 평가: 분류, 중증도 및 예후

Clinical assessment of acute pancreatitis: classification, severity and prognosis

서정훈

1. 급성췌장염의 분류(classification)

급성췌장염은 췌장의 급성 염증 과정으로 흔히 췌장 주변 조직과 다른 원격 장기의 이상이 동반되므로 급성 췌장염의 중증도는 매우 다양하며 췌장에만 염증이 발생하는 경증의 형태에서 다발성 장기부전 및 사망을 동반되는 중증의 형태까지 발생할 수 있다. 급성췌장염 환자에서 사망은 약 50%에서 발병 2주 내에 발생하므로 급성췌장염의 적절한 중증도 평가는 초기에 예측되는 환자를 선별하여 적절한 치료를 제공하고 여의치 않는 경우 중환자실 치료나 적절한 치료를 제공할 수 있는 기관으로 전원하는 기준을 제시하는데 유용하게 사용될 수 있다. 또한 급성췌장염의 임상시험에서 새로운 치료법의 효과를 객관적으로 평가할 수 있어 연구 목적으로도 중등도 평가는 중요한 역할을 한다[1](표 11-1).

급성췌장염은 지속적으로 변화하는 염증 과정으로 초기의 경증 또는 중등증의 췌장염도 중증 췌장염으로 진행할 수 있기 때문에 급성췌장염의 중증도는 한 번만 하는 것이 아니라 수시로 지속적으로 평가되어야 한다[2]. 본 장에서는 급성췌장염의 중증도 분류에 대해 Atlanta classification, Revised Atlanta classification, Determinant-based classification을 중심으로 기술하였다.

표 11-1. 급성췌장염의 중증도 분류에 대한 잠재적인 목적

Purposes related to clinical decision making
- Triage of patients regarding intensity of initial treatment
- Transfer of patients to specialist or ICU
- Trajectory of patients clinical course
- Treatment early in disease course (e.g. enteral nutrition)
Purposes related to research decision making
- Audit of outcome
- Allocation of patients to trial arm
- Analysis of interventions

1) 애틀란타 분류(Atlanta classification)

1992년 Atlanta classification에서는 급성췌장염을 임상 소견, 검사실 소견, 국소 합병증 등에 따라 경증과 중증 췌장염으로 2단계로 구분하였다[3]. 중증도는 4가지 지표를 기준으로 판정하였는데 장기부전, 국소 합병증, Ranson 지표가 3점 이상, APACHE (Acute Physiology and Chronic Health Evaluation) II 점수가 8점 이상,

이 중 1가지만 만족하면 중증 췌장염으로 분류하였다 (표 11-2).

이러한 original Atlanta classification (OAC)은 급성췌장염의 중증도 구분에서 한동안 널리 이용되었으나, 장기부전의 지속 유무에 따른 중증도의 차이가 없었기 때문에 장기 부전이 조기에 회복되는 환자에서는 중증도가 과대평가되었다. 또한 급성췌장염 사망은 4가지 지표 중에서 국소 합병증보다는 장기부전이 주요 원인이 되지만 OAC에서는 장기부전과 국소 합병증이 중증도에서 동일하게 평가되는 문제점이 있었다. 이러한 오류로 인하여 경증의 췌장염은 비교적 정확하게 구분할 수 있었으나 중증 췌장염으로 분류된 그룹에서는 서로 다른 임상 결과를 보여 좀 더 세분화된 새로운 분류법에 대한 필요성이 제기되었고 비슷한 시기에 서로 다른 그룹에서 새로운 두 가지의 중증도 분류법이 개발되었다.

표 11-2. 급성췌장염의 중증도에 대한 애틀란타 분류

Severity criteria	Definition
Organ failure with 1 or more	
Shock	Systolic blood pressure < 90 mmHg
Pulmonary insufficiency	PaO_2 < 60 mmHg
Renal failure	Serum creatinine level > 2 mg/dL after rehydration
Gastrointestinal bleeding	> 500 mL/24 hours
Local complications	
Pancreatic necrosis	More than 30% of the parenchyma or more than 3 cm
Pseudocyst	Collection of pancreatic juice enclosed by a wall
Abscess	Circumscribed collection of pus containing little or no pancreatic necrosis
Ranson score	> 3
APACHE II score	> 8

2) 개정된 애틀랜타 분류 (revised atlanta classification)

Acute pancreatitis classification working group에서 2012년 Revised Altanta classication (RAC)이 제시되었고 국소 합병증, 장기부전 동반 및 지속기간에 따라 3단계 등급, 즉 경증(mild), 중등중증(moderately severe), 중증(severe) 급성췌장염으로 구분하였다. 합병증이 동반되는 경우에는 중증 또는 중등중증 췌장염으로 구분되는데 전신 합병증으로는 장기부전(호흡기, 심혈관, 신장)이나 기존에 앓고 있는 동반질환(만성 폐쇄성 폐질환, 심부전, 만성 간질환)의 악화가 포함되고, 국소 합병증의 감염유무는 중등도 평가와는 무관하였다. 중증은 단발성 또는 다발성 장기부전이 48시간 이상 지속되는 경우, 중등증은 새롭게 추가된 부분으로 입원기간이 길어지거나 중재시술이 필요한 국소 합병증 유무에 상관없이 48시간을 지속하지 않는 일시적인 장기부전이나 기존의 질환이 악화되는 경우, 경증은 장기부전과 전신 또는 국소 합병증이 없는 경우로 구분하였다[4](표 11-3).

급성췌장염의 초기에는 염증반응이 지속되면서 전신성 염증반응 증후군(systemic inflammatory response syndrome, SIRS)이 유발되고 이로 인하여 장기부전으로 진행될 수 있는 반면 국소 합병증은 시간이 경과한 후 발생한다. 따라서 급성췌장염의 초기에는 중증도 평가기준이 주로 장기부전 동반 유무와 지속 기간이며 내원 시, 24시간 후, 48시간 후, 그리고 7일 후에 환자를 재평가하여 중증도를 분류하여야 한다. 내원 시 장기부전이 없고 국소적 또는 전신적 합병증이 동반되지 않으면 경증 췌장염으로 분류하며, 장기부전이 동반되어 있으면 우선 중증 췌장염에 준해서 치료를 한다. 내원 48시간 내에 장기부전이 호전되면 중증에서 중등증으로 재분류되고, 48시간 후에도 장기부전이 지속되면 중증 췌장염으로 지속적으로 분류한다. 이와 같이 48시간 이상 지속되는 장기부전은 예후의 결정 요인으로 작용하

표 11-3. **급성췌장염의 중증도에 대한 개정된 애틀랜타 분류**

Grades	Definition
Mild	No organ failure and no local or systemic complications
Moderately severe	Transient organ failure that resolves within 48 h and/or local or systemic complications or exacerbations of pre-existing co-morbidities
Severe	Persistent organ failure (> 48 h) - single organ failure - multiple organ failure

는데 급성췌장염의 전체 사망률은 약 2% 정도이지만 지속적인 장기부전이 동반 시에는 사망률이 30%까지 높아진다.

Revised Atlanta classification에서는 장기부전의 중증도 평가에서 modified Marshall scoring system[5,6]을 가장 중요한 자료로 사용할 것을 권고하고 있다(표 11-4). 이러한 scoring system에서 장기부전은 3개의 장기 중 적어도 1개의 장기에서 2단계 이상의 중증도(score ≥ 2)를 보이면 장기부전이 있는 것으로 판단하며 임상적으로 쉽게 매일 반복적으로 평가할 수 있다는 장점이 있다.

췌장염의 초기에는 췌장괴사 유무나 정도를 평가하기 어렵고, 국소 합병증도 대부분 시간이 경과한 후 발생하기 때문에 CT와 같은 영상검사는 권고되지 않는다. 그러나 췌장염이 2주 이상 지속되면 국소 합병증이 발생하여 중재적 치료 여부를 결정해야 하고 췌장 괴사의 감염은 사망률을 증가시키기 때문에 영상검사를 시행하여 적절한 치료를 필요로 한다. 급성췌장염의 국소 합병증으로는 acute peripancreatic fluid collection (APFC), acute necrotic collection (ANC), pseudocyst, walled-off necrosis (WON) 등이 있다. APFC와 ANC는 발병기전이 전혀 다르고 췌장 괴사 유무로 구분되는 국소 합병증이지만 초기 1주일 이내에서는 CT로 두 가지

표 11-4. **장기 부전에 대한 개정된 Marshal 점수 시스템**

Organ system	Score				
	0	1	2	3	4
Respiratory (PaO_2/FiO_2)	> 400	301-400	201-300	101-200	≤ 101
Renal					
Serum creatinine, μmol/L	≤ 134	134-169	170-310	311-439	> 439
Serum creatinine, mg/dL	< 1.4	1.4-1.8	1.9-3.6	3.6-4.9	> 4.9
Cardiovascular (systolic blood pressure, mmHg)†	> 90	< 90, fluid responsive	< 90, not fluid responsive	< 90 pH < 7.3	< 90 pH < 7.2

For non-ventilated patients, the FiO_2 can be estimated from below:

Supplemented oxygen	FiO_2
Room air	21
2	25
4	30
6-8	40
9-10	50

A score of 2 or more in any system defined the presence of organ failure.
†Off inotropic support.

를 감별하는 것이 어려운 경우가 많다. Pseudocyst와 WON은 4주 이후에 발생하는 것으로 pseudocyst는 괴사 없이 췌관의 disruption으로 발생하고, WON은 췌장이나 췌장 주위 괴사가 염증성 벽으로 둘러싸인 국소 합병증이다(그림 11-1, 표 11-5).

Revised Atlanta classification은 original Atlanta classification에서는 없었던 중등중증(moderately severe) 췌장염을 새로 분류하였지만 국소 합병증의 종류가 매우 다양하여 CT 검사만으로는 국소 합병증을 정확하게 감별하기 어렵다는 점과 실제 임상경과에서 전기(early phase)와 후기(late phase)를 구분하는 시기와 예후가 매우 다양한 문제점이 있다.

3) 결정 요인 기반 분류 (determinants based classification)

웹기반을 통한 다양한 의견 수렴과 더불어 문헌 고찰을 근거로 Determinants based classification (DBC)이 제시되었다[7]. DBC에서는 장기부전 유무와 지속기간과 더불어 Revised Atlanta classification에서는 중증 지표에 포함되지 않았던 췌장괴사와 괴사 부위의 감염여부에 따라 경증(mild), 중등도(moderate), 중증(severe), 그리고 중증 췌장염보다 더 중증인 '고비(critical) 췌장염'을 추가하여 4단계 영역으로 분류하였다. '고비 췌장염'은 지속적인 장기부전과 췌장괴사 감염이 동시에 있을 때로 정의되며 매우 높은 사망률과 관련이 있다(표 11-6).

4) 개정된 애틀란타 분류(RAC)와 결정 요인 기반 분류(DBC)의 차이

RAC에서는 기존에 앓고 있는 동반질환의 악화가 중증지표에 포함되었으나 DBC에서는 중증도의 결정요소가 아니라고 판단되어 제외되었다. 또한 지속적인 장기부전이 동반되지 않은 국소 합병증 감염은 RAC에서는 중등도로 분류되었는데 이러한 근거는 지속적인 장기부전이 동반되지 않은 괴사부위 감염이 지속적인 장기부전을 동반한 괴사부위 감염 환자보다 사망률이 낮았기 때문이다. 그러나 췌장괴사 감염과 지속적인 장기부전은 급성췌장염의 사망률에 독립적으로 거의 동

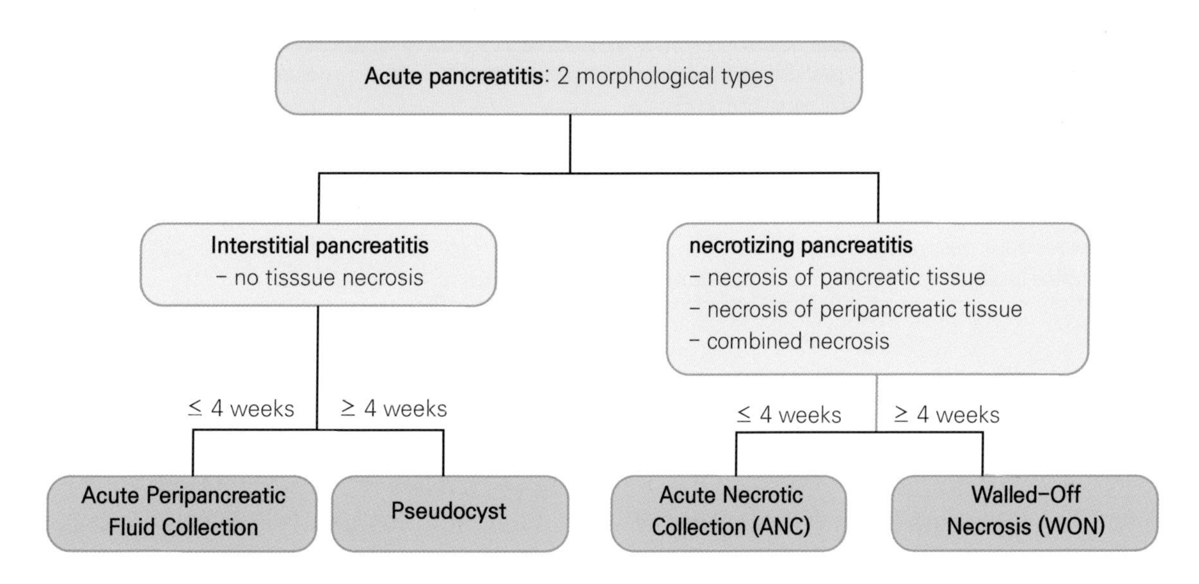

그림 11-1. 급성췌장염의 국소 합병증(Local complications of acute pancreatitis).

표 11-5. **국소 합병증의 형태학적 특징에 대한 정의**

1. APFC (acute peripancreatic fluid collection)

Peripancreatic fluid associated with interstitial edematous pancreatitis with no associated peripancreatic necrosis. This term applies only to areas of peripancreatic fluid seen within the first 4 weeks after onset of interstitial edematous pancreatitis and without the features of a pseudocyst

CECT criteria
- Occurs in the setting of interstitial edematous pancreatitis
- Homogeneous collection with fluid density
- Confined by normal peripancreatic fascial planes
- No definable wall encapsulating the collection
- Adjacent to pancreas (no intrapancreatic extension)

2. ANC (acute necrotic collection)

A collection containing variable amounts of both fluid and necrosis associated with necrotizing pancreatitis; the necrosis can involve the pancreatic parenchyma and/or the peripancreatic tissues

CECT criteria
- Occurs only in the setting of acute necrotizing pancreatitis
- Heterogeneous and non-liquid density of varying degrees in different locations (some appear homogeneous early in their course)
- No definable wall encapsulating the collection
- Location-intrapancreatic and/or extrapancreatic

3. Pancreatic pseudocyst

An encapsulated collection of fluid with a well defined inflammatory wall usually outside the pancreas with minimal or no necrosis. This entity usually occurs more than 4 weeks after onset of interstitial edematous pancreatitis to mature.

CECT criteria
- Well circumscribed, usually round or oval
- Homogeneous fluid density
- No non-liquid component
- Well defined wall; that is, completely encapsulated
- Maturation usually requires > 4 weeks after onset of acute pancreatitis; occurs after interstitial edematous pancreatitis

4. WON (walled-off necrosis)

A mature, encapsulated collection of pancreatic and/or peripancreatic necrosis that has developed a well defined inflammatory wall. WON usually occurs > 4 weeks after onset of necrotising pancreatitis.

CECT criteria
- Heterogeneous with liquid and non-liquid density with varying degrees of loculations (some may appear homogeneous)
- Well defined wall, that is, completely encapsulated
- Location-intrapancreatic and/or extrapancreatic
- Maturation usually requires 4 weeks after onset of acute necrotizing pancreatitis

등한 결정 요인으로 보고되어 DBC에서는 국소 합병증 감염은 중증 췌장염으로 분류하고 국소 합병증 감염과 함께 지속적인 장기부전이 동반 시에는 '고비 췌장염(critical pancreatitis)'으로 세분화하여 분류하였다(표 11-7).

RAC와 DBC는 여러 연구를 통해 급성췌장염의 중증도 구분과 예후를 예측하는데 동등한 정도로 유용성이 평가되고 있고, 특히 DBC는 사망률이 매우 높은 심한 중증 췌장염을 구분하는데 도움이 되는 것으로 보고되고 있지만 추가적인 연구를 통해 유용성 확인이 필요하다. 그리고 췌장괴사의 감염 유무를 비침습적인 방법으로 정확히 진단하고 장기부전의 특성을 적절히 평가한다면 췌장염의 중증도와 예후를 좀 더 정확히 예측하는데 도움이 될 것이다.

5) 개정된 결정 요인 기반 분류(DBC)

Modified DBC는 장기부전을 동반하여 중환자실 치료가 필요한 환자만을 대상으로 최근에 제안되었다[8]. 경증 췌장염은 제외하였고, DBC에서 중증 영역을 각각 일시적인 장기부전을 동반한 괴사부위 감염군과 지속적인 장기부전을 동반한 괴사부위 비감염군으로 2분화하여 급성췌장염을 4군으로 구분하였다. 또한 국소 합병증으로는 DBC와는 다르게 괴사 감염뿐 아니라 장천공이나 복강출혈 등을 모두 포함하였다(표 11-8, 표 11-9).

결론적으로 급성췌장염의 여러 분류체계는 중증도의 표준화된 정의와 기술 그리고 영상학적 특징을 제공함으로써 임상 연구에서는 가치가 인정되었으나 중증도를 예측하는데 있어서는 아직까지 제한점이 있기 때문에 향후 추가 개정이 필요할 것이다.

표 11-6. **급성췌장염 중증도에 대한 결정 요인 기반 분류**

Categories	Definition
Mild	No (peri)pancreatic necrosis and no organ failures
Moderate	Sterile (peri)pancreatic necrosis and/or transient organ failure
Severe	Infected (peri)pancreatic necrosis or persistent organ failure
Critical	Infected (peri)pancreatic necrosis and persistent organ failure

2. 중등도 평가(assessment of severity)

중증 췌장염 환자를 조기에 예측할 수 있다면 즉각적이고 적극적인 치료를 통하여 사망률이나 합병증을 감소시킬 수 있기 때문에 중증도 평가는 매우 중요하다. 급성췌장염의 중증도 평가 방법은 매우 다양하며 국소 또는 전신 합병증 유무, 호흡기나 신장의 장기부전, 췌장내 또는 췌장 주위 괴사 등이 높은 사망률과 관련이 있다. 따라서 중증도 평가는 숙련된 임상의사가 환자의 증상, 징후, 혈액검사, 영상학적 소견을 종합하여 신중히 결정하여야 한다. 급성췌장염의 임상적인 판단을 향상시키기 위하여 여러 예측 인자, 즉 임상적 요소, 검사실 소견, 그리고 다양한 점수 체계(scoring system)가 중증도 평가에서 제시되었다.

1) 임상적 요소 및 검사실 소견에 의한 중등도 평가

급성췌장염의 합병증과 사망률을 증가시키는 임상적 요소로는 입원시 60세 이상의 고령, 동반질환의 중증도를 반영하는 Charlson comorbidity index가 2점 이상(표 11-10), 비만(BMI > 30 kg/m^2), 음주력 등이 있다[9].

표 11-7. **개정된 애틀란타 분류(RAC)와 결정 요인 기반 분류(DBC)의 차이**

Criteria	Severity classification systems	
	DBC caterogy	RAC grade
Exacerbation of co-morbid disease	Not included	Moderately severe
Infected (peri)pancreatic necrosis without persistent organ failure	Severe	Moderately severe
Infected (peri)pancreatic necrosis with persistent organ failure	Critical	Severe

표 11-8. **장기부전으로 중환자실에 입원한 환자에서 개정된 결정 요인 기반 분류**

Group	Parameter		Mortality	ICU LOS	Intervention
	Organ failure	Infected necrosis			
1	TOF	No	2%	short	-
2	TOF	Yes	6.6%	long	+
3	POF	No	41%	short	-
4	POF	Yes	59%	long	+

In group 1, patients with transient organ failure and without local complications; in group 2, patients with transient organ failure and local complications; in group 3, patients with persistent organ failure and without local complications; and in group 4, patients with persistent organ failure and local complications.
TOF: transient organ failure; POF: persistent organ failure; ICU: intensive care unit; LOS: length of stay.

표 11-9. **개정된 애틀란타 분류(RAC), 결정 요인 기반 분류(DBC), 개정된 결정 요인 기반 분류(modified DBC) 간 비교**

RAC	Moderately severe		Severe	
DBC	Moderate	Severe		Critical
Modified DBC	Transient OF without IN (LC)	Transient OF with IN (LC)	Persistent OF without IN (LC)	Persistent OF with IN (LC)

OF: organ failure; IN: Infected necrosis; LC: local complications.

표 11-10. **Charlson 동반 질환 지수**

Weights	Clinical conditions
1 point	Myocardial infarct; congestive heart failure; peripheral vascular disease; dementia; cerebrovascular disease; chronic lung disease; connective tissue disease; peptic ulcer; chronic liver disease, diabetes without complication
2 points	Hemiplegia; moderate or severe kidney disease; diabetes with complication; tumor without metastasis; leukemia; lymphoma
3 points	Moderate or severe liver disease
6 points	Metastatic solid tumor, AIDS
1 point	Each decade in age 〉40 years

The total score is obtained by adding the relative weight of each comorbidity.

고령인 경우는 동반된 질환으로 인해 젊은 사람에 비해 더 심한 췌장염으로 발전하여 예후가 나쁘고, 비만 환자에서 전신적 또는 국소적 합병증이 더 흔하게 발생한다.

심한 췌장염에서 염증성 매개체와 광범위 효소가 풍부한 췌장 삼출액으로 인해 국소적 염증으로 혈관 내 체액이 제 3의 공간으로 유출된다. 혈관 내 체액 감소는 혈액농축(hemoconcenration)과 고질소혈증(azotemia) 등으로 알 수 있는데 이러한 경우는 췌장내 미세순환의 장애로 췌장 괴사가 발생할 수 있다. 따라서 hematocrit, blood urea nitrogen (BUN), creatinine 등의 상승은 중증도 예측인자로 가장 유용한 것으로 알려져 있으며 특히 수액공급으로도 회복되지 않은 경우에는 더욱 의미가 있다[10,11]. 입원 당시 혈청 hematocrit가 44% 이상이고 첫 24시간에 hematocrit의 감소 실패는 췌장괴사의 발생위험이 높음을 의미하고 hematocrit가 감소된 환자의

41%에서는 췌장 괴사로 발전하지 않았다는 연구 결과가 있다[12]. 입원 시 BUN ≥ 20 mg/dL과 입원 24시간 이후 BUN 상승이 사망률과 연관성이 있었고[13], 입원 시[14]와 입원 24시간 이내의 혈청 creatinine > 2.0 mg/dL이 높은 사망률과 관련성이 있었다. 또한 입원 48시간 내의 혈청 creatinine 상승은 췌장의 괴사와 관련이 있다는 보고도 있다[15]. C-reactive protein (CRP)는 급성췌장염 악화 시 증가하는데 권고안에서도 급성췌장염 발생 48시간 이후 측정한 15 mg/dL 이상의 혈청 CRP 수치를 예후 인자로 추천하였다[16]. 한편 혈당 > 250 mg/dL인 경우 높은 사망률과 관련성이 있어 사망률이 16% 정도로 보고되고 있고[14], 혈당 > 125 mg/dL는 장기부전이나 사망률과는 관계가 없지만 긴 재원 기관을 포함한 다양한 임상적 지표들과 관련성이 있다[17]. 한편 혈정 아밀라아제와 리파아제의 상승정도는 예후와는 무관하다.

입원 당시 흉막삼출액이나 장기부전도 중증의 위험인자로 알려져 있다. 입원 첫 24시간 이내에 흉부 X-선에서 흉막삼출액이 관찰된다는 것은 췌장 괴사 또는 장기부전의 존재를 의미하며 이것은 높은 중증도 및 사망률과 관련성이 있고, 폐침윤 소견도 사망률을 증가시킨다. 입원 시 장기부전이 동반되면 사망률이 증가하는데 입원 후 초기에 장기부전의 발생도 입원 당시 장기부전이 있는 것만큼 사망률이 높다. 장기부전은 췌장염 초기에는 SIRS로 인하여 발생하는데 반해 늦게 발현하는 장기부전은 감염과 패혈증이 주요한 원인들이다. 그러므로 입원 당시이든 입원 후이든 장기부전 발생의 예측과 예방은 사망률을 낮추는 데 매우 중요하다. 특히 단일기관 장기부전에서 다기관 장기부전으로의 진행은 높은 사망률의 주요한 원인에 된다. 또한 장기부전이 48시간 이내 교정된다면 사망률은 '0'에 가깝지만 48시간 이상 지속된다면 사망률은 36%까지 증가한다[18].

이외에 pentaxin 3, procalcitonin, IL-6, IL-8, TNF-α, trypsinogen activation peptide, amyloid A, calcitonin 전구물질 등이 췌장염의 중증도를 예측하는데 유효한 결과를 보여주고 있으나 현재 이 검사들은 실험실적으로 연구되고 있으나 상업적으로 사용하기에는 유용하지 못하였다[19].

결론적으로 임상 증상과 징후에만 근거한 중증도 평가는 신뢰성이 떨어지므로 단순 흉부촬영, hematocrit, BUN, creatinine, CRP 등의 객관적인 검사가 필요하다.

2) 점수 체계를 이용한 평가

급성췌장염의 경과는 전기와 후기로 나뉘는데, 급성췌장염으로 인한 조기 사망은 대부분 입원 후 7~14일 이내에 SIRS가 발생하면서 급격하게 장기부전을 일으키면서 발생 한다[20]. 따라서 중증 췌장염으로 진행하거나 위험도가 높은 환자를 선별하는 것이 치료에 중요하다. 급성췌장염의 중증도를 판정하기 위하여 임상적, 영상학적, 검사실 소견을 다양하게 조합하여 여러 점수 체계(scoring system)를 이용한 방법이 개발되었으나 각각의 장단점이 있다(표 11-11). 여기에는 Ranson score, Glasgow score, Harmless Acute Pancreatitis Score (HAPS), Bedside Index for Severity in Acute Pancreatitis (BISAP), New Japanese Severity Score (JSS). Acute Physiology and Chronic Health Evaluation II (APACHE II), APACHE combined with scoring for obesity (APACHE-O) 등이 있다[21]. 그러나 이러한 점수 체계 모두 위양성률이 높아 점수가 높은 많은 환자들에서 중증 췌장염이 발생하지 않는 문제가 있고, 점수 체계 방법이 복잡하고 번거롭기 때문에 통상적으로 이용되지는 않는다.

(1) Ranson score

1974년에 발표된 Ranson 지표[22]는 급성췌장염의 중증도를 평가하는 데 오랫동안 사용되어 왔다. 11개의 항목을 예후 인자로 제시하였는데 입원 시에 5개 항목,

입원후 48시간 이내에 6개 항목을 측정하여 3가지 이상 관찰되는 경우 중증 췌장염으로 정의하였다(표 11-12). Ranson 지표는 해당 항목이 3개 미만인 경우 사망률이 0~3%, 3~5개인 경우 사망률이 11~15%이고, 6개 이상인 경우에는 사망률이 40%에 달하는 것으로 알려져 있다[23]. Ranson 지표를 이용한 평가는 48시간이 소요 되지만 급성췌장염의 악화를 70~80% 정도 예측할 수 있는 것으로 알려져 있으나 발병 초기에 급성췌장염의 중증도를 예측하는 정도가 매우 낮은 것으로 낮았다.

(2) Glasgow score

Glasgow 지표는 Imrie 등이 개발한 알코올과 담석 췌장염에 모두 사용할 수 있는 Ranson 지표와 유사한 다변수 평가법으로 Ranson 지표 중 3개 지표를 삭제하고 알부민을 첨가하여 총 9개의 지표로 단순화하였다[24]. 9개 항목 중 3가지 이상 관찰되는 경우 중증 췌장염으로 정의하였고, 1984년 modification에서는 AST를 제외한 8개 항목으로 평가하였다(표 11-13).

(3) 무해한 급성췌장염 점수 (harmless acute pancreatitis score, HAPS)

외래에서 치료 가능한 경증의 환자를 가려내기 위한 것으로는 harmless acute pancreatitis score (HAPS)가 개발되었고(표 11-14), 복부반발통이나 복부경직이 없으면서 정상 hematocrit, 정상 혈청 creatinine을 보이는 경우 경증 급성췌장염의 양성 예측도가 98%라고 보고되었다[25].

(4) 급성췌장염의 중증도에 대한 병상 지수 (bedside index for severity in acute pancreatitis score, BISAP score)

최근 더 간편하게 사용할 수 있는 bedside inex for severity in acute pancreatitis (BISAP) 점수 측정법이 개발되었다[26](표 11-15). 입원 24시간 동안 BUN >25 mg/dL, impaired mental status (Glasgow coma score < 15), SIRS 유무, 나이 > 60세, 흉막 삼출액 등 5개 항목을 갖고 각각 1점을 부여하는데 점수가 높아짐에 따라 사망률과 유의한 상관관계를 보였다. 3점 이상일 경

표 11-11. **중증도 점수 시스템**

Acute Pancreatitis Specific Scoring Systems
Ranson score
Glasgow score
Harmless Acute Pancreatitis Score (HAPS)
Bedside Index for Severity in Acute Pancreatitis (BISAP) score
New Japanese severity scoring system (JSS)
Acute Pancreatitis Non-Specific Scoring system (ICU Socring Systems)
Acute Physiology and Chronic Health Evaluation (APACHE) II score
APACHE combined with scoring for obesity (APACHE-O)
Sequential Organ Failure Assessement (SOF) score

표 11-12. **급성췌장염의 중증도 예측을 위한 Ranson의 기준**

On admission
Age > 55 years (> 70 years)
White cell count > 16,000/mm^3 (18,000/mm^3)
Lactate dehydrogenase > 350 U/L (> 400 U/L)
Aspartate aminotransferase > 250 U/L (same)
Glucose > 200 mg/dL (> 220 mg/dL)
During initial 48 hrs
Decrease in hematocrit by 10% (same)
Blood urea nitrogen increases by > 5 mg/dL (> 2 mg/dL)
Calcium < 8 mg/dL (same)
PaO_2 < 60 mmHg (omitted)
Base deficit > 4 mEq/L (> 6 mEq/L)
Fluid sequestration > 6 L (> 4 L)

* The criteria for nongallstone (alcoholic) acute pancreatitis are list first: the changes in the criteria for gallstone pancreatitis are in parentheses.
* If the score ≥ 3, severe pancreatitis likely.
* The prognostic implications of Ranson's criteria are as follows
  score 0 to 2: 2% mortality
  score 3 to 4: 15% mortality
  score 5 to 6: 40% mortality
  score 7 to 8: 100% mortality

표 11-13. **급성췌장염에 대한 Glasgow (Imrie) 중증도 점수 시스템**

Age > 55 years*
White cell count (WBC) > 15,000/mm^3
PaO_2 < 60 mmHg
Serum lactate dehydrogenase (LDH) > 600 U/L
Serum aspartate aminotransferase (AST) > 200 U/L**
Serum albumin < 3.2 g/dL
Serum calcium < 8 mg/dL
Secrum glucose > 180 mg/dL
Serum urea > 45 mg/dL

* If the score ≥ 3 in first 48hrs indicates a severe pancreatitis.
* 1981 modification removed age as a criteria
**1984 modification replaced age and removed AST as a criteria.

표 11-14. **무해한 급성췌장염 점수**

Assess for the following features:
* No signs of peritonitis
* Normal serum creatinine
* Normal hematocrit
If all three features are present, it is 98% accurate at identifying patients with a non-severe disease course.
"Non-severe"= no death, need for dialysis, or artifical ventilation

표 11-15. **급성췌장염의 중증도에 대한 병상 점수 시스템**

Clinical variables(1 points allocated per variable)	
BUN > 25 mg/dL	
Impaired metal status (Glasgow Coma Scale Score < 15)	
SIRS	
SIRS is defined as two or more of the following:	
(1) Temperature of < 36 or > 38℃	
(2) Respiratory rate > 20 breaths/min or $PaCO_2$ < 32 mmHg	
(3) Pulse > 90 beats/min	
(4) WBC < 4,000 or > 12,000 cells/mm^3 or > 10% immature bands	
Age > 60 years	
Pleural effusion detected on imaging	
BISAP score and corresponding mortality(%)	
0	0.1~0.2
1	0.5~0.7
2	1.9~2.1
3	5.3~8.3
4	12.7~19.3
5	22.5~26.7

우 민감도 83%, 양성 예측도 76.9%로서 사망률 5% 이상임을 시사하였다. 또한 APACHE II 지표, computed tomography severity index와 유사한 정확도를 보이는 간단하면서도 유용한 검사로 보고되고 있다[27]. 단점으로는 일시적 장기부전과 지속적인 장기부전 환자를 구분하지 못하여 중증도를 과장되어 예측할 여지가 있다는 것이다.

(5) 신 일본 중증도 지표 (new Japanese severity score, JSS)

신 일본 중증도 지표(new Japanese severity scoring system)는 9개의 예후 인자와 조영증강 복부 전산화 단층촬영 등급이 중증도 평가에 이용된다[28](표 11-16). 신 일본지표를 이용한 중증도 평가는 Ranson지표와 APACHE II만큼 유용하다는 보고가 있다[29].-

(6) 급성 생리학 및 만성 건강 평가 II 지표 (acute physiology and chronic health evaluation II score, APACHE II score)

APACHE II 지표는 특정 질환에 대한 임상 평가가 아니라 중환자실에서 이용되어 온 지표로 12가지의 생리적인 측정치와 나이, 5개의 장기에 기초한 만성 건강 상태를 평가하고 이를 점수화하여 전체 점수를 합산하는 방법으로 산출된다[30](표 11-17). 이러한 APACHE II 지표는 입원 수 시간 내에 급성췌장염의 중증도를 판정할 수 있고 매일 반복 측정하여 심한 췌장염 환자를 인지하는데 도움이 된다. 그리고 현재 사용되는 점수 체계로서 중증도를 판단하는 데 있어서 가장 민감도가 높

표 11-16. **급성췌장염에서 신 일본 중증도 지표**

Prognostic factoes (1 point for each factor)	
1. Base Excess ≤ 3 mEq/L or shock (systolic blood pressure < 80 mmHg)	
2. PaO_2 ≤ 60 mmHg (room air) or respiratory failure (respirator management is needed)	
3. BUN ≥ 40 mg/dL (or Cr ≥ 2.0 mg/dL) or oliguria (daily urine output < 400 mL even after IV fluid resuscitation)	
4. LDH ≥ 2 times of upper limit of normal	
5. Platelet count ≤ 100,000/mm^3	
6. Serum Ca ≤ 7.5 mg/dL	
7. CRP ≥ 15 mg/dL	
8. Number of positive measures in SIRS criteria ≥ 3	
9. Age ≥ 70 years	
CT Grade by CECT	
1. Extrapancreatic progression of inflammation	
Anterior pararenal space	0 point
Root of mesocolon	1 point
Beyond lower pole of kidney	2 points
2. Hypoenhanced lesion of the pancreas	
The pancreas is divided into three segments (head, body, and tail).	
Localized in each segment or only surrounding the pancreas	0 point
Covers 2 segments	1 point
Occupies entire 2 segments or more	2 points
Total scores = 1 + 2	
Total score = 0 or 1	Grade 1
Total score = 2	Grade 2
Total score = 3 or more	Grade 3

Assessment of severity
(1) if prognostic factors are scored as 3 points or more, or
(2) if CT Grade in judged as Grade 2 or more, the severity grading is evaluated to be as "severe".

은 것은 APACHE II 점수 측정법이다. 입원 당시와 입원 후 72시간 동안에 높은 APACHE II 점수는 높은 사망률과 연관성이 있는데 APACHE II가 8미만은 4% 이하이고 APACHE II가 8점 이상은 11-18%의 사망률을 보인다[31]. 그러나 14개 항목 이상을 포함하고 있기에 복잡하고 사용에 시간이 소요되어 제한이 있고, 간질성 췌장염과 괴사성 췌장염을 구분이 명료하지 않다는 단점이 있다. 일반적으로 첫 48시간 동안 APACHE II 점수의 상승은 심한 췌장염으로의 진행을 강력히 시사하며 반면에 감소는 경한 췌장염을 의미한다.

(7) 급성 생리학 및 만성 건강 평가-O 지표(Acute Physiology and Chronic Health Evaluation-O score, APACHE-O score)

비만이 중증 급성췌장염의 발병과 관련이 있고 사망의 독립적인 예측인자로 인식되면서 APACHE II 지표에 체질량지수(BMI)를 더하여 새로운 APACHE-O (APACHE II + obesity) 지표가 만들어져 APACHE II

표 11-17. **급성 생리학 및 만성 건강 평가 II 지표**

Physiological parameter	+4	+3	+2	+1	0	+1	+	+3	+4
Temperature, rectum(℃)	≥ 41	39-40.9		38.5-38.9	36-38.4	34-35.9	32-33.9	30-31.9	≤ 29.9
Mean arterial pressure (mmHg)	≥ 160	130-159	110-129		70-109		50-69		≤ 49
Heart rate (n/min)	≥ 180	140-179	110-139		70-109		55-69	40-54	≤39
Respiratory rate (n/min)	≥ 50	35-49		25-34	12-24	10-11	6-9		≤ 5
Oxygenation (mmHg)									
a. $FiO_2 \geq 0.5$, A-a DO_2	≥ 500	350-499	200-349		< 200				
b. $FiO_2 < 0.5$, PO_2					> 70	61-70		55-60	< 55
Arterial PH	≥ 7.7	7.6-7.69		7.5-7.59	7.33-7.49		7.25-7.32	7.15-7.24	< 7.15
Serum sodium (mmol/L)	≥ 180	160-179	155-159	150-154	130-149		120-129	111-129	≤ 110
Serum potassium (mmol/L)	≥ 7	6-6.9		5.5-5.9	3.5-5.4	3-3.4	2.5-2.9		< 2.5
Serum creatinine (mg/dl) (Duplication in acute renal failure)	≥ 3.5	2-3.4	1.5-1.9		0.6-1.4		< 0.6		
Hematocrit(%)	≥ 60		50-59.9	46-49.9	30-45.9		20-29.9		< 20
White cell blood count(x $10^3/mm^3$)	≥ 40		20-39.9	15-19.9	3-14.9		1-2.9		< 1
15 min Glasgow coma scale sore									

A. Acute Physiology Score [sum of 12 above points]

B. Age points (years) [≤ 44:0, 45-54:2, 55-64:3, 65-74:5, ≥ 75 = 6]

C. Chroinc Health Points [severe organ failure or immunosuppression:5, emergency operation: 5, elective operation: 2]

Total APACHE II Score [A + B + C]

점수제의 정확성을 높여준다[31]. 이 점수제에서 BMI가 26~30인 경우 1점을 추가하고 BMI가 30 이상인 경우 2점을 추가한다.

(8) 연속 장기 부전 평가 지표 (sequential organ failure assessment score, SOFA score)

Sequential organ failure assessment (SOFA) 지표는 중환자실 입원기간중 환자의 상태를 평가하는 방법으로 6개의 지표 즉 호흡기, 혈액응고, 간, 심혈관계, 신경계, 신장 기능을 평가하는 것이다 중환자실에서 첫 24~48시간에 SOFA의 증가는 사망률이 50~95%에 이르는데 사망률은 9점 미만이면 33%, 11점이면 95%전후에 이른다(표 11-18).

요약하면 Ranson 지표, Glasgow 지표, APACHE II 지표, 신일본지표, BISAP 지표 등을 포함한 여러 중증도 판정 기준들의 정확도를 비교한 연구에서는 모든 중증도 판정 기준들이 어느 정도 유용하고, 유용성에서 우열을 가리기 어려운 것으로 보고되었다[21]. 이외에도 modified Marshall, multiple organ dysfunction score (MODS), modified MODS (Bernard score), sequential organ failure assessment, PANC 3, Pancreatitis Outcome Prediction (POP) 등이 개발되어 사용되기도 한다. 결국 점수 체계를 이용한 중증도 예측은 음성 예측도는 높지만 양성 예측도가 상대적으로 낮아서 점수가 높더라도 중증 췌장염이 발생하지 않은 문제점이 있으나 경

표 11-18. **급성췌장염에서 연속 장기부전 평가**

SOFA score	0	1	2	3	4
Respiration					
PaO_2/FiO_2 mmHg	> 400	≤ 400	≤ 300	≤ 200	≤ 100
Coagulation					
platelet x $10^3/mm^3$	> 150	≤ 150	≤ 100	≤ 50	≤ 20
Liver					
bilirubin, mg/dL	< 1.2	1.2-1.9	2.0-5.9	6.0-11.9	> 12.0
Cardiovascular					
hypotension	No	MAP < 70 mmHg	Dop ≦ 5 or Dob (any dose)*	Dop > 5 or Epi ≦ 0.1* or Norepi ≦ 0.1*	Dop > 15 or Epi > 0.1* or Norepi > 0.1*
Central nervous system					
Glasgow coma scale score	15	13 ± 14	10-12	6-9	< 6
Renal					
creatinine, mg/dl or urine output, mL/day	< 1.2	1.2-1.9	2.0-3.4	3.5-4.9 or < 500 mL/day	> 5.0 or < 200 mg/day

* Adrenergic agents administered for at least 1 hour(dose given in μg/kg per min).
MAP: mean arterial pressure; Dop: dopamine; Dub: dobutamine, Epi: epinephrine; Norepi: norepinephrine.

증의 환자를 선별할 수 있다는 장점은 있다.

3) 영상 검사를 통한 중증도 평가(severity assessment based on diagnostic imaging)

급성췌장염의 많은 환자에서 입원 당시에는 조영증가 컴퓨터 단층촬영(contrast enhanced computerized tomography, CECT)가 꼭 필요하지 않으며 특히 경미한 반복성 알코올성 췌장염에서 CT는 일반적으로 필요하지 않다. 그리고 CT소견은 임상적 소견보다 중증 췌장염을 늦게 반영되기 때문에 초기에 CT검사는 중증도를 과소 평가하는 단점이 있다. 그러나 입원 후 수 일동안 임상적으로 병의 경과가 악화되는 증거가 있을 때는 조영증강 CT촬영이 필요하며 간질성 췌장염과 괴사성 췌장염을 구별하는데 가장 유용한 검사이다[32]. 간질성 췌장염은 췌장내 미세순환은 유지되어 췌장실질이 동일한 증강현상을 보이나 괴사성 췌장염은 췌장내 미세순환의 손상으로 조영증강이 없는 비조영증강 부위가 있다. 조영증강 CT스캔으로 간질성과 괴사성 췌장염이 쉽게 감별되는 때는 입원 당시가 아닌 입원 2~3일 뒤에 가능하고, 4~10일 후 시행하면 거의 100%에서 췌장괴사의 진단이 가능하다[32]. 또한 입원 기간 동안 급성췌장염의 복강내 합병증 즉 췌장내 액체저류나 가성낭종과 같은 국소 합병증을 확인하기 위해서도 필요하다. 전산화 단층 촬영 중증도 지표(computed tomography severity index, CT severity index)[33]는 췌장 괴사의 유무, 괴사 범위 및 염증변화의 범위 등을 결합하여 수치화하였고(표 11-19), 예후와 연관성이 있는 것으로 알려져 있다. CT severity index가 0~2인 경증 급성췌장염 환자는 임상 양상이 악화되는 경우에만 복부 전산화 단층 촬영을 추가로 시행하고, CT severity index가 3~10인 중등도 이상의 급성췌장염 환자에서는 임상상의 호

표 11-19. **전산화 단층 촬영 중증도 등급**

CT grade	
(A) Normal pancreas	0
(B) Edematous pancreatitis	1
(C) B plus mild extrapancreatic changes	2
(D) Severe extrapancreatic changes including on fluid collection	3
(E) Multiple or extensive extrapancreatic collections	4
Necrosis	
None	0
< 1/2	2
1/3-1/2	4
> Half	6
CT severity index = CT grade + necrosis score	
	Complications
0-3	8%
4-6	35%
7-10	92%
	Deaths
0-3	3%
4-6	6%
7-10	17%

Modified from the World Association guidelines and based on Balthazar and collegues

전이 없는 경우에도 시행한다[34]. 중증도의 경과 관찰을 위한 CT 시행 결정은 입원 후 대략 1주일 뒤에 권고된다[16]. 아울러 급성췌장염이 회복되어 퇴원하는 경우에도 가성낭종이나 가성 동맥류와 같은 무증상 합병증을 발견하기 위해 CT 시행이 권고되기도 한다[34].

요약하면 급성췌장염의 중증도에 대한 평가를 위해서는 조영증강 CT 시행이 필요하고, 장기부전, 패혈증 및 임상 양상이 악화되는 경우 경과 관찰을 위해 추가 시행을 고려하야 하며 중증도 평가를 위해 CT severity index가 사용되어야 한다.

자기공명영상(magnetic resonance imaging, MRI)는 급성췌장염에서 널리 이용되지는 않다.

CT가 급성췌장염 환자를 평가하는 일차적인 역할을 담당하고 있지만 MRI검사는 CT에서 사용되는 요오드화 조영제에 비해 gadolinium은 신독성이 적고 방사선 피폭이 없고 체액과 괴사를 감별하는 데 CT에 비해 탁월하다. 그리고 세크레틴 자극 MRI는 잔류담도담석과 췌관췌액누출을 인지하는데 있어 CT보다 더 신뢰적이다. MRI의 단점은 응급 상황에서 검사가 쉽게 할 수 없고 위급한 상태의 환자에서 검사 도중 감시가 어려운 단점이 있다[35,36].

4) 요약

급성췌장염의 중증에 대한 위험인자들로는 고령, 비만, 그리고 장기부전이다. 입원시 췌장염의 중증도 예측에 가장 도움이 되는 검사는 APACHE II와 hematocrit 등인데 APACHE II 점수가 8점 이상 또는 hematocrit이 44% 이상이면 중증 췌장염의 위험성이 증가한다. 그리고 APACHE II 점수가 입원 후 첫 48시간 이내에 계속 증가하는 것도 중증 급성췌장염으로의 발전을 의미하고, 첫 72시간 이내에 CRP가 15 mg/dL 이상인 것은 췌장괴사를 암시한다. 중증 급성췌장염에 대한 중요한 지표로는 장기부전(특히 다기관 장기부전)과 췌장괴사 등이 있는데 조영증강 CT는 간질성 췌장염과 괴사성 췌장염을 구분하는 데 가장 유용한 검사로서 발병 후 2~3일 뒤 가장 유용하다. 괴사성 췌장염에서 다기관 장기부전이 장기간 지속되면 사망률은 36% 이상으로 높다.

최근의 권고안[10,11]에서도 입원 시 임상적 요소(고령, 비만, 동반질환), 입원 시와 입원 24시간, 48시간 후 검사실 소견(hematocrit > 44%, BUN > 20 mg/dL 또는 creatinine > 1.8 mg/dL), SIRS 동반 등으로 중증 췌장염의 위험도를 평가할 것을 권유하고, 이러한 환자에서는 중환자실 치료를 권고하고 있다. 그리고 첫 48~72시간 동안에 적적한 수액공급에도 불구하고 hematocrit, BUN, creatinine 등이 상승하거나 영상검사에서 췌장 또는 췌장주위 괴사의 동반은 중증 췌장염으로 진행을 암시하는 소견이다.

그러므로 지속되는 장기부전이 있거나 SIRS(체온 36℃ 미만 또는 38℃ 초과, 맥박 분당 90회 초과, 호흡수 분당 20회 초과 또는 동맥혈 이산화탄소 분압 32 mmHg 미만, 백혈구 4,000 미만 또는 12,000/mm^3 중 2가지 이상)이 48시간 이상 지속되면 중환자실로 전원하여 집중적 치료가 필요하다.

3. 예후(prognosis)

급성췌장염은 전형적인 자가 치유의 과정을 겪는 질환으로 입원한 환자의 약 80%는 경증의 임상적 경과를 취하며 수일 이내에 저절로 회복이 된다. 그러나 15~20% 가량의 환자에서는 중증의 경과를 취하면서 치명적일 수 있는 국소 및 전신적 합병증이 발생된다. 급성췌장염과 연관된 사망률은 지속적으로 감소하였고 최근에는 약 2%로 알려져 있다[37]. 사망은 고령, 비만을 포함한 여러 동반질환, 병원 감염, 장기부전의 지속이나 췌장 괴사의 감염이 동반되었을 때 증가한다[38,39].

전체 급성췌장염에서 간질성 췌장염은 80~85%, 괴사성 췌장염은 15~20%를 차지하고, 괴사성 췌장염 환자에서 30% 정도에서 감염성 괴사를 동반한다(그림 11-2). 그리고 간질성 췌장염 환자의 10%에서는 장기부전을 경험하나 대부분 일시적으로 2% 미만의 사망률을 보이나 괴사성 췌장염에서 장기부전의 평균 발생은 54%(범위 29~78%)로 알려져 있다.

사망률은 경증 췌장염에서는 1% 미만인데 반해[40] 중증 췌장염에서는 매우 높아져서 무균 괴사 췌장염에서는 10%, 감염 괴사 췌장염의 경우는 25~30%에 이른다[41,42]. 장기부전이 없을 때는 사망률이 0%, 단기간 장기부전에서는 3%(범위 0~8%), 다기관장기 부전에서는 47%(범위 28~69%)이다. 급성췌장염 환자에서 사망은 약 50%에서 발병 2주 내에 발생하므로 사망원인은 일반적으로 장기부전이 원인이고, 그 이후 사망하는 원인은 감염성 괴사 또는 무균성 괴사에서의 합병증이다[43].

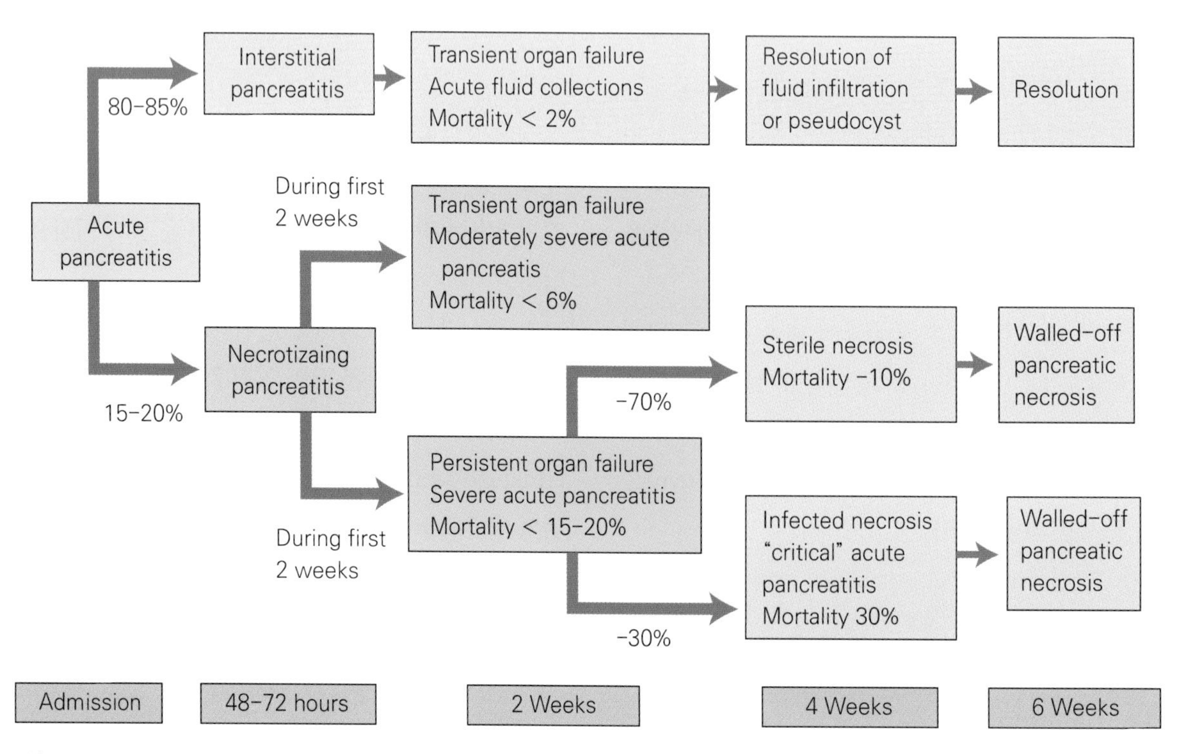

그림 11-2. **급성췌장염의 자연 경과(natural history of acute pancreatitis)**[42].

References

1. Windsor JA, Johnson CD, Petrov MS, Layer P, Garg PK, Papachristou GI. Classifying the severity of acute pancreatitis: Towards a way forward. Pancreatology 2015;15:101-4.
2. Hirota M, Takada T, Kawarada Y, et al. JPN Guidelines for the management of acute pancreatitis: severity assessment of acute pancreatitis. J Hepatobiliary Pancreat Surg 2006;13:33-41.
3. Bradley EI. A clinically based classification system for acute pancreatitis. Arch Surg 1993;1993128:586-90.
4. Banks PA, Bollen TL, Dervenis C, et al. Classification of acute pancreatitis—2012: revision of the Atlanta classification and definitions by international consensus, Gut 2013;62:102-11.
5. Marshall JC, Cook DJ, Christou NV, Bernard GR, Sprung CL, Sibbald WJ. Multiple organ dysfunction score: a reliable descriptor of a complex clinical outcome. Crit Care Med 1995;23(10):1638–52.
6. Vincent JL, Moreno R, Takala J, et al. The SOFA (Sepsis related Organ Failure Assessment) score to describe organ dysfunction/failure. On behalf of the Working Group on Sepsis-Related Problems of the European Society of Intensive Care Medicine. Intensive Care Med 1996;22(7):707–10.
7. Dellinger EP, Forsmark CE, Layer P, et al. Determinants-based classification of acute pancreatitis severity: an international multidisciplinary consultation. Ann Surg 2012;256: 875e80.
8. Zubia-Olaskoaga F, Maraví-Poma E, Urreta-Barallobre I, Ramirez-Puerta MR, Mourelo-Fariña M, Marcos-Neira MP. Comparison between Revised Atlanta Classification and Determinant-Based Classification for acute pancreatitis in Intensive Care Medicine. Why do not use a modified Determinant-Based Classification? Crit Care Med 2016:44:910-7.
9. Yadav D, Lowenfels AB. The epidemiology of pancreatitis and pancreatic cancer. Gastroenterology 2013;144:1252-61.
10. Tenner S, Baillie J, DeWitt J, Vege SS. American College of Gastroenterology guideline: management of acute pancreatitis. Am J Gastroenterol 2013;108: 1400-15.
11. Working Group IAP/APA Acute Pancreatitis Guidelines. IAP/APA evidencebased guidelines for the management of acute pancreatitis. Pancreatology 2013;13:Suppl 2:e1-15.
12. Brown A, Orav J, Banks PA. Hemoconcentration is an early marker for organ failure and necrotizing pancreatitis. Pancreas 2000;20:367-372.
13. Wu BU, Bakker OJ, Papachristou GI, et al. Blood urea nitrogen in the early assessment of acute pancreatitis: an international validation study. Arch Intern Med 2011;171:669-76.
14. Blum T, Maisonneuve P, Lowenfels AB, Lankisch PG. Fatal outcome in acute pancreatitis: its occurrence and early prediction. Pancreatology 2001;1:237-41.
15. Muddana V, Whitcomb DC, Khalid A, Slivka A, Papachristou GI. Elevated serum creatinine as a marker of pancreatic necrosis in acute pancreatitis. Am J Gastroenterol 2009;104:164-70.
16. Working Party of the British Society of Gastroenterology. UK guidelines for the management of acute pancreatitis. Gut 2005;54(Suppl 3);iii1-iii9.
17. Lankisch PG, Blum T, Bruns A, et al. Has blood glucose level measured on admission to hospital in a patient with acute pancreatitis any prognostic value? Pancreatology 2001;1:224-9.
18. Johnson CD, Abu-Hilal M. Persistent organ failure during the first week as a marker of fatal outcome in acute pancreatitis. Gut 2004;53:1340-4.
19. Staubli SM, Oertli D, Nebiker CA. Laboratory

markers predicting severity of acute pancreatitis. Crit Rev Clin Lab Sci 2015:52;273-83.
20. Besselink MG, van Santvoort HC, Boermeester MA, et al. Timing and impact of infections in acute pancreatitis. Br J Surg 2009;96:267-73.
21. Mounzer R, Langmead CJ, Wu BU, et al. Comparison of existing clinical scoring systems to predict persistent organ failure in patients with acute pancreatitis. Gastroenterology 2012;142:1476-82.
22. Ranson JH, Rifkind KM, Roses DF, Fink SD, Eng K, Spencer FC. Prognostic signs and the role of operative management in acute pancreatitis. Surg Gynecol Obstet 1974;139:69-81.
23. Blum T, Maisonneuve P, Lowenfels AB, Lankisch PG. Fatal outcome in acute pancreatitis: its occurrence and early prediction. Pancreatology 2001;1:237-41.
24. Imrie CW, Benjamin IS, Ferguson JC, et al. A single-centre double-blind trial of Trasylol therapy in primary acute pancreatitis. Br J Surg 1978; 65:337-41.
25. Lankisch PG, Weber-Dany B, Hebel K, Maisonneuve P, Lowenfels AB. The harmless acute pancreatitis score: a clinical algorithm for rapid initial stratification of nonsevere disease. Clin Gastroenterol Hepatol 2009;7:702-5.
26. Wu BU, Johannes RS, Sun X, Tabak Y, Conwell DL, Banks PA. The early prediction of mortality in acute pancreatitis: a large population-based study. Gut 2008;57:1698-703.
27. Papachristou GI, Muddana V, Yadav D, et al. Comparison of BISAP, Ranson's, APACHE-II, and CTSI scores in predicting organ failure, complications, and mortality in acute pancreatitis. Am J Gastroenterol 2010;105:435-41.
28. Ueda T, Takayama Y, Yasuda T, et al. Utility of the new Japanese severity score and indications for special therapies in acute pancreatitis. J Gastroenterol 2009;44:453-9.
29. Hirota M, Takada T, Kawarada Y, et al. JPN Guidelines for the management of acute pancreatitis: severity assessment of acute pancreatitis. J Hepatobiliary Pancreat Surg 2006; 13:33-41.
30. Knaus WA, Draper EA, Wagner DP, Zimmerman JE. APACHE II: a severity of disease classification system. Crit Care Med 1985;13:818-29.
31. Johnson CD, Toh SK, Campbell MJ. Combination of APACHE-II score and an obesity score (APACHE-O) for the prediction of severe acute pancreatitis. Pancreatology 2004;4:1-6.
32. Larvin M, Chalmers AG, McMahon MJ. Dynamic contrast enhanced computed tomography: a precise technique for identifying and localising pancreatic necrosis. BMJ 1990;300:1425-8.
33. Balthazar EJ, Robinson DL, Megibow AJ, Ranson JH. Acute pancreatitis: value of CT in establishing prognosis. Radiology 1990;174:331-6.
34. Toouli J, Brooke-Smith M, Bassi C, et al. Guidelines for the management of acute pancreatitis. J Gastroenterol Hepatol 2002;17(suppl);S15-39.
35. Hirota M, Kimura Y, Ishiko T, Beppu T, Yamashita Y, Ogawa M. Visualization of the heterogeneous internal structure of so-called "pancreatic necrosis" by magnetic resonance imaging in acute necrotizing pancreatitis. Pancreas 2002;25:63-7.
36. Arvanitakis M, Delhaye M, De Maertelaere V, et al. Computed tomography and magnetic resonance imaging in the assessment of acute pancreatitis. Gastroenterology 2004; 126:715-723.
37. Yadav D, Lowenfels AB. The epidemiology of pancreatitis and pancreatic cancer. Gastroenterology 2013;144:1252-61.
38. Hong S, Qiwen B, Ying J, Wei A, Chaoyang T. Body mass index and the risk and prognosis of acute pancreatitis: a metaanalysis. Eur J Gastroenterol Hepatol 2011;23: -43.
39. Krishna SG, Hinton A, Oza V, et al. Morbid obesity is associated with adverse clinical outcomes in

acute pancreatitis: a propensity-matched study. Am J Gastroenterol 2015;110:1608-19.

40. Russo MW, Wei JT, Thiny MT, et al. Digestive and liver diseases statistics, 2004. Gastroenterology 2004;126:1448-53.
41. Pandol SJ, Saluja AK, Imrie CW, Banks PA. Acute pancreatitis: bench to the bedside. Gastroenterology 2007;132:1127-51.
42. Forsmark CE, Vege SS, Wilcox CM. Acute pancreatitis. N Engl J Med 2016;375(20):1972-81.
43. Banks PA, Freeman ML. Practice Parameters Committee of the American College of Gastroenterology. Practice guidelines in acute pancreatitis. Am J Gastroenterol 2006;101:2379-400.

알코올 유발 급성췌장염

Alcohol-induced acute pancreatitis

정석, 이돈행

서론

인류가 알코올을 섭취하기 시작한 이래 다양한 여러 질환들이 알코올과 연관성이 있음이 밝혀져 왔다. 알코올의 남용과 의존은 미국에서 질병 이환율 및 사망률에 주원인이 되고 있으며, 현재 18세에서 26세 성인의 3/4과 26세 이상의 성인 2/3 이상에서 음주를 하고 있는 현실이다. 알코올 섭취와 나이와의 연관성은 흡연율과 나이와의 연관성과 비슷한 경향을 보이고 있고, 질병 발병 시 높은 사회적 부담을 가지기에 중요한 문제라 할 수 있다.

이런 다양한 알코올 연관 질환 중에서 알코올과 췌장염 발생과의 연관성이 최근 수 세기 동안 인정되어 왔으나, 아직까지 그 병태생리는 완벽히 이해되지 않은 상황이다. 조사에 따르면 미국에서 알코올 섭취는 급성췌장염 원인의 약 30%를 차지하고 있으며, 반면에 만성 알코올 중독자 중 약 10%에서 급성 알코올성 췌장염이 발생한다. 급성췌장염이 발생하지 않더라도 알코올 중독자의 10%에서는 무증상의 만성췌장염이 부검에서 확인되고 있음에 따라, 급성췌장염 발생의 원인으로서 알코올의 역할이 매우 중요하다고 평가된다[1]. 그러나 알코올성 급성췌장염이 다른 원인에 의한 급성췌장염과 임상적으로 구별이 힘든 경우가 많아, 원인에 따라 치료 방법이 다양한 점을 고려할 때에 환자의 알코올 섭취에 관한 병력 청취가 진단과 치료에 있어서 무엇보다도 중요하다고 할 수 있겠다.

알코올성 췌장염도 다른 원인에 의한 췌장염과 마찬가지로 급성 장기 부전을 일으킬 수 있으며, 만성췌장염 및 췌장염 합병증에 의한 사망까지 다양한 임상 소견을 보일 수 있다. 췌장염의 가장 많은 원인을 차지하는 담석과 알코올성 췌장염은 전체 췌장염의 약 70%를 차지할 정도로 중요한 질환이나, 담석에 의한 췌장염과는 달리 알코올성 췌장염에서는 급성췌장염 발병에 미치는 알코올의 영향에 관한 명확한 병태생리가 확인되지 않았다는 점이 특징이다[2].

현재까지 여러 유전적 및 환경적 요인, 알코올 대사에 영향을 미치는 효소의 영향, 흡연과의 관계, 식이 습관 등이 가능한 요인으로 주목받고 있으나, 미국에서 알코올성 췌장염에 대한 대규모 역학 연구는 거의 없었던 점을 고려할 때, 향후 후속 연구들을 통해 기존의 역학 자료를 보완하고, 보다 구체적인 병태생리에 대한 이해 향상이 질병의 발병 예방과 치료에 필요할 것이다.

본 장에서는 알코올성 췌장염의 병태생리에 관한 여러 가지 가설과 연구에 관하여 주로 논하고자 한다.

1. 역학

알코올성 급성췌장염에 대한 역학 조사는 미국 내에서 몇 차례 시행되었으나, 유럽과 아시아에서의 조사는 매우 부족한 실정이다. 불행히도 대부분 후향적 조사를 통하여 이뤄졌으며, 알코올성 급성췌장염에 대한 선별검사 및 표준화 검사는 아직 정립되지 않았다. 알코올성 췌장염의 진단기준이 비교적 엄격하고, 매우 경증인 췌장염일 경우 알코올성 췌장염으로 진단되지 않는 경우가 많아 실제 발병 환자 수는 더욱 많을 것으로 생각된다.

일반적으로 알코올성 췌장염은 남자에서 더욱 흔하게 발생하고, 담도계 질환에 의한 췌장염은 여성에서 더 많이 관찰된다. 이는 남성에서의 알코올 섭취 습관이 더 많기 때문인 것으로 생각된다. 즉, 절대적인 알코올의 섭취량이 알코올성 췌장염의 발병에 중요하다는 점을 알 수 있는데, 지역에 따른 췌장염 발병 원인의 차이도 알코올 소비 습관으로 설명이 가능하다. 예를 들어 헝가리에서는 담석증에 의한 췌장염 보다 알코올에 의한 췌장염이 더 많이 발생하였고(60.7% vs. 24.0%), 독일에서는 알코올과 담석이 비슷한 비율로 관찰된다. 따라서, 국가적으로 음주문화의 차이가 알코올의 총 섭취량에 영향을 미치고, 이 점이 반영되어 발병 빈도가 다양하다고 결론 내릴 수 있다[3,4]. 한국에서는 32.5%의 췌장염 환자가 알코올에 의한 췌장염으로 확인되었으며, 이에 반해 담석은 26.6%를 차지하고 있어 사회 전반적인 분위기를 반영한다고 볼 수 있다.

2. 발생기전

다양한 연구가 에탄올 유도 췌장 손상의 기전을 이해하기 위하여 수행되었지만, 명확한 메커니즘은 아직 밝혀지지 않았다. 수많은 가설들이 알코올성 췌장염의 병태생리를 설명하려 하였으나, 아직까지 학계에서 받아들여진 명확한 손상 기전은 없다.

대표적으로 관심을 받았던 과거의 가설 중에는 오디괄약근의 경련에 대한 이론이 있었다. 알코올에 의하여 괄약근 경련이 유발되고, 이로 인하여 췌장염이 발생하게 된다는 가설이었으나, 현재 근거가 부족함에 따라 설득력을 많이 잃은 상황이다[5]. 비슷한 원리로 이후에는 ductal-plug hypothesis가 받았는데, 단백질의 함량이 높은 췌장액이 췌관내에서 plug 생성을 촉진하고, 이에 의해 small ducts가 폐색을 일으켜 세엽세포(acinar cell)의 손상을 초래함에 따라 췌장염이 유발 된다는 가설이었다. 하지만 단백질 plug 생성 시기가 췌장염의 발병과 비교하여 선후 관계가 아직 불명확 함에 따라 가설로만 남아 있는 실정이다[6](그림 12-1).

1) 알코올 분해 산물에 의한 췌장염

최근에는 알코올의 대사 산물에 의한 췌장염이 주목을 받고 있다. 기본적으로 알코올의 분해는 간에서 이뤄지고 췌장에서는 나머지 일부 알코올의 대사가 이루어지게 되어 있다. 간에서의 알코올 분해 과정과 동일하게 췌장에서도 산화경로(oxidative pathway)에 의하여 알코올이 아세트알데히드(acetaldehyde)로, 비-산화경로(non-oxidative pathway)에 의해서 지방산(fatty acid)과 에틸 에스테르(ethyl esters)(FAFEs)로 분해되는 과정이 존재하는데, 알코올의 섭취량이 일정량을 초과하지 않으면, 췌장염이 발생하지는 않는다는 점이 밝혀졌다[7,8].

Criddle 등[9]은 알코올 섭취량과 이의 분해과정에서 발생하는 FAFEs, 그리고 상승된 세포내 칼슘 이온의 농도에 주목하였다. Lange의 연구[10]에 따르면, 알코올 자체는 췌장 독성이 없으며, 알코올의 대사 산물이 췌장

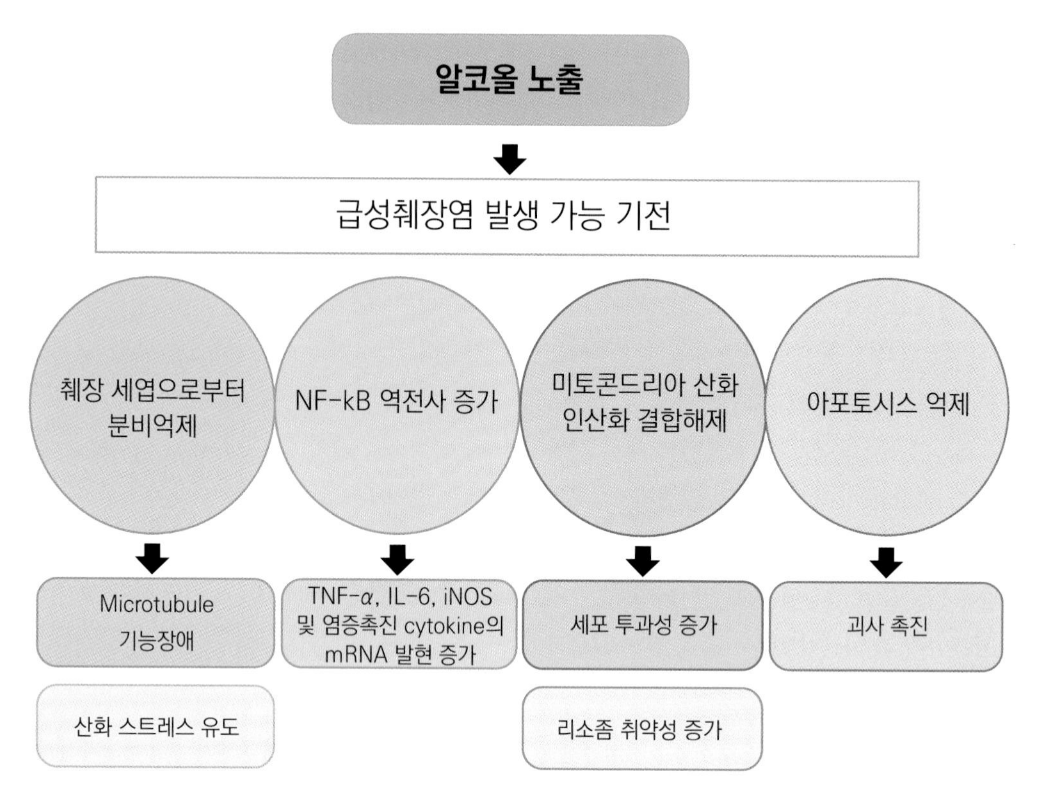

그림 12-1. **췌장염 유발 가능한 알코올의 노출과 관련된 생체 내 세포학적 변화.**

독성을 일으킴이 통계학적으로 의미 있게 확인되어, 췌장염의 발병에 알코올의 대사 성분이 작용함을 확인하였다. 또한, 대사 산물이 췌장염을 발생시킬 수 있는 농도까지 상승하려면 섭취하는 알코올의 총 섭취량이 최소 850 mM보다는 높아야 한다는 결론을 제시하였다. 또한, 췌장에서 분해된 대사산물인 FAFEs가 세엽세포 내에서 칼슘 이온의 농도를 높임으로서 직접적인 췌장염의 공격 인자인 자가 효소의 생성을 증가시키는 효과뿐 만이 아니라, 에탄올에 의해 세포 괴사(cell necrosis) 자체가 항진된다고 하였다[10,11]. 연구에 따르면, FAFEs는 유리 지방산(free fatty acid)으로 가수분해 되어, 미토콘드리아의 기능을 무력화시키는 역할을 하고, 췌장 세포의 세포 내벽에 직접 부착되어 세포의 투과성을 증가시킴으로써 세포의 괴사를 유발하는 것이 확인되었다[12-15].

2) 세엽 세포의 CCK에 대한 민감도 상승

췌장 외분비 소화 효소는 췌장염의 발생에서 중요한 역할을 한다. 췌장 외분비 소화 효소는 Trypsin-sensitive CCK-releasing factor라는 십이지장 분비 호르몬에 의해 촉진되는데, 알코올은 이의 생성을 증가시키는 효과를 초래한다. 또한 알코올은 세엽 세포의 CCK에 대한 감수성을 증가시키는 효과도 가져오게 되고, 이러한 작용은 트립신의 자가활성화를 높이고 아밀라아제의 분비를 촉진시켜 췌장염을 유발하는 것으로 밝혀져 있다[14,15].

3) 알코올에 의한 고중성지방혈증

급성췌장염의 원인 중 고중성지방혈증이 있음은 널리 알려진 바이며[16,17], 알코올의 섭취가 중성지방의 대사 과정에 영향을 미칠 수 있음이 여러 연구를 통해 밝혀졌다[18]. 알코올의 섭취는 지방산의 중성지방으로의 전환을 증가시켜 일시적인 고중성지방혈증을 일으킬 수 있으며, 이는 알코올에 의해 항진된 alpha-glycerophosphate pathway에 의한 결과로 밝혀졌다. 반대로 이미 상승되어 있는 중성지방을 제거하는 역할을 하는 지질단백질의 간내 합성 과정을 알코올이 억제함으로써, 간접적으로 중성지방의 혈중 제거율이 저하되어 일시적인 고중성지방혈증이 유발되고 이로 인하여 췌장염이 발생한다는 가설이다[18]. 하지만 이 가설도, 알코올에 의해 고중성지방혈증이 유발되는 메커니즘은 설명하였으나, 최종 병태생리인 중성지방이 췌장염을 일으키는 병태생리를 아직 모두 설명할 수 없다는 점은 여전한 한계로 남아있다.

4) 흡연과 알코올 섭취의 관계

알코올을 섭취하는 사람에서 흡연을 같이 하는 경우 급성췌장염의 발병이 높았던 점을 고려하여, 두 물질의 상승작용에 대한 연구가 있었다. Hartwig은 쥐를 이용하여 흡연과 알코올에 노출된 쥐의 췌장에서 관찰되는 혈역학적 현상에 주목하였다[19]. 알코올은 그 단독 노출만으로도 쥐의 systemic hemodynamic에 영향 없이 췌장내에서 국소적인 혈액순환을 저하시키는 현상을 유발할 수 있었으며, 흡연이 동시에 진행될 경우 췌장의 미세 순환이 악화되고 백혈구의 응집과 유착이 촉진되어, 결론적으로 흡연이 알코올에 의한 췌장염을 악화시킬 수 있다는 결론을 도출하고 있다[18]. 이는 최근 이뤄진 연구에 따르면, 니코틴이 cytochrome P450에 의해 대사되어 ^{3}H-nicotinine으로 분해되고, 이 물질은 췌장에 비교적 높게 축적되는 현상이 확인되었다. 이 연구에서는 니코틴이 CYP2E1의 활성도를 높이는 효과를 가지며, 이에 의해 췌장염이 발생할 수 있다는 가설을 제시하였다[20].

5) 알코올과 주식으로 섭취하는 영양소에 따른 췌장염 발병 위험성

알코올과 같이 섭취하는 음식물의 영양 성분과 급성췌장염이 발생하는 경우에 대한 여러 가설 및 보고가 있었다. Lilja 등[21]에 의하면, Long chain fatty acid가 풍부한 음식을 섭취하면, 췌장의 외분비 기능이 촉진된다. 이는 췌장의 자가소화효소의 증가를 통한 췌장 세포의 손상 메카니즘을 설명할 수 있다. Chen 등[22]에 의한 연구에서 다량의 탄수화물 섭취가 오디괄약근의 tone을 올린다고 보고하였다. 이는 오디괄약근 기능 이상에 의한 췌관 입구의 폐색이 발생하여 췌장염을 유발하는 원리를 설명할 수 있다. 이 외에도 고지방식이와 함께 하는 알코올 섭취가 급성췌장염을 유발한다는 보고가 있었으나[22], 아직까지 다양한 영양성분과 알코올 섭취가 췌장염 발병에 어떠한 영향을 미치는지에 대한 기전은 명확히 밝혀지지 않았다.

6) 알코올 분해효소의 유전적 결함

알코올의 분해에 작용하는 여러 가지 효소에 대한 다양한 연구가 이루어졌으나, 이 분야 역시 아직 명확한 기전이 설명되지 않았다. 중국의 Chao 등[23]은 알코올성 췌장염이 진단된 환자들에서 크게 저하된 alcohol dehydrogenase polymorphism 2를 발견하였으며, 이는 간경변이 동반된 환자에서 확인되었다. Apte 등[24]은 세포의 항산화 방어인자와 연관된 단백질을 연구하였으며, minor cystic fibrosis (CF) mutations과 trans-heterozygosity가 알코올 유발 췌장염의 유발 인자일 가능성이 있다고 하였다. Chandak 등[25]은 SPINK1 유전자 내 N34S의 돌연변이 존재가 알코올성 췌장염과 연관이 높으며, 알코올성 췌장염 환자의 26.8%의 환자에서 SPINK1 돌연변이가 있다고 보고하였다.

3. 초기 접근법 및 검사

알코올에 의한 급성췌장염의 진단은 환자의 병력 및 신체검사 소견과 함께 혈청 췌장 효소(amylase, lipase)의 상승이 있으면 가능하고, 보조적으로 복부 초음파나 복부 컴퓨터단층촬영과 같은 영상 검사가 진단에 이용될 수 있다는 점에서 다른 원인에 의한 급성췌장염과 큰 차이가 없다. 또한, 예후 판정을 위한 severity grading index도 다른 원인에 의한 췌장염과 같다. 그러나 알코올에 의한 급성췌장염의 치료는 보존적 치료임을 고려할 때, 적극적인 intervention이 필요한 담석이나 악성 신생물 등의 감별이 필요하며, 음주력과 췌장염 발생 시점의 시간적 연관성을 고려하여 진단을 내려야 한다.

4. 치료

급성췌장염의 치료는 보존적 치료와 췌장염의 악화를 억제시키기 위한 특이 치료로 나눌 수 있다. 알코올성 급성췌장염의 경우에도 보존적 치료에 있어서 다른 원인에 의한 치료와 큰 차이가 없다. 보존적 치료는 기본적으로 췌장의 분비를 억제하는 것이 가장 기본이 됨에 따라, 환자를 금식시키고 정맥 경로를 통하여 적절한 수액 치료를 유지한다. 금식의 기간도 장음이 회복되고 복통이 없어질 때까지 동일하며, 경구 섭취의 시기 결정에 혈청 아밀라아제와 리파아제의 수치는 고려 대상이 아니다. 알코올성 급성췌장염의 치료에 있어서 가장 중요한 점은, 재발을 예방하기 위한 적절한 교육과 환자가 금주를 지속적으로 유지하도록 가족의 협조와 지지를 북돋아 주는 것이라 하겠다.

References

1. Yang AL, Vadhavkar S, Singh G, Omary MB, Epidemiology of alcohol-related liver and pancreatic disease in the United States. Arch Intern Med 2008;168:649-56.
2. Forsmark CE, Baillie J, AGA Institute Clinical Practice and Economics Committee, AGA Institute Governing Board. Etiology of acute pancreatitis. Gastroenterology 2007;132:2022-44.
3. Lankisch PG, Assmus C, Lehnick D, et al. Acute pancreatitis: does gender matter? Dig Dis Sci 2001; 46:2470–4.
4. Gullo L. Migliori M, Olah A, et al. Acute pancreatitis in five European countries, etiology and mortality. Pancreas. 2002;24:223–7.
5. Sarles H. Alcoholism and pancreatitis. Scand J Gastroenterol 1971;6:193-8.
6. Saluja AK, Bhagat L. Pathophysiology of alcohol-induced pancreatic injury. Pancreas 2003;27: 327-31.
7. Haber PS, Apte MV, Applegate TL, et al. Metabolism of ethanol by rat pancreatic acinar cells. J Lab Clin Med 1998;132:294-302.
8. Gukovskaya AS, Mouria M, Gukovsky I, et al. Ethanol metabolism and transcription factor activation in pancreatic acinar cells in rats. Gastroenterology 2002;122:106-18.
9. Criddle DN, Sutton R, Petersen OH. Role of Ca^{2+} in pancreatic cell death induced by alcohol metabolites. Pancreatology 2007;7:436-46.
10. Lange LG. Nonoxidative ethanol metabolism: formation of fatty acid ethyl esters by cholesterol esterase. Proc Natl Acad Sci USA 1982;79:3954-7.
11. Werner J, Saghir M, Fernandez-del Castillo C,

Warshaw AL, Laposata M. Linkage of oxidative and nonoxidative ethanol metabolism in the pancreas and toxicity of nonoxidative ethanol metabolites for pancreatic acinar cells. Surgery 2001;129:736-44.

12. Werner J, Laposata M, Fernández-del Castillo C, et al. Pancreatic injury in rats induced by fatty acid ethyl ester, a nonoxidative metabolite of alcohol. Gastroenterology 1997;113:286-94.
13. Haber PS, Wilson JS, Apte MV, Pirola RC. Fatty acid ethyl esters increase rat pancreatic lysosomal fragility. J Lab Clin Med 1993;121:759-64.
14. Lange LG, Sobel BE. Mitochondrial dysfunction induced by fatty acid ethyl esters, myocardial metabolites of ethanol. J Clin Invest 1983;72:724-31.
15. Hungund BL, Goldstein DB, Villegas F, Cooper TB. Formation of fatty acid ethyl esters during chronic ethanol treatment in mice. Biochem Pharmacol 1988;37:3001-4.
16. Tsuang W, Navaneethan U, Ruiz L, Palascak JB, Gelrud A. Hypertriglyceridemic pancreatitis: presentation and management. Am J Gastroenterol 2009;104:984–91.
17. Gan SI, Edwards AL, Symonds CJ, Beck PL. Hypertriglyceridemia-induced pancreatitis: a case-based review. World J Gastroenterol 2006;12: 7197–202.
18. Yeo CJ, Cameron JL. Exocrine pancreas. In: Townsend CM, Beauchamp RD, Evers BM, Mattox KL, editors. Sabiston textbook of surgery. The biological basis of modern surgical practice. 16th ed. p. 1112–43 [chapter 51].
19. Hartwig W, Werner J, Ryschich E, et al Cigarette smoke enhances ethanol-induced pancreatic injury. Pancreas. 2000;21:272-8
20. Howard LA, Micu AL, Sellers EM, Tyndale RF. Low doses of nicotine and ethanol induce CYP2E1 and chlorzoxazone metabolism in rat liver. J Pharmacol Exp Ther 2001;299:542-50.
21. Lilja P, Wiener I, Inoue K, et al. Release of cholecystokinin in response to food and intraduodenal fat in pigs, dogs, and man. Surg Gynecol Obstet 1984; 159:557–61.
22. Chen MC. Diet-induced pancreatitis in China. J Clin Gastroenterol 1986;8:611–2.
23. Chao YC, Young TH, Tang HS, Hsu CT. Alcoholism and alcoholic organ damage and genetic polymorphisms of alcohol metabolizing enzymes in Chinese patients. Hepatology 1997;25:112-7.
24. Apte MV, Pirola RC, Wilson JS. Individual susceptibility to alcoholic pancreatitis. J Gastroenterol Hepatol 2008;23:S63-8.
25. Chandak GR, Idris MM, Reddy DN, et al. Absence of PRSS1 mutations and association of SPINK1 trypsin inhibitor mutations in hereditary and non-hereditary chronic pancreatitis. Gut 2004;53:723-8.

CHAPTER 13

담석성 췌장염
Gallstone pancreatitis

이동기

1. 빈도

담석은 전 세계적으로 췌장염의 가장 흔한 원인으로, 서양에서는 인구 10만 명당 4.8~24.2명의 빈도로 발현하는 급성췌장염의 약 반 이상을 차지한다[1-5]. 일본도 인구 10만 명당 연간 5~80명 정도의 빈도로 보고되고 있다[6,7]. 세계적으로 췌장염의 원인으로 알코올이 36%로 보고되고 담석이 28.1%로 보고되나 국가마다 달라 영국은 담석에 의한 췌장염이 알코올성 췌장염보다 흔하다.

담석성 췌장염의 다수는 합병증 없이 자연 치유되나 15~30%에서는 중증 췌장염이 초래되고[8], 담석성 췌장염의 전체 사망률은 2~7%로 보고된다[9-12]. 사망의 반수는 첫 1~2주 안에 발생하고 주로 다장기부전에 기인하여 타 원인에 의한 췌장염과 같은 경과를 취한다.

남성이 여성에서 보다 자주 발생하나 담석의 빈도가 여성에서 훨씬 높기 때문에 전체적인 환자수는 여자가 더 많다. 즉, 담석성 췌장염 남녀 발생비율은 1:1.4~1.7인데 담낭 담석 발생의 남녀 비율이 1:3인 점을 감안하면 담낭 담석을 보유하고 있는 남자가 여자에서 보다 담석성 췌장염의 빈도가 높다고 할 수 있다[13]. 담석이 작을수록 담낭관을 잘 빠져나오기 때문에 췌장염을 잘 일으킨다. 네덜란드 연구[14]에 따르면 담석성 췌장염 환자의 담낭 담석 크기(3 ± 1 mm)가 담낭염 환자(4 ± 1 mm)나 무증상 담낭 담석 환자(9 ± 1 mm)에 비하여 작았다. 또한, 담관에서 발견된 담석의 크기도 담석성 췌장염 환자군(4 ± 1 mm)에서 폐쇄성 황달 환자군(8 ± 1 mm)에 비하여 작았다. 하지만, 작은 담낭 담석을 갖고 있다고 무조건 예방적 담낭 적출술을 시행하여야 하는 가에 관한 답은 아직 없다. 또한, 담낭관의 주행도 담석이 잘 흘러내려 올 수 있는 형태에서 췌장염이 잘 발생한다.

2. 기전

담낭담석이 담낭관으로 빠져나와 담관 원위부에 박히게 되면 담관염과 췌장염을 일으킬 수 있다. 어떻게 췌장염을 일으키는가에 관하여 일찍이 Opie는 2가지의 가설에 관한 논문을 보고하였다[2](그림 13-1). 첫 번째 가설은 췌관에 박힌 담석이 직접 췌관을 압박하여 췌장액이 흐르지 못하여 췌장염이 초래되는 것으로 가장 중요한 췌장염의 기전이다. 췌관 막힘이 췌장염을 일으킬 수 있는 증거는 동물 실험[15,16]과 인체에서 내시경역행담췌관조영술(endoscopic retrograde cholangiopancreatography, ERCP)후 췌장염[17-19]을 통하여 확인할 수 있다. 두 번째 가설은 유두부에 박힌 담석 뒤로 공통관이 있고 담석 때문에 담즙이 췌관으로 역류하여 췌장염을 일으킨다는 것이었다. 하지만 후자의 가설은 대부분 동물에서 췌장액 분비 압력이 담즙의 그것보다 높고, 인체의 담관과 췌관이 완전히 분리되어 있는 경우도 많으며 많은 환자에서 이러한 역류를 허용할 만한 공통관이 없기 때문에 받아들여지지 않는다[20,21].

췌장 분비가 막힐 때 췌장염을 일으키는 기전은 다음과 같다. 효소원(zymogen)과 함께 lysosomal cathepsins의 colocalization과 trans-activation 그리고 이에 따른 세포내 Ca^{2+}의 병적인 방출에 의하여 세엽세포(acinar cell)의 괴사가 초래된다[22,23]. 이런 췌장 세포 파괴 기전에 더하여 최근에는 대부분의 담석성 췌장염 환자는 췌관 폐쇄와 동시에 담관 폐쇄가 동반되는데, 이로 인한 담즙 정체가 어떠한 경로로 췌장염의 악화 요인으로 작용함에 관한 연구가 보고되고 있다. Opossum을 이용한 연구[24]에서 췌관을 단독으로 결찰 한 것보다 췌관과 담관을 동시에 결찰하면 췌장염이 더 악화되었다. 이는 담즙산이 췌장 세엽세포 내 저장된 Ca^{2+}의 진동소파분비(oscillatory release)를 유발하기 때문으로 밝혀졌다. 이러한 작용은 dihydroxyl 또는 trihydroxyl 담즙산보다는 taurocholic acid 3 sulfate (TLC-S) 같은 monohydrate 담즙산이 더 세엽세포 손상을 크게 일으킨다. 담석성 췌장염 환자에서 관찰되는 혈청 TLC-S 농도로 병적인 Ca^{2+} 활성화를 초래하여 트립시노겐(trypsinogen) 활성을 초래할 수 있다[25,26]. 즉, 담즙이 직접 담석에 의한 역류로 췌장에 유입되지 않더라도 황달 환자에서의 혈청 혹은 interstitial space의 담즙산이 췌장염의 악화 요인이 될 수 있다는 것이다[27]. 이러한 과정에 담즙산이 어떻게 세엽세포에 들어가서 이러한 역할을 할 수 있는가 하는 의문에 관한 연구도 있다. Kim 등[28]은 Na^+-dependent co-transporter (NTCP)와 HCO_3-dependent exchanger가 혈청이나 간질에 있는 담즙산을 세엽세포로 이동시킬 수 있음을 밝혀냈다. 또한, Perides 등[27]은 세엽세포의 luminar surface에 있

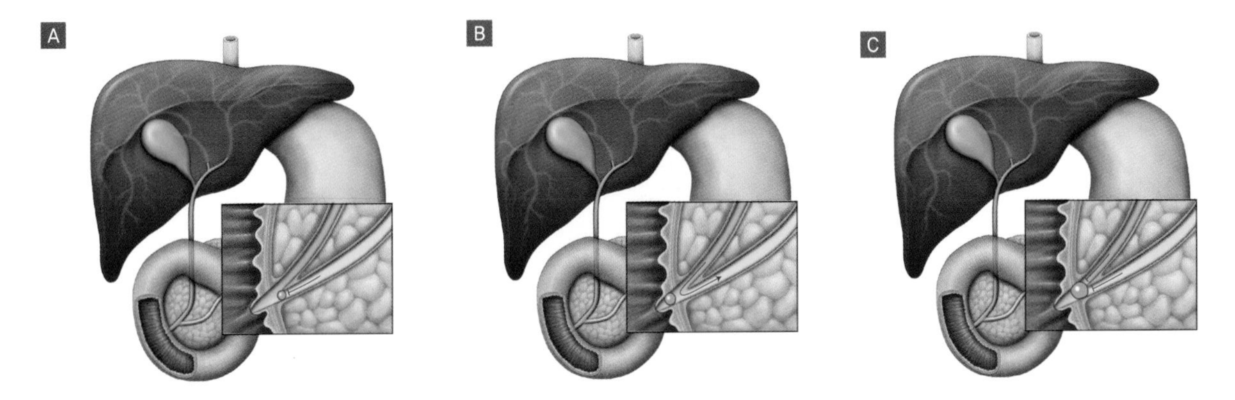

그림 13-1. **담석의 이동이 췌장염을 일으킬 수 있는 세 가지 다른 기전[40].**

A. 첫 번째 Opie 가설은 췌관을 막은 담석에 의해 췌장 유출의 방해되어 질병 발병의 원인이 될 것이라고 예측한다. 이 경우 담즙 흐름이 손상되었는지 여부는 중요하지 않다.

B. Opie의 두 번째 가설인 공통 채널 가설은 담석이 유두에 박혀 그 뒤에 있는 췌장과 담관 사이에 공통관을 만들어 담즙이 췌장 관으로 들어가 잠재적으로 세엽세포에 도달 할 수 있다고 예측한다.

C. 이 경우에는 담석은 췌장으로 담즙 역류를 일으키지 않고 담관과 췌관을 막는다. 췌관 폐색으로 췌장염을 유발하고, 추가적인 담관 폐쇄는 순환 또는 간질 담즙산 농도를 증가시켜 췌장염을 악화시키는 인자로 작용한다.

는 TLC-S에 의해 유발된 G-protein-receptor-coupled signaling event가 세엽세포로의 담즙 유입에 중요한 기전임을 밝혀내었다(그림 13-2). 아직 담즙산이 세엽세포에 어떻게 영향을 미쳐 췌장염을 악화시키는 가에 대한 추가 연구는 필요하지만, 다른 원인에 의한 췌장염과는 달리 췌장염과 동시에 담관 폐쇄가 동반되어 황달이 초래되는 특수한 상황의 담즙성 췌장염에 대한 이해를 위해서는 담즙산이 췌장염 악화의 한 축을 담당함을 알고 있어야 한다. 아직은 담석성 췌장염에서 동반되는 혈청 내 낮은 농도의 담즙산이 어떻게 췌장염을 악화시키는 가에 대한 정확한 기전을 밝혀내기 위하여는 좀 더 연구가 필요하다. 하지만, 지금까지의 실험 결과를 토대로 보면, 담석이 담관과 췌관을 지속적으로 막고 있을 때 내시경적 담석 제거가 췌관과 담관 폐쇄 모두를 해결해 줌으로써 췌장염 진행과 악화를 경감해 줄 수 있음을 알 수 있다.

3. 진단

췌장염의 진단기준은 여느 급성췌장염의 그것과 같

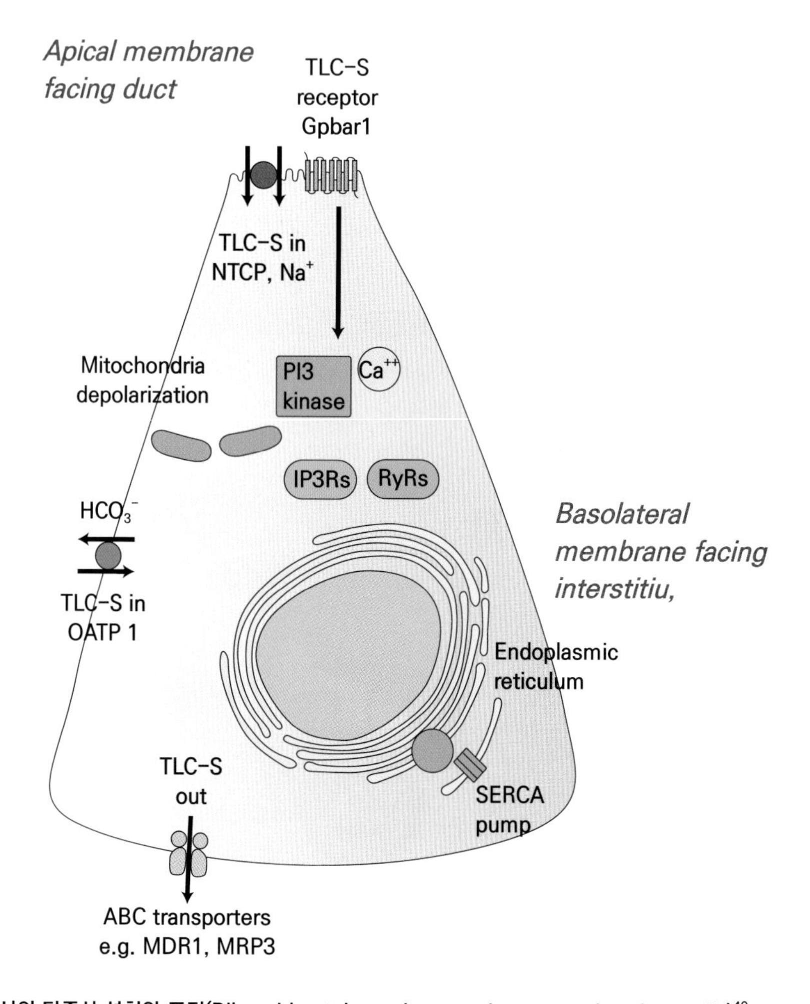

그림 13-2. **췌장 세엽세포에서의 담즙산 섭취와 표적(Bile acid uptake and targets in pancreatic acinar cells)[40].**
본 그림은 내강 표면에서의 Na^+ dependent co-transporters (NTCP)나 기저 외막에서의 HCO_3^--dependent bile acid exchangers (OATP1)를 통한 답즙산의 유입을 보여준다. Perides 등[27]은 세엽세포의 내강 표면에 있는 TLC-S에 의해 유발된 G-protein-receptor-coupled signaling event가 세엽세포로의 담즙 유입에 중요한 기전임을 밝혀내었다.

다. 다만 원인이 담석임을 증명하면 된다. 통증의 첫 경험으로 내원하는 경우도 있지만, 많은 환자에서 동일한 담도산통(biliary pain)을 이전에 여러 번 경험한 경우가 많다[29,30]. 특히 과식하거나, 기름진 음식을 먹고 발생하는 경우가 많아 병력만 주의 깊게 청취하여도 진단이 쉽게 된다. 담도 산통은 적어도 15분 이상 가라앉지 않고 지속되며 대부분 수 시간 이상 상복부 혹은 우상복부 통증이 지속되어 응급실을 찾는 경우가 많다. 통증이 심한 경우에는 진땀이 날정도 혹은 숨도 못 쉴 정도로 아프다는 표현을 한다. 간혹 음주력이 있는 환자에서 담석성 췌장염이 초래되어 췌장염의 원인이 술인지 담석에 의한 것인지 구분이 어려운 때에는 병력과 영상 검사를 종합하여 판단하여야 한다. 혈청 아밀라아제와 리파아제 상승은 다른 원인의 췌장염에서와 같이 나타난다. 아밀라아제는 대부분 환자에서 5~10일 정도 상승 소견을 보인다. 혈청 리파아제가 아밀라아제보다 췌장염 진단에 더 특이적이고 긴 반감기를 보인다. 물론 다른 원인의 췌장염에서 췌장 두부의 부기로 인하여 알카라인포스파타제와 다른 간기능 수치가 상승하지만 담석성 췌장염 환자에서는 담관 폐쇄가 동반되는 경우가 대부분이라 이러한 간기능장애가 더 저명하고 담관염 소견에 합당한 간기능장애가 동반되는 경우가 많다.

담석성 췌장염은 복부초음파나 CT 혹은 MRI로 담석과 담도 확장을 확인할 수 있다. 담석이 담도를 막아 담도가 확장되어 있어 이러한 영상 검사로 진단이 가능한 경우는 55~91%로 보고되고 있다. CT보다는 초음파가 담낭 담석을 확인하는 데에는 훨씬 유리하다. 경우에 따라서는 담석이 원위담관 혹은 유두부에 감돈(impacted)[31]된 상태로 응급실로 내원하는 경우도 있다. 감돈된 담석이 저절로 빠진 경우는 대부분 증상이 갑자기 소실되고 간기능과 췌장염 수치가 곧 호전됨을 확인할 수 있다. 하지만 담석성 췌장염인데 복통이 지속된다면 감돈된 결석이 지속적으로 남아 있어 담관염과 췌장염이 동시에 진행되고 악화될 수 있어 조기에 내시경적 중재술이 필요하다. 담석이 조기에 빠져나가 췌장염이 심하지 않은 경우에는 CT에서 췌장염 소견도 경증의 췌장염 양상을 보이지만, 담석이 오랫동안 빠져나가지 않고 심한 췌장염을 초래한 경우에는 내시경적으로 담석을 제거한 후에도 이미 초래된 췌장염으로 일반적인 췌장염의 영상 소견과 임상 경과를 밟게 된다.

담관 내 담석이 박혀 있는지 없는지 혹은 원인이 된 담석이 빠져나갔어도 다른 담석이 더 있는지의 확인이 필요하다. 확실한 ERCP 시술 적응이 안 될 때에는 내시경초음파(endoscopic ultrasound, EUS)로 담관을 확인하면 된다. EUS의 장점은 아주 작은 담석의 진단도 가능하고 담낭과 유두부의 관찰도 함께 할 수 있는 것이고, 단점은 현재 보험 적용이 되지 않아 고가이고 시술자의 실력에 따라 결과가 다를 수 있다는 것이다. 진단에 있어 한 가지 주의 할 것은 담석성 췌장염은 이미 형성된 담석이 일으키지만, 경우에 따라서는 찌꺼기(sludge)가 췌장염을 일으킬 수 도 있다는 것이다. 실제 과거 특발성 췌장염(idiopathic pancreatitis) 환자를 대상으로 담즙 분석을 해보니 담석이 없는 경우에도 담관 담즙 내 찌꺼기가 췌장염의 원인이 될 수 있음이 증명되었다. 하지만 형성된 돌이 아니고 찌꺼기에 의한 췌장염은 췌관 폐쇄가 지속적이고 완전하지 않아 중증의 췌장염을 유발하는 경우는 매우 드물 것으로 예상된다. 통상의 EUS 대신 관내(intraductal) 초음파가 유용하기도 하나 이 장비는 대부분의 기관에서 통상적으로 갖추고 있는 장비가 아니라 일률적으로 시행되지는 않는다.

간혹 음주력이 있는 환자에서 담석성 췌장염이 초래되는 때는 병력과 영상 검사를 종합하여 판단하여야 한다. 병력 청취에서 중요한 것은 담도산통에 대한 파악이다. 통증은 적어도 15분 이상 기억에 남을 정도로 지속되고 대부분 여러 시간 이상 가라앉지 않아 응급실을 찾게 된다. 이러한 증상이 이전에 반복적으로 식사와 관련되어 있었다면 알코올보다는 담석이 췌장염의 원인이 될 가능성이 높다.

간혹 담석이 원위담관 혹은 유두부에 감돈(impaction)된 상태로 응급실로 내원하는 경우도 있다. 감돈된 담석이 저절로 빠진 경우는 대부분 증상이 갑자기 소실되고 간기능과 췌장염 수치가 곧 호전됨을 확인할 수 있다. 하지만 담석성 췌장염인데 복통이 지속된다면 감돈된 결석이 지속적으로 남아 있어 담관염과 췌장염이 동시에 진행되고 악화 될 수 있다. 이 상황에서 내시경적으로 감돈 결석의 제거가 이루어지지 않으면 증상의 악화와 함께 혈청 간기능 검사 췌장염 수치 그리고 여러 염증 수치가 지속적으로 악화된다. 담석이 조기에 빠져나가 췌장염 심하지 않은 경우에는 CT에서 췌장염 소견도 경증의 췌장염 양상을 보이지만, 담석이 오랫동안 빠져나가지 않고 심한 췌장염을 초래한 경우에는 내시경적으로 담석을 제거한 후에도 이미 초래된 췌장염으로 중증 췌장염의 임상 경과를 밟게 된다.

4. 치료

췌장염에 대한 치료는 수액 공급, 통증 치료 등 일반 췌장염 치료와 동일하다. 다만. 담석성 췌장염에서 고려하여야 할 중요한 두 가지 이슈는 응급으로 ERCP를 할지 말지와 담낭절제술을 언제 시행할지를 결정하는 것이다. 첫 번째 이슈에 대한 전향적 임상연구는 영국에서 121명의 담석성 췌장염 환자를 무작위로 내원 72시간 이내에 응급 ERCP를 한 군과 내과적 치료를 한 군을 대상으로 진행한 연구[32]이다. 대상 환자의 반은 중증의 췌장염 환자를 무작위 배정하였다. 담관 담석 발견율은 중증 췌장염 환자에서는 63% 경증 환자에서는 25% 이었다. 결과는 중증 췌장염의 경우는 응급 ERCP를 한 군이 보존적 치료군에서 보다 합병증(24% vs. 61%)과 사망률(4% vs. 18%)이 낮았다. 하지만 경증 췌장염 환자에서는 이들 수치에 차이가 없었다. 이후 홍콩[33]과 폴란드 등에서 유사한 연구가 진행되었고 담관염이 동반되었거나 중증의 췌장염 환자에서는 조기[34]에 ERCP 중재 치료가 사망률 감소에 영향을 미쳤다. 이후 응급 ERCP가 이점이 없다는 독일의 다기관 연구가 발표되었으나, 연구 디자인의 문제가 지적되어 이 연구 결과는 무시되고 있다. 중요한 것은 환자의 증상이 지속되거나 악화될 때, 담관염이 동반되어 있을 때에는 한시라도 빨리 ERCP를 시행하여 원인이 된 담석을 제거해 주어야 한다. 간혹 중증의 췌장염이 초래된 후 ERCP로 담석 제거가 성공하였더라도 이미 진행된 췌장염으로 환자가 고생하거나 사망할 수도 있다. 박혀 있던 담석이 빠져나가면 대부분 통증도 극적으로 소실된다. 11개 Randomized controlled trial (RCT)를 포함한 메타분석[35]에서도 중증의 담석성췌장염 환자에서는 조기에 ERCP를 시행하는 것이 유의하게 합병증을 줄임을 보고하고 있다. 그러나 이 연구에서 사망률의 차이는 발견하지 못하였다.

실제 임상에서는 증상의 소실이 애매한 경우도 있고, CT나 MRI 등에서 담관 확장은 있으나 담석이 정확히 증명되지 않아 ERCP를 하여야 할지 말지를 정하기 어려운 경우가 종종 있다. 이럴 때는 주치의의 균형 잡힌 결정이 중요하다. Borderline indication의 ERCP, 특히 담석이 빠져나가 선택적 담도 삽관이 어려운 환자에서 ERCP 합병증 가능성은 높다. ERCP후 췌장염은 췌장 실질의 위축이 초래되지 않은 중년 여성에서는 발생 가능성이 높다. 임상적으로 담관에 남아 있는 담석이 있는지 여부가 애매하고 ERCP에 따른 부담이 크다면 EUS를 시행하여 담관 담석을 확인하는 것이 좋다. 한 가지 우리나라에서 현실적인 어려움은 EUS가 보험 적용이 되지 않는 고가의 검사라는 것이다. 만약 ERCP를 결정하였다면 조영제 주입보다는 유도 철선을 이용한 담관 삽입이 유리하고, 선택적 삽관이 쉽게 안 된다면 조기에 needle knife fistulotomy를 시행하여 최대한 췌장염 초래를 방지할 것을 권한다.

치료에 있어 또 하나 이슈는 담낭 담석에 의한 췌장염 재발 방지를 위하여 언제 담낭절제술을 할 것인가하는 문제이다. 일반적으로는 췌장염이 가라앉으면 동일 입원 기간 동안 담낭절제술이 권장된다. 오래 전 연구[36]에서 165명의 담석성 췌장염 환자를 48시간 이내와 이후 수술군으로 무작위 배정한 임상 연구에 따르면 조기 수술군에서는 30%의 합병증 15%의 사망률을 보고하였고, 48시간 이후 군에서는 5%의 합병증과 2.4%의 사망률을 보고하였다. 하지만 수술이 지연된 군에서는 2년에 걸쳐 30%의 췌장염 재발률을 보였다. 이 연구에서는 중증의 췌장염이 초래된 환자에서는 3주 이내에 수술을 하면 감염에 의한 합병증이 많았다. 중등도 혹은 중증의 췌장염이 초래된 환자에서는 담낭절제술을 미루는 것이 좋다. 췌장주위 액체저류가 있거나 가성낭종이 발생하면 액체나 가성낭종이 치유되는 6주까지 기다렸다 수술할 것을 권하고 있다. 만약 가성낭종이 이 이상 지속된다면 6주 이후 담낭수술과 동시에 가성낭종을 치료하면 된다. 경증 담석 췌장염 환자에 대한 연구는 네덜란드 다기관 연구[37]를 통하여 다음과 같은 결과가 나왔다. 266명의 경증 담석 췌장염 환자들을 무작위 배정하여 배정 3일 내에 수술한 군(same-admission group)과 퇴원 후 무작위 배정 25~30일 사이에 수술을 시행한 군(interval group)의 연구에서는 same-admission group이 interval group에서 보다 무작위 배정 6개월 이내에 담석과 연관된 합병증이 유의하게 적음(5% vs. 17%)을 확인하였다.

담석성 췌장염을 앓은 후 담낭절제술을 시행하지 않으면 어떻게 될까? 이에 대한 재미있는 보고가 있다. 미국 캘리포니아 주의 자료[38]에 따르면 담석성 췌장염으로 담낭절제술을 받지 않은 관찰 환자 1119명를 평균 2.3년 추적 관찰 결과 내시경 치료 등 어떤 중재술도 받지 않은 802명과 ERCP를 시행받은 317명의 췌장염 재발률은 각각 17.1%와 8.2%로 전체 환자 14.6%에서 췌장염 재발이 관찰됨을 확인하였다. 따라서 담낭 담석을 치료하지 않으면 많은 환자에서 담석에 의한 문제가 발생하기 때문에 이들 환자에서 담낭절제술이 필요함을 확인하였다. 만약 환자의 상태가 담낭절제술을 허락하지 않는다면 유두괄약근 절개술이라도 시행하고 환자를 관찰하는 것이 유리하다[39].

결론은 담석성 췌장염이 경한 경우에는 췌장염이 호전된 후 곧 담낭절제술을 시행함이 유리하고 췌장염이 심한 경우는 담관 담석의 치료 후 일단 퇴원했다 재입원을 하더라도 췌장염이 완전히 가라앉은 후 수술하는 것이 수술 합병증을 줄일 수 있다. 따라서, 췌장염의 심한 상태에서 ERCP를 시행한다면 담낭담석 수술 지연이 예상되고 담석의 이동에 의한 담석성 췌장염 혹은 담관염 예방을 위하여 담석 제거 후 담관 배액관을 삽입하는 것이 안전하다. 이때 배액관은 일탈 방지를 위하여 double pigtail 배액관이 좋다. 물론 중증의 췌장염에서 벗어났다고 모든 환자에서 꼭 담낭절제가 유리한 것은 아니다. 환자가 초고령이거나 중증의 동반된 질환이 있고 유두괄약근 절개술이 되어 있는 상태라면 췌장염 회복 후 담낭절제술 없이 경과 관찰이 무리한 수술 진행보다 득이 될 수도 있다. 각각의 임상 상황에서 균형 잡힌 주치의의 판단이 중요하다.

References

1. Thomson SR, Hendry WS, McFarlane GA, Davidson AI. Epidemiology and outcome of acute pancreatitis. Br J Surg 1987;74:398-401.
2. Opie EL, Meakins JC. Data Concerning the Etiology and Pathology of Hemorrhagic Necrosis of the Pancreas (Acute Hemorrhagic Pancreatitis). J Exp Med 1909;11:561-78.
3. Moreau JA, Zinsmeister AR, Melton LJ, 3rd, DiMagno EP. Gallstone pancreatitis and the effect of cholecystectomy: a population-based cohort study. Mayo Clin Proc 1988;63:466-73.
4. Eland IA, Sturkenboom MJ, Wilson JH, Stricker BH. Incidence and mortality of acute pancreatitis between 1985 and 1995. Scand J Gastroenterol 2000;35:1110-6.
5. Imrie CW, Whyte AS. A prospective study of acute pancreatitis. Br J Surg 1975;62:490-4.
6. Sekimoto M, Takada T, Kawarada Y, et al. JPN Guidelines for the management of acute pancreatitis: epidemiology, etiology, natural history, and outcome predictors in acute pancreatitis. J Hepatobiliary Pancreat Surg 2006;13:10-24.
7. Imamura M. Epidemiology of acute pancreatitis-incidence by etiology, relapse rate, cause of death and long-term prognosis. Nihon Rinsho 2004;62:1993-7.
8. Death from acute pancreatitis. M.R.C. multicentre trial of glucagon and aprotinin. Lancet 1977;2:632-5.
9. de Beaux AC, Palmer KR, Carter DC. Factors influencing morbidity and mortality in acute pancreatitis; an analysis of 279 cases. Gut 1995;37:121-6.
10. Agarwal N, Pitchumoni CS. Assessment of severity in acute pancreatitis. Am J Gastroenterol 1991;86:1385-91.
11. Gislason H, Horn A, Hoem D, et al. Acute pancreatitis in Bergen, Norway. A study on incidence, etiology and severity. Scand J Surg 2004;93:29-33.
12. Funnell IC, Bornman PC, Weakley SP, Terblanche J, Marks IN. Obesity: an important prognostic factor in acute pancreatitis. Br J Surg 1993;80:484-6.
13. Riela A, Zinsmeister A, Melton L, DiMagno E. Etiology, incidence, and survival of acute pancreatitis in Olmsted County, Minnesota. Gastroenterology 1991;100:A296.
14. Venneman NG, Buskens E, Besselink MG, et al. Small gallstones are associated with increased risk of acute pancreatitis: potential benefits of prophylactic cholecystectomy? Am J Gastroenterol 2005;100:2540-50.
15. Lerch MM, Saluja AK, Dawra R, Ramarao P, Saluja M, Steer ML. Acute necrotizing pancreatitis in the opossum: earliest morphological changes involve acinar cells. Gastroenterology 1992;103:205-13.
16. Lerch MM, Saluja AK, Runzi M, Dawra R, Saluja M, Steer ML. Pancreatic duct obstruction triggers acute necrotizing pancreatitis in the opossum. Gastroenterology 1993;104:853-61.
17. Hernandez CA, Lerch MM. Sphincter stenosis and gallstone migration through the biliary tract. Lancet 1993;341:1371-3.
18. Lerch MM, Weidenbach H, Hernandez CA, Preclik G, Adler G. Pancreatic outflow obstruction as the critical event for human gall stone induced pancreatitis. Gut 1994;35:1501-3.
19. Pohle T, Konturek JW, Domschke W, Lerch MM. Spontaneous flow of bile through the human pancreatic duct in the absence of pancreatitis: nature's human experiment. Endoscopy 2003;35:1072-5.
20. Sterling JA. The common channel for bile and pancreatic ducts. Surg Gynecol Obstet 1954;98:420-4.
21. DiMagno EP, Shorter RG, Taylor WF, Go VL. Relationships between pancreaticobiliary ductal anatomy and pancreatic ductal and parenchymal histology. Cancer 1982;49:361-8.

22. Lerch MM, Saluja AK, Runzi M, Dawra R, Steer ML. Luminal endocytosis and intracellular targeting by acinar cells during early biliary pancreatitis in the opossum. J Clin Invest 1995;95:2222-31.
23. Mooren F, Hlouschek V, Finkes T, et al. Early changes in pancreatic acinar cell calcium signaling after pancreatic duct obstruction. J Biol Chem 2003; 278:9361-9.
24. Voronina S, Longbottom R, Sutton R, Petersen OH, Tepikin A. Bile acids induce calcium signals in mouse pancreatic acinar cells: implications for bile-induced pancreatic pathology. J Physiol 2002; 540:49-55.
25. Voronina SG, Barrow SL, Gerasimenko OV, Petersen OH, Tepikin AV. Effects of secretagogues and bile acids on mitochondrial membrane potential of pancreatic acinar cells: comparison of different modes of evaluating DeltaPsim. J Biol Chem 2004; 279:27327-38.
26. Voronina SG, Gryshchenko OV, Gerasimenko OV, Green AK, Petersen OH, Tepikin AV. Bile acids induce a cationic current, depolarizing pancreatic acinar cells and increasing the intracellular Na+ concentration. J Biol Chem 2005;280:1764-70.
27. Perides G, Laukkarinen JM, Vassileva G, Steer ML. Biliary acute pancreatitis in mice is mediated by the G-protein-coupled cell surface bile acid receptor Gpbar1. Gastroenterology 2010;138:715-25.
28. Kim JY, Kim KH, Lee JA, et al. Transporter-mediated bile acid uptake causes Ca^{2+}-dependent cell death in rat pancreatic acinar cells. Gastroenterology 2002;122:1941-53.
29. Acosta JM, Ledesma CL. Gallstone migration as a cause of acute pancreatitis. N Engl J Med 1974; 290:484-7.
30. Kelly TR. Gallstone pancreatitis: the timing of surgery. Surgery 1980;88:345-50.
31. Hazem ZM. Acute biliary pancreatitis: diagnosis and treatment. Saudi J Gastroenterol 2009;15:147-55.
32. Neoptolemos JP, Carr-Locke DL, London NJ, Bailey IA, James D, Fossard DP. Controlled trial of urgent endoscopic retrograde cholangiopancreatography and endoscopic sphincterotomy versus conservative treatment for acute pancreatitis due to gallstones. Lancet 1988;2:979-83.
33. Fan ST, Lai EC, Mok FP, Lo CM, Zheng SS, Wong J. Early treatment of acute biliary pancreatitis by endoscopic papillotomy. N Engl J Med 1993;328: 228-32.
34. Nowak A, Sowakowska-Dulawa E, Marek T, Rybicka J. Final results of the prospective, randomized, controlled study on endoscopic sphincterotomy versus conventional management in acute biliary pancreatitis. Gastroenterology 1995; 108:A380.
35. Burstow MJ, Yunus RM, Hossain MB, Khan S, Memon B, Memon MA. Meta-Analysis of Early Endoscopic Retrograde Cholangiopancreatography (ERCP) +/- Endoscopic Sphincterotomy (ES) Versus Conservative Management for Gallstone Pancreatitis (GSP). Surg Laparosc Endosc Percutan Tech 2015;25:185-203.
36. Kelly TR, Wagner DS. Gallstone pancreatitis: a prospective randomized trial of the timing of surgery. Surgery 1988;104:600-5.
37. da Costa DW, Bouwense SA, Schepers NJ, et al. Same-admission versus interval cholecystectomy for mild gallstone pancreatitis (PONCHO): a multicentre randomised controlled trial. Lancet 2015;386:1261-8.
38. Hwang SS, Li BH, Haigh PI. Gallstone pancreatitis without cholecystectomy. JAMA Surg 2013; 148:867-72.
39. El-Dhuwaib Y, Deakin M, David GG, Durkin D, Corless DJ, Slavin JP. Definitive management of gallstone pancreatitis in England. Ann R Coll Surg Engl 2012;94:402-6.
40. Lerch MM, Aghdassi AA. The role of bile acids in gallstone-induced pancreatitis. Gastroenterology 2010;138:429-33.

CHAPTER 14

알코올과 담석 이외의 원인에 의한 급성췌장염

Acute pancreatitis by causes other than alcohol and gallstone

14-1 의인성 급성췌장염(Iatrogenic acute pancreatitis)

정문재

서론

급성췌장염은 내시경역행담췌관조영술(endos-copic retrograde cholangio-pancreatography, ERCP)후 발생할 수 있는 가장 흔한 부작용이며, 약 5~10%로 비율로 발생한다고 보고되고 있다[1-4]. 특히 오디괄약근 기능장애(sphincter of Oddi dysfunction, SOD) 환자 또는 ERCP후 췌장염(post ERCP pancreatitis, PEP) 병력이 있던 환자에서 ERCP후 발생하는 췌장염의 비율은 25%까지 상승한다[2]. 대부분의 경우에는 경증으로 발생하지만, 10~20%의 환자에서 합병증을 동반하는 중증 급성췌장염으로 발생하며, 드물지만 사망으로 이어지기도 한다. ERCP 합병증으로 발생하는 급성췌장염은 시술 후 24시간 이상 혈청 아밀라아제 수치가 최소 3배 이상 상승하고, 새롭게 생긴 혹은 악화된 복통을 동반하며, 하루 이상의 추가 입원을 요하는 경우로 정의된다[5,6]. 위 정의에 의하면, 시술 후 복부 통증이 있지만 아밀라아제 수치가 3배 미만이거나, 아밀라아제 수치가 3배 이상이라도 췌장염에 합당한 통증을 호소하지 않는 경우에는 ERCP후 발생한 급성췌장염으로 진단하기 어려운데, 이러한 무증상 고아밀라아제혈증은 ERCP후 35~70% 환자에서 발생할 수 있다[7]. PEP를 유발하는 원인으로는 증가된 췌관내 압력과 췌관내 조영제 주입 외에도 효소, 미생물 등이 관여하는 것으로 생각되고 있으며, 위 기전들의 상대적인 기여도를 정확하게 말할 수는 없지만, 최근 여러 임상 연구들에서 급성췌장염 발생과 연관된 환자 및 시술 관련 요인들이 제시되고 있다[8-10]. 고위험군에서ERCP 시술의 필요성이나 시술 방법을 결정 또는 예방적 약물 투여의 필요성을 판단하기 위해 PEP의 위험인자를 숙지하는 것이 중요하다고 하겠다.

1. ERCP후 급성췌장염 발생의 위험인자

ERCP후 발생하는 급성췌장염의 위험인자는 표14-1-1에서 보는 바와 같이 환자 요인과 내시경 시술과 관련된 요인으로 구분될 수 있다. 현재까지 알려진 환자 관련 인자는 50세 미만의 젊은 여성, 오디괄약근 기능장애, 재발성 췌장염의 과거력과 PEP의 과거력, 시술 전 정상 혈청 빌리루빈 수치 등이며, 시술 관련 인자는 췌관 조영제 주입, 난이도가 높은 삽관, 췌관 괄약근 절개술 시행, 예비 절개 유두 절개술(precut sphincterotomy) 시행, 내시경 유두 풍선 확장술(endoscopic papillary balloon dilatation, EPBD) 시행, 삽관 시도 시 가이드와이어 미사용, 췌장염 발생 고위험 시술 후 췌관 스텐트 삽입 실패 등이다[11](표 14-1-1).

1) 환자 관련 위험인자

전술한 바와 같이 현재까지 다수의 연구에서 제시되고 있는 PEP 발생의 환자 관련 위험인자는 젊은 나이, 오디괄약근 기능장애를 의심할 수 있는 징후, 이전 PEP가 발생했던 병력, 혈청 빌리루빈이 높지 않은 경우 등이다[1-4,10,12]. 이전 메타분석에서 여성이 의미 있는 위험 예측 인자로 제시 되었으며[13], ERCP후 발생하는 중증 또는 치명적인 급성췌장염의 대부분이 여성에서 발생하였다고 보고 되었다[1,14]. 젊은 나이에 PEP의 발생률이 높은 이유는 활발한 췌장 외분비 기능, 상대적으로 좁은 총담관 직경 등이 꼽히고 있다. 담낭절제 후 복부 통증이 있는 여성에서 흔히 의심되는 오디괄약근 기능장애 또한 PEP의 위험인자로 알려져 있다[15,16]. 오디괄약근 기능장애가 의심되어 ERCP를 시행했던 경우, 췌장염의 발생 위험은 약 10~30%까지 높게 보고되며, 이는 일반적으로 ERCP후 발생하는 췌장염 발생 확률의 3배에 이르는 수치이다[9,17-19]. 오디괄약근 기능장애 환자들에서 시술 후 췌장염이 높은 빈도로 발생하는 이유에 대해서는 아직 정확하게 밝혀지지 않았지만, 췌관 괄약근의 긴장도가 상승되어 있는 것과 연관될 것으로 추측 하고 있다. 시술 전 검사에서 담석증이 의심되었으나, 실제 ERCP 검사에서 결석이 발견되지 않은 경우에도 ERCP후 췌장염 발생 빈도가 증가되는 것으로 보고되고 있는데, 이러한 경우도 잠재적인 오디괄약근 기능장애의 범주에 속한다고 보는 견해가 있다. 또한 이전 PEP의 병력도 강력한 위험인자로 알려져 있다[2,10]. 그 밖에 분리췌장(pancreas divisum) 환자에서 부유두 삽관을 시도할 경우에 췌장염 발생의 위험이 증가하는 것으로 알려져 있다. 반면에 진행성 만성췌장염은 ERCP후 췌장염 발생의 확률을 낮추는 것으로 보고되고 있는데, 이는 아마도 췌장의 실질이 위축되고 췌장 외분비 기능장애와 효소 자체의 활성이 감소되는 것과 연관이 있을 것으로 생각된다[2].

표 14-1-1. **ERCP후 발생하는 급성췌장염의 위험인자들[1-5,10-13].**

환자 관련 인자	젊은 여성, 오디괄약근 기능장애, 재발성 췌장염의 과거력, PEP의 과거력, 시술 전 정상 혈청 빌리루빈 수치
시술 관련 인자	췌관 조영제 주입, 난이도가 높은 삽관, 췌관 괄약근 절개술, 예비 절개 유두 절개술(precut sphincterotomy), 내시경 유두 풍선 확장술, 삽관 시도 시 가이드와이어 미사용, 췌장염 발생 고위험 시술 후 췌관 스텐트 삽입 실패

2) 시술 관련 위험인자

췌관내 조영제 주입이 췌장염 발생의 위험인자로 알려져 있는데, 조영제 주입을 하지 않고 ERCP를 진행할 경우 췌장염의 발생 위험을 감소시킬 수 있을 것으로 생각된다[2]. 선택적 삽관술이 용이하지 않은 경우나 반복적인 삽관으로 인해 유발되는 십이지장 유두부 외상이 발생하는 경우에는 췌관 조영제 주입 횟수와 무관하게 ERCP후 급성췌장염 발생이 증가하는 것으로 보고되고 있다[1-4,10,12,13,20]. ERCP 중 샘꽈리의 조영(acinarization)은 췌장염 발생과 연관이 있을 것으로 추측되지만, 실제 임상 연구 결과 의미 있는 위험인자는 아니었다[2,10]. 한편 최근 ERCP 완료 후 췌관내 조영제 잔류와 ERCP 완료 3시간 이내 발생한 복통이 중증 PEP발생의 위험인자로 보고되었다[21]. 췌관 괄약근 절개술은 췌장염 발생의 위험인자로 알려져 있지만, 1%

미만에서만 중증 췌장염을 유발하는 것으로 보고되고 있으며, 이는 췌관 괄약근 절개술을 시행받은 거의 모든 환자가 췌장 배액을 위해 췌장 스텐트 삽입술을 동시에 시행 받는 것과 연관될 것으로 생각된다[2,10,22]. 총담관에 접근하기 위한 예비 절개 유두 절개술(precut sphincterotomy)은 췌관 괄약근을 손상시킬 가능성이 있으나, 급성췌장염 발생과의 관련성에 관해서는 상반된 연구 결과들이 보고되고 있다. 예비 절개 유두 절개술 후 췌장염 발생의 위험이 증가되었다는 보고들에서도, 이러한 위험이 시술 자체에 의한 것인지, 수 차례 반복되는 삽관 시도로 인한 것인지에 대해서는 결론을 내리지 못하였다. 이러한 논쟁을 해결하기 위해 시행된 메타분석 결과 표준 담도 삽관 시도를 시작하고 5~10분 이내에 예비 절개 유두 절개술을 조기에 시행할 경우에 시술 후 췌장염 발생률이 감소하였다[23]. 또한 오디괄약근 기능장애 환자에서 췌관 스텐트를 먼저 삽입하고 예비 절개 유두 절개술을 시행하면, 췌장 스텐트를 삽입하지 않고 표준 괄약근 절개술을 시행하는 경우와 비교하여 상대적으로 PEP의 발생률을 낮출 수 있었다[19]. 3차 의료기관에서 시행된 여러 연구들에서 예비 절개 유두 절개술이 표준 괄약근 절개술과 비교하여 높은 PEP 위험률을 보이지 않았던 결과를 보였던 점을 고려할 때, 예비 절개 유두 절개술 후 급성췌장염 발생 위험 확률은 결국 시술자의 숙련도와 깊은 연관성이 있을 것으로 추측된다[24]. 내시경 유두 풍선 확장술은 담관 결석 제거를 위한 괄약근 절개술의 대안으로 처음 소개되었다. 부작용 위험과 관련하여 내시경 유두 풍선 확장술과 괄약근 절개술을 비교하는 연구들에서 내시경 유두 풍선 확장술이 췌장염의 위험을 높인다는 결과가 보고되었다[25,26]. 그러나 응고병증이나 지속적인 항응고제 치료가 필요한 경우와 같이 괄약근 절개술의 상대적 금기증이 있는 경우에는 담관 결석 제거를 위해 내시경 유두 풍선 확장술을 고려 할 수 있으며, 내시경 유두 풍선 확장술 후 췌장 스텐트 삽입술을 시행함으로써 급성 췌장염 발생을 예방할 수 있다. 담관 결석이 큰 경우에도 담관 괄약근 절개술 후에 내시경 유두 풍선 확장술이 안전하게 시도될 수 있으며, 이를 통해 과도하게 큰 괄약근 절개술로 인한 천공이나 출혈의 잠재적인 위험을 줄일 수 있다[27].

전술한 여러 가지 위험 요소를 동시에 가지고 있는 경우에 PEP의 위험이 더 증가한다[2]. 췌관 스텐트가 널리 사용되기 이전의 한 연구에서 시술 전에 혈청 빌리루빈 수치가 정상이었던 여성의 경우 ERCP후 급성췌장염 발생의 위험이 5% 정도였고, 시술 중 선택적 삽관이 어려웠던 경우에는 위험이 16%까지 증가하였으며, 추가로 오디괄약근 기능장애가 동반되어 있는 경우에는 위험이 42%까지 증가하였다[2]. 또한 ERCP후 중증 췌장염을 경험한 환자 중 거의 모든 환자는 젊은 여성이면서 시술 전 혈청 빌리루빈이 높지 않고 담도 폐쇄가 명확하지 않은 경우에서와 같이 다수의 위험인자가 동반된 경우였다[2,14]. 따라서 ERCP 시도 전 환자 개개인이 가지고 있는 위험 요인을 꼼꼼하게 따져 보는 것이 중요하며, ERCP 시술 후 급성췌장염 발생의 위험이 높다고 판단되고, 치료 목적으로서의 ERCP 시술 필요성이 크지 않은 상황이라면, 췌장염 발생의 위험이 없는 MRCP와 EUS를 먼저 고려하여야 하겠다.

시술 후 혈청 아밀라아제 또는 리파아제를 평가함으로써 ERCP후 췌장염 발생을 조기에 진단할 수 있다[28]. 시술 2시간 후 시행한 혈청 아밀라아제 및 리파아제 검사가 ERCP후 발생한 급성췌장염에 의한 통증과 췌장염에 의하지 않은 복부 통증을 구별하는 데에 유용하였으며, 거의 100%에 가까운 양성 예측도를 보인다고 보고되었다[29]. 시술 3시간 후의 혈청 아밀라아제 혈청치가 정상이라면 ERCP후 급성췌장염 발생 확률이 1%에 불과했었던 것에 반해, 아밀라아제가 정상 상한치의 5배 이상인 경우에는 췌장염 발생 확률이 39%까지 높아졌다는 보고도 있었다[30]. 혈청 아밀라아제 또는 리파아제 검사만으로 향후 급성췌장염 발생 여부를 완전하게 예측할 수는 없지만, 복부 통증이 있더라도 혈청 아밀라아제나 리파아제가 정상인 경우라면 급성췌장염의 발생 가능성은 높지 않다고 할 수 있다. 시술 후 췌장 효소가 의미 있게 상승하고, 증상이 있는 경우에는 금식 및 정맥 수분 공급과 같이 일반적인 급성췌장염의 치료 방침에 준해 치료해야 한다.

2. ERCP후 췌장염의 예방법

지금까지 여러 가지 약물 및 시술을 통하여 PEP 예방을 위한 새로운 시도들이 연구되어 왔다. 그 중에서 비스테로이드 소염제(nonsteroidal anti-inflammatory drug, NSAID)의 직장 내 투여와 예방 췌장 스텐트 삽입술이 PEP 예방을 위한 가장 효과적인 방법들로 받아들여지고 있다[31].

1) 췌관 스텐트 삽입술

ERCP후 급성췌장염 발생의 위험이 높다고 판단되었음에도 불구하고 ERCP를 진행하기로 결정했다면, 시술 중 불필요한 조작을 최소화하려는 노력과 함께 췌관 스텐트 삽입을 고려할 수 있다. 무엇보다도 ERCP후 급성췌장염 발생의 위험을 최소화하는 가장 확실한 방법은 가능한 빠른 시간 내에 삽관을 성공하는 것이다. 이를 위해 papillotome 또는 조향가능 sphincterotome, 또는 표준 카테터 등 자신에게 익숙한 기구를 선택하는 것이 중요하며, 가이드 와이어를 이용한 가이드 와이어 삽관법이 표준 조영제 주입 삽관법과 비교하여 삽관률을 높일 뿐만 아니라 ERCP후 췌장염의 위험을 감소시킬 수 있다[32-34].

또한 췌관 스텐트가 ERCP후 부종에 의해 일시적으로 발생하는 췌관 폐색 현상을 예방함으로써 췌장염 발생을 억제하는 것으로 생각되고 있다. 이러한 이론적 배경을 바탕으로 췌관 스텐트 삽입술이 ERCP후 췌장염의 위험을 줄이기 위한 방법으로 연구되어 왔다. 오디괄약근 기능장애 환자에서 담관 괄약근 절개술을 시행할 때, 선택적 삽관술이 어려운 경우, 췌관 괄약근 절개술, 예비 절개 유두 절개술, 유두부 선종의 절제술을 시도하는 경우, 췌장염의 과거력이 있는 경우와 같이 ERCP 후 췌장염 발생의 위험이 높을 것으로 예상되는 경우에는 시술 종료 전 췌장 스텐트 삽입을 고려해야 한다[35]. 이전 메타분석에서 고위험군 환자에서 췌장 스텐트 삽입을 통해 췌장염의 발생률을 2/3까지 감소시킬 수 있었으며, 중증의 췌장염을 예방할 수 있었다고 보고하였다[36-38]. 그러나 경험이 부족한 시술자에게는 췌관 스텐트 삽입술이 난이도가 높은 시술일 수 있으며, 스텐트 삽입 시도가 실패하게 될 경우에는 시도하지 않은 경우보다 합병증 발생의 위험이 더 높아질 수 있어 주의가 요구된다[39,40]. 특히 직경이 얇고 구불구불한 주행을 보이는 췌관의 경우에는 시술 경험과 상관 없이 췌관 스텐트 삽입술 자체가 매우 난이도 높은 시술일 수 있다.

2) ERCP후 췌장염 발생 예방 약물 요법

많은 종류의 약물 요법이 ERCP후 췌장염을 줄이기 위한 예방법으로 연구되어 왔다. 이론적으로 췌장 외분비 기능을 억제하는 약물 투여를 통해 손상된 췌장 샘꽈리(pancreatic acinus)를 휴식하게 함으로써 PEP를 예방할 수 있다. 소마토스타틴과 그 합성 펩티드인 옥트레오타이드(octreotide)는 1980년대부터 PEP 예방을 위해 처음 시도되었던 약물이다. 소마토스타틴과 옥트레오타이드는 췌장 외분비 기능의 강력한 억제제로 췌장염의 예방이나 심한 정도를 경감시키는 작용이 있는 것으로 알려져 있다. 그러나 현재까지의 연구 결과들에서 소마토스타틴이 ERCP후 급성췌장염 위험을 감소시키는 일관성 있는 예방 효과를 보여주지 못했다. 한 메타분석 결과 소마토스타틴을 볼루스 주사(bolus injection)로 투여받은 환자 그룹에서만 PEP의 발생이 감소하였고, 6시간 미만으로 지속 주입한 경우에는 대조군과 비교할 때 의미 있는 예방 효과를 관찰할 수 없었다. 따라서 소마토스타틴은 일관성 있는 PEP의 예방 효과를 나타내지 못하였으며, 고아밀라아제혈증의 발생을 감소시키는 제한적인 효과를 보였다고 결론 내렸다[41]. 또 다른 메타분석 결과는 고용량(3000 μg 이상)의 소마토스타틴을 12시간 이상 장시간으로 투여받은 환자에서 PEP의 위험이 감소했다고 보고하였다[42]. 이와 같은 연구 결과는 최근 진행된 몇몇 메타분석에서도 확인되고 있는데, 6시간 미만의 짧은 시간 동안 주입한 경우에는 PEP의 예방 효과가 없었으나, 장시간 동안 또는 볼루스 주사를 통해 고용량의 소마토스타틴을 투여할 경우에는 ERCP후 췌장염과 고아밀라아제혈증의 발생률을 의미 있게 감소시킬 수 있었다[24,43,44]. 한가지 주목할 만한 연구 결과는 소마토스타틴을 6시간 미만으로 투여받은 환자군에서 오히려 위약군에 비해 PEP 발생 비율이 증가하였다. 이러한 현상이 발생한 이유는 볼루스 주사를 통해 소마토스타틴을 투여하였을 경우에는 PEP 발생 가능 시점에서 약물의 최고 농도가 달성되어 PEP의 예방이 가능했으나, 소마토스타틴을 6시간 미만으로 투여하였을 경우에는 예방 효과를 위해 필요한 최소 농도에 도달하지 못했기 때문으로 추측된다[43]. 소마토스타틴의 유사체인 옥트레오타이드 또한 ERCP후 췌장염의 발생률을 감소시킨다는 보고가 있으며, 이러한 효과는 0.5 mg 이상의 고용량으로 투여할 때 관찰되었다[45,46].

NSAID는 급성췌장염 발생 초기의 염증 진행 과정에 관여하는 프로스타글란딘, 류코트리엔 및 혈소판 활성화 인자(platelet-activating factors)와 같은 염증 매개 물질의 조절을 담당하는 포스포리파아제 A2 활성의 억제제로 알려져 있다[47]. 이러한 이론적 배경을 바탕으로 PEP 예방을 위한 예방적 NSAID 투여가 시도되었다. 4개의 무작위 대조 임상 시험에 포함되었던 총 912명의 환자를 대상으로 한 메타분석에서 시술 전 후 NSAID 투여가 췌장염 합병증을 64% 감소시켰고, 중등도와 중증의 췌장염 발생을 90%까지 감소시켰다고 보고하였다[48]. 오디괄약근 기능장애 환자 등 PEP 발생의 고위군 환자 602명을 대상으로 한 또 다른 다기관 무작위 위약대조 임상 시험에서도 인도메타신 직장내 투여군 295명 중 27명(9.2%)에서 ERCP후 급성췌장염이 발생하였고, 위약군 307명 중 52명(16.9%)에서 급성췌장염이 발생하여(P = 0.005), 췌장염 발생의 위험이 높은 환자들에서 인도메타신 직장내 투여가 PEP 발생을 의미 있게 감소시켰다고 보고하였다[49]. 특히 다른 투여 방법과 비교하여 직장내 투여 방법만이 인도메타신 투여 시 의미 있는 PEP의 예방 효과를 나타낸다고 생각되고 있다. 인도메타신의 최대 혈장 농도는 직장 투여 30분 후에 도달하게 되며, 반감기는 4.5시간으로 알려져 있는데[50], 약물이 ERCP 이전에 사용될 경우에만 약물 최대 혈장 농도가 ERCP 직후에 달성되게 된다. 따라서 인도메타신의 투여 시기와 관련하여서는 ERCP 시술 후보다 시술 전에 투여하도록 권고되고 있다[51]. 최근 대규모 환자를 대상으로 한 메타분석에서 ERCP 시술 이전의 NSAID 투여가 시술 후 투여보다 더 큰 효과를 보인 것으로 나타나 위와 같은 사실을 뒷받침 하고 있다[52].

그러나 인도메타신을 PEP 발생의 위험도와 상관 없이 모든 환자에게 투여해야 하는가에 대해서는 논란의 여지가 있다. 최근 2,600명의 환자를 대상으로 한 다기관 무작위 임상 시험에서 PEP 발생의 위험도와 상관없이 모든 환자에게 인도메타신을 직장 내 투여하여 ERCP후 급성췌장염의 발생을 의미 있게 감소시킬 수 있었다고 보고하였다[53]. 유럽 위장관 내시경 학회(European Society of Gastrointestinal Endoscopy)와 일본 간담췌 외과 학회(Japanese Society of Hepato-Biliary-Pancreatic Surgery) 지침에서도, PEP 발생 위험도와 관계없이 모든 ERCP 시행 환자를 대상으로 인도메타신을 투여하도록 권고하고 있다[54,55]. 그러나 최근의 한 메타분석에 따르면 예방적 인도메타신 직장 내 투여가 ERCP를 시행하는 모든 환자에게 시행하기 보다는, PEP 발생의 고위험군 환자에게 선별적으로 시행할 경우에만 안전하고 효과적일 수 있다고 제안했다[51]. 또한 449명의 ERCP 시행 환자를 대상으로 한 전향적, 이중 맹검, 위약 대조 임상 시험에서도 PEP 발생 위험도의 구분 없이 모든 환자에서 인도메타신을 직장내 투여 하는 것은 PEP의 발생률 및 중증도를 감소시키지 못하였다고 보고하였다[56]. 따라서 이렇듯 상의한 결과를 보인 최근 메타분석, 전향적 연구 등을 고려할 때, 인도메타신 직장내 투여의 PEP 예방 효과, 안정성 및 경제성 등 모든 측면을 고려하여 투여 대상 환자를 선별하는 대규모 임상 연구가 필요할 것으로 생각된다.

NSAID의 한 종류인 디클로페낙(Diclofenac)의 직장내 투여의 PEP 예방 효과를 확인하고자 하는 또 다른 임상 연구들도 진행되고 있다. 디클로페낙 직장 내 투여가 인도메타신 직장 내 투여와 비교하여 대등한 췌장염 예방 효과를 보였다는 메타분석 결과가 있었다[5]. 하지만 PEP 발생 위험도와 상관 없이 모든 ERCP 환자를 대상으로 디클로페낙을 투여한 경우 PEP 예방 효과를 나타내지 못했고, PEP의 중증도를 완화시키는 데에도 효과적이지 않았다는 상반된 연구 결과가 발표되고 있어 추가적인 연구가 필요하다고 하겠다[57]. 또한 다른 무작위 임상 시험에서는 디클로페낙을 근육내 주사한 경우 ERCP후 급성췌장염 발생률을 줄이는 예방 효과를 보이지 않았다고 보고하였다[58]. 또 다른 약물 요법으로 미세혈관 확장을 유발하는 질산염(nitrate) 투여를 통해 췌장 조직의 혈액 순환과 영양 공급을 향상시켜 ERCP 후 췌장염 발생을 예방하고자 하는 시도들이 있어 왔다. 300명의 환자를 대상으로 한 최근 무작위 임상 시험에서 직장내 인도메타신과 동시에 질산염 설하 투여를 시행할 경우 췌장염 발생 빈도를 추가로 감소할 수 있었다고 보고하였다[59].

이와 같이 PEP 예방을 위한 여러 가지 노력들에도 불구하고, 전술한 바와 같이 ERCP후 급성췌장염을 예방하기 위해 가장 중요한 원칙은 합병증 위험이 높은 환자를 사전에 선별하는 것이라고 하겠다. 역설적이게도, 폐쇄성 황달과 같이 시술의 필요성이 명확한 경우보다, 오히려 치료의 잠재적 이익이 크지 않아 시술의 필요성이 명확하지 않았던 경우에서 시술 후 췌장염 발생의 위험이 높았다고 알려져 있다. 따라서 담석이나 담도 폐쇄성 질환으로 진단될 확률이 낮은 경우, 다른 진단 방법이 가능한 경우, 오디괄약근 기능장애와 같이 ERCP후 부작용 발생의 위험이 높은 경우에는 ERCP 필요 여부를 다시 한 번 꼼꼼하게 따져 보는 것이 중요하다고 하겠다. 수술 중에 시행하는 담관 조영술이나 MRCP 및 초음파 내시경과 같은 검사가 폐쇄성 담도 질환 여부를 확인하기 위한 보다 안전한 대안일 수 있다.

3. 수술 후 발생하는 의인성 급성췌장염

수술 후에 발생하는 급성췌장염은 주로 흉부 수술이나 복부 수술 후에 관찰된다[60]. 심폐우회술 후 27%의 환자에서 고아밀라아제혈증이 관찰되었고, 0.4~7.6%에서 급성췌장염이 발생하였고, 수술 전 신부전, 수술 후 저혈압, 수술 전후 염화칼슘 투여 등이 심폐우회술 후 췌장염 발생의 위험인자로 보고된 바 있다[61-64]. 수술 후 췌장염으로 인한 사망률은 다른 원인에 의한 췌장염에 비해 35%까지 높았으며, 수술 후 췌장염으로 인한 이환율 및 사망률의 원인은 췌장염 진단의 지연, 저혈압, 약물, 감염 및 수술 후 합병증 발생 등 여러 가지 요인과 관련될 것으로 생각되고 있다[65].

References

1. Freeman ML, Nelson DB, Sherman S,et al. Complications of endoscopic biliary sphinctero-tomy. N Engl J Med 1996;335:909-18.
2. Freeman ML, DiSario JA, Nelson DB, et al. Risk factors for post-ERCP pancreatitis: a prospective, multicenter study. Gastrointest Endosc 2001;54:425-34.
3. Vandervoort J, Soetikno RM, Tham TC, et al. Risk factors for complications after performance of ERCP. Gastrointest Endosc 2002;56:652-6.
4. Wang P, Li ZS, Liu F, et al. Risk factors for ERCP-related complications: a prospective multicenter study. Am J Gastroenterol 2009;104:31-40.
5. Patai A, Solymosi N, Mohacsi L, Patai AV. Indomethacin and diclofenac in the prevention of post-ERCP pancreatitis: a systematic review and meta-analysis of prospective controlled trials. Gastrointest Endosc 2017; doi:10.1016/j.gie. 2017. 01.033.
6. Cotton PB, Lehman G, Vennes J, et al. Endoscopic sphincterotomy complications and their manage-ment: an attempt at consensus. Gastrointest Endosc 1991;37:383-93.
7. Aliperti G. Complications related to diagnostic and therapeutic endoscopic retrograde cholangio-pancreatography. Gastrointest Endosc Clin N Am 1996;6:379-407.
8. Jin S, Orabi AI, Le T, et al. Exposure to Radio-contrast Agents Induces Pancreatic Inflammation by Activation of Nuclear Factor-kappaB, Calcium Signaling, and Calcineurin. Gastroenterology 2015; 149:753-64.e11.
9. Freeman ML, Guda NM. Prevention of post-ERCP pancreatitis: a comprehensive review. Gastrointest Endosc 2004;59:845-64.
10. Cheng CL, Sherman S, Watkins JL, et al. Risk factors for post-ERCP pancreatitis: a prospective multicenter study. Am J Gastroenterol 2006;101: 139-47.
11. Wang AY, Strand DS, Shami VM. Preven-tion of Post-Endoscopic Retrograde Cholangio-pancreatography Pancreatitis: Medications and Techniques. Clin Gastroenterol Hepatol 2016;14: 1521-32.e3.
12. Williams EJ, Taylor S, Fairclough P, et al. Risk factors for complication following ERCP; results of a large-scale, prospective multicenter study. Endoscopy 2007;39:793-801.
13. Masci E, Mariani A, Curioni S, Testoni PA. Risk factors for pancreatitis following endoscopic retrograde cholangiopancreatography: a meta-analysis. Endoscopy 2003;35:830-4.
14. Trap R, Adamsen S, Hart-Hansen O, Henriksen M. Severe and fatal complications after diagnostic and therapeutic ERCP: a prospective series of claims to insurance covering public hospitals. Endoscopy 1999;31:125-30.
15. Testoni PA, Mariani A, Giussani A, et al. Risk factors for post-ERCP pancreatitis in high- and low-volume centers and among expert and non-expert operators: a prospective multicenter study. Am J Gastroenterol 2010;105:1753-61.
16. He QB, Xu T, Wang J, Li YH, Wang L, Zou XP. Risk factors for post-ERCP pancreatitis and hyperamylasemia: A retrospective single-center study. J Dig Dis 2015;16:471-8.
17. Varadarajulu S, Hawes R. Key issues in sphincter of Oddi dysfunction. Gastrointest Endosc Clin N Am 2003;13:671-94.
18. Sherman S, Lehman GA. Sphincter of Oddi dysfunction: diagnosis and treatment. JOP 2001; 2:382-400.
19. Fogel EL, Eversman D, Jamidar P, Sherman S, Lehman GA. Sphincter of Oddi dysfunction:

pancreaticobiliary sphincterotomy with pancreatic stent placement has a lower rate of pancreatitis than biliary sphincterotomy alone. Endoscopy 2002; 34:280-5.
20. Masci E, Toti G, Mariani A, et al. Complications of diagnostic and therapeutic ERCP: a prospective multicenter study. Am J Gastroenterol 2001;96:417-23.
21. Matsubara H, Urano F, Kinoshita Y, et al. Analysis of the risk factors for severity in post endoscopic retrograde cholangiopancreatography pancreatitis: The indication of prophylactic treatments. World J Gastrointest Endosc 2017;9:189-95.
22. Troendle DM, Abraham O, Huang R, Barth BA. Factors associated with post-ERCP pancreatitis and the effect of pancreatic duct stenting in a pediatric population. Gastrointest Endosc 2015;81:1408-16.
23. Cennamo V, Fuccio L, Zagari RM, et al. Can early precut implementation reduce endoscopic retrograde cholangiopancreatography-related complication risk? Meta-analysis of randomized controlled trials. Endoscopy 2010;42:381-8.
24. Freeman ML, Guda NM. ERCP cannulation: a review of reported techniques. Gastrointest Endosc 2005;61:112-25.
25. Disario JA, Freeman ML, Bjorkman DJ, et al. Endoscopic balloon dilation compared with sphincterotomy for extraction of bile duct stones. Gastroenterology 2004;127:1291-9.
26. Baron TH, Harewood GC. Endoscopic balloon dilation of the biliary sphincter compared to endoscopic biliary sphincterotomy for removal of common bile duct stones during ERCP: a metaanalysis of randomized, controlled trials. Am J Gastroenterol 2004;99:1455-60.
27. Attam R, Freeman ML. Endoscopic papillary large balloon dilation for large common bile duct stones. J Hepatobiliary Pancreat Surg 2009;16:618-23.
28. Testoni PA, Bagnolo F, Caporuscio S, Lella F. Serum amylase measured four hours after endoscopic sphincterotomy is a reliable predictor of postprocedure pancreatitis. Am J Gastroenterol 1999;94:1235-41.
29. Murray B, Carter R, Imrie C, Evans S, O'Suilleabhain C. Diclofenac reduces the incidence of acute pancreatitis after endoscopic retrograde cholangiopancreatography. Gastroenterology 2003; 124:1786-91.
30. Ito K, Fujita N, Noda Y, et al. Relationship between post-ERCP pancreatitis and the change of serum amylase level after the procedure. World J Gastroenterol 2007;13:3855-60.
31. Akshintala VS, Hutfless SM, Colantuoni E, et al. Systematic review with network meta-analysis: pharmacological prophylaxis against post-ERCP pancreatitis. Aliment Pharmacol Ther 2013;38: 1325-37.
32. Steinberg WM, Chari ST, Forsmark CE, et al. Controversies in clinical pancreatology: management of acute idiopathic recurrent pancreatitis. Pancreas 2003;27:103-17.
33. Cennamo V, Fuccio L, Zagari RM, et al. Can a wire-guided cannulation technique increase bile duct cannulation rate and prevent post-ERCP pancreatitis?: A meta-analysis of randomized controlled trials. Am J Gastroenterol 2009;104: 2343-50.
34. Artifon EL, Sakai P, Cunha JE, Halwan B, Ishioka S, Kumar A. Guidewire cannulation reduces risk of post-ERCP pancreatitis and facilitates bile duct cannulation. Am J Gastroenterol 2007;102:2147-53.
35. Vadala di Prampero SF, Faleschini G, Panic N, Bulajic M. Endoscopic and pharmacological treatment for prophylaxis against postendoscopic retrograde cholangiopancreatography pancreatitis: a meta-analysis and systematic review. Eur J Gastroenterol Hepatol 2016;28:1415-24.
36. Singh P, Das A, Isenberg G, et al. Does prophylactic

pancreatic stent placement reduce the risk of post-ERCP acute pancreatitis? A meta-analysis of controlled trials. Gastrointest Endosc 2004;60:544-50.
37. Choudhary A, Bechtold ML, Arif M, et al. Pancreatic stents for prophylaxis against post-ERCP pancreatitis: a meta-analysis and systematic review. Gastrointest Endosc 2011;73:275-82.
38. Mazaki T, Masuda H, Takayama T. Prophylactic pancreatic stent placement and post-ERCP pancreatitis: a systematic review and meta-analysis. Endoscopy 2010;42:842-53.
39. Freeman ML. Pancreatic stents for prevention of post-ERCP pancreatitis: for everyday practice or for experts only? Gastrointest Endosc 2010;71:940-4.
40. Freeman ML, Overby C, Qi D. Pancreatic stent insertion: consequences of failure and results of a modified technique to maximize success. Gastrointest Endosc 2004;59:8-14.
41. Rudin D, Kiss A, Wetz RV, Sottile VM. Somatostatin and gabexate for post-endoscopic retrograde cholangiopancreatography pancreatitis prevention: meta-analysis of randomized placebo-controlled trials. J Gastroenterol Hepatol 2007;22:977-83.
42. Omata F, Deshpande G, Tokuda Y, et al. Meta-analysis: somatostatin or its long-acting analogue, octreotide, for prophylaxis against post-ERCP pancreatitis. J Gastroenterol 2010;45:885-95.
43. Hu J, Li PL, Zhang T, et al. Role of Somatostatin in Preventing Post-endoscopic Retrograde Cholangiopancreatography (ERCP) Pancreatitis: An Update Meta-analysis. Front Pharmacol 2016;7:489.
44. Qin X, Lei WS, Xing ZX, Shi F. Prophylactic effect of somatostatin in preventing Post-ERCP pancreatitis: an updated meta-analysis. Saudi J Gastroenterol 2015;21:372-8.
45. Li ZS, Pan X, Zhang WJ, et al. Effect of octreotide administration in the prophylaxis of post-ERCP pancreatitis and hyperamylasemia: A multicenter, placebo-controlled, randomized clinical trial. Am J Gastroenterol 2007;102:46-51.
46. Zhang Y, Chen QB, Gao ZY, Xie WF. Meta-analysis: octreotide prevents post-ERCP pancreatitis, but only at sufficient doses. Aliment Pharmacol Ther 2009;29:1155-64.
47. Makela A, Kuusi T, Schroder T. Inhibition of serum phospholipase-A2 in acute pancreatitis by pharmacological agents in vitro. Scand J Clin Lab Invest 1997;57:401-7.
48. Elmunzer BJ, Waljee AK, Elta GH, Taylor JR, Fehmi SM, Higgins PD. A meta-analysis of rectal NSAIDs in the prevention of post-ERCP pancreatitis. Gut 2008;57:1262-7.
49. Elmunzer BJ, Scheiman JM, Lehman GA, et al. A randomized trial of rectal indomethacin to prevent post-ERCP pancreatitis. N Engl J Med 2012;366:1414-22.
50. Tammaro S, Caruso R, Pallone F, Monteleone G. Post-endoscopic retrograde cholangio-pancreatography pancreatitis: is time for a new preventive approach? World J Gastroenterol 2012;18:4635-8.
51. Wan J, Ren Y, Zhu Z, Xia L, Lu N. How to select patients and timing for rectal indomethacin to prevent post-ERCP pancreatitis: a systematic review and meta-analysis. BMC Gastroenterol 2017;17:43.
52. Rustagi T, Njei B. Factors Affecting the Efficacy of Nonsteroidal Anti-inflammatory Drugs in Preventing Post-Endoscopic Retrograde Cholangiopancreatography Pancreatitis: A Systematic Review and Meta-analysis. Pancreas 2015;44:859-67.
53. Luo H, Zhao L, Leung J, et al. Routine pre-procedural rectal indometacin versus selective post-procedural rectal indometacin to prevent pancreatitis in patients undergoing endoscopic retrograde cholangiopancreatography: a multicentre, single-blinded, randomized controlled trial. Lancet 2016;387:2293-301.
54. Dumonceau JM, Andriulli A, Elmunzer BJ, et al. Prophylaxis of post-ERCP pancreatitis: European

Society of Gastrointestinal Endoscopy (ESGE) Guideline - updated June 2014. Endoscopy 2014; 46:799-815.
55. Yokoe M, Takada T, Mayumi T, et al. Japanese guidelines for the management of acute pancreatitis: Japanese Guidelines 2015. J Hepatobiliary Pancreat Sci 2015;22:405-32.
56. Levenick JM, Gordon SR, Fadden LL, et al. Rectal Indomethacin Does Not Prevent Post-ERCP Pancreatitis in Consecutive Patients. Gastroenterology 2016;150:911-7; quiz e19.
57. Rainio M, Lindstrom O, Udd M, Louhimo J, Kylanpaa L. Diclofenac Does Not Reduce the Risk of Post-endoscopic Retrograde Cholangiopancreatography Pancreatitis in Low-Risk Units. J Gastrointest Surg 2017; doi:10.1007/s11605-017-3412-3.
58. Park SW, Chung MJ, Oh TG, et al. Intramuscular diclofenac for the prevention of post-ERCP pancreatitis: a randomized trial. Endoscopy 2015; 47:33-9.
59. Sotoudehmanesh R, Eloubeidi MA, Asgari AA, Farsinejad M, Khatibian M. A randomized trial of rectal indomethacin and sublingual nitrates to prevent post-ERCP pancreatitis. Am J Gastroenterol 2014;109:903-9.
60. Bragg LE, Thompson JS, Burnett DA, Hodgson PE, Rikkers LF. Increased incidence of pancreas-related complications in patients with postoperative pancreatitis. Am J Surg 1985;150:694-7.
61. Camargo CA, Jr., Greig PD, Levy GA, Clavien PA. Acute pancreatitis following liver transplantation. J Am Coll Surg 1995;181:249-56.
62. Mehta SN, Pavone E, Barkun JS, Bouchard S, Barkun AN. Predictors of post-ERCP complications in patients with suspected choledocholithiasis. Endoscopy 1998;30:457-63.
63. Lefor AT, Vuocolo P, Parker FB, Jr., Sillin LF. Pancreatic complications following cardiopulmonary bypass. Factors influencing mortality. Arch Surg 1992;127:1225-30.
64. Chung JW, Ryu SH, Jo JH, et al. Clinical implications and risk factors of acute pancreatitis after cardiac valve surgery. Yonsei Med J 2013;54:154-9.
65. Danalioglu A, Mitchell OJ, Singh VK, et al. Acute pancreatitis following adult liver transplantation: A systematic review. Turk J Gastroenterol 2015;26: 450-5.

14-2 대사성 원인에 의한 급성췌장염(Acute pancreatitis caused by metabolic cause)

박진석, 이돈행

서론

췌장염은 다양한 원인에 의하여 발생하는 염증 질환으로 최근 20년에 걸쳐 10배 이상 발생률이 증가하고 있다[1]. 췌장염의 가장 흔한 원인은 담석과 알코올로 알려져 있으며 각각 38%와 36%로 췌장염의 원인이 되고 있다[2]. 이에 반하여 대사장애에 의한 췌장염의 발생은 비교적 드물게 발생하지만 각 대사장애에 대한 적절한 치료가 췌장염 재발 방지에 필요하므로 대사장애의 원인을 밝혀내는 것이 중요하다. 췌장염과 관련된 대사장애의 종류로는 고중성지질혈증, 고칼슘혈증, 포르피린증, 당뇨, 윌슨병 등이 있으며본 장에서는 이와 관련된 병태생리학적 특징에 대하여 알아보도록 하겠다.

1. 고중성지질혈증

최근 비만 인구의 증가로 대사성 질환의 유병률이 증가함에 따라 고중성지질혈증의 유병률도 함께 증가하고 있으며 급성췌장염의 3번째로 흔한 원인으로 알려져 있다.보고된 바에 따르면 췌장염 발생 환자의 원인 중 약 2~7%가 고중성지질혈증과 관련이 있다[3].그러나 고중성지질혈증을 보이는 췌장염 환자에게서 과도한 알코올 섭취, 조절되지 않는 당뇨, 유전적 이상, 약물의 부작용 등의 췌장염의 원인이 될 수 있는 다른 선행인자가 존재하는 경우가 많아 고중성지질혈증과 췌장염의 발생에 대한 명백한 정의를 위하여는 보다 많은 연구가 필요한 상태이다. 일반적으로 혈중 중성지방(triglyceride)이 1,000 mg/dl 이상 증가할 경우 췌장염의 발병의 원인이 되는 것으로 알려져 있지만, 췌장염 발생환자의 20% 정도에서 500~1,000 mg/dL의 공복 중성지질혈증이 발견되어 500 mg/dL 이상의 중성지질혈증이 췌장염 발생에 관여한다고 보고되고 있다[4]. 중성지방과 췌장염의 발생에 대한 선행 연구에 따르면 공복 혈중 중성지방이 500 mg/dl 이상 상승한 경우 급성췌장염의 발생 위험도가 상승한다. Christian 등[5]이 시행한 41,210명의 고중성지질혈증을 가지고 있는 환자들의 코호트 연구에서는 중성지방이 500 mg/dl 이상의 환자들에게서 급성췌장염의 발생이 500 mg/dl 미만의 환자들에 비하여 1.79배 더 발생하는 것이 확인되었다. 또한 최근 중성지질혈증과 급성췌장염에 관련된 한 메타분석에서도 혈중 중성지질 농도가 500 mg/dl 이상인 환자들에게서 149 mg/dl 미만인 환자들에 비하여 2.48배 더 췌장염의 발생 위험도가 높은 것으로 보고되었다[6]. 고중성지질혈증에서 췌장염의 발생은 혈액 내 유미지립(chylomicron)의 농도의 증가와 관련이 있는 것으로 알려져 있다. 유미지립은 중성지방이 풍부하게 포함된 리포단백질(lipoprotein)로서 모세혈관의 직경에 비하여 단백의 크기가 크므로 혈중 내 존재하게 되면 췌장의 모세혈관의 폐쇄를 유발할 수 있다. 모세혈관의 폐쇄로 인하여 췌장의 허혈이 발생되고, 결과적으로는 췌장내 샘꽈리세포(acinar cell) 구조의 변화를 초래하여 리파아제의 분비를 유도하게 된다. 리파아제에 의한 지방의 분해는 세포 독성을 띄는 혈중 유리 지방산의 농도를 높이고 혈관의 내피세포를 손상시켜 췌장의 허혈성 손상을 더욱 악화시킨다[7]. 세포의 손상이 발생하게 되면 트립시노겐이트립신으로 활성화되고 새포내 트립신으로 인하여 염증반응이 진행하게 된다. 염증 반응은 호중구의 활성도를 향상시키고 초과산화물과 단백질 분해효소(cathepsins B, D와 G, collagenase, elastase)의 분비를 촉진하게 되며 결과적으로 대식세포에서 사이토카인(TNF-a, tumer necrosis factor-alpha, IL-1, IL-6, IL-8, platelet activating factor)의 분비를 촉진하여 염증 반응을 더욱 악화시킨다. 이와 같은 염증반응은 췌장의 혈관 투과성을 증가시켜 췌장의 출혈, 부종, 괴사를 유발하게 된다[8]. 염증이 진행하여 염증반응을 유발하는 사이토카인이 혈중내 분비되면 혈관을 따라 전신을 순환하면서 장내 세균에 의한 균혈증을 유발할 수 있고 호흡부전, 흉수, 위장관 출혈, 신부전 등의 전신 증상을 유발할 수 있다[1,9].

최근 연구결과에 따르면 고중성지질혈증은 췌장염의 발생뿐만 아니라 췌장염의 예후 및 재발에도 영향을 미치는 것으로 보고되었다. Chen 등[10]은 329명의 급성췌장염 환자를 대상으로 혈중 공복 중성지방이 500 mg/dL 이상인 환자와 미만인 환자로 구분하여 췌장염의 예후 및 재발률을 조사하였다. 결과에서는 고중성지질혈증을 보이는 환자에게서 사망률(7.5% vs. 0.69%, P = 0.014)과 재발률 (32.43% vs. 19.51%, P = 0.07)이 높은 것으로 확인되었다.

고중성지질혈증에 의한 췌장염의 급성기 치료는 일반적인 췌장염 치료와 같다. 수액치료로 혈류역학의 안정을 유지하고 금식을 유지하게 된다. 에너지 공급의 제한은 혈중내 고중성지질혈증의 빠른 감소를 유발하여 췌장염 치료에 효과가 있다. 비약물적 치료로는 몸무게 감소, 식이 조절, 운동이 권고되고 있다. 식이 조절은 몸무게의 감소를 유발하고 지방과 탄수화물 섭취량의 조절을 목적으로 한다. 지방의 섭취는 하루 총 섭취열량의 10~15%(15~20 g/day)로 제한한다. 약물치료는 식이 조절과 함께 반드시 같이 시행하여야 하는 치료 방법이다.

Fibric acid derivates (gemfibrozil, beza-fibrate, fenofibrate)는 고중성지질혈증의 치료를 위하여 권고되는 약제이다. Fibrate 약제들은 중성지방의 혈중농도를 50%까지 감소시킬 수 있으며 고밀도지질단백질(high-density lipoprotein cholesterol)의 농도를 증가시키며 약 20%의 저밀도지질단백질(low-density lipoprotein)을 감소시킬 수 있다[11]. 새로운 statin (3-hydroxy-3-methylglutaryl-coenzyme A reductase inhibitors) 계열의 약제도 중성지질혈증을 개선하는데 효과가 있으며 중성지질혈증의 약 20~40%의 감소를 유도할 수 있다[12]. 그 외 niacin (nicotinic acid)를 하루 2~4 g씩 복용할 경우 중성지방의 혈중 농도의 개선에 효과가 있으며 fibrate와 마찬가지로 고밀도지질단백질의 농도 향상과 저밀도지질단백질의 혈중 농도 감소의 효과를 얻을 수 있다. 그러나 niacin은 자주 두통, 피부 홍반, 가려움증을 유발할 수 있어 저용량으로 시작하여 증량하는 것을 권고하며, 증상이 발생하였을 경우 acetylsalicylic acid와 laropiprant, prostaglandin receptor antagonist를 병용하여 사용할 것을 권고한다[13]. Omega 3 fatty acid는 초저밀도리포단백질(very low density lipoprotein)과 중성지방의 간내 생성 부전에 의한 고중성지질혈증의 환자를 대상으로 사용하게 되며 하루 4 g의 섭취를 권하고 있다[14]. 고중성지질혈증으로 발생한 췌장염 환자 중 급성으로 중성지질혈증을 호전시켜야 하는 상태, 특히 약물치료가 힘든 임산부들에게는 혈장분리교환법을 이용한 체외 중성지질 제거를 치료에 이용하기도 한다[15].

2. 고칼슘혈증

고칼슘혈증은 췌장염을 유발할 수 있는 하나의 원인으로 부갑상선 항진증, 골전이를 동반한 암성 질환, 다발성 골수증, 비타민 D 중독증, 유육종증, 가족성 저칼슘뇨고칼슘혈증, 고농도의 칼슘의 혈관 주입등에 의하여 발생할 수 있다. 부갑상선항진증은 가장 흔한 원인으로 환자가 근골격계 이상, 비뇨기과적 이상, 신경학적 증상이 같이 동반된 급성췌장염의 경우 부갑상선항진증에 대하여 검사가 필요하다. 부갑상선항진증 환자에서 급성췌장염의 발생 빈도는 약 1.5%~13%로 보고되고 있다[16]. 부갑상선항진증은 만성췌장염의 발생에도 영향을 미치는 것으로 알려져 있다. 고칼슘혈증과 췌장염의 발생에 관한 동물 연구에 따르면 혈중 이온화 칼슘의 농도가 정상의 두 배 이상 상승 시에 췌장염을 일으킬 수 있는 것으로 보고되었다. 고칼슘혈증이 췌장염을 일으키는 병태생리학적 과정은 아직 연구 중에 있으나 현재까지 크게 3가지의 가설로 설명된다.

첫 번째는 고칼슘혈증이 췌장의 샘꽈리세포(acinar cell)에서의 소화 효소(digestive zymogen)의 분비를 억제 및 축적시켜 췌장 세포의 자가 소화를 유발하고, 이것이 췌장염을 발생시킨다는 것이다[17]. 또한 고칼슘혈증에 의한 췌장 세포의 직접적인 손상이 트리시노겐을 트립신으로 활성화하는 데 기여하여 췌장염을 유발할 수 있다. 특히 환자가 알코올의 남용, 허혈, 고지혈증, 감염 등의 다른 인자가 같이 췌장에 영향을 미칠 때 췌장염이 더욱 잘 발생하게 된다.

두 번째는 고칼슘혈증이 췌장의 분비기능에 영향을 미쳐 췌장내 결석을 유발하고 단백질 플러그를 생성시켜 췌관의 폐쇄를 유발함으로써 급성췌장염뿐만 아니라 만성췌장염의 발생에 관여한다[18].

마지막으로 고칼슘혈증을 유발하는 유전자적 문제, 특히 부갑상선 항진증을 앓고 있는 환자들의 유전자적 이상으로 인하여 급성췌장염이 일반 환자들에 비하여 더욱 높은 빈도로 발생한다는 것이다[19]. 그러나 이와 같은 가설들은 향후 지속적인 연구를 통하여 보다 객관적인 증명이 필요하다.

고칼슘혈증에 의한 췌장염의 치료는 고칼슘혈증을 유발하는 원인을 교정하여야 한다. 특히 가장 많은 빈도를 차지하는 부갑상선항진증의 경우 부갑상선항진증에 대한 수술적 절제가 췌장염의 치료 및 재발 방지를 위하여 필요하다.

3. 당뇨 및 기타 대사 질환

조절되지 않는 당뇨의 급성 합병증으로 췌장염이 발생할 수 있다. 특히 당뇨성케톤산증과 비케톤성 고혈당성 고삼투압성 혼수의 경우 산증, 탈수, 고중성지질혈증을 유발함으로써 췌장의 손상을 일으킬 수 있다. 당뇨의 췌장 손상에 다른 가설은 인슐린 부족에 의한 췌장 조직의 손상이다. 인슐린의 부족은 췌장의 외분비기능을 담당하는 세포를 자극하는 영양 인자(trophic factor)로 작용하며 결과적으로는 췌장 외분비기능 부족을 유발할 수 있다. 이와 같은 가설은 췌장의 beta cell 기능이 없는 환자가 인슐린 분비기능을 유지하는 환자에 비하여 병리학적으로 췌장에 더욱 심한 염증 변화를 보이는 것으로 뒷받침된다. 또 다른 가설은 당뇨환자에게서 지속적으로 증가되어 있는 글루카곤과소마토스타틴에 의한 췌장의 외분비 기능손상 가설이다. 마지막으로 자가면역성 당뇨의 경우 자가면역성 손상이 췌장 조직 손상을 유발한다는 가설이 있다[20,21]. 그러나 이와 같은 가설들은 추후 보다 명확한 증거와 연구를 통해 입증될 필요가 있다.

포르피린증은 급성췌장염, 만성췌장염, 췌장암의 발생에 관여할 수 있으며 자율신경의 이상을 유발하여 오디괄약근의연축을 유발하면서 췌장염을 일으킨다[22]. 금식은 포르피린증에 의한 췌장염의 악화를 유발할 수 있는 인자로 알려져 있다. 윌슨병은 세포내에 다량의 구리 및 대사산물이 축적되면서 리소좀의 변질을 유발하고 결과적으로 췌장내의 단백용해성 효소를 활성화 하여 췌장염을 유발하게 된다[23]. 이외 글리코겐축적질환 중 1형(Von Gierke`s disease)은 글리코겐의 세포내 축적이 과도하게 발생하여 췌관이 폐쇄되고, 이는 고중성지질혈증을 유발하여 췌장염의 발생에 관여하는 것으로 알려져 있다[24].

결론

대사 질환은 췌장염의 발생을 유발할 수 있는 선행 질환이며 선행 질환에 대한 적극적인 치료를 시행하지 않을 경우 췌장염의 재발과 이로 인한 합병증이 발생할 수 있는 질환이다. 췌장염을 치료하는 의사들은 비록 발생 빈도가 낮다고 하더라도, 대사 질환에 대하여 경각심을 갖고 췌장염의 원인을 밝히고 적절한 치료를 시행하는 것이 효과적인 급성췌장염의 치료와 췌장염에 의한 합병증을 예방하는 데 매우 중요하다.

References

1. Kota SK, Krishna SV, Lakhtakia S, et al. Metabolic pancreatitis: Etiopathogenesis and management. Indian J Endocrinol Metab 2013 Sep;17(5):799-805.
2. Wang G, Gao C, Wei D, et al. Acute pancreatitis: etiology and common pathogenesis. World J Gastroenterol 2009;15(12):1427-30.
3. Yoon YK, Ji JH, Mun BS. Hypertriglyceridemia-induced pancreatitis. Korean J Gastroenterol 2008; 51(5):309-13.
4. Pedersen SB, Langsted A, Nordestgaard BG. Nonfasting mild-to-moderate hypertriglyceridemia and risk of acute pancreatitis. JAMA Intern Med 2016;176(12):1834-42.
5. Christian JB, Arondekar B, Buysman EK, et al. Clinical and economic benefits observed when follow-up triglyceride levels are less than 500 mg/dL in patients with severe hypertriglyceridemia. J Clin Lipidol 2012;6(5):450-61.
6. Murphy MJ, Sheng X, MacDonald TM, et al. Hypertriglyceridemia and acute pancreatitis. JAMA Intern Med 2013;173(2):162-4.
7. Kimura W, Mössner J. Role of hypertriglyceridemia in the pathogenesis of experimental acute pancreatitis in rats. Int Pancreatol 1996;20(3):177-84.
8. Weber CK, Adler G. From acinar cell damage to systemic inflammatory response: current concepts in pancreatitis. Pancreatology 2001;1(4):356-62.
9. Kota SK, Kota SK, Jammula S, et al. Hypertriglyceridemia-induced recurrent acute pancreatitis: A case-based review. Indian J Endocrinol Metab 2012; 16(1):141-3.
10. Chen WJ, Sun XF, Zhang RX, et al. Hypertriglyceridemic acute pancreatitis in an Emergency Department: Typical clinical features and genetic variants. J Dig Dis 2017;18(6):359-68.
11. Otvos JD, Collins D, Freedman DS, et al. Low-density lipoprotein and high-density lipoprotein particle subclasses predict coronary events and are favorably changed by gemfibrozil therapy in the Veterans Affairs High-Density Lipoprotein Intervention Trial. Circulation 2006, 28;113 (12):1556-63.
12. Expert Panel on Detection, Evaluation, and Treatment of High Blood Cholesterol in Adults. Executive Summary of The Third Report of The National Cholesterol Education Program (NCEP) Expert Panel on Detection, Evaluation, And Treatment of High Blood Cholesterol In Adults (Adult Treatment Panel III). JAMA 2001,16;285 (19):2486-97.
13. Sood A, Arora R. Mechanisms of flushing due to niacin and abolition of these effects. J Clin Hypertens 2009;11(11):685-9.

14. Nissen SE, Wolski K, Topol EJ. Effect of muraglitazar on death and major adverse cardiovascular events in patients with type 2 diabetes mellitus. JAMA 2005;294(20):2581-6.
15. Ho K, Yeo J. Plasmapheresis in the management of pancreatitis related to hypertriglyceridaemia. Anaesth Intensive Care 1999;27(1):117.
16. Koppelberg T, Bartsch D, Printz H, et al. Die Pankreatitis beim primären Hyperparathyreoidismus (pHPT) ist eine Komplikation des fortgeschrittenen pHPT. Dtsch Med Wochensc 1994;119(20):719-24.
17. Haverback BJ, Dyce B, Bundy H, et al. Trypsin, trypsinogen and trypsin inhibitor in human pancreatic juice: mechanism for pancreatitis associated with hyperparathyroidism. Am J Med 1960;29(3):424-33.
18. Cope O, Culver PJ, Mixter CG, Jr., et al. Pancreatitis, a diagnostic clue to hyperparath-yroidism. Ann Surg 1957;145(6):857-63.
19. Felderbauer P, Karakas E, Fendrich V, et al. Pancreatitis risk in primary hyperparathyroidism: relation to mutations in the SPINK1 trypsin inhibitor (N34S) and the cystic fibrosis gene. Am J Gastroenterol 2008;103(2):368-74.
20. Fulop M, Eder H. Severe hypertriglyceridemia in diabetic ketosis. Am J Med Sci 1990;300(6): 361-5.
21. Dyck WP, Rudick J, Hoexter B, et al. Influence of glucagon on pancreatic exocrine secretion. Gastroenterology 1969;56(3):531-7.
22. Shen F, Hsieh C, Huang C, et al. Acute intermittent porphyria presenting as acute pancreatitis and posterior reversible encephalopathy syndrome. Acta Neurol Taiwan 2008;17(3):177-83.
23. Weizman Z, Picard E, Barki Y, et al. Wilson's disease associated with pancreatitis. J Ped Gastroenterol Nut 1988;7(6):931-3.
24. Kikuchi M, Hasegawa K, Handa I, et al. Chronic pancreatitis in a child with glycogen storage disease type 1. Eur J Ped 1991;150(12):852-3.

14-3 약물 유발 급성췌장염(Drug-induced acute pancreatitis)

조재희

서론

급성췌장염은 다양한 원인으로 발생한다. 전체 급성췌장염 환자의 80% 이상에서 담석과 알코올이 원인이 되지만, 일부의 경우 약물로 인해 급성췌장염이 유발될 수 있다. 이러한 약물 유발 췌장염은 연구 대부분이 증례 보고 또는 소규모 후향적 분석이기 때문에 정확한 기전 및 유병률은 추정할 수 없으나, 전체 췌장염의 약 0.1~1% 정도가 약물과 연관되는 것으로 생각 된다[1-4]. 서구와 비교해 국내에서는 상대적으로 드문 질환으로 여겨져 왔으나, 최근에는 국내에서도 발생 빈도가 꾸준하게 증가하고 있는 추세이다. 따라서 임상의의 관점에서 원인 미상의 급성췌장염 환자는 반드시 투약 병력을 확인하고 약물 유발 췌장염을 감별진단하는 것이 필요하다. 정확한 진단을 위해서는 먼저 알코올, 담석, 자가면역성 췌장염, 외상, 고칼슘혈증, 고중성지방혈증, 그리고 췌장 종괴 등의 다른 원인을 먼저 배제하여야 하고, 약물 투여와 급성췌장염의 시간적 선후 관계를 증명하고, 약제 재투약 시 췌장염의 재발이 증명되는 경우 확진할 수 있다. 본 장에서는 국내의 증례 보고를 기반으로 다양한 약제와 연관된 약물 유발 급성췌장염에 대해 기술하고자 한다.

1. 약물 유발 급성췌장염 분류

현재까지 약 120종 이상의 약물과 연관된 급성췌장염이 보고되고 있으나, 대부분 보고들은 단발성의 증례, 실제 약제 외의 다른 원인을 배제하지 않은 경우 또는 재투약을 통한 재발이 확인되지 않은 경우가 많아 실제 보고된 모든 약제가 췌장염과 연관되어 있다고 단정하기 어렵다. 이러한 제한점을 극복하기 위해 췌장염 연관 약제에 대한 증거 기반의 위험도 분류가 시도되었고, 2007년 Badalov 등[5]은 120개 약제를 문헌별 증거 기준을 수립하여 4가지 약제군으로 나누고, 약물 유발 췌장염의 원인을 분류하였다(표 14-3-1). Class I은 약물 재투약 후 급성췌장염의 재발이 확인된 경우로, 이러한 약물 중 알코올, 고중성지방혈증, 담석 등의 다른 췌장염 원인이 완전히 배제되었다면 Class Ia, 그렇지 않으면 Class Ib로 세분화되어 나뉜다. Class II는 적어도 4편 이상의 증례 보고에서 투약과 급성췌장염 발생 시 기간의 잠복기(latency)가 75% 이상 동일하게 보고된 약제이다. Class III은 2편 이상의 증례가 보고되었지만 잠복기의 일관성이 없는 경우이고, Class IV는 한 편의 증례 보고가 있었던 기타 약제이다.

최근 내시경초음파(EUS), MRCP 등의 영상 의학 검사가 발전하고 이전에는 개념이 명확하지 않았던 자가면역성 췌장염 등의 정의가 구체화되었기 때문에, 2000년대 초반 이전의 약물 유발 급성췌장염 증례 보고들이 과연 정확한 진단이었는지 의문점이 있다. 약물 유발 급성췌장염의 진단에는 투약과 췌장염의 시간적 선후 관계 및 재현성의 측면이 가장 중요하기 때문에, 실제 임상에서는 Class I과 Class II 약물을 중심으로 진단 및 치료가 시행된다(표 14-3-1).

2. 임상적 특징

약물 유발 급성췌장염의 발생기전은 불명확하지만 과민성 반응(hypersensitivity reactions), 약 자체 및 대사 물질의 세포 독성, 오디괄약근의 수축 유발 등의 기전으로 설명된다. 가장 흔한 기전은 과민성 반응(hypersensitivity reaction)으로 투약 4주에서 8주 사이에 발생하고 용량과 연관성이 없다. 이 경우 약제 재투여 시 수시간에서 수일 안에 급성췌장염이 재발한다. 두 번째 기전은 독성 대사물질의 축적에 의한 급성췌장염으로 투약 수개월 이후에 발생하는 경우에 해당한다. 약물 유발 급성췌장염은 특징적인 임상 및 검사 소견이 없이, 다른 췌장염과 동일하게 특징적인 복통, 아밀라아제/리파아제의 상승과 영상의학적 검사상 췌장의 부종 및 괴사 등의 췌장염 소견 등이 관찰된다. 일부 환자에서 발진, 호산구 증다증, 림프절 비대 등의 약제 과민성 반응 소견을 보일 수도 있지만, 독성 대사물질의 축적으로 수개월 후에 발생하는 경우를 비롯하여 대다수의 경우는 특징적인 임상 소견이 없다. 또한 대부분의 약물 유발 급성췌장염의 예후는 약제를 중단할 경우 쉽게 호전되어 다른 원인에 의한 췌장염에 비해 양호하다[3,6].

표 14-3-1. **약물 유발 급성췌장염의 약물 분류**[5]

Class Ia drugs*	Class Ib†	Class II‡
α-methyldopa	All-trans-retinoic acid	Acetaminophen
Azodisalicylate	Amiodarone	Chlorothiazide
Bezafibrate	Azathioprine	Clozapine
Cannabis	Clomiphene	Didanosine
Carbimazole	Dexamethasone	Erythromycin
Codeine	Ifosfamide	Estrogen
Cytosine	Lamivudine	L-asparaginase
Arabinoside	Losartan	Pegaspargase
Dapsone	Lynestrenol/	Propofol
Enalapril	methoxyethiny	Tamoxifen
Furosemide	lestradiol	
Isoniazid	6-mercaptopurine	
Mesalamine	Meglumine	
Metronidazole	Methimazole	
Pentamidine	Nelfinavir	
Pravastatin	Norethindronate/	
Procainamide	mestranol	
Pyritonol	Omeprazole	
Simvastatin	Premarin	
Stibogluconate	Trimethoprimsulfame	
Sulfamethoxazole	thazole	
Sulindac		
Tetracycline		
Valproic acid		

* Class Ia drugs: at least 1 case report with positive rechallenge, excluding all other causes, such as alcohol, hypertriglyceridemia, gallstones, and other drugs

† Class Ib drugs: at least 1 case report with positive rechallenge; however, other causes, such as alcohol, hypertriglyceridemia, gallstones, and other drugs were not ruled out

‡ Class II drugs: At least 4 cases in the literature and consistent latency(≥75 percent of cases).

3. 유발 약제

1) Azathioprine, 6-Mercaptopurine(6-MP): Class Ia

Thiopurine계 항대사성 물질인 azathioprine과 그의 대사 물질인 6-MP는 급성췌장염을 유발할 수 있다. 이러한 약제는 세포 독성 작용과 면역 억제 작용이 있기 때문에 장기 이식 또는 여러 자가면역 질환에서 광범위하게 사용되고 있다. 일반적으로 췌장염은 azathiprine 투약 후 2개월 내에 발생하고, 투약을 중단하면 빠른 증상의 호전을 보인다. 국내에서도 궤양성 대장염, 크론병 등의 염증성 장질환과 류마티스 관절염, 베첫트 병에서 약물 유발 급성췌장염이 보고되었다[7-9]. 특징적인 것은 용량과 관계없는 과민성 반응으로 인해 발생하게 되며, 국내 보고에서는 투약 3~4주 후 발생하고, 약제 중단 후 쉽게 호전되었다.

2) Mesalazine, sulfasalazine: Class Ia

Mesalazine, sulfasalazine은 궤양성 대장염, 크론병 등의 염증성 장질환에서 사용하는 약제로 경구 또는 좌약 제제로 사용된다. 궤양성 대장염 환자는 일반인보다 약 2배 이상 급성췌장염의 발생 빈도가 증가하고, 장기간 약제를 사용하는 경우가 많기 때문에 환자가 급성췌장염이 발생한다면 알코올, 담석 등의 일반적인 원인 외에도 항상 치료 약물에 의한 급성췌장염을 의심할 수 있어야 한다[10]. 국내에서도 mesalazine, sulfasalzine 제재로 인한 약물 유발 급성췌장염이 여러 차례 보고되었고, 특히 약물 재투여 시 급성췌장염이 재발하는 것이 증명되었다[8,11,12]. 대부분의 보고에서 24~48시간에 급성췌장염이 발생하였고 약제 중단 후 호전되었고, 좌약의 경우도 경구약과 마찬가지로 급성췌장염이 발생하였다.

3) Isoniazid: Class Ia

일차 항결핵약제로 사용되고 있는 isoniazid는 드물게 급성췌장염이 발생할 수 있다. Isoniazid 초기 투여 후 약물 유발 급성췌장염은 0.5일에서 21일까지 다양하게 발생된다. 국내에서도 두 편의 isoniazid 유발 급성췌장염 증례 보고가 있었고, 한 예는 투약 시작 후 13일째 발생한 경증 급성췌장염이었고, 다른 증례는 투약 5주 이후 발생한 가성낭종 출혈을 동반한 중증 급성췌장염이었다[13,14].

4) Methimazole: Class Ib

그레이브씨 병에서 사용되는 약제인 methimazole은 잘 알려진 위험한 부작용인 무과립구증(agranulocytosis) 외에도 약물 유발 급성췌장염이 발생할 수 있다, 국내 보고에서는 51세 그레이브씨병 여자 환자에서 2주의 methimazole 투약 치료 후 무과립구증 없이 급성췌장염이 발생하였고 재투여로 재발이 확인되었다[15].

5) Trimethoprim-sulfamethoxazole: Class Ib

Trimethoprim-sulfamethoxazole은 sulfa 항생제로 요로 감염 및 HIV 환자 등에서 많이 사용되고 있는 약제이다. 국내에서는 32세 남성 요도염 환자에서 3일간 투약 후 급성췌장염의 발생이 보고되었고, 이 환자는 전립선염 2주 투약 치료 후 급성췌장염의 기왕력이 있어서 약물 유발 급성췌장염의 재발을 확인할 수 있었다[16].

6) Sulindac: Class Ia

Sulindac은 흔하게 사용되는 비스테로이드성 항염증제(nonsteroidal anti-inflammatory drug, NSAID)로 prostaglandin 억제 효과가 적어 신독성은 적고 간독성이 높은 것으로 알려져 있다. 37세 여성 전신성 경화증(systemic sclerosis) 환자에서 투약 2주 후에 담즙 울혈성 간염과 급성췌장염이 같이 발생한 국내 증례 보고가 있었다[17].

7) L-asparaginase: Class II

L-asparaginase는 성인 급성 림프모구 백혈병 환자에 사용하는 항암제로 과민반응, 고혈당, 간부전 등의 여러 가지 부작용이 보고되고 있다. 급성췌장염은 치료 시작 2일 뒤부터 치료 중단 10주 뒤까지 나타날 수 있는 합병증으로, 국내에서는 20세 여자 pre-B 급성 림프모구 백혈병 환자에서 항암치료 11일째 괴사를 동반한 중증 급성췌장염이 발생하였다[18].

8) Ciprofloxacin

Ciprofloxacin은 흔하게 사용되는 quinolone계열 항생제로, Badalov의 분류에는 들어가지 않지만, 국내 단일 기관 연구에서 급성췌장염과 약제의 상관관계가 확인되었다. 급성 감염성 장염 227명 중 3.1%에서 급성 췌장염이 진단되었고, 발생 시 ciprofloxacin 투약 평균 5.5일, 회복 기간은 약 11.3일이었다.[19]

9) DPP-4 억제제와 GLP-1 유사체

Glucagon like peptide-1(GLP-1)은 소장에서 분비되는 인크레틴 호르몬으로 췌장의 인슐린, 글루카곤 분비를 조절한다. Sitagliptin, vildagliptin, saxagliptin 등의 Dipeptidylpeptidase-4(DPP-4) 억제제는 GLP-1을 분해하는 효소인 DPP-4 작용을 억제해 인크레틴을 활성화하는 작용을 하는 경구 약제로 위장관 부작용과 체중 변화가 거의 없다. Exenatide와 liraglutide는 GLP-1 수용체작용제(receptor agonist)와 GLP-1 유사체(analog)로 혈당 강하 효과가 우수하고 체중 감소 효과가 있는 주사제이다. DPP-4 억제제와 GLP-1 유사체 모두는 저혈당 부작용이 적어 2형 당뇨병의 혈당강하제로 최근 사용이 증가하고 있지만, 기존 연구에서 췌장염과 췌장암 위험도의 증가가 보고되었다.[20] 사실 이러한 췌장염, 췌장암 위험도 증가는 아직 논란의 여지가 있지만[21,22], 적어도 약물 유발 급성췌장염의 또 다른 원인 약제의 가능성이 있다. 당뇨병은 만성 질환으로 장기간 투약이 필수적이기 때문에 DPP-4 억제제와 GLP-1 유사체의 사용은 특히 유의하여야 한다[23,24].

10) 기타 약제

최근 임상에서 흔하게 진단하고 치료하는 고혈압, 고지혈증, 위십이지장 역류 등은 장기간 약물치료가 필요한 경우가 많기 때문에 투약에 주의를 요한다. 특히 약물 유발 급성췌장염의 원인 약제 Class Ia인 simvastatin/pravastatin, enalapril, valproic acid, furosemide 등과 Class Ib 인 omeprazole, losartan, lamivudine 등은 사용 전 위험성을 항상 숙지하여야 하고, 장기간 투약에 주의하여야 한다.

결론

약물 유발 급성췌장염은 매우 드물고 특징적인 소견이 없어 진단이 어렵지만, 임상 의사는 원인이 불명확한 급성췌장염의 진단과 치료에 있어 약물 유발 급성췌장염의 가능성을 항상 염두해 두어야 하고, 유발 가능 약제 사용에 주의를 기울여야 한다.

References

1. McArthur KE. Review article: drug-induced pancreatitis. Aliment Pharmacol Ther 1996;10:23-38.
2. Runzi M, Layer P. Drug-associated pancreatitis: facts and fiction. Pancreas 1996;13:100-9.
3. Spanier BW, Tuynman HA, van der Hulst RW, Dijkgraaf MG, Bruno MJ. Acute pancreatitis and concomitant use of pancreatitis-associated drugs. Am J Gastroenterol 2011;106:2183-8.
4. Wilmink T, Frick TW. Drug-induced pancreatitis. Drug Saf 1996;14:406-23.
5. Badalov N, Baradarian R, Iswara K, Li J, Steinberg W, Tenner S. Drug-induced acute pancreatitis: an evidence-based review. Clin Gastroenterol Hepatol 2007;5:648-61.
6. Lankisch PG, Droge M, Gottesleben F. Drug induced acute pancreatitis: incidence and severity. Gut 1995;37:565-7.
7. Kim SH, Lee SH, Koh YS, et al. A Case of Azathioprine Induced Recurrent Acute Pancreatitis in a Patient with Behcet's Disease. J Korean Rheum Assoc 2004;11:57-60.
8. Son CN, Lee HL, Joo YW, et al. A case of acute pancreatitis induced by multiple drugs in a patient with ulcerative colitis. Korean J Gastroenterol 2008; 52:192-5.
9. Yi GC, Yoon KH, Hwang JB. Acute Pancreatitis Induced by Azathioprine and 6-mercaptopurine Proven by Single and Low Dose Challenge Testing in a Child with Crohn Disease. Pediatr Gastroenterol Hepatol Nutr 2012;15:272-5.
10. Rasmussen HH, Fonager K, Sorensen HT, Pedersen L, Dahlerup JF, Steffensen FH. Risk of acute pancreatitis in patients with chronic inflammatory bowel disease. A Danish 16-year nationwide follow-up study. Scand J Gastroenterol 1999;34:199-201.
11. Chung MJ, Lee JH, Moon KR. Mesalizine-Induced Acute Pancreatitis and Interstitial Pneumonitis in a Patient with Ulcerative Colitis. Pediatr Gastroenterol Hepatol Nutr 2015;18:286-91.
12. Kim KH, Kim TN, Jang BI. A case of acute pancreatitis caused by 5-aminosalicylic acid suppositories in a patient with ulcerative colitis. Korean J Gastroenterol 2007;50:379-83.
13. Chung BH, Nam HS, Kwon JH, et al. A Case of Isoniazid Induced Acute Pancreatitis. Tuberc Respir Dis 2004;56:411-4.
14. Cha BH, Lee SH, Hwang JH, et al. Isoniazid-Induced Acute Pancreatitis with Pseudocyst. Korean J Med 2012;82:594-8.
15. Jung JH, Hahm JR, Jung J, et al. Acute pancreatitis induced by methimazole treatment in a 51-year-old Korean man: a case report. J Korean Med Sci 2014; 29:1170-3.
16. Park TY, Oh HC, Do JH. A case of recurrent pancreatitis induced by trimethoprim-sulfamethoxazole re-exposure. Gut Liver 2010; 4:250-2.
17. Chang HK, Kim YS, Jeong H, et al. Sulindac-induced Cholestatic Hepatitis and Acute Pancreatitis in a Patient having Systemic Sclerosis with Anti-RNP Antibody: report of a case. J Korean Rheum Assoc 2000;7:185-9.
18. Lee JA, Kim HJ, Kim JS, et al. Acute Necrotizing Pancreatitis during L-asparaginase Treatment in a Patient with Acute Lymphoblastic Leukemia. Korean J Pancreas Biliary Tract 2015;20:222-7.
19. Sung HY, Kim JI, Lee HJ, et al. Acute pancreatitis secondary to ciprofloxacin therapy in patients with infectious colitis. Gut Liver 2014;8:265-70.
20. Elashoff M, Matveyenko AV, Gier B, Elashoff R, Butler PC. Pancreatitis, pancreatic, and thyroid cancer with glucagon-like peptide-1-based therapies. Gastroenterology 2011;141:150-6.
21. Dore DD, Bloomgren GL, Wenten M, et al. A cohort study of acute pancreatitis in relation to

exenatide use. Diabetes Obes Metab 2011;13:559-66.
22. Dore DD, Seeger JD, Arnold Chan K. Use of a claims-based active drug safety surveillance system to assess the risk of acute pancreatitis with exenatide or sitagliptin compared to metformin or glyburide. Curr Med Res Opin 2009;25:1019-27.
23. Sue M, Yoshihara A, Kuboki K, Hiroi N, Yoshino G. A case of severe acute necrotizing pancreatitis after administration of sitagliptin. Clin Med Insights Case Rep 2013;6:23-7.
24. Cure P, Pileggi A, Alejandro R. Exenatide and rare adverse events. N Engl J Med 2008;358:1969-70.

14-4 선천성 기형 및 급성췌장염(Congenital anomalies and acute pancreatitis)

박진석, 이돈행

서론

췌장은 발생학적으로 내부 장기의 회전에 의해 복측과 배측의 췌장 원기가 합쳐져 양 췌관계가 만나서 주췌관이 만들어진다. 췌장 두부 및 구상돌기는 태생기의 복측 췌장에서 기원하며, 체부와 미부는 주로 배측 췌장에서 기원하다. 따라서 주췌관(Wirsung duct)는 복측 및 배측 췌관의 융합에 의해 이루어지고 총담관과 합류하여 주유두를 통해 십이지장에 연결되고, 부췌관(Santorini duct)은 부유두를 통해 연결된다. 11주경에는 오디괄약근은 십이지장 고유근층의 완성과 함께 총담관 주위의 중배엽 조직에서 완성된다. 발생과정에서 일어나는 선천성 기형은 비교적 드문 질환으로 영유아기에 수술적 치료를 요하는 중요한 원인이 되나 성인이 될 때까지 발견되지 않고 췌장염, 황달, 복통, 구역, 구토 등의 증상을 일으키는 경우도 있다. 본 장에서는 췌장염의 원인이 되는 선천성 기형에 대하여 기술하기로 한다.

1. 분리췌장(pancreas divisum)

분리췌장(pancreas divisum)는 췌장에 발생하는 췌관의 선천성 기형 중에서 가장 흔한 질환이다. 서양의 경우 내시경적 역행성 췌담관 조영술을 시행 받은 환자의 3~7%에서 발견되는 흔한 기형으로 알려져 있지만[1], 동양에서의 빈도는 더 낮을 것으로 생각되며, 우리나라에서 시행한 협동연구의 보고에 따르면 약 0.49%의 유병률을 보였다. 분리췌장은 원인 불명의 췌장염 환자에게서 확인된 유병률은 약 50%로 정상 사람에 비하여 더욱 잘 발견되기 때문에 췌장염의 한 원인으로 생각되고 있다[1,2]. 분리췌장은 태생기에 복측과 배측 췌관이 융합되지 않아 생기며, 대부분의 췌장 외분비액이 상대적으로 작은 santorini관과 부유두를 통해 배출된다.

1) 진단

진단을 위해서는 주유두와 부유두를 통한 췌관의 조영상을 얻어 진단하게 된다. 주유두를 통한 조영에서는 췌관 두부에서 췌관이 나뭇가지 형태로 끝나는 짧은 췌관이 관찰된다. 부유두를 통한 조영에서는 주췌관에 췌관 미부까지 조영되고, 복측 췌관과 연결이 없는 것이 관찰된다. 분리췌장은 모양에 따라 크게 3가지의 종류로 구별한다[1,3,4].

첫째, 완전 분리췌장은 주유두부로 배액되는 작은 복측 췌관과 부유두부로 배액되는 큰 배측 췌관을 가지고 있다, 어떤 경우에는 복측, 배측 췌관이 모두 부유두부로 배액되는 경우가 있다. 전체 분리췌장 환자의 70% 이상이 완전 분리췌장에 속한다.

둘째, 불완전 분리췌장은 복측과 배측 췌관 사이에 가늘과 좁은 연결이 있으나 부유두를 통한 췌액의 배출이 주가 된다. 분리췌장 환자 중 약 15%를 차지한다. 임상적으로 불완전 분리췌장은 완전 분리췌장과 같은 임상상을 갖는다. ERCP를 시행하는 경우 강한 압력으로 조영을 할 경우 늘어난 배측 췌관이 조영되기도 한다.

셋째, 역분리췌장(inverted pancreas divisum)은 배측 췌관이 복측 췌관에 비하여 작은 형태로 존재하며 배측과 복측 간의 연결성이 없다. 부췌관은 주췌관과 연결성이 없기 때문에 악성 췌관 폐쇄로 오해되기도 한다. 이와 같은 경우 췌액이 흘러나오는 압력이 낮기 때문에 담석이 주유두부를 폐쇄하는 경우가 더 잘 발생하여 다른 분리췌장에 비하여 심한 췌장염을 유발하기도 한다.

감별해야 할 질환으로는 췌장암과 췌장 미부의 무발육증 등을 들 수 있다. 췌관 조영을 위해 주로 내시경적 역행성 췌담관 조영술이 이용되지만 시행이 어려운 경우 내시경초음파나 MRI를 이용한 췌관 조영이 진단에 도움이 될 수 있다(그림 14-4-1).

2) 임상양상

분리췌장과 급성췌장염이나 만성췌장염, 복통과의 관련성이 있는 것으로 생각되고 있지만 95% 이상의 분리췌장 환자들은 무증상이므로 아직 복통을 유발하는 병태학적 원인은 명확히 증명되지 않았다. 5% 가량의 분리췌장 환자들은 담췌관에서 발생하는 복통과 비슷한 양상의 복통을 앓고 있거나 급성췌장염을 경험하게 된다. 또한 그 중 일부의 환자들은 심한 반복적인 복통, 중등도 이상의 급성췌장염, 만성췌장염, 만성췌장염과 관련된 췌장기능부전 및 복통 등을 반복적으로 앓게 된다.

3) 급성췌장염 발생과정

급성췌장염의 발생은 상대적으로 좁은 부유두로의 높은 압력의 배측 췌관내의 췌장액의 배출이 이루어지므로 적절한 배액이 되지 못하고 췌관이 늘어나고 통증을 유발하게 되며 일부 환자에게서 췌장염이 발생하는 것으로 추정된다[5,6]. 이런 환자들은 췌관내 압력이 높지 않더라도 췌장의 손상이 원인이 되는 알코올, 약물 등에 더욱 취약할 것으로 생각된다.

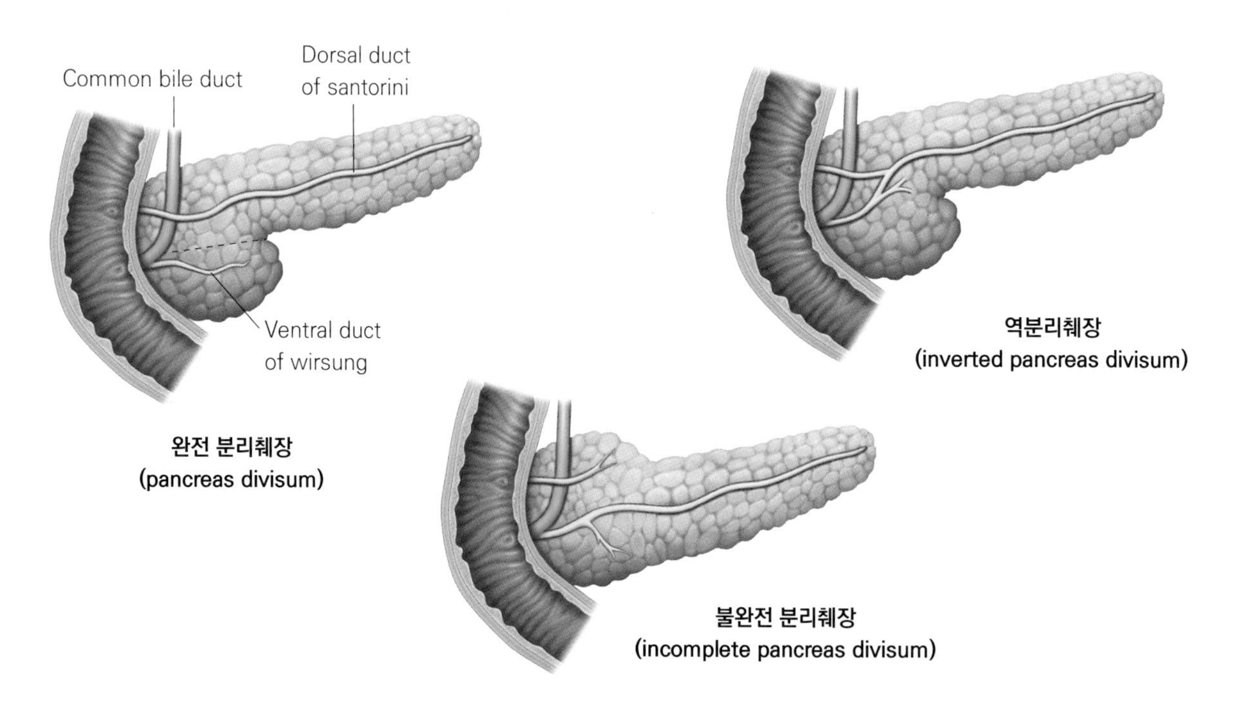

그림 14-4-1. **분리췌장의 모양에 따른 분류[13].**

4) 치료

급만성췌장염과 만성 복통의 관련성이 명확하지 않아서 한차례의 급성췌장염이 발생하고 호전된 경우 내시경적 치료 없이 경과를 관찰하는 것이 좋다. 급성췌장염이 반복되면서 배측 췌장에서 병변이 국한된 경우나 췌석이 동반되어 배출로의 폐쇄가 유발된 경우는 내시경을 이용한 부유두의 절개술, 스텐트 삽입술, 췌석의 제거와 수술적인 배액술을 신중하게 고려할 수 있다. 그러나 치료의 장기성적은 만족스럽지 못하다[7].

2. 이소성 췌장(ectopic pancreas)

이소성 췌장은 췌장 조직이 정상 위치에 존재하지 않고 혈관 구조를 갖지 않은 체 다른 장기의 위치에서 확인되는 조직을 의미한다. 부검에서 약 0.55%에서 13.7%까지의 빈도로 발견된다고 하며, 약 75%의 환자에서 췌장 조직이 위, 십이지장, 공장 등에 존재한다[8]. 발생기전은 태생기 때 내배엽에서 기원하는 췌장 조직의 이동에 의하여 발생한다고 생각된다. 대부분 단단한 종괴의 모양으로 관찰되는데 조직학적으로 acini, islet, ductule 구조가 혼재되어 나타나는 양상으로 확인된다. 위장관에서 발견될 경우 73%가 점막하층에서 존재하게 되며 17%가 고유근층, 10%가 장막하층에서 발견된다[9]. 복통, 상부 소화관 출혈, 췌장염, 담도폐쇄, 악성 변화 등의 다양한 임상증상을 일으킬 수 있으나 대부분의 경우 증상이 없어 특별한 치료를 요하지 않는다. 췌장염은 주로 소아기 때 임상 증상을 발현하며 발생률이 매우 낮다(그림 14-4-2).

3. 담췌관 합류이상 (anomalous union of pancreaticobiliary duct)

담췌관 합류이상은 담도와 췌장에 생기는 발생학적 이상이다. 태생 7주 말에 총담관이 복측 췌관과 십이지장벽 외에서 합류하여 십이지장 유두부의 오디괄약근의 기능이 미치지 않는, 비정상적으로 긴 공통관(common channel)을 형성하는 선천성 기형을 말한다.

1) 발생기전

담관과 췌관의 합류 형태나 주행이 태생기에 복측 췌장이 회전하여 배측 췌장과 융합할 때에 양쪽 췌장의 비정상적인 위치함으로써 상대적으로 긴 공통관을 갖

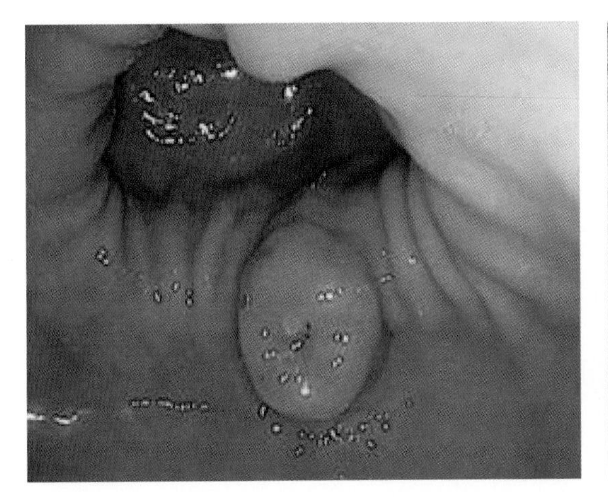

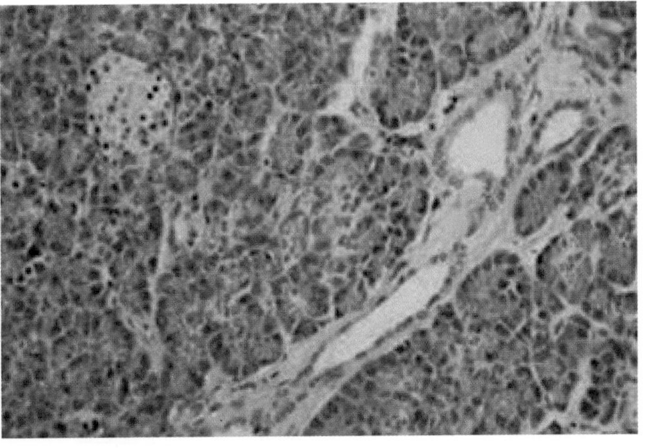

그림 14-4-2. **위에 생긴 이소성 췌장의 내시경적 소견과 병리학적 검사 결과.**

게 된다는 dislocation theory가 주목 받고 있으나, 발생 원인에 대한 완전한 설득력을 가진 가설은 없는 상태이다.

2) 형태에 따른 분류

형태학적으로 Kimura 등[10]은 합류 형태에 따라 췌관이 담관으로 합류하는 I형(PC)과 담관이 췌관으로 들어가는 II형(CP)으로 분류하였다(그림 14-4-3). Komi 등[11]은 1977년에 췌관과 담관의 합류 형태를 3가지 형으로 분류하였다. 이것은 X-선 소견에서 췌관과 담관이 합류하는 각도를 기준으로 하여 총담관이 주췌관에 합류하는 것을 a형, 주췌관이 총담관에 합류하는 것처럼 보이는 것을 b형, 부췌관과 연결되어 있으면서 복잡하게 합류하는 형을 c형으로 하였다. 그러나 이 분류의 X-선 촬영 방향에 따라 합류 각도가 변하여 판독자의 주관적인 요소에 의해 판정이 바뀔 수 있다는 문제점이 있었으며 1992년 Komi 등[12]은 공통관 확장의 유무, 부췌관과의 연결 및 부췌관의 확장이나 협착의 여부를 반영하여 9개의 형으로 나누었다. I-A형은 담관과 췌관이 거의 직각을 이루면서 가는 공통관으로 연결된 형이며, I-B형은 공통관의 확장이 동반되어 있다. II-A형은 담관과 췌관이 예각으로 합류하며, IIB형은 공통관의 확장이 있는 형이다. III-A형은 분리췌장 형태이며, III-B형은 분리췌장 형태에서 주췌관이 없는 형태이다. III-C형은 주췌관과 부췌관의 연결 형태와 합류부의 확장 유무에 의해 분류되었다. 위와 같은 분류에서 공통관이 확장된 형태에서는 반복되는 췌장염의 증상이 자주 관찰되며, 확장부위에 단백전(protein plug)이나 췌석 등이 동반되어 급성췌장염을 유발하거나 수술 후에도 췌석이 다시 생성되어 췌장염이 반복되는 경우가 자주 발생하게 된다.

3) 진단

내시경적 역행성 췌담관 조영술, 수술 중 담도 조영 등으로 췌관과 담도가 긴 공통관으로 합류하든지 기형적인 이상한 형태로 합류하는 것을 확인하면 된다[13]. 자기공명 담췌관조영술은 비침습적이지만 예민도가 46~60%로 낮다는 문제가 있다. 처음에는 공통관의 길

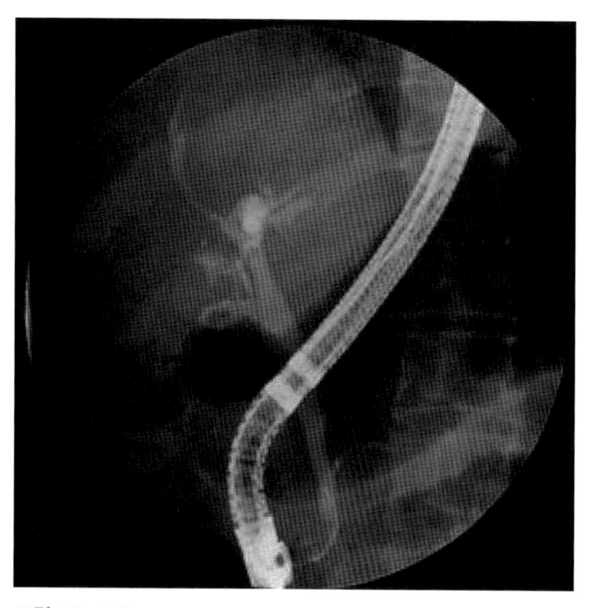

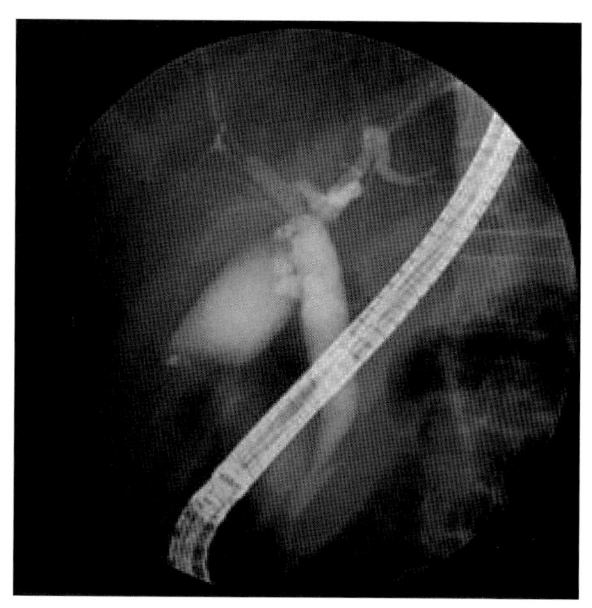

그림 14-4-3. Kimura 분류에 따른 I형(PC type)과 II형(CP type)의 담도 조영 사진.

이가 15 mm 이상인 경우를 진단기준으로 하였는데, 공통관의 길이가 평균 4.4 mm이고 길어도 8 mm를 넘지 않으므로 이 기준을 적용하면 합류부가 십이지장벽 외에 존재할 것으로 생각했다. 그러나 1994년 일본에서 영상진단검사나 해부학적으로 담관과 췌관의 합류가 십이지장벽 밖에 위치하는 경우로 정의하여 해부학적, 기능적 개념을 포함한 포괄적인 진단기준으로 제안하였다.

4) 치료

담췌관 합류이상은 치료는 담관 낭종의 존재 유무에 따라 치료 방법이 달라지는데 이는 담도암 발생 가능성이 높은 선천성 이상 질환이기 때문이다. 담관 낭종이 존재하는 경우 담도암 발생의 예방을 위해 낭종절제술과 Roux-en-Y, 간-공장 문합술을 시행한다. 담도의 확장이 없는 합류이상의 경우에는 담췌관 조영술 검사시에 우연히 발견되는 경우도 적지 않은데 담낭암의 발생 빈도가 높은 점을 고려하여 예방적인 담낭절제술이 권유된다[14,15]. 췌장염의 예방에 대한 치료 방침은 명확히 정의된 바 없지만 확장된 공통관을 가진 담췌관 합류이상의 경우 유두성형술(sphincteroplasty)이나 췌두부-십이지장 절제술을 고려할 수 있다.

결론

선천성 기형에 의한 췌장염은 비교적 드물게 발생한다. 그러나 원인 불명의 반복적인 췌장염을 앓고 있는 환자에게서 선천성 기형은 반드시 확인해야 하는 췌장염 유발 인자 중에 하나이며 원인으로 확인될 경우 질환에 맞춰 적절한 치료를 시행하여야 췌장의 손상을 최소화하고 반복적인 복통을 치료할 수 있다. 그러므로 췌장염의 치료를 담당하는 임상의는 췌장염과 관련이 있는 선천성 기형을 잘 이해하고 원인 불명의 췌장염 환자에의 치료에 적용할 수 있어야 한다.

References

1. Bernard J, Sahel J, Giovannini M, et al. Pancreas divisum is a probable cause of acute pancreatitis: a report of 137 cases. Pancreas 1990;5(3):248-54.
2. Dhar A, Goenka MK, Kochhar R, et al. Pancrease divisum: five years' experience in a teaching hospital. Indian J, Gastroenterol 1996;15(1):7-9.
3. Ng J, Wong M, Huang J, et al. Incomplete pancreas divisum associated with abnormal junction of pancreaticobiliary duct system. Gastrointest Endosc 1992;38(1):105-6.
4. Benage D, McHenry R, Hawes RH, et al. Minor papilla cannulation and dorsal ductography in pancreas divisum. Gastrointest Endosc1990;36(6):553-7.
5. Gregg JA. Pancreas divisum: its association with pancreatitis. Am J Surg 1977;134(5):539-43.
6. Krueger KJ, Wootton FT, 3rd, Cunningham JT, et al. Unexpected anomalies of the common bile and pancreatic ducts. Am J Gastroenterol 1992;87(10): 1492-5.
7. Heyries L, Barthet M, Delvasto C, et al. Long-term results of endoscopic management of pancreas divisum with recurrent acute pancreatitis. Gastrointest Endosc 2002;55(3):376-81.
8. Matsushita M, Hajiro K, Okazaki K, et al. Gastric

aberrant pancreas: EUS analysis in comparison with the histology. Gastrointest Endosc1999;49(4):493-7.
9. Kim JY, Lee JM, Kim KW, et al. Ectopic Pancreas: CT Findings with Emphasis on Differentiation from Small Gastrointestinal Stromal Tumor and Leiomyoma. Radiology 2009;252(1):92-100.
10. Kimura K, Ohto M, Ono T, et al. Congenital cystic dilatation of the common bile duct: relationship to anomalous pancreaticobiliary ductal union. AJR Am J Roentgenol 1997;128:571-7.
11. Komi N, Udaka H, Ikeda N, et al. Congenital dilatation of the biliary tract; new class: fication and study with particular reference to anomalous arrangement of the pancreaticobiliary ducts. Gastroenterol Jpn 1997;12:293-304.
12. Komi N, Takehara H, Kunitomo K, et al. Does the type of anomalous arrangement of pancreaticobiliary ducts influenece the surgery and prognose of choledochal cyst? J Pediatr Surg 1992; 27:728-31.
13. Kamisawa T, Ando H, Hamada Y, et al. Diagnostic criteria for pancreaticobiliary maljunction 2013. J Hepato-Biliary-Pancreatic Sci 2014;21(3): 159-61.
14. Ohuchida J, Chijiiwa K, Hiyoshi M, et al. Long-term results of treatment for pancreaticobiliary maljunction without bile duct dilatation. Arch Surg 2006;141(11):1066-70.
15. Kamisawa T, Takuma K, Anjiki H, et al. Pancreaticobiliary maljunction. Clin Gastroenterol Hepatol 2009;7(11):S84-8.

14-5 유전성 췌장염(Hereditary pancreatitis)

방승민

서론

유전성 췌장염은 급성췌장염, 재발성 급성췌장염 및 만성췌장염의 드문 원인으로, 실제로 다른 원인에 의한 급성 및 만성췌장염과 유사한 임상적 특징을 보인다. 이러한 이유로 유전성 췌장염의 진단까지 상대적으로 긴 시간이 소요된다. 1952년 Comfort 등[1]이 최초로 만성 재발성 췌장염을 진단받은 4명과 가능성이 있는 질병을 가진 2명의 추가 구성원을 포함한 가족의 가계도 분석을 통해 유전성 췌장염을 처음 보고하였다. 이들은 30세 이전에 췌장염의 발병을 경험하였고, 상염색체 우성 유전과 유사한 유전적 특징을 보였다. 이후 유전성 췌장염 환자를 가진 100개 이상의 가계가 보고되었으며, 결정적으로 1996년 47명의 유전성 췌장염 환자를 가진 한 가계에 대한 게놈 분리 분석(genome segregation analysis)을 통해 7번 염색체 장완내 관련 관련 유전자들이 위치함을 확인하였다[2,3]. 이는 후속 연구들을 통해 cationic trypsinogenserine protease 1 유전자의 122번째 코돈의 돌연변이(PRSS1, R122H)가 유전성 췌장염의 원인임을 규명하는데 결정적 단서를 제공하였다[4,5]. 트립시노겐 유전자의 “gain of function” 돌연변이의 확인은 1) 트립신 활성이 급성췌장염의 발병에 핵심적 역할을 하고, 2) 재발성 급성췌장염을 통해 만성췌장염으로 진행하며, 3) 유전적 요인과 함께 환경적 요인이 질병의 경과를 변형시킬 수 있음을 확인시켜 주었다.

1. 유전성 췌장염의 정의

유전성 췌장염은 소위 유전적 결함에 의해 반복적으로 췌장의 염증이 발생하는 질환을 의미한다. 그러나, 이러한 증상의 발현은 PRSS1 R122H와 같은 “gain of function” 돌연변이를 가진 환자들의 경우 멘델 유전 법칙을 따라 발현하지만, 그 외 다른 유전적 결함을 가진 경우에는 질환의 발병 양상이 다양할 수 있다. 즉, 이러한 다양한 발병 경과를 모두 포함할 수 있는 보다 넓은 범주로 유전성 췌장염을 규정할 수도 있으며, 이에 반해 좁은 범주로 그 정의를 규정할 수 있다. 대부분의 연구에서는 상염색체 우성 유전의 특징을 가진 재발성 급성췌장염 또는 만성췌장염을 유전성 췌장염으로 정의하고, 그 외 산발적 급성췌장염보다는 발생 빈도가 유의미하게 높으며, 잘 알려진 췌장염의 원인을 가지지 않은 환자들은 가족성 췌장염으로 정의하기도 한다. 그러나 임상적으로는 Whitcomb 등[6,7]이 정의한 1) 2세대 이상의 가족 중 2명 이상의 상염색체 우성 유전되는 재발성 급성췌장염 또는 만성췌장염 환자가 존재하는 경우와 2) PRSS1 돌연변이 와 같이 “gain of function” 돌연변이를 가진 췌장염 환자를 유전적 췌장염으로 정의할 수 있다.

2. 가족성 췌장염

가족성 췌장염은 일반 인구에 비해 보다 췌장염 발병률이 높은 환자군을 포함하는 넓은 범주의 질환군이다. 임상적으로는 1, 2도 친족 중 2명 이상의 췌장염 환자가 존재하는 경우로 정의할 수 있다. 그러나 담석과 외상을 포함한 췌장염의 다른 원인은 반드시 배제되어야 한다.

가족성 췌장염에 기여하는 유전적 요인은 매우 광범위하고 복잡하다. 가족성 췌장염에 알려진 유전적 요인으로는 상대적으로 심하지 않은 CFTR 돌연변이의 열성 유전, SPINK1의 병원성 변이 등이 포함된다. 최근 유전성 췌장염 환자 2명에 대한 차세대 염기서열 분석을 이용한 게놈 차원의 연관성 연구(genome wide association study)에 의하면, 유전성 췌장염의 대표적인 관련 유전자인 PRSS1의 돌연변이에 따라 유전성 췌장염의 상염색체 우성 유전의 임상 양상을 따르기도 하고, 산발적인 췌장염의 임상 양상을 보이기도 함을 확인하였다. 이는 가족성 췌장염의 유전적 요인과 환경적 요인 간 상호작용이 매우 복잡함을 보여주는 예이다[8].

3. 임상적 특징

유전성 췌장염은 급성췌장염부터 재발성 급성췌장염 및 만성췌장염까지 다양한 췌장의 염증성 질환을 유발할 수 있다. 대개의 임상 양상은 다른 원인에 의한 급성췌장염, 재발성 급성췌장염 및 만성췌장염과 유사하다. 그러나 유전성 췌장염에 의한 급성췌장염은 비교적 어린 나이인 10~12세에 가장 흔하게 발병하며, 상대적으로 대부분의 경우 만성췌장염으로 진행된다.

1) 급성췌장염

유전성 췌장염에 의한 급성췌장염은 전형적으로 10~12세의 중앙 연령대에서 발현한다[9](그림 14-5-1). 그러나 PRSS1 R122H 가족 중 58%가 5세 미만의 나이에 급성췌장염을 경험한 연구 결과를 감안하면 급성췌장염의 유전 소인에 따라 발생 연령은 다양할 수 있다[9-11]. 유전성 췌장염에 의한 급성췌장염의 증상은 상복부 복통이 가장 흔하다. 대개 7일 이하의 치료기간으로 호전되지만, 대다수의 환자가 급성췌장염으로 인해 5회 이상의 입원 치료를 경험하는 것으로 보고되었다. 특히 PRSS1 R122H 보인자의 입원율이 PRSS1 N29I 보인자보다 높았다[9]. 즉, 유전성 췌장염의 급성췌장염의 중증도와 빈도는 유전자 이상의 종류에 따라 다양하다.

2) 만성췌장염

재발성 급성췌장염 환자의 대다수는 2~3년 내에 만성췌장염으로 진행된다. 췌장 실질의 섬유화 정도는 재발성 급성췌장염의 발병 횟수 등에 의해 결정되며, 결국에는 지속적인 염증과 췌장 실질의 섬유화로 대부분의 환자에서 담관과 췌관의 협착과 확장, 췌관 결석 형성과 이에 따른 만성 통증, 췌장 외분비기능부전으로 인한 흡수 장애와 영양 장애 및 내분비기능부전을 유발한다. Rebours 등[12]의 관찰 연구에 의하면 상복부 통증은 83%, 가성낭종은 23%, 췌장 석회화는 61%, 췌장 외분비 기능부전은 3~37%, 당뇨병은 26~32%의 환자에서 관찰되었다. Howes 등[9]의 연구에 의하면 50세에 췌장 외분비 기능부전이 발생하는 누적 위험도는 37.2%이다. 또한 지속적 염증으로 인해 췌장의 랑게르한스 섬 세포들의 파괴로 인한 당뇨를 포함한 내분비 기능부전이 발생하게 된다. 50세에 췌장내분비 기능부전이 발생할 누적 위험도는 47%로 보고되었다[9]. 특히 유전성 췌장염에 의해 발생한 만성췌장염은 베타 세포의 파괴를 통해 포도당 내성을 유발하고, 글루카곤을 분비하는 알파 세포의 손실은 반대 조절 호르몬을 감소시켜 환자를 저혈당에 취약하게 한다.

3) 췌장암

비록 전체 췌장암 환자에서 빈도는 낮지만, 유전성 췌장염은 유전 돌연변이 여부와 관계 없이 췌장암의 발생을 높인다. 1997년도에 다양한 국가의 췌장염 환자

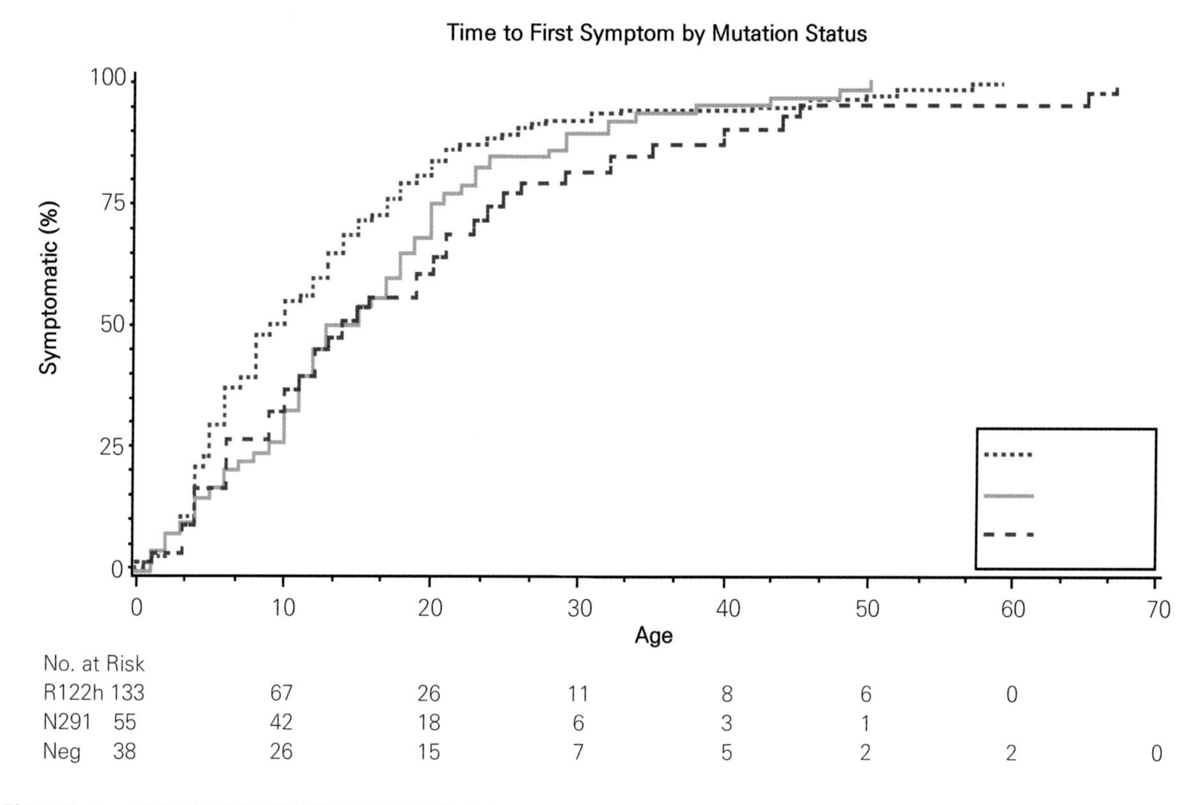

그림 14-5-1. **유전적 변이에 따른 췌장염의 첫 발현 시기.**
R122H 변이가 있는 환자는 어린 나이에 췌장염이 발현이 된다[9].

246명을 대상으로 췌장암 발생을 조사한 결과, 유전성 췌장염에서 췌장암 발생의 위험도가 일반인에 비해 53배로 증가하고, 췌장암의 누적 발생률이 70세까지 40%에 달하며 상대적으로 50세 미만에서는 낮다고 보고하였다[13]. 한편 다른 연구에서는 발생의 위험도가 87배까지 증가한다는 보고도 있었다[12]. 환경적인 요인이 췌장암의 발생과 관련이 있고, 특히 흡연과 당뇨 기왕력이 유전성 췌장염 환자에서 췌장암의 발생률을 높인다. 이는 일반인에서 흡연에 의한 췌장암 발생 위험도와 유사하나(약 2배의 위험도), 일반인보다 유전성 췌장염 환자에서는 약 20년 일찍 췌장암이 발생 가능하다[14]. 이러한 췌장암의 높은 발생과 관련해서 췌장암에 대한 선별검사가 중요하고, 2007년 컨센서스 가이드라인에 따르면, 40~45세부터 시작해서 1~3년의 주기로 췌장암 선별검사가 필요하다고 말한다. 또한 췌장암 가족력이 있는 경우, 가족이 췌장암을 진단받은 나이보다 약 10~15년 이전부터 선별검사가 필요하다고 보고한다[15]. 2015년 ACG 가이드라인은 다음과 같이 권고한다[16]. 첫째, 췌장암 발생 증가와 관련 있는 유전성 췌장염 환자에서 다학제 접근이 가능하며 제반 리서치 연구가 가능한 의료기관에서 선별검사가 이루어져야 한다. 둘째, 췌장암에 대한 추적 관찰은 내시경초음파(EUS)와 자기공명영상(MRI)를 통해 50세부터 시행되어야 하고, 만일 췌장암 가족력이 있는 경우 진단받은 나이보다 10년 일찍 선별검사가 시작되어야 한다. 셋째, 추적 관찰 기간 동안 발견된 낭성 병변은 고위험군에 대한 치료 경험이 있는 의료기관에서 검사가 진행되어야 하고, 수술 여부 등의 치료 결정에 대한 접근은 다학제를 통해 진행되어야 한다.

4. 유전적 특징

유전성 췌장염은 최소한 세 가지의 유전 패턴에 의해 구분이 가능하다. 우성 유전 췌장염은 주로 7q35 염색체에 위치한 Serine protease 1 gene (PRSS1) 유전자의 돌연변이와 관련이 있다. PRSS1 유전자는 trypsin-1을 인코딩하고 이는 낭성 섬유화와 관련이 없는 유전성 췌장염의 약 80%에서 나타난다[17,18]. Cationic trypsin은 췌장에서 생성되는 trypsin의 가장 풍부한 형태로 췌장 소화 효소의 활성과 관련한 분해 효소이다. 이러한 췌장 소화 효소의 이른 활성은 췌장 손상 및 면역 시스템의 활성화로 췌장염을 일으킨다. 체세포 열성 유전 췌장염은 낭성 섬유화와 관련이 있는 췌장염으로 Serine protease inhibitor Kazal type 1 gene (SPINK 1) 유전자 돌연변이로 발생한다. SPINK1은 췌장 분해 효소인 trypsin inhibitor로 발현한다. 췌장 세엽세포(acinar cell)에서 발현되고, 여기에서 trypsin 억제 효과를 나타낸다. SPINK1의 돌연변이는 보호 효과를 없애고 췌장염 발생을 유도하게 된다. SPINK1 돌연변이는 일반 인구에서도 꽤 흔한 유전 이상으로 이들 중 약 1% 미만에서 췌장염이 발생한다[19,20]. 그럼에도 불구하고 SPINK1의 돌연변이는 췌장염의 발생을 약 12배 증가시킨다. CFTR 유전자 관련 췌장염은 폐질환과 관련하여 나타날 수 있다[21].

5. 치료

유전성 췌장염의 치료의 주는 대증 치료로 만성췌장염의 치료와 유사하다. 소화 장애를 해결하기 위해 췌장효소제제, 당뇨를 치료하기 위해 인슐린을, 통증 치료를 위해 진통제를 처방한다[22]. 또한, 췌장암 발생의 위험 요인인 흡연과 음주를 중단하고 췌관 폐쇄를 동반한 경우에는 내시경 치료가 필요할 수 있다. 특히 통증의 경우 진통소염제, 마약성 진통제에 효과가 없을 경우 내시경 혹은 수술적 중재술이 필요한 경우도 있다[23]. 한편 미국에서는 통증 치료의 목적으로 전췌장 절제술 및 섬세포 자가 이식(total pancreatectomy with islet autotransplantation)이 각광받고 있다[24,25]. 전췌장 절제술 및 섬세포 자가 이식은 조절되지 않는 통증을 호소하는 젊은 연령의 환자에서 고려된다[25,26]. 유전성 췌장염 환자에서는 내분비 및 외분비 기능장애가 잘 평가되어야 하고, 유전성 췌장염 환자의 1/3~1/2의 환자에서 췌장 효소 외분비 기능장애가 전 생애에 걸쳐서 한 번은 동반되고, 이 경우 췌장 효소의 보충이 필요하다[12,27].

References

1. Comfort MW, Steinberg AG. Pedigree of a family with hereditary chronic relapsing pancreatitis. Gastroenterology 1952;21:54-63.
2. Le Bodic L, Bignon JD, Raguenes O, et al. The hereditary pancreatitis gene maps to long arm of chromosome 7. Hum Mol Genet 1996;5:549-54.
3. Pandya A, Blanton SH, Landa B, et al. Linkage studies in a large kindred with hereditary pancreatitis confirms mapping of the gene to a 16-cM region on 7q. Genomics 1996;38:227-30.
4. Whitcomb DC, Gorry MC, Preston RA, et al. Hereditary pancreatitis is caused by a mutation in the cationic trypsinogen gene. Nat Genet 1996;14: 141-5.
5. Whitcomb DC, Preston RA, Aston CE, et al. A gene for hereditary pancreatitis maps to chromosome 7q35. Gastroenterology 1996;110:1975-80.
6. Solomon S, Whitcomb DC, LaRusch J. PRSS1-Related Hereditary Pancreatitis. In: Pagon RA, Adam MP, Ardinger HH, Wallace SE, Amemiya A, Bean LJH, Bird TD, Ledbetter N, Mefford HC, Smith RJH, Stephens K, eds. GeneReviews(R). Seattle (WA): University of Washington, Seattle University of Washington, Seattle. GeneReviews is a registered trademark of the University of Washington, Seattle. All rights reserved., 1993.
7. Whitcomb D, Lowe M. Hereditary, familial, and genetic disorders of the pancreas and pancreatic disorders in childhood. Sleisenger and Fordtran's Gastrointestinal and Liver Disease. 8th ed. Philadelphia: WB Saunders Co 2006:1203-40.
8. Whitcomb DC, LaRusch J, Krasinskas AM, et al. Common genetic variants in the CLDN2 and PRSS1-PRSS2 loci alter risk for alcohol-related and sporadic pancreatitis. Nat Genet 2012;44:1349-54.
9. Howes N, Lerch MM, Greenhalf W, et al. Clinical and genetic characteristics of hereditary pancreatitis in Europe. Clin Gastroenterol Hepatol 2004;2:252-61.
10. Sossenheimer MJ, Aston CE, Preston RA, et al. Clinical characteristics of hereditary pancreatitis in a large family, based on high-risk haplotype. The Midwest Multicenter Pancreatic Study Group (MMPSG). Am J Gastroenterol 1997;92:1113-6.
11. Gorry MC, Gabbaizedeh D, Furey W, et al. Mutations in the cationic trypsinogen gene are associated with recurrent acute and chronic pancreatitis. Gastroenterology 1997;113:1063-8.
12. Rebours V, Boutron-Ruault MC, Schnee M, et al. The natural history of hereditary pancreatitis: a national series. Gut 2009;58:97-103.
13. Lowenfels AB, Maisonneuve P, DiMagno EP, et al. Hereditary pancreatitis and the risk of pancreatic cancer. International Hereditary Pancreatitis Study Group. J Natl Cancer Inst 1997;89:442-6.
14. Lowenfels AB, Maisonneuve P, Whitcomb DC, et al. Cigarette smoking as a risk factor for pancreatic cancer in patients with hereditary pancreatitis. JAMA 2001;286:169-70.
15. Brand RE, Lerch MM, Rubinstein WS, et al. Advances in counselling and surveillance of patients at risk for pancreatic cancer. Gut 2007;56:1460-9.
16. Syngal S, Brand RE, Church JM, et al. ACG Clinical Guideline: Genetic Testing and Management of Hereditary Gastrointestinal Cancer Syndromes. Am J Gastroenterol 2015;110:223-62.
17. Witt H, Luck W, Becker M. A signal peptide cleavage site mutation in the cationic trypsinogen gene is strongly associated with chronic pancreatitis. Gastroenterology 1999;117:7-10.
18. Creighton J, Lyall R, Wilson DI, et al. Mutations of the cationic trypsinogen gene in patients with chronic pancreatitis. Lancet 1999;354:42-3.
19. DiMagno MJ, DiMagno EP. Chronic pancreatitis. Curr Opin Gastroenterol 2005;21:544-54.

20. Fink EN, Kant JA, Whitcomb DC. Genetic counseling for nonsyndromic pancreatitis. Gastroenterol Clin North Am 2007;36:325-33, ix.
21. Rowntree RK, Harris A. The phenotypic consequences of CFTR mutations. Ann Hum Genet 2003;67:471-85.
22. Janisch N, Gardner T. Recent Advances in Managing Acute Pancreatitis. F1, 000Res 2015;4:1474.
23. Burton F, Alkaade S, Collins D, et al. Use and perceived effectiveness of non-analgesic medical therapies for chronic pancreatitis in the United States. Aliment Pharmacol Ther 2011;33:149-159.
24. Bellin MD, Freeman ML, Gelrud A, et al. Total pancreatectomy and islet autotransplantation in chronic pancreatitis: Recommendations from PancreasFest. Pancreatology 2014;14:27-35.
25. Chinnakotla S, Radosevich DM, Dunn TB, et al. Long-Term Outcomes of Total Pancreatectomy and Islet Auto Transplantation for Hereditary/Genetic Pancreatitis. J Am Coll Surg 2014;218:530-43.
26. Chinnakotla S, Beilman GJ, Dunn TB, et al. Factors Predicting Outcomes After a Total Pancreatectomy and Islet Autotransplantation Lessons Learned From Over 500 Cases. Ann Surg 2015;262:610-22.
27. Howes N, Lerch MM, Greenhalf W, et al. Clinical and Genetic Characteristics of Hereditary Pancreatitis in Europe. Clin Gastroenterol Hepatol 2004;2:252-61.

CHAPTER 15

급성췌장염의 합병증
Complications of acute pancreatitis

박병규

1. 전신 합병증

대부분의 위험한 합병증은 중증 급성췌장염에서 동반되며, 급성췌장염 환자의 약 2~10%는 합병증에 의해 사망할 수 있다[1]. 급성췌장염 발생 1~2주 이내의 초기 단계에 췌장 염증에 의해 cytokine cascade가 활성화되고 염증 전 반응이 일어나서 전신염증반응증후군(systemic inflammatory response syndrome, SIRS)이 발생하게 된다. SIRS가 심하게 진행되면 폐, 심혈관, 신장, 간 등의 다발성 장기부전 등으로 진행될 수 있다[2,3]. SIRS는 췌장염의 악화를 예측하는 데 이용될 수 있다. 일부 환자는 입원 시에 이미 SIRS가 동반되어 있기도 하며, 입원 후 24~48시간까지 SIRS가 지속된다면 장기부전이 발생할 가능성이 높다[4]. 다발성 장기부전은 진행성이나 가역적인 두 개 이상의 장기 부전을 의미하여 폐, 신장, 심혈관, 중추신경, 응고체계 등의 장기가 손상을 입는다. 폐손상에 의한 급성 호흡부전은 폐에 염증세포 침윤, 능막삼출, 폐부종 등에 의해 발생하여 조기에 사망할 수 있고, 세균감염과 패혈증이 합병되면 후기에 사망에 이를 수 있다[5]. 구토와 체액의 손실로 인한 저혈성 쇼크는 사구체 여과를 감소시켜 신기능을 악화시키게 되어, 핍뇨에 이어 급성 신부전에 이르게 한다[1,6]. 폐기능과 신기능의 악화는 결국 심혈관 합병증을 유발할 수 있다. 중증 급성췌장염의 초기 단계에 혈소판과 fibrinogen의 변화, prothrombin time의 증가 등으로 혈관 합병증이 발생할 수 있으며[7], 일부 환자에서는 범발성 혈관내 응고장애가 진행되어 출혈 또는 혈관내 혈전이 발생된다[8].

2. 국소 합병증

췌장 수액고임(pancreatic fluid collection)은 1993년 Atlanta 분류에 의하면 급성과 만성으로 나뉘고, 만성은 다시 췌장괴사, 가성낭종, 췌장농양으로 세분되었다[9]. 2012년 개정된 분류에서는 4주를 기준으로 급성과 만성으로 나누고, 급성은 급성 췌장주위 수액고임(acute peripancreatic fluid collection)과 급성 괴사성 고임(acute necrotic collection)으로, 만성은 가성낭종(pseudocyst)과 walled-off pancreatic necrosis (WOPN)으로 분류하였다[10,11](표 15-1).

표 15-1. **급성췌장염에서 수액고임에 대한 개정된 Atlanta 분류**[11]

Type of Pancreatitis	Fluid Collections	Infection
< 4 weeks after onset		
Interstitial edematous pancreatitis	APFC	± Infection
Necrotizing pancreatitis	ANC	± Infection
	Parenchymal necrosis alone	
	Peripancreatic necrosis alone	
	Mixed necrosis	
≥ 4 weeks after onset		
Interstitial edematous pancreatitis	Pancreatic pseudocyst	± Infection
Necrotizing pancreatitis	WOPN	± Infection

APFC: acute peripancreatic fluid collection; ANC: acute necrotic collection; WOPN: walled-off pancreatic necrosis.

1) 급성 췌장주위 수액고임 (acute peripancreatic fluid collection)

급성췌장염은 간질성 부종성 췌장염(interstitial edematous pancreatitis)과 괴사성 췌장염(necro-tizing pancreatitis)으로 분류하는데, 급성 췌장주위 수액고임은 간질성 부종성 췌장염에서 발생하며 괴사성 췌장염과는 무관하다. 췌장염 초기에 발생하며 구분되는 벽은 없고, 균질한 형태이고, 후복막과는 경계가 구분되며, 다발성으로 생길 수 있다[10](그림 15-1). 대부분의 수액고임은 무균성이며 특별한 치료 없이 자연히 흡수되어 없어진다. 4주 이상까지 지속되어 남아 있으면 대부분 가성낭종으로 진행하게 된다.

2) 급성 괴사성 고임(acute necrotic collection)

처음 4주 이내에 다양한 양의 수액과 괴사 조직을 포함하는 고임을 급성 괴사성 고임이라 부른다[10]. 급성 췌

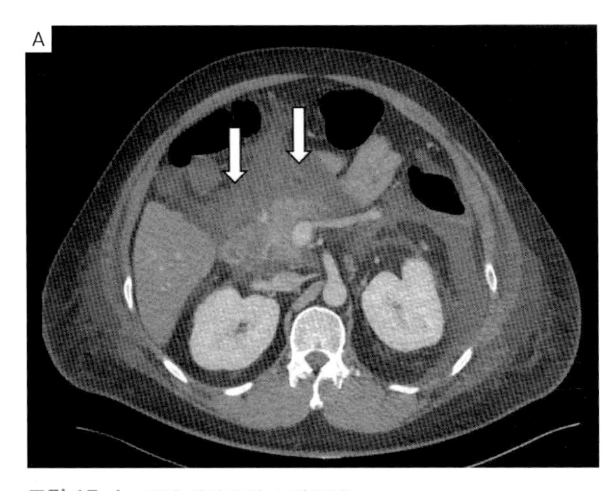

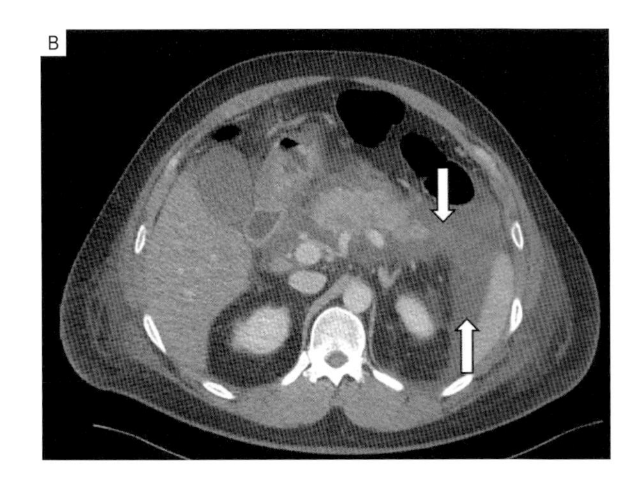

그림 15-1. **급성 췌장주위 수액고임.**
37세 남자환자에서 췌장염 발생 5일째의 CT: 췌장은 균질성으로 부어 있으며 췌장 두부주위(A)와 미부주위(B)에 벽을 형성하지 않는 수액고임이 관찰됨.

장주위 수액고임이 액체로 구성된 것과 다르게 급성 괴사성 고임은 췌장 및 췌장주위의 괴사에 의한 조직과 액체로 구성되어 있고, 괴사성 췌장염에서 기인하는 것이 차별점이다(그림 15-2). 처음 1주 이내에서는 이 두 고임이 CT에서 액체음영으로 보이기 때문에 감별이 어려울 수 있으나, 1주 이후에는 괴사 부분의 확인이 가능하여 구분이 가능해진다[10].

3) 가성낭종

가성낭종은 급성췌장염 환자의 약 10~26%에서 발생한다[12]. 2012년 Atlanta 분류에 의하면 가성낭종은 췌장주위 또는 췌장내에 수액고임이며, 잘 구분되는 비상피성 벽 또는 육아종성 조직에 의해 싸여져 있고, 내부에 고형의 물질은 없는 것이다(그림 15-3). 진단은 형태학적 특징을 바탕으로 하게 된다. 낭종을 흡입하게 되면 아밀라아제가 매우 높게 증가되어 있어 가성낭종은 주췌관 또는 췌관 분지의 파열에 의해 발생하는 것으로 여겨진다. 만약 수액고임이 있지만 내부에 고형의 괴사성 물질이 있다면 가성낭종에 해당하지 않는다[13].

많은 가성낭종은 4~6주 후에 자연적으로 없어지므로 치료를 필요로 하지 않는다. 가성낭종은 대부분 증상이 없으나 합병증이 동반되면 증상이 발생하는데 지속적인 복통, 복부의 종괴, 혈청 아밀라아제의 지속적인 증가 등이다. 가성낭종에 의한 합병증은 감염, 파열, 출혈 등이다. 감염은 약 10%에서 발생할 수 있으며 발열과 복통이 동반되는 특징이 있다. 가성낭종의 수액이 복강내로 흘러 들어가게 되면 췌장성 복수가 발생되며, 갑작스럽게 가성낭종이 파열되면 심한 복막염을 일으키면서 위험해 질 수도 있다. 출혈은 가성낭종내의 작은 혈관이나 주위의 큰 혈관의 미란에 의해 발생하며 낭종내에서 출혈이 발생하면 가성낭종이 갑자기 크기가 커지면서 복통과 쇼크를 유발할 수 있다[14,15]. 혈액검사에서 76%의 경우에 혈청 아밀라아제와 리파아제가 지속적으로 증가되는 것 외에 특징적인 검사 소견은 없다. Somatostatin과 octreotide는 췌액분비를 억제하므로 가성낭종의 치료에 응용될 수 있겠지만 현재까지 소규모의 환자군에서 연구되었을 뿐이라, 향후 전향적인 대규모 임상연구를 통한 결과가 필요하다[16].

가성낭종의 장기간 추적관찰한 연구에서 86%에서 자연적으로 소실되었고 합병증 발생률도 3~9%에 불과하여 증상이 유발되지 않는 가성낭종은 보존적인 치료

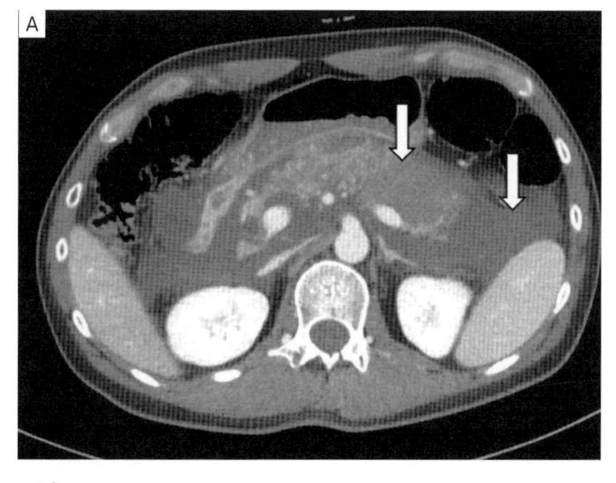

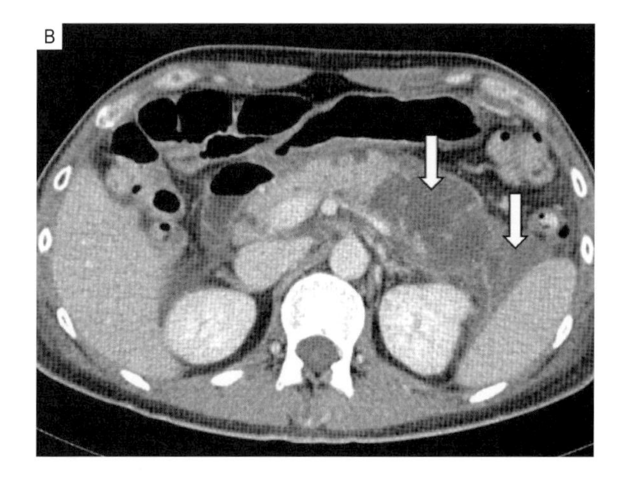

그림 15-2. **급성 괴사성 고임.**
A. 35세 남자환자에서 췌장염 발생 1주 후의 CT: 췌장 미부에 조영증강되지 않는 췌장괴사와 주변에 수액고임이 있음.
B. 2주 후의 CT: 췌장 미부에 비균등질의 농도를 보이는 경계가 불명확한 괴사조직과 수액고임이 있고 외벽이 확실히 만들어 지지 않음.

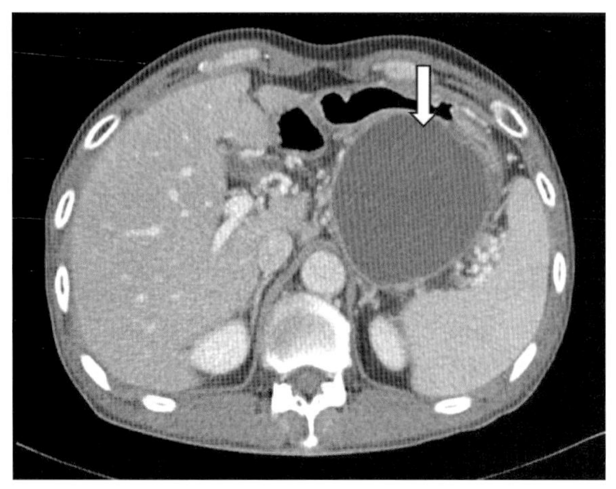

그림 15-3. **가성낭종.**
56세 남자환자에서 췌장염 발생 2개월 후 CT: 췌장 미부에 약 8 cm 크기의 균등질의 액체성분의 낭성 구조가 있으며 외벽이 형성되어 있으며 위의 후벽을 압박하고 있음.

만 필요하다고 하였다[17]. 과거에는 가성낭종이 6주 이상 지속되거나 크기가 6 cm 이상이면 자연적 소실 가능성이 낮아 배액이 필요한 적응증으로 여겨졌으나, 현재는 크기가 합병증 발생에 중요한 인자가 아닌 것으로 인식된다. 가성낭종 배액술의 적응증은 지속적인 복통이 동반된 경우, 감염성 가성낭종, 가성낭종에 의한 장관 또는 담도의 폐쇄, 가성낭종내 출혈, 췌장성 복수 또는 늑막삼출, 연속적 영상검사에서 크기가 계속 증가하는 경우 등이다[12,18]. 수액고임이 숙성되지 않거나 가성낭종의 진단이 확실하지 않은 경우에는 감염이 의심되는지 않는 한 배액술을 시행하면 안된다.

가성낭종의 배액 치료 시행 전에 고려해야 할 중요한 사항은 췌장의 낭성종양과의 감별진단이다. 이전 급성췌장염의 기왕력, 만성췌장염의 과거력, 1 cm 미만의 석회화된 낭종벽 등이 가성낭종을 시사하는 소견이며, 반대로 체중감소, 촉지되는 복부 종괴, 이전 췌장질환의 과거력이 없는 경우, 1 cm 이상의 석회화되지 않은 낭종벽, 그리고 다엽성(multilobularity) 등은 낭성종양을 시사하는 소견이다[18]. 임상적 소견과 영상진단에서 감별이 어려운 경우에는 초음파 내시경 유도하에 낭종의 수액을 천자하여 생화학 및 세포병리 분석을 통해 감별진단에 도움을 받을 수 있다.

가성낭종의 배액법은 내시경적 배액술, 경피적 배액술, 그리고 수술적 배액술이 있다. 보다 덜 침습적인 내시경적 또는 경피적 배액술이 우선적으로 시행되고 있다. 이 방법들로 치료가 어려운 경우에 한하여 수술적 배액술을 시행하게 된다. 수술 방법은 가성낭종과 장관을 연결해주는 낭종위문합술(cystogastrostomy) 또는 낭종공장문합술(cystojejunostomy)과 낭종절제술이 있다.

4) Walled-off pancreatic necrosis (WOPN)

괴사성 췌장염 초기에 괴사부위는 고형과 반고형의 조직으로 섞여 있어 괴사부위를 구분하기 어렵다. 기간이 경과하여 4주 이상이 되면 괴사부위는 보다 액화가 되고 벽으로 감싸지는 캡슐을 형성하게 되는데, 이 시점을 wall-off pancreatic necrosis (WOPN)라고 한다[19]. WOPN은 급성췌장염 발생 4주 이후에 형성된 괴사성 췌장조직 또는 췌장주위조직이 충분히 숙성되어 캡슐에 싸여있는 형태로 정의된다. WOPN은 반응성 조직으로 형성된 벽구조 안에 괴사성 조직으로 이루어지고 뚜렷이 구분되는 염증성 벽을 가지게 된다(그림 15-4). WOPN은 무균성 췌장괴사 또는 가성낭종에서 합병증으로 발생되고, 감염이 동반되거나 무균성일 수 있다. 예전에 사용하던 병명인 췌장 농양은 감염된 WOPN에 해당된다.

WOPN은 가성낭종과 구분이 어려울 수 있는데 가성낭종과 치료과정이 다르므로 정확한 감별진단이 필요하다. 새로 개정된 Atlanta 분류에서 따르면 간질성 부종성 췌장염에서 급성 췌장주위 수액고임이 발생하고 이것이 계속 유지되어 4주 이후에 캡슐을 형성하면 액체 성분으로만 이루어진 가성낭종이 된다. 반면에 괴사성 췌장염에서 급성 괴사성 고임이 발생하고 4주가 경

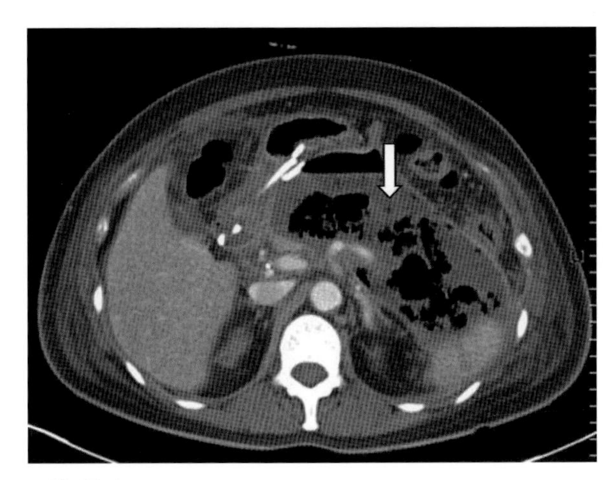

그림 15-4. Walled-off pancreatic necrosis.
47세 여자환자에서 췌장염 발생 5주 후 CT: 거대한 괴사성 고임이 있고 내부에 공기음영이 있으며 외벽이 형성되어 있음.

과하면 WOPN으로 진행되는 것이다. WOPN은 가성낭종과 비슷하게 잘 구분되는 캡슐로 염증고임이 있는 것이지만 여기에는 고형 성분이 포함된다. 따라서 영상검사에서 고형 성분의 존재는 WOPN을 가성낭종과 감별진단하는데 중요한 소견이 된다. 조영증강 CT에서 WOPN은 액체밀도와 비액체밀도를 포함한 비균등한 형태로 보인다[20]. 그러나 일부 환자에서는 조영증강 CT에서 고체와 액체 성분의 감별이 어려울 수 있어 가성낭종으로 잘못 진단될 수도 있다[10].

증상이 없는 WOPN은 시술적 치료가 필요하지 않으며 시간이 경과하면 자연 치유될 수 있다. 그러나 감염된 증상을 유발하는 WOPN은 반드시 치료가 필요하다. 감염된 WOPN의 치료를 위해 감염의 정확한 진단이 필요하나 진단율을 높이는 방법은 현재 정립되어 있지 않다. 패혈증이 지속되면서 임상적으로 악화될 때 감염성 WOPN을 의심할 수 있고, CT 검사에서 WOPN 내부에 공기음영은 감염을 강력히 시사하는 소견이 된다[21,22]. 수액고임 내부의 공기는 주위 인접장기와 누공이 형성되어 있고 이로 인해 이차적인 감염이 발생하였을 가능성을 높이 시사한다. 감염된 WOPN의 진단을 위해서는 초음파 유도하 또는 초음파 내시경 유도하 세침 흡인술(fine needle aspiration, FNA) 이 유용하지만, 항상 요구되는 검사법은 아니다. 감염된 WOPN이 의심되는 경우에 FNA를 시행하지 않고 항생제 치료와 필요 시에 경피적 또는 내시경적 배액술로 치료를 시작할 수 있으며, FNA는 감염이 확진된 경우에 한하여 매우 침습적인 치료를 고려할 때에 제한적으로 이용될 수 있겠다[23].

5) 감염

급성췌장염에서 감염은 모든 단계에서 발생할 수 있으나 간질성 부종성 췌장염에서 진행되는 급성 췌장주위 수액고임과 가성낭종에서 감염이 동반되는 경우는 드물다[11]. 급성췌장염의 약 20%를 차지하는 괴사성 췌장염은 무균성 괴사로 남아있는 경우도 있지만 급성 괴사성 고임이나 WOPN으로 진행하면서 많게는 70%에서 세균감염이 되며, 감염성 괴사에서 수술적 치료 또는 배액술을 시행하지 않으면 사망률이 높아진다. 괴사성 췌장염 환자에서 괴사에 감염이 동반되면 사망률이 2배로 증가하고, 장기부전과 감염성 괴사가 같이 발생하면 사망률은 더욱 증가된다[24].

췌장염 발생 2주 이내에 췌장 괴사 조직에 감염이 발생하는 경우는 드물다. 감염성 괴사에서는 괴사 조직이 벽을 만들어 괴사 조직과 정상췌장 조직이 구분이 가능해지는 시점인 4주 이후로 침습적 시술을 가급적 연기해야 한다. 이렇게 함으로서 배액과 괴사 조직 제거를 용이하게 하고 사망과 합병증 위험을 줄일 수 있다[25].

무균성 괴사 또는 무균성 WOPN 환자는 내과적인 보존적 치료만으로 회복이 가능하다. 이 환자들에서 수술적 괴사 제거술을 가능한 연기하여 불필요한 수술을 피한 환자들이 조기에 괴사 제거술을 시행 받은 환자들보다 합병증 발생과 사망률이 감소하였다는 여러 보고가 있다[26-28]. 또한 무균성 괴사에서 수술적 괴사 제거술을 시행하면 이차적인 감염이 발생하여 추가적인 수술이 필요한 경우도 발생할 수 있다[29].

FNA로 감염이 확인된 경우나 CT에서 병변 내에 공기음영이 있다면 항생제를 우선적으로 투여해야 한다. 항생제는 FNA 배양검사 결과에 따라 사용해야 하겠지만 결과 보고 이전에는 감염성 췌장괴사에 흔한 원인 균주를 대상으로 항생제를 선택해야 한다. 흔한 원인 균주는 E. coli, Bacteroides 종, Enterobacter 종, Klebsiella 종, 그리고 그람 양성균으로 S. faecalis, S. epidermidis 및 S. aureus 등이다[30,31]. 경험적 항생제 중에는 imipenem, ertapemen, fluoroqinolones, 그리고 cephalosporins 등이 췌장 투과력이 높아 우선적으로 사용하기를 권고된다[32, 33].

감염성 췌장괴사의 사망률은 30% 이상이며, 사망자 중 80%는 췌장 감염에 의한 패혈증이 사망원인이 된다[34, 35]. 감염을 비롯한 증상을 유발하는 WOPN은 시술적 치료가 필요하다. 시술 방법으로는 경피적, 내시경적 배액술과 수술적 괴사 제거술이 있다. 감염성 췌장괴사에서 다장기부전까지 동반된 경우 수술적 치료를 하지 않게 되면 사망률이 거의 100%에 이르는 반면에 수술적 치료로 사망률을 10~30%까지 낮출 수 있었다[36-38]. 그러나 최근에는 수술적 치료는 가급적 미루는 단계적 접근법(step-up approach)이 기준 치료가 되고 있다. 단계적 접근법은 항생제를 투여하고, 필요 시 배액술을 시행하면서, 수주를 기다려도 호전이 없는 경우에 한하여 최소침습적 괴사 제거술(minimally invasive debridement)을 시행하는 것이다. 이 접근법으로 전통적인 수술적 괴사 제거술(open necrosectomy)에 비하여 중증 합병증과 사망률이 감소하였고 약 1/3 환자는 경피적 배액술만으로 치료가 기능하였다[39]. 감염성 췌장괴사 환자 324명을 대상으로 한 메타분석에서도 항생제 치료와 영양공급 및 필요시 배액술을 시행하는 보존적인 치료만으로 64%가 회복되었으며 사망률은 12%로 낮았고, 추가적인 수술이 필요한 경우는 26%에 불과하였다고 하였다[40].

내시경적 괴사 제거술은 효과적이고 치료기간이 짧은 장점이 있으나 이전 대규모 연구에 의하면 시술 합병증과 사망률이 각각 14~33%와 5.8~11%로 보고되었다[41-43]. 그러므로 내시경적 괴사 제거술은 단계적 접근법으로 내과적 보존치료와 배액술을 시행하였지만 환자 상태가 악화된 경우에 한하여 고려해야 한다. 그리고 수술적 괴사 제거술은 내시경적 괴사 제거술이 효과적이지 못할 때 고려할 수 있겠다[23](그림 15-5).

6) 가성동맥류와 출혈

급성췌장염과 연관된 대량출혈은 가성동맥류의 파열에 의해 발생한다. 급성과 만성췌장염의 합병증으로 발생하는 가성동맥류의 발생률은 잘 알려져 있지는 않으나 보고에 의하면 1.3~10%라 한다[44]. 가성동맥류라 함은 파열된 혈관과 연결된 캡슐에 싸인 혈종을 말하며 외벽은 외막, 혈관주위 조직, 섬유조직, 혈전 등으로 이루어져 있다. 가성동맥류가 형성되는 기전은 소화효소에 의한 동맥벽의 자가소화로, 동맥벽이 파열되면서 혈관내벽이 약해져 주위 혈종과 연결되게 된다. 가성동맥류는 보통의 경우 가성낭종에 인접하여 발생한다[45]. 비장동맥 가성동맥류의 경우 41%에서 가성낭종이 동반되었다고 하였다[46]. 가성낭종은 주위 혈관을 직접적으로 압박하여 가성동맥류로 변형될 수 있고 소화효소 작용에 의해 가성낭종내 혈관에 미란이 되고 교통을 일으켜 거대한 가성동맥류를 만들 수도 있다[47,48].

가성동맥류는 급성췌장염 직후에 발생하지는 않는다. 급성췌장염 3~5주 후에 발생한다는 보고와[49], 2개월에서 8년 이후에까지 발생한다는 보고가 있다[1]. 가성동맥류가 발생하는 위치는 비장동맥이 50% 이상으로 가장 흔하고, 그 다음으로 위십이지장동맥, 췌십이지장동맥이고 드물게는 상장간막동맥과 고유간동맥에서도 발생하기도 한다[44]. 해부학적 위치에 따라 가성낭종이 췌장 체부나 미부에 위치하면 비장동맥에서, 췌장 두부에 위치하면 위십이지장동맥이나 췌십이지장동맥에서

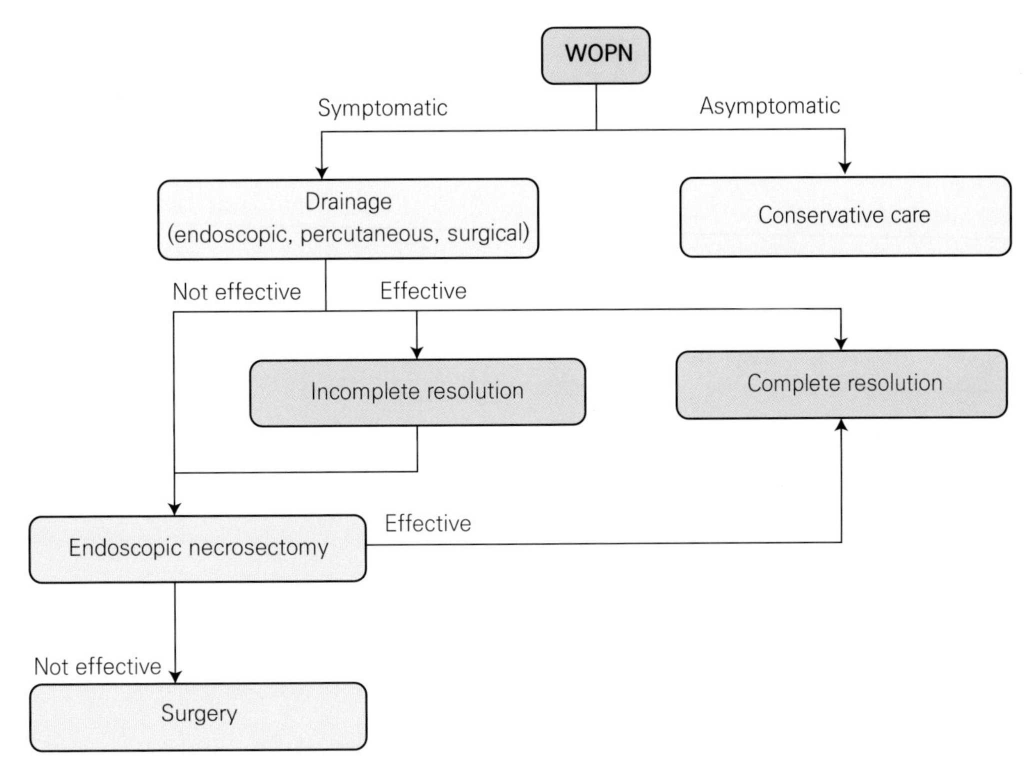

그림 15-5. **Walled-off pancreatic necrosis의 치료 순서도.**

가성동맥류가 잘 발생한다[50].

가성동맥류가 파열되면 출혈의 정도와 환자의 동반 질환에 따라 사망률은 40~60%에 이르게 된다[51]. 비장동맥 가성동맥류의 경우 전체 환자의 40%에서 파열이 발생하고 치료하지 않은 경우에 사망률이 90%까지 되었다고 하였다[52,53]. 전형적인 환자의 증상은 복통과 출혈이다. 출혈은 천천히 진행되기도 하지만 급성으로 대량출혈로 나타나기도 한다(그림 15-6). 많은 경우에서 처음에는 출혈이 발생하면 가성낭종 내에 일시적인 눌림으로 자연히 출혈이 멈추게 되었다가, 수 시간 또는 수일 내에 대량출혈이 발생하게 된다. 따라서 가성낭종이 있는 췌장염 환자에서 갑작스런 위장관 출혈과 복통이 있을 때에는 가성동맥류를 의심해야 한다. 가성동맥류는 인접한 위장관으로 출혈되어 위장출혈을 일으킬 수 있으며, 바로 후복막으로 파열되어 출혈되기도 하고, 췌장관으로 출혈되면 hemosuccus pancreaticus가 발생한다. 157명의 환자의 메타분석에 의하면 복통이 가장 흔한 증상이고 혈변 또는 흑색변, hemosuccus pancreaticus 그리고 토혈 순이었다[46].

가성동맥류가 의심되면 복부 CT를 우선적으로 시행해야 한다. 복부 CT로 가성동맥류의 진단 민감도는 90~95%로 알려져 있다[54,55]. 대부분의 가성동맥류는 낭상 모양이며 혈전으로 둘러싸인다[56]. 조영제 주입 전 CT에서 가성낭종내 또는 혈관주위에 고밀도의 형상이 보이게 되고, 조영제 주입 후에는 혈관 내 중심부분에서 조영증강되는 소견으로 진단할 수 있다(그림 15-7).

가성동맥류가 진단되면 출혈 유무과 관계없이 치료해야 한다. 역사적으로 수술로 치료하였으나 최근에는 최소침습 중재적 시술로 치료하는 것이 기본이 되고 있다. 혈관조영술을 통한 색전술이 우선적으로 시행되며, 이 방법이 불가능하거나 효과적이지 못할 때에 수술을 시행할 수 있다.

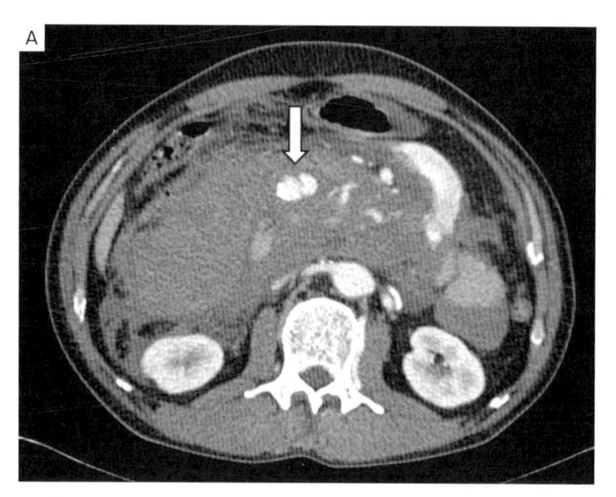

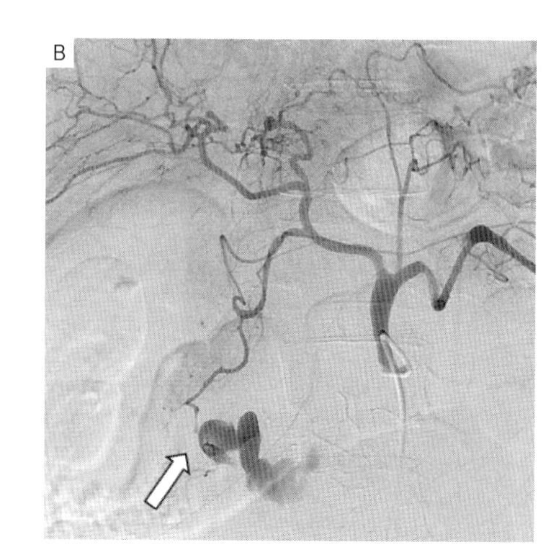

그림 15-6. **췌십이지장동맥 가성동맥류의 대량 출혈.**
A. 저혈성 쇼크로 내원한 56세 남자환자의 CT:
후복막에 대량의 혈종이 있고 혈종 가운데에 동맥기에 조영증강되는 가성동맥류가 있음.
B. 혈관조영술에서 췌십이지장동맥 가성동맥류의 출혈 소견.

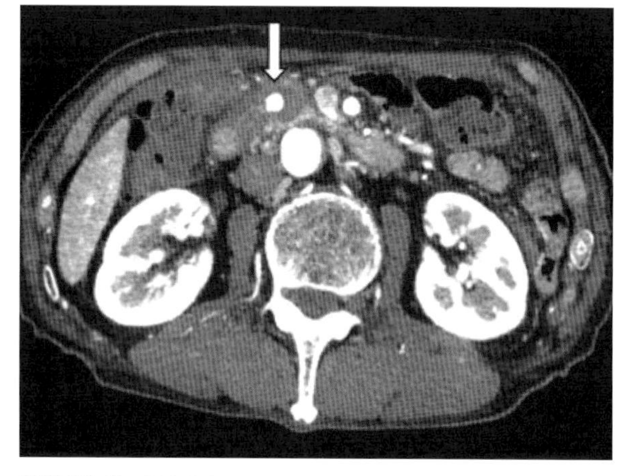

그림 15-7. **췌십이지장동맥 가성동맥류.**
72세 남자환자에서 췌장염 발생 3주 후 CT: 췌십이지장동맥에 둥근모양의 혈종과 내부에 1.5 cm 크기의 낭성 모양으로 동맥기에 조영증강되는 가성동맥류.

7) 누공(fistula)

(1) 췌장누공(pancreatic fistula)

췌장괴사에 의해 췌장관이 파열되면 췌장액이 유출되어 췌장주위에 고여 있으면 가성낭종을 형성하게 되고, 췌장주위가 아닌 다른 부위로 유출되면 췌장성 복수, 췌장성 늑막삼출, 췌장피부 누공 등을 형성하게 된다. 전통적으로 췌장 누공은 금식, 총정맥영양법과 octreotide와 같은 췌장효소억제제를 사용, 그리고 반복적인 복수천자 또는 흉수천자 등 보존적인 방법으로 치료하였고 일부 환자에서 효과적이었다[57]. 췌장 누공이 췌장 두부나 체부에 위치한 경우에는 내시경적으로 췌장관에 스텐트 삽입을 하여 누공부위를 막아서 효과적으로 치료할 수 있다[57, 58]. 그러나 췌장 미부에 누공이 있는 경우에는 누공부위를 직접 막기가 불가능하여 치료가 어려울 수 있다. 보존적 치료와 내시경적 치료가 실패하면 중재적 시술이나 수술적 치료가 필요하다.

(2) 위장관 누공(gastrointestinal fistula)

위장관 누공은 급성췌장염의 후기 합병증으로 중증 급성췌장염의 약 3~15%에서 발생한다고 한다고 보고되었다[59-62]. 위장관 누공은 위, 십이지장, 공장, 회장, 대장 등에서 발생하며 국소적 또는 다발성으로 생긴다. 췌장의 염증, 감염된 췌장괴사, 그리고 췌장염에서 주위의 위장관으로 분비된 소화효소는 직접적으로 위장관에 작용하여 부종, 혈전, 허혈, 괴사 등을 일으키게 되어 결국 누공이 발생하게 된다[63]. 중증 급성췌장염의 진행과정에서 누공의 85%는 4~8주 지난 후에 발생하여, 췌장과 췌장주위의 오랜 기간의 염증과 감염이 누공 발생과 연관되어 있음을 시사한다[64]. 최근의 52명의 환자를 분석한 연구에서 감염성 췌장괴사와 modified CT index severity가 높은 경우에 누공이 많이 발생하였다고 하였다[61]. 따라서 췌장괴사에서 감염이 의심될 때 적절한 항생제 치료와 감염성 췌장괴사의 배액은 위장관 누공의 예방을 위해서도 중요하다.

환자의 임상 경과가 안정되고 감염 원인이 항생제와 배액으로 잘 치료된다면 보존적인 치료로 누공이 자연히 막히는 것을 기대할 수 있다. 그러나 보존적인 치료에 반응이 없어 누공으로 유출량이 많거나, 출혈 등 합병증이 동반된 경우에는 수술적 치료가 필요하다[65-67].

References

1. Balthazar EJ. Complications of acute pancreatitis: Clinical and CT evaluation. Radiol Clin North Am 2002;40(6):1211-27.
2. Buter A, Imrie CW, Carter CR, Evans S, McKay CJ. Dynamic nature of early organ dysfunction determines outcome in acute pancreatitis. Br J Surg 2002;89(3):298-302.
3. Johnson CD, Abu-Hilal M. Persistent organ failure during the first week as a marker of fatal outcome in acute pancreatitis. Gut 2004;53(9):1340-4.
4. Singh VK, Wu BU, Bollen TL, et al. Early systemic inflammatory response syndrome is associated with severe acute pancreatitis. Clin Gastroenterol Hepatol 2009;7(11):1247-51.
5. Pastor CM, Matthay MA, Frossard J. Pancreatitis-associated acute lung injury: New insights. Chest 2003;124(6):2341.
6. Pitchumoni CS, Agarwal N, Naresh JK. Systemic complications of acutepancreatitis. Am J Gastroenterol 1988;6:597-606.
7. Ranson JHC, Lackner H, Berman IR, Schinella R. The relationship of coagulation factors to clinical complications of acute pancreatitis. Surgery 1977; 81(5):502-11.
8. Kwaan HC, Anderson MC, Gramatica L. A study of pancreatic enzymes as a factor in the pathogenesis of disseminated intravascular coagulation during acute pancreatitis. Surgery 1971;69(5):663-72.
9. Bradley EL. A clinically based classification system for acute pancreatitis: Summary of the international symposium on acute pancreatitis, Atlanta, Ga, September 11 through 13, 1992. Arch Surg 1993; 128(5):586-90.
10. Banks PA, Bollen TL, Dervenis C, et al. Classification of acute pancreatitis--2012: Revision of the atlanta classification and definitions by international consensus. Gut 2013;62(1):102-11.
11. Thoeni RF. The revised atlanta classification of acute pancreatitis: Its importance for the radiologist and its effect on treatment. Radiology. 2012; 262(3): 751-64.
12. Ge PS, Weizmann M, Watson RR. Pancreatic pseudocysts: Advances in endoscopic management. Gastroenterol Clin North Am 2016;45(1):9-27.
13. Sarr MG, Banks PA, Bollen TL, et al. The new revised classification of acute pancreatitis 2012. Surg Clin North Am 2013;93(3):549-62.
14. Gumaste VV, Pitchumoni CS. Pancreatic pseudocyst. Gastroenterologist 1996;4:33-43.
15. Gumaste VV, Aron J. Pseudocyst management:

Endoscopic drainage and other emerging techniques. J Clin Gastroenterol 2010;44(5):326-31.
16. Gullo L, Barbara L. Treatment of pancreatic pseudocysts with octreotide. Lancet. 1991;338(8766):540-1.
17. Cheruvu CVN, Clarke MG, Prentice M, Eyre-Brook IA. Conservative treatment as an option in the management of pancreatic pseudocyst. Ann R Coll Surg Engl 2003;85(5):313-6.
18. Zerem E, Hauser G, Loga-Zec S, Kunosić S, Jovanović P, Crnkić D. Minimally invasive treatment of pancreatic pseudocysts. World J Gastroenterol 2015;21(22):6850-60.
19. Forsmark CE, Vege SS, Wilcox CM. Acute pancreatitis. N Engl J Med 2016;375(20):1972-81.
20. Takahashi N, Papachristou G, Schmit G, et al. CT findings of walled-off pancreatic necrosis (WOPN): Differentiation from pseudocyst and prediction of outcome after endoscopic therapy. Eur Radiol 2008;18(11):2522-9.
21. Banks PA, Freeman ML. Practice guidelines in acute pancreatitis. Am J Gastroenterol 2006;101(10):2379-400.
22. Loveday BP, Sirinivasa S, Vather R, et al. High quantity and variable quality of guidelines for acute pancreatitis: A systematic review. Am J Gastroenterol 2010;105(7):1466-76.
23. Isayama H, Nakai Y, Rerknimitr R, et al. Asian consensus statements on endoscopic management of walled-off necrosis part 1: Epidemiology, diagnosis, and treatment. J Gastroenterol Hepatol 2016;31(9):1546-54.
24. Werge M, Novovic S, Schmidt PN, Gluud LL. Infection increases mortality in necrotizing pancreatitis: A systematic review and meta-analysis. Pancreatology 2016;16(5):698-707.
25. van Santvoort HC, Bakker OJ, Bollen TL, et al. A conservative and minimally invasive approach to necrotizing pancreatitis improves outcome. Gastroenterology 2011;141(4):1254-63.
26. Hartwig W, Maksan S, Foitzik T, Schmidt J, Herfarth C, Klar E. Reduction in mortality with delayed surgical therapy of severe pancreatitis. J Gastrointest Surg 2002;6(3):481-7.
27. Mier J, León EL, Castillo A, Robledo F, Blanco R. Early versus late necrosectomy in severe necrotizing pancreatitis. Am J Surg 1997;173(2):71-5.
28. Uomo G, Visconti M, Manes G, Calise F, Laccetti M, Rabitti PG. Nonsurgical treatment of acute necrotizing pancreatitis. Pancreas 1996;12(2):142-8.
29. Götzinger P, Wamser P, Exner R, et al. Surgical treatment of severe acute pancreatitis: Timing of operation is crucial for survival. Surg infect 2003;4(2):205-11.
30. Cantasdemir M, Kara B, Kantarci F, Mihmanli I, Numan F, Erguney S. Percutaneous drainage for treatment of infected pancreatic pseudocysts. South Med J 2003;96(2):136-40.
31. Sainio V, Kemppainen E, Puolakkainen P, et al. Early antibiotic treatment in acute necrotising pancreatitis. Lancet 1995;346(8976):663-7.
32. Greenberg JA, Hsu J, Bawazeer M, et al. Clinical practice guideline: Management of acute pancreatitis. Can J Surg 2016;59(2):128-40.
33. Isenmann R, Rünzi M, Kron M, et al. Prophylactic antibiotic treatment in patients with predicted severe acute pancreatitis: A placebo-controlled, double-blind trial. Gastroenterology 2004;126(4):997-1004.
34. Bittner R, Block S, Büchler M, Beger HG. Pancreatic abscess and infected pancreatic necrosis. different local septic complications in acute pancreatitis. Dig Dis Sci 1987;32(10):1082-7.
35. Gloor B, Müller CA, Worni M, Martignoni ME, Uhl W, Büchler MW. Late mortality in patients with severe acute pancreatitis. Br J Surg 2001;88(7):975-9.
36. Bradley EL, Allen K. A prospective longitudinal study of observation versus surgical intervention in the management of necrotizing pancreatitis. Am J

Surg 1991;161(1):19-25.
37. Büchler MW, Gloor B, Müller CA, Friess H, Seiler CA, Uhl W. Acute necrotizing pancreatitis: Treatment strategy according to the status of infection. Ann Surg 2000;232(5):619-26.
38. Fernández-del Castillo C, Rattner DW, Makary MA, Mostafavi A, McGrath D, Warshaw AL. Débridement and closed packing for the treatment of necrotizing pancreatitis. Ann Surg 1998;228(5):676-84.
39. van Santvoort HC, Besselink MG, Bakker OJ, et al. A step-up approach or open necrosectomy for necrotizing pancreatitis. N Engl J Med 2010;362(16):1491-502.
40. Mouli VP, Sreenivas V, Garg PK. Efficacy of conservative treatment, without necrosectomy, for infected pancreatic necrosis: A systematic review and meta-analysis. Gastroenterology 2013;144(2):340.e2.
41. Gardner TB, Coelho-Prabhu N, Gordon SR, et al. Direct endoscopic necrosectomy for the treatment of walled-off pancreatic necrosis: Results from a multicenter U.S. series. Gastrointest Endosc 2011;73(4):718-26.
42. Seifert H, Biermer M, Schmitt W, et al. Transluminal endoscopic necrosectomy after acute pancreatitis: A multicentre study with long-term follow-up (the GEPARD study). Gut 2009;58(9):1260-6.
43. Yasuda I, Nakashima M, Iwai T, et al. Japanese multicenter experience of endoscopic necrosectomy for infected walled-off pancreatic necrosis: The JENIPaN study. Endoscopy 2013;45(8):627-34.
44. Verde F, Fishman EK, Johnson PT. Arterial pseudoaneurysms complicating pancreatitis: Literature review. J Comput Assist Tomogr 2015;39(1):7-12.
45. Golzarian J, Nicaise N, Devière J, et al. Transcatheter embolization of pseudoaneurysms complicating pancreatitis. Cardiovasc Intervent Radiol 1997;20(6):435-40.
46. Tessier DJ, Stone WM, Fowl RJ, et al. Clinical features and management of splenic artery pseudoaneurysm: Case series and cumulative review of literature. J Vasc Surg 2003;38(5):969-74.
47. Bedioui H, Ayadi S, Daghfous A, et al. Pseudoaneurysm of the splenic artery presenting with gastrointestinal bleeding. J Emerg Med 2010;38(3):317-9.
48. Yamaguchi K, Futagawa S, Ochi M, Sakamoto I, Hayashi K. Pancreatic pseudoaneurysm converted from pseudocyst: Transcatheter embolization and serial CT assessment. Radiat Med 2000;18(2):147-50.
49. Dörffel T, Wruck T, Rückert RI, Romaniuk P, Dörffel Q, Wermke W. Vascular complications in acute pancreatitis assessed by color duplex ultrasonography. Pancreas 2000;21(2):126-33.
50. Frey CF, Stanley JC, Eckhauser F. Hemorrhage. in: BradleyEL, ed. 1st ed. complications of pancreatitis: Medical andsurgical management. Philadelphia: Saunders; 1982.
51. Forsmark CE, Wilcox CM, Grendell JH. Endoscopy-negative upper gastrointestinal bleeding in a patient with chronic pancreatitis. Gastroenterology 1992;102(1):320-9.
52. Huang IH, Zuckerman DA, Matthews JB. Occlusion of a giant splenic artery pseudoaneurysm with percutaneous thrombin-collagen injection. J Vasc Surg 2004;40(3):574-7.
53. LiPuma JP, Sachs PB, Sands MJ, Stuhlmiller S, Herbener TE. Angiography/interventional case of the day. splenic artery pseudoaneurysm associated with pancreatitis. AJR Am J Roentgenol 1997;169(1):263.
54. Bergert H, Dobrowolski F, Caffier S, Bloomenthal A, Hinterseher I, Saeger H. Prevalence and treatment of bleeding complications in chronic pancreatitis. Langenbecks Arch Surg 2004;389(6):

504-10.
55. Hyare H, Desigan S, Brookes JA, Guiney MJ, Lees WR. Endovascular management of major arterial hemorrhage as a complication of inflammatory pancreatic disease. J Vasc Interv Radiol 2007;18(5): 591-6.
56. Agrawal GA, Johnson PT, Fishman EK. Splenic artery aneurysms and pseudoaneurysms: Clinical distinctions and CT appearances. Am J Roentgenol 2007;188(4):992-9.
57. Larsen M, Kozarek R. Management of pancreatic ductal leaks and fistulae. J Gastroenterol Hepatol 2014;29(7):1360-70.
58. Halttunen J, Kylänpää L. Treatment of pancreatic fistulas. Eur J Trauma Emerg Surg 2007;33(3):227-30.
59. Forsmark CE. The clinical problem of biliary acute necrotizing pancreatitis: Epidemiology, pathophysiology, and diagnosis of biliary necrotizing pancreatitis. J Gastrointest Surg 2001;5(3): 235-9.
60. Falconi M, Pederzoli P. The relevance of gastrointestinal fistulae in clinical practice: A review. Gut 2001;49(Suppl 4):iv2-10.
61. Hua Z, Su Y, Huang X, et al. Analysis of risk factors related to gastrointestinal fistula in patients with severe acute pancreatitis: A retrospective study of 344 cases in a single chinese center. BMC Gastroenterol 2017;17(1):29.
62. Urakami A, Tsunoda T, Hayashi J, Oka Y, Mizuno M. Spontaneous fistulization of a pancreatic pseudocyst into the colon and duodenum. Gastrointest Endosc 2002;55(7):949-51.
63. Tsiotos GG, Smith CD, Sarr MG. Incidence and management of pancreatic and enteric fistulas after surgical management of severe necrotizing pancreatitis. Arch Surg 1995;130(1):48-52.
64. Dellinger EP, Tellado JM, Soto NE, et al. Early antibiotic treatment for severe acute necrotizing pancreatitis: A randomized, double-blind, placebo-controlled study. Ann Surg 2007.
65. Mohamed SR, Siriwardena AK. Understanding the colonic complications of pancreatitis. Pancreatology 2008;8(2):153-8.
66. Van Minnen LP, Besselink MGH, Bosscha K, Van Leeuwen MS, Schipper MEI, Gooszen HG. Colonic involvement in acute pancreatitis. A retrospective study of 16 patients. Dig Surg 2004;21(1):33-38.
67. Alexakis N, Sutton R, Neoptolemos JP. Surgical treatment of pancreatic fistula. Dig Surg 2004;21(4): 262-74.

CHAPTER 16

급성췌장염의 내과적 치료

Medical treatment of acute pancreatitis

박병규

서론

급성췌장염 환자의 약 80% 는 경미한 췌장 손상으로 대부분 보존적인 치료만으로 합병증 없이 회복되지만, 10~20%는 여러 국소적 또는 전신적 합병증이 동반하며 중증 췌장염으로 발생하게 된다. 급성췌장염에 의한 전체 사망률은 약 5%로 알려져 있지만, 중증 급성췌장염인 경우 사망률이 사망률이 30%까지 증가하여 불량한 예후를 보이므로 적극적인 치료가 필요하다[1-3]. 본 장에서는 급성췌장염의 내과적인 치료로서 수액요법, 통증조절, 영양공급, 예방적 항생제, 그리고 약물요법에 대해 기술하고자 한다.

1. 수액요법

급성췌장염에서는 상당량의 복강내 수분손실(third space loss)과 염증매개체에 의한 혈관투과성 증가 등으로 실제적인 혈관내 용적은 감소하게 된다. 이로 인하여 혈액은 농축되고 신관류는 감소되어 저혈압, 핍뇨, 신부전 등의 장기부전이 발생할 수 있고, 췌장내 미세혈액순환을 감소시켜 췌장괴사와 같은 합병증을 일으킬 수 있다[4-7]. 따라서 적절한 수액공급은 급성췌장염의 합병증을 예방하는 데 매우 중요한 역할을 한다. 많은 연구보고에 따르면 초기 24시간 이내에 적극적인 수액요법은 급성췌장염의 합병증과 사망률을 줄여준다. 적극적인 수액요법은 증상 발현 12~24시간 이내에 시행되어야 효과적이며 24시간 이후에 시행된 경우는 효과가 감소된다. Crystalloid 용액을 시간당 200~500 ml 또는 시간당 kg당 5~10 ml를 주입하는 것이 권장되며, 대부분의 환자에서 처음 24시간 이내에 총 2,500~4,000 ml의 수액이 적당한 양이 된다[8-10]. 적극적 수액요법의 기간은 환자의 상태에 따라 결정해야 한다.

환자의 수액공급이 적절한지를 판단하기 위해 환자의 심폐기관의 감시는 중요하다. 시간당 소변량(0.5~1.0 mL/kg/hr 이상), 심박수(분당 120회 이하), 평균동맥압(65 mmHg 이상), hematocrit (hct, 33~44%) 등이 수액치료의 적절성을 판단하는 지표가 된다[9]. 일반적으로 처음 24시간에 hct나 BUN의 감소를 목표로 하는 것이 추천된다. 1,043명의 환자를 대상으로 한 메타분석에 따르면 처음 내원 시 BUN이 20 mg/dL 이상인 경우 사망률이 4.6배 높았고, 24시간 경과 후에 BUN이 상승한 경우에는 사망률이 4.3배 높았다고 하였다[11].

수액치료의 주요 위험사항은 수액의 과부하이다. 지나친 수액요법은 복부구획증후군(abdominal compartment syndrome), 폐혈증, 폐부종, 기계호흡의 필요성 유발, 사망 등에 이르게 할 수 있다[12]. 무작위 대조군 연구에 따르면 5~10 ml/kg/h로 수액치료 받은 환자군이 10~15 ml/kg/h로 수액치료 받은 군에 비하여 기계호흡의 필요, 복부구획증후군, 폐혈증, 사망률 등이 감소하였고[13], 다른 연구에서는 hct를 48시간 이내에 35% 이상으로 천천히 hemodilution한 환자군이 35% 이하로 급하게 hemodulution한 군에 비하여 폐혈증과 사망률이 감소하였다[14]. 따라서 수액치료는 환자의 연령, 심부전과 같은 동반질환 유무, 혈관 내 용적 감소의 정도 등 환자 개인의 상태에 맞추어 조절되어야 하며, 권고사항을 환자 개인에 최적화하여 적용하는 등 각별한 주의가 필요하다.

수액의 종류에 대한 연구는 많지 않지만 40명의 환자를 대상으로 한 다기관 연구에 따르면 Lactated Ringer's solution이 생리식염수(normal saline)에 비하여 전신염증반응증후군(systemic inflam-matory response syndrome, SIRS) 발생이 줄고 CRP (C-reactive protein)를 감소시켜 더 효과적이었다[15]. 생리식염수를 다량 투입 시에는 과염소성(hyperchloremic) 대사성 산증의 위험이 있는 반면에 Lactated Ringer's solution은 산염기 균형에 역할이 있기 때문으로 생각된다. 이 연구 결과를 바탕으로 Ringer's lactate solution이 일반적으로 급성췌장염의 수액치료에 우선적으로 추천되고 있다.

2. 통증조절

급성췌장염에서 동반되는 복부 통증은 강도가 심하며 지속적이어서 적극적인 통증조절이 필요하다. 통증에 의해 환자의 불안이 심해지고 호흡억제까지 유발할 수 있다. 그러므로 급성췌장염에서는 통증이 발생하면 지체 없이 통증조절을 시작해야 한다. 통증조절이 급성췌장염의 진단과 치료에 방해가 되지는 않는다고 알려져 있다. 비경구용 진통제로는 pethidine, morphine, fentanyl 등의 마약성 진통제와 NSAIDs를 사용할 수 있다. 8개의 대조군 연구를 체계적 고찰한 결과, 여러 진통제 중에 급성췌장염의 통증 조절에 효과적인 약제를 제시할 수 없었다[16]. 전통적으로 morphine은 오디괄약근의 수축을 유발하여 급성췌장염을 악화시킬 수 있다고 알려져 있어 morphine의 사용은 제한되었었다. 그러나 급성췌장염에서 morphine의 오디괄약근에 미치는 영향에 대한 직접적인 연구는 없으며, morphine에 의해 급성췌장염이 악화되었다는 보고가 없어 그 근거는 매우 희박하다 할 수 있다[17,18]. Pethidine은 오디괄약근의 압력을 낮춰주는 효과가 있어 급성췌장염에서 가장 많이 사용되는 마약성 진통제이다. 마약성 진통제는 오남용과 부작용을 줄이기 위해 사용되는 용량과 빈도를 주의 깊게 관찰해야 한다.

3. 영양공급

과거에는 급성췌장염에서 식이는 십이지장내에서 cholecystokinin의 분비를 자극하여 췌장의 단백분해효소를 활성화함으로써 췌장염을 악화시킬 수 있다고 생각되었으며, 금식과 경정맥으로 영양을 공급하는 '췌장휴식'이 중요한 치료원칙이었다. 그러나 급성췌장염에서는 췌액의 분비가 감소되어 있어 식이에 의한 영향이 적고, 금식으로 인한 장점막의 위축과 장내세균의 전위(translocation)가 증가하여 감염성 합병증을 유발할 수 있는 것이 알려지면서 과거와 달리 조기에 경장영양(enteral nutrition)을 공급하는 것이 추천되고 있다[8,9,12].

장기부전이나 췌장괴사가 없는 경증 급성췌장염 환자의 경우 경구 식이를 시작하기 전에 통증의 완전한 소실이나 췌장효소의 정상화가 필요하지 않다[19]. 대부분의 경증 급성췌장염 환자는 심한 통증, 구역, 구토, 장마비 등이 없다면 입원 후 빠른 시간 내에 저지방 식이로 섭취를 시작하는 것이 권고된다[9,12]. 저지방의 연식이나 고형식으로 식이를 시작하는 것이 맑은 유동식부터 시작하여 점차 고형식으로 전환하는 방법보다 입원기간이 단축되었다[19,20]. 중증 급성췌장염에서는 경장 식이는 경구나 식이관(feeding tube)로 입원 72시간 내에는 가급적 시작하는 것이 권고된다. 최근 한 연구에 의하면 중증의 급성췌장염 환자에서 입원 24시간 이내에 시작한 조기 비장관(nasoenteric) 영양법은 2~3일간 환자가 경구섭취가 불가능하여 72시간 경과 후에 경구섭취를 시작한 한 경우에 비하여 감염이나 사망률을 줄이지 못하여 경구섭취와 차이가 없었다.[21] 경장영양은 세균의 전위를 막아주는 장내 방어막을 유지하게 하여 정맥영양(parenteral nutrition)에 의해 발생하는 합병증을 예방하는데 효과적이다. 381명의 환자를 대상으로 한 메타분석에서 따르면 경장영양이 정맥영양에 비해 사망률이 낮고, 감염 합병증이 줄었으며 장기부전과 수술적 치료의 요구가 낮았다고 한다[22]. 환자의 증상이 계속적으로 심하고 경구 섭취에 적응하지 못하는 상태가 3~5일이 지속되는 경우에는 식이관을 이용한 경장영양을 고려해야 한다. 비공장관(nasojejunal tube)이 췌장의 분비를 최소화하는 점에서 이상적이지만, 대조군 연구와 메타분석에 의하면 비위관(nasogastric tube)과 큰 차이를 보이지 않아, 삽입이 간편한 비위관이 현실적으로 많이 이용된다[23].

경장영양에 사용되는 식이 배합(formulation)으로는 (semi) elemental과 polymeric 배합이 사용될 수 있다. 20개의 연구를 메타분석한 결과에 따르면 급성췌장염에서 (semi) elemental과 polymeric 배합은 감염 합병증과 사망률을 줄이는데 의미 있는 차이를 보이지 않았다[24].

총정맥영양(total parenteral nutrition)은 경장영양에 비하여 가격이 비싸고 위험성이 높으며, 효과도 낮다고 알려져 있다[8,9,22]. 총경정맥영양은 경장영양에 환자가 적응하지 못하여 영양공급이 필요한 경우에만 한하여 시행해야 한다. 총정맥영양은 경구섭취나 식이관으로 경장영양이 가능하도록 입원 5일까지 기다려본 후 필요시에 시행하는 것이 적절하다[12].

4. 예방적 항생제 치료

급성췌장염에서 췌장과 췌장주변 조직에 감염은 환자의 합병증 발생과 사망률을 증가시키는 매우 중요한 문제이다. 장내 세균의 전위에 의해 췌장괴사에 감염이 동반되면 사망률이 25%까지 증가된다고 알려져 있고[25], 췌장괴사에 감염이 되면 사망률이 2배로 증가하고[26], 급성췌장염에 의한 사망 원인으로 감염성 췌장괴사가 70%까지 차지한다고 한다[10]. 그러므로 급성췌장염에서 감염을 예방하기 위하여 이론적으로 예방적 항생제 투여를 고려할 수 있겠으나, 아직까지 이에 대한 많은 임상 연구와 체계적 고찰에서 의미 있는 결과를 보여주지 못하고 있다. 몇몇 무작위 대조연구에 의하면 췌장 침투율이 좋은 imipenem이나 quinolone계 항생제를 예방적으로 사용 시에 감염성 합병증 발생을 낮춘다고 하였지만, 그렇지 않은 결과를 보고한 연구도 많이 있다. 404명의 환자를 대상으로 한 7개의 연구를 메타분석한 결과에 의하면 사망률, 감염성 췌장괴사, 비췌장 조직의 감염 등에서 예방적 항생제는 효과적인 차이를 보이지 못하였다[27]. 또한 841명의 환자를 대상으로 한 14개의 연구를 메타분석 결과에서도 예방적 항생제 사용의 근거를 제시하지 못하였다[28]. 11개의 연구에 대한 메타분석에서는 항생제의 효과가 환자군에 따라 차이를 보여 추가 연구가 필요하다고 하였다[29].

따라서 현재까지는 췌장 감염이 의심되거나 확인된 경우가 아니라면 급성췌장염에서 예방적 항생제 사용은 일반적으로 권고되지 않는다. 그러나 처음 내원 시부터 폐혈증, SIRS 또는 다장기부전 등이 있는 환자에서는 혈액배양 검사와 감염부위의 배양 검사 후에 항생제 치료는 적절하다. 현실적으로 임상에서는 권고사항과는 다르게 예방적 항생제가 감염이 없는 많은 환자에서 사용되고 있는 것으로 파악되고 있어, 이론과 실제가 일치하지 않는 문제를 해결하기 위한 노력이 필요하다[30].

한편 최근에 급성 괴사성 췌장염 환자에서 항생제 투약의 시점에 중점을 두고 397명을 대상으로 한 6개의 연구의 메타분석에 의하면 증상발현 72시간 또는 입원 48시간 이내의 조기에 예방적 항생제를 투여한 경우에는 사망률과 감염성 췌장괴사의 발생이 의미 있게 줄었다고 하였다[31]. 따라서 중증 급성췌장염과 괴사성 췌장염에서는 발병 72시간 이내인 조기 항생제 치료가 환자의 감염 예방을 위해 고려할 수도 있겠다.

선택적인 소화관 오염제거(selective gut decontamination)는 췌장 감염의 원인 균주의 근원인 장내 그람 음성 균주를 제거함으로써 소화관에서 췌장으로 세균의 전위를 억제하여 췌장 감염을 예방하기 위한 목적으로 시도되었다. 한 무작위 대조연구에서는 이 방법이 급성췌장염에서 감염성 합병증과 사망률을 줄이는데 효과적이라고 하였지만, 추가적인 연구가 없어 효과를 입증하기에는 부족한 상태이다[32].

프로바이오틱스를 급성췌장염에서 감염을 예방하기 위해 예방적으로 투여한 연구들의 메타분석에서 예방효과가 없다고 알려져서 프로바이오틱스 예방법은 권고되지 않는다[33]. 한 대규모 연구에 따르면 프로바이오틱스를 투여한 환자군에서 감염성 합병증 발생이 감소하지 않았고 오히려 장허혈로 인한 사망률이 증가하였다고 하였다[34].

5. 약물요법

1) 췌장분비 억제제

췌장의 자가소화는 급성췌장염 발생의 중요기전 중의 하나이다. 따라서 췌장분비 억제제를 이용한 급성췌장염 치료가 시도되어 왔다. Somatostatin은 췌장분비 억제, 장내혈류 감소, 간의 reticuloendothelial system 활성, 염증 사이토카인 조절 등의 작용이 있어 급성췌장염 치료에서 연구되었다[35]. 그러나 몇몇 임상연구에서 중증 급성췌장염에서 사망을 줄여주는 효과를 보여주지 못하였고, 한 메타분석에서도 사망률 감소에는 효과가 있으나 합병증 감소에는 효과를 보이지 못하였다[36]. Somatstatin의 합성 유도체인 octreotide는 302명의 많은 환자를 대상으로 한 연구에서 임상적 효과가 없었지만[37], 50명의 환자를 대상으로 한 연구에서는 의미 있는 효과를 나타내었다[38]. 이전 메타분석 연구에서는 중증 급성췌장염이 사망률 감소에 효과가 있다고 하였으나[36], 최근 메타분석 결과에서는 사망률, 패혈증, 합병증 발생 등에서 효과를 보여 주지 못하였다고 하였다[39]. 한편 고용량의 octreotide나 somatostatin이 중증 급성췌장염으로 진행, 패혈증, 다발성 장기부전, 사망률을 줄였다는 연구 결과도 있었다[40,41]. 하지만 이 두 연구는 중증 급성췌장염의 진단기준이 모호하고 대상 환자군이 이질적인 결점이 있다.

췌장분비 억제제의 임상연구는 현재까지 그 효과를 증명할 만한 결과를 제시하지 못하고 있다. 경증 급성췌장염에서는 효과가 없는 것으로 보여지며 중증 급성췌장염에서는 효과가 확실하지 않다. 따라서 급성췌장염 환자의 치료에서 췌장분비 억제제는 현재 추천되지 않는다.

2) 단백분해효소 억제제(protease inhibitor)

췌장내 소화효소의 활성화는 급성췌장염 발생기전의 주요 원인이다. 따라서 단백분해효소(pancreatic protease)를 억제하는 단백분해효소 억제제 치료가 시도되어 왔다. Gabexate, nafamostat, ulinastatin과 aprotinin 같은 약물이 연구되었지만 급성췌장염의 지속적인 치료효과에서 의미 있는 결과를 보여주지 못하고 있다.

Gabexate는 초기 임상 연구에서 사망률을 줄여주는 효과가 있다고 하였으나[42,43], 중등도 및 중증 급성췌장염에서 시행한 대규모 대조군 연구에서는 그 효과를 입증하지 못하였다[44,45]. 2개의 메타분석 결과에서도 수술의 필요성이나 합병증은 감소하였으나 사망률을 줄이는 효과는 없었다[36,46]. Ulinastatin은 급성췌장염에서 혈중 CRP, IL-6, TNF- 를 감소시켜 항염증효과가 있다고 한다[41]. 한 무작위 대조군 연구에서 Ulinastatin은 장기부전과 사망률을 줄이는 데 효과가 있다고 하였다[47]. 2004년과 2014년에 두 번 시행한 메타분석에 따르면 급성췌장염에서 단백분해효소 억제제는 사망률과 합병증을 줄이는데 효과가 있다는 근거가 부족하였다[48,49].

급성췌장염에서 단백분해효소 억제제의 임상적 효과가 없는 것은 약물 중에 일부만 췌장까지 도달하게 되어 췌장내 작용하는 약물의 농도가 낮은 것이 한 원인으로 여겨진다. 지속적인 국소적 동맥내 주입(continuous regional intra-arterial infusion, CRAI)는 췌장에 혈액을 공급하는 동맥을 통하여 고농도의 약물을 췌장에 전달하는 치료법이다. 환자를 대상으로 한 몇몇 연구에서 급성 괴사성 췌장염에서 발병 48시간 이내에 단백분해효소 억제제와 항생제를 CRAI로 투입하여 사망률과 췌장감염 발생을 줄였다고 하였다[50,51]. 메타분석에 의하면 관찰연구에서는 CRAI가 사망률과 응급수술 필요성을 줄이는데 효과가 있었으나 무작위 대조군 연구에서는 효과를 보여주지 못하였다[52]. 최근 대규모 후향적 다기관연구에서도 효과를 보여주지 못하였고[53], 입원기간의 연장과 의료비 증가만 가져온다는 지적도 있다[54]. 대부분의 연구는 환자수가 적고 대조연구가 미흡하며, 중도탈락이 많은 제한점이 있고, 췌장 혈관에 카테터를 삽입하는 시술은 풍부한 경험이 필요한 어려운 시술로 약 1/5 환자에서는 카테터 삽입을 실패한다고 한다[55]. 앞으로 CRAI 치료법의 효과를 입증하기 위해서는 대규모의 연구가 필요하다.

현재까지 단백분해효소 억제제의 급성췌장염에서 효과는 확실한 근거가 부족하며 어떠한 약제도 표준치료로 인정받지 못하고 있다.

3) 항산화제

산화성 자극(oxidative stress)은 많은 염증질환에서 관여하고 있다. 실험성 급성췌장염에서 산소 유발성 free radical이 발생하고[56], 중증 췌장염 환자에서 산소 유발성 free radical이 증가되어 있고[57], 혈중 항산화 수치가 감소되어 있다고 알려졌다[58]. 이런 근거를 바탕으로 항산화제가 급성췌장염에서 치료효과가 있을 것으로 기대되었다. 항산화제로는 n-acetylcysteine, methionine, beta-carotene, selenium, ascorbic acid, 그리고 alpha-tocopherol 등이 연구되었다.

Acetylcysteine, selenium, vitamin C로 치료한 무작위 대조 연구에서 혈중 항산화 수치 증가와 산화성 자극의 감소는 보여주었지만 임상적 효과는 없었다[59]. 그 외 다양한 항산화제 치료 연구에서도 효과를 입증할 만한 결과를 보여주지 못하였다[60,61]. 505명 환자를 대상으로 한 12개의 무작위 대조연구에 대한 메타분석에서는 glutamine은 사망률과 감염 합병증을 감소시키는 효과가 있으나 입원기간을 단축시키지는 못하였으며, 그 효과는 경정맥 영양을 공급받은 환자에서만 있었다고 하였다[62]. 급성췌장염에서 항산화제의 치료는 추가적인 연구가 필요하다.

4) 기타 약물

그 외의 약물로 platelet activating factor 억제제인 lexipafant[63], endogenous protein C 유도체인 drotrecogin alfa[64], 그리고 NSAIDs[65] 등이 급성췌장염에서 연구되었으나 아직까지 뚜렷한 효과를 입증한 약물은 없다.

References

1. Mann DV, Hershman MJ, Hittinger R, Glazer G. Multicentre audit of death from acute pancreatitis. Br J Surg 1994;81:890-3.
2. Russo MW, Wei JT, Thiny MT, et al. Digestive and liver diseases statistics, 2004. Gastroenterol 2004; 126:1448-53.
3. Fagenholz PJ, Castillo CF, Harris NS, Pelletier AJ, Camargo CA. Increasing United States Hospital Admissions for Acute Pancreatitis, 1988–2003. Ann Epidemiol 2007;17:491.e8.
4. Bassi D, Kollias N, Fernandez-del Castillo C, Foitzik T, Warshaw AL, Rattner DW. Impairment of pancreatic microcirculation correlates with the severity of acute experimental pancreatitis. J Am Coll Surg 1994;179:257-61.
5. Cuthbertson CM, Christophi C. Disturbances of the microcirculation in acute pancreatitis. Br J Surg 2006;93:518-30.
6. Brown A, Orav J, Banks PA. Hemoconcentration is an early marker for organ failure and necrotizing pancreatitis. Pancreas 2000;20:367-72.
7. Hotz HG, Foitzik T, Rohweder J, et al. Intestinal microcirculation and gut permeability in acute pancreatitis: early changes and therapeutic implications. J Gastrointest Surg 1998;2:518-25.
8. Tenner S, Baillie J, DeWitt J, Vege SS. American College of Gastroenterology guideline: management of acute pancreatitis. Am J Gastroenterol 2013;108:1400.
9. Working Group IAP/APA Acute Pancreatitis. IAP/APA evidence based guidelines for the management of acute pancreatitis. Pancreatology 2013;13:15.
10. Janisch NH, Gardner TB. Advances in management of acute pancreatitis. Gastroenterol Clin N Am 2016;45:1-8.
11. Wu BU, Bakker OJ, Papachristou GI, et al. Blood urea nitrogen in the early assessment of acute pancreatitis: An international validation study. Arch Int Med 2011;171:669-76.
12. Chris E. Forsmark, Santhi Swaroop Vege, C. Mel Wilcox. Acute pancreatitis. N Engl J Med 2016;375:1972-81.
13. Mao E, Tang Y, Fei J, et al. Fluid therapy for severe acute pancreatitis in acute response stage. Chin Med J 2009;122:169-73.
14. Mao E, Fei J, Peng Y, Huang J, Tang Y, Zhang S. Rapid hemodilution is associated with increased sepsis and mortality among patients with severe acute pancreatitis. Chin Med J 2010;123:1639-44.
15. Wu BU, Hwang JQ, Gardner TH, et al. Lactated Ringer's solution reduces systemic inflammation compared with saline in patients with acute pancreatitis. Clin Gastroenterol Hepatol 2011;9:710-717.e1.
16. Meng W, Yuan J, Zhang C, et al. Parenteral analgesics for pain relief in acute pancreatitis: A systematic review. Pancreatology 2013;13:201-6.
17. Johnson CD, Besselink MG, Carter R. Acute pancreatitis. BMJ 2014;349:g4859.
18. Peiró AM, Martínez J, Martinez E, et al. Efficacy and tolerance of metamizole versus morphine for acute pancreatitis pain. Pancreatology 2008;8:25-9.
19. Teich N, Aghdassi A, Fischer J, et al. Optimal timing of oral refeeding in mild acute pancreatitis: results of an open randomized multicenter trial. Pancreas 2010;39:1088-92.
20. Jacobson BC, Vander Vliet MB, Hughes MD, Maurer R, McManus K, Banks PA. A prospective, randomized trial of clear liquids versus low-fat solid diet as the initial meal in mild acute pancreatitis. Clin Gastroenterol Hepatol 2007;5:946-51.
21. Bakker OJ, Brunschot Sv, Santvoort HCv, et al. Early versus on-demand nasoenteric tube feeding in acute pancreatitis. N Engl J Med 2014;371:1983-93.

22. Yi F, Ge L, Zhao J, et al. Meta-analysis: Total parenteral nutrition versus total enteral nutrition in predicted severe acute pancreatitis. Int Med 2012; 51:523-30.
23. Eatock FC, Chong P, Menezes N, et al. A randomized study of early nasogastric versus nasojejunal feeding in severe acute pancreatitis. Am J Gastroenterol 2005;100:432-9.
24. Petrov MS, Loveday BPT, Pylypchuk RD, McIlroy K, Phillips ARJ, Windsor JA. Systematic review and meta-analysis of enteral nutrition formulations in acute pancreatitis. Br J Surg 2009;96:1243-52.
25. Swaroop VS, Chari ST, Clain JE. Severe acute pancreatitis. JAMA 2004;291:2865-8.
26. Werge M, Novovic S, Schmidt PN, Gluud LL. Infection increases mortality in necrotizing pancreatitis: A systematic review and meta-analysis. Pancreatology 2016;16:698-707.
27. Villatoro E, Mulla M, Larvin M. Antibiotic therapy for prophylaxis against infection of pancreatic necrosis in acute pancreatitis. Cochrane Database Syst Rev 2010;:CD002941.
28. Sharma VK, Howden CW. Prophylactic antibiotic administration reduces sepsis and mortality in acute necrotizing pancreatitis: a meta-analysis. Pancreas 2001;22:28-31.
29. Jiang K, Huang W, Yang XN, Xia Q. Present and future of prophylactic antibiotics for severe acute pancreatitis. World J Gastroenterol 2012;18:279-84.
30. Baltatzis M, Jegatheeswaran S, O'Reilly DA, Siriwardena AK. Antibiotic use in acute pancreatitis: Global overview of compliance with international guidelines. Pancreatology 2016;16:189-93.
31. Ukai T, Shikata S, Inoue M, et al. Early prophylactic antibiotics administration for acute necrotizing pancreatitis: a meta-analysis of randomized controlled trials. J Hepatobiliary Pancreat Sci 2015; 22:316-21.
32. Luiten EJ, Hop WC, Lange JF, Bruining HA. Controlled clinical trial of selectivedecontamination for the treatment of severe acute pancreatitis. Ann Surg 1995;222:57-65.
33. Sun S, Yang K, He X, Tian J, Ma B, Jiang L. Probiotics in patients with severe acute pancreatitis: a meta-analysis. Langenbecks Arch Surg 2009;394: 171-7.
34. Besselink MG, van Santvoort HC, Buskens E, et al. Probiotic prophylaxis in predicted severe acute pancreatitis: a randomised, double-blind, placebo-controlled trial. Lancet 2008;371:651-9.
35. Greenberg R, Haddad R, Kashtan H, Kaplan O. The effects of somatostatin and octreotide on experimental and human acute pancreatitis. J Lab Clin Med 2000;135:112-21.
36. Andriulli A, Leandro G, Clemente, et al. Meta-analysis of somatostatin, octreotide and gabexate mesilate in the therapy of acute pancreatitis. Aliment Pharmacol Ther 1998;12:237-45.
37. Uhl W, Büchler MW, Malfertheiner P, Beger HG, Adler G, Gaus W. A randomised, double blind, multicentre trial of octreotide in moderate to severe acute pancreatitis. Gut 1999;45:97-104.
38. H Paran, Mayo A, Paran D, et al. Octreotide treatment in patients with severe acute pancreatitis. Dig Dis Sci 2000;45:2247-51.
39. Heinrich S, Schäfer M, Rousson V, Clavien P. Evidence-based treatment of acute pancreatitis: a look at established paradigms. Ann Surg 2006;243: 154-68.
40. Wang R, Yang F, Wu H, et al. High-dose versus low-dose octreotide in the treatment of acute pancreatitis: a randomized controlled trial. Peptides 2013;40:57-64.
41. Wang L, Luo M, Zhang J, Ge F, Chen J, Zheng C. Effect of ulinastatin on serum inflammatory factors in Asian patients with acute pancreatitis before and after treatment: a meta-analysis. Int J Clin Pharmacol Ther 2016;54:890-8.

42. Harada H, Miyake H, Ochi K, Tanaka J, Kimura I. Clinical trial with a protease inhibitor gabexate mesilate in acute pancreatitis. Int J Pancreatol 1991; 9:75-9.
43. Yang CY, Chang-Chien CS, Liaw YF. Controlled trial of protease inhibitor gabexelate mesilate (FOY) in the treatment of acute pancreatitis. Pancreas 1987;2:698-700.
44. Büchler M, Malfertheiner P, Uhl W, et al. Gabexate mesilate in human acute pancreatitis. German Pancreatitis Study Group. Gastroenterology 1993; 104:1165-70.
45. Valderrama R, Pérez-Mateo M, Navarro S, et al. Multicenter double-blind trial of gabexate mesylate (FOY) in unselected patients with acute pancreatitis. Digestion 1992;51:65-70.
46. Pelagotti F, Cecchi M, Messori A. Use of gabexate mesylate in Italian hospitals: a multicentre observational study. J Clin Pharm Ther 2003;28:191-6.
47. Abraham P, Rodriques J, Moulick N, et al. Efficacy and safety of intravenous ulinastatin versus placebo along with standard supportive care in subjects with mild or severe acute pancreatitis. J Assoc Physicians India 2013;61:535-8.
48. Seta T, Noguchi Y, Shikata S, Nakayama T. Treatment of acute pancreatitis with protease inhibitors administered through intravenous infusion: an updated systematic review and meta-analysis. BMC Gastroenterol 2014;14:102.
49. Seta T, Noguchi Y, Shimada T, Shikata S, Fukui T. Treatment of acute pancreatitis with protease inhibitors: a meta-analysis. Eur J Gastroenterol Hepatol 2004;16:1287-93.
50. Takeda K, Matsuno S, Sunamura M, Kakugawa Y. Continuous regional arterial infusion of protease inhibitor and antibiotics in acute necrotizing pancreatitis. Am J Surg 1996;171:394-8.
51. Takeda K, Matsuno S, Ogawa M, Watanabe S, Atomi Y. Continuous regional arterial infusion (CRAI) therapy reduces the mortality rate of acute necrotizing pancreatitis: results of a cooperative survey in Japan. J Hepatobiliary Pancreat Surg 2001;8:216-20.
52. Horibe M, Egi M, Sasaki M, Sanui M. Continuous regional arterial infusion of protease inhibitors for treatment of severe acute pancreatitis: systematic review and meta-analysis. Pancreas 2015;44:1017-23.
53. Horibe M, Sasaki M, Sanui M, et al. Continuous regional arterial infusion of protease inhibitors has no efficacy in the treatment of severe acute pancreatitis: a retrospective multicenter cohort study. Pancreas 2017;46(4):510-7.
54. Hamada T, Yasunaga H, Nakai Y, et al. Continuous regional arterial infusion for acute pancreatitis: a propensity score analysis using a nationwide administrative database. Crit Care 2013;17(5):R214.
55. Bi Y, Atwal T, Vege S. Drug therapy for acute pancreatitis. Curr Treat Options Gastro 2015;13: 354-68.
56. Schoenberg MH, Büchler M, Gaspar M, et al. Oxygen free radicals in acute pancreatitis of the rat. Gut 1990;31:1138-43.
57. Park BK, Chung JB, Lee JH, et al. Role of oxygen free radicals in patients with acute pancreatitis. World J Gastroenterol 2003;9:2266-9.
58. Curran FJ, Sattar N, Talwar D, Baxter JN, Imrie CW. Relationship of carotenoid and vitamins A and E with the acute inflammatory response in acute pancreatitis. Br J Surg 2000;87:301-5.
59. Siriwardena AK, Mason JM, Balachandra S, Bagul A, Galloway. Randomised, double blind, placebo controlled trial of intravenous antioxidant (n-acetylcysteine, selenium, vitamin C) therapy in severe acute pancreatitis. Gut 2007;56:1439-44.
60. Bansal D, Bhalla A, Bhasin DK, et al. Safety and efficacy of vitamin-based antioxidant therapy in patients with severe acute pancreatitis: a randomized controlled trial. Saudi J Gastroenterol 2011;17:174-9.

61. Sateesh J, Bhardwaj P, Singh N, Saraya A. Effect of antioxidant therapy on hospital stay and complications in patients with early acute pancreatitis: a randomised controlled trial. Trop Gastroenterol 2009;30:201-6.
62. Asrani V, Chang WK, Dong Z, Hardy G, Windsor JA, Petrov MS. Glutamine supplementation in acute pancreatitis: a meta-analysis of randomized controlled trials. Pancreatology 2013;13(5):468-74.
63. Johnson CD, Kingsnorth AN, Imrie CW, et al. Double blind, randomised, placebo controlled study of a platelet activating factor antagonist, lexipafant, in the treatment and prevention of organ failure in predicted severe acute pancreatitis. Gut 2001;48:62-9.
64. Jamdar S, Siriwardena AK. Drotrecogin alfa (recombinant human activated protein C) in severe acute pancreatitis. Crit Care 2005;9:321-2.
65. Ebbehøj N, Friis J, Svendsen LB, Bülow S, Madsen P. Indomethacin treatment of acute pancreatitis: a controlled double-blind trial. Scan J Gastroenterol 1985;20:798-800.

CHAPTER 17

급성췌장염의 합병증에 대한 내시경 및 영상의학 중재치료

Endoscopic and radiologic intervention for complicated acute pancreatitis

정문재

서론

급성췌장염은 췌장과 관련된 급성 염증 과정으로 상복부 통증과 3배 이상 췌장 효소의 상승을 특징으로 한다. 췌장액 저류(pancreatic fluid collections, PFC)는 중증 급성췌장염의 일반적인 합병증으로, 췌장액 저류의 체계적인 분류는 병변의 형성 기전을 이해하고, 기관 별 치료 성적을 비교 하기 위해 필요한데, 최근 췌장액 저류의 분류 및 명명법이 개정되어 계속 진화하고 있다[1,2]. 개정된 애틀란타 분류법(The revised Atlanta classification)은 기존의 췌장 가성낭종, 췌장괴사, 췌장 농양에서 세분화하여 1) 급성 췌장주위 액체저류(acute peripancreatic fluid collection, APFC), 2) 급성 괴사저류(acute necrotic collection, ANC), 3) 췌장 가성낭종(pancreatic pseudocyst), 4) walled-off necrosis (WON)으로 나누고 각각을 감염성과 비감염성으로 구분하도록 하였다[2,3]. 이러한 분류는 주로 병변의 기간(4주 이하 또는 4주 초과)과 저류액의 성격(괴사성 또는 비괴사성)에 기반한다. 간질성 부종성 췌장염(interstitial edematous pancreatitis) 발병 4주 이내에 급성 췌장주위 액체저류가 발생하고, 4주 후에는 가성낭종으로 진행될 수 있다. 급성 괴사저류는 일반적으로 급성 괴사성 췌장염(acute necrotic pancreatitis) 발병 4주 이내에 발생하고, 4주 후에 WON으로 진행된다. 가성낭종은 투명한 액체를 포함하고 있는 반면, WON은 다양한 고체 괴사 잔해를 포함하고 있는 것이 특징이다[2]. 일반적으로 가성낭종은 중증의 급성췌장염, 만성췌장염, 외상 및 췌장 수술의 결과로 발생하며, WON은 중증의 괴사성 췌장염의 지연성 합병증으로 발생한다. 전술한 췌장액 저류의 분류와 급성췌장염의 중증도 평가를 통해 치료 방법을 결정하고 환자의 치료 경과를 예측할 수 있다[4]. 췌장액 저류가 발생하는 주요한 기전은 주췌관 및 분지췌관의 손상과 관련이 있으며, 이러한 췌관 손상은 급성췌장염, 외상, 췌장 절제술 또는 복부 수술 중 췌장 손상 등의 급성 췌장 손상과 만성췌장염, 자가 면역성 췌장염 등 만성 췌장 손상에 의해 모두 발생할 수 있다.

췌장액 저류 환자의 시술 필요 여부를 판단하기 위해 시간 경과에 따른 췌장액 저류의 변화 양상을 이해하고 예측하는 것이 필요하다. 급성 췌장주위 액체저류와 급성 괴사저류의 변화 양상은 당연히 차이가 나는데, 급성췌장염에서 각각의 췌장액 저류의 임상 경과를 분석한 한 전향적 다기관 연구에서 급성췌장염 환자 302명 중 129명(42.7%)에서 급성 췌장주위 액체저류가 발생하였으며, 급성 췌장주위 액체저류는 대부분(70%) 자발적으로 소실되었고, 약 15%에서 가성낭종으로 진행하였다. 이후 지속적인 추적 결과, 가성낭종의 약 1/4이 자연적으로 소실되었다[2]. 급성 괴사저류를 동반한 췌장염 환자를 포함하였던 다른 전향적 코호트 연구에서 급성 괴사저류의 약 절반이 WON으로 진행하였고, 50% 이상의 WON은 특별한 시술 없이 자연적으로 소실되었다[5]. 최근 연구에서 간질성 부종성 췌장염 환자의 약 22%가 급성 췌장액 저류로 진행하였으나 대부분 가성낭종으로까지는 진행하지 않았던 것에 비해, 대부분의 급성 괴사성 췌장염은 급성 괴사저류로 진행하였고, 이중 55%에 해당되는 환자들은 WON까지 진행하여, WON 환자 중 63%의 환자에서 시술이 필요하였다고 보고하였다[6]. 일반적으로 급성 췌장주위 액체저류, 급성 괴사저류와 같이 췌장염의 급성기에 발생하는 합병증에서는 배액 등의 시술이 필요하지 않고, 고식적인 치료만으로도 해결되는 경우가 대부분이다. 그러나 증상이 있는 WON과 가성낭종의 경우 배액술이 필요할 수 있는데, 최근에 치료 효과 및 안전성을 개선한 새로운 내시경 기술 및 장치가 고안되면서, 과거의 침습적인 외과적 수술 대신 내시경적 중재술을 고려할 수 있게 되었다[7].

일반적으로 증상이 동반되거나 감염의 징후가 있을 때 췌장액 저류 병변의 배액을 고려하게 된다. 과거에는 췌장액 저류 병변의 크기가 6 cm 이상이거나, 췌장액 저류가 자연 소실되지 않고 지속될 경우 배액을 고려하였다. 그러나 최근에는 6 cm 이상의 췌장액 저류가 발생하였더라도 파열, 감염 또는 출혈과 같은 부작용이 동반되지 않고, 증상이 명확하지 않은 경우에는 추적 관찰하도록 권고 하고 있다. 무균성 췌장액 관련하여 나타날 수 있는 증상은 식이에 의해 악화되는 복통, 체중 감소, 위 출구 장애, 폐쇄성 황달 및 췌관 손상에 의한 췌장액 누출 등이다. 췌장액 누출은 복수 또는 흉막삼출액 및 췌장 누공의 형태로 발생할 수 있다.

췌장액 저류의 치료 방법을 결정하기 위해서는 병변의 원인, 액체저류 내 찌거기 동반 유무, 고형성분 등의 구성 성분, 그리고 동반된 췌관의 변화 등을 고려해야 한다. 주로 액체로 구성된 경우에는 작은 지름의 스텐트를 배치하여 배액을 유도할 수 있는 반면, 찌거기가 동반되어 있는 경우에는 찌거기의 배출과 함께 큰 직경의 스텐트 및 세척용 카테터의 삽입을 위해서 배액 경로를 확장하는 시술이 추가로 필요할 수 있다. 췌장액 저류에 대한 내시경적 치료는 크게 접근 방법에 따라 경벽 배액술(transmural drainage)과 경유두 배액술(transpapillary drainage)로 나누어지며, 경벽 배액술을 통해 췌장액 저류 액체와 찌꺼기 성분을 배액하고, 경유두 접근법을 통해 췌관의 손상으로 인한 췌장액의 유출 또는 췌관의 협착을 치료할 수 있다. 손상된 췌관의 치료는 장기적으로 재발률을 감소시키고, 배액의 성공률을 향상시킬 수 있다. WON이 발생하였을 경우 직접 내시경적 괴사조직 제거술(direct endoscopic necrosectomy, DEN)과 같은 추가적인 중재술도 함께 고려해야 한다[8]. 최근 새로운 내시경적 기술과 장치의 개발 덕분에 합병증을 동반한 급성췌장염의 치료는 지난 수십 년 동안 큰 발전을 이루어 왔다. 초음파 내시경(endoscopic ultrasonography, EUS)이 도입되면서 벽 구조가 안정화된 췌장액 저류 배액을 위해 EUS 유도하 배액술이 널리 이용되고 있다. EUS를 통해 배액을 시도할 경우 수술적 또는 경피적 중재술과 유사한 배액 효과를 나타낼 수 있으며,기대할 수 있으면서도, 합병증 발생 위험이 낮고 시술 비용이 합리적이라는 장점이 있다.

최근 췌장액 저류의 분류 체계가 확립되면서 급성췌장염과 동반된 췌장액 저류에 대한 치료 전략이 표준화 과정을 거치고 있다. 하지만 동일한 분류에 속한 췌장액 저류 병변이라고 하더라도 모두 같은 방법으로 치료 될 수는 없다. 급성췌장염에 동반되어 췌장액 저류가 발생하였을 경우 환자 개개인의 특성에 따른 개별화된 접근법이 요구된다고 하겠다. 이번 장에서는 급성췌장염에 의해 발생한 합병증의 내시경적 치료를 위한 병변에 따른 고려사항과 실제 시술 방법 등에 대해 알아보도록 하겠다.

1. 병변에 따른 고려 사항

췌장액 저류의 내시경적 치료를 결정 하기 전에 다음과 같은 배액 전 평가가 필요하다. 우선 급성췌장염 외에 췌장암, 자가 면역성 췌장염 및 낭성 종양 등 췌장액 저류를 유발 시킬 수 있는 다른 발생원인을 확인하는 것이 필요한데, 이를 위해 EUS, 컴퓨터 단층촬영(computed tomography, CT) 및 자기공명 담췌관조영술(magnetic resonance cholangiopancreatography, MRCP)이 질환의 감별을 위해 유용하게 시행될 수 있다. EUS를 통해 초음파 영상을 통한 정보뿐만 아니라, 저류액을 직접 추출하여 분석할 수 있고, 필요하다면 조직검사를 통해 최종 진단을 얻을 수도 있다. CT 검사를 통해 위 및 십이지장과 액체저류 병변의 상대적인 위치를 평가할 수 있고, 비장 정맥 또는 문맥과 같은 주변 혈관 구조를 평가할 수 있다. MRCP는 저류액 내의 고체 이물질 유무 및 췌관 등 해부학적 구조 이상 유무를 확인할 수 있으므로, 치료 방법을 선택 하는 데에 중요한 정보를 제공할 수 있다. 이 밖에도 응고 장애가 의심되거나 간 질환이 의심되는 환자에서 췌장액 저류 병변의 경벽 배액술을 고려하는 경우, 혈액 응고 검사를 반드시 진행하여 시술과 관련된 출혈 합병증의 위험을 사전에 평가하여야 한다.

1) 가성낭종

가성낭종은 급성췌장염에 의한 췌관 손상 및 췌장액 누출의 결과로 형성된다. 췌장 및 췌장 주변 지방의 염증 및 괴사 부위가 시간이 지남에 따라 액화되면서 가성낭종이 형성된다. 가성낭종이 형성되기 위해서는 일반적으로 약 4주 이상의 시간이 소요되며, 심각한 초기 급성 췌장괴사를 가진 일부 환자에서는 췌장 및 췌장 주변 괴사가 영상학적으로 가성낭종과 유사하게 관찰될 수 있다[9]. 이러한 초기 급성 췌장괴사와 동반되어 나타나는 췌장액 저류 병변은 다량의 고형 찌꺼기들을 포함하고 있고, 가성낭종 배액을 위한 일반적인 내시경적 배액술만으로는 감염이나 찌꺼기가 완전히 제거되지 않아 감염성 합병증을 일으킬 수 있으므로, 반드시 시술 전 가성낭종과의 감별이 필요하다[10,11].

급성 가성낭종의 증상 및 징후로서 식사 후 악화되는 복통, 체중 감소, 위 출구 폐쇄, 폐쇄성 황달 및 췌관 누출(복수 또는 췌장 누공) 등이 발생할 수 있다[12]. 가성낭종은 감염, 낭종 내 출혈 또는 낭종 파열과 같은 합병증을 동반할 수 있다. 또한 가성낭종이 확인된 환자에서 복부 통증, 오한 또는 발열과 같은 새로운 증상이 발생할 경우에는 감염이나 농양의 발생을 의심해야 한다. 가성낭종에서 배액술의 적응증은 감염 유무와 관계없이 위에서 언급한 증상이 발생하거나, 가성낭종의 크기가 증가하는 경우이다. 가성낭종은 경유두 배액술, 또는 위 또는 십이지장 벽을 통한 경벽 배액술을 통해 치료 할 수 있다[13,14]. 가성낭종이 주췌관과 연결되어 있는 경우에는, 췌관 괄약근 절개 유무와 상관없이 췌관 스텐트를 삽입하는 것이 효과적일 수 있는데, 특히 5~6 cm 미만의 작은 가성낭종의 경우 경피적 배액술이나 내시경적 경벽 배액술 등의 방법으로는 접근이 어려울 수 있으므로, 췌관 스텐트를 통한 경유두 배액술을 고려할 수 있겠다[14,15].

1990년대 EUS 유도하 가성낭종 배액술이 처음 소개된 이후 내시경적 경벽 배액술의 우수성을 뒷받침하는 많은 연구 결과들이 발표되었으며, 이러한 연구들을 통해 가성낭종의 내시경적 경벽 배액술의 성공률은 약 86~100%에 이른다고 보고되고 있다[16]. 외과적 위-낭종 문합술 및 경피적 배액술의 치료 결과와 내시경적 경벽 배액술의 치료 결과를 비교 분석한 연구에서 치료 성공률, 합병증 발생률, 재시술 비율 측면에서 동일한 치료 효과를 보였으며, 수술적 배액술과 비교하여 내시경적 경벽 배액술이 입원 기간, 환자의 삶의 질, 비용 측면에서는 우수한 결과를 보였다[17,18]. 증상이 있는 가성낭종 환자를 대상으로 한 후향적 임상 시험에서 경피적 배액술과 내시경적 경벽 배액술은 비슷한 치료 성공률을 보였지만, 경피적 배액술을 시행받은 환자군에서 재시술 비율이 높았고 입원 기간이 길었으며, 추적 복부영상검사가 더 자주 시행되었다고 보고하였다[19,20]. 가성낭종 환자를 대상으로 내시경적, 경피적 및 수술적 배액술을 비교 분석한 체계적 문헌고찰에서 대등한 치료 성공률과 부작용 발생 비율을 보였으며, EUS 유도하 배액술을 시행받은 경우 환자의 입원 기간이 짧았고, 치료 비용 및 환자의 삶의 질 측면에서도 우수하였다고 보고하였다[21]. 그러나 변형된 해부학적인 구조 등으로 인해 내시경적 경벽 배액술이 불가능한 경우에는 여전히 외과적 위-낭종문합술과 경피적 배액술을 고려해야 한다.

2) 괴사성 췌장염 및 WON (walled-off necrosis)

괴사성 췌장염은 췌장염 환자의 약 20%에서 발생하며, 사망률이 8~39%에 이르는 것으로 보고되고 있다[22]. 췌장 또는 췌장 주위 괴사 조직의 2차 감염으로 인한 패혈증 및 다발성 장기 부전이 괴사성 췌장염 환자를 사망에 이르게 하는 주요한 원인으로 알려져 있다[23]. 괴사성 췌장염 환자에서 이러한 괴사 조직의 2차 감염이 의심되는 경우에는 배액술과 같은 중재 시술을 적극적으로 고려하여야 한다[24,25]. 조영증강 CT 또는 자기공명영상(magnetic resonance imaging, MRI)에서 조영증강 효과가 보이지 않는 췌장 실질이 관찰되는 경우 괴사성 췌장염을 의심할 수 있다. 췌장괴사의 초기에는 조영증강 CT상 췌장 실질이 조영증강되지 않고 종종 주췌관의 파괴를 동반하게 되는데, 수 주에 걸쳐 괴사 부위의 췌관이 약화되거나 확장되는 변화를 겪게 된다. 이러한 변화 후 괴사 부위에는 액체와 고체 잔해가 포함되게 되고, 이 과정을 췌장괴사 초기 단계와 구별하기 위해 WON으로 지칭하게 된다. 복부 CT상 WON은 급성 가성낭종과 유사하게 보일 수 있는데, 이러한 형태적 유사성으로 인해 표준적인 가성낭종 배액술을 적용할 경우 고형 물질을 적절히 제거하지 못하여 심각한 감염을 초래할 수 있다[1]. 따라서 배액이 필요한 괴사성 췌장염의 경우 고형 물질의 제거가 반드시 이루어져야 하는데, 이러한 이유로 내시경적 치료법이 가성낭종의 배액 방법과 다를 수 밖에 없다. 가성낭종으로 잘못 진단되는 경우를 막기 위해, WON의 대부분이 중증 급성췌장염에 이어서 발생하고, 여러 영상학적 소견에서 고형 물질이 확인된다는 사실을 숙지할 필요가 있겠다. 이외에도 가성낭종과 구별되는 WON의 특징적인 영상 소견은 지속적인 크기 증가, 잘룩창자옆(paracolic) 공간까지 병변의 확장, 불규칙한 벽 표면, 췌장 외연의 왜곡 및 불연속성 등을 꼽을 수 있다[9]. 일반적으로, 경유두 배액술을 통한 고형물의 제거는 거의 항상 불가능하기 때문에, WON 병변의 경우 주로 경벽 배액술이 고려되어야 한다.

세균의 감염이 없는 괴사성 췌장염 환자에서 최적의 배액시기에 관해서는 아직 논란의 여지가 있으나 통상적으로 췌장염 발병 4주에서 6주 후 내시경적 배액술을 권장하고 있다. 세균 감염이 동반되어 있지 않다고 판단 되는 경우, 배액의 일반적인 적응증은 지속되는 복부 통증, 위 출구 장애, 지속적인 전신상태의 악화, 식욕부진 및 체중 감소 등이다. 이러한 증상이 동반되지 않은 경우에 CT 등 영상 검사의 중증도 만으로 배액 여부를 결정하지는 않는다. WON의 내시경적 배액술은 기술적으로 난이도가 높고, 합병증 발생 비율이 높은 만큼 세균 감염이 동반되지 않은 괴사성 췌장염 환자에서 내시경적 배액술의 시행 여부를 결정할 때에는 매우 신중할 필요가 있겠다[11,26]. 감염이 의심되는 괴사성 췌장염의 경우에는 배액술을 적극적으로 고려 하여야 하는데, 단 임상적으로 백혈구가 증가하고 발열이 발생한 경우라도 세균 감염이 동반되어 있다고 단정할 수는 없다. 따라서 배액술의 시행 여부를 결정하기 전에 괴사의 세균 감염 여부를 보다 정확하게 확인하기 위한 경피적 세침 흡인이 필요할 수도 있다. 세균 감염이 의심되는 괴사성 췌장염 환자에서 개복 수술은 더 이상 표준 치료가 아니며, 최근에는 내시경적 배액술과 같은 최소 침습적 치료법을 먼저 고려하여야 한다[27].

전술한 바와 같이 가성낭종의 내시경적 배액술은 높은 치료 성공률을 보이는데 반해서 WON을 효과적으로 배액하는 것은 기술적으로 매우 어려울 수 있으며, 따라서 WON의 치료를 위해서는 표준적인 내시경적 배액술 외에 경비 낭종 카테터(naso-cystic catheter), 다중 경벽 관문 배액술(multiple transluminal gateway technique), DEN(직접 내시경적 괴사조직 제거술), 이중 양식 배액술(dual modality drainage) 및 내시경적 스텝업 접근법 등 새로운 치료 방법이 꾸준하게 시도되고 있다[28-35]. 그러나 이러한 모든 새로운 시도들에도 불구하고, WON에 대한 내시경적 배액술의 전반적인 성공률은 가성낭종과 비교하여 여전히 낮은 수준이다(63~81% vs. 86~100%)[16]. 각각의 시술에 대해서는 다음 소제목에서 더 자세하게 다루도록 하겠다.

(1) 경비 낭종 카테터

경비 낭종 카테터(경비 세척 튜브)를 스텐트와 함께 WON 내로 삽입하여 지속적인 세척을 가능하게 할 수 있는데, 특히 WON 내의 점성이 높은 괴사 조직의 배출을 위해 시도될 수 있다(그림 17-1)[11,36]. 후향적 연구에서 플라스틱 스텐트만을 삽입한 내시경적 경벽 배액술 시행 그룹과 비교하여 경비 낭종 카테터와 플라스틱 스텐트를 함께 삽입한 그룹에서 치료 성공률이 높았고 스텐트 폐색의 비율이 의미 있게 낮았다고 보고하였다[35]. 또 다른 접근법으로는 경비 세척 튜브를 대신하여 경피적 내시경적 위천공술을 시행하여 지속적인 세척을 통해 괴사 조직의 배출을 시도하는 방법도 이용될 수 있다[11,37,38].

(2) DEN(직접 내시경적 괴사조직 제거술)

괴사 찌꺼기들을 제거하는 또 다른 방법으로 내시경을 통해 직접 괴사 조직을 제거하는 DEN이라는 개념이 2000년도에 처음 소개되었다[39]. 이것은 구경이 큰 풍선으로 벽면의 트랙을 확장한 후 직시경을 괴사 공간으로 직접 통과시킴으로써 수행할 수 있다(그림 17-2)[11,40,41]. DEN은 내시경적으로 괴사 조직을 직접 제거하는 방법이기 때문에 기존의 스텐트와 경비 낭종 카테터 유치를 통한 표준 내시경적 경벽 배액술과 비교하여 우월한 치료 성적을 기대할 수 있다[42]. DEN(n=25)과 플라스틱 스텐트를 이용한 내시경적 경벽 배액술(n=20)을 비교한 한 후향적 연구에서 DEN을 시행받은 환자군의 치료 성공률이 더 높았고(88% vs. 45%, $P < 0.01$), 시술 합병증 발생률에서 차이가 없었다고 보고하였다[42]. 이후 발표된 임상 연구들에서 WON 환자를 대상으로 한 DEN의 치료 성공률은 75~91%까지 보고되고 있다[43-46]. 수술적 배액술과 비교할 때에도 DEN이 시술 성공률 측면에서 우수하였으며(81% vs. 61%), 사망률 및 췌장누공 발생률 등 안전성 측면에서도 우수하였다고 보고되었다[47]. 하지만 이러한 DEN의 높은 치료 성공률에도 불구하고, 여전히 출혈과 천공과 같은 심각한 합병증을 유발할 수 있는 잠재적 위험성을 갖고 있고, 괴사조직 절제술과 같은 침습적인 접근법이 대다수의 환자에게는 필요하지 않을 수 있음을 고려할 때, 시술 시행 여부를 결정하는 데에 신중하여야 하겠다. 존재하는 괴사 조직의 양이 기존의 스텐트 삽입 시술만으로 배액이 불완전할 것으로 판단되는 경우에만 DEN 시행을 고려해야 하겠다.

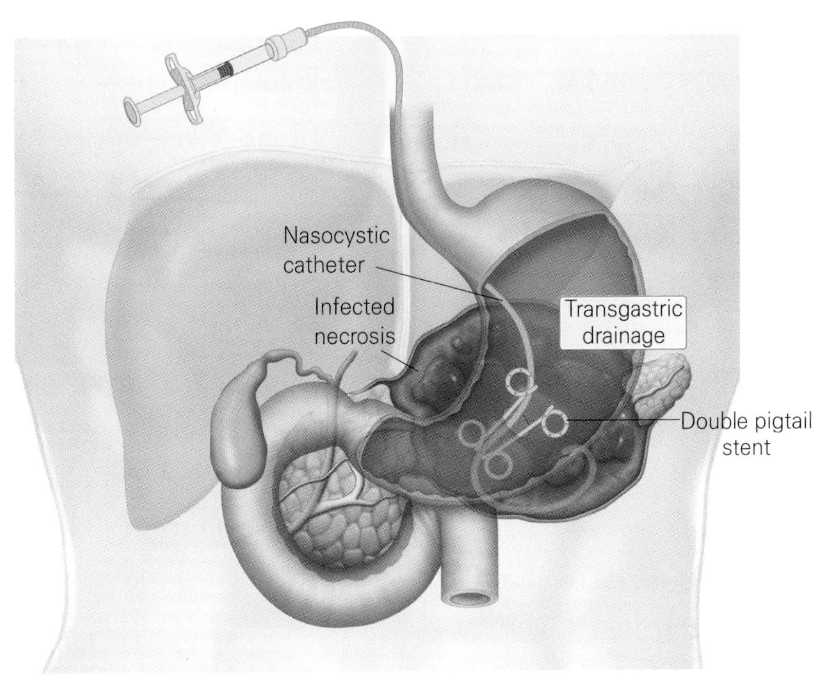

그림 17-1. 경비 낭종 카테터를 이용한 지속적인 세척을 통해 WON으로부터 괴사 조직의 제거를 시도하는 내시경적 배액술의 모식도[11].

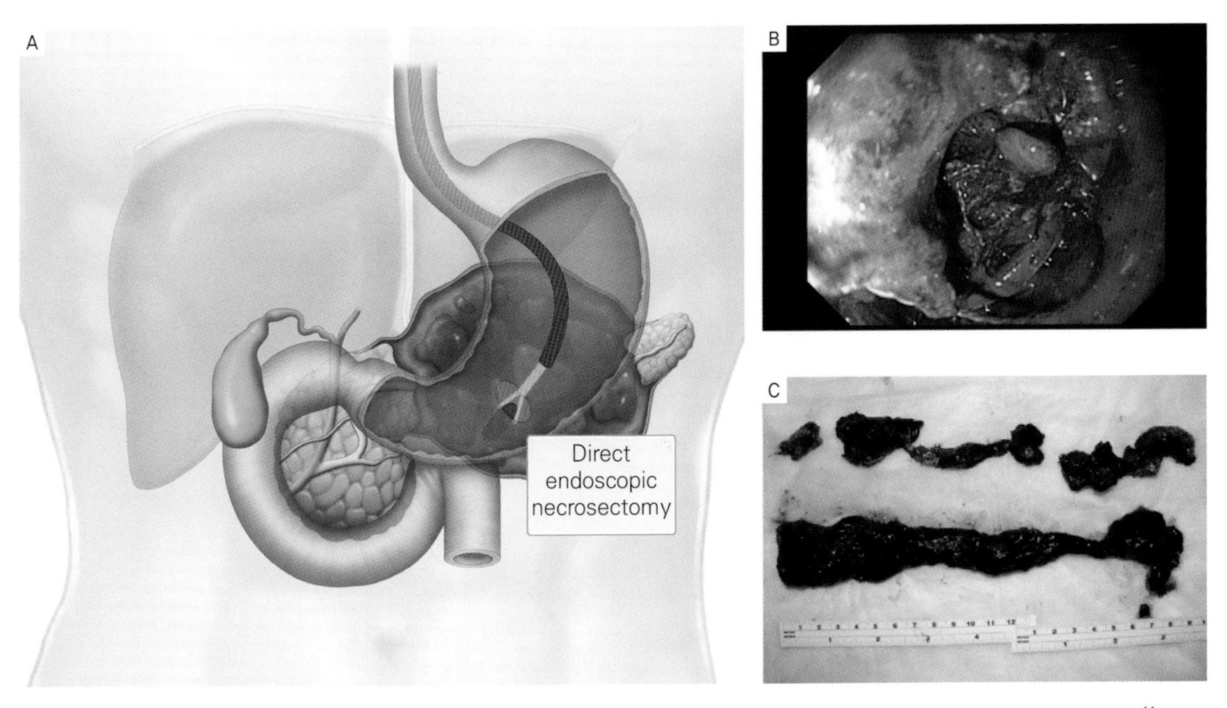

그림 17-2. DEN(직접 내시경적 괴사조직 제거술)을 통해 WON으로부터 괴사 조직의 제거를 시도하는 내시경적 배액술의 모식도[11].

(3) 다중 경벽 관문 배액술 (multiple transluminal gateway technique)

다중 경벽 관문 배액술은 WON의 내부 공간과 위장관 사이에 2개 또는 3개의 경벽 통로를 형성하여, 이 중 하나의 통로를 통하여 세척용 경비 낭종 카테터를 유치하고, 다른 경벽 통로들로 플라스틱 스텐트를 유치하여 괴사 물질의 세척과 배액을 원활하게 하는 시술 방법을 말한다[28](그림 17-3). 여러 경벽을 통한 다중 경벽 관문 배액술을 통해 크기가 큰 WON의 경우에도 신속하고 효율적인 치료를 기대할 수 있다[48].

(4) 이중 양식 배액술(dual modality drainage)

내강으로부터 1.5 cm 이상 떨어져 있는 췌장액 저류는 대개 내시경적 배액술이 용이하지 않으므로 대체 접근 경로를 찾아야 한다. 마찬가지로, 잘룩창자옆 공간까지 확장된 병변의 경우에도 최적의 치료 효과를 얻기 위해 내시경적 배액술과 경피적 배액술 등 여러 가지 형태의 시술 방법을 동시에 활용할 필요가 있다. 췌장액 저류의 위치가 위장관으로부터 떨어져 있어 내시경적 배액술이 가능하지 않은 경우에는 경피적 배액술이 시행될 수 있으며, WON이 발생한 경우에 환자의 1/3~2/3 환자에서만 경피적 배액술만으로 치료가 가능하였다는 연구 결과도 있었다[49]. 내시경적 배액술과 경피적 배액술을 동시에 시행하는 이중 양식 배액술을 통해 경피적 배액술 후 가장 흔하게 나타날 수 있는 췌장 누공 합병증의 발생 비율을 줄일 수 있었다고 보고되고 있다(그림 17-4)[29,32,50].

(5) 스텝업 접근법

괴사 조직의 2차 감염을 동반한 괴사성 췌장염에 대한 전통적인 치료 방법은 수술적 개복 괴사조직 제거술(open necrosectomy)을 통해 감염된 괴사 조직

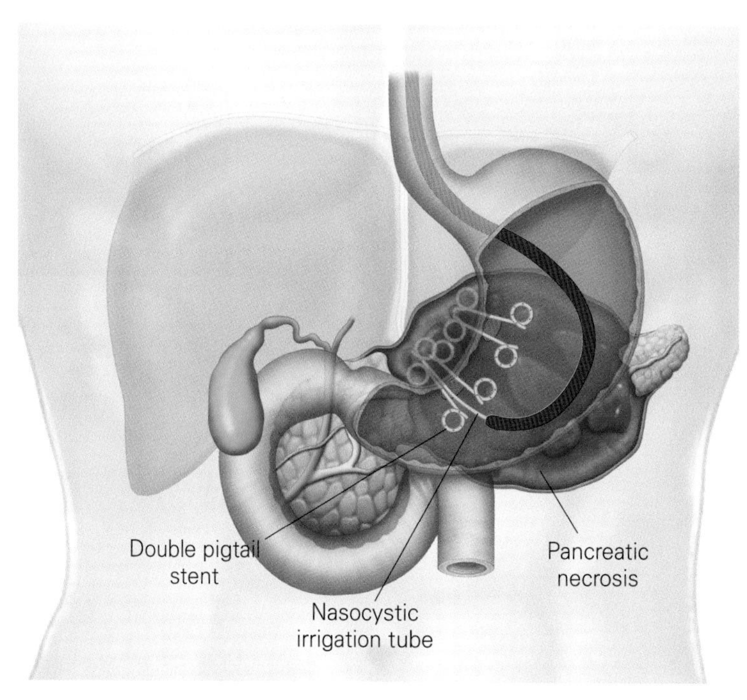

그림 17-3. **다중 경벽 관문 배액술(multiple transluminal gateway technique)을 통해 WON으로부터 괴사 조직의 제거를 시도하는 내시경적 배액술의 모식도.**
경비 낭종 카테터가 두 개 중 한 개의 경위벽 배액 트랙을 통해, 플라스틱 스텐트들 사이로 삽입되고 있음[11].

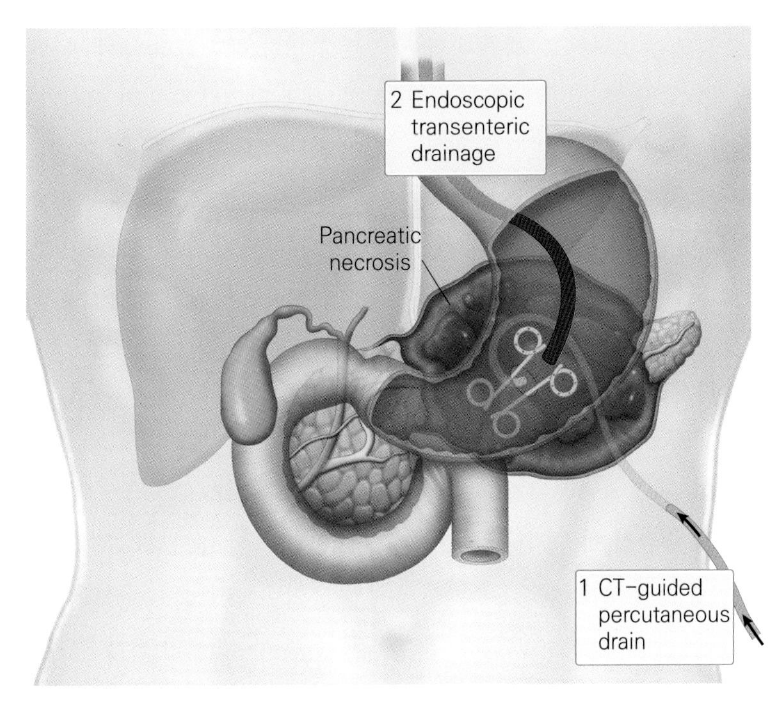

그림 17-4. **이중 양식 배액술(dual modality drainage)을 통해 WON으로부터 괴사 조직의 제거를 시도하는 내시경적 배액술의 모식도.** 경위벽 배액 트랙을 통한 세척을 위해 경피적 튜브가 삽입되어 있음[11].

을 완전히 제거하는 것이었다[51]. 그러나 이러한 침습적인 치료 방법은 높은 합병증 발생률(34~95%)과 사망률(11~39%)을 동반할 수 있으며, 수술 이후에 장기간의 췌장 부전을 야기할 수 있다[49,52]. 따라서 최근에는 이러한 수술적 괴사조직 제거술의 대안으로 경피적 배액술, 내시경적 경벽 배액술, 최소 침습성 후복막 괴사조직 제거술(minimally invasive retroperitoneal necrosectomy) 등 상대적으로 합병증 발생 위험이 낮은 치료법이 선호되는 추세이다[49]. WON의 치료에서 스텝업 접근법이란 경피적 배액술 또는 내시경적 경벽 배액술을 먼저 시도하고, 일정 기간 동안 임상 증상을 관찰한 후에 호전이 보이지 않을 경우 최소 침습성 후복막 괴사 절제술과 같이 상대적으로 침습성이 더 높다고 판단되는 치료 방법으로 진행하는 단계적 치료 방식을 지칭한다. 수술적 괴사 제거술과 비교하여, 스텝업 접근 방식은 치료 과정에서 새롭게 발생하는 감염원을 최소화하여 시술과 관련된 합병증 발생 가능성을 사전에 차단하는 것이 주요한 목적이라고 하겠다. 스텝업 접근법을 통해 이미 감염이 동반된 WON 환자에서 개복 수술 과정에서 발생할 수 있는 외상을 최소화하여 조직 손상 및 전신 염증 반응에 의한 합병증 및 사망 발생 확률을 감소시키는 것이다. 세균 감염을 동반한 괴사성 췌장염 환자를 대상으로 한 다기관 무작위 임상 연구에서 스텝업 접근법을 시행한 결과 수술적 괴사 제거술을 처음부터 시행한 그룹과 비교하여 다발성 장기 부전과 같은 주요 합병증의 발생률을 감소시킬 수 있었다. 스텝업 접근법으로 치료받은 환자들 중 35%에서는 경피적 배액술만으로 치료를 완료할 수 있었다. 또한 스텝업 접근법으로 치료한 환자군에서 수술 절개 부위 탈장이나 새롭게 발생한 당뇨병과 같은 치료 합병증의 발생도 예방할 수 있었다[49]. 수술적 괴사조직 제거술과 내시경적 경벽 배액술을 비교한 또 다른 다기관 무작위 대조 연구에서도 내시경적 경벽 배액술을 시행한 경우에서 염증 매개 사이토카인인 인터루킨 6(interleukin 6)

의 혈청 치가 상대적으로 낮게 측정되었고, 새롭게 발생한 장기 부전은 관찰되지 않았다[27].

최근에 스텝업 접근법의 개념은 WON 환자를 위한 치료뿐만 아니라 증상이 동반된 다른 형태의 췌장액 저류 환자에서도 표준적 치료 방법으로 받아들여지고 있다. 증상을 동반한 췌장액 저류 환자에서 처음 항생제와 영양 지원으로 치료를 시작하여, 증상이 지속되면 내시경적 경벽 배액술, 경피적 배액술 또는 최소 침습성 후복막 괴사 절제술과 같은 최소 침습성 배액술을 시행하고, 이러한 단계적 치료 방식에도 불구하고 치료가 되지 않은 경우에만 DEN, 수술적 개복 괴사조직 제거술과 같은 침습적 배액술을 고려 해야 한다[7].

2. 내시경적 췌장액 저류 배액의 실제

액화된 췌장액 저류의 배액은 크게 경유두 배액술(transpapillary drainage)과 경벽 배액술(transmural drainage)로 구분 될 수 있으며, 경유두 배액술과 경벽 배액술을 동시에 사용하여 배액을 시도할 수도 있다[53,54].

1) 경유두 배액술

췌장액 저류 병변의 크기가 5~6 cm 미만으로 작은 경우 경피적 배액술이나 내시경적 경벽 배액술 등의 방법으로는 접근이 어려울 수 있으므로, 췌관 스텐트를 통한 경유두 배액술을 고려할 있다[14,55]. 크기가 작은 췌장액 저류 병변 외에 췌장액 저류가 주췌관과 연결되어 있다고 판단되는 경우, 췌관 괄약근 절개를 시행하거나 췌관내 스텐트를 삽입함으로써 경유두 배액을 유도할 수 있다. 스텐트의 위치는 액체의 저류 부위까지 또는 췌장액이 누수 되는 부위 너머의 췌관까지 유치함으로써 치료 효과를 기대할 수 있다. 이러한 경유두 배액술은 경벽 배액술과 비교하여 출혈과 천공의 위험이 낮다는 장점이 있지만, 췌관이 정상적인 경우 오히려 스텐트로 인한 췌관의 손상이 발생할 가능성이 있다[56]. 또한, 췌장액 저류 병변의 크기가 크고 주췌관과의 연결이 없는 경우에는 경유두 배액술만으로는 치료 효과를 기대하기 힘들다. 최근에는 경유두 배액술 단독으로 췌장액 저류의 배액을 시도하기 보다는 경벽 배액술과 함께 시행하여 원활한 배액을 유도하려는 추세이다[7].

2) 경벽 배액술

(1) 초음파 내시경의 역할

20여 년 전 내시경적 경벽 배액술을 처음 시도하였을 당시에는 췌장액 저류에 의한 위 내강 압축이 내시경 영상으로 명확하게 관찰되는 경우에만 시술이 가능했다. 그러나 해부학적으로 췌장의 꼬리에 있는 병변 중 일부는 위 내강 압축을 일으키지 않을 수 있다. 또한 췌장액 저류와 위벽 사이에 위치한 혈관의 존재 유무는 내시경 영상 만으로 판단 할 수 없기 때문에 시술 중 출혈의 위험이 상존했다고 하겠다. 초음파 내시경의 도입과 함께 내시경적 경벽 배액술의 이러한 어려움이 극복될 수 있었다. 초음파 내시경은 실시간 초음파 영상을 제공함으로써, 초음파 내시경 유도하 내시경적 배액술을 시행할 경우 췌장액 저류에 의한 위 내강 압축이 존재하지 않는 병변에서도 배액이 가능하며, 배액에 앞서 췌장액 저류와 위벽 사이의 혈관 유무를 평가할 수 있으므로 혈관 천공 및 출혈의 위험을 최소화 할 수 있다[57]. 또한 내시경적 배액술의 치료 효과를 예측하는 데 있어 췌장액 저류액의 특성을 확인하는 것이 중요한데, 초음파 내시경을 통해 췌장액 저류 내용물의 성질을 파악할 수 있어 내시경적 배액술의 적합성 여부를 사전에 평가할 수 있게 되었다. 특히 WON은 가성낭종과 비교할 때 다양한 양의 괴사성 잔해가 존재하여 완전한 배수가 힘든 경우가 많아, DEN과 같은 새로운 치료 방법의 사용을 고려해야 할 수 있는데, 이러한 시술 전 병변에 대한 사전 평가를 위해 초음파 내시경이 유용하다고 하겠다. 췌장액 저류 환자를 대상으로 한 연구에서 선형 초음파 내시경을 사용하여 90% 이상의 환자에서 성공적인 삽입과 배액이 가능하였으며, 이는 내시경상 육안적으로 외인성 압박이 없는 환자를 포함한 조사이다[58,59]. 췌장액 저류에 대한 초음파 내시경 유도하 내시경적 경벽 배액술과 비초음파 내시경 유도하 내시경적 경벽 배액술을 비교한 무작위 대조 연구에서 위 내강 압축이 없는 경우에도 초음파내시경을 이용한 내시경적 경벽 배액술이 상대적으로 더 높은 치료 성공률을 보였다[60,61]. 또 다른 전향적 비 무작위 임상 시험에서 위 내강 압축이 명확한 병변에 대해서는 비 초음파 내시경 유도하 내시경적 경벽 배액술을 시행하고, 위 내강 압축이 명확하지 않은 병변에 대해서는 초음파 내시경 유도하 내시경적 경벽 배액술을 시행한 결과, 두 그룹 모두에서 비슷한 치료 성공률을 보였다(93% vs. 94%). 이러한 연구 결과들을 종합할 때, 위 내강 압축이 존재하지 않는 췌장액 저류 병변의 치료를 위해 초음파 내시경이 병변의 정확한 시각화와 타깃팅을 가능하게 하는 장점이 있다고 하겠다[62]. 가성낭종의 배액을 위해 초음파 내시경 사용 배액과 비사용 배액이 모두 고려될 수 있지만, 외인성 압박이 뚜렷하지 않은 경우에는 초음파 내시경 유도하 배액술을 우선적으로 고려하여야 하겠다[61]. 단, 스텐트를 삽입하기 위한 저류액 공간이 좁은 경우, 혈액 응고 장애가 있는 경우, 진입 벽면에 정맥류가 존재하는 경우에는 초음파 내시경 유도하 배액술도 어려울 수 있다[58].

초음파 내시경 유도하 내시경적 경벽 배액술과 외과적 위-낭종문합술을 비교한 전향적 무작위 임상 시험에서 두 군 간에 치료 성공률과 합병증 발생 비율에는 차이가 없었다. 또한 초음파 내시경 유도하 내시경적 경벽 배액술을 시행 받은 환자에서 평균 입원 기간이 유의하게 짧았으며(2일 vs. 6일, $P < 0.001$), 환자의 삶의 질 측면에서도 우월한 경향을 보였다[17]. 그러나 췌장액 저류 환자에 대한 초음파 내시경 유도하 내시경적 경벽 배액술, 복강경하 위-낭종문합술, 개복하 위-낭종문합술을 비교한 다른 후향적 임상 시험에서는 앞선 임상 시험 결과와 반대로, 초음파 내시경 유도하 경벽 배액술의 치료 성공률이 수술적 배액술에 비해 저조하였다고 보고되었다(51.1% vs. 87.5% vs. 81.2%, $P < 0.01$)[18]. 이러한 치료 성적의 차이는 시술자의 숙련도와도 깊이 관련될 수 있어, 해석에 주의를 기울여야 할 필요가 있겠다[63].

(2) 시술 방법

A. 초음파 내시경 유도하 내시경적 배액술

아직까지 췌장액 저류의 배액을 위한 내시경적 경벽 배액술의 시술 절차는 표준화되어 있지 않지만, 초음파 내시경을 이용한 췌장액의 평가와 함께 초음파 내시경 유도하 배액을 우선적으로 고려하는 추세이다. 시술을 진행함에 있어 환자를 의식하 진정 상태에서 좌측위로 준비하게 된다. 치료용 선형 초음파 내시경을 이용하여 췌장액 저류 병변을 초음파 영상을 통해 시각화하고 배액을 위한 천공 부위를 확인한 후, 위장관과 병변 사이에 위치한 혈관을 피하기 위해 도플러 영상을 확인하게 된다. 초음파 내시경 유도하 세침 흡인 검사를 시행할 때와 마찬가지 방법으로 19-G 천공용 치료 니들을 병변에 삽입한다(그림 17-5). 치료 니들로부터 철사(stylet)를 제거한 다음, 0.035인치 가이드 와이어를 치료 니들 내로 삽입하여, X선 투시(fluoroscopy) 하에 가이드와이어를 췌장액 저류 내로 위치시키게 된다. 이때 충분한 길이의 가이드와이어가 병변 내에서 루프를 형성하게 하여 시술 중 이탈되지 않도록 고정하는 것이 중요하다(그림 17-6). 형성된 경벽 트랙(transmural tract)을 Soehendra 확장기, 소작 확장기(6Fr cystotome)등의 동축 확장기(coaxial dilator)를 통하여 확장하고, 필요 시 직경 6~10 mm의 풍선 확장기를 이용하여 추가 확장하면 어렵지 않게 1~2개의 플라스틱 스텐트(7Fr 또는 10Fr 직경의 double pigtail plastic

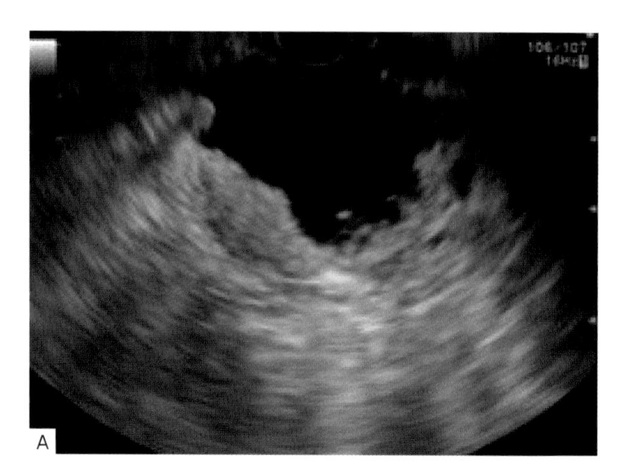

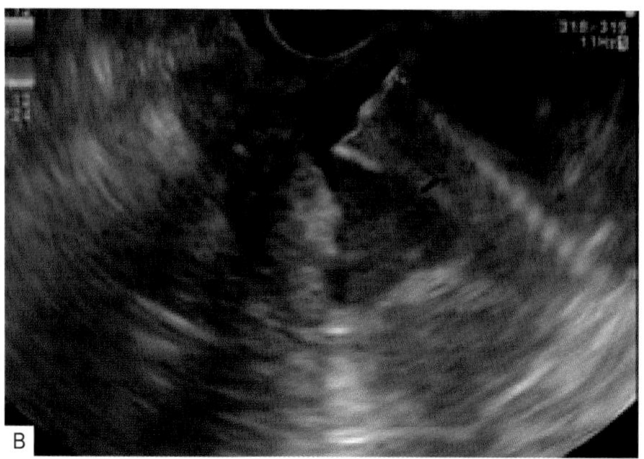

그림 17-5. **초음파내시경을 이용한 병변확인 및 치료 니들 삽입.**
A. 선형 초음파 내시경을 통해 췌장액 저류 병변의 초음파 영상을 관찰하여 적당한 천공 부위를 결정함.
B. 도플러 영상을 활용하여 주변 혈관과의 위치관계를 확인한 후 19-G 천공용 치료 니들을 병변에 삽입함.

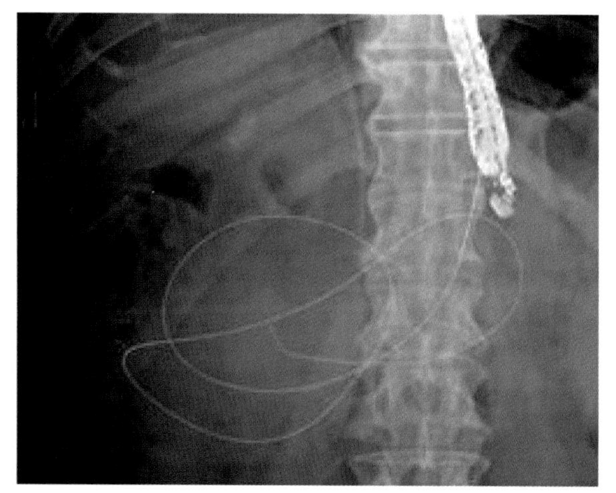

그림 17-6. **X-선 투시법을 이용한 가이드 와이어 삽입.**
시술 중 가이드와이어가 이탈되지 않도록 충분한 길이를 삽입하여 루프를 형성하고 있음.

stent) 또는 자가팽창금속스텐트(self-expanding metal stent, SEMS)를 삽입할 수 있다(그림 17-7).

췌장액 저류를 지속적으로 배액하기 위해 플라스틱 스텐트 또는 SEMS를 위 또는 십이지장 벽에 걸쳐 배치하게 된다[64]. 금속 스텐트를 유치하는 경우에는 스텐트 방출 시스템이 통과할 수 있는 최대 4 mm 정도의 직경을 갖는 경벽 트랙(transmural tract)을 형성하면 충분하다. 금속 스텐트 방출 시스템은 플라스틱 스텐트와 마찬가지로 가이드 와이어를 따라 병변 내로 삽입되며, X-선 투시하에 스텐트의 위치를 확인할 수 있는 방사선 불투과성 마커가 표시되어 있어 스텐트 유치 시 도움을 준다. 경벽 배액에 사용되는 플라스틱 스텐트의 모양은 직선 또는 양쪽 끝이 말려 있는 형태가 모두 가능한데, 스텐트 이동(migration)의 위험이 적고, 췌장액 저류가 배액 되면서 스텐트의 끝 부분이 내벽에 닿아 발생하는 지연성 출혈의 위험이 적은 양쪽 끝이 말려 있는 모양의 double pigtail stent를 유치하는 것이 더 적절할 것으로 생각된다. 스텐트 삽입 시에는 스텐트 전체가 췌장 저류액 내부로 들어가지 않도록 특별한 주의가 필요한데, 스텐트에 방사선 불투과성 마커가 표시되어 있지 않은 경우 지울 수 없는 마커를 스텐트의 중간 지점에 표시 함으로써, 스텐트의 50% 이상이 병변 내부로 들어가지 않는지를 내시경 영상을 통해 감시할 수 있다.

일반적으로 가성낭종의 내시경적 배액술 시 원활한 배액을 위해 하나 이상의 플라스틱 스텐트를 배치하게 되는데, 설치하는 플라스틱 스텐트 직경의 크기와 스텐트의 개수가 내시경적 배액술의 치료 성공률과 관계가 있는지에 대해서는 아직까지 명확하게 밝혀져 있지 않다[65]. 다만 가성낭종의 구조가 복잡하여 배액이 원활하지 않을 것으로 예상되거나 WON의 치료를 위해서는 다수의 직경이 큰 플라스틱 스텐트를 통한 배액이 도움이 될 수 있다. 이러한 경우를 위해 스텐트를 배치하기 전, 동시에 2개 이상의 가이드 와이어를 삽입하는 이중 가이드 와이어 기술(double guidewire techniques)이

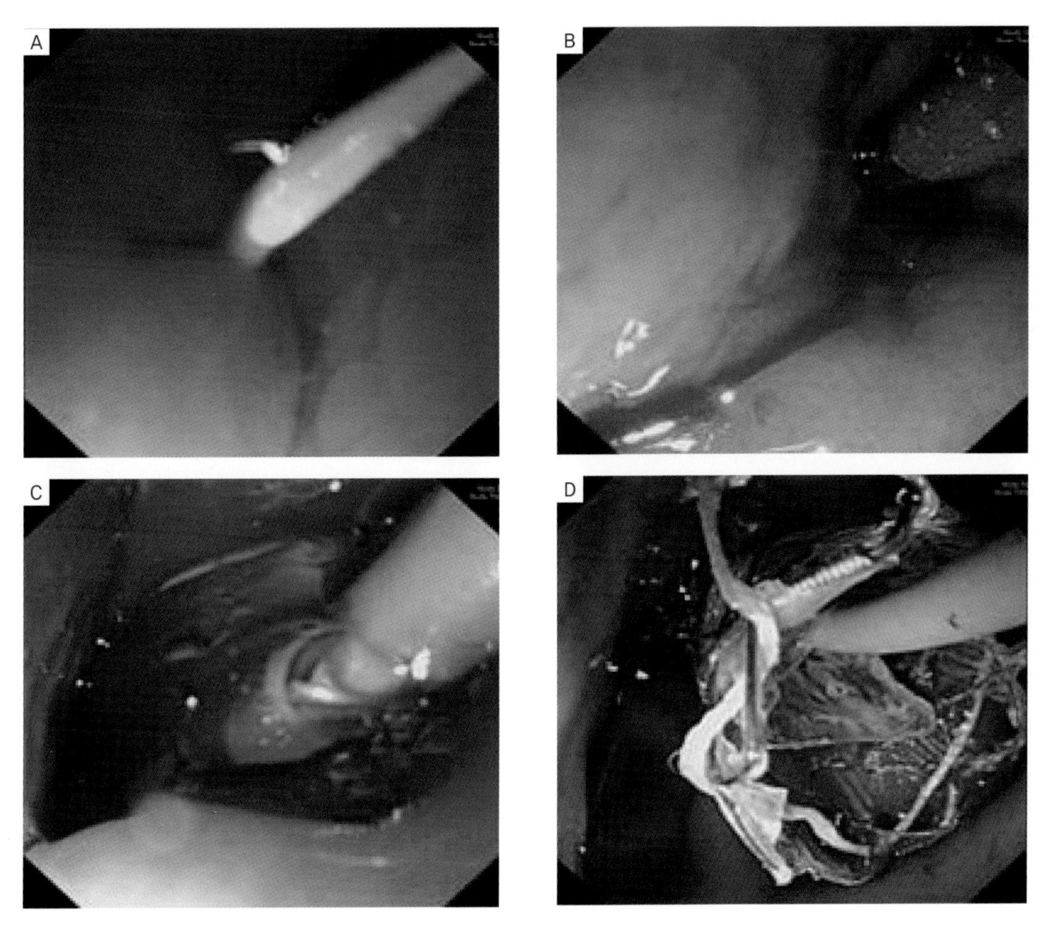

그림 17-7. **위내에서 경벽 자가팽창금속스텐트(self-expanding metal stent, SEMS)를 삽입하는 실제 시술 장면.**
A. 천공용 치료 니들을 통해 병변 내로 가이드 와이어 삽입.
B. Soehendra 확장기를 이용한 경벽 트랙(transmural tract) 확장.
C. 풍선확장기를 통한 경벽 트랙의 추가 확장, D. 확장된 경벽 트랙을 통하여 SEMS를 거치.

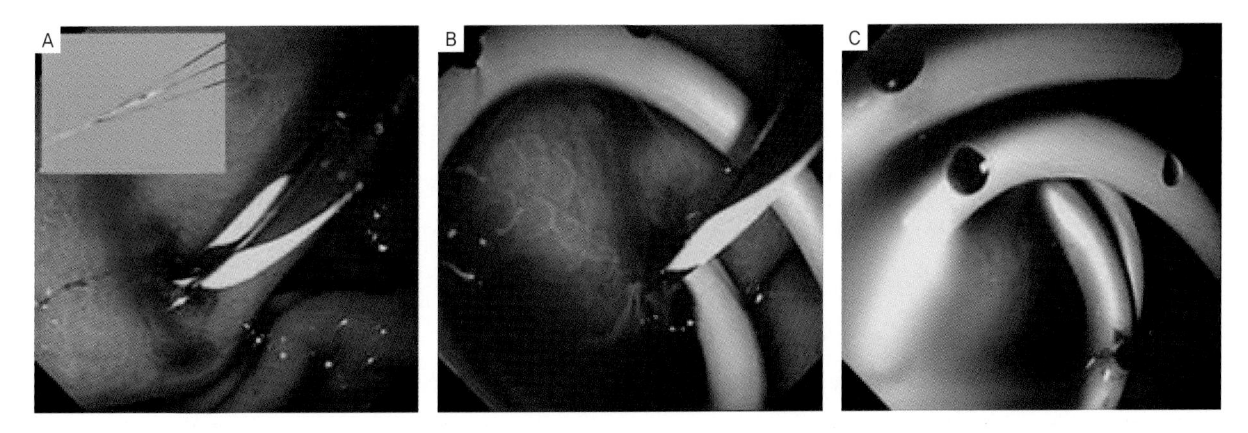

그림 17-8. **복수의 플라스틱 스텐트를 삽입하기 위한 double guidewire technique.**
A. 복수의 가이드 와이어 삽입이 가능한 카테터(Haber RAMPTM CATHETER, Cook medical)를 이용하여 동시에 2개의 가이드 와이어를 병변 내로 삽입.
B. 동시에 삽입된 2개의 가이드 와이어 중 하나를 통해 첫 번째 플라스틱 스텐트를 설치.
C. 첫 번째 플라스틱 스텐트 설치 후, 추가적인 치료 니들의 천공 없이 순차적으로 두 번째 플라스틱 스텐트를 설치한 모습.

이용될 수 있다(그림 17-8). 첫 번째 플라스틱 스텐트를 배치 한 후 추가 스텐트 배치를 위해 병변으로의 트랙을 다시 형성해야 하는 경우 위장 내강으로 쏟아져 나오는 저류액으로 인하여 시야가 방해 받기 쉽고, 새로운 천공 부위를 찾아 다시 수직으로 치료 니들을 삽입해야 하는 등 기술적으로 매우 어렵고 수고로운 과정이 될 수 있는데, 이중 가이드 와이어 기술을 통해 이러한 과정을 거치지 않고 시술을 진행할 수 있다.

B. DEN(직접 내시경적 괴사조직 제거술)

세균 감염이 확인되지 않은 괴사성 췌장염의 내시경적 배액술 시행 전에 예방적 항생제(카바페넴, 페니실린계 또는 플루오로퀴놀론) 치료가 필요하며, 시술을 통해 감염된 췌장 괴사 조직이 확인된 경우에는 경험적으로 또는 배액 및 괴사 조직 제거술을 통해 얻은 검체의 배양 결과에 근거하여 항생제 치료를 지속한다. 항생제와 경벽 배액술에 대한 임상적 호전이 없으면 추가적으로 DEN을 고려하게 된다[66,67]. DEN이 가능하기 위해서는 췌장액 저류 병변의 가장자리를 이루는 벽이 섬유화 되어 견고해지는 과정을 거쳐야 하는데, 이러한 과정은 대개 병변 발생 후 4~6주가 소요된다. DEN을 시행 하기 위해서는 풍선 확장기를 통해 경벽 트랙을 확장 한 다음 내시경을 WON의 공동 안으로 진입시키는 과정이 필요하다(그림 17-9). 이후 WON의 공동은 생리 식염수로 세척하고 괴사 찌꺼기는 스네어, 바스켓, 회수 그물 등을 이용하여 직접 제거하게 된다. 일반적으로 성공적인 치료 효과를 얻기 위해서는 이러한 과정을 반복적으로 시행하여야 한다.[7]

경벽 트랙(transmural tract)을 지속적으로 유지하기 위해 플라스틱 스텐트가 주로 사용되어 왔지만, 최근에는 췌장액 저류 배액을 위해 특별히 고안된 피막형 자가팽창금속스텐트(fully covered self-expanding metallic stent, FC-SEMS)가 새로 개발되어 이용되고 있다. 초기 배액을 위해 플라스틱 스텐트를 삽입 한 경우 DEN을 시행하기 위해서는 좁아진 경벽 트랙을 15 mm 이상으로 확장하는 풍선 확장술이 선행되어야 한다. 직경이 큰 SEMS을 삽입하게 되면 추가적인 풍선 확장술 없이 WON 병변 내로 직접 내시경을 삽입하여 벽에 부분적으로 부착되어 있는 괴사 조직들을 제거할 수 있고, 작은 부유물들을 단순한 흡입만으로 제거 할 수 있게 된다. 그러나 WON의 형태에 따라 SEMS 삽입이 어려운 경우가 있는데, 병변의 크기가 2~3 cm 이하로 작은 경우 SEMS 삽입에 적합하지 않으며, 이러한 경우 여러 방향으로 배액 할 수 있는 여러 개의 플라스틱 스텐트를 삽입하는 것이 고려될 수 있다[68]. 또한 SEMS는 일반적으로 스텐트 내로의 조직 과증식, 스텐트의 막 파괴 또는 스텐트의 이탈이 발생할 수 있으므로 4개월 내에 제거하도록 권장하고 있다[69,70]. 이러한 SEMS의 이탈을 방지할 목적으로 이중 피그 테일 플라스틱 스텐트를 SEMS 내강 내부나 옆으로 배치하는 것이 도움이 될 수 있다[71,72].

다기관 연구에서 DEN의 치료 성공률은 75~91%, 합병증 발생률은 14~33%, 사망률은 11%까지 보고되고 있으며, 가장 흔한 합병증은 출혈, 천공, 감염 등이다[42-44]. 공기 색전증 또한 DEN 시술 후 발생할 수 있는 합병증으로, 시술 중 위장관 팽창을 위해 산소가 아닌 이산화탄소 사용을 권장하는 의견도 있다[47]. 추가적인 췌장 괴사로 인해 췌장의 꼬리 부분이 췌장의 흐름상 하류의 췌관과 연결이 끊어진 경우(disconnected pancreatic duct syndrome)가 발생할 것에 대비하여 병변의 소실이 확인된 이후에도 췌관 플라스틱 스텐트를 유치하도록 권고하는 보고도 있다[73].

(3) 플라스틱 스텐트와 SEMS의 선택

췌장액 저류의 배액을 위한 플라스틱 스텐트와 SEMS의 치료 효과를 비교한 무작위 연구에서 두 그룹간의 치료 성공률에서는 차이가 없었지만, 시술을 위해 소요된 시간은 SEMS군에서 의미 있게 짧았다(15.0분 vs.

29.5분, P < 0.01)[74]. 또 다른 후향적 연구에서 WON 환자의 치료를 위한 SEMS와 플라스틱 스텐트 간 시술 성공률, 치료 성공률 및 두 그룹 간의 부작용 비율에서는 통계적으로 유의한 차이가 없었으나, 시술을 위해 소요된 시간은 SEMS군에서 의미 있게 단축되었다고 보고하였다[75]. 가성낭종 환자 230명을 대상으로 한 후향적 연구에서는 플라스틱 스텐트와 비교하여 SEMS를 삽입한 환자에서 높은 치료 성공률과 낮은 부작용 발생 비율을 보였다[76]. 또한 SEMS를 삽입할 경우 플라스틱 스텐트와 비교하여 상대적으로 추가로 필요한 배액술의 횟수가 적었고, DEN을 시행하는 경우 시술 전에 풍선 확장술이 낮은 빈도로 시행되었다는 보고도 있다[77]. 이렇듯 플라스틱 스텐트와 비교하여 SEMS를 이용한 시술이 빠르고 간단한 방법이라고 할 수 있다. 그러나 연구에 따라 플라스틱 스텐트와 비슷한 치료 성공률을 보이면서도 치료 비용 면에서는 고가인 점등을 고려하여, 모든 상황에서 SEMS 삽입술을 우선적으로 고려하는 것은 추천되지 않는다[78]. 다만 WON 병변의 치료를 위해서는 효과적인 배액이 무엇보다 중요하고, DEN을 시행할 경우 시술 전 추가적인 풍선 확장술 등의 과정이 생략되어 시술 시간을 단축할 수 있다는 장점이 있다는 이유로 SEMS가 선호되는 추세이다[68]. 최근에는 고형 찌거기 성분의 비율이 높은 저류액을 배액하기 위해서 특별히 고안된 FC-SEMS가 사용되고 있다[79,80].

(4) 췌장액 저류의 치료를 위해 특별히 고안된 피막형 자가팽창금속스텐트(fully covered self-expanding metallic stent, FC-SEMS)

앞서 언급한 바와 같이 SEMS는 플라스틱 스텐트와 비교하여 더 큰 직경을 가짐으로써 더 효과적인 배액을 가능하게 한다. 처음 SEMS를 췌장액 저류의 배액을 위해 이용하게 된 동기도 적은 직경의 플라스틱 스텐트를 이용한 WON의 배액이 원활하지 않았기 때문이다[13]. 그러나 췌장액 저류의 배액을 위해 처음 고안되었던 담도용 SEMS는 여전히 이탈의 위험이 높고, 길이가 길며 위장관과 낭종을 가깝게 유지하는 기능이 없었다[81]. 이러한 기존의 담도용 SEMS의 단점을 보완할 목적으로 췌장액 저류 배액 전용 FC-SEMS 또는 내강 접합 금속 스텐트(lumen apposing metal stent, LAMS)가 새롭게 개발되어 초음파 내시경 유도하 경벽 배액술에 이용되고 있다(그림 17-10)[3,7,79,82].

이러한 췌장액 저류 배액 전용 FC-SEMS의 효능 및 안전성은 최근 여러 임상 연구를 통해 입증되고 있으며, 91~100%의 시술 성공률이 보고되고 있다[3,69,82-90] (표 17-1). 가성낭종과 WON 환자 모두를 대상으로 할 경우 치료 성공률은 77~100%, 합병증은 출혈(1~7%), 천공(1~2%), 스텐트 이탈(1~6%) 및 감염(1~11%) 등이 보고되고 있다. 205명의 환자를 포함한 후향적 연구에서 WON 환자를 대상으로 이중 플랜지가 장착된 LAMS를 이용한 초음파 내시경 유도하 내시경적 경벽 배액술을 시행하고, 금속 스텐트의 재관류시술(de-clogging)과 경비 낭종 카테터 유치 및 마지막으로 DEN을 시행하는 스텝업 접근법에 대한 효용성을 평가하였다. 약 75%의 환자에서 추가적인 시술 없이 LAMS 삽입술만으로 치료가 완료되었고, DEN은 9.2%의 환자에서만이 필요하였으며, 전체적인 치료 성공률은 96.5% 였다[90]. 또 다른 후향적 환자대조군 연구에서, 플라스틱 스텐트와 비교하여 LAMS를 이용한 내시경적 경벽 배액술의 시술 시간이 유의하게 짧았다는 보고도 있었다(8.5분 vs. 25분, P < 0.001)[91].

최근에 스텐트 방출 시스템 말단부에 전기 소작 팁이 장착된 췌장액 저류 배액 전용 FC-SEMS가 새롭게 개발되어 사용되고 있으나 아직 국내에 도입이 되지 않은 상황이다(그림 17-11). 전기 소작 팁은 치료 니들에 의해 만들어진 경벽 트랙의 사전 확장 없이 스텐트 방출 시스템을 췌장액 저류 병변 내로 통과할 수 있도록 고안되었다[83].

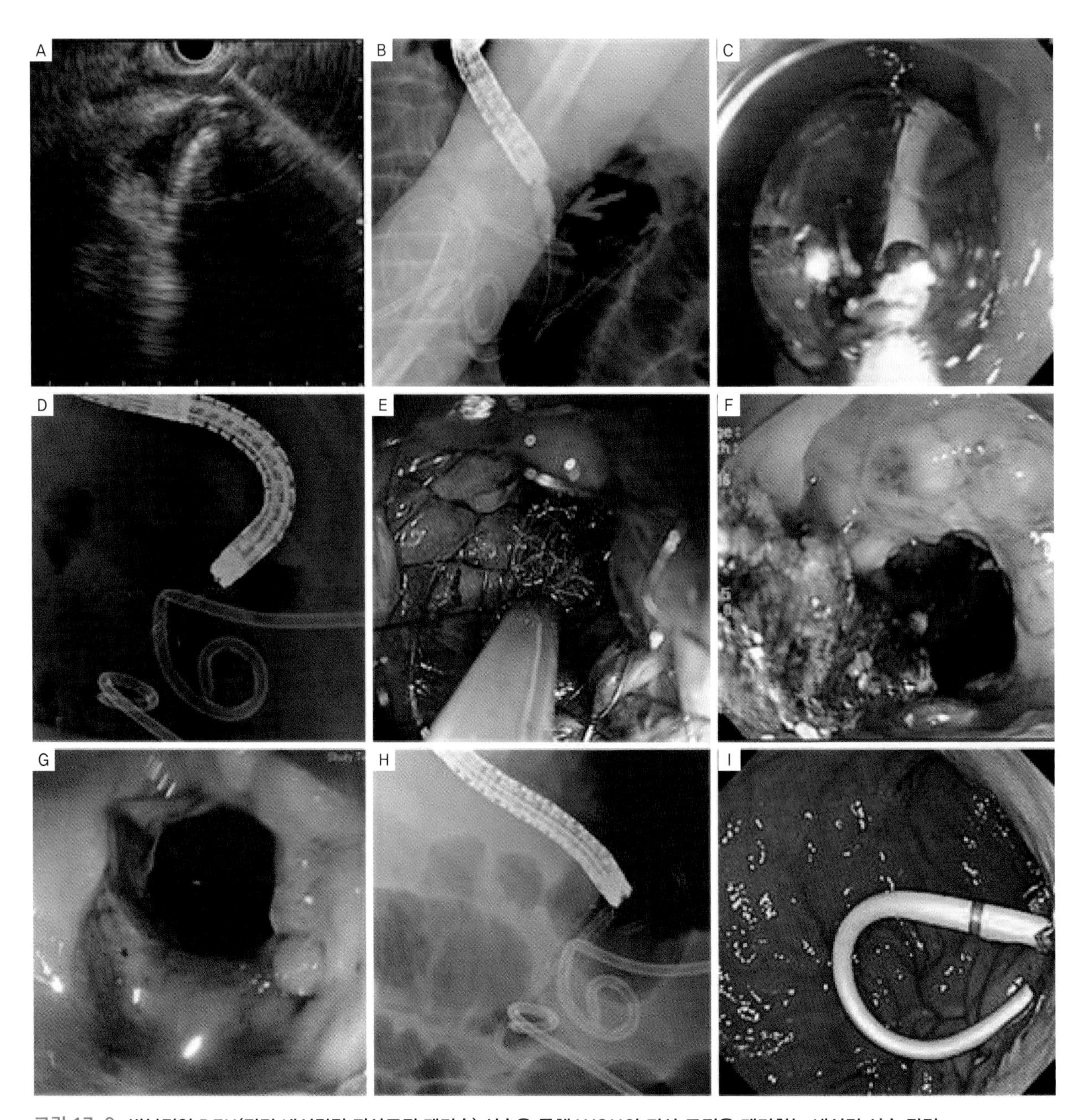

그림 17-9. **반복적인 DEN(직접 내시경적 괴사조직 제거술) 시술을 통해 WON의 괴사 조직을 제거하는 내시경 시술 장면.**
A. 선형 초음파 내시경을 통해 19-G 천공용 치료 니들을 병변에 삽입함.
B, C. 풍선확장기를 통한 경벽 트랙의 확장.
D, E. 확장된 경벽 트랙을 통하여 SEMS를 거치한 후 이를 통해 스네어와 회수 그물 등을 이용하여 괴사 조직을 직접 제거.
F, G. WON 병변 내로 직접 내시경을 삽입하여 벽에 부분적으로 부착되어 있는 괴사 조직들을 제거.
H, I. 추가적인 DEN 시술을 위해 경벽 트랙을 지속적으로 유지하기 위한 SEMS와 플라스틱 스텐트를 거치하고 시술을 종료함.

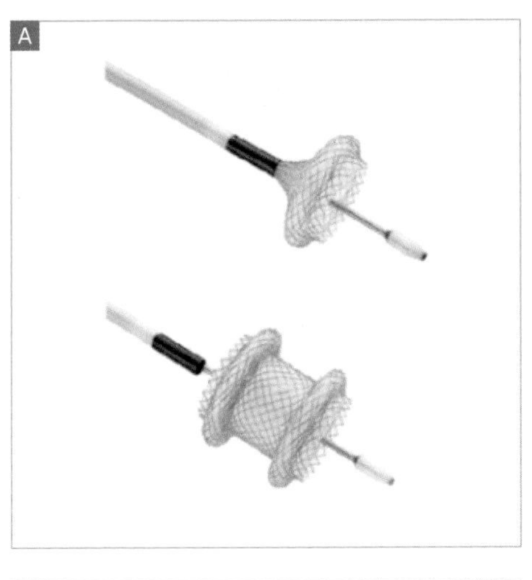

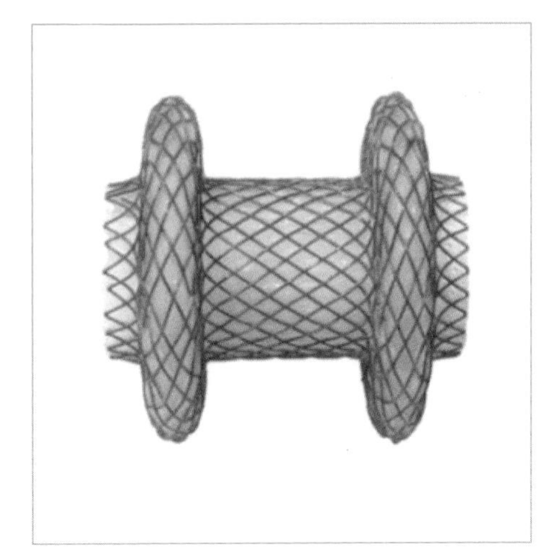

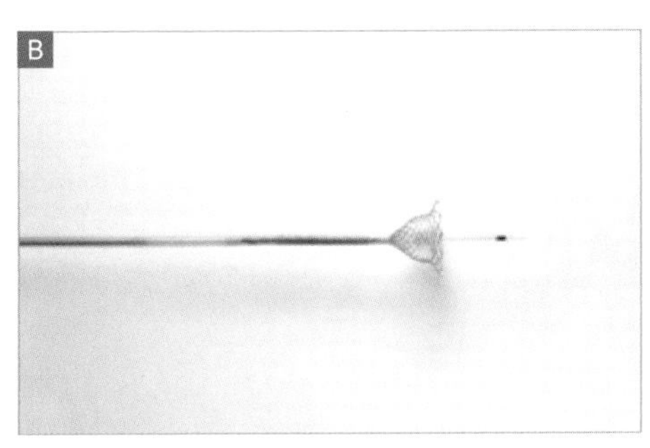

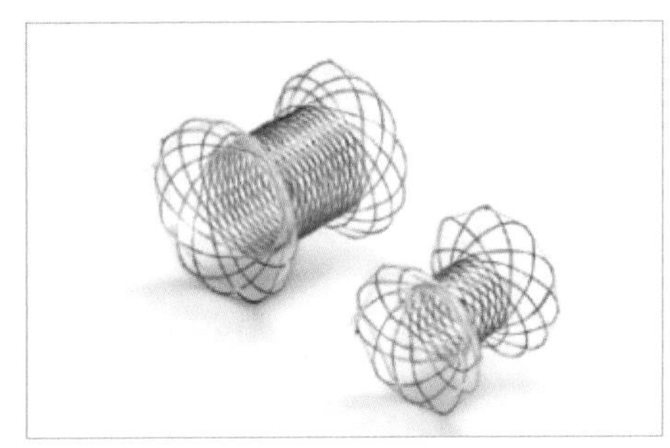

그림 17-10. **췌장액 저류 배액 전용 내강 접합 금속 스텐트(lumen apposing metal stent, LAMS).**
A. AXIOS stent (Boston Scientific).
B. Nagi stent (Taewoong Medical Co. Ltd.). 대부분의 LAMS는 초음파 내시경 유도하 전개를 위해 설계되었으며, 양 끝단에 플랜지가 있고, 직경은 10~16 mm이며, 기존의 담도 스텐트와 비교하여 길이가 짧은 특징이 있음. 주변 조직의 과형성을 최소화하고, 추후 제거가 가능할 수 있도록 실리콘 덮개로 싸여 있음.
Adapted from Boston Scientific and Taewoong Medical Co. Ltd[80].

3) 경유두 배액술과 경벽 배액술의 복합 배액술

급성 중증 췌장염 후에 췌관 파열(pancreatic duct disruption)이 동반될 수 있다[54,93]. 췌장염의 중증 정도나 전체 췌장 중 괴사의 범위 등이 췌관 파열의 발생 확률과 비례할 것으로 생각된다[7]. 한 후향적 연구에서 급성 괴사성 췌장염 환자의 38%에서 췌관 파열이 동반되었다고 보고하였다[94]. 더 심한 췌관 파열을 동반한 환자에서 췌장액 저류의 재발 비율이 높게 보고되고 있다[94]. 따라서 췌관 파열이 동반되어 있을 경우 췌장액 저류의 재발을 방지하기 위해서는 위/십이지장-낭종 경벽 스텐트를 제거하기 전에 췌관의 파열에 대한 치료가 선행되어야 한다. 이를 위해 내시경적 배액술 시 또는 위/십이지장-낭종 스텐트 제거 전에 췌관 스텐트 삽입을 고려하여야 한다. 현재까지 경유두 배액술과 경벽 배액술을 동시에 시행하는 복합 배액술의 이점에 대해서는 다양한 시각이 있다. 110명의 환자를 대상으로 한 후향적 연구에서 경유두 배액술을 시행 받지 않은 환자군과 비교하여 경유두 배액술을 추가 시행한 환자군에서 높은 치료 성공률을 보였다. 그러나 경유두 배액술을 추가 시행한 환자군과 경유두 배액술을 시행 받지 않은 환자군 사이에 췌장액 저류의 재발률에는 차이가 없었다[54].

표 17-1. **췌장액 저류 배액 전용 FC-SEMS의 효능 및 안전성**[63]

Author	N	PFC	Stent	Technical success (%)	Clinical success (%)	Complications
Itoi et al.[3]	15	PC	AXIOS	15 (100)	15 (100)	Oozing(1), Migration(1),
Yamamoto et al.[85]	9	PC(5), WON(4)	NAGI	9 (100)	7 (77.8)	**Early** : None **Late** Bleeding(1), Migration(1)
Moon et al.[82]	4	PC(1), WON(3)	SPAXUS	4 (100)	4 (100)	None
Chandran et al.[86]	47 (54 stents)	PC(39), WON(9)	NAGI	53/54 (98.1)	36/47 (76.6)	**Early** Bleeding(1), Migration(5), Sepsis(4) **Late** Bleeding(2), Migration(6), Occlusion(6)
Shah et al.[87]	33	PC(22), WON(11)	AXIOS	30 (91)	28 (85)	Infection(1), Migration(1), Other(3)
Walter et al.[88]	61	PC(15), WON(46)	AXIOS	60 (98)	48/57 (84)	Infection(4), Perforation(1), Bleeding(4), FUO(3) Migration(7), Occlusion(3)
Dhir et al.[69]	45	PC(45)	NAGI	43 (95.5)	41 (95.3)	Infection(2)
Rinninella et al.[83]	93	PC(18), WON(52), AFC(4), Abscess(19)	AXIOS	92 (98.9)	86 (92.5)	Infection(1), Perforation(2), Bleeding(1) Displacement(1)
Lakhtakia et al[90]	205	WON(205)	NAGI	203 (99)	198 (96.5)	Bleeding(6) Perforation(2) Migration(5)
Vazquez-Sequeiros et al[89]	211	PC(112), WON(99)	AXIOS Niti-S WallFlex BONA	205 (97)	198 (94)	Infection(23), Bleeding(15) Perforation(6)
Ali et al.[34]	82	PC(14), WON(68)	AXIOS	80 (97.5)	72 (87.8)	Maldeployment(2) Bleeding(6) Infection(5)
Barham et al.[92]	58	WON(58)	AXIOS, Niti-S,	58 (100)	48 (82.8)	Death(1) Bleeding(4) Perforation(1) Occlusion(2) Migration(12)

AXIOS stent, Boston Scientific, Natick, MA, USA; NAGITM stent, SPAXUSTM stent, Taewoong Medical, Gyeonggi-do, South Korea.
AFC: acute fluid collection; DEN: direct endoscopic necrosectomy; PC: pseudocyst; PFC: pancreatic fluid collection; WON: walled-off pancreatic necrosis.

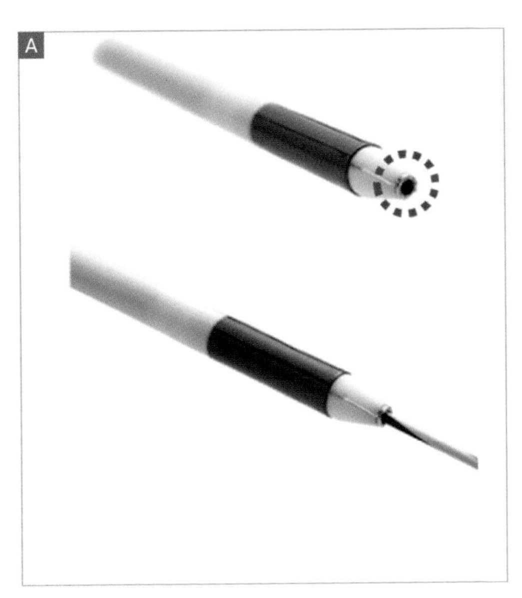

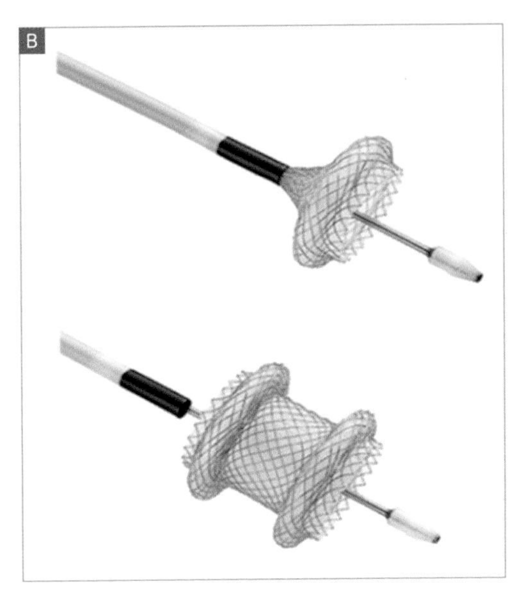

그림 17-11. **스텐트 방출 시스템 말단부에 전기 소작 팁이 장착된 췌장액 저류 배액 전용 FC-SEMS.**
A. 경벽 트랙 확장 등의 추가 시술 없이 췌장액 저류 병변내로 진입할 수 있게 도와 주는 방출 시스템 말단부의 전기 소작 팁 (빨간색 점선 원).
B. 방출 시스템으로부터 췌장액 저류 배액 전용 FC-SEMS이 방출되는 모습.
Adopted from http://www.bostonscientific.com/en-EU/products/stents-gastrointestinal/axios-stent-and-electrocautery-enhanced-delivery-system.html.

또 다른 연구에서 경벽 배액술과 경유두 배액술을 동시에 시행하는 복합 배액술의 이점을 증명하지 못했다. 후향적 연구에서 경벽 배액술 단독 시행군과 비교할 때 경벽 배액술과 경유두 배액술을 동시에 시행하는 복합 배액술 시행군에서 통계학적으로 유의한 차이는 아니었으나 췌장액 저류의 재발 비율이 오히려 높았다고 보고하였다. 저자들은 경유두 배액술을 추가 시술 하였을 경우 위/십이지장-낭종 경벽 트랙의 성숙을 방해한다고 주장했다[95]. 그러나 이 연구에서 급성 췌장주위 액체 저류, 급성 괴사저류, 가성낭종, WON 등 양 군에 포함된 병변 별 환자 구성 비율이 상이하였다는 점을 고려할 때 해석에 주의가 필요하다고 하겠다. 가성낭종 환자를 대상으로 한 최근의 다기관 연구에서 경벽 배액술 단독 시행군과 경벽 배액술과 경유두 배액술을 동시에 시행한 복합 배액술 시행군 사이에 장기간의 치료 효과 유지 측면에서 차이를 보이지 않았다. 더욱이, 다변량 분석에서 경유두 배액술을 추가로 진행하는 것이 가성낭종의 장기간 소실을 유도하는데 부정적인 영향을 주는 유일한 요인으로 지목되었다[96].

위/십이지장-낭종 스텐트를 제거하기 전에 췌관 파열에 의한 췌장액 누출 여부를 확인할 필요가 있다. 위-낭종 스텐트의 적절한 제거 시기를 조사한 전향적 임상시험에서 위-낭종 금속 스텐트 삽입 3주 후에 MRCP를 시행하여, 췌장액 누출이 의심되는 환자는 플라스틱 스텐트를 이용한 경유두 배액술을 시행하였다. 이러한 치료 전략을 통해, 약 1년간의 추적 관찰 기간 동안 47명의 환자 중 2명의 환자에서만 가성낭종의 재발이 관찰되었다[69]. 하지만 현재 췌장액 저류의 치료를 위한 경유두 배액술의 역할에 대해서는 결론적이지 않으며, 이에 대한 추가적인 무작위 임상 연구가 필요하다고 하겠다.

3. 내시경적 췌장액 저류 배액의 합병증

내시경초음파 유도하 경벽 배액술은 비교적 안전하며, 주요한 중증 합병증이 발생하는 경우는 흔하지 않다. 발생 가능한 합병증으로는 출혈, 천공, 감염 및 스텐트 이탈 등이며, 드물게 스텐트 이탈에 의해 유발되는 장폐쇄가 보고되기도 한다. 이전의 경벽 배액술의 가장 위험한 합병증으로 지목되어 왔던 출혈과 천공의 발생 비율은 초음파 내시경의 도입 후 크게 감소하였다[97]. 실제로 초음파 내시경 유도하 경벽 배액술은 95% 이상의 환자에서 성공적일 뿐만 아니라 합병증 위험을 낮추는 데에도 도움이 되는 것으로 보고되고 있다[98-101]. 감염과 관련된 합병증은 대부분 불완전한 배액과 연관되어 발생하게 되는데, 감염 합병증을 치료하기 위해 경피적인 배액관 삽입 및 추가적인 세척 시술이 필요할 수 있다[102]. 경벽 트랙을 관통하여 스텐트를 거치하는 시술 동안이나 시술 후에 스텐트가 위나 십이지장 벽을 통해 저류액 안으로 이탈되는 합병증이 발생할 수 있는데, 이러한 경우 스텐트의 회수는 저류액이 완전히 제거 되지 않은 상태에서, 경벽 트랙이 남아 있는 경우에만 가능하다. 치명적인 공기 색전증이 췌장액 저류의 배액 후에 발생할 수 있는데[103]. 이러한 합병증을 방지하기 위해 일반적인 공기 주입보다는 이산화탄소의 사용을 고려할 수 있다. 췌장액 저류의 내시경적 배액술 전후에 발생할 수 있는 이러한 합병증에 대한 숙지가 필요하다고 하겠다(표 17-2).

내시경적 배액술의 합병증 발병률은 초음파 내시경 이용 여부, 저류액의 성질(가성낭종 vs. WON), DEN 시행 여부 또는 사용한 스텐트 종류(플라스틱 스텐트 vs. 금속 스텐트) 등 여러 요인에 따라 달라질 수 있다. 일반적으로 가성낭종에 비해 WON을 배액하는 동안 합병증 발생의 위험이 높은 것으로 알려져 있다. 211 명의 환자를 대상으로 한 후향적 연구에서 17명(8.5%)의 환자에서 합병증이 발생했으며, 가성낭종과 비교하여 WON의 배액과 관련된 합병증 발생 비율이 높았다 (15.8% vs. 5.2%, P = 0.02)[13]. DEN 시술 시행 시에도 합병증 발생 위험이 높음을 항시 유의하여야 한다. DEN을 통한 내시경적 배액술에 대한 몇몇 연구에서 시술 환자의 1/4에서 합병증이 발생된다고 보고하였다[45,104]. 플라스틱 스텐트와 비교하여 직경이 큰 금속 스텐트를 삽입하면 원활한 배액을 가능하게 하여, 스텐트 폐색 및 패혈증의 발생 위험을 감소시킬 것으로 기대된다. 또한 금속 스텐트는 위/십이지장-낭종 문합부위를 가로지르는 트랙의 가장자리를 압박함으로써 출혈 합병증을 줄일 수 있을 것으로 생각된다. 그러나 WON 환자를 대상으로 LAMS와 플라스틱 스텐트를 비교한 최근 무작위 대조 임상 연구의 중간 분석 결과 앞선 예상에 반하는 결과가 발표 되었는데, 플라스틱 스텐트 환자군과 비교하여 LAMS 환자군서 지연 출혈, 담도 협착 등 스텐트 관련 합병증 발생 비율이 의미 있게 높았다고 보고되었다[70]. 스텐트 종류에 따른 합병증 발생 위험에 대해서는 향후 추가적인 연구가 필요할 것으로 생각된다.

표 17-2. **내시경적 췌장액 저류 배액의 합병증**

Bleeding
Perforation
Infection
Pancreatitis
Sedation-related adverse events
Aspiration
Stent migration or occlusion
Pancreatic duct damage
Air embolism (transmural approach)

ERCP, Todd Baron, Saunders, 2013, Chapter 53, 500-512.

References

1. Thoeni RF. The revised Atlanta classification of acute pancreatitis: its importance for the radiologist and its effect on treatment. Radiology 2012;262: 751-64.
2. Cui ML, Kim KH, Kim HG, et al. Incidence, risk factors and clinical course of pancreatic fluid collections in acute pancreatitis. Dig Dis Sci 2014; 59: 1055-1062 [PMID: 24326631 DOI: 10.1007/ s10620-013-2967-4]
3. Itoi T, Nageshwar Reddy D, Yasuda I. New fully-covered self-expandable metal stent for endoscopic ultrasonography-guided intervention in infectious walled-off pancreatic necrosis (with video). J Hepatobiliary Pancreat Sci 2013;20:403-6.
4. Bansal SS, Hodson J, Sutcliffe RS, et al. Performance of the revised Atlanta and determinant-based classifications for severity in acute pancreatitis. Br J Surg 2016;103:427-33.
5. Sarathi Patra P, Das K, Bhattacharyya A, et al. Natural resolution or intervention for fluid collections in acute severe pancreatitis. Br J Surg 2014;101:1721-8.
6. Manrai M, Kochhar R, Gupta V, et al. Outcome of Acute Pancreatic and Peripancreatic Collections Occurring in Patients With Acute Pancreatitis. Ann Surg 2016;12;236-47
7. Nabi Z, Basha J, Reddy DN. Endoscopic management of pancreatic fluid collections-revisited. World J Gastroenterol 2017;23:2660-72.
8. Seewald S, Ang TL, Kida M, Teng KY, Soehendra N. EUS 2008 Working Group document: evaluation of EUS-guided drainage of pancreatic-fluid collections (with video). Gastrointest Endosc 2009; 69:S13-21.
9. Takahashi N, Papachristou GI, Schmit GD, et al. CT findings of walled-off pancreatic necrosis (WOPN): differentiation from pseudocyst and prediction of outcome after endoscopic therapy. Eur Radiol 2008; 18:2522-9.
10. Hariri M, Slivka A, Carr-Locke DL, Banks PA. Pseudocyst drainage predisposes to infection when pancreatic necrosis is unrecognized. Am J Gastroenterol 1994;89:1781-4.
11. Baron TH, Kozarek RA. Endotherapy for organized pancreatic necrosis: perspectives after 20 years. Clin Gastroenterol Hepatol 2012;10:1202-7.
12. Baron TH. Treatment of pancreatic pseudocysts, pancreatic necrosis, and pancreatic duct leaks. Gastrointest Endosc Clin N Am 2007;17:559-79, vii.
13. Varadarajulu S, Bang JY, Phadnis MA, Christein JD, Wilcox CM. Endoscopic transmural drainage of peripancreatic fluid collections: outcomes and predictors of treatment success in 211 consecutive patients. J Gastrointest Surg 2011;15:2080-8.
14. Samuelson AL, Shah RJ. Endoscopic management of pancreatic pseudocysts. Gastroenterol Clin North Am 2012;41:47-62.
15. Barthet M, Lamblin G, Gasmi M, Vitton V, Desjeux A, Grimaud JC. Clinical usefulness of a treatment algorithm for pancreatic pseudocysts. Gastrointest Endosc 2008;67:245-52.
16. Holt BA, Varadarajulu S. The endoscopic management of pancreatic pseudocysts (with videos). Gastrointest Endosc 2015;81:804-12.
17. Varadarajulu S, Bang JY, Sutton BS, Trevino JM, Christein JD, Wilcox CM. Equal efficacy of endoscopic and surgical cystogastrostomy for pancreatic pseudocyst drainage in a randomized trial. Gastroenterology 2013;145:583-90.e1.
18. Melman L, Azar R, Beddow K, et al. Primary and overall success rates for clinical outcomes after laparoscopic, endoscopic, and open pancreatic cystgastrostomy for pancreatic pseudocysts. Surg Endosc 2009;23:267-71.

19. Akshintala VS, Saxena P, Zaheer A, et al. A comparative evaluation of outcomes of endoscopic versus percutaneous drainage for symptomatic pancreatic pseudocysts. Gastrointest Endosc 2014; 79:921-8; quiz 83.e2, 83.e5.
20. Keane MG, Sze SF, Cieplik N, et al. Endoscopic versus percutaneous drainage of symptomatic pancreatic fluid collections: a 14-year experience from a tertiary hepatobiliary centre. Surg Endosc 2016;30:3730-40.
21. Teoh AY, Dhir V, Jin ZD, Kida M, Seo DW, Ho KY. Systematic review comparing endoscopic, percutaneous and surgical pancreatic pseudocyst drainage. World J Gastrointest Endosc 2016;8:310-8.
22. Banks PA, Freeman ML. Practice guidelines in acute pancreatitis. Am J Gastroenterol 2006;101: 2379-400.
23. Whitcomb DC. Clinical practice. Acute pancreatitis. N Engl J Med 2006;354:2142-50.
24. Uhl W, Warshaw A, Imrie C, et al. IAP Guidelines for the Surgical Management of Acute Pancreatitis. Pancreatology 2002;2:565-73.
25. Forsmark CE, Baillie J. AGA Institute technical review on acute pancreatitis. Gastroenterology 2007;132:2022-44.
26. Kozarek RA. Endoscopic management of pancreatic necrosis: not for the uncommitted. Gastrointest Endosc 2005;62:101-4.
27. Bakker OJ, van Santvoort HC, van Brunschot S, et al. Endoscopic transgastric vs surgical necrosectomy for infected necrotizing pancreatitis: a randomized trial. JAMA 2012;307:1053-61.
28. Varadarajulu S, Phadnis MA, Christein JD, Wilcox CM. Multiple transluminal gateway technique for EUS-guided drainage of symptomatic walled-off pancreatic necrosis. Gastrointest Endosc 2011; 74:74-80.
29. Ross AS, Irani S, Gan SI, Rocha F, Siegal J, Fotoohi M, et al. Dual-modality drainage of infected and symptomatic walled-off pancreatic necrosis: long-term clinical outcomes. Gastrointest Endosc 2014; 79:929-35.
30. Ren YC, Chen SM, Cai XB, Li BW, Wan XJ. Endoscopic ultrasonography-guided drainage combined with trans-duodenoscope cyclic irrigation technique for walled-off pancreatic necrosis. Dig Liver Dis 2017;49:38-44.
31. Bang JY, Holt BA, Hawes RH, et al. Outcomes after implementing a tailored endoscopic step-up approach to walled-off necrosis in acute pancreatitis. Br J Surg 2014;101:1729-38.
32. Gluck M, Ross A, Irani S, et al. Dual modality drainage for symptomatic walled-off pancreatic necrosis reduces length of hospitalization, radiological procedures, and number of endoscopies compared to standard percutaneous drainage. J Gastrointest Surg 2012;16:248-56; discussion 56-7.
33. Sharaiha RZ, Tyberg A, Khashab MA, et al. Endoscopic Therapy With Lumen-apposing Metal Stents Is Safe and Effective for Patients With Pancreatic Walled-off Necrosis. Clin Gastroenterol Hepatol 2016;14:1797-803.
34. Siddiqui AA, Adler DG, Nieto J, et al. EUS-guided drainage of peripancreatic fluid collections and necrosis by using a novel lumen-apposing stent: a large retrospective, multicenter U.S. experience (with videos). Gastrointest Endosc 2016;83:699-707.
35. Siddiqui AA, Dewitt JM, Strongin A, et al. Outcomes of EUS-guided drainage of debris-containing pancreatic pseudocysts by using combined endoprosthesis and a nasocystic drain. Gastrointest Endosc 2013;78:589-95.
36. Baron TH, Thaggard WG, Morgan DE, Stanley RJ. Endoscopic therapy for organized pancreatic necrosis. Gastroenterology 1996;111:755-64.
37. Baron TH, Morgan DE. Endoscopic transgastric irrigation tube placement via PEG for debridement

of organized pancreatic necrosis. Gastrointest Endosc 1999;50:574-7.
38. Raczynski S, Teich N, Borte G, Wittenburg H, Mossner J, Caca K. Percutaneous transgastric irrigation drainage in combination with endoscopic necrosectomy in necrotizing pancreatitis (with videos). Gastrointest Endosc 2006;64:420-4.
39. Seifert H, Wehrmann T, Schmitt T, Zeuzem S, Caspary WF. Retroperitoneal endoscopic debridement for infected peripancreatic necrosis. Lancet 2000;356:653-5.
40. Seewald S, Groth S, Omar S, et al. Aggressive endoscopic therapy for pancreatic necrosis and pancreatic abscess: a new safe and effective treatment algorithm (videos). Gastrointest Endosc 2005;62:92-100.
41. Charnley RM, Lochan R, Gray H, O'Sullivan CB, Scott J, Oppong KE. Endoscopic necrosectomy as primary therapy in the management of infected pancreatic necrosis. Endoscopy 2006;38:925-8.
42. Gardner TB, Chahal P, Papachristou GI, et al. A comparison of direct endoscopic necrosectomy with transmural endoscopic drainage for the treatment of walled-off pancreatic necrosis. Gastrointest Endosc 2009;69:1085-94.
43. Seifert H, Biermer M, Schmitt W, et al. Transluminal endoscopic necrosectomy after acute pancreatitis: a multicentre study with long-term follow-up (the GEPARD Study). Gut 2009;58:1260-6.
44. Yasuda I, Nakashima M, Iwai T, et al. Japanese multicenter experience of endoscopic necrosectomy for infected walled-off pancreatic necrosis: The JENIPaN study. Endoscopy 2013;45:627-34.
45. Seewald S, Ang TL, Richter H, et al. Long-term results after endoscopic drainage and necrosectomy of symptomatic pancreatic fluid collections. Dig Endosc 2012;24:36-41.
46. Gardner TB, Coelho-Prabhu N, Gordon SR, et al. Direct endoscopic necrosectomy for the treatment of walled-off pancreatic necrosis: results from a multicenter U.S. series. Gastrointest Endosc 2011; 73:718-26.
47. van Brunschot S, Fockens P, Bakker OJ, et al. Endoscopic transluminal necrosectomy in necrotising pancreatitis: a systematic review. Surg Endosc 2014;28:1425-38.
48. Bang JY, Wilcox CM, Trevino J, et al. Factors impacting treatment outcomes in the endoscopic management of walled-off pancreatic necrosis. J Gastroenterol Hepatol 2013;28:1725-32.
49. van Santvoort HC, Besselink MG, Bakker OJ, et al. A step-up approach or open necrosectomy for necrotizing pancreatitis. N Engl J Med 2010;362: 1491-502.
50. Ke L, Li J, Hu P, Wang L, Chen H, Zhu Y. Percutaneous Catheter Drainage in Infected Pancreatitis Necrosis: a Systematic Review. Indian J Surg 2016;78:221-8.
51. Traverso LW, Kozarek RA. Pancreatic necrosectomy: definitions and technique. J Gastrointest Surg 2005;9:436-9.
52. Rasch S, Phillip V, Reichel S, et al. Open Surgical versus Minimal Invasive Necrosectomy of the Pancreas-A Retrospective Multicenter Analysis of the German Pancreatitis Study Group. PLoS One 2016;11:e0163651.
53. Bhasin DK, Rana SS. Combining transpapillary pancreatic duct stenting with endoscopic transmural drainage for pancreatic fluid collections: two heads are better than one! J Gastroenterol Hepatol 2010;25:433-4.
54. Trevino JM, Tamhane A, Varadarajulu S. Successful stenting in ductal disruption favorably impacts treatment outcomes in patients undergoing transmural drainage of peripancreatic fluid collections. J Gastroenterol Hepatol 2010;25:526-31.
55. Bhasin DK, Rana SS, Nanda M, et al. Endoscopic management of pancreatic pseudocysts at atypical

locations. Surg Endosc 2010;24:1085-91.
56. Rashdan A, Fogel EL, McHenry L, Jr., Sherman S, Temkit M, Lehman GA. Improved stent characteristics for prophylaxis of post-ERCP pancreatitis. Clin Gastroenterol Hepatol 2004;2:322-9.
57. Sriram PV, Kaffes AJ, Rao GV, Reddy DN. Endoscopic ultrasound-guided drainage of pancreatic pseudocysts complicated by portal hypertension or by intervening vessels. Endoscopy 2005;37:231-5.
58. Varadarajulu S. EUS followed by endoscopic pancreatic pseudocyst drainage or all-in-one procedure: a review of basic techniques (with video). Gastrointest Endosc 2009;69:S176-81.
59. Ahn JY, Seo DW, Eum J, et al. Single-Step EUS-Guided Transmural Drainage of Pancreatic Pseudocysts: Analysis of Technical Feasibility, Efficacy, and Safety. Gut Liver 2010;4:524-9.
60. Varadarajulu S, Christein JD, Tamhane A, Drelichman ER, Wilcox CM. Prospective randomized trial comparing EUS and EGD for transmural drainage of pancreatic pseudocysts (with videos). Gastrointest Endosc 2008;68:1102-11.
61. Park DH, Lee SS, Moon SH, et al. Endoscopic ultrasound-guided versus conventional transmural drainage for pancreatic pseudocysts: a prospective randomized trial. Endoscopy 2009;41:842-8.
62. Kahaleh M, Shami VM, Conaway MR, et al. Endoscopic ultrasound drainage of pancreatic pseudocyst: a prospective comparison with conventional endoscopic drainage. Endoscopy 2006;38:355-9.
63. Ang TL, Teoh AYB. Endoscopic ultrasonography-guided drainage of pancreatic fluid collections. Dig Endosc 2017;29:463-71.
64. Fabbri C, Luigiano C, Cennamo V, et al. Endoscopic ultrasound-guided transmural drainage of infected pancreatic fluid collections with placement of covered self-expanding metal stents: a case series. Endoscopy 2012;44:429-33.
65. Bang JY, Wilcox CM, Trevino JM, et al. Relationship between stent characteristics and treatment outcomes in endoscopic transmural drainage of uncomplicated pancreatic pseudocysts. Surg Endosc 2014;28:2877-83.
66. Isayama H, Nakai Y, Rerknimitr R, et al. Asian consensus statements on endoscopic management of walled-off necrosis Part 1: Epidemiology, diagnosis, and treatment. J Gastroenterol Hepatol 2016;31:1546-54.
67. Windsor JA. Minimally invasive pancreatic necrosectomy. Br J Surg 2007;94:132-3.
68. Siddiqui AA, Kowalski TE, Loren DE, et al. Fully covered self-expanding metal stents versus lumen-apposing fully covered self-expanding metal stent versus plastic stents for endoscopic drainage of pancreatic walled-off necrosis: clinical outcomes and success. Gastrointest Endosc 2017;85:758-65.
69. Dhir V, Teoh AY, Bapat M, Bhandari S, Joshi N, Maydeo A. EUS-guided pseudocyst drainage: prospective evaluation of early removal of fully covered self-expandable metal stents with pancreatic ductal stenting in selected patients. Gastrointest Endosc 2015;82:650-7; quiz 718.e1-5.
70. Bang JY, Hasan M, Navaneethan U, Hawes R, Varadarajulu S. Lumen-apposing metal stents (LAMS) for pancreatic fluid collection (PFC) drainage: may not be business as usual. Gut 2016; doi:10.1136/gutjnl-2016-312812.
71. Tarantino I, Di Pisa M, Barresi L, Curcio G, Granata A, Traina M. Covered self expandable metallic stent with flared plastic one inside for pancreatic pseudocyst avoiding stent dislodgement. World J Gastrointest Endosc 2012;4:148-50.
72. Talreja JP, Shami VM, Ku J, Morris TD, Ellen K, Kahaleh M. Transenteric drainage of pancreatic-fluid collections with fully covered self-expanding metallic stents (with video). Gastrointest Endosc

2008;68:1199-203.

73. Arvanitakis M, Delhaye M, Bali MA, et al. Pancreatic-fluid collections: a randomized controlled trial regarding stent removal after endoscopic transmural drainage. Gastrointest Endosc 2007;65:609-19.
74. Lee BU, Song TJ, Lee SS, et al. Newly designed, fully covered metal stents for endoscopic ultrasound (EUS)-guided transmural drainage of peripancreatic fluid collections: a prospective randomized study. Endoscopy 2014;46:1078-84.
75. Mukai S, Itoi T, Baron TH, et al. Endoscopic ultrasound-guided placement of plastic vs. biflanged metal stents for therapy of walled-off necrosis: a retrospective single-center series. Endoscopy 2015; 47:47-55.
76. Sharaiha RZ, DeFilippis EM, Kedia P, et al. Metal versus plastic for pancreatic pseudocyst drainage: clinical outcomes and success. Gastrointest Endosc 2015;82:822-7.
77. Ang T, Kongkam P, Kwek A, Orkoonsawat P, Rerknimitr R, Fock K. A two-center comparative study of plastic and lumen-apposing large diameter self-expandable metallic stents in endoscopic ultrasound-guided drainage of pancreatic fluid collections. Endoscopic Ultrasound 2016;5:320-7.
78. Ang TL, Seewald S. Fully covered self-expandable metal stents: The "be all and end all" for pancreatic fluid collections? Gastrointest Endosc 2015;82: 1047-50.
79. Itoi T, Binmoeller KF, Shah J, et al. Clinical evaluation of a novel lumen-apposing metal stent for endosonography-guided pancreatic pseudocyst and gallbladder drainage (with videos). Gastrointest Endosc 2012;75:870-6.
80. Lee HS, Chung MJ. Past, Present, and Future of Gastrointestinal Stents: New Endoscopic Ultrasonography-Guided Metal Stents and Future Developments. Clin Endosc 2016;49:131-8.
81. Penn DE, Draganov PV, Wagh MS, Forsmark CE, Gupte AR, Chauhan SS. Prospective evaluation of the use of fully covered self-expanding metal stents for EUS-guided transmural drainage of pancreatic pseudocysts. Gastrointest Endosc 2012;76:679-84.
82. Moon JH, Choi HJ, Kim DC, et al. A newly designed fully covered metal stent for lumen apposition in EUS-guided drainage and access: a feasibility study (with videos). Gastrointest Endosc 2014;79:990-5.
83. Rinninella E, Kunda R, Dollhopf M, et al. EUS-guided drainage of pancreatic fluid collections using a novel lumen-apposing metal stent on an electrocautery-enhanced delivery system: a large retrospective study (with video). Gastrointest Endosc 2015;82:1039-46.
84. Gornals JB, De la Serna-Higuera C, Sanchez-Yague A, Loras C, Sanchez-Cantos AM, Perez-Miranda M. Endosonography-guided drainage of pancreatic fluid collections with a novel lumen-apposing stent. Surg Endosc 2013;27:1428-34.
85. Yamamoto N, Isayama H, Kawakami H, et al. Preliminary report on a new, fully covered, metal stent designed for the treatment of pancreatic fluid collections. Gastrointest Endosc 2013;77:809-14.
86. Chandran S, Efthymiou M, Kaffes A, et al. Management of pancreatic collections with a novel endoscopically placed fully covered self-expandable metal stent: a national experience (with videos). Gastrointest Endosc 2015;81:127-35.
87. Shah RJ, Shah JN, Waxman I, et al. Safety and efficacy of endoscopic ultrasound-guided drainage of pancreatic fluid collections with lumen-apposing covered self-expanding metal stents. Clin Gastroenterol Hepatol 2015;13:747-52.
88. Walter D, Will U, Sanchez-Yague A, et al. A novel lumen-apposing metal stent for endoscopic ultrasound-guided drainage of pancreatic fluid collections: a prospective cohort study. Endoscopy

2015;47:63-7.
89. Vazquez-Sequeiros E, Baron TH, Perez-Miranda M, et al. Evaluation of the short- and long-term effectiveness and safety of fully covered self-expandable metal stents for drainage of pancreatic fluid collections: results of a Spanish nationwide registry. Gastrointest Endosc 2016;84:450-7.e2.
90. Lakhtakia S, Basha J, Talukdar R, et al. Endoscopic "step-up approach" using a dedicated biflanged metal stent reduces the need for direct necrosectomy in walled-off necrosis (with videos). Gastrointest Endosc 2017;85:1243-52.
91. Bang JY, Hasan MK, Navaneethan U, et al. Lumen-apposing metal stents for drainage of pancreatic fluid collections: When and for whom? Dig Endosc 2017;29:83-90.
92. Abu Dayyeh BK, Mukewar S, Majumder S, et al. Large-caliber metal stents versus plastic stents for the management of pancreatic walled-off necrosis. Gastrointest Endosc 2017; doi:10.1016/j.gie.2017.04.032.
93. Varadarajulu S, Noone TC, Tutuian R, Hawes RH, Cotton PB. Predictors of outcome in pancreatic duct disruption managed by endoscopic transpapillary stent placement. Gastrointest Endosc 2005;61:568-75.
94. Jang JW, Kim MH, Oh D, et al. Factors and outcomes associated with pancreatic duct disruption in patients with acute necrotizing pancreatitis. Pancreatology 2016;16:958-65.
95. Hookey LC, Debroux S, Delhaye M, Arvanitakis M, Le Moine O, Deviere J. Endoscopic drainage of pancreatic-fluid collections in 116 patients: a comparison of etiologies, drainage techniques, and outcomes. Gastrointest Endosc 2006;63:635-43.
96. Yang D, Amin S, Gonzalez S, et al. Transpapillary drainage has no added benefit on treatment outcomes in patients undergoing EUS-guided transmural drainage of pancreatic pseudocysts: a large multicenter study. Gastrointest Endosc 2016;83:720-9.
97. Yusuf TE, Baron TH. Endoscopic transmural drainage of pancreatic pseudocysts: results of a national and an international survey of ASGE members. Gastrointest Endosc 2006;63:223-7.
98. Giovannini M, Pesenti C, Rolland AL, Moutardier V, Delpero JR. Endoscopic ultrasound-guided drainage of pancreatic pseudocysts or pancreatic abscesses using a therapeutic echo endoscope. Endoscopy 2001;33:473-7.
99. Azar RR, Oh YS, Janec EM, Early DS, Jonnalagadda SS, Edmundowicz SA. Wire-guided pancreatic pseudocyst drainage by using a modified needle knife and therapeutic echoendoscope. Gastrointest Endosc 2006;63:688-92.
100. Kruger M, Schneider AS, Manns MP, Meier PN. Endoscopic management of pancreatic pseudocysts or abscesses after an EUS-guided 1-step procedure for initial access. Gastrointest Endosc 2006;63:409-16.
101. Giovannini M. Endoscopic ultrasonography-guided pancreatic drainage. Gastrointest Endosc Clin N Am 2012;22:221-30, viii.
102. Papachristou GI, Takahashi N, Chahal P, Sarr MG, Baron TH. Peroral endoscopic drainage/debridement of walled-off pancreatic necrosis. Ann Surg 2007;245:943-51.
103. Jow AZ, Wan D. Complication of cardiac air embolism during ERCP and EUS-assisted cyst-gastrostomy for pancreatic pseudocyst. Gastrointest Endosc 2012;75:220-1.
104. Kunzli HT, Timmer R, Schwartz MP, et al. Endoscopic ultrasonography-guided drainage is an effective and relatively safe treatment for peripancreatic fluid collections in a cohort of 108 symptomatic patients. Eur J Gastroenterol Hepatol 2013;25:958-63.

급성췌장염의 외과적 치료

Surgical treatment of acute pancreatitis

김재근, 황호경

서론

급성췌장염은 경증부터, 췌장괴사 또는 감염이 발생하여 패혈증이나 다발성 장기부전과 같은 합병증을 유발하는 중증까지, 그 임상 양상이 다양하고 광범위하다[1,2]. 급성췌장염의 임상 경과는 2단계로 나뉜다. 급성췌장염이 발생하고 초기 1~2주는 췌장의 국소적인 염증과 괴사가 전신염증반응증후군(systemic inflammatory response syndrome, SIRS)과 다발성 장기 부전(multisystem organ failure, MOF)을 유발하는 전염증유발시기(pro-inflammatory phase)이다. 이 시기가 지나면 후기(late phase)라고 하고, 이 시기에는 장내 세균총이 췌장 괴사 조직과 췌장을 감염시키는 것은 중요한 병인이다.

중증의 췌장염에서 췌장 및 주변 조직의 괴사가 동반되면 괴사성 췌장염이라 부르며, 무균성인 경우 15%의 사망률과 감염된 경우에는 30%의 사망률이 보고된다[3]. 급성췌장염에 대한 병태생리에 대한 연구와 자연경과에 대한 이해 덕분에 급성췌장염에 치료 방법도 발전하게 되어 과거에 비해 수술적 치료의 빈도는 감소하였다.

급성췌장염의 대부분은 내과적으로 치료하고 있고 괴사가 동반되어 배액술이 필요한 경우에도 방사선 중재술이나 내시경적 배액술이 수술을 대치하는 경우가 많다[4]. 하지만 수술적 치료는 감염된 괴사성 췌장염의 중요한 치료법 중 하나이고 특히 다른 치료에도 불구하고 상태가 악화될 때는 수술을 고려해야 한다.

수술이 필요한 중증의 급성췌장염 환자들은 패혈증이 있거나 다발성 장기부전이 동반되는 경우가 많기 때문에 심각한 합병증을 유발하거나 사망할 수 있다. 따라서, 올바른 수술의 적응증과 적절한 시기에 대해 이해하는 것은 치료 방침을 결정하여 하는데 매우 중요하다.

1. 수술 적응증

급성췌장염의 대부분(70~80%)은 우선 내과적으로 치료한다. 하지만 조직의 괴사가 진행되었는지, 괴사 조직이 감염되었는지의 여부는 치료 방침을 결정하는데 중요하다[2,4]. 췌장괴사가 있는 급성췌장염도 무균성(무균 괴사성 췌장염)이면 우선 내과적으로 치료한다. 그러나 보존적 치료가 실패하고 호전이 없거나 다발성

장기부전이 발생하면 괴사된 조직을 제거하는 것을 고려해야 한다. 중재술이 활발하지 않던 과거에는 수술을 통한 괴사 조직 절제술(necrosectomy)로 치료하였지만, 근래에는 경피적 중재술이나 내시경적 중재술을 선호한다. 하지만 후복막에 위치한 병변으로의 접근이 경피적 중재술로 어려운 경우가 있고, 배액관을 위치시켰음에도 불구하고 끈적끈적한 괴사 조직이 효과적으로 배액이 되지 않는 경우(그림 18-1), 감염성 괴사 췌장염 환자에서 이런 중재술과 집중적인 내과적 치료에도 불구하고 환자의 상태가 악화되거나 패혈증의 증후가 보이면 수술을 고려해야 한다[2,4].

중재술에도 불구하고 복강 구획증후군(abdominal compartment syndrome)으로 복압이 너무 높아 이로 인한 합병증이 있거나 다발성 장기부전이 발생하면 적절한 감압술을 시행하여야 한다. 또한 소장과 장관의 천공이나 괴사 및 출혈이 있을 때, 위장관 폐쇄가 있을 때도 영상의학적 또는 내시경적 중재술로 치료가 안 되면 수술의 적응증이다[4,5].

2. 수술의 시기

감염성 췌장괴사가 있는 급성췌장염은 발병 3~4주 이후 지연 수술하는 것이 일반적으로 인정되고 있다[2,4].

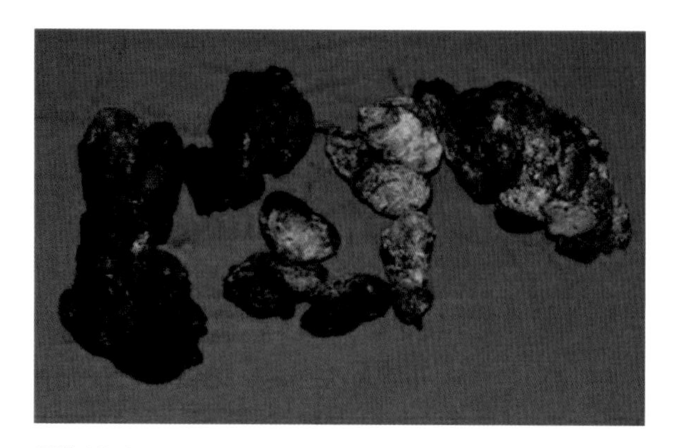

그림 18-1. **괴사성 췌장염에서 괴사된 조직.**
상당히 끈적끈적하여 배액관을 통해 쉽게 배액이 되지 않는 경우가 많다.

과거에는 조기에 괴사 조직 절제술을 시행하자는 주장과 이에 대한 논란이 있었지만 이환율(40~80%)과 사망률(10~78%)이 높았다. Hartwig 등[6]은 후향적 연구를 통해, 조기 수술군에 비해 지연 수술군에서 의미 있게 사망률(53% vs 22%)이 낮다고 보고하였다. 수술의 적응증을 시기별로 나누어, 첫 시기(1980~1985년)에는 내과적 치료에도 불구하고 입원 후 72시간 동안 환자의 상태가 악화되면 수술하였고, 둘째 시기(1986~1990년)에는 장기부전과 췌장괴사가 확인되면 수술하였으며, 셋째 시기(1991~1997년)에는 괴사가 확인되더라도 가능한 수술을 지연하거나 괴사에 감염이 확인되면 시행하였는데, 이런 치료 방침의 변화로 사망률을 39%에서 12%로 낮추었다고 보고했다. Mier 등[7]은 괴사절제술군을 조기(발병 2~3일)에 시행한 군과 지연 시행(발병 12일 이후)군으로 나누어 전향적 무작위 연구를 보고하였는데, 조기 수술군(n = 25)의 사망률이56%로 지연군(n = 11)의 27%에 비해 통계적 유의성은 없었지만, odds ratio가 3.4배로 너무 높다고 판단하고 연구를 종결하였다(불행히도 odds ratio도 통계적으로 유의하지 않았다).

또한 Van Santvoort 등[8]은 639명의 환자를 대상으로 한 전향적 연구를 통해 입원 후 중재술이나 수술을 늦게 할 수록 통계적으로 유의하게 사망률이 낮았다고 보고하였다(14일 내 56%, 14~29일 26%, 29일 초과 시 15%). 연구대상중 78명의 환자가 다른 중재술 없이 괴사절제술을 받았는데 수술 시기에 대한 정보는 없고 사망률은 18%였다. 전체 환자 중 5(n = 32)의 환자가 입원 후 평균적으로 5일 경과 시 응급 수술을 받았고, 수술 환자 중 78%(n = 25)의 환자가 사망하였다. 그러나 수술 당시 15명의 환자는 복강 구획증후군이 있었고, 11명은 이미 장관의 허혈과 괴사가 있었다. 이런 결과는 조기 수술 환자가 다른 대안 치료가 없어 이미 생명이 위험한 상태에서 수술을 받기 때문에 사망률이 높은 것은 아닌지에 대한 반증일 수도 있다.

지연 수술의 근거로 제시되는 이전 연구들이 대부분

후향적이고, 수술적응증과 환자의 중등도 등이 연구마다 차이가 있고, 조기 수술과 지연 수술의 정의가 연구마다 다르고, 이후에 전향적 무작위 연구가 없어, 지연 수술이 조기 수술에 비해 더 우월하다는 신뢰성 높은 증거는 없다[9]. 다만, 급성췌장염이 발생한 '첫 주'에 폐렴, 패혈증 등과 동반한 SIRS가 대부분의 환자에서 발생하기 때문에[5] 전신 상태가 좋지 않을 때 광범위한 수술적인 스트레스를 더하는 것이 환자를 악화시킨다고 설명할 수는 있다[3]. 또한 첫 주를 지나면서 SIRS에서 환자들이 회복한다면 이후 전신 상태가 안정되는 경향이 있기 때문에 지연 수술을 하는 것이 안전해 보인다.

지연 수술의 또다른 장점으로는 무균 괴사성 췌장염 환자도 2~3주 지나면, 괴사된 췌장 조직과 그렇지 않은 구조가 구분되어 염증의 범위가 줄어듦을 확인하여 수술을 피할 가능성이 있고[6], 구분된 부위로 중재술을 효과적으로 시행할 수 있으며[10], 수술을 하더라도 수술 범위를 줄이고 합병증도 줄일 수 있다. 이로 인한 췌장의 내외분비 기능도 보전할 수 있다. 따라서 환자가 안정적이어서 수술이나 중재술을 지연할 수 있으면 지연하는 것이 추천된다[8]. 그러나 다학제간의 협력을 통해 중재술이나 수술의 '적절한 시기'에 대한 논의가 충분히 검토된다면 환자의 회복에 중요한 역할을 할 것으로 기대된다.

3. 수술 방법

최근 수술의 원칙은 괴사 조직 파편(debris)을 적절히 제거하지만 주변 조직과 기관은 최대한 보존하고 수술로 인한 손상과 합병증을 최소화 하는 것이다[1-3,9,11]. 또한 다른 치료법보다 괴사 조직과 농양이나 삼출액(exudate)을 가장 확실하게 제거할 수 있고, 수술 후에 가장 잘 배액이 되도록 배액관을 위치시킬 수 있는 것은 수술의 가장 큰 장점이라 할 수 있다.

일반적으로 개복 수술이 가장 많이 시행되고 있다. 조기 수술의 높은 사망률 때문에 개복 수술에 대한 부정적인 시각이 있지만, 이는 조기 수술을 시행할 수 밖에 없는 환자들이 대부분이 상태가 더 중한 경우가 많기 때문인 것으로도 볼 수 있고, 복강 구획증후군이나 장관의 허혈과 괴사(그림 18-2)로 다른 치료법이 없을 때에는 유일한 치료법이다[8]. 개복을 하고 소낭(lesser sac)을 열고 후복막으로 접근해 췌장을 노출시키고 괴사 절제술을 시행한다. 주변의 염증이나, 유착 때문에 소낭을 통한 접근이 어려운 경우에는, 상대적으로 유착이 덜한 횡행결장의 결장간막을 통한 결장하 접근법(infracoloic)으로 췌장을 노출시킬 수 있다. 결장하 접근법으로 진행할 경우 결장동맥의 손상이 가해지지 않도록 주의를 기울이고, 주변 염증으로 인해 해부학 구

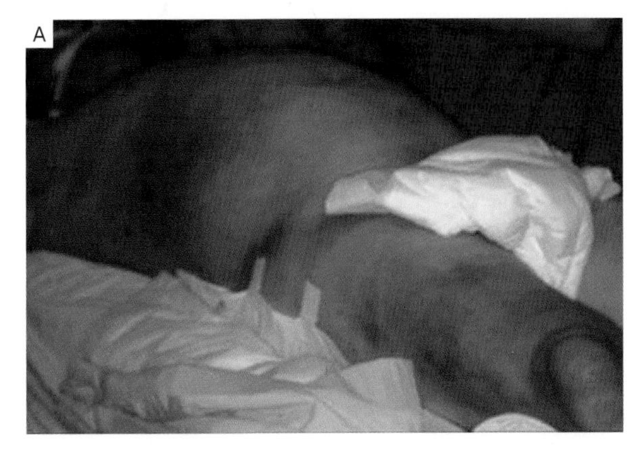

그림 18-2. **급성췌장염의 합병증으로 Grey Turner sign 복강 구획증후군으로 인한 다발성 장기부전과 대장의 괴사.**

조의 구별이 어려운 경우에는 결장옆 고랑(paracolic gutter)를 통해 접근하는 것도 좋은 방법이다(그림 18-3). 수술 시 염증이 있다고 하여 조변 조직을 모두 절제하는 것은 추천되지 않는다. 왜냐하면 출혈이나 누공이 발생할 수 있고 합병증의 위험이 높기 때문이다[12]. 변연절제술(debriment)은 기관을 보존하는 것(organ preserving)을 목표로 시행한다.

복강 구획증후군이 발생한 경우라든지 수술 후 복벽을 봉합하기 어려운 경우, 혹은 주기적인 복강내 세척을 위한 목적으로 복벽 개방 패킹(open abdominal packing)을 시도할 수 있다. 이 방법은 복벽을 열어 놓고 후복강 괴사 조직이 육아 조직이 될 때까지 반복적으로 드레싱을 시행하는 치료법이다. 이때 복막을 일시적으로 덮어두는 제품을 제거할 때 육아조직에서 출혈 등이 잘 생길 수 있으므로 최대한 부드럽게 떼어내고 복강내 세척도 최소한으로 하는 게 좋다.

지속 세척법은(continuous lavage) 여러 개의 굵은 삽입관(28~32F)을 괴사 조직이 제거된 부위에 거치시키고 한쪽 방향의 관을 통해 지속적으로 식염수를 주입시키며 동시에 다른 방향의 관으로는 지속적으로 배액이 되게끔 하여 조직 파편과 삼출액을 배액하는 방법이다(그림 18-4). 배액관은 7일 이후에 천천히 제거하는 것을 권장한다. 7일 이전에 제거하면 소출혈의 위험이 있기 때문이다[13]. 저자의 경우에는 배액관이 감염의 증거가 없으면 환자가 충분히 회복되고 식사를 할 때까지 남겨두는 것을 원칙으로 한다. 식사를 시작하고 나서도 배액되는 양상이 혼탁하게 바뀌지 않는 것을 확인하고, 영상학적으로도 충분히 회복되었음을 확인하고 나서 배액관을 제거해 주어도 좋다. 배액관의 감염을 예방하기 위해 장루백 등을 이용하는 방법도 추천된다(그림 18-4, 5). 이러한 치료의 합병증 이환율은 30~90%, 사망률은 10~20%로 보고된다[14].

수술을 필요로 하는 환자들의 경우, 이미 환자의 상태가 불안정한 경우가 많기 때문에, 수술과 마취 자체로 인한 손상이 치명적일 수 있다. 이런 이유로 환자의 수술을 손상을 줄이기 위해 최소 침습술(minimally invasive surgery)의 빈도가 늘고 있다.

접근 방식에 따라, 경복막(transperitoneal)과 후복막(retroperitoneal) 접근법으로 나뉜다. 가장 효과적으로 괴사조직이나 농양의 위치로 접근하기 위해서 수술 전

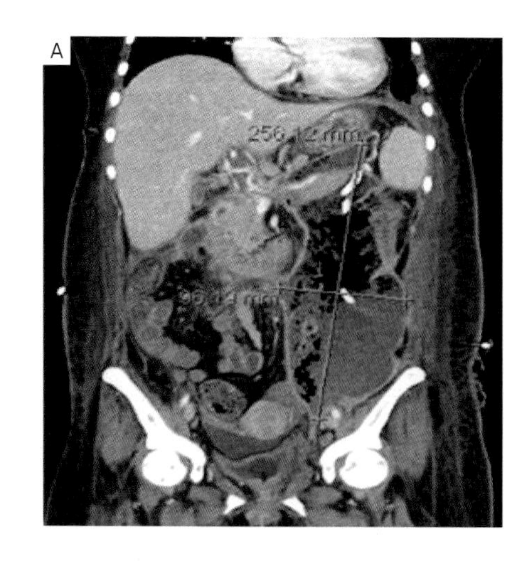

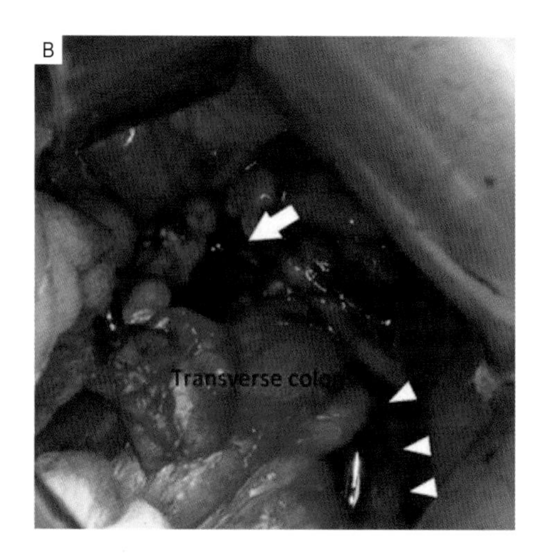

그림 18-3. **컴퓨터단층촬영상.**

A. 컴퓨터단층촬영상 괴사 및 농양의 범위가 광범위한 것을 확인하였다.

B. 개복 시 소낭(arrow) 및 결장옆 고랑(paracolic gutter, arrow head)으로 접근하여 괴사 및 농양을 제거하고 배액관을 삽입하였다.

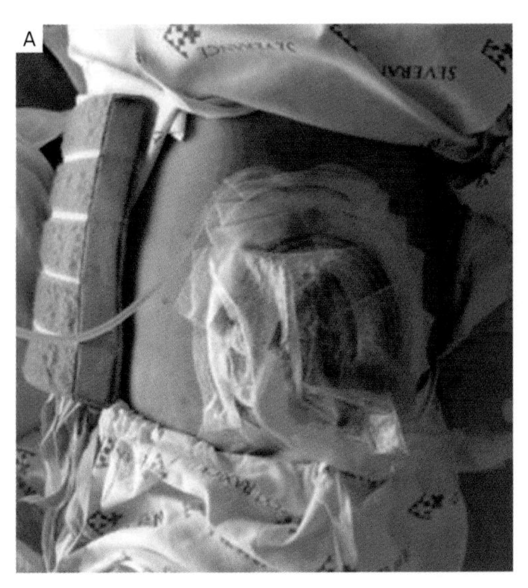

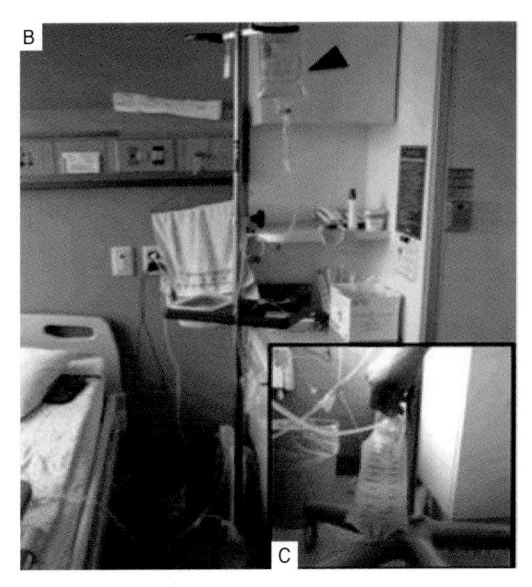

그림 18-4. **지속세척법을 통해 복강내 세척이 지속적으로 이루어지게 한다.**
A. 배액관이 삽입된 부위의 이차감염을 예방하기 위해 장루백(colostomy bag) 등을 이용하여도 좋다.
B. 생리식염수는 높은 곳에(arrow head) 위치시켜서 복강내로 잘 들어가게 한다.
C. 배액되어 나오는 삼출액은 담즙백(bile bag)을 연결하여 담아주면 관리하기 편하다.

복부컴퓨터단층 촬영을 시행하여 어느 부위의 괴사 조직을 제거할 것인지 신중한 판단이 요구된다. 이는 복강경 수술을 위한 투관침의 위치 선정에도 아주 중요한 고려 사항이 된다. 중재적 배액술 후 환자 상태에 따라 괴사 절제수술을 결정하는 단계적 접근법(step up)도 이용된다.

최소 침습술은 시술법에 따라, 동관(sinus tract)을 통한 경피적 괴사 제거술, 복강경 경복부 괴사 제거술(laparoscopic trans-abdominal necrosectomy), 비디오 매개 후복막 변연절제술(video-assisted retroperitoneal debridement, VARD) 등이 있다.

합병증 이환율과 장기기부전으로 이환되는 비율과 비용이 단계적 접근법(step up)을 이용한 최소 침습술 군에서 개복군보다 낮았다[15]. 비디오 매개 단계적 접근법(step up)보다 내시경적 매개 단계적 접근법(step up)이 환자의 합병증 이환율이 낮았지만, 시술의 횟수는 많았다[9].

그러나 이러한 연구들이 높은 수준의 증거는 아니고 치우침(bias)이 많고 연구의 규모가 작아 향후 연구가 필요한 실정이다.

결론

급성췌장염 환자의 치료에 대한 접근은 초기의 심한 염증으로 인해 SIRS, 패혈증 등의 발생으로 환자 상태가 불안정할 경우에는 최대한 내과적 치료를 통해 안정화 시키는 것이 중요하며, 궤사성 췌장염으로 진행하여 괴사된 조직의 염증이 발생한 것으로 판단이 될 때에 수술을 고려 한다. 개복 수술과 복강경 수술 등을 고려해 볼 수 있겠는데, 수술 시 괴사된 조직은 최소한으로 박리해 내며, 농양과 괴사된 조직이 제거된 부위에 충분히 굵은 배액관을 여러 개 위치시켜 놓는다. 수술 후 이 배액관을 통해 지속적으로 생리식염수로 세척해 주는 것도 환자의 회복에 도움이 된다.

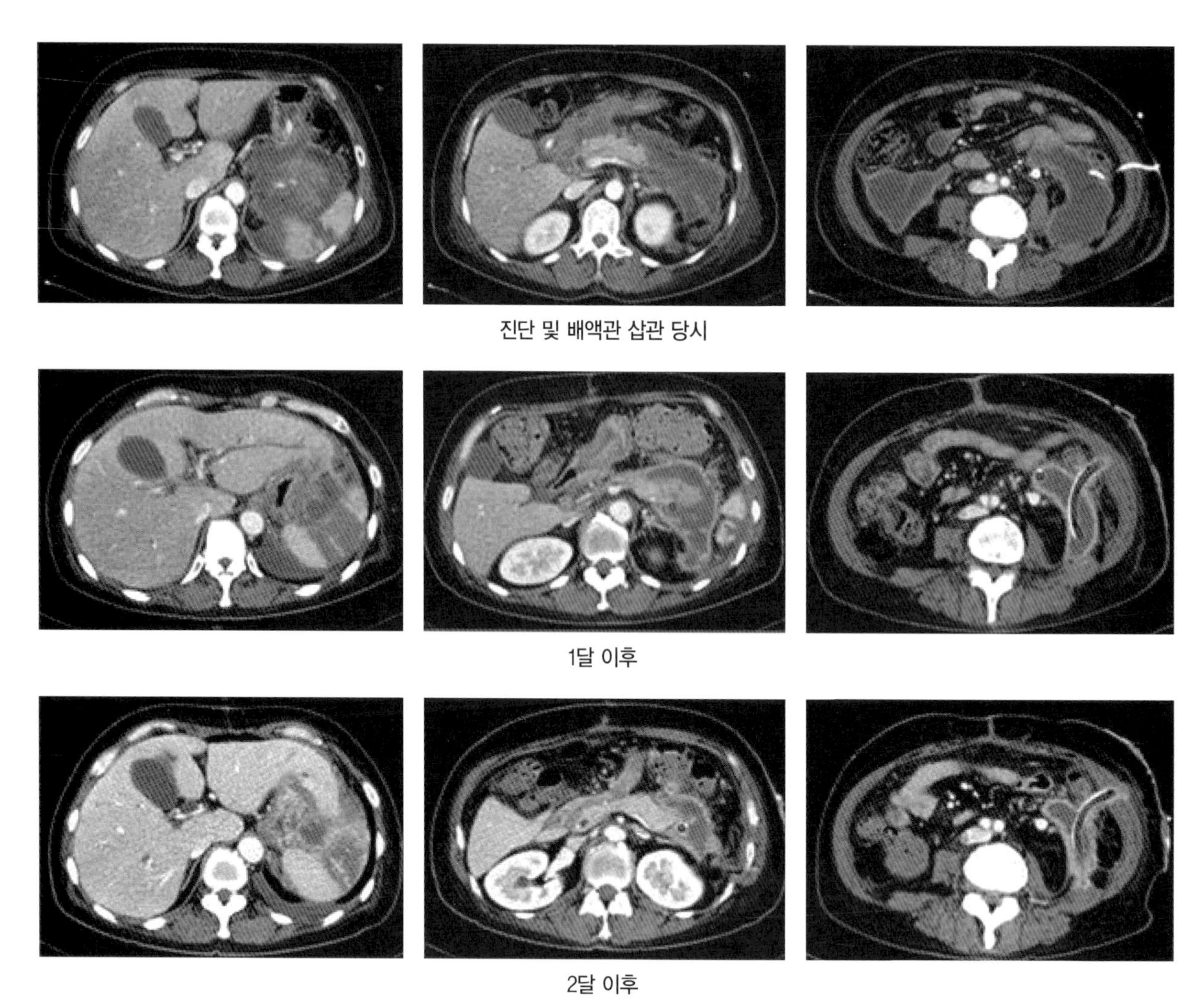

그림 18-5. **지속세척법 후 회복 과정.**
지속세척법을 통해 괴사된 부위 및 농양의 범위가 점차 줄어들고 췌장 실질의 모습도 회복되는 것을 확인할 수 있다.

References

1. 이우정. 췌장염의 외과 치료. 대한소화기학회지 2005; 46(5):352-357.
2. 김선회 서. 간담췌외과학(3판): 의학문화사, 2013.
3. Kokosis G, Perez A, Pappas TN. Surgical management of necrotizing pancreatitis: an overview. World J Gastroenterol 2014; 20(43):16106-12.
4. 김태현, 서동완, 이승옥 등. 급성췌장염 진료 권고안: 급성췌장염의 국소 합병증과괴사성 췌장염의 치료. 대한췌담도학회지 2013; 2:31-41.
5. Besselink MG, van Santvoort HC, Boermeester MA, et al. Timing and impact of infections in acute pancreatitis. Br J Surg 2009; 96(3):267-73.
6. Hartwig W, Maksan SM, Foitzik T, et al. Reduction in mortality with delayed surgical therapy of severe pancreatitis. J Gastrointest Surg 2002; 6(3):481-7.
7. Mier J, Leon EL, Castillo A, et al. Early versus late necrosectomy in severe necrotizing pancreatitis. Am J Surg 1997; 173(2):71-5.
8. van Santvoort HC, Bakker OJ, Bollen TL, et al. A conservative and minimally invasive approach to necrotizing pancreatitis improves outcome. Gastroenterology 2011; 141(4):1254-63.
9. Gurusamy KS, Belgaumkar AP, Haswell A, et al. Interventions for necrotising pancreatitis. Cochrane Database Syst Rev 2016; 4:CD011383.
10. Baron TH, Harewood GC, Morgan DE, et al. Outcome differences after endoscopic drainage of pancreatic necrosis, acute pancreatic pseudocysts, and chronic pancreatic pseudocysts. Gastrointest Endosc 2002; 56(1):7-17.
11. 권성원, 윤동섭, 지훈상. 복강경 수술 시대의 담석성 췌장염의 치료. 대한외과학회지 1999;56(Suppl 6):1024-30.
12. Freeman ML, Werner J, van Santvoort HC, et al. Interventions for necrotizing pancreatitis: summary of a multidisciplinary consensus conference. Pancreas 2012; 41(8):1176-94.
13. Fernandez-del Castillo C, Rattner DW, Makary MA, et al. Debridement and closed packing for the treatment of necrotizing pancreatitis. Ann Surg 1998; 228(5):676-84.
14. Werner J, Hartwig W, Hackert T, et al. Surgery in the treatment of acute pancreatitis—open pancreatic necrosectomy. Scand J Surg 2005; 94(2):130-4.
15. Bakker OJ, van Santvoort HC, van Brunschot S, et al. Endoscopic transgastric vs surgical necrosectomy for infected necrotizing pancreatitis: a randomized trial. JAMA 2012; 307(10):1053-61.

만성췌장염

CHRONIC PANCREATITIS

CHAPTER 19

만성췌장염의 원인 및 역학

Etiology and epidemiology of chronic pancreatitis

조재희

서론

만성췌장염은 췌장의 지속적인 염증과 섬유화로 인해 비가역적인 구조적, 기능적 손상을 초래하는 질환으로 복통, 흡수 장애 및 당뇨가 발생할 수 있다. 정확한 진단은 췌장 조직 소견에 근거하여야 하지만, 만성췌장염은 진단기준 및 분류가 명확하지 않고 조직검사 시 충분한 췌장 검체를 얻기 어렵기 때문에 실제 임상에서는 조직검사 없이 임상 양상, 영상 검사 또는 기능 검사를 통해 진단한다. 만성췌장염은 비가역적인 변화로 인해 췌장의 영구적인 손상이 발생하기 때문에 가역적인 급성췌장염과 차이가 있지만, 실제 두 진단 간의 정확한 구분이 어렵다. 국내에서도 2008년 한국인의 만성췌장염 진단기준을 제작하였지만, 이에 대한 충분한 검증은 아직 부족하다[1,2]. 본 장에서는 만성췌장염의 역학과 원인에 대하여 기술하고자 한다.

1. 역학

만성췌장염에 대한 많은 연구에도 불구하고, 현재 사용되고 있는 만성췌장염 분류법은 다양한 원인이나 형태를 모두 반영할 수 없다. 또한 조기 만성췌장염은 진단기준 자체가 불명확하고, 질병의 자연사를 고려하면 만성췌장염으로 복통이나 췌장 기능 이상이 발현되기까지는 무증상으로 오랜 기간 지내기 때문에 정확한 유병률(prevalence) 및 발병률(incidence)도 알기 어렵다. 과거에는 복통과 영상 검사상 췌장의 석회화를 통해 만성췌장염을 진단하였고, 최근에는 이에 추가하여 MRI와 초음파내시경(endoscopic ultrasonography, EUS) 등의 비침습적 고해상도 영상 검사를 이용하여 진단이 시도되고 있다. 그러나 이러한 최신 검사 방법들도 통일된 진단기준이 없고, 조직학적 소견을 반영하지 못하기 때문에 만성췌장염의 역학 조사에 관한 문헌들은 대부분 진행된 만성췌장염 환자를 대상으로 하고 있다.

만성췌장염은 광범위한 췌세포의 손상과 섬유화의 소견을 보이지만, 이러한 조직 소견은 노화,장기간의 음주, 당뇨 등에서도 관찰될 수 있고, 일부 보고에서는 부검 시 5%까지 관찰되는 것으로 알려져 있다[3,4]. 이러한 연구들은 대부분 국가 차원의 대국민 사업이 아닌 단편적인 보고이기 때문에 정확한 역학을 이해하기는 어렵지만, 우리나라와 음주 문화가 비교적 비슷한 일본의 전국 역학 조사는 전체 인구 중 만성췌장염 환자가 2,027명(1977년), 4,719명(1985년)으로 보고하였다[2]. 또한 130,951명을 대상으로 초음파 검사를 시행한 일본의 만성췌장염 연구에서는 인구 10만 명당 췌관의 변화가 490명, 췌장 석회화는 50명의 빈도로 관찰됨이 보고되었다[5]. 발생 빈도는 프랑스 보고에서 4.7건/100,000명/년이었고[6], 유병률은 Copenhagen study (1978~1979)에서 27.4명/100,000명, 음주량이 많은 스웨덴(1983~1987)은 168~212명/100,000명으로 보고되었다[7,8]. 종합하여 보면 대략적인 만성췌장염의 연간 발생 빈도는 5~12건/100,000명이고, 정확한 유병률은 알 수 없으나 유병률은 대략 50~75명/100,000명으로 추정된다[2,9]. 만성췌장염은 남자에서 흔하고 주로 40세 이상의 중년에서 진단되며, 10년 생존율은 약 70%, 20년 생존율은 45%로 보고된다. 주된 사망 원인은 만성췌장염 자체에 기인하기보다는 흡연, 알코올 남용, 췌장암 및 수술 합병증에 의해서 결정되고, 이 중 흡연과 알코올 남용은 예후 및 사망률을 결정하는 가장 중요한 인자들이다[10].

국내 유병률이나 발생 빈도에 관한 통계 자료는 매우 부족하다. 국내에서 처음 발표된 만성췌장염 연구는 1981년 1월부터 1990년 12월까지 연세대학교 의과대학 세브란스 병원에 내원한 83명의 만성췌장염 환자를 대상으로 한 연구로, 이 중 83% 환자는 복통을 호소하였고, 원인은 알코올이 41%, 특발성(idiopathic)이 59%로 보고되었다[11]. 2005년 발표된 814명의 한국인 만성췌장염 환자를 대상으로 한 다기관 연구에서는 64%의 환자가 알코올이 원인이었고, 20%는 특발성, 그 외에도 자가면역 췌장염, 췌관 폐색 등이 원인이 확인되었다[12](표 19-1). 기존 발표된 국내 연구에서 만성췌장염의 평균 연령은 45~52세였고, 남자가 전체 환자의 75~82%를 차지하여 외국의 보고와 비슷하였다[13,14]. 그러나 이러한 연구들은 모두 진행된 만성췌장염 환자를 대상으로 한 후향적 분석 연구이기 때문에 정확한 국내 실태는 파악할 수는 없다. 또한 최근 고해상도 영상장비의 도입으로 만성췌장염 진단이 증가하는 추세로 알려져 있지만, 이는 추가적인 국가 차원의 역학 조사를 통해 확인이 필요하다.

표 19-1. 우리나라에서 보고된 만성췌장염

	Ryu et al.[12] (n = 3,429) No. (%)	Choe et al.[11] (n = 83) No. (%)	Kim et al.[14] (n = 53) No. (%)	Jung et al.[13] (n = 91) No. (%)
Alcohol	523 (64.3)	34 (40.9)	27 (50.9)	50 (54.9)
Idiopathic	169 (20.8)	49 (59.1)	16 (30.2)	19 (20.9)
Autoimmune	16 (2.0)			
Obstruction	70 (8.6)			
Others	36 (4.4)		10 (18.9)	22 (24.2)

2. 원인

만성췌장염의 병인으로는 만성 알코올 섭취, 유전성, 부갑상선기능항진증으로 인한 고칼슘혈증, 자가면역 췌장염, 췌장 선천성 기형 등이 원인이 잘 알려져 있지만, 많은 수에서 특별한 원인을 찾지 못한다. Whitcomb 등[15]은 이러한 원인 인자에 따라 만성췌장염을 나누고, 첫 글자를 따서 TIGAR-O (Toxic-metabolic, Idiopathic, Genetic, Autoimmune, Recurrent and severe acute pancreatitis, Obstructive) 분류를 제시하였다(표 19-2).

1) 알코올(alcohol)

만성췌장염의 가장 흔한 원인은 알코올이다. 동서양을 막론하고 인종, 사회별로 편차가 있지만 알코올은 만성췌장염의 주요 발병 원인으로 보고에 따라서는 약 38~94%를 차지한다. 국내 보고에서는 약 40~64%가 알코올이 만성췌장염의 원인으로 보고되고 있다[11,13,14]. 아직까지 알코올이 어떻게 만성췌장염을 일으키는지는 명확하지 않지만, 대개 하루에 150g의 알코올(약 소주 2병)을 10~15년 동안 매일 복용하는 경우 발생할 수 있

표 19-2. 만성췌장염에 동반되는 원인 위험인자: TIGAR-O분류

Toxic-Metabolic	Alcohol Tobacco Hypercalcemia Hypertriglyceridemia Chronic kidney disease Medications Toxins
Idiopathic	Early-onset Late-onset Tropical calcific pancreatitis
Genetic	Autosomal dominant Hereditary pancreatitis (PRSS1 mutations) Autosomal recessive or modifier genes CFTR mutations SPINK1 mutations Cationic trypsinogen (PRSS1) mutations Chymotrypsin C mutations
Autoimmune pancreatitis	Type 1 (IgG4-related systemic disease) Type 2
Recurrent and severe acute pancreatitis	Postnecrotic (after severe necrotizing pancreatitis) Recurrent acute pancreatitis Vascular disease/ischemia
Obstructive	Pancreatic divisum Duct obstruction (e.g., tumor) Posttraumatic pancreatic duct stricture

는 것으로 알려져 있다[16]. 그러나 만성췌장염을 일으키기 위한 알코올 섭취 기간은 성별에 따라 다르고(남자 18±11년, 여자 11±8년), 만성 알코올 섭취자의 10% 정도에서만 만성췌장염이 발생하기 때문에 인종적 또는 개체 차이로 인한 알코올 감수성 차이 그리고 고지방식이, 항산화물질 부족, 흡연 등의 다른 요인이 부가적인 역할을 할 것으로 생각된다[17]. 알코올 만성췌장염은 다른 원인보다 예후가 나쁜 것으로 알려져 있고, 외분비기능부전은 만성췌장염 발생 후 중앙값 13.1년에 48%, 내분비기능부전은 중앙값 19.8년에 38%에서 발생하고, 췌장석회화는 진단 후 8.7년에 59%에서 확인된다[18,19]. 흥미로운 점은 알코올 췌장염은 금주를 통해 췌장의 기능저하 진행 속도를 늦출 수 있다는 점이고, 그렇기 때문에 금주는 만성췌장염 치료에 가장 중요하다[20,21].

2) 흡연(tabacco)

흡연은 만성췌장염의 독립적인 위험인자로 질병의 진행을 촉진한다. 흡연량은 만성췌장염의 위험도와 양적 상관 관계를 보이기 때문에 하루에 한갑 이상 흡연자는 상대 위험도가 3배 이상 증가한다[21]. 흡연의 발병기전은 명확하지 않으나, 췌장의 중탄산염 분비의 저하, 혈중 트립신 억제능, 그리고 α1-antitrypsin 감소가 관여할 것으로 추정되고, 금연 시 췌장 석회화의 위험도를 줄일 수 있다[21,22].

3) 특발성(idiopathic)

다른 원인이 배제되고 특별한 원인을 찾지 못하는 경우는 특발성(idiopathic)으로 분류되고 전체 만성췌장염의 10~40%에 해당한다[16]. 국내에서는 20~59%의 만성췌장염이 특발성으로 분류되었고, 일본은 27%가 특발성으로 보고되었다[2]. 특발성은 정의 자체가 모호하기 때문에 일부 환자는 알코올에 대한 과민반응, 유전적 요인, 흡연, 검사 되지 않은 선천적 또는 후천적 췌장 이상 등의 다른 원인에 기인하였을 가능성이 있다[23,24]. 일반적으로 특발성 만성췌장염은 대개 알코올성 만성췌장염과는 달리 여성에서 더 흔하고, 연령별로 나뉘어 15~30세 사이의 젊은 층과 50~70세 사이의 두 계층으로 나뉘어 많이 분포한다. 젊은 층에서 발견되는 특발성 만성췌장염 환자는 심한 복부 통증이 있지만 내분비, 외분비 기능은 유지되고 췌장의 석회화가 심하지 않다. 고령층의 특발성 만성췌장염은 통증이 뚜렷하지 않지만 석회화가 심하다[16,25].

열대성 췌장염(tropical pancreatitis)은 특발성 췌장염의 한 형태로 남부 인도를 포함한 서남아시아, 아프리카, 중앙 아메리카 등의 열대 지역에서 발생하는 질환으로 젊은 사람에게 호발하고, 당뇨 및 두드러진 췌장의 석회화가 특징적이다. 인도에서는 만성췌장염의 약 3.8%에서 원인으로 보고되고 있다[26].

4) 유전질환(genetic disease)

유전성 췌장염은 주로 서양인들에서 연구가 많이 되었으나 최근 국내에서도 여러 증례가 보고되었다[27-29]. 비교적 젊은 연령에서 다른 이유 없이 반복적으로 급성췌장염이 발생하면서, 나이가 들어 만성췌장염으로 이행하는 경과를 보인다. 동일 가계 내에서 급성 반복성 또는 만성췌장염이 2세대 이상에 걸쳐서 총 3명 이상 있는 경우 진단될 수 있고, 상염색체 우성 유전이며, 질환 투과도는 약 80%이다. 가장 흔한 유전자 변이는 trypsinogen과 연관된 PRSS1 유전자의 변이로 유전성 췌장염의 약 60~70%까지 보고되고, 국내에서도 유전성 췌장염과 PRSS1 변이가 확인되었다[23,27-30]. 그 외 원인으로 SPINK1과 CFTR 유전자의 변이가 일부 관여하고, 특히 과거에 특발성 췌장염으로 분류되었던 환자들 일부는 이러한 유전자의 변이로 발생하는 것으로 알려졌다(표 19-3). 유전 췌장염에 대한 특별한 치료는 아직 없으나, 췌장암의 발생 위험도가 높으므로 주기적인 추적 검사가 필요하고, 가계 내에서 위험도가 높은 사람은 유전자검사가 필요하다. 또한 예방을 위해 췌장염의 재발과 만성 진행에 영향을 주는 동반된 위험인자를 알아내고 제거하는 것이 필요하다[31,32].

5) 자가면역 췌장염(autoimmune pancreatitis)

자가면역 췌장염은 자가면역기전에 의한 췌장의 만성 염증으로 조직학적, 영상학적, 실험실 검사 및 임상 소견에서 다른 만성췌장염과 구별되는 특징적인 소견을 보인다. 자가면역 췌장염은 전체 만성췌장염의 2~4%를 차지하고, 가역적인 변화를 동반하기 때문에 조기 진단하여 치료가 가능하다면 만성췌장염의 진행을 늦출 수 있다. 자가면역 췌장염은 type 1과 type 2로 나뉘고, type 1은 면역글로불린 G4를 표면에 발현하고 있는 형질세포(plasma cell)와 임파구의 췌장내 침윤으로 인해 발생한다. 이 경우 췌장 이외에도 담관, 후복막, 임파선, 신장, 눈물샘, 침샘, 갑상선, 간 등을 동반하여 침범하는 경우가 흔하고, 이런 이유로 type 1 자가면역 췌장염은 면역글로불린 G4 연관성 전신질환(immunoglobulin G4-associated systemic disease)의 췌장 발현으로 생각된다. Type 1 자가면역 췌장염은 림프형질세포 침윤 경화성 췌장염(lymphoplasmacytic sclerosing pancreatitis, LPSP)이라고도 부르며, 혈청 면역글로불린 G4의 상승을 동반하고, 조직학적으로 췌관주위 림프구 및 형질세포의 침윤(periductal lymphoplasmacytic infiltrate), 소용돌이 모양 혹은 나선형의 섬유화(swirling or storiform fibrosis), 이와 동반된 폐쇄성 소정맥염(obliterative venulitis), 그리고 췌장내 면역글로불린 G4 양성 형질세포의 침윤(abundant IgG4 immunostaining)(> 10 cells/HPF)이 특징이다. Type 2 자가면역 췌장염은 대부분의 경우 췌장에만 염증이 국한되는 경우로, 일부는 염증성 장질환과의 연관성이 보고되지만 다른 장기의 침범은 드물다. 조직학적으로는 과립구 상피 병변(granulocyte epithelial lesion,

표 19-3. **만성췌장염과 연관되는 유전자**

Gene	Chromosome location	Encoded protein
PRSS1	7q35	Cationic trypsinogen
PRSS2	7q35	Anionic trypsinogen
SPINK1	5q32	PSTI (pancreatic secretory trypsin inhibitor)
CFTR	7q31.2	Cystic fibrosis transmembrane conductance regulator
CTRC	1p36.21	Chymotrypsinogen C
CASR	3q13.3-q21	Calcium-sensing receptor

GEL)과 중성구의 췌관벽 침윤, 그로 인한 췌관벽 상피의 파괴가 특징적이다. Type 1과 달리 혈청 면역글로불린 G4는 대부분 정상이고 면역글로불린 G4의 췌장 침윤도 거의 없는 것으로 알려져 있다[33-35]. Type 1과 type 2 자가면역 췌장염 모두 치료는 스테로이드의 경구 복용을 근간으로 이루어지지만, type 1은 30~50%의 환자가 재발하기 때문에 azathioprine 등의 면역조절제가 사용되기도 한다. 특히 자가면역 췌장염은 췌장암과 감별이 어려운 경우가 많아 진단 및 치료에 주의가 필요하다.

6) 재발성 및 중증 급성췌장염 (recurrent and severe acute pancreatitis)

아직까지도 논란의 여지가 있으나 재발성 및 중증의 급성췌장염은 광범위하고 지속적인 췌세포의 손상, 염증세포의 침윤, 그리고 염증성 사이토카인의 작용으로 췌성상세포의 활성화가 이루어지고 결과적으로 췌장 내 섬유화가 진행된다[36]. 이러한 시간적 선후 관계에 의한 만성췌장염 발생 가설은 유전성 췌장염 또는 알코올 남용과 연관된 반복적인 췌세포의 손상, 이외에도 약제, 흡연, 고지혈증, 고칼슘혈증 등의 교정되지 않은 급성췌장염 원인이 만성췌장염으로 진행하는 기전을 설명할 수 있다.

7) 폐쇄성 만성췌장염 (obstructive chronic pancreatitis)

췌관의 폐쇄는 협착 상방으로 췌관 확장을 일으키고, 췌세포 위축, 그리고 췌실질의 미만성 섬유화를 유발할 수 있다. 이러한 폐쇄 또는 협착의 원인은 가성낭종과 같은 급성췌장염의 합병증, 외상, 종양, 오디괄약근 이상, 분리췌장 등이 있다[15]. 오디괄약근 이상이 만성췌장염을 일으키는가에 대해서는 더 많은 연구가 필요하지만, 한 연구에서는 오디괄약근 이상이 없는 사람에 비해 있는 사람에게서 만성췌장염이 동반될 확률이 4.6배 증가한다고 보고하였다[37]. 분리췌장과 만성췌장염의 관계도 아직 논란의 여지가 있지만, 췌관 폐쇄를 조기에 교정해 줄 경우 조직학적 그리고 기능적 변화를 어느 정도 회복시킬 수 있기 때문에 필요시 부유두 괄약근 절개술(minor papilla sphincterotomy) 등의 시술을 고려할 수 있다.

결론

만성췌장염은 진단기준이 명확하게 정립되어 있지 않고, 국내에는 아직 대규모 역학 연구가 없기 때문에 정확한 유병률 및 발생률을 확인할 수 없다. 또한 TIGAR-O 분류에서 제시된 다양한 원인 인자들도 각각의 원인과 질병의 상관 관계와 재현성이 높지 않기 때문에, 개인적 환경 및 유전적 감수성이 또 다른 발병의 원인으로 생각된다. 만성췌장염의 예방, 조기진단과 치료를 위해서는 여러 원인 인자에 대한 추가적인 연구와 관심이 필요하다.

References

1. 이종균. 만성췌장염 진단의 최신지견. 대한췌담도학회지 2009;14:3-9.
2. 이동기. 한국인에서 만성췌장염의 역학과 원인 및 치료. 대한소화기학회지 2002;39:315-23.
3. Uys CJ, Bank S, Marks IN. The pathology of chronic pancreatitis in Cape Town. Digestion 1973;9:454-68.
4. Olsen TS. The incidence and clinical relevance of chronic inflammation in the pancreas in autopsy material. Acta Pathol Microbiol Scand A 1978;86A:361-5.
5. Ikeda M, Sato T, Morozumi A, et al. Morphologic changes in the pancreas detected by screening ultrasonography in a mass survey, with special reference to main duct dilatation, cyst formation, and calcification. Pancreas 1994;9:508-12.
6. Bernades P, Faivre J, Lévy P. Incidence of chronic pancreatitis in France: results of a population-based survey. Digestion 1993;54:264.
7. Krag E. Copenhagen pancreatitis study. An interim report from a prospective epidemiological multicentre study. Scand J Gastroenterol 1981;16:305-12.
8. Schmidt DN. Apparent risk factors for chronic and acute pancreatitis in Stockholm county. Spirits but not wine and beer. Int J Pancreatol 1991;8:45-50.
9. Feldman M, Friedman LS, Brandt LJ. Sleisenger and Fordtran's Gastrointestinal and Liver Disease: Pathophysiology, Diagnosis, Management: Elsevier Health Sciences, 2015.
10. Yadav D, Lowenfels AB. The epidemiology of pancreatitis and pancreatic cancer. Gastroenterology 2013;144:1252-61.
11. Choe KJ, Song SY, Kim WH, et al. Clinical Review of chronic pancreatitis. Korean J Gastroenterol 1991;23:722-8.
12. Ryu JK, Lee JK, Kim YT, et al. Clinical features of chronic pancreatitis in Korea: a multicenter nationwide study. Digestion 2005;72:207-11.
13. 정문기, 김창덕, 현진해. 만성췌장염의 임상적 연구. 대한소화기학회지 1998;30:247-56.
14. 김영호, 윤용범, 김정룡, 박중원, 김용태. 한국인에서의 만성췌장염의 임상적 특성. 대한소화기학회지 1993;25:182-9.
15. Etemad B, Whitcomb DC. Chronic pancreatitis: diagnosis, classification, and new genetic developments. Gastroenterology 2001;120:682-707.
16. Steer ML, Waxman I, Freedman S. Chronic pancreatitis. N Engl J Med 1995;332:1482-90.
17. 현종진, 이홍식. 만성췌장염의 병인론과 발병기전 그리고 자연경과. 대한내과학회지 2012;83:1-17.
18. Layer P, Yamamoto H, Kalthoff L, Clain JE, Bakken LJ, DiMagno EP. The different courses of early- and late-onset idiopathic and alcoholic chronic pancreatitis. Gastroenterology 1994;107:1481-7.
19. Ammann RW, Akovbiantz A, Largiader F, Schueler G. Course and outcome of chronic pancreatitis. Longitudinal study of a mixed medical-surgical series of 245 patients. Gastroenterology 1984;86:820-8.
20. Gullo L, Barbara L, Labo G. Effect of cessation of alcohol use on the course of pancreatic dysfunction in alcoholic pancreatitis. Gastroenterology 1988;95:1063-8.
21. Yadav D, Hawes RH, Brand RE, et al. Alcohol consumption, cigarette smoking, and the risk of recurrent acute and chronic pancreatitis. Arch Intern Med 2009;169:1035-45.
22. Talamini G, Bassi C, Falconi M, et al. Smoking cessation at the clinical onset of chronic pancreatitis and risk of pancreatic calcifications. Pancreas 2007;35:320-326.
23. Lee WJ, Kim KA, Lee JS, et al. Cationic Trypsinogen Gene Mutation in Patients with

Chronic Idiopathic Pancreatitis. Korean J Gastroenterol 2004;43:41-6.
24. Cho SM, Shin S, Lee KA. PRSS1, SPINK1, CFTR, and CTRC Pathogenic Variants in Korean Patients With Idiopathic Pancreatitis. Ann Lab Med 2016;36:555-60.
25. Ammann RW. Chronic pancreatitis in the elderly. Gastroenterol Clin North Am 1990;19:905-14.
26. Balakrishnan V, Unnikrishnan AG, Thomas V, et al. Chronic pancreatitis. A prospective nationwide study of 1,086 subjects from India. JOP 2008;9:593-600.
27. Kim JY, Choi SH, Ihm JS, Kim SJ, Kim IJ, Kim CM. A Case of R122H Mutation of Cationic Trypsinogen Gene in a Pediatric Patient with Hereditary Pancreatitis Complicated by Pseudocyst and Hemosuccus Pancreaticus. Korean J Gastroenterol 2005;45:130-6.
28. Lee TY, Oh HC, Kim MH, et al. Three Cases of Hereditary Pancreatitis in Two Households in the Same Family Associated with R122H Mutation in Cationic Trypsinogen Gene. Korean J Gastroenterol 2007;49:395-9.
29. Kim HR, Chung JH, Song YT, Yoon WJ, Ryu JK, Kim YT. Hereditary Pancreatitis: Report of a Kindred. J Korean Assoc Pediatr Surg 2006;12:24-31.
30. Lee KH, Yoon WJ, Ryu JK, Kim YT, Yoon YB, Kim CY. Mutations of SPINK1 and PRSS1 Gene in Korean Patients with Chronic Pancreatitis. Korean J Gastroenterol 2004;44:93-8.
31. Kim YT. Hereditary Pancreatitis. Korean J Gastroenterol 2005;45:143-7.
32. Lee SK. Hereditary Pancreatitis. Korean J Gastroenterol 2005;46:358-67.
33. Kim HM, Chung MJ, Chung JB. Remission and relapse of autoimmune pancreatitis: focusing on corticosteroid treatment. Pancreas 2010;39:555-60.
34. Ryu JK, Chung JB, Park SW, et al. Review of 67 patients with autoimmune pancreatitis in Korea: a multicenter nationwide study. Pancreas 2008;37:377-85.
35. Hart PA, Kamisawa T, Brugge WR, et al. Long-term outcomes of autoimmune pancreatitis: a multicentre, international analysis. Gut 2013;62:1771-6.
36. Whitcomb DC. Hereditary pancreatitis: new insights into acute and chronic pancreatitis. Gut 1999;45:317-22.
37. Tarnasky PR, Hoffman B, Aabakken L, et al. Sphincter of Oddi dysfunction is associated with chronic pancreatitis. Am J Gastroenterol 1997;92:1125-9.

CHAPTER 20

만성췌장염의 병인 및 병태생리

Pathogenesis and pathophysiology of chronic pancreatitis

이경주

서론

만성췌장염의 병인에 대해선 많은 연구가 진행되었으나 아직까지 명확하지 않은 부분이 많다. 술에 의한 만성췌장염이 가장 많은 관심을 받고 연구되었다. 여러 개의 가설이 제기되었으며 일반적으로 받아들여지는 첫 번째 가설은 췌관 폐쇄설(ductal obstruction hypothesis)이다. 풍부한 단백질을 함유한 단백질전(protein plug)이 췌장의 소엽내와 소엽사이를 막아버리고, 이에 대한 보상기전으로 관내 중탄산염이 증가하면서 점성화되어 만성췌장염이 생긴다는 것이다[1]. 단백질-중탄산염 불균형의 원인에 대해서는 아직 알려져 있지 않으나, 관내 폐쇄는 염증을 일으키고 결국 췌장실질의 섬유화를 야기한다. 관내 폐쇄는 또한 췌장 관내의 압력을 높여 선방세포(acinar cell)의 관류저하와 허혈성 손상을 가져온다. 두 번째 가설은 독성-대사성 가설(toxic-metabolic hypothesis)이다[2]. 이는 알코올이나 대사산물에 의해 췌관이나 선방세포에 대해 직접적인 손상을 가하는 것이다. 세 번째 가설은 괴사-섬유화 가설(necrosis-fibrosis hypothesis)이다[3]. 이는 반복된 급성췌장염이 췌장에 반복적인 손상을 주어 결국 만성췌장염을 유발한다는 가설이다. 또한, 만성췌장염을 일으키는 몇 가지 유전자들과 흡연은 만성췌장염의 병태생리에 대한 새로운 시각을 제시하였다. 마지막으로 최근 만성췌장염에서 성상세포(stellate cell)에 대한 역할이 조명을 받고 있으며 연구가 진행되면서 많은 부분이 규명되고 있다.

1. 췌장 손상의 자연경과

Whitcomb은 만성췌장염의 발생기전으로 감시병 급성췌장염 사건(sentinel acute pancreatitis event) 가설을 제시하였다[4](그림 20-1). 감시병 급성췌장염 사건 가설에 따르면 감수성 인자를 가지고 있는 정상인에서 한차례의 중증도 이상의 급성췌장염이 발생하면 면역 체계를 활성화하며 단핵구를 모집하여 상주대식세포(resident macrophage)가 된다[4]. 이후 상주대식세포는 transforming growth factor (TGF)-β를 통하여 췌장의 섬유화에 필요한 췌장 성상세포의 침윤, 분화, 증식을 유발하게 된다[5]. 이때 위험인자에 계속 노출되는 경우 반복적인 선방세포의 손상 및 사이토카인 분비를 통해 췌장의 섬유화가 진행되고 결국 만성췌장염이 발생

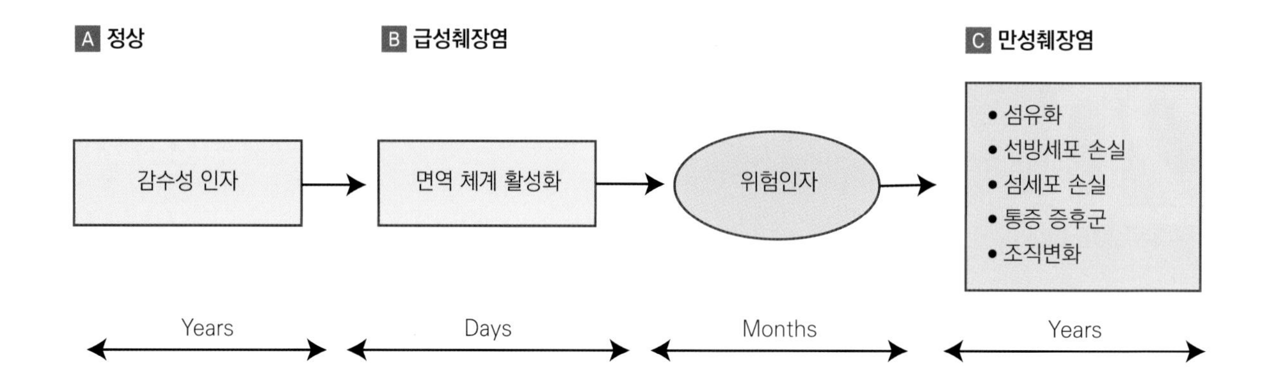

그림 20-1. **췌장 손상의 자연경과.**

A. 개인마다 여러가지 환경 및 유전적 감수성 인자를 가지고 수년간 지내며 고위험군 환자에서는 예방을 할 수 있는 시기이다.

B. 췌장에 손상이 오는 경우 감시병 급성췌장염 사건(sentinel acute pancreatitis event)이 시작되며 췌장 면역 체계가 활성화된다.

C. 위험인자가 제대로 조절되지 않는 경우 췌장의 여러 세포들이 영향을 받고 결국 만성췌장염과 관련 합병증이 생기게 된다.

하게 된다[6]. 만성췌장염이 발생한 경우 위험인자에 노출되는 것을 피하고 합병증을 줄이기 위한 세심한 치료가 필요하다[7]. 만성췌장염이 발생하는 경우 복통, 췌장의 석회화, 당뇨 및 외분비기능부전이 생기게 된다. 주요합병증으로는 가성낭종, 가성동맥류에 의한 출혈 및 담관폐쇄 등이 있다.

2. 췌관 폐쇄설 (ductal obstruction hypothesis)

췌관내 단백질 침전물(protein precipitates), 단백질전 그리고 췌석을 가장 중요한 요인으로 보는 가설이다. 만성적인 알코올 섭취는 단백질이 풍부하고 적은 양의 중탄산염을 함유한 췌장액을 분비하게 된다. 이 현상으로 인해 단백질 침전물이 잘 생성되는 환경이 만들어진다. 단백질전으로 인해 췌장의 소관(small ductules)을 막고 손상을 일으키게 되며 결국 췌장실질이 망가지는 과정을 거친다. 이런 침전물은 석회화될 수 있어 췌석 형성을 유발할 수 있으며 이 또한 췌관이나 췌장실질의 손상을 유발한다[8]. 췌석은 알코올성 만성췌장염, 열대성 만성췌장염, 유전성 만성췌장염, 특발성 만성췌장염 등에서 모두 관찰할 수 있다. 알코올로 인해 선방세포와 췌관세포에 영향을 주어 단백질 침전물이 잘 생기고 결국 석회화된 췌석 형성을 이루게 된다. 이와 같이 췌관 상피세포가 단백질전이나 췌석에 계속 접촉하게 되면 기저막이 소실되고 췌관세포의 위축을 초래한다.

3. 독성-대사성 가설 (toxic-metabolic hypothesis)

동물실험과 마찬가지로 사람에서도 알코올성 만성췌장염에서 지질과산화효소(lipid peroxidase)를 통해 유리 산소기(free radical)가 생성됨을 확인하였다[2,9]. 알코올은 또한 병적인 자극에 대한 선방세포의 민감도를 높이고 십이지장 I 세포에서 췌장 분비 촉진제인 콜레시스토키닌(cholecystokinin)의 분비를 증가시킨다. 알코올 존재하에 콜레시스토키닌 자극을 준 세포실험에서 전염증성 전사(transcription) 인자들이 활성화되는 것을 확인하였다[10]. 이와 같이 반복적으로 외인성 화합물(xenobiotic)에 노출되어 췌장염이 반복되는 것을 친전자적 스트레스(electrophilic stress)라고 명칭한다[11].

메티오닌과 비타민 C가 부족한 경우 이 과정을 더 촉진하게 된다[11,12]. 유리 산소기에 의해 비만 세포(mast cell) 탈과립이 되어 염증을 일으키고 통증수용기 반사(nociceptive reflex)를 활성화 시켜 결국 섬유화 과정을 거치게 된다[11,13]. 만성 간질환에서 간 성상세포의 역할처럼 췌장 섬유화에서 췌장 성상세포의 역할이 중요해지고 있다. 알코올과 대사물질들이 췌장 성상세포를 자극하여 세포간질물질(extracellular matrix)의 단백질을 분비하게 한다. 또한, 췌장 선방세포의 괴사가 나타나면 염증성 사이토카인이 분비되고 이것이 췌장 성상세포를 자극하는 것으로 알려져 있다.

4. 괴사-섬유화 가설 (necrosis-fibrosis hypothesis)

반복된 췌장염으로 인해 세포괴사와 세포자멸이 나타나면 괴사된 조직을 대체하는 과정에서 섬유화가 나타나고 결국 만성췌장염을 일으킨다는 가설이다. 알코올성 췌장염 환자에서 초기 췌장염의 상태가 심하고 자주 반복되는 경우 만성췌장염 발생 가능성이 높다는 결과들은 '괴사-섬유화' 가설을 좀 더 뒷받침해 준다[3,14]. 첫 번째 발생한 급성췌장염 환자에서 이미 만성췌장염이 존재하는 경우는 이 가설에 반대되는 의견이긴 하나 유전성 췌장염처럼 여러 차례 급성췌장염이 와서 만성췌장염이 되거나 수 차례 급성췌장염을 일으킨 동물모델에서 만성췌장염이 발생하는 것은 '괴사-섬유화' 가설에 힘을 실어 준다[15,16]. 첫 번째 췌장염이 발생하는 경우 선방세포에서 비조절형 트립신 활동에 의해 자가분해(autodigestion)가 나타난다. 만약 이 공격이 대식세포(감시병 급성췌장염 사건 가설)를 끌어올 정도로 심각하고, 이후 알코올이나 친전자적 스트레스로 샘(gland) 손상이 오게 되면 대식세포로 인해 활성화된 췌장 성상세포를 통해 섬유화 과정이 일어난다[13].

5. 만성췌장염에서 유전적 소인

CFTR 돌연변이 Cystic fibrosis transmembrane conductance regulator (CFTR) 돌연변이는 특발성 췌장염 환자에서 발견되며 만성췌장염에 관여한다는 사실이 밝혀졌다[17,18]. 췌장에서 CFTR은 췌관세포로부터 중탄산염분비를 조절하는데, 이것의 주요기능은 단백질이 풍부한 췌장 선방세포의 분비물을 희석시키고 알칼리화하여 췌장에 손상을 줄 수 있는 단백질전의 형성을 예방하는 것이다(그림 20-2)[19]. 낭성섬유증은 비정상적인 중탄산염 분비로 인해 췌관이 늘어나고 관내 침전물이 생기고 결국 췌장의 위축이 오게 된다. 아직까지 알코올에 의한 만성췌장염처럼 다른 유형의 췌장염에서 CFTR 돌연변이가 발견되는 경우는 드물어 연관성이 있는지는 알려져 있지 않다.

Cationic trypsinogen gene (PRSS1) 돌연변이 여러 유전성 췌장염에서 PRSS1 돌연변이가 발견되었다[20]. PRSS1 돌연변이가 생기는 경우 트립시노겐을 활성화 상태인 트립신으로 전환시키며 다른 전구효소들을 활성화 시킨다. Cationic trypsinogen 유전자의 대표적인 기능 획득성 변이인 R122H 변이가 발생하면 트립신에 의해 인지되는 부위의 구조가 변경되어 트립신에 의한 분해에 저항성을 갖는 비정상적인 트립신이 형성된다[21,22]. 이런 과정을 통해 급성췌장염을 계속 유발하면서 결국 만성췌장염이 발생하게 된다. 이 병태생리는 '괴사-섬유화' 가설을 뒷받침하고 있다.

SPINK1 돌연변이 Serine protease inhibitor Kazal type 1 (SPINK1)은 췌장내에서 트립신을 억제하는 단백분해효소 억제제이다(그림 20-2). SPINK1은 N34S, P55S 등의 변이에 의해서 그 기능을 상실하여 기능 소실성 변이가 유발된다[19]. 이 경우 췌장실질 내에서 단백분해효소와 이들의 억제제 사이의 불균형이 초래되고 이로 인해 췌장효소가 부적절하게 활성화되어 자가소화 및 염증반응이 유발되게 된다[23]. *SPINK1* 돌연변이는

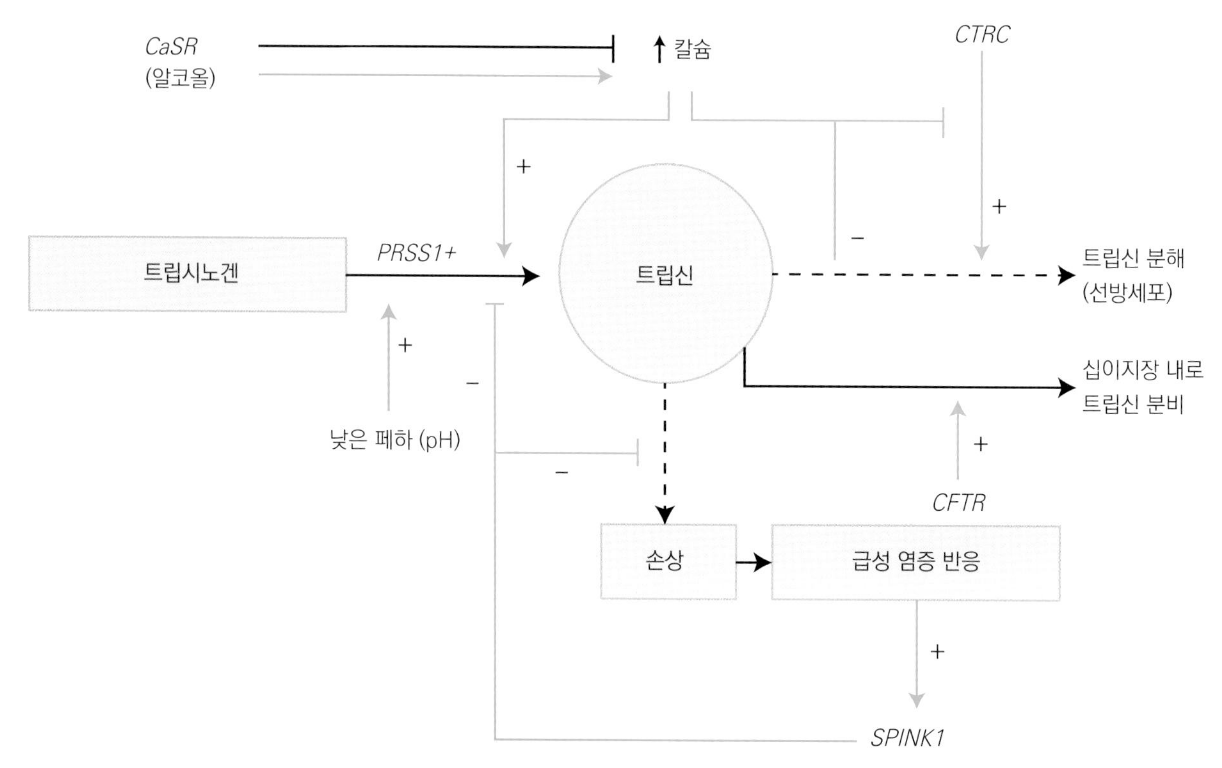

그림 20-2. **트립시노겐의 활성화와 트립신의 비활성화.**
췌장내 조기 활성화된 트립시노겐은 낮은 페하(pH)와 높은 칼슘 농도에서 cationic trypsinogen 돌연변이(*PRSS1+*)에 의해 활성화 상태인 트립신으로 된다. 칼슘 신호는 췌장 선방세포의 주요한 역할 중 하나이다. 칼슘 감지 수용기(calcicum sensing receptor, CaSR)은 칼슘의 농도를 조절하고 알코올은 이 피드백을 방해한다. 트립신 분해는 높은 칼슘 농도에서는 억제되고 Chymotrypsinogen C gene (*CTRC*)에 의해서 촉진된다. 췌장내에 활성화된 트립신이 증가하면 췌장 손상을 일으키고 이는 급성 염증 반응을 유발한다. 염증은 serine proteatse (*SPINK1*)를 증가시키게 된다. *SPINK1*은 활성화된 트립신을 억제하는 동시에 트립시노겐이 트립신으로 전환되는 것을 억제함으로써 췌장 손상을 막아 준다. Cystic Fibrosis Transmembrane conductance Regulator (*CFTR*)은 탄산염이 풍부한 췌장액과 트립신이 십이지장으로 분비되는 것을 조절한다. *CFTR* 돌연변이가 있는 경우 췌장액과 트립신의 분비가 감소된다.

소아 특발성 만성췌장염, 유전성 췌장염과 열대성 췌장염에서 나타나고 알코올성 만성췌장염에서는 발견되지 않는다[20,24-26].

6. 알코올

알코올은 만성췌장염을 일으키는 가장 흔한 원인으로 보고 있다. 에탄올은 췌장에서 췌장 소화효소의 합성과 라이소좀의 cathepsin B의 합성을 증가시키고 트립신 억제물질의 합성을 상대적으로 감소시킨다. 또한 세포막 및 세포내 소기관의 생체막을 불안정화 시켜 세포내 소화효소의 자가활성화를 조장 시키는 것으로 밝혀지고 있다[27,28]. '괴사-섬유화' 가설에 적용하면, 반복적인 음주로 인해 췌장 세의 손상이 반복되고 이로 인해 췌장 선방세포의 손상 및 염증세포의 침착에 의하여 췌장 성상세포의 활성화를 초래하는 것이다. 특히 TGF-β와 platelet-derived growth factor (PDGF) 등은 췌장 성상세포의 활성화와 증식 섬유소의 생성을 유발하는 중요한 사이토카인으로 보고 있다[29].

흥미로운 것은 알코올 중독자 중 3%에서만 만성췌장염이 발생하며 이는 다른 인자가 더해져 질병 악화에 영향을 미친다는 것이다. 동물모델에서 만성췌장염의 두 번째 위험인자인 흡연이 알코올에 더해지는 경우 췌장염의 위험이 더 높아졌다[30,31].

여러 연구를 통해 알코올성 만성췌장염에서 유전적 변이도 밝혀지고 있다. 알코올성 만성췌장염에서 병적인 *CTRC*와 *SPINK1* 변이는 질병의 위험을 높이는 반면 p.G191R *PRSS2* 변이와 *PRSS1* 촉진 변이인 c.−204C>A는 질병을 예방하는 역할을 한다고 알려졌다[32-35].

최근 알코올 중독자에서 *CLDN2* 유전적인 변이도 밝혀졌다[36]. *CLDN2*는 *Claudin-2* 단백질을 암호화하는 X 연관 염색체이며 스트레스 상황에서 많이 발현되고 만성췌장염의 병적인 염증에 기여한다고 보고 있다[37]. *CLDN2* 유전적 변이는 여자보다 남자에서(0.26 vs 0.07) 더 높게 나타났으며, 이는 남자에서 알코올성 만성췌장염이 여자보다 더 많이 생기는 것을 설명할 수 있다.

7. 흡연

흡연은 만성췌장염의 중요한 위험인자로 알려져 있다. 1994년 만성췌장염에서 흡연으로 인해 췌석 발생이 높아진다는 첫 보고가 있었다[38]. 그 이후 흡연에 대한 만성췌장염의 보고가 여럿 발표되었고 최근에는 흡연력의 양에 따라 알코올성 만성췌장염 환자에서 합병증이 증가하는 것으로 나타났다[39]. 흡연력이 20갑/년 이상인 경우 76%에서 췌석과 췌관변화가 나타났다[39]. 담배를 많이 피우는 사람이 알코올도 많이 섭취하는 경향이 있지만 최근 결과들은 흡연이 만성췌장염 발생의 독립적인 인자로 보고 있다. 알코올 섭취를 보정했을 때 만성췌장염에 대한 흡연의 위험도는 2.5로 측정되었다[40,41]. 실험을 통해 니코틴이 췌장 선방세포에서 산화 스트레스(oxidative stress)를 유도하였고[42], nicotine metabolite 4-(methynitrosamino)-1-(3-pyridyl)-1-butanone이 흡연 관련 췌장염에 관여하는 것을 보고 있다[43].

8. 영양

만성췌장염에서 영양의 영향에 대한 연구는 많지 않다[44,45]. 고지방, 고단백 식이가 만성췌장염과 관련있다는 보고가 있으나 대부분의 만성췌장염 환자에서 객관적인 영양 섭취를 확인하기 어렵다는 제한점이 있다.

9. 만성췌장염에서 면역세포의 역할

자가면역 췌장염은 대부분 스테로이드 치료에 대한 반응과 췌장암과의 감별점에 초점을 맞추고 있다. 최근 여러 연구를 통해 만성췌장염에서 면역세포의 역할들이 밝혀지고 있다. 자가면역 췌장염에서 림프구형질세포(lymphoplasmacyte)는 대부분 췌관에 침착되나 진행된 경우 소엽 사이에도 침착될 수 있고 염증으로 인해 선방세포도 공격하게 된다. 자가면역 췌장염에서 췌장 선방세포에 면역글로불린G 항체가 플라스미노겐 결합 단백질에 붙어있는 것을 발견하였다[46]. 알코올성 만성췌장염 환자에서는 보이지 않지만, 자가면역 췌장염에서는 트립시노겐(PRSS1과 PRSS2)에 대한 자가항체가 증가되어 있고 이는 췌관 뿐만 아니라 선방세포를 공격함으로써 선방세포의 손실을 일으킨다[47]. 췌관뿐만 아니라 선방세포 주변에도 보체인 C3c, 면역글로불린 G4와 면역글로불린G가 침착되어 있다[48].

10. 폐쇄성 만성췌장염 (obstructive chronic pancreatitis)

폐쇄성 만성췌장염은 염증에 의한 협착, 양성 또는 악성 종양에 의해 주췌관이나 분지췌관이 막히면서 상부 췌관의 확장, 선방세포의 위축, 췌장실질의 섬유화를 일으킨다[49]. 분리췌장이 있는 환자에서 간혹 만성췌장염이 배측(dorsal) 췌장에만 국한되어 있어 관련이 있다고 보았으나 많은 수의 분리췌장 환자에서 CFTR

돌연변이가 나타나 분리췌장과 만성췌장염의 관련성에 대해서는 아직 논란이 있다[50,51].

11. 특발성 만성췌장염 (idiopathic chronic pancreatitis)

특발성 만성췌장염은 흔한 원인들을 배제한 후 진단할 것을 권유하고 있으며 유전적, 환경적, 대사성 원인이 밝혀지면서 특발성으로 분류된 것들의 비중은 줄고 있지만 여전히 10~30%를 차지하고 있다[52,53]. 유전적인 원인(PRSS1, CFTR, SPINK1, CTRC), 영양, 염증과 관련된 인자들이 만성췌장염의 원인으로 알려져 있지만 아직까지 병태생리는 명확하지 않은 상태이다[26].

12. 만성췌장염에서 성상세포의 역할

췌장의 섬유화는 간의 섬유화에 관여하는 성상세포와 같은 유형의 세포가 췌장내에서 규명되고 세포의 세포생물학적 성상에 대한 연구가 진행되면서 많은 부분이 밝혀졌다[54]. 정상췌장에서 췌장 성상세포는 별다른 기능을 하지 않고 세포질 내에 비타민 A가 풍부한 지방과립을 함유한 상태로 존재한다. 하지만, 췌장에 염증이 생기는 경우 TGF-β와 PDGF와 같은 케모카인이 분비되면서 췌장 성상세포가 활성화된다[29]. 그 외에 interleukin (IL)-1, IL-6, tumor necrosis factor (TNF)-α와 같은 사이토카인과 activin A, 에탄올, 산화스트레스 등도 췌장 성상세포를 활성화시킬 수 있다[54-60]. 활성화되거나 근섬유아세포(myofibroblastic) 상태인 췌장 성상세포는 섬유화를 일으키는 콜라젠과 세포간질물질을 형성하게 된다[54,61]. 더 나아가 췌장 성상세포는 염증 단계를 더 유발시키는 사이토카인을 분비하게 된다[5,54]. 이와 같이 섬유화가 진행되는 것을 췌장 성상세포와 주요 염증세포인 대체 활성화 대식세포간의 피드포워드(feed-forward) 상호작용이라 부른다[6]. 대체 활성화 대식세포는 TGF-β를 분비하여 췌장 성상세포가 근섬유아세포 상태를 유지하면서 염증과 섬유화를 계속 유발하게 된다[6]. TGF-β에 의해 자극된 췌장 성상세포가 IL-4와 IL-13과 같은 사이토카인을 분비하고 대체 활성화 대식세포를 촉진시키게 된다. 이와 같은 피드포워드 촉진은 염증과 섬유화를 일으키는데 꼭 필요하다. 최근, 흡연이 T세포의 아릴 하이드로카본 수용체(aryl hydrocarbon receptor)와 작용하여 IL-22 경로를 통해 췌장 성상세포를 자극하여 섬유화를 일으킨다는 결과가 보고되었다[62]. 이 결과는 췌장 성상세포와 염증세포 간의 상호작용을 통해 만성췌장염의 병태생리를 이해하는데 도움이 된다[7].

13. 활성화된 췌장 성상세포의 섬유화 과정

활성화된 췌장 성상세포는 지방과립이 소실되고 증식, 이동하며 1형 collagen, fibronectin과 같은 ECM을 생성하게 된다[61,63-66]. 췌장 섬유화 과정은 이러한 세포간질물질의 합성 증가와 분해 저하에 따른 섬유침착에 의해 발생한다. 췌장 성상세포는 세포간질물질의 생성뿐만 아니라 세포간질물질을 분해시키는 matrix metalloproteinase (MMP)와 이를 억제하는 tissue inhibitors of metalloproteinases (TIMPs)를 합성하는데, 이에는 MMP-2, MMP-9, MMP-13과 TIMP-1, TIMP-2가 있다[67]. 이를 통해 췌장 성상세포는 ECM 합성뿐만 아니라 분해하는 능력도 있으며 ECM의 전환을 조절하여 정상 세포 구조를 유지하는 것으로 생각된다[68].

췌장 성상세포는 다양한 염증유발 사이토카인과 염증억제 사이토카인을 분비하는데, 이와 같은 사이토카인들은 췌장 성상세포의 활성화와 연관성이 있다. 최근 밝혀진 IL-33는 췌장 성상세포가 활성화되면 증가하여 췌장 성상세포를 α-smooth muscle actin (SMA)를 표현하는 근육섬유모세포로 전환시킨다[69]. 또한, 활성화된 췌장 성상세포는 Toll-like receptor (TLRs)를 발현하여 면역반응에도 참여한다[70,71].

췌장 성상세포의 새로운 기능 중 최근 밝혀진 것은 혈관형성에 관여한다는 것이다[72]. 췌장 성상세포는 vascular endothelial growth factor (VEGF)를 생성하며 저산소증에서는 그 합성이 증가된다. 췌장 성상세포는 VEGF뿐만 아니라 VEGF receptor (Flt-1과 Flk-1), angiopoietin-1, 관련 수용체인 Tie-2, vasohibin-1과 같이 혈관형성 조절에 관여하는 인자들도 합성한다. 실험을 통해 만성췌장염에서 췌장 섬유화, 혈관형성 그리고 높은 VEGF 표현이 발견되었다[73]. 따라서, 저산소증에서는 췌장 성상세포가 섬유화와 혈관형성에 중요한 역할을 하는 것으로 보인다.

활성화된 췌장 성상세포는 2가지 경로를 따르는 것으로 보인다. 만약 췌장의 염증과 손상이 지속된다면 췌장 성상세포도 계속 활성화된 상태로 췌장 섬유화에 관여를 할 것이다. 반면에, 염증과 손상이 중단된 경우에는 췌장 성상세포는 세포 자멸(apoptosis)를 일으키거나 처음 상태인 무활동 상태로 전환된다. 이런 관점에서 보았을 때, 췌장 성상세포의 지속적인 활성화에 의해 세포간질물질의 양과 질에 있어 병적인 변화가 오고, 결국 췌장 섬유화를 일으키는 것으로 생각된다[74,75].

결론

만성췌장염은 많은 연구에도 불구하고 기전에 대해서는 이해도가 부족하고 한 가지 기전으로 설명을 하기에는 어려운 상태이다. 그러나 유전적인 위험도, 흡연에 의한 영향, 췌장 성상세포에 대한 연구결과들이 보고되면서 발생기전에 대한 이해도가 높아지고 만성췌장염의 전 임상단계에서 조기진단이나 예방이 가능할 것으로 보인다. 또한, 환자 교육을 통해 금연, 금주를 권하는 것이 만성췌장염의 진행을 막는데 중요한 지침이 될 것이다[76].

References

1. Sahel J, Sarles H. Modifications of pure human pancreatic juice induced by chronic alcohol consumption. Dig Dis Sci 1979;24:897-905.
2. Wilson JS, Apte MV. Role of alcohol metabolism in alcoholic pancreatitis. Pancreas 2003;27:311-5.
3. Ammann RW, Heitz PU, Kloppel G. Course of alcoholic chronic pancreatitis: a prospective clinicomorphological long-term study. Gastroenterology 1996;111:224-31.
4. Whitcomb DC. Genetic risk factors for pancreatic disorders. Gastroenterology 2013;144:1292-302.
5. Apte MV, Pirola RC, Wilson JS. Pancreatic stellate cells: a starring role in normal and diseased pancreas. Front Physiol 2012;3:344.
6. Xue J, Sharma V, Hsieh MH, Chawla A, Murali R, Pandol SJ, et al. Alternatively activated macrophages promote pancreatic fibrosis in chronic pancreatitis. Nat Commun 2015;6:7158.
7. Lew D, Afghani E, Pandol S. Chronic Pancreatitis: Current Status and Challenges for Prevention and Treatment. Dig Dis Sci 2017; doi:10.1007/s10620-017-4602-2.
8. Sarles H, Bernard JP, Gullo L. Pathogenesis of chronic pancreatitis. Gut 1990;31:629-32.
9. Schoenberg MH, Buchler M, Pietrzyk C, et al. Lipid peroxidation and glutathione metabolism in chronic

pancreatitis. Pancreas 1995;10:36-43.
10. Pandol SJ, Gukovsky I, Satoh A, Lugea A, Gukovskaya AS. Animal and in vitro models of alcoholic pancreatitis: role of cholecystokinin. Pancreas 2003;27:297-300.
11. Braganza JM. A framework for the aetiogenesis of chronic pancreatitis. Digestion 1998;59(Suppl 4): 1-12.
12. Segal I. Pancreatitis in Soweto, South Africa. Focus on alcohol-related disease. Digestion 1998;59(Suppl 4):25-35.
13. Braganza JM, Lee SH, McCloy RF, McMahon MJ. Chronic pancreatitis. Lancet 2011;377:1184-97.
14. Ammann RW, Muellhaupt B. Progression of alcoholic acute to chronic pancreatitis. Gut 1994;35:552-6.
15. Neuschwander-Tetri BA, Burton FR, Presti ME, Britton RS, Janney CG, Garvin PR, et al. Repetitive self-limited acute pancreatitis induces pancreatic fibrogenesis in the mouse. Dig Dis Sci 2000;45:665-74.
16. Schneider A, Whitcomb DC, Singer MV. Animal models in alcoholic pancreatitis--what can we learn? Pancreatology 2002;2:189-203.
17. Cohn JA, Friedman KJ, Noone PG, Knowles MR, Silverman LM, Jowell PS. Relation between mutations of the cystic fibrosis gene and idiopathic pancreatitis. N Engl J Med 1998;339:653-8.
18. Cohn JA, Noone PG, Jowell PS. Idiopathic pancreatitis related to CFTR: complex inheritance and identification of a modifier gene. J Investig Med 2002;50:247S-55S.
19. Chen JM, Ferec C. Chronic pancreatitis: genetics and pathogenesis. Annu Rev Genomics Hum Genet 2009;10:63-87.
20. Whitcomb DC. Genetic predispositions to acute and chronic pancreatitis. Med Clin North Am 2000;84:531-47, vii.
21. Whitcomb DC. New insights into hereditary pancreatitis. Curr Gastroenterol Rep 1999;1:154-60.
22. Sahin-Toth M, Toth M. Gain-of-function mutations associated with hereditary pancreatitis enhance autoactivation of human cationic trypsinogen. Biochem Biophys Res Commun 2000;278:286-9.
23. Schneider A, Barmada MM, Slivka A, Martin JA, Whitcomb DC. Clinical characterization of patients with idiopathic chronic pancreatitis and SPINK1 Mutations. Scand J Gastroenterol 2004;39:903-4.
24. Witt H, Luck W, Hennies HC, et al. Mutations in the gene encoding the serine protease inhibitor, Kazal type 1 are associated with chronic pancreatitis. Nat Genet 2000;25:213-6.
25. Schneider A, Suman A, Rossi L, et al. SPINK1/PSTI mutations are associated with tropical pancreatitis and type II diabetes mellitus in Bangladesh. Gastroenterology 2002;123:1026-30.
26. Jalaly NY, Moran RA, Fargahi F, et al. An Evaluation of Factors Associated With Pathogenic PRSS1, SPINK1, CTFR, and/or CTRC Genetic Variants in Patients With Idiopathic Pancreatitis. Am J Gastroenterol 2017; doi:10.1038/ajg.2017.106.
27. Ponnappa BC, Hoek JB, Jubinski L, Rubin E. Effect of chronic ethanol ingestion on pancreatic protein synthesis. Biochim Biophys Acta 1988;966:390-402.
28. Renner IG, Rinderknecht H, Valenzuela JE, Douglas AP. Studies of pure pancreatic secretions in chronic alcoholic subjects without pancreatic insufficiency. Scand J Gastroenterol 1980;15:241-4.
29. Majumder S, Chari ST. Chronic pancreatitis. Lancet 2016;387:1957-66.
30. Setiawan VW, Pandol SJ, Porcel J, et al. Prospective Study of Alcohol Drinking, Smoking, and Pancreatitis: The Multiethnic Cohort. Pancreas 2016;45:819-25.
31. Pandol SJ, Periskic S, Gukovsky I, et al. Ethanol diet increases the sensitivity of rats to pancreatitis induced by cholecystokinin octapeptide. Gastroenterology 1999;117:706-16.
32. Rosendahl J, Witt H, Szmola R, et al. Chymotrypsin C (CTRC) variants that diminish activity or secretion

are associated with chronic pancreatitis. Nat Genet 2008;40:78-82.

33. Witt H, Sahin-Toth M, Landt O, et al. A degradation-sensitive anionic trypsinogen (PRSS2) variant protects against chronic pancreatitis. Nat Genet 2006;38:668-73.
34. Witt H, Luck W, Becker M, et al. Mutation in the SPINK1 trypsin inhibitor gene, alcohol use, and chronic pancreatitis. JAMA 2001;285:2716-7.
35. Hegyi E, Sahin-Toth M. Genetic Risk in Chronic Pancreatitis: The Trypsin-Dependent Pathway. Dig Dis Sci 2017; doi:10.1007/s10620-017-4601-3.
36. Whitcomb DC, LaRusch J, Krasinskas AM, et al. Common genetic variants in the CLDN2 and PRSS1-PRSS2 loci alter risk for alcohol-related and sporadic pancreatitis. Nat Genet 2012;44:1349-54.
37. Van den Bossche J, Laoui D, Morias Y, et al. Claudin-1, claudin-2 and claudin-11 genes differentially associate with distinct types of anti-inflammatory macrophages in vitro and with parasite- and tumour-elicited macrophages in vivo. Scand J Immunol 2012;75:588-98.
38. Cavallini G, Talamini G, Vaona B, et al. Effect of alcohol and smoking on pancreatic lithogenesis in the course of chronic pancreatitis. Pancreas 1994;9:42-6.
39. Rebours V, Vullierme MP, Hentic O, et al. Smoking and the course of recurrent acute and chronic alcoholic pancreatitis: a dose-dependent relationship. Pancreas 2012;41:1219-24.
40. Yadav D, Hawes RH, Brand RE, et al. Alcohol consumption, cigarette smoking, and the risk of recurrent acute and chronic pancreatitis. Arch Intern Med 2009;169:1035-45.
41. Andriulli A, Botteri E, Almasio PL, et al. Smoking as a cofactor for causation of chronic pancreatitis: a meta-analysis. Pancreas 2010;39:1205-10.
42. Chowdhury P, Walker A. A cell-based approach to study changes in the pancreas following nicotine exposure in an animal model of injury. Langenbecks Arch Surg 2008;393:547-55.
43. Alexandre M, Uduman AK, Minervini S, et al. Tobacco carcinogen 4-(methylnitrosamino)-1-(3-pyridyl)-1-butanone initiates and enhances pancreatitis responses. Am J Physiol Gastrointest Liver Physiol 2012;303:G696-704.
44. Grendell JH. Nutrition and absorption in diseases of the pancreas. Clin Gastroenterol 1983;12:551-62.
45. Uscanga L, Robles-Diaz G, Sarles H. Nutritional data and etiology of chronic pancreatitis in Mexico. Dig Dis Sci 1985;30:110-3.
46. Frulloni L, Lunardi C, Simone R, et al. Identification of a novel antibody associated with autoimmune pancreatitis. N Engl J Med 2009;361:2135-42.
47. Lohr JM, Faissner R, Koczan D, et al. Autoantibodies against the exocrine pancreas in autoimmune pancreatitis: gene and protein expression profiling and immunoassays identify pancreatic enzymes as a major target of the inflammatory process. Am J Gastroenterol 2010;105:2060-71.
48. Detlefsen S, Brasen JH, Zamboni G, Capelli P, Kloppel G. Deposition of complement C3c, immunoglobulin (Ig)G4 and IgG at the basement membrane of pancreatic ducts and acini in autoimmune pancreatitis. Histopathology 2010;57:825-35.
49. Sarles H. Etiopathogenesis and definition of chronic pancreatitis. Dig Dis Sci 1986;31:91S-107S.
50. Warshaw AL, Richter JM, Schapiro RH. The cause and treatment of pancreatitis associated with pancreas divisum. Ann Surg 1983;198:443-52.
51. Bertin C, Pelletier AL, Vullierme MP, et al. Pancreas divisum is not a cause of pancreatitis by itself but acts as a partner of genetic mutations. Am J Gastroenterol 2012;107:311-7.
52. Etemad B, Whitcomb DC. Chronic pancreatitis: diagnosis, classification, and new genetic developments. Gastroenterology 2001;120:682-707.
53. Layer P, Yamamoto H, Kalthoff L, Clain JE, Bakken LJ, DiMagno EP. The different courses of early- and

late-onset idiopathic and alcoholic chronic pancreatitis. Gastroenterology 1994;107:1481-7.
54. Apte MV, Haber PS, Darby SJ, et al. Pancreatic stellate cells are activated by proinflammatory cytokines: implications for pancreatic fibrogenesis. Gut 1999;44:534-41.
55. Mews P, Phillips P, Fahmy R, et al. Pancreatic stellate cells respond to inflammatory cytokines: potential role in chronic pancreatitis. Gut 2002;50:535-41.
56. Schneider E, Schmid-Kotsas A, Zhao J, et al. Identification of mediators stimulating proliferation and matrix synthesis of rat pancreatic stellate cells. Am J Physiol Cell Physiol 2001;281:C532-43.
57. Masamune A, Kikuta K, Satoh M, Satoh A, Shimosegawa T. Alcohol activates activator protein-1 and mitogen-activated protein kinases in rat pancreatic stellate cells. J Pharmacol Exp Ther 2002;302:36-42.
58. Apte MV, Phillips PA, Fahmy RG, et al. Does alcohol directly stimulate pancreatic fibrogenesis? Studies with rat pancreatic stellate cells. Gastroenterology 2000;118:780-94.
59. Ohnishi N, Miyata T, Ohnishi H, et al. Activin A is an autocrine activator of rat pancreatic stellate cells: potential therapeutic role of follistatin for pancreatic fibrosis. Gut 2003;52:1487-93.
60. Hao W, Komar HM, Hart PA, Conwell DL, Lesinski GB, Friedman A. Mathematical model of chronic pancreatitis. Proc Natl Acad Sci U S A 2017;114:5011-6.
61. Bachem MG, Schneider E, Gross H, et al. Identification, culture, and characterization of pancreatic stellate cells in rats and humans. Gastroenterology 1998;115:421-32.
62. Xue J, Zhao Q, Sharma V, et al. Aryl Hydrocarbon Receptor Ligands in Cigarette Smoke Induce Production of Interleukin-22 to Promote Pancreatic Fibrosis in Models of Chronic Pancreatitis. Gastroenterology 2016;151:1206-17.
63. Apte MV, Haber PS, Applegate TL, et al. Periacinar stellate shaped cells in rat pancreas: identification, isolation, and culture. Gut 1998;43:128-33.
64. Omary MB, Lugea A, Lowe AW, Pandol SJ. The pancreatic stellate cell: a star on the rise in pancreatic diseases. J Clin Invest 2007;117:50-9.
65. Masamune A, Watanabe T, Kikuta K, Shimosegawa T. Roles of pancreatic stellate cells in pancreatic inflammation and fibrosis. Clin Gastroenterol Hepatol 2009;7:S48-54.
66. Erkan M, Adler G, Apte MV, et al. Stella TUM: current consensus and discussion on pancreatic stellate cell research. Gut 2012;61:172-8.
67. Phillips PA, McCarroll JA, Park S, et al. Rat pancreatic stellate cells secrete matrix metalloproteinases: implications for extracellular matrix turnover. Gut 2003;52:275-82.
68. Masamune A, Shimosegawa T. Pancreatic stellate cells--multi-functional cells in the pancreas. Pancreatology 2013;13:102-5.
69. Masamune A, Watanabe T, Kikuta K, Satoh K, Kanno A, Shimosegawa T. Nuclear expression of interleukin-33 in pancreatic stellate cells. Am J Physiol Gastrointest Liver Physiol 2010;299:G821-32.
70. Vonlaufen A, Xu Z, Daniel B, et al. Bacterial endotoxin: a trigger factor for alcoholic pancreatitis? Evidence from a novel, physiologically relevant animal model. Gastroenterology 2007;133:1293-303.
71. Masamune A, Kikuta K, Watanabe T, Satoh K, Satoh A, Shimosegawa T. Pancreatic stellate cells express Toll-like receptors. J Gastroenterol 2008;43:352-62.
72. Masamune A, Kikuta K, Watanabe T, Satoh K, Hirota M, Shimosegawa T. Hypoxia stimulates pancreatic stellate cells to induce fibrosis and angiogenesis in pancreatic cancer. Am J Physiol Gastrointest Liver Physiol 2008;295:G709-17.
73. Kuehn R, Lelkes PI, Bloechle C, Niendorf A, Izbicki JR. Angiogenesis, angiogenic growth factors, and cell adhesion molecules are upregulated in chronic pancreatic diseases: angiogenesis in chronic

pancreatitis and in pancreatic cancer. Pancreas 1999;18:96-103.
74. Comfort MW, Gambill EE, Baggenstoss AH. Chronic relapsing pancreatitis; a study of 29 cases without associated disease of the biliary or gastrointestinal tract. Gastroenterology 1946;6:376-408.
75. Kloppel G, Maillet B. The morphological basis for the evolution of acute pancreatitis into chronic pancreatitis. Virchows Arch A Pathol Anat Histopathol 1992; 420:1-4.
76. Yamabe A, Irisawa A, Shibukawa G, et al. Early diagnosis of chronic pancreatitis: understanding the factors associated with the development of chronic pancreatitis. Fukushima J Med Sci 2017;63:1-7.

CHAPTER 21

만성췌장염의 병리

Pathology of chronic pancreatitis

진소영

서론

췌장염은 췌장의 외분비 세엽세포의 손상을 기본으로 하는 췌장내의 염증으로서 임상적으로는 당뇨, 지방변 및 석회화 등이 특징이다. 췌장염의 정도는 경미한 경우부터 생명을 위협하는 정도까지 다양하게 나타난다. 경도 또는 중등도의 간헐적인 또는 지속적인 복통과 허리통증을 일으킨다. 급성췌장염은 췌장염의 원인이 제거되면 췌장의 기능이 정상으로 회복하지만, 만성췌장염은 지속적인 염증으로 인하여 외분비 및 내분비 췌장실질의 비가역적인 손상과 섬유화, 외분비 췌장실질이 완전히 파괴되어 복구가 안 된다.

1. 병리소견

만성췌장염[1]은 병리학적으로 췌장실질의 위축, 세엽세포의 손실, 섬유화, 췌관의 확장을 특징으로 하는 진행성 섬유염증반응이다. 육안검사에서 췌장은 정상 췌장에서 관찰되는 엽상 구조가 소실되고 섬유조직의 증가로 단단해지는데 췌장암의 굳기와 유사하게 돌 같이 딱딱하게 변한다. 주췌관과 췌관의 분지들의 확장이 관찰되고, 췌관내부와 실질에 석회화된 췌석이 관찰된다. 췌석은 현미경적인 크기로부터 수 cm에 이르기까지 다양한 크기를 가진다.

현미경소견은 두 가지 형태로 나눌 수 있다. 첫째는 주췌관의 폐색으로 특징인 폐쇄성 만성췌장염으로서 췌석이나 암종으로 인한 폐색으로 나타나며 국소적인 염증으로 나타난다. 둘째는 광범위한 실질 석회화가 특징인 비폐쇄성 석회화성 만성췌장염으로서 만성췌장염의 95%를 차지하며 이 중 80%에서 만성 알코올중독증이다. 반복된 손상으로 인해 췌장실질조직이 사라지는 것인데 세엽, 췌관, 내분비실질, 즉 췌장소도의 순으로 사라지게 된다. 췌장의 염증, 섬유화 및 세엽 위축 등의 정도와 분포는 다양하게 나타나며 육안적으로 엽구조가 소실되는 것과 달리 현미경소견은 뚜렷하지는 않으나 기존의 엽구조를 짐작할 수 있다(그림 21-1). 세엽세포는 초기부터 사라지나 췌관세포는 궤양, 상피증식 및 편평상피화생 등 다양한 변화를 동반한다. 염증반응은 주로 췌관 주변으로 나타나며 세엽소엽관 및 소엽내관 내강내 점액단백마개가 나타나고(그림 21-2) 흔히 석회화된다. 심하게 진행된 예에서는 낭성 확장을 보일 수도 있다. 췌장소도는 상대적으로 염증반응에 저항성

그림 21-1. **희미한(vague) 엽구조를 보이는 만성췌장염의 저배율 소견(H-E, ×40).**

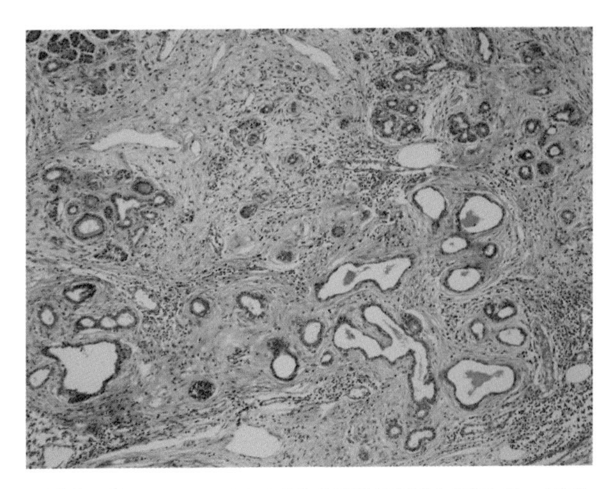

그림 21-2. **췌관내 점액단백마개가 일부 충만된 소견(H-E, ×100).**

이 있어 세엽이나 췌관이 사라지더라도 췌장소도만 보존되어 있다. 남아 있는 췌장소도는 융합되거나 비대해질 수 있으며 사라진 실질조직이 지방침윤으로 대체하게 되면 지방조직 내 분산되어 췌장소도만 나타나 마치 췌장소도의 수가 증가된 것처럼 보이기도 한다(그림 21-3). 췌장소도를 구성하는 내분비세포는 베타세포가 상대적으로 더 감소한다고 알려져 있다.

고랑췌장염(groove pancreatitis)[2]은 만성췌장염의 특이한 유형으로서 췌장 두부, 총담관, 십이지장 사이에서 발생한다. 아마도 소유두 부위 등의 해부학적 변형 등이 관여할 것이라 추측하며 발생 위치 때문에 흔히 이차적인 황달이 나타나며 종양과도 감별이 필요할 수 있다.

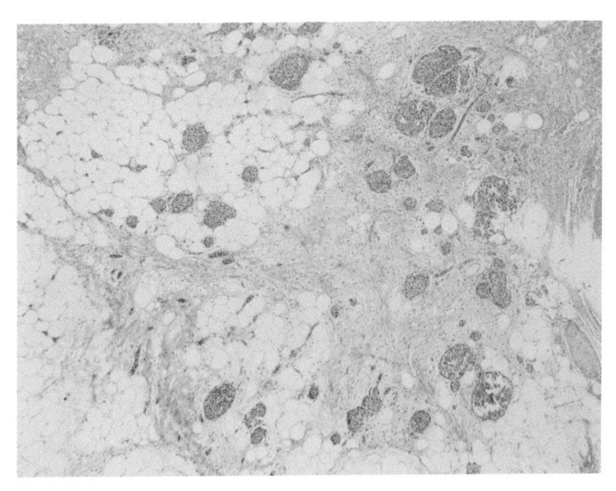

그림 21-3. **췌장 세엽의 소실과 이차적 지방침윤으로 췌장소도가 증가되어 보이는 소견(H-E, ×4).**

2. 감별진단

췌장실질이 심한 섬유화로 대치되고 위축된 췌관이 흩어져 있을 경우 췌장의 고분화 관샘암종과 유사할 수 있으나 만성췌장염에서는 실질 세엽세포가 사라지더라도 췌장소도(랑게르한스섬)는 남아 있어 감별에 도움을 준다. 또한 상피세포의 비정형이 나타날 수는 있으나 관샘암종에서와 같은 핵 다형성, 핵의 밀집, 중층화 핵세포질증가, 뚜렷한 핵세포질비, 및 세포분열수 증가 등은 볼 수 없으며 신경주변침윤 등은 절대로 나타나지 않는다. 애매할 경우에는 면역조직화학염색이 도움을 줄 수 있다[3]. 그러나 동결절편으로 검체를 받을 때 병리의사는 때로 췌관이 다양한 정도로 확장되어 IPMN과의 감별이 필요할 경우도 있다.

3. 가성낭종

췌장의 염증부위에 췌장 분비액이 국소적으로 저류되는 것으로서 선천성 낭과 달리 피복상피세포가 전혀 없다. 대개 단독으로 나타나며 대부분 직경이 5 cm 전후이다. 가성낭종은 췌장실질에 위치할 수도 있으나, 췌장 주위조직에서 더 흔히 발견되며(그림 21-4A) 주로 위와 횡행결장 사이에 위치한다. 가성낭종의 벽은 얇거나 두꺼운 섬유조직으로 구성되며 췌장의 도관과 대개는 연결이 없지만 드물게 연결이 있을 수도 있다. 낭벽에는 시기에 따라 다르지만 심한 염증세포의 침윤, 기질화된 혈괴, 장기간 동안 변성된 혈철소, 칼슘 침착 및 콜레스테롤 결정체가 보일 수 있다(그림 21-4B). 낭성종양과 감별하기 위해서는 낭벽을 철저히 검색하여 남아있는 피복상피세포가 있는지 확인하여야 한다.

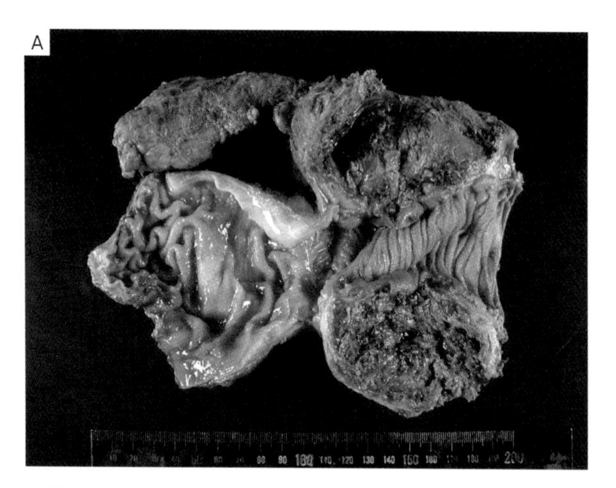

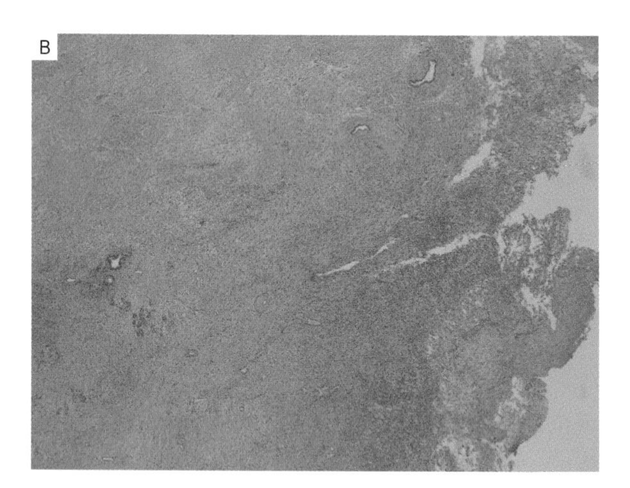

그림 21-4. **가성낭종(pseudocyst).**
A. 약 5 cm 크기의 낭종이 췌장두부에 위치하며, 십이지장벽에 붙어있으며, 갈색의 끈적 끈적한 물질이 내부에 있다.
B. 상피세포는 보이지 않는다(H-E, ×100).

References

1. Jang KT. Pathology of chronic pancreatitis. Korean J Hepatobiliary Pancreat Surg 2003;7:169-76.
2. Park KH, Yoo KS, Chung YW, et al. A case of groove pancreatitis with a characteristic pathologic feature. Korean J Gastroenterol 2007;49:187-91.
3. Kloppel G and Adsay NV. Chronic pancreatitis and the differential diagnosis versus pancreatic cancer. Arch Pathol Lab Med 2009;133:382-7.

이희승

서론

만성췌장염은 췌장의 지속적인 염증과 섬유화로 인해 비가역적인 구조적, 기능적 손상을 초래하는 질환으로 1946년 Comfort 등[1]이 만성 재발성 췌장염을 별개의 질환으로 정하여 발표하였다. 몇 국가 또는 기관에서 사용하는 만성췌장염 진단기준은 있으나 아직까지 국제적인 진단기준이나 이에 대한 합의는 없다. 한국에서는 2008년에 대한 췌담도 학회에서 만성췌장염 진단의 현황을 조사하고 그 자료를 토대로 하여 한국의 현실에 맞는 진단기준을 제시하였다. 만성췌장염의 정의 및 분류에 대한 국제 동향을 살펴보면 다음과 같다.

1. Marseille 분류(1963)

만성췌장염의 정의와 진단에 대한 국제 심포지엄이 1963년 프랑스의 Marseille에서 시작되었고, 이때 제시된 분류법으로 췌장염을 급성췌장염, 재발성(relapsing) 급성췌장염, 만성재발성 췌장염, 그리고 만성 무통성 췌장염으로 크게 4가지로 분류하고 췌장의 손상이 가역적인 경우 급성췌장염으로 비가역적인 경우에는 만성췌장염으로 정의하였다[2]. 만성췌장염은 원인이 제거된 후에도 조직 변화가 지속되어 구조적, 기능적 손상이 지속되는 것을 의미하였다. 이러한 췌장염의 분류법은 병리조직학적인 소견을 기준으로 한 것으로써 임상적으로 재발성 급성췌장염과 만성 재발성 췌장염을 감별하는 것은 매우 어려우며 정확한 진단을 위해서는 병리 조직학적인 소견이 필요하다. 그러나 임상에서 진단을 위한 췌장의 조직검사를 시행하는 경우는 매우 드물어 병리학적 소견을 얻기가 쉽지 않고, 병리조직학적으로 이상이 있을 경우에 있어서도 이러한 이상이 비가역적인지 가역적인지를 알 수 없는 경우가 많기 때문에 실제 정확한 진단을 하기가 어려운 단점이 있다. Marseille 분류법의 의의는 췌장염에 대한 정의 및 분류를 처음으로 시도하였으며, 췌장손상의 가역성 여부에 따라 급성췌장염과 만성췌장염을 구분한 것에 있다고 할 수 있다.

2. Cambridge 분류(1983)

Cambridge 분류법은 보다 임상적인 분류법으로서 췌장손상의 가역성 여부에 따라 췌장염을 급성췌장염과 만성췌장염으로만 분류하고 단서 조항으로 급성췌장염은 재발할 수 있으며 만성췌장염에서는 췌장염이 급성 악화되거나 통증이 동반되지 않는 경우도 있다고 정의하고 있다[2](표 22-1). 복부 전산화 단층촬영, 초음파 검사, 내시경적 역행성 담췌관조영술, 췌장기능검사 등에 기초하여 췌장의 손상 정도에 따른 만성췌장염의 중증도를 제시하고 있다. Cambridge 분류법은 주췌관의 변화, 이상이 있는 분지췌관 수 및 낭종변화, 협착, 충만 결손 음영(췌석, 단백질플러그), 췌관 거대 확장, 불규칙적인 췌관모양 등의 특징적인 변화 유무를 가지고 분류를 하며 만성췌장염의 병기를 5단계로 구분하였다. 그러나 이 분류법은 임상에서 사용하기에는 편리하지만 영상 검사 결과 췌장의 형태학적 손상이 진단된 경우 기능적 혹은 형태적인 가역성 여부를 입증하기가 매우 어려우며 형태학적인 기준에 의한 중증도와 췌장의 외분비 기능 간에 상호 연관성이 부족한 문제점이 있다. 또한 정상인이나 급성췌장염 환자에 있어서도 췌관의 확장이나 협착 등과 같은 형태학적 이상이 보일 수 있으며 환자의 증상이 임상적으로 급성췌장염인지 만성췌장염인지 불분명한 경우 정확한 진단을 내리기가 어려우며 장기간 추적검사 결과에 따라 진단이 바뀔 수도 있다. Cambridge 분류법의 의의는 그동안 발전된 영상과 기능 검사에 의하여 중증도를 분류하여 병원 간에 자료를 비교할 수 있도록 한 것에 있다고 할 수 있다.

표 22-1. **췌관조영술 소견에 따른 만성췌장염의 Cambridge 분류.**

Grade	Findings
Normal	Normal
Equivocal	< 3 abnormal branches
Mild	≥ 3 abnormal branches
Moderate	Abnormal main duct and branches
Severe	Abnormal plus at least one of the following: Large cavities(>10 mm) Intraduct filling defects or calculi Duct obstruction, stricture Gross irregularity

3. Revised Marseille 분류(1984)

1984년에 개정된 Marseille 심포지엄에서는 급성췌장염과 만성췌장염의 정의는 원칙적으로는 Marseille 분류법과 동일하나 보다 구체적으로 급성췌장염과 만성췌장염을 설명하고 있다. 재발성 급성췌장염과 만성 재발성 췌장염은 실제 임상적으로 서로 구별하기가 매우 어렵기 때문에 이러한 용어는 더 이상 사용하지 않기로 결정하였고, 만성췌장염의 특징을 반복적 혹은 지속적인 복통에 지방변 또는 당뇨 등의 췌장 기능부전과 췌장실질의 불규칙한 경화와 파괴, 다양한 정도의 췌관 확장 동반으로 규정하였다. 구조적인 형태에 따라 만성췌장염을 국소 괴사를 동반한 만성췌장염(chronic pancreatitis with focal necrosis), 부분 혹은 미만 섬유화를 동반한 만성췌장염(chronic pancreatitis with segmental or diffuse fibrois), 결석을 동반 혹은 동반하지 않는 만성췌장염(chronic pancreatitis with or without stone)으로 표시하고 있다. 만성췌장염의 다른 한 형태로서 췌관의 폐쇄에 의해 근위부의 췌관이 확장되는 만성 폐쇄성췌장염(chronic obstructive pancreatitis)을 언급하고 있으며 이 경우에는 췌관의 폐쇄를 교정해 줄 경우 췌장기능이 가역적으로 회복될 수도 있다고 정의하였다.

4. Marseille-Rome 분류(1988)

Marseille-Rome 분류는 Revised Marseille 분류법을 보완한 것으로서 만성췌장염의 독립된 형태로서 만성 폐쇄성췌장염 이외에 췌실질의 소실과 섬유화 및 염증세포의 침윤을 특징으로 하는 만성 염증성 췌장염(chronic inflammatory pancreatitis)과 단백 침전물, 플러그, 말기에는 췌석이 나타나는 만성 석회화 췌장염(chronic calcifying pancreatitis)을 추가하였다.

5. 만성췌장염의 원인에 따른 분류: TIGAR-O 분류(2001)

최근에는 원인에 따라 만성췌장염을 정의하고 분류하는 제안들이 있다. Etemad와 Whitcomb[3]은 주된 원인인자에 따라 만성췌장염을 독성-대사성, 특발성, 유전성, 자가면역성, 재발성 및 중증 급성췌장염 후, 폐쇄성으로 분류하였고, 첫 글자를 따서 TIGAR-O 분류를 제시하였다(Toxic-metabolic, Idiopathic, Genetic, Autoimmune, Recurrent and severe acute pancreatitis associated chronic pancreatitis, Obstructive chronic pancreatitis)(표 22-2).

표 22-2. **만성췌장염의 원인 위험인자에 근거한 TIGAR-O 분류.**

Toxic-metabolic
Alcoholic Tobacco Smoking
Hypercalcemia Hyperlipidemia
Chronic renal failure
Medications Toxins
Idiopathic
Early onset
Late onset
Tropical
Genetic
Hereditary pancreatitis
Cationic trypsinogen
PRSS1 PRSS2
CFTR mutations
SPINK1 mutations
Autoimmune
Isolated autoimmune chronic pancreatitis
Sjögren's syndrome associated chronic pancreatitis
Inflammatory bowel disease associated chronic pancreatitis
Recurrent and severe acute pancreatitis
Postnecrotic (severe acute pancreatitis)
Recurrent acute pancreatitis
Vascular disease/ischemia
Obstructive
Pancreas divisum
Duct obstruction (ex, tumor)
Posttraumatic pancreatic duct scars
Preampullary duodenal wall cysts
Sphincter of Oddi disorders (controversial)

6. 초음파내시경적 분류: Rosemont 분류

초음파내시경은 1980년대 임상에 도입된 이래 해상도의 개선과 함께 만성췌장염의 진단에 유용하게 사용되고 있다. 정상적인 췌장은 초음파내시경에서 균일하고 미세한 과립상의 에코를 보이며(salt and pepper appearance) 내부에 가늘고 규칙적인 배열의 췌관이 관찰된다. 반면 만성췌장염은 실질에서는 hyperechoic foci, hyperechoic strands, hypoechoic lobules 및 cyst 등 4가지 소견이 관찰되고, 췌관은 main duct or side branch duct dilation, main duct irregularity, hyperechoic duct walls 및 calcification/stones 등 5가지 소견이 관찰된다. 2009년 제정된 Rosemont 진단기준에서 췌관과 췌장실질의 변화에 따라 초음파내시경을 통해 정상, indeterminate, suggestive, consistent 4가지 병기로 만성췌장염을 분류한다[4].

7. M-ANNHEIM 분류

만하임(M-ANNHEIM) 분류[5]는 2007년 독일에서 개발된 분류 체계 시스템으로, 이 시스템에 의하면 만성췌장염 환자를 원인 및 임상 증상, 병기, 중증도에 따라 분류한다. M-ANNHEIM 분류는 대다수의 환자에서 만성췌장염이 여러 위험 요소의 상호작용에 기인한다는 가정에 근거한다(Multiple risk factors (M); alcohol consumption (A), nicotine consumption (N), nutritional factors (N), hereditary factors (H), efferent pancreatic duct factors (E), immunological factors (I), and various rare miscellaneous and metabolic factors

(M)). M-ANNHEIM 분류는 Severity index를 제시하는 유일한 만성췌장염 분류 체계이며, Severity index score를 통해 환자의 중증도를 평가한다. Severity index에 따른 췌장 통증의 분류는 통증의 패턴 및 정도를 치료 방법과 조합하여 이루어진다. M-ANNHEIM 분류는 계산이 간단하고 객관적이며, 비침습적인 검사 도구로서 장점을 지닌다(표 22-3).

결론

만성췌장염은 다양한 원인에 의하여 발생하며 임상양상 또한 다양하다. 서양에서는 수차례에 걸쳐 췌장염에 대한 분류 및 정의에 대한 국제회의가 개최되어 여러 가이드라인이 제시되었다. 국내에서는 2008년에 대한췌담도학회에서 만성췌장염 진단의 현황을 조사하고 그 자료를 토대로 하여 한국의 현실에 맞는 진단기준을 제시하였다. 하지만 만성췌장염에 대한 이해의 발전에도 불구하고 현재의 분류나 진단기준이 다양한 원인이나 형태의 만성췌장염을 모두 만족하지는 못하며 특히 한국인의 실정에 맞는 만성췌장염의 분류 체계가 향후 필요한 실정이다.

표 22-3. **만성췌장염의 분류**[5]

Classifications of chronic pancreatitis	Major objectives, definitions, and criteria
Clinical description 1946[1]	Description of the clinical presentation of chronic pancreatitis and its association with increased alcohol consumption
Marseille 1963[6]	Description of morphologic characteristics and etiological factors of the disease; no discussion of the correlation between anatomic and functional changes; no categorization according to disease severity or clinical presentation; no inclusion of pancreatic imaging findings
Marseille 1984[7]	Further description and subclassification of morphological changes; "obstructive chronic pancreatitis" listed as distinct form; no discussion of the correlation between anatomic and functional changes; no categorization according to disease severity or clinical presentation; no inclusion of pancreatic imaging findings
Marseille-Rome 1988[8]	Further description of "chronic calcifying" and "chronic inflammatory" pancreatitis as distinct forms; description of etiological factors; no further elaboration of clinical, functional, or imaging criteria
Cambridge 1984[9-11]	Classification of disease severity based on pancreatic imaging criteria (US, CT, ERCP); further discussion of etiological factors, pancreatic function, and testing for pancreatic insufficiency; morphologic characteristics not clearly defined
Clinical stages 1994[12]	Detailed subclassification of chronic pancreatitis with correlation of etiological factors with different morphological forms of the disease; differentiation of clinical stages of the disease; linkage of pancreatic imaging findings and functional testing with stages of the disease
Japan Pancreas Society 1997[13]	Description of clinical presentation and classification of disease in "definite" and "probable" chronic pancreatitis according to imaging findings, functional testing, and histological examination
Zürich Workshop 1997[14]	Description of clinical presentation and classification of disease in "definite" and "probable" chronic pancreatitis according to imaging findings, functional testing, and histological examination
TIGAR-O 2001[3]	Detailed categorization of etiological risk factors
ABC grading system 2002[15]	Disease grading according to clinical criteria, but limited separation of different disease severities; not all clinical presentations can be categorized
Manchester system 2006[16]	Disease grading according to clinical criteria, but limited separation of different disease severities; not all clinical presentations can be categorized

References

1. Comfort MW, Gambill EE, Baggenstoss AH. Chronic relapsing pancreatitis. A study of twenty-nine cases without associated disease of the biliary or gastrointestinal tract. Gastroenterology 1946;6:239-85, 376-408.
2. Banks PA. Classification and diagnosis of chronic pancreatitis. J Gastroenterol 2007;42(Suppl 17):148-51.
3. Etemad B, Whitcomb DC. Chronic pancreatitis: Diagnosis, Classification and New Genetic Developments. Gastroenterology 2001;120:682-707.
4. Catalano MF, Sahai A, Levy M, et al. EUS-based criteria for the diagnosis of chronic pancreatitis: the Rosemont classification. Gastrointest Endosc 2009; 69(7):1251-61.
5. Schneider A, Löhr JM, Singer Mr. "The M-ANNHEIM classification of chronic pancreatitis: introduction of a unifying classification system based on a review of previous classifications of the disease." J Gastroenterol 42.2 (2007): 101-19
6. Sarles H. Proposal adopted unanimously by the participants of the Symposium, Marseilles 1963. Bibl Gastroenterol 1965;7:7–8.
7. Singer MV, Gyr K, Sarles H. Revised classifi cation of pancreatitis. Gastroenterology 1985;89:683–90.
8. Sarles H, Adler G, Dani R, et al. The pancreatitis classifi cation of Marseilles, Rome 1988. Scand J Gastroenterol 1989;24:641–2.
9. Sarner M, Cotton PB. Classification of pancreatitis. Gut 1984;25:756–9.
10. Sarner M, Cotton PB. Definitions of acute and chronic pancreatitis. Clin Gastroenterol 1984; 13:865–70.
11. Axon AT, Classen M, Cotton PB, Cremer M, Freeny PC, Lees WR. Pancreatography in chronic pancreatitis: international definitions. Gut 1984;25:1107–12.
12. Chari ST, Singer MV. The problem of classification and staging of chronic pancreatitis. Proposals based on current knowledge of its natural history. Scand J Gastroenterol 1994;29:949–60.
13. Homma T, Harada H, Koizumi M. Diagnostic criteria for chronic pancreatitis by the Japan Pancreas Society. Pancreas 1997;15:14–5.
14. Ammann RW. A clinically based classification system for alcoholic chronic pancreatitis: summary of an international workshop on chronic pancreatitis. Pancreas 1997;14:215–21.
15. Ramesh H. Proposal for a new grading system for chronic pancreatitis. The ABC system. J Clin Gastroenterol 2002;35:67–70.
16. Bagul A, Sirivardena AK. Evaluation of the Manchester classification system for chronic pancreatitis. JOP 2006;7:390–6.

CHAPTER 23

만성췌장염의 진단
Diagnosis of chronic pancreatitis

23-1 만성췌장염의 임상양상, 검사소견 및 진단기준
(Clinical features, laboratory findings and diagnostic criteria of chronic pancreatitis)

오탁근, 정재복

서론

1788년 Thoams Cawley[1]가 처음으로 만성췌장염을 보고한 이래, 만성췌장염의 병태생리의 이해, 진단 및 치료에 많은 발전이 있어 왔다. 만성췌장염은 췌장의 영구적, 비가역적 손상을 특징으로 하는 염증성 질환으로 급성췌장염과 만성췌장염은 다른 질환으로 생각되어, 급성췌장염이 만성췌장염으로 진행하는 경우는 매우 드물다고 하였으나[2], 급성췌장염과 만성췌장염의 발병원인이 상당 부분 비슷하며 급성췌장염이 만성췌장염으로 진행할 수 있는 것이 알려지면서 현재는 급성췌장염과 만성췌장염은 같은 질병의 연속선상에 있는 것으로 생각되고 있다[3,4].

만성췌장염의 진단은 3가지 측면에서 고려되어야 한다. 첫째, 만성췌장염이 확실한가? 둘째, 내분비 혹은 외분비 기능에 문제가 없는가? 셋째, 종괴형성 만성췌장염과 췌장암을 감별할 수 있는가? 등이다. 만성췌장염을 일으키는 원인은 다양하지만, 대부분의 환자에서 음주가 원인이 되므로, 과거병력과 음주력을 조사하는 것이 필수적이며, 이외에, 자가면역 췌장염, 유전성췌장염의 가능성에 대한 검토도 필요하다.

1. 임상양상(clinical features)

1) 연령 및 성별 분포

알코올성 만성췌장염은 40~50대 남자에서 많이 생기며[5], 특발성 만성췌장염은 이십대(early-onset형)와 육십대(late-onset형)에 주로 생기며, 성별 차이는 없다[5,6]. 유전성 질환은 10세 전후[7], 열대성 만성췌장염은 20~30세 사이[8], 그리고 자가면역 췌장염(1형)은 60대 남자에서 많이 발생한다[9].

우리나라 다기관연구[10]에서는 총 814명의 원인을 보면 알코올이 64.3%로 월등히 많았으며, 그외 특발성 20.8%, 폐쇄성 8.6% 및 자가면역 췌장염 2.0% 등이 었다. 남녀비는 6.1:1이었고, 평균 50.6세이었다. 알코올성 만성췌장염에서 남녀비 23.8:1로 남자에서 월등히 많았고, 평균연령은 50.7세이었으며, 특발성은 남녀비가

2.0:1, 평균연령은 50.4세이었다[10].

2) 발현양상 및 증상

만성췌장염의 임상 발현 양상은 4가지로 구분되는데, (1) 급성이나 재발성 급성췌장염 양상으로 나타나거나, (2) 지속적인 통증을 보이는 경우, (3) 국소적인 합병증(예, 가성낭종, 주위 장기의 폐쇄 혹은 혈관의 폐쇄 등)의 증상이나 징후를 보이는 경우, (4) 외분비 혹은 내분비 기능부전을 시사하는 증상의 출현 등이다[11]. 만성췌장염의 대표적인 3가지 증상은 복통, 췌장 외분비기능저하, 그리고 당뇨병이다[12].

우리나라 보고의 경우[13] 복통 83.1%, 체중감소 16.9%, 황달 12.0% 및 지방변 12.0% 등이었는데, 복통은 대부분 심와부에 위치하였고, 좌상복부 통증이 동반된 경우가 12%, 우상복부 통증이 동반된 경우가 12%이었으며, 28%에서는 배부로의 방사통을 호소하였다.

알코올 유발 만성췌장염인 경우 첫 번째 췌장염 발병 후부터 지방변이 생길 때 까지 기간은 약 13년으로 early-onset 특발성 만성췌장염이나 유전성췌장염보다 기간이 짧다[5,6]. 췌석은 열대성췌장염에서 가장 빨리 나타나며[8], 다음이 알코올성 췌장염이고, 그 다음이 특발성이다[5]. 당뇨병은 지방변과 동시에 혹은 지방변이 생긴 후에 생긴다[8,14].

지방용해성 비타민의 흡수 부족으로 생기는 증상 및 징후는 반상출혈(Vit K부족), 조화운동불능(ataxia), 말초신경병증(Vit E부족), 야맹증, 눈마름증(Vit A부족), 근육경련, 골연화증, 골다공증(Vit D부족) 등이 있다[15].

3) 췌장석화화 및 췌관결석

만성췌장염에서 췌장내 석화화 빈도는 다양한데, 복부 X-선 촬영 시 약 55%에서 보인다는 보고가 있으며[14], 이러한 석회화는 특발성 만성췌장염보다 알코올 만성췌장염에서 약 6.8년 먼저 생긴다. 췌장석회화는 통증이 없는 만성췌장염에서 약 70~80%로 많이 생긴다[14,16,17]. 윤 등[18]은 췌장석회화는 특발성 만성췌장염에서 55%, 알코올성 만성췌장염에서 50%가 있다고 하였다. 류 등[10]의 보고에서는 전체 환자 중 67.7%에서 췌장에 석회화가 있었는데, 알코올성 만성췌장염에서 72.3%, 특발성 췌장염에서 64.5%에서 있었다. 췌장의 석회화가 있으면 만성췌장염의 병이 많이 진행된 것을 의미하나, 췌장기능 소실 정도와는 무관하다는 보고도 있으며[19], 만성췌장염의 병이 더 진행되거나 배액수술 후에는 석회화가 없어지기도 한다[20]. 최근 국내 보고[21]에 의하면 59명의 만성췌장염 환자에서 초기에는 59.3%에서 췌장의 석회화가 관찰되었지만, 관찰기간 동안(평균 51.6개월) 88.1%에서 석회화가 관찰되었고, 석회화 정도가 심해졌는데, 이런 석회화의 진행은 흡연의 지속 및 흡연의 정도와 연관되었다고 하였다.

췌관결석은 말단췌관내에서 생기기 시작하여 점차 전체 췌관내에 분포하게 되는데[22], 간혹 주췌관내에만 국한된 결석이 있으나 매우 드물고 이런 경우는 대개 선천성, 대사성이 췌장염과 연관된다[22]. 췌관결석은 X-선에서 잘보이고 불규칙한 구조를 가지며, 크기는 다양해서 눈에 안보이는 작은 것으로부터 200 gm에 이르는 것까지 다양하다.

장기 관찰 연구에 의하면 만성췌장염 환자의 90%까지 췌관결석이 발생하며, 62%에서 다발성이었다[23]. 윤 등[18]은 알코올성 만성췌장염에서 13%, 특발성 만성췌장염에서 30%가 있다고 하였으며, 노 등[24]은 췌관결석 15예에서 위치는 두부가 86.6%로 제일 많았으며, 크기는 5 mm 이하가 20%, 5~9 mm 33.3%, 10 mm 이상이 46.7%로, 가장 큰 것은 20 mm였다고 하였다. 15예 중 14예에서 평균 4.6년간의 복통을 호소하였고, 체중감소는 46.7%, 당뇨는 60%에서 있었다.

췌장석회화가 만성췌장염의 특징적인 소견이긴 하지만 췌장석회화가 관찰되었을 때 만성췌장염 이외에도 낭성종양의 석회화 및 비장동맥의 석회화 등과 감별이 필요하다. Campisi 등[25]은 췌장 전산화단층촬영을 시행한 790명의 환자 중 13.8%(109예)에서 췌장석회화가 있었는데, 이 중 분석이 가능하였던 103예 중, 만성췌장염이 70예로 가장 많았지만, 신경내분비종양 14예, 췌관내유두상점액종 11예(악성 6예, 양성 5예), 장액성 낭종 4예 및 췌장선암 4예로 보고하여, 췌장의 석회화가 있을 때 다른 질환과의 감별이 필요하다고 하였다.

4) 복통

복통은 만성췌장염의 임상증상 중 가장 흔한 증상으로 85~90%의 환자에서 호소하는데, 연령이 많은 특발성 만성췌장염이나 당뇨병, 황달을 동반한 자가면역 췌장염 환자에서 흔하다[11]. 최근 보고[26]에 의하면 106명의 환자 중 단지 6%만이 통증이 없다고 하였다. 만성췌장염에서 췌장 조직의 파괴가 진행되면서 통증이 호전되거나 없어진다는 보고가 있었으나, 최근 보고에서는 대부분의 환자에서 통증이 해결되진 않는다고 하여[27], 통증이 개선된다는 확실한 증거는 없는 실정이다[15].

만성췌장염에 의한 통증은 수 시간에서 수일간 지속될 수 있고, 종종 배부 그 중에서도 특히 하부 흉추부로의 방사통을 호소하며, 이런 통증은 알코올 또는 음식물 섭취 후 악화되는 양상을 보인다. 통증은 종종 오심, 구토를 동반하기도 한다. 이런 통증의 자연경과는 예측하기가 어려운데, 심한 통증이 반복적으로 나타나는 경우도 있고 조그만 통증이 점차적으로 진행하는 경우도 있다. 이런 통증은 앉아서 앞으로 숙이면 호전되기도 하며, hot-bag 등으로 국소적인 온도를 상승하면 통증이 감소되기도 한다. 통증이 심하여 환자들은 먹기를 싫어해서 체중이 감소된다. 만성췌장염 환자의 10% 미만에서는 전혀 통증 없이 체중감소, 황달 등의 소견만을 보일 수도 있다.

만성췌장염에서 통증의 양상에 따른 환자 예후를 보면, 짧고 재발하는 통증은 흔히 급성재발성 췌장염 단계에서 보여지는 통증으로 통증의 지속은 10일 미만이며, 이후 수개월 이상의 휴지기를 가지게 되는데, 이런 환자들의 통증은 진통제로 조절되며, 심한 경우 입원치료가 필요한데, 대부분 한 번 이상의 입원이 필요하였다. 한편 연속적이고 지속되는 통증은 종일 지속되며, 중간중간 악화되면 입원치료를 하게 되는데, 이런 경우 가성낭종과 같은 국소합병증과 연관이 많았으며, 수술이 필요한 경우가 많았다[28]. 연속적인 통증을 보이는 환자군에서 간헐적인 통증군보다 장애, 입원, 진통제 사용이 많았고, 삶의 질이 낮았으나, 통증의 중증도에 따른 장애, 입원, 진통제 사용 및 삶의 질에는 차이가 없어 개인이 느끼는 중증도 보다는 통증이 연속적인지 간헐적인지가 임상적으로 중요하다[27].

만성췌장염에서 통증을 유발한는 원인은 다양한데, 최근에는 통증 발생의 기전을 신경계의 변화로 설명할려는 연구가 많이 진행되고 있다.

(1) 췌관내압의 증가

정상인 췌장의 췌관내압은 7~10 mmHg인데, 만성췌장염 환자에서는 췌관내압이 증가하며(20~26 mmHg)[30,31], 정상인의 췌장실질압(interstitial pressure)은 7 mmHg인데, 만성췌장염 환자에서는 20 mmHg로 증가 되었으며, 수술로 췌관이나 췌관과 연결이 있는 가성낭종을 배액함으로써 췌장실질압이 정상으로 떨어지면서 통증도 소실되었다고 하였다[30].

그러나 Novis 등[32]은 정상 대조군 및 만성췌장염 환자군에서 췌관내압, 기저압, 최고압 및 수축빈도 등은 통계적인 차이가 없었으며, 만성췌장염 환자를 통증의 유무, 주췌관 협착 유무 및 췌장실질의 석회화 유무에 따라 유두괄약근 운동검사 소견을 비교하였으나 차이가 없다고 하여 상반된 결과를 보고하였다. Rolny 등[33]은 비록 만성췌장염 환자군의 운동검사 소견이 정상 대조군과는 차이가 없었으나 만성췌장염 환자에서 췌관내

압의 증가가 기저압의 증가와 상관관계가 있다고 하여 췌관내압은 췌장염의 정도보다는 기저압의 증가에 영향을 받는다고 하였다. 또한 만성췌장염 환자에서 공복 중에 시행한 유두괄약근 운동검사 결과는 정상이더라도 식후에 유두괄약근 운동이상이 초래되어 췌관내압이 상승하여 통증을 유발시킬수 있을 가능성도 배제할 수는 없다고 하였다.

저자 등[34]의 연구에서는 대조군 및 만성췌장염 환자군에서 유두괄약근 위상파 최고압, 수축기간, 수축빈도 및 췌관내압이 양군간에 차이가 없었으며, 유두괄약근 운동검사 소견을 통증의 정도에 따라 비교하였으나 차이가 없었다. 그러나 유두괄약근 위상파 수축의 기저압은 만성췌장염 환자군에서 18.8 mmHg로 대조군의 5.4 mmHg보다 통계적으로 의미 있게 높아, 유두괄약근의 운동장애가 만성췌장염의 원인으로 작용할 가능성을 시사 하였다.

췌장의 모세혈관의 정수압(hydrostatic pressure)은 6~10 mmHg로 낮은데, 췌장실질압이 증가하면 혈관저항을 증가시켜, 혈류를 감소시킨다. 고양이를 이용한 실험에 의하면 정상췌장보다 만성췌장염에서 췌장의 기저 혈류가 40% 감소하였으며, 분비자극물질 투여후 정상 췌장에서는 혈류량이 27%증가한 반면, 만성췌장염에서는 14%가 감소하여, 췌장의 혈류량의 감소로 인한 허혈상태가 통증을 유발하는 이유의 하나라고 하였다[35].

(2) 신경의 변화

신경계의 주요 변화는 말초 및 중추의 통각수용신경(nociceptive nerves)의 손상 및 변경(alteration)이다. 이것은 만성췌장염의 허혈, 염증, 압력 등이 통각수용신경의 손상을 일으켜서 말초 및 중추신경을 민감화(sensitization)시켜서 같은 자극이라도 통증을 더 심하게 느끼는 통각과민(hyperalgesia) 상태가 되며, 더 나아가서는 정상적인 생리적인 자극에 대해서도 통증을 느끼게 되는 무해자극통증(allodynia)을 느낀다는 것이다[36]. 이러한 중추신경계의 민감화는 지속적일 수 있어서 일부 환자에서 췌장절제를 하여도 통증의 해소가 되지 않는 것을 설명해 주는 중요한 가설이 된다.

(2-1) 동물실험 증거

① 감각신경흥분도(sensory neuronal excita-bility)

만성췌장염에서 감각신경흥분도가 증가하는데, 이런 현상을 매개하는 물질은 아직 밝혀지지 않고 있다[37].

② 신경전달물질(neurotransmitter)

만성췌장염에서 신경전달물질인 CGRP 및 SP가 증가조절(upregulated)되어[38], afferent signaling이 이 신경전달 물질에 의해, 척수에 있는 2차 신경원(neuron)에 전달된다. 또한 통증신호 전달에 중요한 BDNF가 증가조절되어 있으며[39], 이런 물질의 길항제를 실험 쥐의 경막내투여(intrathecal)로 통증을 감소시켰다고 한다[39,40].

만성췌장염을 유발한 쥐실험에서, TRPV1의 표현이 dorsal root ganglia의 pancreas-specific sensory neuron에서 유의하게 증가되었고, 대조군에 비해 capsaicin 에대한 dorsal root ganglia에서의 반응이 4배 증가하였으며, TRPV1 길항제를 투여 후에는 내장통증에 의한 행동의 감소를 보였다[41].

③ 말초민감화(peripheral sensitization)

만성췌장염에서 감각신경절(sensory neuron)의 전체 통각수용기관(즉, 말초감지(peripheral sensing), 전기활동도(electrical activity) 및 중추신경전달물질 등)이 연결되어 있다. 말초민감화의 가장 중요하며 잘 알려진 분자 매개물질이 NGF (nerve growth factor)이다[42]. 이물질은 정상적으로는 췌장의 islets에 위치하지만, 만성췌장염 쥐에서는 증가조절되며 acinar와 ductular elements에 이소성으로 발현된다[38].

anti-NGF는 만성췌장염의 감각신경절에서 증가조절된 SP 및 CGRP를 억제한다[40]. NGF는 mast cell에서도 분비되어 신경절의 흥분도를 증가시키는데, 활성화된 mast cell에서는 tryptase도 분비해서 PAR2 수용체를 활성화시킨다[43]. 민감화를 시키는 또 다른 물질로 생각되는 IL-6는 췌장뿐만 아니라, dorsal root ganglia에서도 표현되어 만성췌장염에서의 통증 기전에 관여할 것으로 생각된다[44].

④ 중추민감화(central sensitization)

전형적인 통각수용 통로 이외에, 비신경 요소들(non-neural elements)이 척수에서 발생하는 과정에 영향을 주어 통증에 간접적으로 기여한다. 신경손상은 비신경 세포인 교세포(glia)와 소교세포(microglia)를 활성화시켜 척수염증을 해결하려고 한다[45]. 만성췌장염 유발 동물실험에서 활성화된 척수의 astrocytes 와 교세포는 fractalkine을 분비해서 통증을 지속시킨다[46,47].

말초신경손상이 중추민감화를 유발할 수 있는 다른 방법은, 통각수용체의 central terminal의 소실은 억제신경원의 소실을 초래하며, “rewiring” 변화를 가져온다[48].

(2-2) 환자에서의 증거

① 말초변화(peripheral change)

Keith 등[49]은 통증이 있었던 만성췌장염 환자를 수술한뒤 조직표본검사에서 신경주위에 호산구가 상당히 증가하여, 이곳에서 분비되는 세포독성효소가 신경의 손상을 초래하여 만성췌장염 환자에서 통증이 유발될 수 있다고 하였으며, Bockman 등[50]은 통증이 있었던 만성췌장염 환자에서 췌장에 분포하는 신경은 직경이 커져 있으면서, 신경에 부종에 있고, 신경주위 초(perineural sheath)가 소실되어 췌장조직 내에 있는 여러 가지 해로운 물질에 자극을 받아 통증이 발생한다고 하였다.

만성췌장염 환자에서 신경의 변화(changes in neural density, hypertrophy, perineural and endoneural inflammatory infiltration)가 확인되었고, 통증과 연관되어 있다[51].

통증이 있는 만성췌장염 환자에서 통각수용기 신호전달(signaling)에 중요하다고 생각되는 물질들이 증가조절되어 있다(예, NGF와 수용체 TrkA, TRPV1, SP, NK-1, CGRP, BDNF, artemin과 수용체 GFRα3)[37].

만성췌장염 환자에서 면역세포가 풍부하며, IL-8와 fractalkine 같은 chemokine을 분비하는데, 이런 물질들이 통증의 정도와 상관관계가 있다[52,53].

비만세포(mast cell)는 급성 및 만성췌장염 환자에서 증가하는데, 통증이 있는 만성췌장염 환자에서 통증이 없는 만성췌장염 환자보다 췌장비만세포가 3.5배 증가하며[43], tryptase를 암호화하는 유전자가 만성췌장염 환자의 췌장조직에 현저히 증가되었다[54].

② 중추변화(central changes)

만성췌장염에서 통각과민과 무해자극통증(allodynia)의 발달을 초래하는 중추 신경계의 재구성과 가소성(plasticity)이 통증을 유발하는 주요 기전이다[55]. 만성췌장염 환자에서 건강한 사람보다 복부의 강도있는 촉진(deep palpation)에 대한 통증의 임계점이 감소되어있다[56].

만성췌장염 환자에서 식도, 위, 십이지장에 전기적 자극을 주고 EEG를 시행한 결과 대조군에 비해 통각수용계의 대뇌피질 투사에 변화가 있었으며, 연관통 범위가 광범위하게 증가하였으며, 다양성이 증가되었다[55].

뇌의 유발전위의 변화가 있으며[55,57,58], MRI에서 미세구조변화가 있다[59].

다른 한편으로 만성췌장염 환자에서 피부자극에 대한 감각저하가 보고되어, 척수 통각감각수용 신경절에서 아래로 전달되는 inhibitory influence가 이상이 있는 것으로 판단되며[56,60,61], 만성췌장염 환자는 rectosigmoid 자극에 통각과민(hyperalgesia)을 보인다[62].

만성췌장염에서, magnetic barin 자극으로 통증이 감소되었으며[63,64] 신경병증 통증에 사용하는 pregabalin을 이용하여 치료적 효과를 확인하였다[26].

(3) CCK 상승

만성췌장염 환자에서는 정상 대조군에 비해 혈청 CCK치가 3배 증가한다[65,66]. 혈청 CCK는 미주신경을 통해 췌장을 자극하여 효소가 풍부한 췌액을 분비 하는데, 췌관폐쇄가 있으면, 압력이 증가되고 허혈을 초래할 수 있다. 만성췌장염 환자에서 모두 혈청 CCK가 증가하지는 않지만, 중추신경계에 직접 자극을 하여 췌장 통증을 유발 할수 있다. CCK 수용체는 vomiting center로 알려진 연수의 최후영역(area postrema)에 위치하는데[67], 이 수용체는 혈액뇌관문이 없어 혈액내 CCK가 직접 작용한다. 하지만 현재까지 CCK에 의한 중추신경작용을 차단하면 췌장유발 통증을 억제하는지에 대한 증거는 없다[68].

경구 췌장효소제를 투여함으로써 십이지장에서 CCK 분비를 차단하고, 이어서 CCK-releasing factor를 분해하고, CCK분비를 감소시킬 수 있다[69]. 일본에서 시행한 다기관 연구에 의하면, 경구 CCK receptor antagonist는 대조군에 비해 통증을 유의하게 감소시켰다고 하였다[70].

(4) 기타

만성췌장염에서 통증을 유발할 수 있는 다른 원인으로는 만성췌장염의 합병증(염증성종괴, 담관이나 십이지장 폐쇄, 가성낭종, 췌장암 등) 발생으로 인한 통증, 약물 사용으로 유발되는 문제(opiate 사용으로 인한 위 운동마비 혹은 변비), 그리고 다른 장기의 질환(소화성 궤양, 담낭결석, 장간막 허혈, 소장협착 등)으로 유발되는 통증 등이다[11].

만성췌장염에서 통증을 유발하는 원인은 다양하며(표 23-1-1), 어느 한 가지로 설명하기 어려우며, 한 가지 이상의 이유가 복합적으로 작용할 것으로 생각된다. 그러므로 실제 임상에서 만성췌장염에서 발생하는 통증을 치료할 때에는 가능성 있는 원인들을 하나하나 해결하는 것이 중요할 것으로 생각된다.

5) 외분비 기능부전

췌장의 외분비 기능의 저하는 소화기능의 감소를 초래한다. 지방변은 흔히 췌장의 리파아제가 정상 분비의 10% 이하로 떨어지지 않으면 좀처럼 발생하지 않는다[71]. 그러므로 지방변이 나타난다면 췌장염이 상당부분 진행되었음을 알 수 있다. 하지만 일시적인 췌관의 협착이나, 췌관의 폐색에서도 나타날 수 있어 감별을 해야 한다. 만성췌장염의 자연경과를 분석한 연구에 의하면 췌장의 외분비 기능부전이 시작되는 시점은 알코올성 만성췌장염에서 13년, 나이가 들어 발병한 특발성 만성췌장염에서는 17년, 젊은 환자에서 발생한 특발성 만성췌장염에서는 28년 만에 지방변이 생기는 것으로 알려져 있다[72]. 하지만 심각한 체중감소는 실제로 흔하지 않은데. 이유는 환자 자신이 변으로 배설되는 칼로리의 소모를 충분한 섭취로 보충할 수 있기 때문이다. 그러나 통증이 심해지는 진행성 만성췌장염 시기가 오면 오심, 구토 등에 의해, 그리고 이에 따른 적절한 보충을 할 수가 없어 체중이 감소하는 것이 보통이다. 동반되는 문제는 지용성 비타민의 흡수가 잘 되지 않는 것으로, 흔히 비타민 D의 부족은 골연화 혹은 골다공증을 유발할 수 있다.

우리나라 만성췌장염 환자에서 지방변을 호소하는 환자는 매우 드문데, 그 이유는 국내 만성췌장염 환자의 지방 섭취량이 서구에 비해 월등히 적기 대문인 것으로 생각된다[73]. 유럽이나 미국에서 건강 한 성인의 지방 섭취량이 약 100~200 g/day이며 만성췌장염 환자에서도 대략 100 g/day의 지방을 섭취하며, 일본에서도 건강한 성인이 50~77 g/day, 만성췌장염 환자에서 37~45 g/day의 지방을 섭취한다. 우리나라 정상 성인의 지방 섭취량은 1970년도에 17.2 g, 1995년에 38.5 g으로 일본에 비해 적다. 이러한 이유로 한국의 만성췌장염 환자에서 중증의 지방변을 호소하는 환자가 적은데, 최근 식습관의 서구화로, 지방의 섭취가 많아지므로, 향후 이들 환자에서 지방변도 많이 나타날 것으로 예상된다[73].

6) 내분비 기능부전

외분비 기능부전과 더불어 내분비 기능부전도 많은 문제를 초래한다. 췌도 세포는 흔히 만성췌장염에 의한 괴사에 상당히 저항성이 있는 것으로 알려져있다[74]. 하지만 만성췌장염이 지속되면 인슐린을 분비하는 베타세포뿐만 아니라, 글루카곤을 분비하는 알파세포까지 파괴가 되는데, 이 두 종류의 췌장내분비세포의 파괴로 인하여 인슐린 치료 중에 저혈당에 빠질 위험이 높

표 23-1-1. **만성췌장염에서 통증의 기전**

기전	지지자료; Human, animal Models or Both	기전에 따른 현재 치료법	기전에 따른 이론적 치료
Duodenal obstruction	Human	Surgical bypass or endoscopic stent	
Bile duct obstruction	Human	Endoscopic stent or surgery	
Pseudocyst	Human	Endoscopic, surgical or percutaneous drainage	
Pancreatic duct obstruction by stone or stricture	Both	Endoscopic or surgical ductal decompression, lithotripsy	
Tissue hypertension and ischemia	Both	Antioxidants, endoscopic and surgical ductal decompression	
Intra-pancreatic nerve injury	Both	Celiac plexus or neurolysis, thorascopic splanchicectomy	
Visceral nerve senstitzation	Both	Tricyclic antidepressants, selective serotonin re-uptake Inhibitors, combined serotonin and norepinephrine re-uptake Inhibitors, $\alpha_2\delta$ inhibitors	TRPV-1 antagonists, PAR-2 antagonist, capsaicin, substance P or NK-1 antagonist, mast cell stabilizers, NGF antagonists, CGRP antagonists
Central nerve sensitization	Both	Tricyclic antidepressants selective serotonin re-uptake Inhibitors, combined serotonin and norepinephrine re-uptake Inhibitors, $\alpha_2\delta$ inhibitors	Magnetic brain stimulation
Elevations in CCK	Both	Non-enteric-coated pancreatic enzymes	Octreotide, CCK antagonists

TRPV-1: transient receptor potential vaniloid 1; PAR-2: protease activated receptor-2; NGF: nerve growth factor; CGRP: calcitonin gene related peptide; CCK: cholecystokinin.
Aliment Pharmacol Ther 2009;29:712에서 인용[68].

아질 수 있다[75]. 만성췌장염에서 당뇨병이 발생하는 기간은 알코올성 만성췌장염에서 20년, 나이가 들어 발병한 특발성 만성췌장염에서는 12년, 젊은 환자에서 발생한 특발성 췌장염에서는 28년 만에 당뇨병이 발생한다[72]. 알코올 유발 만성췌장염 환자에서는 장기간 관찰 시 40%~80%에서 당뇨병이 발생하는데, 코호트 연구 결과에서는 25년 만에 83%의 환자에서 당뇨병이 발생하였다[76].

만성췌장염과 연관되어 발생하는 당뇨병은 3c형당뇨병(T3cDM)으로, glucagon 및 pancreatic polypeptide 등의 호르몬 감소로 저혈당이 흔히 발생한다. 만성췌장염에서 당뇨병을 조기 진단하기 위해서 매년 공복혈당과 당화혈색소(HbA1c)의 측정이 권유되며[77], 치료는 당뇨약제 투약 이외에 인크레틴(incretin) 분비의 촉진과 영양상태 개선을 일으키는 췌장효소제 투약이 필요하다[78].

7) 기타

만성췌장염에서 흔히 발생하는 합병증은 가성낭종, 총수담관 협착, 십이지장 협착, 늑막삼출, 문맥혈전, 비정맥 혈전, 위정맥류, 가성동맥류(비장, 간 및 위십이지장 동맥), 췌장복수 등이며[12], 췌장암의 위험이 증가하는데, 조기발병-유전성췌장염과 열대성췌장염에서 위험성이 크다[79].

2. 검사소견(laboratory findings)

1) 혈액검사

만성췌장염의 진단에 일반적인 혈액검사는 많은 도움을 주지는 못하지만, 일부 혈액 검사는 만성췌장염의 원인을 규명할 수 있는 중요한 단서가 될 수 있고, 환자의 상태를 판단하는 데 도움을 줄 수도 있으므로, 적절한 혈액검사를 시행하는 것은 중요하다.

(1) 췌장효소(amylase, lipase, trypsin)

급성췌장염에서는 amylase, lipase가 특징적으로 상승되는 반면, 만성췌장염에서는 췌장의 섬유화로 인해 췌장 외분비기능이 소실되어 amylase 및 lipase는 대부분 경미하게 상승하거나 정상이다[80]. 만성췌장염에서 혈청 amylase 및 lipase의 민감도는 30~45%이다[81]. 혈청 trypsin은 만성췌장염중 cystic fibrosis가 있는 어린환자에서 지방변이 있는 경우에 도움이 될 수 있지만, 전체 만성췌장염 환자 중 50%에서는 정상치를 보이므로[82], 외분비기능부전이 없는 경우에는 만성췌장염의 진단에 도움이 되지 않는다.

(2) 일반 화학검사

일반 화학검사에서는 혈당 증가, 고지혈증, 혹은 고칼슘혈증 소견을 보일 수 있으며, 간기능 검사에서 이상소견(AST, ALT, total bilirubin, alakline phosphatase, GGT 상승)을 보이는 경우는 알코올성 간질환, 지방간(non-aocoholic staetohepatitis), 경화성담관염, 담석, 말단 총담관협착 등을 의심할 수 있다[11].

만성췌장염 환자에서 영양상태가 불량한 경우에는 Hgb, prealbumin, retinol-binding protein, 25-OH choleclacalciferol (vitamin D), serum iron, zinc, 및 magnesium 등을 측정해야 한다[15].

(3) 생체표지자(biomarkers)

만성췌장염 환자의 혈액내에서 TGF-β가 상승되었으며, MMP-9 (matrix metalloproteinase-9)의 상승, TNF-α (tumor necrosis factor-α), slouble fractalkine가 상승되며, 흡연하는 만성췌장염 환자에서 IL-22가 상승된다[83,84]. 이런 생체지표의 상승이 임상적으로 만성췌장염의 조기 진단과 병의 진행 정도의 판단에 이용되기 위해서는 추가 연구가 필요하다[85].

(4) 원인 규명을 위한 검사

만성췌장염을 일으키는 원인은 다양하나, 혈액검사가 원인 규명에 도움이 되는 경우는 감염, 유전성췌장염 및 자가면역 췌장염 등이다.

만성췌장염을 일으키는 감염성 질환은, Coxsakie, CMV, mumps, HIV, echinococcus, clonorchis, ascaris, microspordia, cryptosporidia 등이다[86].

만성췌장염 환자에서 병발되는 자가면역 질환은 rheumatoid arthritis (RA), 전신성홍반성낭창(SLE), 원발성경화성담관염(PSC), 염증성장질환(IBD) 및 sarcoidosis 등이다[86]. 자가면역 췌장염인 경우에는 혈청 감마글로부린 증가와 함께 IgG, IgG4 증가, 그리고 여러 가지 자가항체(anti-lactoferrin, anti-carbonic anhydrase, rheumatoid factor, anti-nuclear antibody 등)가 검출된다.

유전성 췌장염을 위한 검사는 원인 규명이 안되는 특발성췌장염 환자, 특히 젊은 연령에 만성췌장염이 생긴 경우에는 유전자 검사를 시행해야 한다.

2) 췌장기능검사

췌장기능검사는 직접과 간접 검사로 구분된다. 직접검사는 현재 임상에서는 거의 사용되지 않으나, 최근 내시경을 사용하면서 secretin 자극 후 췌장기능검사를 시행하여 췌장기능을 판단하는 연구가 시도되고 있다.

(1) 간접 검사

① 대변(elastase-1)

대변내 chymotrypsin과 elastase 1을 측정하여 만성췌장염의 기능을 판단할 수 있는데, elastase-1이 chymotrypsin보다 더 특이적이어서, 심한 만성췌장염 환자에서 민감도는 100%, 특이도는 93%로 보고된다[87,88]. 대변 elastase 1 검사는 설사를 하는 환자에서는 결과가 잘 나오지 않는다. 하지만 검사가 쉽고 췌장효소제 복용에 영향을 받지 않기 때문에 임상에서 흔히 사용된다. 그러나 이검사 역시 예민도와 특이도가 초기 만성췌장염 환자들에서는 낮은 단점이 있다[89]. Elastase 1검사의 경우 대변내 농도가 200 ug/g(대변) 미만일 때 췌장외분비 기능저하를 시사한다.

저자 등[90]이 연구한 결과를 보면, ERP 소견상 중증의 만성췌장염 환자군에서 경증/중등도군보다 낮은 경향을 보였고, 당뇨병이 있었던 환자군(68 ± 108.7 ug/g)에서 당뇨병이 없었던 군(316 ± 280.5)보다 유의미하게 낮았다.

② 대변 지방평가

72시간 대변 지방평가 검사는 적절히 검사가 이루어지면 신뢰할 수 있지만 실제 수행하기에는 번거롭기 때문에 흔히 시행하지는 않는다[91]. 72시간 대변 지방평가는 5일간 매일 지방 80~120 g의 지방을 섭취한 뒤 3~5일째 식이를 수집한여 하루에 7 g 이상의 대변 지방이 검출되면 췌장외분비 기능 이상을 시사한다. 지방변을 검사하여 만성췌장염을 진단하는 것은 경도 내지 중등도의 만성췌장염에서는 물론 심각하게 진행된 만성췌장염일지라도 지방변이 없으면 나타나지 않으므로 진단 예민도가 낮다. 다만 대변내 지방 분석은 흡수불량증을 정량화하는 데 필요하며 췌장효소제를 투여한 후 효과를 판단하기 위해 사용된다[92].

③ 혈청 trypsinogen

Trypsinogen은 췌장의 선방세포의 총량(acinar cell mass)를 나타내는데, 오래된 보고[93]에 의하면, 만성 췌장외분비 기능부전이 있는 경우 69.2%에서 혈청 trypsinogen이 10 ng/mL 미만이라고 하였다.

④ 경구 췌장기능검사

비침습성 검사로 NBT-PABA와 pancreolauryl 검사가 가능한 방법이다. NBT-PABA검사는 합성

펩타이드인 N-benzoyl-L-tyrosyl-p-aminobenzoic acid를 경구 투여하여 chymotrypsin에 의하여 PABA가 유리된 후 장에서 흡수, 간을 거쳐 소변으로 나오는 정도를 측정한다. 정상에서는 투여양의 75% 이상이 소변으로 배설되지만 진행된 만성췌장염에서는 40% 이하로 감소한다. 경구 췌장기능검사는 중등도 내지 중증의 만성췌장염의 진단에 유용한데, 저자 등[94]의 경우 NBT-PABA 검사는 ERP 소견상 만성췌장염의 변화가 경도 및 중등도인 경우에는 대조군에 비하여 유의하게 감소되었으나, ERP상 나타난 췌관의 변화정도와 NBT-PABA 검사에서의 외분비 기능 감소 정도는 비례하지 않았다.

⑤ 호기검사(breath test)

췌장 외분비 기능부전 시 제일 먼저 손상되는 효소가 lipase이므로, lipase 활동도를 측정하는 것이 가장 민감도가 높다[95]. 13C-MCT-BT (13C mixed triglyceride breath test)는 췌장 지방변 진단에 민감도 89%, 특이도 81%로 보고된다[96].

(2) 직접 검사

췌장의 선방세포(acinar cell)와 관세포(duct cell)를 직접 자극해서, 췌장 분비물을 채취하는 검사는 간접검사에 비해, 시간이 많이 소요되지만 초기 만성췌장염을 진단하는 데는 가장 정확하다.

Lundh test가 가장 생리적이지만, secretin 혹은 cholecystokinin 약물 자극 후 검사에 비해 민감도가 낮아 실제 임상에서는 거의 사용되지 않는다[97]. 2013년 Ketwaroo 등[98]의 보고에 의하면 영상검사에서 정상소견을 보인, 만성췌장염 의심환자를 대상으로 secretin 자극 췌장검사를 시행한 결과 민감도 82%, 특이도 86%, 음성예측도 97%로 보고하여, 영상검사에서 정상으로 보인 만성췌장염 의심환자에서 유용한 검사라고 하였다.

만성췌장염의 진단에서 EUS, secretin 자극검사를 조직소견과 비교하였을 때, EUS의 민감도는 84%, secretin 자극검사는 86%, 두 가지 검사를 혼합하면 100%라고 하였는데[99], 이것은 만성췌장염에서 형태학적 변화와 기능적 변화는 일치하지 않는다는 것을 암시한다[15].

최근 내시경검사를 이용한 췌장기능검사(endoscopic pancreatic function test, ePFT)도 시행되는데, secretin을 주사 후(0.2 mcg/kg), 십이지장 구부에서 십이지장액을 채취해서 검사를 하는데, 한 시간 동안 검사하는 경우에는 peak bicarbonate가 80 mEq/L 이상이면 정상이고, 짧은(30~45분) 선별검사(shortened screening test)는 peak bicarbonate 가 75 mEq/L 이상이면 정상이다[100].

췌장기능검사와 ERCP의 일치율은 47%이고[101], EUS와 secretin PFT의 일치율은 48~70%이다[102-104]. 현재까지 EUS 소견, 췌장기능검사 및 조직소견과 비교하는 연구들이 있지만 여러 가지 제약점들이 있어 일치율이 높지는 않으나, 향후 많은 연구 결과들이 모아지면, 좋은 해결점이 있을 것으로 생각된다[100]. 현재는 one-hour ePFT 를 하면서 Dreiling tube로 십이지장액을 채취하는 방법이 조기 만성췌장염의 진단에 gold standard라고 한다[100].

3. 진단기준(diagnostic criteria)

1963년 Marseille심포지엄에서 만성췌장염에 대한 분류[105]가 발표된 이후 만성췌장염에 대한 분류 및 진단기준에 대한 연구가 보고되었다[2, 106-118]. 만성췌장염의 초기 진단이 어려운 이유는 만성췌장염의 초기 증상이 불분명하고, 조직학적 검사 이외에는 한 가지 검사만으로 만성췌장염을 진단할 수 있는 신뢰할 만한 방법이 없으며[118], 아울러 췌장의 조직학적 검사는 임상에서 쉽게, 자주할 수 없는 문제가 있다.

최근 미국췌장학회에서 발표[100]한 만성췌장염의 진료 지침에 의하면 만성췌장염의 진단 근거(표 23-1-2)를 3가지로 구분(definite, probable 및 insufficient)로 하였는데, 확실한 근거(definite evidence)의 기준으로는 췌장영상 소견상 중등도 이상의 변화(예, 췌관 및 췌실질 이상), 췌장 석회화 그리고 조직학적 확진 가운데 한가지 이상이 있는 경우이며, 확실한 듯한 증거(probable evidence)(영상검사에서 이상/병력에서 의심되는 경우 등과 비정상 생리기능) 기준으로는 경미한 췌장영상 형태 혹은 재발성 가성낭종/췌장염 등과 함께 비정상 생리기능(secretin검사이상, 당뇨병, 지방변)을 보이는 경우이다. 불충분한 증거(insufficient evidence)의 기준으로는 췌장영상검사에서 불확실한 형태소견 혹은 복통과 함께 5가지(① 췌장염 명력 없음, ② 정상 영상소견, ③ 췌장염의 가족력, ④ ERCP로 췌관삽입 기왕력, ⑤ 흡연, 알코올 등의 위험인자) 가운데 한 가지 이상이 있는 경우이다(표 23-1-2).

M-ANNHEIM 분류[113]는 만성췌장염 대부분의 환자들이 여러가지 다양한 위험요인들이 복합적으로 작용하여 나타나는 결과로 생각하여 만들어졌는데, 여러(M, multiple) 위험인자, 이 중 알코올 섭취량(A, alcohol consumption), 흡연량 (nicotine consumption), 영양인자(N, nutritional factors), 유전적인자(H, gereditary factors), 췌관인자(E, efferent pancreatic duct factors), 면역인자(I, immunologic factors) 및 기타 및 대사성 인자(M, miscellaneous and rare metabolic factors) 등이다. 만성췌장염의 진단은 만성췌장염의 특징적인 임상병력(재발성췌장염 혹은 복통)에 근거해서 확진 된는데, 4가지(definite chronic pancreatitis, probable chronic pancreatitis, borderline chronic pancreatitis 및 pancreatitis associated with alcohol consumption)로 구분하였다(표 23-1-3).

일본에서 제안한 만성췌장염의 임상 진단기준[117]에서는 진단 항목을 6가지(① Characteristic imaging findings, ② Characterstic histological findings, ③ Repeated upper abdominal pain, ④ Abnormal pancreatic enzyme levels in the serum or urine, ⑤ Abnormal pancreatic exocrine function, ⑥ Continuous heavy drinking of alcohol equivqlent to ≧ 80 g/day of pure alcohol)로 정하였고, 만성췌장염을 만성췌장염 확진(definite chronic pancreatitis), 만성췌장염 의심(probable chronic pancreatitis) 및 초기 만성췌장염으로 구분하였으며, possible chronic pancreatitis(③-⑥ 항목 중 2가지 이상이 있지만, ①과 ② 항목은 없는 경우로 다른 췌장질환이 배제됨)를 추가하였다.

대한췌담도학회에서 제정한 만성췌장염의 진단기

표 23-1-2. **만성췌장염의 진단 근거**

Evidence	Criteria
Definitive Evidence (any of the following)	Moderate/marked pancreas imaging morphology - i.e., ductal and parenchymal abnormalities Pancreatic calcifications Histologic confirmation
Probable Evidence: (abnormal imaging/ suggestive history + abnormal physiology)	Mild pancreas imaging morphology or Recurrent pseudocyst/pancreatitis plus Abnormal pancreas physiology - secretin test, diabetes, steatorrhea
Insufficient Evidence	Equivocal pancreas imaging morphology or Abdominal pain **with any of the following:** No history of pancreatitis (lipase < 3 x ULN) Normal imaging Family history of pancreatitis Prior ERCP with pancreatic duct stenting Presence of TIGAR-O risk factors - smoking, alcohol

Evidnece should be interpreted in a patient with history and physical examination suspicious for chronic pancreatitis such as abdominal pain, history of acute pancreatitis, steatorrhea responsive to pancreatic enzyme replacement therapy, heay alcohol or smoking history, genetic risk factors of family history
Conwell DL et al. Pancreas 2014;43(8):author manuscript p65에서 인용[100].

표 23-1-3. M-ANNHEIM 만성췌장염의 진단기준

Definite chronic pancreatitis
1. Pancreatic calcification
2. Moderate or marked ductal lesions (according to the Cambridge classification)
3. Marked and persistent exocrine insufficiency defined as pancreatic staetorrhea markedly reduced by enzyme supplementation
4. Typical histology of an adequate histological specimen

Probable chronic pancreatitis is established by one or more of the following additional criteria:
1. Mild ductal alterations (according to the Cambridge classification)
2. Recurrent or persistent pseudocysts
3. Pathological tets of pancreatic exocrine function (such as fecal elastase-1, secretin test, secretin-pancreozymin tets)
4. Endocrine insufficiency (i.e., abnormal glucose tolerance test)

Borderline chronic pancreatitis is already established and is defined as by a typical clinical history of the disease but without any of the additional criteria required for definite or probable chronic pancreatitis. This form is also established as a first episode of acute pancreatitis with or without (1) a family history of pancreatic disease (i.e., other family members with acute pancreatitis or pancreatic cancer) or (2) the presence of M-ANHEIM risk factors

Pancreatitis associated with alcohol consumption requires in addition to the above-mentioned criteria for definite, probable, or borderline chronic panceatitis one of the following features:
1. History of excessive alcohol intake (> 80 g/day for some years in man, smaller amounts in women) or
2. History of increased alcohol intake (20-80 g/day for some years) or
3. History of moderate alcohol intake (< 20 g/day for some year

Schneider A et al. J Gastroenterol 2007;42:108에서 인용[113].

표 23-1-4. 확진 만성췌장염의 한국 진단기준

Presence of at least one of finding among the list Presence of abdominal pain is not mandatory	
US	Pancreatic duct stone Pancreatic calcification
CT	Irregular main duct dilatation and atrophy Presence of pancreatic duct stone Presence of pancreatic calcification
EUS	Main pancreatic duct irregularity and dilatation with coarse parenchymal echo Pancreatic duct stone Pancreatic calcfifcation
ERCP/MRCP	Main duct irregularity, dilatation and stenosis Pancreatic duct stone, protein plug
Histology	Fibrosis with destruction and loss of acinar cell

대한췌담도학회 2008;13:42에서 인용[119].

표 23-1-5. 준확진 만성췌장염의 한국 진단기준

Presence of at least one finding among the list Reliable recurrent attack of abdominal pain is mandatory	
US	Coarse pancreatic parenchymal echo
CT	Side branch dilatation with irregular contour (or atrophy)
EUS	3 and more findingds of below list Hyperechoic spot Hyperechoic strand Side branch dilatation Lobularity Hyperechoic duct marginity
ERCP/MRCP	Side branch dilatation

대한췌담도학회 2008;13:43에서 인용[119].

준[119]은 두 가지로 구분(definite chronic pancreatitis과 probable chronic pancreatitis)하였으며(표 23-1-4, 5), 만성췌장염의 증은 임상적으로 반복적인 복통 및 음주력이 있으나, CT, 복부초음파검사, ERCP, MRCP등 영상 진단법에서 확진기준 및 준확진 기준이 충족되지 않거나 EUS상 관찰되는 소견이 1개에서 2개 이하인 경우의 증례로 정의하였다.

이상과 같이 현재 여러 가지 만성췌장염의 진단기준이 혼용되고 있는데, 향후 세계적으로 합의가 되어, 만성췌장염의 정확한 진단과 함께 치료에 도움이 되는 이상적인 진단기준이 만들어지기를 기대한다.

결론

현재 만성췌장염의 진단에 여러 가지 검사가 이용되고, 다양한 진단기준이 혼용되고 있다. 어느 하나의 검사만으로 초기 만성췌장염의 진단은 어려우며, 임상 징후나 췌장 염증의 증상 유무와 함께, 영상검사 소견을 종합해서 판단해야 한다. 영상소견에서 불확실한데, 환자의 임상소견으로는 만성췌장염이 의심되면, 정기적인 추적 관찰과 함께 영상검사를 비롯한 췌장 기능검사를 주기적으로 시행하여 확인하는 것이 바람직하다.

References

1. Cawley T. A singular case of diabetes, consisting entirely in the quality of the urine; with an inquiry into the different theories of that disease. London Medical J 1788;9:286-308.
2. Singer MV, Gyr K, Sarles H. Revised classification of pancreatitis. Report of the Second International Symposium on the Classification of Pancreatitis in Marseille, France, march 28-30, 1984. Gastroenterology 1985;89:683-5.
3. Kloppel G, Maillet B. Chronic pancreatitis: evolution of the disease. Hepatogatroenterology 1991;38:408-12.
4. Sankaran SJ, Xiao AY, Wu LM, Windsor JA, Forsmark CE, Petrov MS. Frequency of progression from acute to chronic pancreatitis and risk factors: a meta-analysis. Gastroenterology 2015;149:1490-500.e1.
5. Layer P, Yamamoto H, kalthoff L, Clain JE, Bakken LJ, DiMagno EP. The different courses of early and late-onset idiopathic and alcoholic chronic pancreatitis. Gastroenterology 1994;107:1481-7.
6. Ammann RW. Diagnosis and management of chronic pancreatitis: current knowledge. Swiss Med Wkly 2006;136:166-74.
7. Rosendahl J, Bodeker H, Mossner J, Teich N. Hereditary chronic pancreatitis. Orphanet J Rare Dis 2007;2:1.
8. Barman KK, Premalatha C, Mohan V. Tropical chronic pancreatitis. Postgrad Med J 2003;79:606-15.
9. Park DH, Kim MH, Chari S. Recent advances in autoimmune pancreatitis. Gut 2009;58:1680-89.
10. Ryu JK, Lee JK, Kim YT, et al. Clinical features of chronic pancreatitis in Korea: A multicenter nationwide study. Digestion 2005;72:207-11.
11. Braganza J, Lee SH, McMahon M. Chronic pancreatitis. Lancet 2011;377:1184-97.
12. Majumder S, Chari ST. Chronic pancreatitis. Lancet

2016;387:1957-66.

13. 최광준, 송시영, 김원호 등. 만성췌장염의 임상적 고찰. 대한소화기병학회지 1991;23:722-8.
14. Lankish PG, Lohr-Happe A, otto J, Creutzfeldt W. Natural course in chronic pancreatitis. Digestion 1993;54:148-55.
15. Lohr JM, Dominiguez-Munoz E, Rosendahl J, et al. United European Gastroenterology evidence-based guide-lines for the diagnosis and therapy of chronic pancreatitis(HaPanEU). United European Gastroenterol J 2017;5(2):153-99.
16. Myake H, harada H. kunichika K, et al. Clinical course and prognosis of chronic pancreatitis. Pancreas 1987;2:378-85.
17. Kloppel G, Bommer G, Commandeut G, et al. The endocrine pancreas in chronic pancreatitis. Immunocytochemical and ultrastructal studies. Virchow Arch 1968;377:157-74.
18. 윤용범, 김영호, 박중원, 김정용. 한국인에서의 만성췌장염의 임상적 특징. 대한소화기병학회지 1993;25:182-9.
19. Lankish PG, Otto J, Erkelenz I, et al. Pancreatic calcification: no indicator of severe exocrine pancreatic insufficiency. Gastroenterology 1986;90:617-21.
20. Amman RW, Muench R. Otto R, et al. Evolution and regression of pancreatic calcification in chronic pancreatitis. A prospective long-term study of 107 patients. Gastroenterology 1988;95:1018-28.
21. Lee JW, Kim HG, Lee DW, et al. Association between smoking and the progression of computed tomogrpahy findings in chronic pancreatitis. Gut Liver 2016;10:464-9.
22. Stobbe KC, Remine WH, Baggenstoss AH. Pancreatic lithiasis. Surg Gynecol Obstet 1970;131:1090-9.
23. Smits M, Rauws EA, tytgat GN, Huibregtes K. Endoscopic treatment of pancreatic stones in patients with chronic pancreatitis. Gastrointest Endosc 1996;43:556-60.
24. 노성훈, 김원호, 최광준, 홍정, 김명욱. 췌관결석을 동반한 만성췌장염. 대한외과학회지 1990;39:348-53.
25. Campsi A, Brancatelli G, Vullierme MP, Levy P, Ruzniewski P, Vilgrain V. Are pancreatic calcifications specific for the diagnosis of chronic pancreatitis? A multidetector-row CT analysis. Clin Radiol 2009:64:903-11.
26. Olesen SS, Bouwense SA, Wilder-Smith OH, et al. Pregabalin reduces pain in patients with chronic pancreatitis in a randomized, controlled trial. Gastroenterology 2011;141:536–43.
27. Mullady DK, Yadav D, Amann ST, et al. Type of pain, pain-associated complications, quality of life, disability and resource utilization in chronic pancreatitis: A prospective cohort study. Gut 2011; 60:77–84
28. Ammann RW, Muellhaupt B. The natural history of pain in alcoholic chronic pancreatitis. Gastroenterology 1999;116:1132-40.
29. Wilcox CM, Yadav D, Ye T, et al. Chronic pancreatitis pain pattern and severity are independent of abdominal imaging findings. Clin Gastroenterol Hepatol 2015;13:552-60.
30. Ebbehoj N, Borly L, Madsen P, Sevensen LB. Pancreatic tissue pressure and pain in chronic pancreatitis. Pancreas 1986;1:556-8.
31. Madson P, Winker K. The intraductal pancreatic pressure in obstructive pancreatitis. Scand J Gastroenterol 1982;17:553-4.
32. Novis BH, Bormman PC, Girdwood AW, Marks IN. Endoscopic manometry of the pancreatic dut and sphincter zone in patients with chronic pancreatitis. Dig Dis Sci 1985;30:225-38.
33. Rolny P, Arleback A, Jamert G, Anderson T. Endoscopic manometry of the sphincter of Oddi

and pancreatic duct in chronic pancreatitis. Scand J Gastroenterol 1986;1986;21:1415-20.
34. 송시영, 정재복, 김원호, 강진경, 박인서, 최흥재. 만성췌장염 환자에서 췌관 유두괄약근 운동검사. 대한소화기내시경학회잡지 1993;13:111-9.
35. Karanija ND, Widdson A, Leung F, et al. Pancreatic blood flow and tissue pressure in chronic pancreatitis: efffect of main pancreatic duct perfusion. Gastroenterology 1990;98;A221.
36. 추진우. 문성훈. 만성췌장염의 임상상, 자연경과 및 합병증. 대한췌담도학회지 2017;22:63-71.
37. Pasricha PJ. Unraveling the mystery of pain in chronic pancreatitis. Nat Rev Gastroenterol Hepatol 2012;9:141-51.
38. Winston JH. He ZJ, Shenoy M, Xiao SY, Pasricha PJ. Molecular and behavioral changes in nociception in a novel rat model of chronic pancreatitis for the study of pain. Pain 2005;117:214-22.
39. Hughes MS, Shenoy M, Liu L, Colak T, Mehta K, Pasricha PJ. Brain derived neurotrophic factor is upregulated in rats with chronic pancreatitis and mediates pain behavior. Pancreas 2011;40:551-6.
40. Liu L, Shenoy M, Pasricha PJ. Substance P and calcitonin gene related peptide mediate pain in chronic pancreatitis and their expression is driven by nerve growth factor. JOP 2011;12:389-394.
41. Friess H, Zhu ZW, di Mola FF, et al. Nerve growth factor and its high-affinity receptor in chronic pancreatitis. Ann Surg 1999;230:615-24.
42. Woolf CJ, Safieh-Garabedian B, Ma QP, Crilly P, Winter J. Nerve growth factor contributes to the generation of inflammatory sensory hypersensitivity. Neuroscience 1994;62:327-31.
43. Hoogerwerf WA, Gondesen K, Xiao SY, et al. The role of mast cells in the pathogenesis of pain in chronic pancreatitis. BMC Gastroneterol 2005;5:8-21.
44. Vardanyan M, Melemedjian OK, Price TJ, et al. Reversal of pancreatitis-induced pain by an orally available, small molecule interleukin-6 receptor antagonist. Pain 2010;151:257-65.
45. Woolf CJ. Central sensitization: implications for the diagnois and treatment of pain. Pain 2010;152:S2-S15.
46. Feng QX, Wang W, Feng XY, et al. Astrocytic activation in thoracis spinal cord contributes to persistent pain in rat model of chronic pancreatitis. Neuroscience 2010;167:510-9.
47. Liu PY, Lu CL, Wang CC, et al. Spinal microglia initiate and maintain hyperalgesia in rat model of chronic pancreatitis. Gastroenterology 2012;142 (1):165-73.
48. Latremoliere A, Woolf CJ. Central sensitization: a generation of pain hypersensitivity by central neural plasticity. J Pain 2009;10:895-926.
49. Keith RG, Keshavjee SH, Kerenyi NR. Neuropathology of chronic pancreatitis in humans. Can J Surg 1985;28:207-11.
50. Bockman DE, Buchler M, malfertheiner P, et al. Analysis of nerves in chronic pancreatitis. Gastroenterology 1988;94:1459-69.
51. Ceyhan GO, Bergmann F, Kadihasanoglu M, et al. Pancreatic neuropathy and neuropathic pain-a comprehensive pathomorphological study of 546 cases. Gastroenterology 2009;136:177-186 e1.
52. Di Sebastiano P, Fink T, Weihe E, et al. Immune cell infiltration and growth-associated protein 43 expression correlate with pain in chronic pancreatitis. Gastroenterology 1997;112;1648-55.
53. Ceyhan GO, Deucker S, Demir IE, et al. Neural fractalkine expression is closely linked to pain and pancreatic neuritis in human chronic pancreatitis. Lab Invest 2009;89:347-61.
54. Friess H, Ding J, Kleeff J, et al. Identification of disease-specific genes in chronic pancreatitis using DNA array technology. Ann Surg 2001;234:769-78.

55. Dimcevski G, Sami SA, Funch-Jensen P, et al. Pain in chronic p ancreatitis: the role of reorganization in the central nervous system. Gastroenterology 2007;132:1546-56.
56. Buscher HC, Wilder-SmithOH, van Goor H. Chronic pancreatitis patients show hyperalgesia of central origin: a pilot study. Eur J Pain 2006;10;363-70.
57. Olesen SS, Frokjaer JB, Lelic D, Valerian M, Drews AM. Pain-associated adaptive cortical reorganization in chronic pancreatitis. Pancreatology 2011;10:742-51.
58. Olesen SS, Hansen TM, Graversen C, Steimle K, Wilder-Smith OH, Drewes AM. Slowed EEG rhythmicity in patients with chronic pancreatitis: evidence of abnormal cerebral pain processing? Eur J Gastroenterol Hepatol 2011;23:418-24.
59. Frøkjær JB, Olesen SS, Gram M, et al. Altered brain microstructure assessed by diffusion tensor imaging in patients with chronic pancreatitis. Gut 2011;60:1554-62.
60. Dimcevski G, Schipper KP, Tage-Jensen U, et al. Hypoalgesia to experimental visceral and somatic stimulation in painful chronic pancreatitis. Eur J Gastroenterol Hepatol 2006;18:755-64.
61. Dimcevski G, Staahl C, Andersen SD, et al. Assessment of experimental pain from skin, muscle, and esophagus in patients with chronic pancreatitis. Pancreas 2007;35:22-9.
62. Olesen SS, Brock C, Krarup AL, et al. Descending inhibitory pain modulation is impaired in patients with chronic pancreatitis. Clin Gastroenterol Hepatol 2010;8:724-30.
63. Fregni F, Pascual-Leone A, Freedman SD. Pain in chronic pancreatitis: a salutogenic mechanism or a maladaptive brain response? Pancreatology 2007; 7:411-22.
64. Patrizi F, Freedman SD, Pascual-Leone A, Fregni F. Novel therpeutic approaches to the treatment of chronic abdominal visceral pain. Sci World J 2006;6:472-90.
65. Slaff JI, Wolfe MM, Toskes PP. Elevated fasting cholecystokinin levels in pancreatic exocrine impairment: evidence to support feedback regulation. J Lab Clin Med 1985;105:282-5.
66. Garces MC, Gomez-Cerezo J. Alba D, et al. Relationship of bsal and postprandial intraduodenal bile acid concentrations and plasma cholecystokinin levels with abdominal pain in patients with chronic pancreatitis. Pancreas 1998;17:397-401.
67. Gulley S, Sharma S, Moran T, et al. Cholecystokinin-8 increases Fos-like immunoreactivity in the brainstem and myenteric neurons of rats through CCK1 receptors. Peptides 2005;26:1617-22.
68. Lied II JG, Forsmark CE. Review article: pain and chronic pancreatitis. Aliment Pharmacol Ther 2009;29:706-19.
69. Mossner J, Back T, Regner U, Fischbach W. Plasma cholecystokinin level in chronic pancreatitis. Z Gastroenterol 1989;27:401-5.
70. Shiratori K, takeuchi T, Satake K, Matsuno S. Study group of Loxiglumide in Japan. Clinical evaluation of oral administration of a cholecystokinin-A receptor antagonist (loxiglumide) to patients with acute, painful attacks of chronic pancreatitis: a multicenter dose-response study in Japan. Pancreas 2002;25:e1-5.
71. DiMagno EP, Go VL, Summeerskill WH. Relations between pancreatic enzyme outputs and malabsorption in severe pancreatic insufficiency. N Engl J Med 1973;288:813-5.
72. DiMagno EP. Exocrine pancreatic insufficiency: Current and future treatment. Chronic pancreatitis: Novel concept in biology and therapy. Edited by Buchler MW, Friess H, Uhl W, Malfertheiner P. Blackwell publishing. 2002. pp403-8.

73. 이동기. 만성췌장염 – 1. 원인 및 역학-. 대한소화기학회총서 9. 편집인: 윤용범. 2003. 군자출판사 pp 137-143.
74. Bateman AC, Turner SM, Thomas KS, et al. Apoptosis and proliferation of acinar and islet cells in chronic pancreatitis: evidence for differential cell loss mediating preservation of islet function. Gut 2002;50:542-48.
75. Donowitz M, Hendler R, Spiro HM, Binder HJ, Felig P. Glucagon secretion in acute and chronic pancreatitis. Ann Intern Med 1875;83:778-81.
76. Malka D, Hammel P, Sauvanet A, et al. Risk factors for diabetes mellitus in chronic pancreatitis. Gastroenterology 2000;119:1324-32.
77. Rickels MR, Bellin M, Toledo FG, et al. Detection, evaluation and treatment of diabetes mellitus in chronic pancreatitis: recommendations from PancreasFest 2012. Pancreatology 2013;13:336-42.
78. Anderson DK, Korc M, Petersen GM, et al. Diabetes, pancreatogenic diabetes, and pancreatic cancer. Diabetes 2017;66:1103-10.
79. Raimondi S, Lowenfields AB, Morselli-Labate AM, Maisonneuve P, Pezzizilli R. Pancreatic cancer in chronic pancreatitis; aetiology, incidence, and early detection. Best Pract Res Clin Gastroenterol 2010;24:349-58.
80. Steer ML, Waxman I, Freedman S. Chronic pancreatitis. N Engl J Med 1995;332:1482-90.
81. Moller-Peterson J, Pedersen JO, Pederson NT, Anderson BN. Serum cathodic trypsin-like immunoreactivity, pancreatic lipase, and pancreatic isoamylase as diagnostic tests of chronic pancreatitis or pancreatic steatorrhea. Scand J Gastroenterol 1988;23(2):287-96.
82. Andriulli A, Masoero G, Felder M, et al. Circulating trypsin-like immunoreactivity in chronic pancreatitis. Dig Dis Sci 1981;26(6):532-7.
83. Manjari KS, Jyothy A, Vidyasagar A, Prabhaker B, Nallari P, Venkateshwari A. Matrix metalloproteinase-9, transforming growth factor-β1, and tumor necrosis factor-α plasma levels in chronic pancreatitis. Indian J Gastrenterol 2013;32:103-7.
84. Yasuda M, Ito T, Oono T, et al. Fractalkine and TGF-β1 levels reflect the severity of chronic pancreatitis in humans. World J Gastroenterol 2008;14:6488-95.
85. Lew D, Afghani E, Pandol S. Chronic pancreatitis: current status and challenges for prevention and treatemnt. Dig Dis Sci 2017;62:1702-12.
86. Wagner ACC. Serological tests to diagnose chronic pancreatitis. Chronic pancreatitis;Novel consepts in biology and therapy. Edited by Buchler MW, Friess H, Uhl W, Malfertheiner P. Blackwell publishing. 2002. Osney Mead, oxford , UK. pp217-224.
87. Gullo L, Ventrucci M, Tomassetti P, Migliori M, Pezzilli R. Fecal elastase 1 determination in chronic pancreatitis. Dig Dis Sci 1999;44:210-3.
88. Walkowiak J, Herzig KH, strzykala K, Pryslawski J, Krawczynski M. Fecal elastase-1 is superior to fecal chymotrypsin in the assessment of pancreatic involvement in cystic fibrosis. Pediatrics 2002;110:e7.
89. Amman ST, Bishop M, Curington C, Toskes PP. Fecal pancreatic elasatse 1 is inaccurate in the diagnosis of chronic pancreatitis. Pancreas 1996;13:226-30.
90. 이진헌, 정재복, 박윤희 등. 만성췌장염 환자의 대변 내 췌장 Elastase-1. 대한췌담도연구학회지 2000;5:1-6.
91. Borowitz D. Update on the evaluation of pancreatic exocrine status in cystic fibrosis. Curr Opin Pulm Med 2005;11:524-7.
92. 노임환. 만성췌장염 – 3. 진단 -. 대한소화기학회총서 9. 편집인:윤용범. 2003. 군자출판사 pp 165-177.
93. Steinberg WM, Anderson KK. Serum trypsinogen in daignosis of chronic pancreatitis. Dig Dis Sci

1984;299(1):988-93.
94. 박승우, 정재복, 송시영, 문영명, 강진경, 박인서. 만성췌장염 환자에서 Bentiromide검사와 내시경적 역행성 췌관조영술소견의 비교. 대한소화기학회지 1997;31(2):220-6.
95. Braden B. (13)C breath tests for the assessment of exocrine pancreatic function. Pancreas 2010;39:955-9.
96. van Dijk-van Aalst K, Van den driessche M, van Der Schoor S, et al. 13C mixed triglyceride breath test: a noninvasive method to assess lipase activity in children. J Pediatr Gastroenterol Nutr 2001;32:579-85.
97. Gyr K, Agrawal NM, Felsenfeld O, Font RG. Comparative study of secretin and Lundh test. Am J Dis Dis 1975;20:506-12.
98. Ketwaroo G, Brown A, Young B, et al. Defining the accuracy of secretin pancreatic function testing in patients with suspected early chronic pancreatitis. Am J Gastroenterol 2013;108:1360-6.
99. Albashir S, Bronner MP, Parsi MA, et al. Endoscopic ultrasound, secretin endoscopic pancreatic function test, and histology: Correlation in chronic pancreatitis. Am J Gastroenterol 2010;105:2498-503.
100. Conwell DL, Lee LS, Yadav D, et al. American Pancreatic Association Practice Guideline in Chronic Pancreatitis: Evidence-based Report on Diagnostic Guidelines. Pancreas 2014;43(8):1143-62.
101. Kitagawa M, Naruse S, Ishiguro H, et al. Evaluating exocrine function tests for diagnosing chronic pancreatitis. Pancreas 1997;15:1402-8.
102. Catalano MF, Lahoti S, Geenen JE, et al. Prospective evaluation of endoscopic ultrasonography, endoscopic retrograde pancreatography, and secretin test in the diagnosis of chronic pancreatitis. Gastrointest Endosc 1998;48:11-7.
103. Chowdhury R, Bhutani MS, Mishra G, et al. Combined analysis of direct pancreatic function testing versus morphological assessment by endoscopic ultrasonography for the evaluation of chronic unexplained abdominal pain of presumed pancreatic origin. Pancreas 2005;31:63-8.
104. Stevens T, Dumort JA, Parsi MA, et al. Combined endoscopic ultrasound and secretin endoscopic pancreatic function test in patients evaluated for chronic pancreatitis. Dig Dis Sci 2010;55:2681-7.
105. Sarles H. Pancreatitis: Symposium of Marseille, 1963. Basel, Switzerland: Karger: 1965.
106. Sarner M, Cotton PB. Classification of pancreatitis. Gut 1984;25:756-9.
107. Sarles H, Adler G, dani R, et al. The pancreatitis classification of Marseilles-Rome. Digestion 1989;43:234-6.
108. Cahri ST, Singer MV. The problem of classification and staging of chronic pancreatitis. Proposal based on current knowledge of its natural history. Scand J Gastroenterol 1994;29:949-60.
109. Amman RW. A clinically based classification system for alcoholic chronic pancreatitis: summary of an international workshop on chronic pancreatitis. Pancreas 1997;14:215-21.
110. Homma T, Harada H, Koizumi M. Diagnostic criteria for chronic pancreatitis by the Japan Pancreas Society. Pancreas 1997;15:14-5.
111. Etemad B, Whitcomb DC. Chronic pancreatitis: diagnosis, classification and new genetic developments. Gastroenterology 2001;120:682-707.
112. Ramesh H. Proposal for a New Grading System for Chronic Pancreatitis. J Clin Gastroenterol 2002;35(1):67-70.
113. Schneider A, Lohr JM, Singer MV. The MANNHEIM classification of chronic pancreatitis: Introduction of a unifying classification system based on a review of previous classifications of the disease. J Gastroenterol 2007;42:101–119.
114. Sarner M, Cotton PB. Definition of acute

and chronic pancreatitis. Clin Gastroenterol 1984;13:865-70.

115. Buchler MW, Martignoni ME, Friess H, et al. A proposal for a new clinical classification of chronic pancreatitis. BMC Gastroneterol 2009; 9: 93
116. Bagul A, Siriwardena AK. Evaluation of the Manchester Classification System for Chronic Pancreatitis. JOP J Pancreas(Online) 2006;7(4):390-6.
117. Shimosegawa T, Kataoka K, Kamisawa T, et al. The revised Japanese clinical diagnostic criteria for chronic pancreatitis. J Gastroenterol 2010;45:584-91.
118. Yamabe A, Irisawa A, Shibukawa G, et al. Early diagnosis of chronic pancreatitis : understanding the risk factors associated with the development of chronic pancreatitis. Fukushima J Med Sci 2017;63:1-7.
119. 이홍식, 김태년, 이돈행 등. 만성췌장염 가이드라인. 대한췌담도학회지 2008;13(1):38-48.

23-2 만성췌장염의 영상진단: 복부초음파, 전산화 단층촬영 및 자기공명영상 (Imaging diagnosis of chronic pancreatitis: abdominal ultrasonograpy, CT and MRI)

김한솔, 박미숙

서론

만성췌장염은 특징적인 형태학적 변화를 수반하는 질환으로서 단순복부촬영, 초음파, 전산화 단층촬영, 자기공명영상 등과 같은 영상검사가 진단 및 합병증의 평가에 매우 중요하다. 그러나, 노인에서 질환과 관련 없이 나타날 수 있는 췌장실질의 위축이나 췌관 확장 같은 소견이 만성췌장염과 유사한 소견을 보이는 경우가 많고, 특히 영상검사상 만성췌장염이 췌장암과 감별진단하기가 어려운 경우가 많아 세심한 주의를 요한다. 본 장에서는 만성췌장염의 특징적인 영상 소견에 대해서 살펴보고 영상진단 및 합병증의 평가, 감별진단 시 주의할 점에 대해서 살펴보고자 한다.

1. 단순복부촬영

단순복부촬영에서 특징적인 췌장실질의 석회화가 관찰되면 만성췌장염을 쉽게 진단할 수 있다. 그러나, 췌장의 석회화는 질환이 상당히 진행한 후기에 나타나는 소견이므로 만약 진단 당시 석회화 병변이 관찰된다면 이미 병이 많이 진행 된 상태라는 것을 의미한다. 석회화는 대체로 작고 불규칙한 모양으로 미만형(diffuse calcification)으로 췌장 전반에 걸쳐서 발견되기도 하고, 국소 부위에 집중적으로 침착되기도 한다[1,2] (그림 23-2-1).

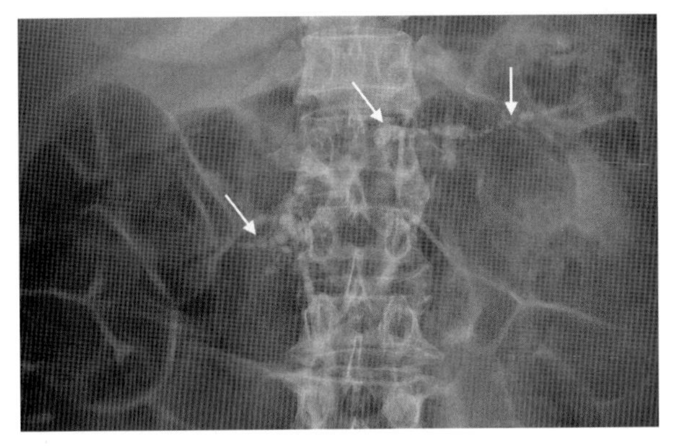

그림 23-2-1. **만성췌장염의 단순복부촬영.** 췌장실질 전반에 걸쳐 미만성(diffuse) 석회화(화살표)가 관찰됨.

2. 초음파(ultrasonography)

초음파는 비침습적이고, 비용이 상대적으로 저렴하기 때문에 만성췌장염 및 만성췌장염의 합병증이 의심되는 환자에서 일차적으로 사용하는 경우가 많다. 특히, 초음파 장비의 성능이 향상되면서 과거에 비해서 췌장염 환자의 진단능(diagnostic performance)도 대폭 향상되었다. 그러나, 초기 단계의 만성췌장염에서는 형태학적인 변화가 뚜렷하지 않은 경우가 많기 때문에 초기 만성췌장염을 진단하는 데 초음파의 역할이 제한되어 있는 것도 사실이다.

초음파상 췌장 자체의 크기가 작고, 췌장실질의 위축 및 소실을 동반하며 외연이 불규칙하면 만성췌장염을 의심할 수 있다. 또한, 췌장 전반의 초음파 에코가 대체로 비균질(heterogeneous)해지는데, 즉 섬유화 및 석회화로 인해 에코가 증가하기도 하고 염증으로 인해 에코가 감소하기도 한다[3,4]. 췌관의 불규칙적 확장, 췌장

실질 및 췌관의 석화화, 담도 확장 등의 소견이 나타난다. 초음파에서 관찰되는 석회화 병변의 전형적인 소견은 췌장실질 혹은 췌관내에 후방 음향 그림자(posterior acoustic shadowing)를 동반한 고에코의 병변 양상이다. 그러나, 석회화의 크기가 작으면 후방 음향 그림자가 없을 수도 있다. 석회화 병변의 존재는 초음파에서 관찰할 수 있는 만성췌장염의 가장 특이도가 높은 소견으로 알려져 있다[3,4].

만성췌장염의 합병증으로 가성낭종이 종종 동반되면 초음파상 단방형의 경계가 좋은 무에코 액체저류(anechoic fluid collection) 소견으로 보인다. 그 외 이차적인 소견으로 담도의 확장(biliary dilatation)이나 비장정맥의 혈전이 관찰되는 경우도 있다[5].

사실 췌장의 크기나 외연의 이상(contour abnormality)은 초음파로 만성췌장염을 진단하는 데 있어서 민감도가 낮은 소견이다. 왜냐하면 만성췌장염의 초기에는 췌장이 전반적으로 커지는 경우도 있고, 병이 어느 정도 진행된 이후에야 췌장실질의 위축이나 국소적인 크기 증가 소견이 나타나는 경우가 많기 때문이다. 고령의 환자에서 질병이 없더라도 췌장실질이 위축되기도 해서 초음파상에서 췌장의 크기 변화 및 외연의 이상 소견만 가지고 만성췌장염을 진단하기가 어려울 때가 많다[3].

만성췌장염 때 나타나는 에코의 이상 소견도 해석하기 어려운 경우가 많은데, 예를 들면 만성췌장염에서 전반적으로 췌장실질의 에코가 증가하는 경향을 보이는 것은 사실이지만, 췌장염의 급성 악화 시기(acute exacerbation)에는 조직의 부종 때문에 저에코 소견을 보일 수도 있다[3,4,6]. 또, 확장된 췌관을 빈번하게 관찰할 수 있는데, 초음파상 췌장내부에 무에코(anechoic)의 기다란 구조물을 관찰할 수 있다.

도플러 초음파(doppler ultrasonography)는 문맥이나 비장정맥의 혈전, 비장 동맥의 동맥류와 같은 만성췌장염에 의한 혈관 합병증을 진단하는 데 도움이 된다.

3. 전산화 단층촬영 (computerized tomography, CT)

조영증강 전산화 단층촬영은 만성췌장염이 의심되는 환자에서 일차적으로 고려되어야 할 영상 검사이다. 전산화 단층촬영을 이용한 만성췌장염 평가 시 췌장의 실질의 위축, 췌관의 확장, 췌관 결석 및 실직의 석회화 같은 췌장의 형태적 이상 소견을 관찰할 수 있다[4,7] (그림 23-2-2, 3). 그러나, 전산화 단층촬영이 만성췌장염의 형태적 이상 소견들을 비교적 정확하게 관찰할 수 있는 영상 검사임에는 틀림이 없으나, 초기의 만성췌장염이 형태적 이상을 거의 수반하지 않는 경우가 많다는 점과 영상검사에서 발견된 췌장의 형태적 이상이 췌장의 기능적 이상을 충분히 대변하지는 않는다는 제한점이 있다. 결과적으로, 만성췌장염의 중증도(severity)를 파악하는데 있어서 전산화 단층촬영의 역할은 제한되어 있다고 하겠다. 전산화 단층촬영의 만성췌장염 진단 민감도는 50~90%, 특이도는 55~85% 정도로 알려져 있다[2].

췌장의 크기 변화는 만성췌장염을 진단함에 있어서 중요한 소견이다. 그러나, 만성췌장염 환자의 약 15%~20%에서 췌장의 크기가 정상이거나, 조금 커지기도 하며, 약 30%의 환자에서는 췌장의 국소적인 크기 증가가 나타난다[2]. 더군다나 만성췌장염이 없는 정상 노령인구에서도 어느 정도의 췌장실질 위축이 나타날 수 있기 때문에 췌장의 크기 변화 소견의 해석에 있어서 주의해야 하며, 환자의 과거력, 임상 양상 및 기능검사 결과를 같이 고려하여 신중하게 감별진단해야 한다. 만성췌장염에 동반된 췌관의 불규칙적인 국소 확장은 특히 췌장종양과 감별해야 하는 소견이다.

전산화 단층촬영이 석회화를 관찰하는데 가장 좋은 검사로, 약 50%의 만성췌장염 환자에서 석회화를 관찰할 수 있는데, 진단적 가치가 높은 소견이다[2]. 석회화는 췌장 전반에 걸쳐서 나타나거나, 췌장의 한 부위에만 국소적으로 분포할 수도 있다. 또 석회화 병변의 개수

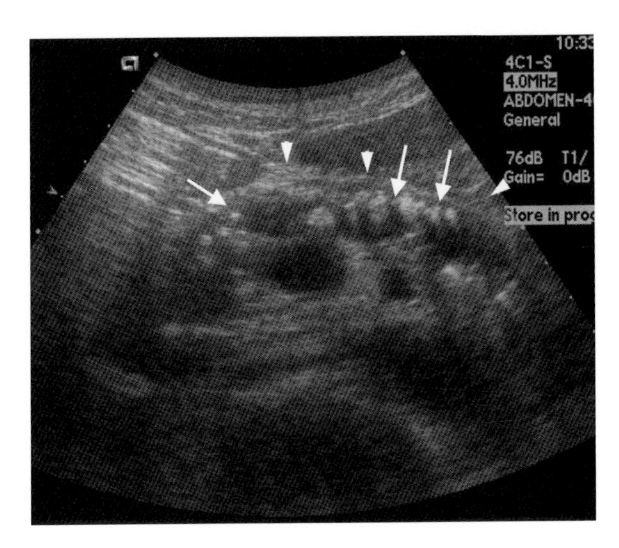

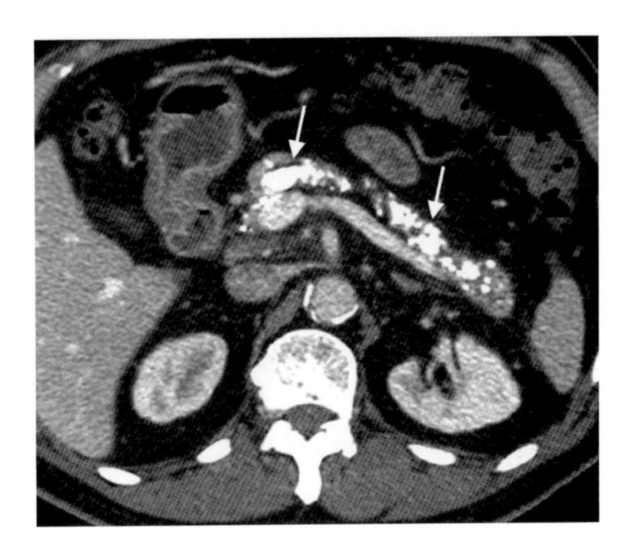

그림 23-2-2. **만성췌장염의 초음파 및 같은 환자의 전산화 단층촬영 영상.**
위축된 췌장실질 위축 소견(화살표 머리) 및 석회화(화살표)가 관찰됨.

도 편차가 커서 미만형으로 수도 없이 관찰될 때가 있는가 하면, 단 하나만 나타날 수도 있다[1,2].

췌장에 국소적인 염증이 있으면 마치 종괴 모양의 병변이 생길 수가 있고, 췌관의 불규칙적 확장이 나타나는 수도 있기 때문에 췌장암과 매우 유사한 소견을 보여서 감별진단이 어렵다[8,9]. 전산화 단층촬영만으로 만성췌장염과 췌장암을 충분히 구분하기 어려울 때는 자기공명영상 검사를 시행하면 추가적인 정보를 얻을 수 있다[10,11]. 그렇지만 영상검사만으로는 췌장암과 만성 염증으로 초래된 종괴 모양 병변을 정확히 감별진단하는 것이 불가능한 경우도 드물지 않다.

약 2~3%의 만성췌장염 환자에서 췌장암이 실제로 발생할 수도 있는데, 췌장암이 새로 발생하더라도 전산화 단층촬영으로 초기에 발견하기는 쉽지 않다. 이전에 시행했던 영상 검사와 비교하여 새로 생긴 종괴 병변이 관찰되거나, 기존에 있던 병변이라도 크기가 빠르게 증가하는 양상의 경계가 불분명하고 균질한 종괴(rapidly increasing homogeneous and ill-defined pancreatic mass)가 발견되면 췌장암의 가능성을 의심해야 한다. 이에 반해, 종괴 형상의 병변이 있더라도 동반된 소견으로 췌관이 늘어나지 않았거나, 점진적으로 좁아지는 췌관이 해당 종괴를 관통하는 경우(duct penetrating sign), 석회화가 있을 때, 그리고 불규칙적인 주행양상으로 췌관 확장이 관찰되는 경우 췌장암보다는 만성췌장염에 의한 종괴 병변의 가능성이 더 높다[12-14](그림 23-2-3). 그러나 췌장암과 국소적인 만성췌장염의 영상 소견은 상당히 유사하기 때문에 영상검사만으로는 정확히 구분하기 어려운 경우가 드물지 않다.

전산화 단층촬영은 만성췌장염에 동반되는 합병증을 진단하는데 좋은 검사 방법이다. 다양한 크기의 가성낭종(pseudocyst)이 췌장이나 췌장 주변에서 관찰될 수도 있으며, 약 25~60%의 만성췌장염 환자에서 가성낭종이 관찰된다[15,16]. 그 외 합병증으로 가성동맥류(pseudoaneurysm)나 비장정맥내 혈전, 심한 부행 순환(collateral circulation), 위정맥류(gastric varices)가 관찰 될 수 있다. 특히 반복적인 급성 악화를 경험하는 만성췌장염 환자에서 심한 출혈 및 혈종 소견이 관찰되는 경우도 있다.

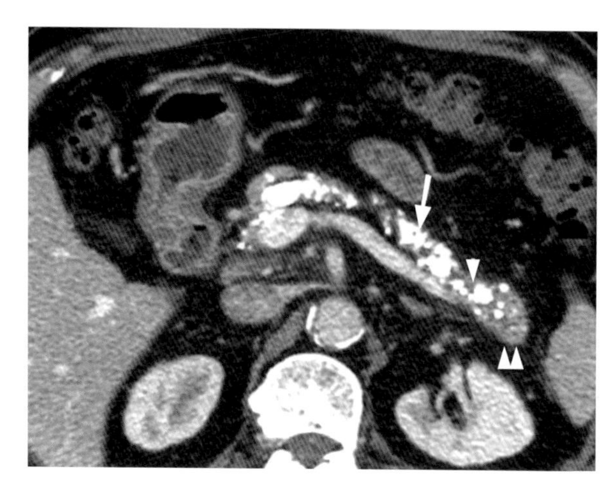

그림 23-2-3. **만성췌장염의 전산화 단층촬영 영상.** 위축된 췌장실질 위축 소견(화살표 머리) 및 석회화(화살표)가 관찰됨. 전반적인 췌장실질의 위축 및 소실이 일어난 데에 반하여 췌장 꼬리 부분은 국소적으로 커져서 볼록한 외연을 보임(이중 화살표 머리).

4. 자기공명영상 (magnetic resonance imaging, MRI)

전산화 단층촬영에서 관찰되는 만성췌장염의 형태학적 이상 소견에 덧붙여 자기공명영상검사에서 췌장실질의 신호 강도 이상 소견(signal intensity abnormality)을 확인할 수 있다[17]. 췌장의 실질을 평가하는데 있어서 조영증강 전 T1 강조영상(precontrst T1 weighted images)과 가돌리늄 조영제 조영증강 지방억제 T1 강조영상(gadolinium-enhanced T1 weighted fat suppressed images)이 유용하다. 정상 췌장은 외분비(exocrine) 단백질로 인하여 고신호 강도를 보이기 때문에 T1 강조영상에서 정상 췌장의 실질 조직은 간과 비교했을때 신호강도가 높거나 유사하며, 조영증강도 잘 된다. 그러나, 만성췌장염이 있으면 단백질 성분이 줄어들고 섬유화가 발생하면서 췌장실질의 신호강도가 낮아진다. 따라서, 형태학적 이상이 뚜렷하지 않은 초기의 만성췌장염을 진단하는데 자기공명영상이 전산화 단층촬영보다 민감도가 우수하고, 상대적으로 더 초기에 진단이 가능하다고 알려져 있다[12,18-20]. 가돌리늄 조영제 조영증강 지방억제 T1 강조영상에서는 만성 염증 및 섬유화로 인하여 동맥기(arterial phase)에서 조영증강의 정도가 감소하고, 불균질해지는 양상(decreased heterogeneous enhancement)을 보인다[12,18,20,21].

만성췌장염의 평가에 있어서 석회화 병변의 관찰이 중요하지만, 자기공명영상 검사는 전산화 단층촬영보다 석회화 발견 민감도가 상당히 낮다. 석회화 병변은 T2 강조영상에서 낮은 신호 강도를 보이는 병변으로 관찰된다(그림 23-2-4, 5).

췌관 이상 소견은 전산화 단층촬영보다는 자기공명영상에서 더 확연하게 잘 관찰할 수 있다. 주췌관의 확장과 더불어 췌관 분지들이 함께 확대된 소견(chain of lakes appearance)이 관찰되면 만성췌장염의 가능성이 높다[12]. 만성췌장염이 진행된 경우 확장된 주췌관의 모양이 염주 모양 (beaded appearance)을 보이거나 불규칙하며, 췌관내에 돌이 있는 경우가 많다. 고령의 환자에서는 별다른 질환이 없어도 췌관이 확장되어 만성췌장염과 비슷한 형상을 보일 수도 있으므로 해석에 주의를 요한다.

만성췌장염에 동반된 합병증을 평가하는 데 있어서 조영증강 후 T1 강조영상으로 괴사 조직을 더 민감하게 확인할 수 있고, T2 강조영상은 액체성분 및 가성낭종의 발견과 출혈의 유무를 평가하는 데 좋다. 그 외 자기공명췌담관 조영술에서 주췌관의 불규칙한 협착 및 확장 여부, 췌장내 총담관의 협착 및 근위부 확장 등을 볼 수 있다[17,22](그림 23-2-4, 5).

자기공명췌담관 조영술(magnetic resonance cholangiopancreatography)은 비침습적이어서 내시경 역행 췌담관 조영술(endoscopic retrograde cholangiography)처럼 합병증이 발생할 위험이 없고, 방사선에 노출될 염려가 없으며 요오드화 조영제(iodinated contrast agent)를 사용할 필요가 없다는 장점들로 인하여 점점 많이 시행하는 추세이다. 자기공명

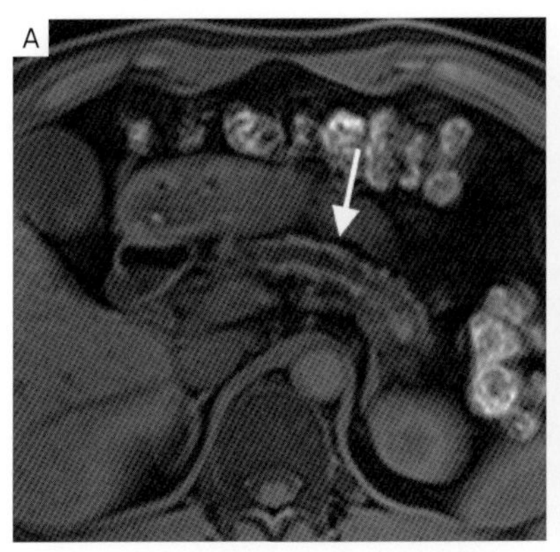

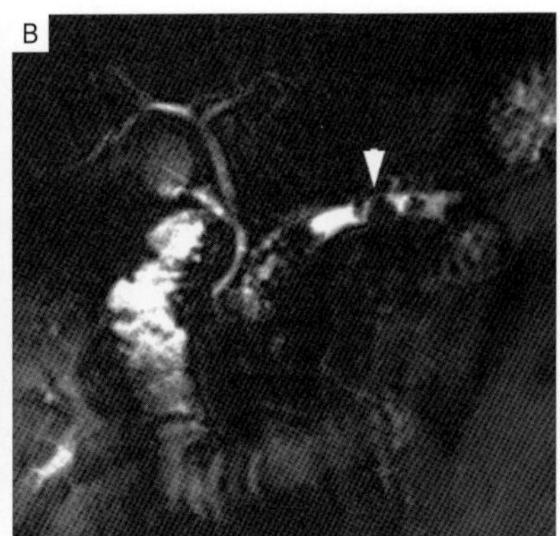

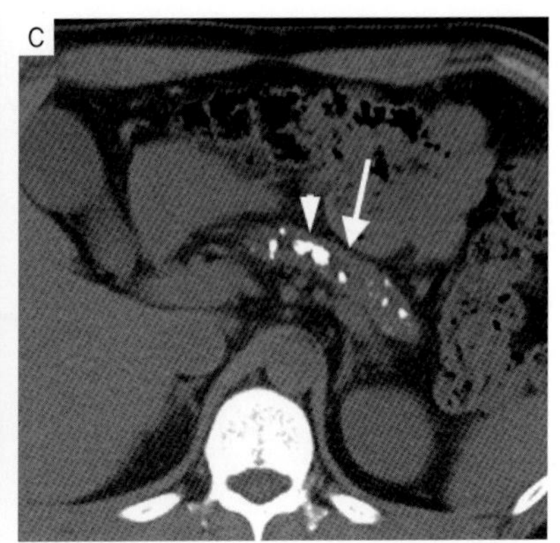

그림 23-2-4. **만성췌장염의 자기공명영상 검사.**
A. 조영 전 T1 강조영상, B. 자기공명췌담도 조영술, C. 같은 환자의 전산화 단층촬영 영상.
위축된 췌장실질 위축 소견(화살표) 및 늘어난 췌관내에 위치한 석회화 병변(화살표 머리)이 관찰됨.

췌담관 조영술은 배관 삽입(cannulation)을 요하지 않기 때문에 췌담관의 이상으로 인하여 내시경 역행 췌담관 조영술을 위한 배관 삽입이 어려운 환자에서도 문제없이 시행할 수 있다. 액체저류가 있는 구조물(fluid-filled structure)을 잘 보여주기 때문에 췌관 확장, 불규칙함(irregularity), 췌관내 돌(intraductal stone), 췌관 폐쇄(obstruction) 같은 췌관의 병변이나 가성낭종(pseudocyst, 그림 23-2-5)을 잘 관찰할 수 있으며, 특히 내시경 역행 췌담관 조영술에서 잘 보여지지 않는 경우라도 쉽게 발견할 수 있다는 장점이 있다[23]. 특히, 자기공명췌담관 조영술은 췌관 폐쇄 병변이 있더라도 폐쇄된 근위부와 원위부의 췌관을 모두 보여주기 때문에 폐쇄를 초래하는 병변의 위치와 범위, 특징 및 원인을 평가하는데 유용하다[24]. 췌관의 이상 소견을 진단하는 데 있어서 자기공명췌담관 조영술의 민감도는 56~100%, 특이도는 86~100%로 보고되었다[25-27].

결론

만성췌장염은 단층복부촬영 영상, 초음파, 전산화 단층촬영, 자기공명영상 등의 영상 검사를 통해 이 질환에 동반되는 특징적인 형태학적 변화를 관찰함으로써 진단할 수 있다. 즉, 영상검사에서 췌장실질의 석회화 병변, 췌관내 돌, 췌장실질의 위축 및 소실, 불규칙한 췌장 외연, 췌장 신호의 비균질성(heterogeneous) 및 신호 이상, 췌관의 확장과 같은 특징적인 해부학적 이상의 존재 여부를 평가하게 되며, 특징적인 소견이 확인되면 어렵지 않게 만성췌장염을 진단할 수 있다. 그러나, 췌장에 국소적인 염증이 있으면 마치 종괴 모양의 병변이 생길 수가 있고, 췌관의 불규칙적 확장이 나타나는 수도 있기 때문에 췌장암과 매우 유사한 소견을 보여서 감별진단이 어려운 경우가 많고, 만성췌장염 환자에서 췌장암이 실제로 발생할 수도 있어서 영상 진단 시 세심한 주의를 요한다.

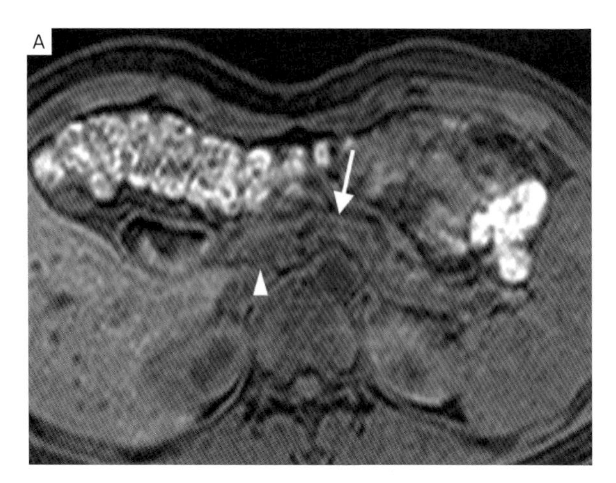

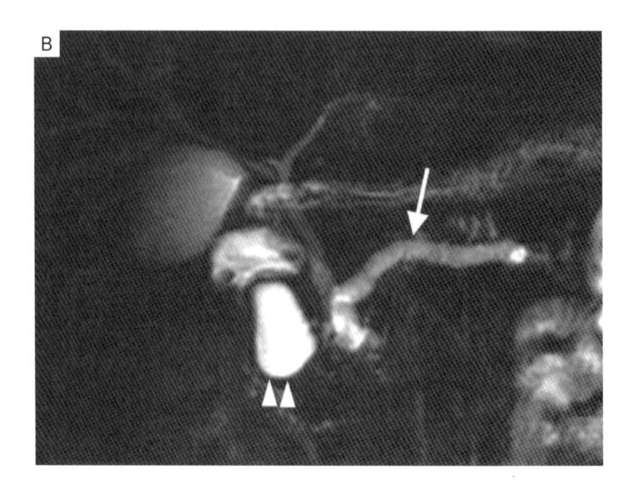

그림 23-2-5. **만성췌장염의 자기공명영상 검사.**
A. 조영 전 T1 강조영상, B. 자기공명췌담도 조영술 영상.
위축된 췌장실질 위축 소견과 특별한 폐쇄 병변없이 전반적으로 확장된 췌관(화살표)이 관찰되며 췌장 두부에는 불균등하게 신호강도가 감소(화살표머리)하였음. 췌장 두부 근처에 가성낭종(이중 화살표 머리)가 관찰됨.

References

1. Lesniak RJ, Hohenwalter MD, Taylor AJ. Spectrum of causes of pancreatic calcifications. AJR Am J Roentgenol 2002;178:79-86.
2. Luetmer PH, Stephens DH, Ward EM. Chronic pancreatitis: reassessment with current CT. Radiology 1989;171:353-7.
3. Alpern MB, Sandler MA, Kellman GM, Madrazo BL. Chronic pancreatitis: ultrasonic features. Radiology 1985;155:215-9.
4. Remer EM, Baker ME. Imaging of chronic pancreatitis. Radiol Clin North Am 2002;40:1229-42, v.
5. Bolondi L, Li Bassi S, Gaiani S, Barbara L. Sonography of chronic pancreatitis. Radiol Clin North Am 1989;27:815-33.
6. Shawker TH, Linzer M, Hubbard VS. Chronic pancreatitis: the diagnostic significance of pancreatic size and echo amplitude. J Ultrasound Med 1984;3:267-72.
7. Siddiqi AJ, Miller F. Chronic pancreatitis: ultrasound, computed tomography, and magnetic resonance imaging features. Semin Ultrasound CT MR 2007;28:384-94.
8. Ferrucci JT, Wittenberg J, Black EB, Kirkpatrick RH, Hall DA. Computed body tomography in chronic pancreatitis. Radiology 1979;130:175-82.
9. Gerstenmaier JF, Malone DE. Mass lesions in chronic pancreatitis: benign or malignant? An "evidence-based practice" approach. Abdom Imaging 2011;36:569-77.
10. Semelka RC, Kelekis NL, Molina PL, Sharp TJ, Calvo B. Pancreatic masses with inconclusive findings on spiral CT: is there a role for MRI? J Magn Reson Imaging 1996;6:585-8.
11. Balthazar EJ. Pancreatitis associated with pancreatic carcinoma. Preoperative diagnosis: role of CT

imaging in detection and evaluation. Pancreatology 2005;5:330-44.

12. Miller FH, Keppke AL, Wadhwa A, Ly JN, Dalal K, Kamler VA. MRI of pancreatitis and its complications: part 2, chronic pancreatitis. AJR Am J Roentgenol 2004;183:1645-52.
13. Ichikawa T, Sou H, Araki T, et al. Duct-penetrating sign at MRCP: usefulness for differentiating inflammatory pancreatic mass from pancreatic carcinomas. Radiology 2001;221:107-16.
14. Johnson PT, Outwater EK. Pancreatic carcinoma versus chronic pancreatitis: dynamic MR imaging. Radiology 1999;212:213-8.
15. Balthazar EJ, Freeny PC, vanSonnenberg E. Imaging and intervention in acute pancreatitis. Radiology 1994;193:297-306.
16. Balthazar EJ. Complications of acute pancreatitis: clinical and CT evaluation. Radiol Clin North Am 2002;40:1211-27.
17. Semelka RC, Shoenut JP, Kroeker MA, Micflikier AB. Chronic pancreatitis: MR imaging features before and after administration of gadopentetate dimeglumine. J Magn Reson Imaging 1993;3:79-82.
18. Sica GT, Miller FH, Rodriguez G, McTavish J, Banks PA. Magnetic resonance imaging in patients with pancreatitis: evaluation of signal intensity and enhancement changes. J Magn Reson Imaging 2002;15:275-84.
19. Zhang XM, Shi H, Parker L, Dohke M, Holland GA, Mitchell DG. Suspected early or mild chronic pancreatitis: enhancement patterns on gadolinium chelate dynamic MRI. Magnetic resonance imaging. J Magn Reson Imaging 2003;17:86-94.
20. Hakime A, Giraud M, Vullierme MP, Vilgrain V. MR imaging of the pancreas. J Radiol 2007;88:11-25.
21. Keppke AL, Miller FH. Magnetic resonance imaging of the pancreas: the future is now. Semin Ultrasound CT MR 2005;26:132-52.
22. Mitchell DG. MR imaging of the pancreas. Magn Reson Imaging Clin N Am 1995;3:51-71.
23. Leyendecker JR, Elsayes KM, Gratz BI, Brown JJ. MR cholangiopancreatography: spectrum of pancreatic duct abnormalities. AJR Am J Roentgenol 2002;179:1465-71.
24. Ward J, Chalmers AG, Guthrie AJ, Larvin M, Robinson PJ. T2-weighted and dynamic enhanced MRI in acute pancreatitis: comparison with contrast enhanced CT. Clin Radiol 1997;52:109-14.
25. Sica GT, Braver J, Cooney MJ, Miller FH, Chai JL, Adams DF. Comparison of endoscopic retrograde cholangiopancreatography with MR cholangiopancreatography in patients with pancreatitis. Radiology 1999;210:605-10.
26. Calvo MM, Bujanda L, Calderon A, et al. Role of magnetic resonance cholangiopancreatography in patients with suspected choledocholithiasis. Mayo Clin Proc 2002;77:422-8.
27. Varghese JC, Masterson A, Lee MJ. Value of MR pancreatography in the evaluation of patients with chronic pancreatitis. Clin Radiol 2002;57:393-401.

23-3 만성췌장염의 내시경진단: 내시경초음파 및 내시경적 역행성 담췌관조영술 (Endoscopic diagnosis of chronic pancreatitis: EUS and ERCP)

정문재

서론

재발성 췌장염, 알코올 또는 흡연의 기왕력이 있으면서 지방변과 체중 감량, 특징적인 췌장의 형태학적인 변화를 동반한 경우 만성췌장염을 진단하는 것은 어려운 일이 아니다. 하지만 경미한 형태 및 기능적 변화를 동반한 초기의 만성췌장염을 진단하는 것은 여전히 어려운 과제이다. 만성췌장염의 진단법은 내시경 및 영상학적 기술의 진보와 함께 꾸준하게 발전하고 있으며, 특히 내시경하 췌장 기능 검사를 포함한 내시경적 진단법이 최근 그 임상적 적용을 확대해 나가고 있다. 일반적으로 만성췌장염이 임상적으로 의심되는 환자의 진단은 문진, 영상학적 검사와 같은 비침습적 진단법으로부터 시작하여 내시경학적 검사 및 췌장 기능 검사와 같은 침습적 진단법 순으로 진행하는 단계별 접근법을 따르도록 권고되고 있다.

과도한 진단으로 인한 불필요한 치료를 피하기 위해서는 만성췌장염의 진단기준을 엄격하게 적용하여야 한다. 미국 췌장학회(American Pancreatic Association)는 비침습적 진단 방법으로부터 시작하여 침습적인 진단 방법으로 진행하는 단계별 접근법을 제시한 바 있다[1] (그림 23-3-1). 이러한 진단 알고리즘을 적용함으로써 만성 복통을 호소하지만 영상 검사상 만성췌장염에 합당한 소견을 보이지 않아 진단이 어려운 환자에서 만성췌장염의 진단 위양성률을 최소화할 수 있다. 아직까지 질병 진행을 되돌릴 수 있는 명확한 치료법이 없다는 점을 감안할 때, 만성췌장염으로 확진하는 데에 신중할 필요가 있다. 만성췌장염 진단이 모호한 경우에는 진단을 위한 증거가 분명해질 때까지 반복적인 추적 영상 및 췌장 기능 검사를 고려해야 한다. 췌장의 전산화 단층촬영(computed tomography, CT)은 보통 처음 선택할 수 있는 영상학적 진단 방법이다. CT상 병변이 명확하지 않은 경미한 만성췌장염 소견을 보이는 경우 자기공명영상(magnetic resonance imaging, MRI), 세크레틴 자기공명 담췌관조영술(secretin-enhanced magnetic resonance cholangiopancreatography, sMRCP), 내시경초음파(endoscopic ultrasonography, EUS), 내시경적 역행성 담췌관조영술(endoscopic retrograde cholangiopancreatography, ERCP) 및 췌장 기능 검사 등 추가 검사를 고려할 수 있다. EUS, ERCP, MRI, CT 모두 초기 만성췌장염을 진단하기 위해 높은 진단 정확도를 보인다. 만성췌장염을 진단하기 위한 진단 방법을 선택하기 위해서는 검사의 침습성, 검사 방법의 가용성, 시술자의 경험 및 시술 비용 등을 모두 고려하여야 한다[2,3]. 이번 장에서는 만성췌장염의 진단법으로서 EUS와 ERCP의 역할에 대해 알아보도록 하겠다.

1. 내시경초음파 (endoscopic ultrasonography, EUS)

EUS를 통해 다른 영상학적 검사 및 췌장 기능 검사에서 비정상 소견을 보이기 전에 췌장 구조의 미세한 변화를 먼저 확인할 수 있어, 만성췌장염 진단을 위해 EUS가 유용하게 이용되고 있다.

1) 만성췌장염의 조기 진단을 위한 EUS의 역할

EUS는 복부 초음파와 비교할 때, 근접 촬영을 통해 장내 공기에 의한 방해를 받지 않으면서 고주파 신호를 이용하여 고해상도의 췌장실질 및 췌관 영상을 얻을 수 있다는 장점을 가진다. EUS는 주로 초기 만성췌장염의 진단을 위해 가장 민감한 진단법으로서, 적용하는 진단기준을 강화할 경우에는 진단 특이도를 증가시킬 수 있다[2,4,5]. 만성췌장염의 진단을 위한 EUS의 전통적인 표준 진단 시스템은 췌장실질과 췌관의 특징적인 소견을 바탕으로 췌장의 섬유화 유무를 판단하는 시스템이다[6-8](그림 23-3-2). 실질 변화에는 고에코 초점(hyperechoic foci), 고에코 가닥(hyperechoic strands), 저에코 소엽(hypoechoic lobules) 및 cyst(낭종) 등 4개의 요소가 포함되며, 췌관 변화에는 주췌관 또는 분지췌관의 확장(main or side branch duct dilation), 불규칙한 주췌관(main duct irregularity), 고에코 관벽(hyperechoic duct walls), 및 석회화/결석(calcifications/stones) 등 5개의 요소가 포함된다. 이러한 개개의 요소들의 중증 정도를 각각 none, minimal, moderate 또는 extensive로 분류하기도 하지만, 실제로는 각각 특정 소견의 존재 여부만으로 이상 소견의 개수를 점수화(최대 9점)하여 진단에 이용하기도 한다. 이 기준들 중 어느 것도 충족되지 않을 경우 환자가 실제 만성췌장염일 확률이 매우 낮아지게 된다[9]. 대부분의 연구에서 3개의 이상의 소견이 양성일 경우를 만성췌장염으로 정의하고, 이러한 기준을 적용하는 경우 검사의 민감도는 80%, 특이도는 80~100%로 보고되고 있다[10-13]. 이후 제시된 진단 시스템인 Rosemont criteria는 전문가 합의를 통해 제시되었으며, 주요기준 및 부기준 등 좀 더 세분화된 기준을 포함하여 진단 예측도를 반정량화 하려고 시도하였다[14]. 예측 정확도의 차이를 바탕으로 주요기준을 다시 주요기준 A와 주요기준 B로 세분하였다. 췌장실질의 주요기준 A는 (1) 그림자를 동반한 고에코 초점(hyperechoic foci with shadowing), (2) 경계가 명확한 소엽(well-circumscribed lobularity) 등 두 가지 기준을 포함한다. 췌관의 주요기준 A는 주췌관 결석[main pancreatic duct (MPD) calculi]이 포함된다. 췌장실질 주요기준 B는 벌집 모양의 연속된 소엽화(lobularity with honeycombing)로 정의된다. 췌장실질 부기준은 낭종(cyst), 고에코 가닥 형성(stranding), 그림자를 동반하지 않은 고에코 초점(non-shadowing hyperechoic foci), 연속하지 않는 소엽화(lobularity with noncontiguous lobules)가 포함된다. 췌관의 부기준은 확장된 췌관(췌장 몸통 부위 ≥ 3.5 mm 및 췌장 꼬리 부위 ≥ 1.5 mm), 불규칙한 주췌관의 윤곽, 확장된 분지췌관 ≥ 1 mm, 고에코 췌관벽이 포함된다. Rosemont Classification에 따르면 (A) 한 개의 주요기준 A와 3개 이상의 부기준, (B) 한 개의 주요기준 A와 주기준 B, (C) 두 개의 주요기준 A 등 3가지 정의 중 하나에 합당할 경우 만성췌장염에 합당(consistent)하다고 정의한다. 이외에 표 23-3-1에서와 같이 주요기준과 부기준의 조합에 따라 만성췌장염 진단의 가능성을 "암시적인(suggestive)", "불확정적인(indeterminate)" 또는 "정상(normal)" 등으로 분류한다. Rosemont criteria는 기준마다 가중치를 설정함으로 진단 가능성을 반정량화하려고 시도하였다는 점에서 이전 진단기준과 비교하여 진전을 이루었다고 평가할 수 있겠으나, 명확한 근거를 바탕으로 하였다기 보다는 전문가의 의견만을 토대로 하였다는 한계가 있다.

전술한 바와 같이 EUS에 의한 만성췌장염의 진단은 초음파 영상의 해석에 근거하게 되는데, 만성췌장염의 진단을 위해 EUS 소견을 이용하는데 있어서 가장 큰 한계 중 하나는 관찰자간 일치도(interobserver agreement)가 불량하다는 점이다. 만성췌장염의 진단을 위한 EUS 영상의 해석에 있어 관찰자간 일치도를 조사한 연구들 중, 일부 연구들을 제외하고[15], 대부분의 연구에서 관찰자간 일치도가 기대에 미치지 못했다. 33

Step 1: Survey - data review, RISK FACTORS, CT imaging
Step 2: Tomography - Pancreas protocol CT Scan, MRI / S-MRCP

- **Clinical signs and symptoms suggestive of chronic pancreatic disease**: abdominal pain, weight loss, steatorrhea, malabsorption, history of alcohol abuse, recurrent pancreatitis, fatty-food intolerance
- Perform history, physical exam, review of laboratory studies, consider fecal elastase measurement

↓ Intial imaging modality

Step 1

- CT Scan
- *CP Diagnostic criteria*: calcifications in combination with atrophy and/or dilated duct
- Diagnostic criteria met: no further imaging needed
- Inconclusive or nondiagnostic results: continue to **Step 2**

↓

Step 2

- **MRI/MRCP with secretin enhancement (sMRCP)**
- *CP Diagnostic criteria*: Cambridge Class III, dilated duct, atrophy of gland, fillings defects in duct suggestive of stones
- Diagnostic criteria met: no further imaging needed
- Inconclusive or nondiagnostic results: continue to **Step 3**

↓

Step 3: Endoscopy - EUS (standard criteria)
Step 4: Pancreas Function - Dreiling, ePFT
Step 5: ERCP (with intent for therapeautic intervention)

Step 3

- **Endoscopic Ultrasound (EUS) with quantification of parenchymal and ductal criteria**
- CP Diagnostic criteria: ≥ 5 EUS CP criteria
- Diagnostic criteria met: no further imaging needed
- Inconclusive or nondiagnostic results: continue to **Step 4**

↓

Step 4

- **Pancreas Function Test (with secretin) –** gastroduodenal (SST) or endoscopic (ePFT) collection method
- *CP Diagnostic criteria*: peak (bicarbonate) < 80 meq/L
- Diagnostic criteria met: no further imaging needed
- Inconclusive or nondiagnostic results: continue to **Step 5**
- *Note: Consider combining ePFT with EUS*

↓

Step 5

- **Endoscopic Retrograde Cholangiopancreatography (ERCP)**
- *CP Diagnostic criteria*: Cambridge Class III, dilated main pancreatic duct and greater than 3 dilated side branch
- Diagnostic criteria met: no further imaging needed
- **Inconclusive or nondiagnostic results require monitoring of signs and symptoms and repeat testing in 6 months–1 year**

↓

Chronic Pancreatitis

그림 23-3-1. **만성췌장염 진단을 위한 단계별 접근법**[1].

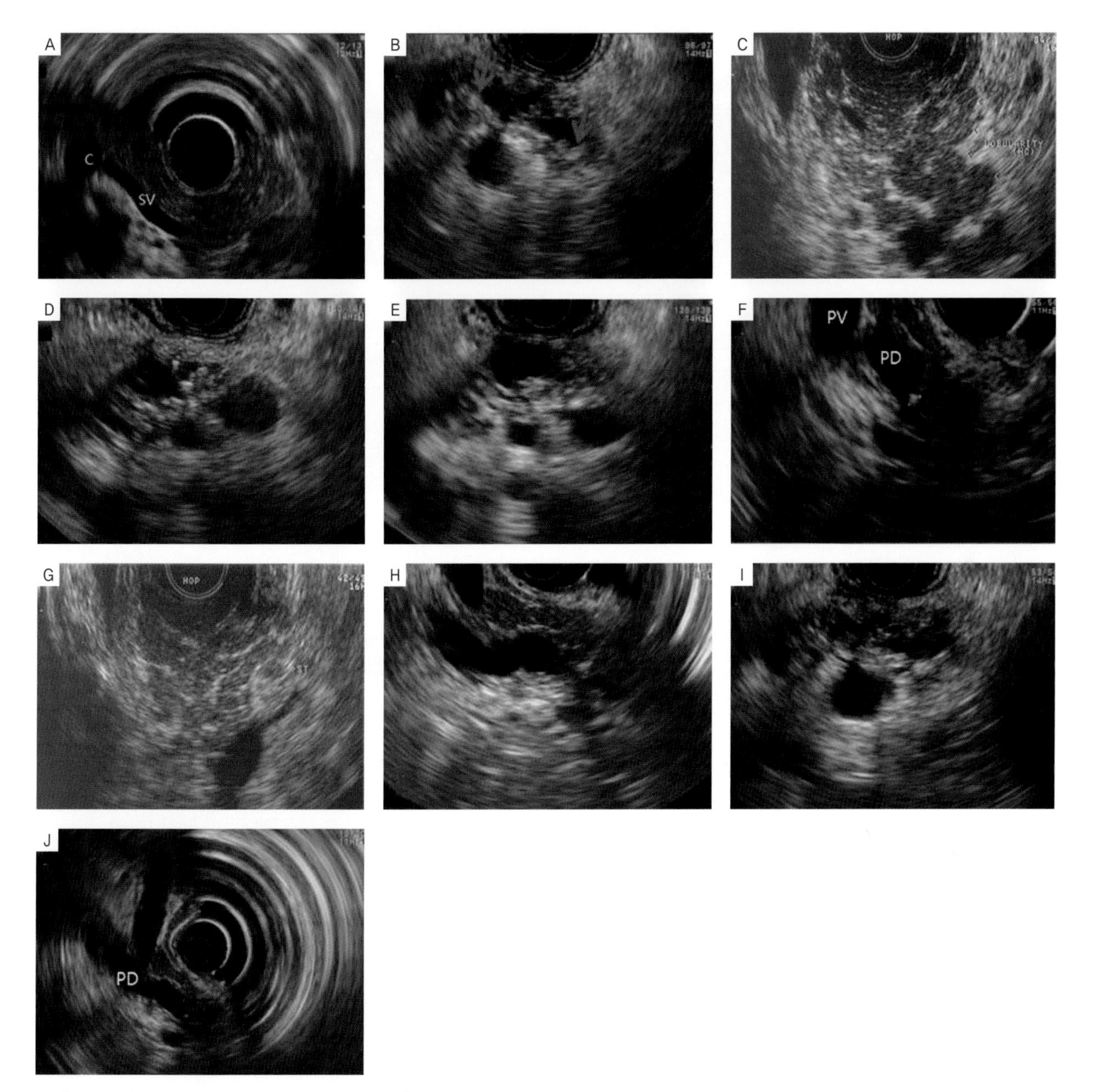

그림 23-3-2. **만성췌장염의 특징적인 EUS 소견[14].**

A. 정상 췌장. 미세 과립형의(finely granular), 혼합된 에코 발생도(mixed echogenic)를 보이는 췌장실질.
B. 그림자를 동반한 고에코 초점(hyperechoic foci with shadowing)(빨간색 화살표).
C. 벌집 모양의 연속된 소엽화(lobularity with honeycombing).
D. 그림자를 동반하지 않은 고에코 초점(non-shadowing hyperechoic foci).
E. 췌장액 저류(빨간색 점선 원).
F. 결석(빨간색 화살표)에 의해 확장된 주췌관.
G. 3개 이상의 여러 방향으로 향하는 고에코 가닥(hyperechoic strands).
H. 경계가 불규칙한 확장된 췌관(dilated PD with marked contour irregularity).
I. 분지췌관의 확장(빨간색 화살표).
J. 고에코 관벽(hyperechoic duct walls)을 동반한 췌관.

SV: splenic vein, C: portal confluence; PD: pancreatic duct; PV: portal vein.

표 23-3-1. **만성췌장염 진단의 Rosemont criteria**[14]

1. 만성췌장염을 시사하는 췌장실질의 EUS 소견

Feature	Definition	Major criteria	Minor criteria	Histologic correlation
1. Hyperechoic foci with shadowing	Echogenic structures ≥2 mm in length and width that shadow	Major A		Parenchymal-based calcifications
2. Lobularity	Well-circumscribed, R5 mm structures with enhancing rim and relatively echo-poor center	Major A		Unknown
A. With honeycombing	Contiguous ≥3 lobules (="honeycombing")	Major B		
B. Without honeycombing	Noncontiguous lobules		Yes	
3. Hyperechoic foci without shadowing	Echogenic structures foci ≥2 mm in both length and width with no shadowing		Yes	Unknown
4. Cysts	Anechoic, rounded/elliptical structures with or without septations		Yes	Pseudocyst
5. Stranding	Hyperechoic lines of ≥3 mm in length in at least 2 different directions with respect to the imaged plane		Yes	Unknown

2. 만성췌장염을 시사하는 췌관의 EUS 소견

Feature	Definition	Major criteria	Minor criteria	Histologic correlation
MPD calculi	Echogenic structure (s) within MPD with acoustic shadowing	Major A		Stones
Irregular MPD contour	Uneven or irregular outline and ectatic course		Yes	Unknown
Dilated side branches	3 or more tubular anechoic structures each measuring ≥ 1 mm in width, budding from the MPD		Yes	Side-branch ectasia
MPD dilation	≥ 3.5-mm body or > 1.5-mm tail		Yes	MPD dilation
Hyperechoic MPD margin	Echogenic, distinct structure greater than 50% of entire MPD in the body and tail		Yes	Ductal fibrosis

3. 합의된 세부 기준을 바탕으로 한 만성췌장염의 EUS 진단기준

EUS diagnosis of chronic pancreatitis (CP) on the basis of consensus criteria
I. Consistent with CP
A. 1 major A feature (+) ≥ 3 minor features B. 1 major A feature (+) major B feature C. 2 major A features
II. Suggestive of CP[§]
A. 1 major A feature (+) < 3 minor features B. 1 major B feature (+) ≥ 3 minor features C. ≥ 5 minor features (any)
III. Indeterminate for CP[§]
A. 3 to 4 minor features, no major features B. major B feature alone or with < 3 minor features
IV. Normal
≤ 2 minor[†] features, no major features

[§] Diagnosis requires confirmation by additional imaging study (ERCP, CT, MRI, or PFT).

[†] Excludes cysts, dilated MPD, hyperechoic non shadowing foci, dilated side branch.

명의 만성췌장염 환자의 EUS 영상을 가지고 11명의 관찰자간 일치도를 조사한 결과 전체 9개의 진단기준 중 "확장된 췌관"과 "췌장실질의 소엽" 항목을 제외하고는 모두 불량한 일치도를 보였으며(kappa < 0.4), 최종 진단에 대한 관찰자간 일치도도 만족할 만한 수준이 되지 못했다(kappa 0.45)[16]. 가족성 췌장암(familial pancreatic cancer, FPC)의 고위험군 환자를 대상으로 EUS 검사 상 정상소견, 종괴, 낭성 종양, 만성췌장염 소견에 대해 관찰자간 일치도 조사를 시행한 결과에서도 불량한 일치도를 보였다[17]. 전통적인 EUS의 표준 진단 시스템과 비교하여 Rosemont criteria의 점수 체계를 적용한 경우에도 의미 있는 관찰자간 일치도의 향상은 관찰되지 않았다[14,18](kappa = 0.54 vs. kappa = 0.65, P = 0.12).

또한 만성췌장염의 EUS 진단기준이 나타내는 진단 예측도를 평가한 연구들 중 만성췌장염으로 추정되어 수술을 받은 71명의 환자의 수술 전 EUS 소견과 수술 조직검사 소견을 비교한 연구 결과를 살펴 보면[12], 3개 이상의 EUS소견이 양성일 경우를 만성췌장염으로 진단할 때, 민감도는 83%, 특이도는 80%였다. 어떤 특정 단일 EUS 진단기준이 다른 기준보다 섬유화를 더 잘 예측하지는 않았지만, EUS 진단기준에 맞는 이상 소견의 수와 질병의 조직학적 중증도 사이에는 일반적인 상관 관계가 있었다. 42명의 환자를 대상으로 한 또 다른 연구에서는 4개 이상의 EUS 진단기준을 적용한 경우 민감도가 90%, 특이도가 86%으로 조사되었다[19]. 25명의 환자를 대상으로 한 또 다른 연구에서도 4개 이상의 EUS 진단기준을 적용할 경우 84%의 민감도를 보여 유사한 결과를 보였다[13].

EUS를 췌장 기능 검사와 비교하였을 때에는, 검사간의 일치도가 연구에 따라 10~90%에 이를 정도로 다양하게 보고 되고 있다[11,20-22]. 이러한 차이는 만성췌장염의 중증도와 관련이 있는 것으로 보인다. 한 연구에 따르면 중증의 만성췌장염 환자에서 EUS검사의 민감도가 73%였지만, 경증의 만성췌장염에 환자에서 민감도는 10%인 것으로 조사되었다[22]. 따라서 초기 만성췌장염이거나 EUS 진단기준 상 만성췌장염으로 판단하기에 불확정적(indeterminate)이라고 판단 되는 경우에는 췌장 기능 검사와 MRI, sMRCP와 같은 영상학적 검사를 추가로 고려해야 한다[1]. EUS 결과가 다른 진단 검사의 결과와 일치하지 않는 경우의 대부분은, 다른 검사가 정상인 반면 EUS 검사상에 이상 소견이 발견되는 경우이다. 검사의 특이도는 선택된 진단기준(EUS 영상의 이상 소견의 개수)에 의해 결정되지만, 이렇듯 EUS 검사의 특이도가 문제가 되는 것은 만성췌장염과 비슷한 EUS 소견을 보이는 다른 질병들이 존재하기 때문이다. 예를 들어, 노화와 관련된 췌장의 변화는 만성췌장염에 의한 EUS 소견과 명확하게 구별하기 힘들며[23], 만성 음주, 흡연, 비만 환자에서도 만성췌장염과 유사한 EUS 소견을 보일 수 있다[11,20,23-26]. 따라서 음주, 흡연, 고령 및 만성췌장염과 유사한 EUS 소견을 갖는 기타 관련 질환(당뇨, 만성 신장병) 환자를 대상으로 EUS를 시행할 때에는 환자의 과거력과 관련 질환을 고려하여 EUS 영상 소견을 해석할 필요가 있다. 즉, EUS 소견만으로 만성췌장염을 진단할 경우에는 특이성이 떨어져 과다 진단으로 이어질 수 있음을 항상 유념하여야 하겠다[27].

향후 만성췌장염의 EUS 영상 소견에 대한 진단기준을 다듬고, 각각의 소견들에 대한 가중치를 재설정하여, 만성췌장염 진단을 위한 이상적인 EUS 진단 시스템을 도출하는 것이 필요하다고 하겠다. 만성췌장염의 진단기준의 진단 예측력을 향상시키고, 보다 엄격하게 적용하는 방식으로 개선함으로써 과도한 진단으로 인해 불필요한 치료를 피하는데 도움이 될 것으로 생각된다. 이러한 접근법은 일부 환자에서 진단 실패로 이어질 수도 있지만, 현재 만성췌장염의 효과적인 치료법이 부재한 상황임을 고려할 때 더 합리적인 진단법의 개선 방향이라고 생각할 수 있다.

2) 악성 종양의 조기 진단을 위한 EUS의 역할

EUS는 췌장 악성 종양의 진단을 위한 가장 민감한 진단법으로 받아들여지고 있으며, 이러한 장점으로 인해 만성췌장염의 합병증 발견을 위한 중요한 추적 검사 방법으로 이용되고 있다[2]. 특히 EUS를 통해 세포학적, 조직학적 진단을 위한 표본을 얻을 수 있는 세침흡인검사(fine needle aspiration, FNA)가 가능하여 다른 영상학적 검사가 확실한 진단을 제시하지 못하는 경우에 감별진단을 위해 중요한 역할을 할 수 있다. 요즘은 탄성초음파(elastography)와 조영증강(contrast enhancement)과 같은 초음파 내시경과 관련된 새로운 기술을 통해, 종괴를 형성하는 만성췌장염, 자가면역 췌장염(autoimmune pancreatitis, AIP), 악성 종양 등 췌장 병변의 감별진단에 유용한 추가적인 영상 정보를 얻을 수 있다[28]. 모든 만성췌장염 환자를 대상으로 정기적인 EUS 검사를 시행하는 것에 대해서는 비용 효과 측면에서 무리한 측면이 있겠지만, 다음과 같은 췌장암 발생의 고위험군을 대상으로 한 주기적인 EUS 검사는 고려될 수 있다. 최소 2명 이상의 직계 가족에서 췌장암이 발생한 가족력, Peutz-Jeghers 증후군 환자 및 p16, BRCA2 및 유전성 비용종증 대장암(HNPCC) 돌연변이 유전자 보인자 중 직계 가족 한 명 이상에서 췌장암이 발생한 경우에서와 같이 췌장암 발생의 위험군을 대상으로 악성 종양의 조기 진단을 위한 선별검사 방법으로서 EUS 검사가 권고되고 있다[28-30].

3) 췌장 종괴의 감별진단을 위한 EUS의 역할 (염증성 종괴와 악성 종양의 감별진단)

만성췌장염 환자에서 염증성 또는 악성 종양을 구별하거나, 악성 종양을 조기에 발견하는 것은 매우 까다로운 일이며, 이는 영상학적 진단 기술의 발전에도 불구하고 아직까지 모든 영상학적 진단법에 있어서 공통적으로 해결하지 못한 문제이다[28,31]. EUS는 고해상도 초음파 영상을 제공하여 췌장 종괴나 낭성 병변을 동반한 만성췌장염 환자의 감별진단을 위해 필수적인 검사 방법이다. 그러나 췌장 악성 종양과 국소성 췌장염은 유사한 초음파 소견을 나타내기 때문에 아직 까지 EUS 영상 소견만으로 악성 및 염증성 병변을 확실하게 구분하기는 어려운 경우가 많다. 단, 전술한 바와 같이 EUS 유도하 세침흡인검사는 악성 종양의 진단을 위한 가장 신뢰할만한 검사로 간주되고 있다. 일반적으로 고체 췌장 종괴의 진단에 있어 EUS 유도하에 조직 획득율은 80~95% 정도로 보고되고 있다[32,33]. 그러나 만성췌장염을 동반한 경우, EUS 유도하 세침흡인검사의 진단 민감도는 50~75%까지 감소하는 것으로 보고되고 있다[34,35]. 자가면역 췌장염은 만성췌장염의 한 형태로서 분류되는데, CT, MRI 등 영상 검사와 EUS의 초음파 영상 정보만으로 췌장 악성 종양과 다른 원인의 만성췌장염으로부터 자가면역 췌장염을 감별하기 어려운 경우가 있다[36,37]. EUS 유도하 생검을 통한 자가면역 췌장염의 진단을 위해 GEL (granulocytic epithelial lesions) 등 조직학적 진단기준이 확립 되어 있다[38].

최근 탄성초음파(elastography)와 조영증강(contrast enhancement)과 같은 새로운 초음파 내시경 영상 기술이 만성췌장염의 진단 정확도를 향상 시키기 위한 방법으로 기대를 받고 있다. 탄성초음파검사의 원리는 조직을 통해 전달되는 음파의 변화를 측정하여, 조직의 섬유화 정도와 악성 종양의 간접적인 척도인 조직의 강성도(stiffness)를 정량화하는 것이다. 조직의 강성도의 차이를 통해 급성 및 만성췌장염에 의해 발생하는 가성종양과 선암 및 신경 내분비 종양과 같은 악성 고형 병변을 구별 할 수 있다. 또한 병변 부위와 주변 정상 췌장 조직의 강성도 비율을 계산함으로써 조직 변형(strain) 정도를 수치화하여 제공할 수 있다. 이러한 기능을 이용하여 EUS를 통한 탄성초음파 검사는 췌장 종괴에서 악성 종양을 진단하는 데 있어 높은 정확도를 보여 주었고, 자가면역 췌장염, 췌장암, 종괴 형성 췌장염(mass forming pancreatitis)의 감별에 있어서도 80~95%의 민감성 및 40~90%의 특이성을 보이는 등 그 유용성이 입증되고 있다[39-44]. 최근 27명의 염증성 병변을 포함한 전체 86명의 췌장 병변 환자를 대상으로 한 연구에서 EUS를 통한 탄성초음파검사가 종양과 염증 조직을 100%의 감수성과 93%의 특이성으로 구분할 수 있었다고 보고하였다[42]. 췌장의 저혈관성 병변이 악성을 시사하는 강력한 지표임은 이미 여러 연구들에서 밝혀진 사실이다. 조영증강 초음파 내시경(contrast enhanced harmonic EUS, CEH-EUS)은 췌장 병변의 혈관 형성 패턴을 구별하는 데에 이용될 수 있다[45-47]. 최근에는 초음파 영상 분석기술 발전을 통해, 미세 혈관의 조영 증가 효과를 정량적으로 측정할 수 있는 소프트웨어가 개발되어 사용되고 있다. 이러한 소프트웨어를 이용하면 최고 조영증강 정도를 정량화하는 것이 가능하게 되고, 이를 통해 CEH-EUS 검사가 종괴 형성 만성췌장염과 췌장암을 구별하는 데에 개선된 진단 예측도를 보일 수 있다는 연구 결과가 발표되었다[48,49]. CEH-EUS의 또 다른 장점으로 EUS 유도하 세침흡인생검 시도 시, 병변의 정확한 타깃팅을 가능하게 하여 조직 회득율을 향상시켰다는 보고도 있었다[50,51]. 하지만 아직까지 만성췌장염 환자에서 탄성초음파와 CEH-EUS의 추가 시행을 통해 진단 정확도를 향상시킬 수 있다는 명확한 증거는 없으며, 만성췌장염 환자에서 탄성초음파와 CEH-EUS의 역할은 향후 임상 시험을 통해 평가가 이루어져야 하겠다[2,52].

2. 내시경적 역행성 담췌관조영술 (endoscopic retrograde cholangiopancreatography, ERCP)

영상학적 검사 방법(CT, MRI)과 EUS가 널리 보급됨에 따라 ERCP가 만성췌장염의 진단을 위해 시행되는 경우는 드물며, 점차 만성췌장염의 치료를 위한 시술로 인식되고 있다. 그러나 여전히 수술 전에 췌관의 이상이나 폐색을 확인하고, 췌관 해부학을 명확하게 확인하는 목적으로 ERCP를 시행할 수 있고, 수술 후 췌관 문합 부위의 개통 여부를 확인하기 위한 경우에서처럼 진단 목적만으로 시행되는 경우도 있다[53]. 또한 췌장 기능 검사나 기타 비침습적 영상 검사(CT 또는 MRI) 또는 EUS가 시행된 이후에도 여전히 진단이 명확하지 않은 환자에 한해서 ERCP를 고려할 수 있다[54]. 췌관의 변화를 확인하기 위해서는 선명한 췌관 조영 영상을 얻는 것이 중요하다. 췌관의 협착과 폐쇄가 동반되어 있는 경우에 췌관내에 조영제를 주입하면 조기에 조영제가 췌관 밖으로 새어나가서 췌장실질이 조영(acinarization)되기도 하는데, 이러한 췌장실질 조영을 피하면서 조영제를 췌장 꼬리 부분의 췌관까지 주입하여 췌관 조영 영상을 얻도록 하여야 한다. 췌관내 공기 기포와 환자의 움직임에 의해서 췌관 조영 X-ray 영상이 왜곡되게 되면 췌관 조영 영상이 실제와 다르게 해석될 수 있으므로 이 점도 유의하여야 하겠다. ERCP에 의한 만성췌장염의 진단기준으로 주췌관 및 분지췌관의 변화를 토대로 만성췌장염의 심한 정도를 등급화하는 Cambridge Criteria가 일반적으로 받아들여지고 있다[55]. 주췌관에 발생할 수 있는 변하는 팽창, 협착, 조영 결손 및 누출 등으로 분류하고 있는데, 그 정의가 다소 명확하지 않아 판단이 주관적일 수 있다는 한계를 가지고 있다. 주췌관 확장의 분포는 전체적(전체 주췌관 길이의 2/3 이상 포함) 또는 국소적(전체 추췌관 길이의 2/3 미만)으로 분류된다. 이 진단기준에 의하면 10 mm 이상의 주췌관 확장이 심한 확장으로 정의되는데, 보고에 따라 다소의 차이는 있으나 정상적인 주췌관의 평균 지름은 췌장의 머리, 몸통 및 꼬리 부위에 따라 각각 3.6, 2.7 및 1.6 mm으로 보고되고 있다[55]. 한국인의 경우 주췌관의 정상 직경은 췌장의 머리, 몸통 및 꼬리 부위에 따라 3.3 ± 0.8, 2.4 ± 0.5, 1.5 ± 0.5 mm으로 보고된 바 있다[56]. 쇠사슬 모양의 교대협착 소견과 분지 췌관의 확장 소견은 진행된 만성췌장염의 특징적인 소견이다(그림 23-3-3). 과거 만성췌장염 환자를 대상으로 한 연구들에서 ERCP의 민감도는 70~90%, 특이도는 80~100% 정도로 보고되었다[11,20,57]. ERCP와 췌장절제술을 동시에 시행받은 환자를 대상으로 한 연구에서 Cambridge Criteria에 의한 수술 전 만성췌장염의 진행 정도 평가와 수술 조직학적 검사 결과와의 일치도는 74%로 조사되었다[58]. Cambridge Criteria에 의해 모호하거나 경미한 정도의 췌관 이상 소견으로 분류된 환자와 비교하여, 중등도 이상의 심한 췌관 이상 소견으로 분류된 환자에서 췌관 조영술 소견과 수술 조직학적 검사 결과와의 일치도가 높았다[58]. 이와 같이 초기의 만성췌장염 환자 중 일부는 정상적인 췌관 조영술 소견을 보일 수 있으며, 췌관 조영술을 통해 췌장실질의 변화를 유추할 수 없다는 점을 고려하면 ERCP 소견 단독으로 만성췌장염을 진단하기에는 한계가 있다고 하겠다[10].

전술한 바와 같이 진단 목적만으로 ERCP를 시행하는 데에는 몇 가지 제한점이 있다. ERCP후 10% 내외의 비율로 급성췌장염이 발생하며, 시술 후 사망률이 0.1~0.5%까지 보고되는 등 기타 영상학적 진단 검사와 비교할 때 침습적이라는 면을 항상 고려하여야 하겠다. 특히 ERCP 검사의 진단 예측도는 시술자의 경험에 따라 달라질 수 있으며, 췌관 조영술에 의해 얻은 영상에 대한 해석 또한 관찰자간 일치도가 낮은 편이다. 또한, 췌장 조영술을 통해서는 췌장실질의 섬유화 유무에 대한 정보를 얻을 수 없으며, 췌관의 해부학만을 시각화할 수 있다. 췌장 조영술의 해석에 있어 또 다른 어려움으로는 노화 관련 췌관의 변화, 급성췌장염 후 발생하는 췌관의 변화, 췌장 상피내 병변(pancreatic intraepithelial lesions, PanIN)과 관련한 분지 췌관의 변화 등 만성췌장염으로 인한 췌관의 변화와 구분하기 힘든 경우가 다수 존재한다는 것이다. 최근에는 자기공명 담췌관조영술(magnetic resonance cholangiopancreatography, MRCP)과 같은 영상검사의 해상도가 발전하면서 치료 중재가 필요하다고 판단되는 경우에만 ERCP 시행을 고려하는 것이 만성췌장염 환자에 있어서 합리적인 진단/치료 전략이라고 판단된다.

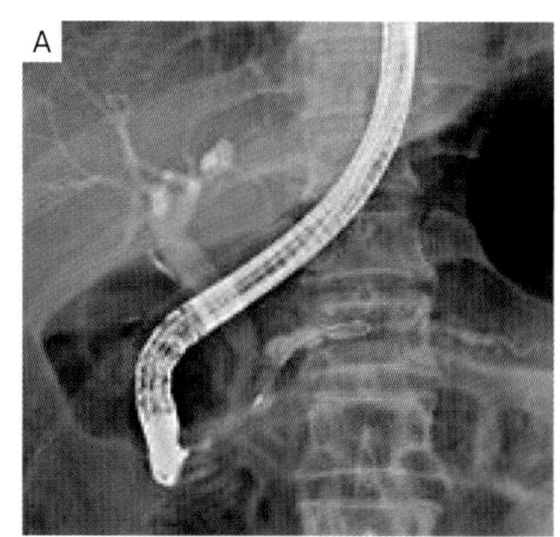

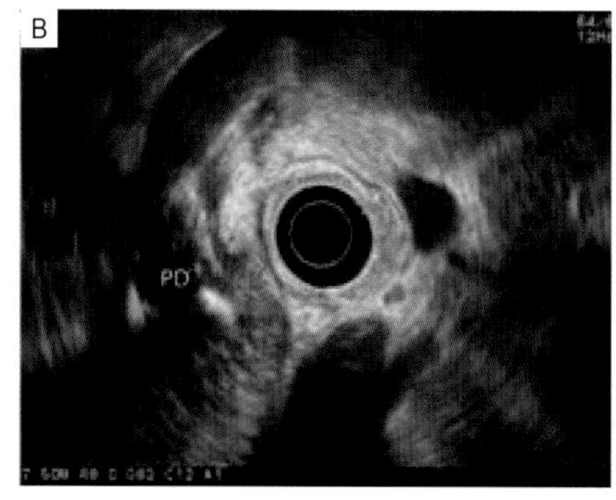

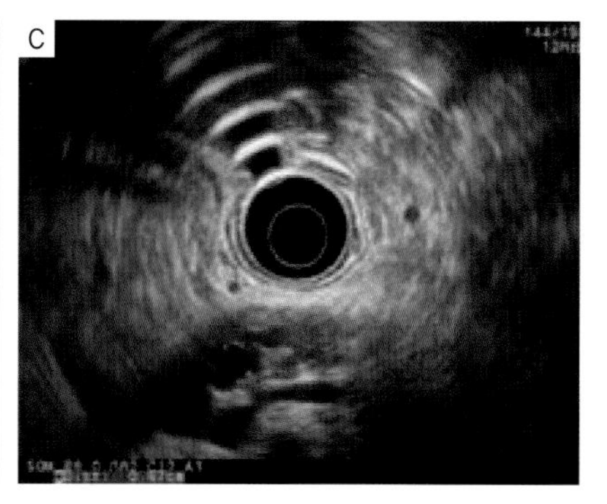

그림 23-3-3. **만성췌장염 환자에서 ERCP와 EUS의 특징적인 소견.**

A. ERCP상 췌장 두부의 주췌관 결석의 상류 부위로 불규칙적이며 확장된 췌관(pancreatic duct, PD)을 관찰할 수 있음. 분지췌관은 거칠고 불규칙한 조영 양상을 보임. 교대로 협착과 팽대가 있는 현저하게 확장된 췌관 모양은 만성췌장염의 특징적인 소견임("사슬 연쇄" 모양).

B. 십이지장 구부에서 관찰한 췌장 EUS 소견, 췌장 두부에 후방 그림자를 동반한 췌관 결석과 그 상류 부위로 확장된 주췌관이 관찰됨.

C. 위에서 관찰한 췌장 EUS 소견, 췌장 몸통 부위에 불규칙적으로 확장된 췌관을 관찰할 수 있음.

3. 내시경적 췌장 기능 검사 (endoscopic pancreatic function test, ePFT)

만성 염증과 췌장의 섬유화는 샘꽈리 세포와 췌관 세포의 분비 기능을 감소시킨다[59]. 만성췌장염으로 인한 기능부전 여부는 췌장액, 혈청 또는 대변에서 특정 세포 분비 성분의 농도를 간접 또는 직접적으로 측정하여 결정할 수 있다. 대변으로 배설된 췌장 elastase-1 또는 혈청 트립신의 농도를 측정하는 방법이 주로 임상에서 이용되는 간접 췌장 기능 검사 방법이다. 췌장 외분비 기능부전 연구에서 세포의 90% 이상이 손상되거나 섬유화 될 때까지 지방변과 같은 임상 증상이 나타나지 않는데[60], 대변에서의 elastase-1 측정과 혈청 트립신 농도를 측정하는 간접 췌장 기능 검사는 환자의 외분비 기능부전이 명확해지기 전까지 정상 소견을 보일 수 있다. 이에 반해 세크레틴 또는 콜레시스토키닌 자극을 이용한 직접 췌장 외분비 기능 검사는 지방변과 같은 증상이나 명확한 방사선학적 이상이 발생하기 전에 췌장 분비의 이상 여부를 판단할 수 있다. 따라서, 직접 췌장 기능 검사로 측정한 췌장 외분비 기능장애는 만성췌장염의 초기 표지자로 이용될 수 있다. 그러나 경구 위십이지장 튜브(peroral gastroduodenal tube)를 통해 췌장액을 수집하는 기존의 직접 췌장 기능 검사는 환자에게 불편함을 줄 뿐만 아니라, 정확한 측정을 위한 충분한 양의 췌장액 수집이 어려웠다는 한계를 가지고 있었다[61]. 최근 세크레틴이나 콜레시스토키닌 호르몬 자극 후 분비된 췌장액을 십이지장에서 직접 내시경적으로 채취하여 직접 췌장 외분비 기능을 평가하는 내시경적 췌장 기능 검사(endoscopic pancreatic function test, ePFT)가 만성췌장염의 새로운 검사 방법으로 시도되고 있다[62-65]. 내시경적 췌장 기능 검사를 위해 진정 상태에서 세크레틴(0.2 mcg/kg)을 환자의 정맥 내로 주사한 후, 상부 내시경 또는 초음파 내시경을 통해 십이지장 구부에서 분비된 췌장액을 한 시간에 걸쳐 15분 간격으로 흡인하게 된다. 한 차례 이상 중탄산염(HCO_3) 농도가 80 mEq/L 이상으로 측정되면, 췌장 외분비 기능이 정상이라고 판단할 수 있다[66-69]. 전술한 바와 같이 내시경적 췌장 기능 검사를 위해서는 비교적 긴 시간 동안의 내시경 시술이 필요한데, 시술관 관련된 환자의 불편함을 완화할 목적으로 이산화탄소(CO_2) 주입이 고려될 수 있다. 한 소규모 연구에서 이산화탄소 주입이 십이지장 내에서 수집한 췌장액 내의 중탄산염 농도를 증가시키지 않아, 내시경적 췌장 기능 검사의 결과 해석에 영향을 미치지 않았다고 보고하였다[70,71]. 기존 경구 위십이지장 튜브를 통한 직접 췌장 기능 검사와 비교하여, 분비된 췌장액의 내시경적 수집을 통한 췌장 기능 검사의 장점은 새로운 내시경 기술의 습득 없이 기존의 내시경 방법을 통해 검사를 시행할 수 있고, 방사선 피폭을 피할 수 있으며, 무엇보다도 가장 큰 장점은 기존의 방법과 비교하여 충분한 양의 췌장액을 수집할 수 있다는 것이다.

명백한 구조적 변화를 보이는 일부 만성췌장염 환자들에서 외분비 기능은 여전히 보존될 수 있으며, 반대로 초기 만성췌장염에서 EUS상 췌장의 특징적인 구조적 변화가 보이지 않음에도 불구하고 췌장의 외분비 기능의 저하가 관찰되는 경우가 있다. 따라서 EUS 또는 내시경적 췌장 기능 검사가 초기 만성췌장염 진단을 위한 가장 민감한 검사인지에 대해서는 여전히 논란의 여지가 있다. 비록 25명의 소수의 환자만을 포함한 연구이긴 하지만, EUS와 내시경적 췌장 기능 검사를 동시에 시행할 경우 만성췌장염의 예측 민감도는 100%에 이르렀다고 보고된 바 있다.[13] 특징적인 췌장의 구조적 변화를 관찰하고, 외분비 기능 검사를 동시에 시행할 수 있다는 장점으로 내시경초음파 검사 시 내시경적 췌장 기능 검사를 동시에 시행하는 방법도 시도되고 있다[71]. 췌장의 구조적 변화와 외분비 기능을 동시에 확인하는 것은 이론적으로 만성췌장염을 진단하는 데 가장 최적화된 검사 전략으로 생각되며, 추가 연구를 통해 이러한 전략의 안전성과 효용성에 대한 검증이 이루어져야 하겠다.

References

1. Conwell DL, Lee LS, Yadav D, et al. American Pancreatic Association Practice Guidelines in Chronic Pancreatitis: evidence-based report on diagnostic guidelines. Pancreas 2014;43:1143-62.
2. Issa Y, Kempeneers MA, van Santvoort HC, Bollen TL, Bipat S, Boermeester MA. Diagnostic performance of imaging modalities in chronic pancreatitis: a systematic review and meta-analysis. Eur Radiol 2017; doi:10.1007/s00330-016-4720-9.
3. Hoffmeister A, Mayerle J, Beglinger C, et al. English language version of the S3-consensus guidelines on chronic pancreatitis: Definition, aetiology, diagnostic examinations, medical, endoscopic and surgical management of chronic pancreatitis. Z Gastroenterol 2015;53:1447-95.
4. Iglesias-Garcia J, Larino-Noia J, Lindkvist B, Dominguez-Munoz JE. Endoscopic ultrasound in the diagnosis of chronic pancreatitis. Rev Esp Enferm Dig 2015;107:221-8.
5. Kahl S, Glasbrenner B, Leodolter A, Pross M, Schulz HU, Malfertheiner P. EUS in the diagnosis of early chronic pancreatitis: a prospective follow-up study. Gastrointest Endosc 2002;55:507-11.
6. Sahai AV, Zimmerman M, Aabakken L, et al. Prospective assessment of the ability of endoscopic ultrasound to diagnose, exclude, or establish the severity of chronic pancreatitis found by endoscopic retrograde cholangiopancreatography. Gastrointest Endosc 1998;48:18-25.
7. Lees WR, Vallon AG, Denyer ME, Vahl SP, Cotton PB. Prospective study of ultrasonography in chronic pancreatic disease. Br Med J 1979;1:162-4.
8. Wiersema MJ, Hawes RH, Lehman GA, Kochman ML, Sherman S, Kopecky KK. Prospective evaluation of endoscopic ultrasonography and endoscopic retrograde cholangiopancreatography in patients with chronic abdominal pain of suspected pancreatic origin. Endoscopy 1993;25:555-64.
9. Catalano MF, Lahoti S, Geenen JE, Hogan WJ. Prospective evaluation of endoscopic ultrasonography, endoscopic retrograde pancreatography, and secretin test in the diagnosis of chronic pancreatitis. Gastrointest Endosc 1998;48:11-7.
10. Cote GA, Smith J, Sherman S, Kelly K. Technologies for imaging the normal and diseased pancreas. Gastroenterology 2013;144:1262-71.e1.
11. Gleeson FC, Topazian M. Endoscopic retrograde cholangiopancreatography and endoscopic ultrasound for diagnosis of chronic pancreatitis. Curr Gastroenterol Rep 2007;9:123-9.
12. Chong AK, Hawes RH, Hoffman BJ, Adams DB, Lewin DN, Romagnuolo J. Diagnostic performance of EUS for chronic pancreatitis: a comparison with histopathology. Gastrointest Endosc 2007;65:808-14.
13. Albashir S, Bronner MP, Parsi MA, Walsh RM, Stevens T. Endoscopic ultrasound, secretin endoscopic pancreatic function test, and histology: correlation in chronic pancreatitis. Am J Gastroenterol 2010;105:2498-503.
14. Catalano MF, Sahai A, Levy M, et al. EUS-based criteria for the diagnosis of chronic pancreatitis: the Rosemont classification. Gastrointest Endosc 2009;69:1251-61.
15. Lieb JG, 2nd, Palma DT, Garvan CW, et al. Intraobserver agreement among endosonographers for endoscopic ultrasound features of chronic pancreatitis: a blinded multicenter study. Pancreas 2011;40:177-80.
16. Wallace MB, Hawes RH, Durkalski V, et al. The reliability of EUS for the diagnosis of chronic pancreatitis: interobserver agreement among experienced endosonographers. Gastrointest Endosc 2001;53:294-9.

17. Topazian M, Enders F, Kimmey M, et al. Interobserver agreement for EUS findings in familial pancreatic-cancer kindreds. Gastrointest Endosc 2007;66:62-7.
18. Stevens T, Lopez R, Adler DG, et al. Multicenter comparison of the interobserver agreement of standard EUS scoring and Rosemont classification scoring for diagnosis of chronic pancreatitis. Gastrointest Endosc 2010;71:519-26.
19. Varadarajulu S, Eltoum I, Tamhane A, Eloubeidi MA. Histopathologic correlates of noncalcific chronic pancreatitis by EUS: a prospective tissue characterization study. Gastrointest Endosc 2007;66:501-9.
20. Forsmark CE, Toskes PP. What does an abnormal pancreatogram mean? Gastrointest Endosc Clin N Am 1995;5:105-23.
21. Chowdhury R, Bhutani MS, Mishra G, Toskes PP, Forsmark CE. Comparative analysis of direct pancreatic function testing versus morphological assessment by endoscopic ultrasonography for the evaluation of chronic unexplained abdominal pain of presumed pancreatic origin. Pancreas 2005;31:63-8.
22. Conwell DL, Zuccaro G, Purich E, et al. Comparison of endoscopic ultrasound chronic pancreatitis criteria to the endoscopic secretin-stimulated pancreatic function test. Dig Dis Sci 2007;52:1206-10.
23. Rajan E, Clain JE, Levy MJ, et al. Age-related changes in the pancreas identified by EUS: a prospective evaluation. Gastrointest Endosc 2005;61:401-6.
24. Yusoff IF, Sahai AV. A prospective, quantitative assessment of the effect of ethanol and other variables on the endosonographic appearance of the pancreas. Clin Gastroenterol Hepatol 2004;2:405-9.
25. Hastier P, Buckley MJ, Francois E, et al. A prospective study of pancreatic disease in patients with alcoholic cirrhosis: comparative diagnostic value of ERCP and EUS and long-term significance of isolated parenchymal abnormalities. Gastrointest Endosc 1999;49:705-9.
26. Sepe PS, Ohri A, Sanaka S, et al. A prospective evaluation of fatty pancreas by using EUS. Gastrointest Endosc 2011;73:987-93.
27. Stevens T, Dumot JA, Parsi MA, Zuccaro G, Vargo JJ. Combined endoscopic ultrasound and secretin endoscopic pancreatic function test in patients evaluated for chronic pancreatitis. Dig Dis Sci 2010;55:2681-7.
28. Iglesias-Garcia J, Lindkvist B, Larino-Noia J, Dominguez-Munoz JE. The role of EUS in relation to other imaging modalities in the differential diagnosis between mass forming chronic pancreatitis, autoimmune pancreatitis and ductal pancreatic adenocarcinoma. Rev Esp Enferm Dig 2012;104:315-21.
29. Canto MI, Harinck F, Hruban RH, et al. International Cancer of the Pancreas Screening (CAPS) Consortium summit on the management of patients with increased risk for familial pancreatic cancer. Gut 2013;62:339-47.
30. Canto MI, Goggins M, Hruban RH, et al. Screening for early pancreatic neoplasia in high-risk individuals: a prospective controlled study. Clin Gastroenterol Hepatol 2006;4:766-81; quiz 665.
31. Kinney TP, Freeman ML. Recent advances and novel methods in pancreatic imaging. Minerva Gastroenterol Dietol 2008;54:85-95.
32. Iglesias-Garcia J, Dominguez-Munoz JE, Abdulkader I, et al. Influence of on-site cytopathology evaluation on the diagnostic accuracy of endoscopic ultrasound-guided fine needle aspiration (EUS-FNA) of solid pancreatic masses. Am J Gastroenterol 2011;106:1705-10.
33. Turner BG, Cizginer S, Agarwal D, Yang J, Pitman MB, Brugge WR. Diagnosis of pancreatic

neoplasia with EUS and FNA: a report of accuracy. Gastrointest Endosc 2010;71:91-8.
34. Krishna NB, Mehra M, Reddy AV, Agarwal B. EUS/EUS-FNA for suspected pancreatic cancer: influence of chronic pancreatitis and clinical presentation with or without obstructive jaundice on performance characteristics. Gastrointest Endosc 2009;70:70-9.
35. Will U, Mueller A, Topalidis T, Meyer F. Value of endoscopic ultrasonography-guided fine needle aspiration (FNA) in the diagnosis of neoplastic tumor(-like) pancreatic lesions in daily clinical practice. Ultraschall Med 2010;31:169-74.
36. Choi SY, Kim SH, Kang TW, Song KD, Park HJ, Choi YH. Differentiating Mass-Forming Autoimmune Pancreatitis From Pancreatic Ductal Adenocarcinoma on the Basis of Contrast-Enhanced MRI and DWI Findings. AJR Am J Roentgenol 2016;206:291-300.
37. Kanno A, Masamune A, Fujishima F, et al. Diagnosis of autoimmune pancreatitis by EUS-guided FNA using a 22-gauge needle: a prospective multicenter study. Gastrointest Endosc 2016;84:797-804.e1.
38. Detlefsen S, Mohr Drewes A, Vyberg M, Kloppel G. Diagnosis of autoimmune pancreatitis by core needle biopsy: application of six microscopic criteria. Virchows Arch 2009;454:531-9.
39. Iglesias-Garcia J, Dominguez-Munoz JE. Endoscopic ultrasound image enhancement elastography. Gastrointest Endosc Clin N Am 2012; 22:333-48, x-xi.
40. Giovannini M, Thomas B, Erwan B, et al. Endoscopic ultrasound elastography for evaluation of lymph nodes and pancreatic masses: a multicenter study. World J Gastroenterol 2009;15:1587-93.
41. Hirche TO, Ignee A, Barreiros AP, et al. Indications and limitations of endoscopic ultrasound elastography for evaluation of focal pancreatic lesions. Endoscopy 2008;40:910-7.
42. Iglesias-Garcia J, Larino-Noia J, Abdulkader I, Forteza J, Dominguez-Munoz JE. Quantitative endoscopic ultrasound elastography: an accurate method for the differentiation of solid pancreatic masses. Gastroenterology 2010;139:1172-80.
43. Saftoiu A, Vilmann P, Gorunescu F, et al. Efficacy of an artificial neural network-based approach to endoscopic ultrasound elastography in diagnosis of focal pancreatic masses. Clin Gastroenterol Hepatol 2012;10:84-90.e1.
44. Opacic D, Rustemovic N, Kalauz M, et al. Endoscopic ultrasound elastography strain histograms in the evaluation of patients with pancreatic masses. World J Gastroenterol 2015;21:4014-9.
45. Napoleon B, Alvarez-Sanchez MV, Gincoul R, et al. Contrast-enhanced harmonic endoscopic ultrasound in solid lesions of the pancreas: results of a pilot study. Endoscopy 2010;42:564-70.
46. Alvarez-Sanchez MV, Napoleon B. Contrast-enhanced harmonic endoscopic ultrasound imaging: basic principles, present situation and future perspectives. World J Gastroenterol 2014;20:15549-63.
47. Kitano M, Kudo M, Yamao K, et al. Characterization of small solid tumors in the pancreas: the value of contrast-enhanced harmonic endoscopic ultrasonography. Am J Gastroenterol 2012;107:303-10.
48. Seicean A, Badea R, Stan-Iuga R, Mocan T, Gulei I, Pascu O. Quantitative contrast-enhanced harmonic endoscopic ultrasonography for the discrimination of solid pancreatic masses. Ultraschall Med 2010;31:571-6.
49. Saftoiu A, Vilmann P, Dietrich CF, et al. Quantitative contrast-enhanced harmonic EUS in differential diagnosis of focal pancreatic masses (with videos). Gastrointest Endosc 2015;82:59-69.
50. Kamata K, Takenaka M, Omoto S, et al. Impact of avascular areas, as measured by contrast-

enhanced harmonic EUS, on the accuracy of fine-needle aspiration for pancreatic adenocarcinoma. Gastrointest Endosc 2017; doi:10.1016/j.gie.2017.05.052.

51. Sugimoto M, Takagi T, Hikichi T, et al. Conventional versus contrast-enhanced harmonic endoscopic ultrasonography-guided fine-needle aspiration for diagnosis of solid pancreatic lesions: A prospective randomized trial. Pancreatology 2015;15:538-41.
52. Gheonea DI, Saftoiu A. Beyond conventional endoscopic ultrasound: elastography, contrast enhancement and hybrid techniques. Curr Opin Gastroenterol 2011;27:423-9.
53. NIH state-of-the-science statement on endoscopic retrograde cholangiopancreatography (ERCP) for diagnosis and therapy. NIH Consens State Sci Statements 2002;19:1-26.
54. Adler DG, Lichtenstein D, Baron TH, et al. The role of endoscopy in patients with chronic pancreatitis. Gastrointest Endosc 2006;63:933-7.
55. Axon AT, Classen M, Cotton PB, Cremer M, Freeny PC, Lees WR. Pancreatography in chronic pancreatitis: international definitions. Gut 1984;25:1107-12.
56. Kang JK, Chung JB, Moon YM, Choi HJ. The Normal Endoscopic Pancreatogram in Koreans. Korean J Intern Med 1989;4:74-9.
57. Choueiri NE, Balci NC, Alkaade S, Burton FR. Advanced imaging of chronic pancreatitis. Curr Gastroenterol Rep 2010;12:114-20.
58. Vitale GC, Davis BR, Zavaleta C, Vitale M, Fullerton JK. Endoscopic retrograde cholangio-pancreatography and histopathology correlation for chronic pancreatitis. Am Surg 2009;75:649-53; discussion 53.
59. Stevens T, Dumot JA, Zuccaro G, Jr., et al. Evaluation of duct-cell and acinar-cell function and endosonographic abnormalities in patients with suspected chronic pancreatitis. Clin Gastroenterol Hepatol 2009;7:114-9.
60. DiMagno EP, Go VL, Summerskill WH. Relations between pancreatic enzyme outputs and malabsorption in severe pancreatic insufficiency. N Engl J Med 1973;288:813-5.
61. Forsmark C, Adams PC. Pancreatic function testing--valuable but underused. Can J Gastroenterol 2009;23:529-30.
62. Conwell DL, Zuccaro G, Jr., Vargo JJ, et al. An endoscopic pancreatic function test with synthetic porcine secretin for the evaluation of chronic abdominal pain and suspected chronic pancreatitis. Gastrointest Endosc 2003;57:37-40.
63. Conwell DL, Zuccaro G, Jr., Vargo JJ, et al. An endoscopic pancreatic function test with cholecystokinin-octapeptide for the diagnosis of chronic pancreatitis. Clin Gastroenterol Hepatol 2003;1:189-94.
64. Wu B, Conwell DL. The endoscopic pancreatic function test. Am J Gastroenterol 2009;104:2381-3.
65. Moolsintong P, Burton FR. Pancreatic function testing is best determined by the extended endoscopic collection technique. Pancreas 2008;37:418-21.
66. Forsmark CE. The early diagnosis of chronic pancreatitis. Clin Gastroenterol Hepatol 2008;6:1291-3.
67. Conwell DL, Wu BU. Chronic pancreatitis: making the diagnosis. Clin Gastroenterol Hepatol 2012;10:1088-95.
68. Etemad B, Whitcomb DC. Chronic pancreatitis: diagnosis, classification, and new genetic developments. Gastroenterology 2001;120:682-707.
69. Whitcomb DC, Yadav D, Adam S, et al. Multicenter approach to recurrent acute and chronic pancreatitis in the United States: the North merican Pancreatitis Study 2 (NAPS2). Pancreatology 2008;8:520-31.
70. Bretthauer M, Seip B, Aasen S, Kordal M, Hoff

G, Aabakken L. Carbon dioxide insufflation for more comfortable endoscopic retrograde cholangiopancreatography: a randomized, controlled, double-blind trial. Endoscopy 2007;39:58-64.

71. Mohapatra S, Majumder S, Abu Dayyeh BK, et al. Carbon Dioxide Insufflation During Endoscopic Pancreatic Function Tests Does Not Alter Duodenal Aspirate Bicarbonate Concentrations. Pancreas 2017;46:e62-e63.

CHAPTER 24

만성췌장염의 중증도 평가 및 예후

Assessment of severity and prognosis of chronic pancreatitis

이상훈, 정재복

서론

만성췌장염은 원인, 질병의 단계, 국소 합병증의 유무 등에 따라 다양한 임상양상과 자연경과를 보이면서, 오랜 기간에 걸쳐 복통이 반복되어 환자 삶의 질에 큰 영향을 미치게 된다. 이에 각 시기별 질병의 상태를 파악하여 질병의 중증도를 정확하게 판단하고, 이에 따른 적절한 치료를 하는 것이 중요하고 필수적이다.

만성췌장염의 임상적 평가는 환자의 임상 소견이 중요하며, 기본적인 영상검사 및 CT, MRI, EUS/ERCP 등의 검사 소견으로 평가를 할 수 있다. 특정 질환의 임상적 중증도를 평가하는 분류는 임상적으로 뚜렷한 차이를 보이며, 이에 따른 적절한 치료를 할 수 있도록 지침이 되어야 하며. 더불어 분류가 간편해야 하며, 재현성이 있어야 하고, 전향적으로 증명이 되어, 전 세계 모든 지역에서 활용되어야 이상적인 분류이다.

만성췌장염에 대한 평가 분류는 1984년 이후 여러 종류가 발표되었는데(chapter 22), 초기에는 ERCP검사 및 영상검사에 의한 중증도를 분류하였는데, 각 분류법마다 장단점이 보고되고 있다. 2001년 Siriwardana 등[1]은 신부전에서 사용되는 용어와 유사한, "end-stage chronic pancreatitis(말기만성췌장염)"이란 용어를 사용하였는데, 이는 말단총수담관협착, 문맥혈전 등의 췌장외 합병증이 오래 있으면서 외분비나 내분비 기능부전이 있는 경우를 의미한다. 근래 만성췌장염의 임상적 중증도를 평가하기 위한 분류가 제안되어 이에 대해 기술하고자 한다.

1. 만성췌장염의 중증도 평가

1) 영상검사에 의한 평가

만성췌장염의 진단 및 치료에 있어서 단층복부촬영, 복부초음파, CT, MRI, ERCP, EUS 등의 영상학적 평가는 필수적이다. 만성췌장염 환자의 55%에서 단순 복부촬영상 미만성 또는 국소성의 석회화 음영을 관찰할 수 있으나, 석회화 자체가 질환의 중증도를 의미하지는 않는다[2].

복부초음파검사는 만성췌장염의 초기 췌장의 형태학적인 변화를 찾기는 어려우며, 만성췌장염이 진행된 경우와 합병증의 발생 유무를 확인하는데 도움이 된다. 영상진단법중 췌장의 석회화를 확인 하는데는 CT가 가장 유용하며, 작은 석회화는 조영제를 사용하지 않고 촬영하는 것이 좋다[3].

ERCP는 주췌관과 그보다 작은 췌관에 대한 정보를 제공하여 다른 영상검사보다 세밀한 정보를 제공하여 주지만 시술의 침습성과 시술후 합병증 발생의 위험성 때문에 진단만을 위해서 사용하는 빈도는 점점 감소하고 있다. 일반적으로 주췌관과 분지 췌관의 형태학적 변화 기준을 이용한 캠브리지 분류법으로 만성췌장염의 진단 및 중증도를 평가한다[4]. EUS는 췌장실질을 평가하는데 유용하여, 만성췌장염의 진단에 가장 민감도가 높은 검사이며, 특히 초기 만성췌장염의 진다에 유용하다[5].

만성췌장염의 진단법중 EUS, ERCP, secretin test를 비교연구 결과 진단 일치율이 심한 만성췌장염에서는 100%, 중등도에서는 50%, 경증의 만성췌장염에서는 13%이었으며, EUS의 민감도는 84% 이상이고, 특이도는 100%이었다[6]. EUS 기준과 만성췌장염의 조직학적 소견의 중증도는 일치율이 높다[7].

MRI/MRCP검사에서 만성췌장염의 전형적인 소견이 보이면 만성췌장염의 진단에 문제가 없지만, 만성췌장염이 경미하게 있는 경우에는 정상소견이 보일 수 있다[4]. 근래 영상학적 검사와 더불어 기능적 검사를 시행하려는 시도가 많이 이루어지고 있는데 대표적으로 secretin을 정맥 주입하면서 MRCP를 촬영하는 기법이 있다. Secretin을 투여함으로써 췌장 외분비 기능을 자극하고 주췌관으로 췌액 분비를 증가시켜 진단적 민감도를 증가시킬 뿐만 아니라 췌장 외분비 기능을 반정량화하여 만성췌장염 중증도와 상관관계를 보여준다는 보고들이 있으며[8-10], 대변 elastase-1 검사, Pancreolauryl 검사, Lundh 검사 등 실제 췌장의 기능적 검사들과 어느 정도 연관성을 보여주었으나[11-13], 영상학적 췌액 분비 감소가 미미한 경우의 임상적 의미에 대해서는 추가 연구가 필요하다.

2) 기능적 평가

췌장의 외분비기능을 검사를 하는 방법에는 여러 가지가 있지만 대부분 검사 과정이 번거롭고 환자에게 불편감을 유발하기 때문에 임상적으로 흔히 이용되지는 않는다. 췌장의 영상학적 검사 소견이 기능적 변화와 어느 정도 비례하는 것으로 알려져 있으나, 약 25% 환자에서는 영상학적 평가와 기능적 평가가 일치하지 않는 경우가 있다[14-16]. 췌장 외분비 기능 검사는 만성췌장염이 의심되지만 영상학적 검사상 정상인 경우, 흡수장애가 있는 환자에서 췌장기능의 저하 때문인지 불분명한 경우, 혹은 췌장효소 제를 치료 목적으로 투여한 뒤 치료 반응을 평가하기 위해 시행한다.

대변 elastase-1 검사는 간단한 비침습적 검사로, 검사 수일 전부터 일정한 양의 정해진 지방이 포함된 음식을 섭취한 뒤, 48~72시간 동안 대변을 모아 elastase-1을 측정하게 된다. 대변 elastase-1 수치가 낮을수록 췌장의 외분비 기능부전이 있을 가능성은 높지만, 경도나 중등도의 외분비 기능부전을 배제하기 어렵다는 한계가 있다[17,18]. ^{13}C-mixed triglyceride breath test(^{13}C−MTG−T)는 방사선 동위원소(^{13}C)가 부착된 중성지방을 일정량 섭취한 후 췌장 리파아제에 의해 분해, 흡수되어 폐를 통해 배출되는 양을 측정하여 간접적으로 췌장 외분비 기능을 평가하는 방법이다. 일부 검사 방법 수정을 통해 경증 혹은 중등도 외분비 기능부전을 진단할 수 있다[19,20]. Bentiromide (NBT-PABA) 검사는 키모트립신에 의해 합성 단백질의 일종인 bentiromide가 분해되면, P-aminobenzoic acid가 유리되어 흡수된 뒤 소변을 통해 배설되는 양을 측정하여 췌장 외분비 기능을 평가하는 방법이다. 진행된 만성췌장염일 경우 검사의 민감도가 증가한다는 보고도 있지만[21], 박 등[22]은 ERCP상 나타난 췌관의 변화 정도와 bentiromide 검사가 일치하지 않음을 보고하였다. Dual labeled Schilling 검사법은 vitamin B_{12}가 타액과 위액에서 R-단백질과 결합한 뒤, 단백 분해 효소에 의해 R-단백이 부분적으로 분해된 다음에 intrinsic factor와 결합하지 못하여 소장에서 vitamin B_{12}가 흡수되지 않는 성질을 이용한 것으로, intrinsic factor와 결합한 [^{57}Co] cobalamin과 R-단백과 결합한 [^{58}Co] cobalamin을 동시에 투여한 뒤 24시간 소변에서 배설되는 양을 측정하는데, 췌장 외분비 기능장애가 있는 경우 ^{57}Co/^{58}Co 비가 낮아지므로 췌장 외분비기능장애의 여부를 알 수 있다.

췌장 외분비기능을 검사하는 침습적인 방법으로는 췌장 직접 자극검사(direct pancreatic stimulation, secretin CCK test)가 있다. 이는 경비 배액관을 십이지장까지 위치한 뒤 secretin이나 CCK를 이용하여 췌장 분비기능을 자극한 다음 경비 배액관을 통하여 췌액을 수집한 뒤 검사하는 방법이다. 진단 정확도가 높고 정량적 췌장 외분비 기능 평가를 통해 경증 또는 중등도의 췌장 외분비 기능부전까지 진단할 수 있어 아직까지 췌장 기능적 평가에 있어 표준 평가 방법으로 여겨진다[17,23]. 최 등[24]은 내시경을 이용하여 췌관내 도관을 유치시키면서 췌장염의 분비 기능을 측정하였을 때 췌액 분비량, 중탄산염 농도 등의 측정이 높은 민감도 및 특이도를 보이는 장점을 보고하였다.

최근 내시경검사를 이용한 췌장기능검사(endoscopic pancreatic function test, ePFT)도 시행되는데, secretin을 주사 후(0.2 mcg/kg), 십이지장 구부에서 십이지장액을 채취해서 분석 후 한 시간 동안 검사하는 경우에는 peak bicarbonate가 80 mEq/L 이상이면 정상이고, 짧은(30~45분) 선별검사(shortened screening test)는 peak bicarbonate가 75 mEq/L 이상이면 정상으로 판정한다[25]. 현재는 one-hour ePFT를 하면서 Dreiling tube로 십이지장액을 채취하는 방법이 조기 만성췌장염의 진단에 gold standard라고 한다[25].

2. 중증도 분류체계

특정질환의 중증도 분류체계는 치료 전략을 세우는데 매우 중요하다. 그러므로 만성췌장염의 이상적인 중증도 분류체계는 췌장의 형태학적 변화를 보여주는 영상소견과 함께, 임상적, 기능적 소견을 모두 포함해야 한다[3]. 특정질환의 이상적인 분류체계는 간단하고 명쾌하며, 세계적으로 이용 가능하며, 비침습적이고(가능하면), 예후를 예측하며, 치료와 연관되며(therapy-related), 미래에 질병평가의 framework이어야 한다[26]. 만성췌장염의 중증도 분류는 영상검사(US, CT, ERCP 및 EUS 등)에 기준에 근거한 분류[25](표 24-1)와 영상소견을 포함한 임상소견을 종합하여 중증도를 분류한 보고들이 있다[4,25,27-38].

1984년 Marseilles 분류[33]는 질환을 정의하고, 여러 소분류(subtype)를 하거나, 임상적 본질(entitiy)을 규명하는 데는 부적합하다[39]. 1983년 발표된 ERCP에 근거하는 Cambridge 분류[35]는 췌장의 외분비 및 내분비 기능과 췌장외 합병증에 대한 고려가 없는 단점이 있다. Zürich 국제 분류[28,29]는 알코올성 만성췌장염에 국한되어 있으며, 진단 및 질병-병기에 관한 정보가 없는 단점이 있다. Rosemont 분류[5]는 EUS를 사용해서 만성췌장염을 진단하기 위해 개발되었다. Manchester 분류[39]에서 중등도의 정도는 췌장의 외분비 혹은 내분비 기능부전 혹은 합병증 유무에 영향을 많이 받는 반면, 영상소견은 중요성이 덜하다. ABC 분류[26]도 Manchester 분류[39]와 유사하다. M-ANNHEIM 분류[38]는 만성췌장염의 병기, 중증도 및 임상소견 등이 모두 포함된 중증도 지표(severity index)로 생각되고 있다[3,40,41].

1) ABC 분류

2002년 Ramesh가 제안[26] 한 것으로, 만성췌장염의 통증이 없는 경우(A), 통증은 있으나 합병증이 없는 경우

(B), 그리고 통증이 있으며 합병증이 있는 경우(C)로 구분하였으며 각 그룹을 세분하여 0에서 3까지(0: 기능부전이 없는 경우, 1: 내분비 기능부전(DM)이 있는 경우, 2: 외분비 기능부전(지방변/ 증상)이 있는 경우, 3: 내분비 및 외분비 기능부전이 모두 있는 경우) 구분하였다.

2) Manchester 분류

Manchester 분류[39]는 만성췌장염을 3가지 그룹으로 구분(mild, moderate, end stage)하였는데, 경증(mild)의 만성췌장염은 5가지의 기준이 있어야 하는데, 첫째, 영상검사(ERP, MRCP, CT)에서 만성췌장염의 증거가 있고, 둘째, 복통이 있으며, 셋째, 진통제를 규칙적으로 사용하지 않고(규칙적인 사용은 매주 사용하는 것), 넷째, 내분비와 외분비 기능은 유지되며, 다섯째, 췌장주위(peri-pancreatic) 합병증이 없는 것으로 정의하였다. 중등도(moderate)의 5가지 기준은, 첫째, 영상검사(ERP, MRP, CT)에서 만성췌장염 증거가 있으며, 둘째, 복통이 있고, 셋째, 주기적(매주)으로 opiates를 사용하며, 넷째, 내분비/외분비 기능 손상의 증거가 있으며, 다섯째, 췌장주위 합병증은 없다. 말기(end stage) 만성췌장염은 첫째, 영상검사(ERP/MRP/CT)에서 만성췌장염의 증거가 있고, 둘째, 췌장외 합병증 3가지(biliary stricture, segmental portal hypertension, duodenal stenosis) 중 한 가지 이상이 있으며, 셋째, 당뇨병 혹은 지방변 중 한 가지 이상이 있어야 한다[39].

3) M-ANNHEIM 분류

M-ANNHEIM 분류[38]는 만성췌장염에서 질병의 임상적인 기술(clinical description)을 표준화하고, 질병의 다양한 원인에 따른 질병의 진행과 발전을 위한 새로운 tool을 제공하며, 개발에 대한 추가적인 통찰력을 제공하기 위해 고안되었으며, 만성췌장염 대부분의 환자들이 여러가지 다양한 위험요인들이 복합적으로 작용하여 나타나는 결과로 생각하여 만들어졌다. 즉 여러(M, multiple) 위험인자, 이 중 알코올 섭취량(A, alcohol consumption), 흡연량(N, nicotine consumption), 영양

표 24-1. **췌장형태 영상등급[Pancreas Morphology Imaging Grade(I -IV)]**

	Equivocal (I)	Mild (II)	Moderate (III)	Marked (IV)
Ultrasound	Same as CT	Same as CT	Same as CT	Same as CT
CT/MRI Scan	1 of the following: main duct enlarged (2-4 mm), slight gland enlargement, heterogenous parenchyma, small cavities (< 10 mm), irregular ducts, focal pancreatitis, increased echogenicity of main duct wall, irregular head/body contour	≥ 2 of the following: enlarged main duct (2-4 mm), gland enlargement, heterogenous parenchyma, small cavities (< 10 mm), irregular ducts, focal acute pancreatitis, increased echogenecity of main duct wall, irregular head/body contour	Cannot distinguish from mild	moderate changes plus ≥ 1 of the following: large cavities (> 10 mm), gland enlargement, intraductal filling defects/calculi, duct obstruction, stricture or gross irregularity
EUS (0-9 criteria standard criteria)	0-2	3-4	> = 5	
MRCP/ERCP	< 3 abnormal side branch changes	≥ 3 abnormal side branch changes	abnormal main duct; > 3 abnormal side branches	moderate changes plus 1 of the following: obstruction, filling defects, severe irregularity/ dilation of main duct

Conwell DL et al. Pancreas 2014;43(8):authors manuscript p66에서 인용[25].

인자(N, nutritional factors), 유전적인자(H, gereditary factors), 췌관인자(E, efferent pancreatic duct factors), 면역인자(I, immunologic factors) 및 기타 및 대사성 인자(M, miscellaneous and rare metabolic factors) 등이다. 만성췌장염의 진단은 만성췌장염의 특징적인 임상병력(재발성췌장염 혹은 복통)에 근거해서 확진된는데, 4가지 그룹(definite chronic pancreatitis, probable chronic pancreatitis, borderline chronic pancreatitis 및 pancreatitis associated with alcohol consumption)으로 분류하였다.

(1) 임상병기(clincal stages)

임상병기[38]는 무증상기(stage 0) 및 증상기(stage I, II, III, IV)로 구분하고, 중증의 합병증 출현에 따라 세분하였다. 무증상기(stage 0)는 증상이 없는 경우(stage 0a), 급성췌장염으로 발현하는 경우(stage 0b), 급성췌장염으로 발현되어 중증의 합병증이 동반된 경우(stage 0c)로 세분하였다.

증상기는 췌장 외분기 기능부전이 없이 복통이 있는 경우(stage I), 복통의 유무와 상관 없이 부분적인 췌장 기능부전이 있는 경우(stage II)로 이 시기에는 췌장 기능부전은 외분비 혹은 내분비 단독으로 있으며, 두 가지가 모두 있지는 않다. Stage III는 췌장의 외분비 및 내분비 기능부전 두 가지가 모두 있는 경우이고, stage IV는 복통이 줄어들거나 완전히 소실될 수 있는 시기로, 질병이 오래 지속(10년 이상)되었으며, 췌장의 섬유화성 파괴가 생겨 gland의 burn-out가 된 시기이다(표 24-2).

(2) 췌장영상기준(pancreatic imaging criteria)

Cambridge 기준에 근거하여 US(초음파검사), CT, ERCP, MRI/MRCP 혹은 EUS 소견을 구분하였다. Cambridge 기준은 US, CT, MRI/MRCP 및 EUS 소견에 따라 만성췌장염의 경도와 중등도를 감별하지는 않았다[4,35,36]. 그래서 M-ANNHEIM분류에서는 영상소견(US, CT, MRI/MRCP)에서 보이는 주췌관의 모양에 따라 경도와 중등도를 분류하였다[38].

(3) 점수 체계 및 중증도 지표 (scoring system and severity index)

만성췌장염의 임상양상 점수체계는 복통의 출현 유무, 복통조절 방법, 췌장 수술, 외분비 및 내분비 기능부전, 췌장의 형태학적 상태 및 중증 합병증의 발생 등의 상태에 따라 점수를 부여하였다(표 24-3). 부여한 점수를 합산하여 중증도 지표를 구분하였는데, M-ANNHEIM A는 0~5점, B는 6~10점, C는 11~15점, D는 16~20점, E는 20점 초과 등으로 구분하였으며, 중증도 수준(level)은 각각 Minor, Increased, Advanced, Marked, Excerbated로 정하였다[38](표 24-4).

4) 만성췌장염 환자 질병상태 기술

만성췌장염 환자의 진단명과 질병상태의 기술은 만성췌장염의 원인, 영상검사소견의 중증도 그리고 생리학적 병기(A: 정상 배분비 및 외분비 기능, B: 분비 기능이상(세크레틴 자극시험에서 비정상), C: 외분비 기능부전(비정상 대변 elastase, 지방변, 혈청 trypsin 감소), D: 내분비 기능부전(비정상 공복혈당, 당화혈색소 및 GTT), E: C 및 D가 함께 있는 경우, X: 분류가 안되거나/미상)를 기술할 수있고[25](표 24-5), 또는 M-ANNHEIM 분류법에 따르면 원인, 중증도 지표(severity index), 진단기준 과 임상병기(clinical staging) 등을 기술한다[38](표 24-6).

5) 삶의 질 평가

만성췌장염 환자에서 삶의 질 평가를 실시해야 하는데[3], 제일 많이 사용되는 설문지는 SF-12[42]와 EORTC QLQ-C30[43,44]이다. 삶의 질 평가는 입원 중 그리고 외래

표 24-2. M-ANNHEIM 만성췌장염의 임상병기

Asymptomatic chronic pancreatitis
0 Stage of subclinical chronic pancreatitis a Period without symptoms (determination by chance, e.g., autopsy) b Acute pancreatitis-single episode (possible onset of chronic pancreatitis) c Acute pancreatitis with severe complication
Symptomatic chronic pancreatitis
I Stage without pancreatic insufficiency a (Recurrent) acute pancreatitis (no pain between episodes of acute pancreatitis) b Recurrent or chronic abdominal pain (including pain between episodes of acute pancreatitis) c I a/b with severe complication
II Stage of partial pancreatic insufficiency a Isolate exocrine (or endocrine) pancreatic insufficiency (without pain) b Isolate exocrine (or endocrine) pancreatic insufficiency (with pain) c II a/b with severe complications
III Stage of painful complete pancreatic insufficiency a Exocrine and endocrine insufficiency (with pain, e.g., requiring pain medication) b III a with severe complication
IV Stage of secondary painless disease (burn-out) a Exocrine and endocrine insufficiency without pain and without severe complication b exocrine and endocrine insufficiency without pain and with severe complications

Schneider A et al. J Gastroenterol 2007;42:106에서 인용[38].

진료 시에도 시행해야 하며, 약물치료(PERT, 통증치료 등) 전후를 비롯해서 다양한 시술이나 치료 혹은 수술 등의 전후에 시행하면, 치료효과를 평가하는데 도움이 된다[3]. SF-12와 EORTC QLQ-C30설문지의 일치 율은 높고(gamma = 0.960, P < 0.001)[42,45], 만성췌장염 환자의 삶의 질 평가에서 SF-12 설문지가 EORTC QLQ-C30 설문지보다 더 신뢰성이 있고, 일상 임상진료에 사용하기 용이하다[45].

3. 만성췌장염의 예후

1) 주요 증상의 자연경과

(1) 복부통증

만성췌장염 환자에게 임상적으로 가장 큰 문제를 일으키는 것은 복부 통증으로, 대부분의 환자는 일상생활에 지장을 줄 정도의 심한 복통을 경험하게 된다. 이러한 만성췌장염에서의 통증은 췌관 혹은 췌장실질 압력 상승 외에도 혈류 장애로 인한 췌실질의 허혈, 췌장에 분포하는 주위 신경의 염증, 가성낭종 등의 합병증 발생 등 다양한 원인에 의해서 발생하는 것으로 생각된다[46,47,48,49].

알코올성 만성췌장염 환자에서는 77%, 특발성 만성췌장염 환자에서는 발병 연령에 따라 54~96%에서 복부 통증을 호소하며 대개 병이 진행됨에 따라 그 빈도 및 통증의 정도가 감소하는 것으로 생각한다[50,51]. 207명의 알코올성 만성췌장염 환자를 대상으로 평균 17년간 추적 관찰한 연구에서는 적절한 치료를 하였을 때 6년 이내 50%, 10년 이내에 80% 이상에서 통증이 해소된 것으로 보고하였다[51]. 또한 249명의 환자를 14.6~18.1년간 추적관찰하였을 때 평균 15년 이내에 77%에서 통증 감소나 소실이 있었다[52]. 국내 보고에서는 알코올성 췌장염은 77%, 특발성 췌장염은 64~67%에서 변화가 있는 반면 통증이 심해지는 경우가 각각 6.8% 및 8.3~18.2% 있다고 보고하였다[50]. 반면 Lankish 등[53]은 335명의 환자를 10년 이상 추적 관찰하였을 때 65%에서 여전히 반복적인 복통을 호소함을 보고하였다. 결국 시간의 경과에 따라 일부 만성췌장염 환자에서 통증의 호전이나 소실이 나타날 수 있으나, 개개인 환자에게 있어 통증의 호전이나 경과를 예측하는 것은 어렵다.

표 24-3. **M-ANNHEIM 만성췌장염의 임상양상의 등급을 위한 점수체계**

Clinical features		points
Patient report of pain		
No pain without therapy	(patient reports requiring no pain medication)	0
Recurrent acute pancreatitis	(patient report freedom from pain between attacks of pancreatitis)	1
No pain with therapy	(patient reports freedom from pain with pain medication or endoscopic intervention)	2
Intermittent pain	(patient reports intermittent pain-free episodes, either with or without therapy: possibly additional attacks of acute pancreatitis)	3
Continuous pain	(patients reports absence of pain-free episodes, either with or without therapy: possibly additional attacks of acute pancreatitis)	4
Pain control		
No medication		0
Use of nonopioid drugs or use of mild opioids (WHO step 1 or 2)		1
Use of potent opioid (WHO step 3) or endoscopic intervention		2
Surgical intervention		
Pancreatic surgical intervention for any reason		4
Exocrine insufficiency		
Ansence of exocrine insufficiency		0
Presence of mild, moderate, or unproven exocrine insufficiency not requiring enzyme supplementation (including patient reports of intermiottent diarrhea)		1
Presence of proven exocrine insufficiency (according to exocrine function tests) or Presence of marked exocrine insufficiency defined as steatorrhea(> 7g fat/24 h), Normalized or markedly reduced by enzyme supplementation		2
Endocrine insufficiency		
Absence of diabetes mellitus		0
Presence of diabete mellitus		4
Morphologic status on pancreatic imaging (according to the Cambridge classification)		
Normal		0
Equivocal		1
Mild		2
Moderate		3
Marked		4
Severe organ complications		
Absence of complication		0
Presence of possibly reversible complications		2
Presence of irreversible complications		4

Schneider A et al. J Gastroenterol 2007;42:110에서 인용[38].

표 24-4. M-ANNHEIM 만성췌장염의 중증도 지표

Severity index	Severity level	Pain range
M-ANNHEIM A	Minor	0-5 points
M-ANNHEIM B	Increased	6-10 points
M-ANNHEIM C	Advanced	11-15 points
M-ANNHEIM D	Marked	16-20 points
M-ANNHEIM E	Exacerbated	> 20 points

Schneider A et al. J Gastroenterol 2007;42:111에서 인용[38].

표 24-5. 만성췌장염의 미국췌장학회 가이드라인에 따른 기술

Case 1. Probabe evidence.

56 yrs. male smoker. History of alcohol abuse 10 years earlier who presents wwith intermittent abdominal pain. Mild lipase elevations to 2xULN. CT scan; negative for pancreas mass. Fecal elasatse; 225 UG/G on a solid stool sample. MRI; decreased T1 signal. sMRCCP; a few prominent side branches. EUS; 4 criteria. ePFT; peak bicarbonate of 69 meq/L.

Diagnosis; Chronic Alcohol-induced Pancreatitis, Imaging Grade II, Physiology Stage B

Case 2. Definite evidence.

33 yrs old female with acute onset of severe acute pancreatitis. No prior history or use of alcohol or drugs. CT scan; consistent with interstitial pancreatitis without a pancreatic mass. Father had a pancreaticojejeunoctomy when he was 25 yrs old for recurrent pancreatitis. Further testing reveal mildly elevated glucose to 150 and glycohemoglobulin in 7.5 mg/dL. Genetic testing revealed PRSS1 mutation. Patient was followed for several months and continued to have recurrent pancreatitis and non-narcotic requiring abdominal pain. MRI; low T1 signal. sMRCP;mildly irregular main pancreas duct with multiple side branches dilations. Total pancreatectomy with autologous islet transplantation performed. Final pathology revealed inflammation, fibrosis and atrophy consistent with chronic pancreatitis.

Diagnosis(prior to TPIAT): Chronic Genetic(PRSS1)-induced Pancreatitis, Imaging Grade III, Physiology Stage D.

Conwell DL et al. Pancreas 2014;43(8):authors manuscript p69에서 인용[25].

(2) 외분비 기능부전

췌장 외분비 기능부전이란 췌장 선포세포의 효소 분비와 췌관세포의 중탄산염 분비가 충분하지 못한 상황을 뜻한다. 경증의 외분비 기능부전은 하나 이상의 췌장효소 분비가 감소하였으나 중탄산염 분비는 정상인 경우, 중등도의 외분비 기능부전은 췌장효소와 중탄산염 분비 모두 감소하였으나 지방변이 발생하지 않은 경우, 중증의 외분비 기능부전은 췌장효소와 중탄산염 분비 감소와 함께 지방변이 발생한 경우로 정의한다[54].

췌장은 상당한 외분비 기능의 예비력을 가지고 있어서 잔류 외분비 기능이 10% 미만으로 감소하지 않는 한 지방변이 좀처럼 발생하지 않는다[55]. 만성췌장염의 자연 경과를 분석한 연구에 따르면, 알코올성 만성췌장염에서는 16.9년, 특발성 만성췌장염에서는 26.3년만에 지방변이 발생한다고 보고하였다[52]. 우리나라에서는 내분비 기능저하로 당뇨가 초래되었음에도 지방변을 호소하는 만성췌장염 환자들은 거의 없었다[56]. 하지만 경증 혹은 중등도의 외분비 기능부전의 발생에 대해서는 논란의 여지가 있는데, 일부 보고에서는 점진적인 외분비 기능의 감소가 평균 5.6년 후에 87%에서 발생한다고 하지만, 평균 13.1년 더 길게 걸린다고 보고한 경우도 있었다[52,57]. 하지만 335명의 만성췌장염을 약 9.8년

표 24-6. **M-ANNHEIM 분류에 따른 만성췌장염 환자의 진단명 기술**

Case . Male, Caucasian, pancreatitis with multiple risk factors (M): excessive alcohol intake (A), and smoking (N)
Age; 35. Disease duratiuon; 1 yr, Clinical charsteristics;Onset of disease at gae of 34 yrs with acute pancreatitis, alcohol consumption of 100 g/day since the age of 26 years, smokeer since the age of 16 years.
M-ANNHEIN severity index; A (0 point), diagnostic criteria; Borderline, clinical stage; 0b
Age; 37. Diasese duration; 3 yrs. Another episode of acute pancreatitis within the last 12 months, no pain between the episodes of acute pancreatitis, no signs of pancreatic insufficiency, still smoking.
M-ANNHEIN severity index; A (1 point), diagnostic criteria; probable, clinical stage; Ia
Age; 38. Disease duration; 4 yrs. Intermittent pain, medicatioc with potent opioids, according to the patient, rare occurrences of intermittent diarrhes, no enzyme supplementation necessary, normal test results for exocrine and endocrine function, ERCP with mild changes, stopped drinking, still smoking
M-ANNHEIN severity index; B (8 point), diagnostic criteria; probable, clinical stage; IIb
Age; 44. Disease duration; 10 yrs. Again intermittent pain, potent opioids every 4h without sufficient pain relief. ERCP showing marked changes, endoscopic interventions without successful pain relief, still no endocrine insufficiency, finally surgical intervention for pain relief.
M-ANNHEIN severity index; C (15 point), diagnostic criteria; definite, clinical stage; IIb
Age; 49. Disease duration; 15 yrs. Since surgery, again intermittent pain; medication with potent opioids; after surgery onset of endocrine insufficiency; still smoking
M-ANNHEIN severity index; D (19 point), diagnostic criteria; definite, clinical stage; IIIa
Age; 54. Disease duration; 20 yrs. In recent years fading pain, currently no pain, no pain medication necessary, still smoking
M-ANNHEIN severity index; C (14 point), diagnostic criteria; definite, clinical stage; IVa

Schneider A et al. J Gastroenterol 2007;42:114에서 인용[38]

추적 관찰한 다른 연구 결과에서는 3.5~6.5년 기간 동안 대상환자의 46%에서는 외분비 기능의 저하가 없었고 43%에서만 외분비 기능저하가 진행되었으며, 11%에서는 오히려 기능 호전이 나타났다[53]. 요약하면 외분비 기능 평가의 다양한 방법들과 각기 다른 추적 관찰 기간에 따라 논란이 있으나, 병의 진행에 따라 50~80% 환자에서 외분비 기능부전이 발생하지만, 이러한 외분비 기능부전이 만성췌장염의 경과나 예후에 끼치는 영향에 대해서는 미미할 것으로 생각된다[55,58].

(3) 내분비 기능부전

당뇨병은 만성췌장염의 주요 후기 합병증으로 삶의 질에 영향을 줄 뿐 아니라, 췌장염 환자의 사망에 기여하는 독립적인 위험인자로 알려져 있다[59]. 500명의 만성췌장염 환자들을 췌장수술군과 비수술군으로 나누어 약 7년간 추적관찰하였을 때, 췌장 배액 목적의 수술이 당뇨병의 발생을 예방하지 못하였고, 당뇨 발생 위험은 췌장염이 진행될수록 증가하며, 췌장 석회화가 시작되면 3배 이상의 위험도를 보였다[59]. 335명의 만성췌장염 환자를 약 10년간 추적관찰하였을 때 초기에는 중등도 혹은 중증의 당뇨병이 8%에 불과하였으나 10년 후에는 연구 초기의 약 10배에 이르는 78% 환자에서 중등도 혹은 중증의 당뇨병이 발전하였다[53]. 다른 연구들에서도 알코올성 만성췌장염 환자에서 당뇨병 발생까지 각각 6~10년, 19.8년으로 기간의 차이는 있었지만, 병의 진행에 따른 내분비기능의 악화가 동일하게 나타났다[52,51,57]. 결과적으로 알코올성 만성췌장염 환자에서는 오랜 기간 관찰하였을 때 40%에서 많게는 80%에서 당뇨가 발생하며, 모든 만성췌장염을 대상으로 한 코호트 연구 결과에서는 25년 동안 83%에서 당뇨가 발생하였다[59].

2) 예후

만성췌장염의 예후에 영향을 미치는 인자들 중 지속적인 알코올 섭취가 만성췌장염 환자의 예후에 악영향을 주리라는 것은 저명하며, 실제로 술을 끊거나 줄인 환자에 비해 지속적으로 술을 마신 환자에서 사망률과 신체 손상으로 인한 실업률이 3배 이상 높았다[51,60]. 하지만 금주가 만성췌장염 환자의 증상이나 장기 예후에 어떠한 영향을 주는지에 대해서는 결과가 다양하다. 금주 후에도 췌장의 외분비 기능저하가 계속 진행하지만 더 느리고 경한 경과를 보여주었다는 보고[61]와 금주가 통증이나 외분비 기능에 있어 명백한 호전을 보여주지 못하였지만 췌장의 내분비 기능을 호전시켰다는 보고가 있다[53]. 복부 통증에 관련해서는 술을 끊거나 줄인 환자는 50~75%에서 통증이 소실되었지만, 지속적으로 음주를 시행한 환자에서도 26~37% 환자에서 자발적인 통증 소실이 있었다[53,58,62]. 따라서 금주가 통증의 소실이나 췌장 기능의 호전을 보장해 주지는 못하지만, 금주를 통해 반 정도의 환자에서 복통의 소실을 기대할 수 있고 췌장 기능저하의 지연을 가져올 수 있으며 지속적인 음주가 만성췌장염의 예후에 악영향을 주는 것은 명백한 사실이므로 반드시 모든 환자에서 금주를 권해야 할 것이다. 흡연 역시 만성췌장염의 발생 및 진행에 독립적 위험인자로 여겨지고 있다[63]. 대부분의 만성 음주자들이 담배를 피우므로 알코올과 흡연의 영향을 서로 분리하는 것에 어려움이 있지만, Talamini 등[64]은 알코올성 만성췌장염 환자의 예후에서 흡연이 독립적인 위험인자임을 증명하였고, 특발성 만성췌장염 환자를 대상으로 한 연구에서는 석회화와 당뇨병의 발현을 질병의 진행으로 판단하였을 때 흡연자들에게서 높은 위험도를 보여 흡연이 만성췌장염 질병경과를 더욱 빠르게 진행시킴을 보여 주었다[65]. 더불어 흡연은 췌장암 발생 위험을 증가 시키므로[66] 음주와 마찬가지로 모든 환자에게 금연을 권고해야 할 것이다.

만성췌장염의 합병증은 췌장 석회화, 췌관결석, 외분비 기능부전, 가성낭종, 췌장복수, 췌장루, 총수담관 협착, 당뇨병, 혈관질환, 췌장암 등 매우 다양하고, 이러한 모든 합병증들이 환자의 예후에 나쁜 영향을 주는 것은 틀림없으나, 아직까지 대규모 임상연구가 없어 만성췌장염 예후에 정확히 어떤 영향을 주는지 불명확하다[58].

만성췌장염 환자에서 췌장암 발생은 췌장염 진단 2년째부터 확실히 증가하기 시작하며, 진단 10년 후 1.8%, 20년 후 4%에서 발생하는 것으로 알려져 있다[67]. 만성췌장염 환자 중에 음주자, 흡연자가 많으므로 상부 호흡기계 암의 발생빈도가 높은데, 구강암, 인후암, 폐암 등 췌장 외 장기의 암의 발생빈도는 3.9~12.5%로 높게 보고된다[59].

만성췌장염 환자의 사망률은 10년에 약 30%, 20~25년 이내에 약 50%이며 15~20%는 췌장암을 포함한 췌장염 합병증 발생으로 사망하고, 기타 사망원인으로는 췌장 외 질환, 즉 췌장을 제외한 다른 장기 암, 심혈관계 질환, 중증 감염증, 외상, 영양실조 등이 있다[57,67,68]. 또한 원인에 따른 사망률의 차이가 나타나는데, 특발성 만성췌장염에 비해 알코올성 만성췌장염에서 사망률이 더 높다[52,53].

결론

만성췌장염은 초기 진단이 어려우며, 병의 진행과정에서 다양한 임상양상과 췌장내 및 췌장주위 그리고 다른 장기에 여러 종류의 합병증을 일으킬 수가 있어, 각 상황에 따른 적절한 임상적 평가를 통해, 시기별로 적절한 치료가 이루어져야 환자의 예후가 호전될 수 있다. 현재 진료에서 활용할 수 있는 평가 방법이 다양하여, 세계적으로 통일된 진료지침이 없는 상황이나, 향후 통일된 진료지침이 작성되기를 희망하며, 이를 바탕으로 질병의 시기나 상황별로 적절한 치료가 이루어져서 환자의 예후를 호전시킬 수 있기를 기대한다.

References

1. Siriwardana HP, Siriwardena AK, End-stage chronic pancreatitis: a practical disease-descriptor. Int J Ggastro intest Cancer 2001;30:171-5.
2. Lankisch PG, Lohr-Happe A, Otto J, Creutzfeldt W. Natural course in chronic pancreatitis. Pain, exocrine and endocrine pancreatic insufficiency and prognosis of the disease. Digestion 1993;54:148-55.
3. Lohr JM, Dominguez-Munoz E, Rosendahl J, et al. Unted European gastroenterology evidence-based guidelines for the diagnosis and therapy of chronic pancreatitis(HaPanEU). Uinted European Gastroenterol J 2017;5(2):153-99.
4. Axon AT, Classen M, Cotton PB, Cremer M, Freeny PC, Lees WR. Pancreatography in chronic pancreatitis: international definitions. Gut 1984;25:1107-12.
5. Catalano MF, Sahai A, Levy M, et al. EUS-based criteria for the diagnosis of chronic pancreatitis: The Rosemont classification. Gastrointest Endosc 2009; 69: 1251–61.
6. Chong AK, Hawes RH, Hoffman BJ, et al. Diagnostic performance of EUS for chronic pancreatitis: A comparison with histopathology. Gastrointest Endosc 2007; 65: 808–14.
7. Varadarajulu S, Eltoum I, Tamhane A, et al. Histopathologic correlates of noncalcific chronic pancreatitis by EUS: A prospective tissue characterization study. Gastrointest Endosc 2007; 66: 501–9.
8. Hellerhoff KJ, Helmberger H, 3rd, Rosch T, Settles MR, Link TM, Rummeny EJ. Dynamic MR pancreatography after secretin administration: image quality and diagnostic accuracy. AJR 2002;179:121-9.
9. Manfredi R, Costamagna G, Brizi MG, et al. Severe chronic pancreatitis versus suspected pancreatic disease: dynamic MR cholangiopancreatography after secretin stimulation. Radiology 2000;214:849-55.
10. Bali MA, Sztantics A, Metens T, et al. Quantification of pancreatic exocrine function with secretin-enhanced magnetic resonance cholangiopancreatography: normal values and short-term effects of pancreatic duct drainage procedures in chronic pancreatitis. Initial results. Euro Radiol 2005;15:2110-21.
11. Gillams A, Pereira S, Webster G, Lees W. Correlation of MRCP quantification (MRCPQ) with conventional non-invasive pancreatic exocrine function tests. Abdom Imaging 2008;33:469-73.
12. Manfredi R, Perandini S, Mantovani W, Frulloni L, Faccioli N, Pozzi Mucelli R. Quantitative MRCP assessment of pancreatic exocrine reserve and its correlation with faecal elastase-1 in patients with chronic pancreatitis. La Radiologia Medica 2012;117:282-92.
13. Czako L, Endes J, Takacs T, Boda K, Lonovics J. Evaluation of pancreatic exocrine function by secretin- enhanced magnetic resonance cholangio-pancreatography. Pancreas 2001;23:323-8.
14. Lankisch PG, Seidensticker F, Otto J, et al. Secretin-pancreozymin test (SPT) and endoscopic retrograde cholangiopancreatography (ERCP): both are necessary for diagnosing or excluding chronic pancreatitis. Pancreas 1996;12:149-52.
15. Chowdhury R, Bhutani MS, Mishra G, Toskes PP, Forsmark CE. Comparative analysis of direct pancreatic function testing versus morphological assessment by endoscopic ultrasonography for the evaluation of chronic unexplained abdominal pain of presumed pancreatic origin. Pancreas 2005;31:63-8.
16. Stevens T, Dumot JA, Zuccaro G, Jr., et al. Evaluation of duct-cell and acinar-cell function and endosonographic abnormalities in patients with suspected chronic pancreatitis. Clin Gastroenterol Hepatol 2009;7:114-9.
17. Löhr JM, Oliver MR, Frulloni L. Synopsis of recent guidelines on pancreatic exocrine insufficiency. United European Gastroenterol J 2013;1:79-83.

18. Lankisch PG, Schmidt I, Konig H, et al. Faecal elastase 1: not helpful in diagnosing chronic pancreatitis associated with mild to moderate exocrine pancreatic insufficiency. Gut 1998;42:551-4.
19. Keller J, Bruckel S, Jahr C, Layer P. A modified (13) C-mixed triglyceride breath test detects moderate pancreatic exocrine insufficiency. Pancreas 2011;40:1201-5.
20. Keller J, Meier V, Wolfram KU, Rosien U, Layer P. Sensitivity and specificity of an abbreviated (13) C-mixed triglyceride breath test for measurement of pancreatic exocrine function. United European Gastroenterol J 2014;2:288-94.
21. Lang C, Gyr K, Borer P, Kayasseh L, Stalder GA. The study of exocrine pancreas function by means of orally administered N-benzoyl-L-tyrosyl-praaminobenzoic acid (BT-PABA-test). Evaluation after 5 years clinical experienc. Schweiz Med Wochenschr 1980;110:522-8.
22. 박승우, 정재복, 송시영, 문영명, 강진경, 박인서. 만성췌장염 환자에서 Bentiromide 검사와 내시경적 역행성 췌관 조영술 소견의 비교. 대한소화기학회지 1998;31:220-6.
23. Siegmund E, Lohr JM, Schuff-Werner P. The diagnostic validity of non-invasive pancreatic function tests--a meta-analysis. Z Gastroenterol 2004;42:1117-28.
24. 최호순, 조윤주, 함준수 등. 췌장 외분비 기능검사로서 내시경적 췌관내 세크레틴 검사. 대한소화기내시경학회잡지 2000;21:723-9.
25. Conwell DL, Lee LS, Yadav D, et al. American Pancreatic Association Practice Guideline in Chronic Pancreatitis: Evidence-based Report on Diagnostic Guidelines. Pancreas 2014;43(8):1143-62.
26. Ramesh H. Proposal for a New Grading System for Chronic Pancreatitis. J Clin Gastroenterol 2002;35(1):67-70.
27. Singer MV, Gyr K, sarles H. Revised classification of pancreatitis. Report of the Second International Symposium on the Classification of Pancreatitis in Marseille, France, March 28-30, 1984. Gastroneterology 1985;89:683-90.
28. Amman RW. A clinically based classification system for alcoholic chronic pancreatitis: summary of an international workshop on chronic pancreatitis. Pancreas 1997;14:215-21.
29. Amman RW. Zurich workshop on alcoholic chronic pancreatitis. Int J Pancreatol 1998;23:81-2.
30. Cahri ST, Singer MV. The problem of classification and staging of chronic pancreatitis. Proposal based on current knowledge of its natural history. Scand J Gastroenterol 1994;29:949-60.
31. Sarles H. Pancreatitis: Symposium of Marseille, 1963. Basel, Switzerland: Karger: 1965.
32. Sarles H. Proposal adopted unanimously by the participants of the Symposium, Marseilles 1963. Bibl Gastroetnerol 1965;7:7-8.
33. Singer MV, Gyr K, Sarles H. Revised classification of pancreatitis. Gastroenterology 1985;89:683-90.
34. Sarles H, Adler G, Dani R, Frey C, Gullo L, Harada H, et al. The pancreatitis classification of Marseilles,Rrome 1988. Scand J Gastroenterol 1989;24:641-2.
35. Sarner M, Cotton PB. Classification of pancreatitis. Gut 1984;25:756-9.
36. Sarner M, Cotton PB. Definition of acute and chronic pancreatitis. Clin Gastroenterol 1984;13:865-70.
37. Buchler MW, Martignoni ME, Friess H, et al. A proposal for a new clinical classification of chronic pancreatitis. BMC Gastroneterol 2009;9:93
38. Schneider A, Löhr JM, Singer MV. The MANNHEIM classification of chronic pancreatitis: Introduction of a unifying classification system based on a review of previous classifications of the disease. J Gastroenterol 2007;42:101–119.
39. Bagul A, Siriwardena AK. Evaluation of the Manchester Classification System for Chronic Pancreatitis. JOP J Pancreas(Online) 2006;7(4):390-6.
40. He YX, Xu HW, Sun XT, et al. Endoscopic manage-

ment of early-stage chronic pancreatitis based on MANNHEIM classification system: A prospective study. Pancreas 2014;43:829–833.
41. Diaconu BL, Ciobanu L, Mocan T, et al. Investigation of the SPINK1 N34S mutation in Romanian patients with alcoholic chronic pancreatitis. A clinical analysis based on the criteria of the M-ANNHEIM classification. J Gastrointest Liver Dis 2009;18:143–150.
42. Pezzilli R, Morselli-Labate AM, Frulloni L, et al. The quality of life in patients with chonic pancreatitis evaluated using the SF-12 questionaire: A comparative study with SF-36 questionaire. Dig Liver Dis 2006;38: 109-15.
43. Osoba D, Rodrigues G, Myles J, et al. Interpreting the significance of changes in health-related quality-of-life scores. J Clin Oncol 1998;16:139-44.
44. Fitzsimmons D, Johnson CD, George S, et al. Development of a disease specific quality of life(QoL) questionnaire module to supplement the EORTC core cancer QoL questionnaire, the QLQ-C30 in patients with pancreatic cancer. EORTC study Group on Quality of Life. Eur J Cancer 1999;35:939-41.
45. Pezzilli R, Morselli-Labate AM, Fantini L, et al. Assessment of the quality of life in chronic pancreatitis using SF-12 and EORTC QLQ-C30 questionaires. Dig Liver Dis 2007;39:1077-86.
46. Bradley EL, 3rd. Pancreatic duct pressure in chronic pancreatitis. Am J Surg 1982;144:313-6.
47. Ebbehoj N, Borly L, Madsen P, Svendsen LB. Pancreatic tissue pressure and pain in chronic pancreatitis. Pancreas 1986;1:556-8.
48. Bockman DE, Buchler M, Malfertheiner P, Beger HG. Analysis of nerves in chronic pancreatitis. Gastroenterology 1988;94:1459-69.
49. Karanjia ND, Reber HA. The cause and management of the pain of chronic pancreatitis. Gastroenterol Clin North Am 1990;19:895-904.
50. 윤용범. 만성췌장염의 원인 및 역학. 제 4차 연세대학교 의과대학 소화기병연구소 학술 심포지엄 1997:43-8.
51. Ammann RW, Muellhaupt B. The natural history of pain in alcoholic chronic pancreatitis. Gastroenterology 1999;116:1132-40.
52. Layer P, Yamamoto H, Kalthoff L, Clain JE, Bakken LJ, DiMagno EP. The different courses of early- and late-onset idiopathic and alcoholic chronic pancreatitis. Gastroenterology 1994;107:1481-7.
53. Lankisch PG, Lohr-Happe A, Otto J, Creutzfeldt W. Natural course in chronic pancreatitis. Pain, exocrine and endocrine pancreatic insufficiency and prognosis of the disease. Digestion 1993;54:148-55.
54. Lankisch PG, Schmidt I, Konig H, et al. Faecal elastase 1: not helpful in diagnosing chronic pancreatitis associated with mild to moderate exocrine pancreatic insufficiency. Gut 1998;42:551-4.
55. Sleisenger MH FM, Friedman LS, Brandt LJ. Sleisenger & Fordtran's gastrointestinal and liver disease: pathophysiology, diagnosis, management. 8th ed. Philadelphia: Saunders Elsevier; 2006.
56. 이동기. Epidemiology, etiology, and treatment of chronic pancreatitis in Korea. 대한소화기학회지 2002;39:315-23.
57. Ammann RW, Akovbiantz A, Largiader F, Schueler G. Course and outcome of chronic pancreatitis. Longitudinal study of a mixed medical-surgical series of 245 patients. Gastroenterology 1984;86:820-8.
58. Lankisch PG. Natural course of chronic pancreatitis. Pancreatology 2001;1:3-14.
59. Malka D, Hammel P, Sauvanet A, et al. Risk factors for diabetes mellitus in chronic pancreatitis. Gastroenterology 2000;119:1324-32.
60. Strate T, Yekebas E, Knoefel WT, Bloechle C, Izbicki JR. Pathogenesis and the natural course of chronic pancreatitis. European J Gastroenterol Hepatol 2002;14:929-34.
61. Ullo L, Barbara L, Labo G. Effect of cessation of alcohol use on the course of pancreatic dysfunction in alcoholic pancreatitis. Gastroenterology 1988;95:1063-8.

62. Miyake H, Harada H, Kunichika K, Ochi K, Kimura I. Clinical course and prognosis of chronic pancreatitis. Pancreas 1987;2:378-85.
63. Lankisch PG. Chronic pancreatitis. Cur Opin Gastroenterol 2007;23:502-7.
64. Talamini G, Bassi C, Falconi M, et al. Cigarette smoking: an independent risk factor in alcoholic pancreatitis. Pancreas 1996;12:131-7.
65. Maisonneuve P, Frulloni L, Mullhaupt B, et al. Impact of smoking on patients with idiopathic chronic pancreatitis. Pancreas 2006;33:163-8.
66. Talami G, Falconi M, Bassi C, et al. Incidence of cancer in the course of chronic pancreatitis. Am J Gastroenterol 1999;94:1253-60.
67. Lowenfels AB, Maisonneuve P, Cavallini G, et al. Prognosis of chronic pancreatitis: an international multicenter study. International Pancreatitis Study Group. Am J Gastroenterol 1994;89:1467-71.
68. Steer ML, Waxman I, Freedman S. Chronic pancreatitis. N Engl J Med 1995;332:1482-90.

CHAPTER 25

알코올 유발 만성췌장염

Alcohol-induced chronic pancreatitis

장성일

서론

알코올은 전통적으로 만성췌장염의 가장 흔한 위험 인자로 알려져 있다. 여러 역학 조사에서 만성췌장염의 원인으로 알코올은 서구에서는 대략 50~90%로 보고되며, 나라와 지역마다 차이를 보인다[1-4]. 서구뿐만 아니라 호주, 그리고 우리나라와 일본을 포함한 동양의 여러 나라에서도 알코올은 만성췌장염의 주요 발병 원인이다[5]. 알코올에 의한 만성췌장염은 여성보다는 남성에서 더 빈발하는 경향이 있다[3].

1. 위험요소

알코올 유발 만성췌장염의 위험도는 알코올의 양에 용량의존적 방식(dose-dependent manner)로 증가한다[6]. 알코올로 인한 만성췌장염은 대개 하루에 80~150 g의 알코올(120 g; 소주 2병)을 10~15년 동안 매일 복용하는 경우 발생할 수 있는 것으로 알려져 있다[7]. 최근 메타 연구에서 하루에 알코올 기준 용량(12 g; 맥주 1캔)으로 3배(36 g)일 경우 1.2배(95% CI: 1.2~1.3) 증가한다. 8배(96 g)일 경우에는 4.2배(RR = 4.2, 95% CI: 3.1~5.7) 증가한다고 보고되었다[8]. 여러 연구들에서 대략 기준 용량의 4~5배를 섭취할 경우 2~3배 정도 만성췌장염의 위험도가 증가하는 것으로 보고 있다[6]. 이러한 알코올과 만성췌장염 발생의 용량-의존적 관계는 지역적으로 다소 차이를 보인다. 아시아에서는 유럽이나 미국에 비해 알코올 용량과 만성췌장염 발생 간의 관계가 더 선형적이면서(linear) 더 높은 각(slope)을 보여준다[9]. 이러한 지역적 차이는 유전적 요인, 음주 습관과 식이 습관의 차이와 연관되어 있을 수 있다[6].

비록 최근의 많은 연구들에서 에탄올과 그 대사산물들의 췌장에 미치는 직접적인 독성 효과들에 대해 잘 규명되었으나, 알코올을 많이 섭취하는 만성 알코올 환자들에서 만성췌장염의 발생 빈도는 상대적으로 낮다. 이러한 측면에서 만성췌장염과 관련하여 알코올 섭취의 안전한 수준이 있는지에 대해서는 아직 명확하지 않다[10]. 그리고 최근에 만성췌장염의 위험인자로 알려진 흡연이 만성 음주자에서 같이 동반되는 경우가 있어 만성췌장염을 일으키는 알코올 양에 대한 기준을 일반화하는데 제한점이 있다[3,11]. 또한 고지방식이, 비만, 유전적 요소, 감염요소들도 복합적으로 연관되어 알코올만의 영향을 평가하는 데 어려움이 있다.

2. 병태생리

알코올에 의한 췌장의 반복적인 급성 손상으로 인하여 만성적이고 비가역적인 췌장의 변화를 의미하는 '괴사-섬유화(necrosis-fibrosis)' 가설은 여러 동물실험과 임상연구를 통해 만성췌장염의 병태생리를 설명한다[12-16]. 알코올성 만성췌장염의 정확한 병태생리는 적절한 동물모델이 없고, 인간의 췌장을 오랜 시간 분석하는 것이 어려운 한계로 인해 연구가 제한적이었다. 이러한 한계점에도 불구하고 최근 췌장에 대한 알코올의 급성 독성 작용에 의한 세포에서의 변화 과정과 급성 질환에서 만성적이고 비가역적인 변화 과정에 대한 많은 연구들이 진행되었다[17]. 모든 알코올성 급성췌장염이 만성화하지는 않으나 알코올에 의한 췌장 손상의 빈도나 중증도에 따라 급성췌장염이 만성췌장염으로 이행될 수 있다고 제시되고 있다[13,18]. 이러한 만성췌장염의 이행에는 감시병 급성췌장염 사건(sentinel acute pancreatitis event)가 필요하다고 제안되기도 한다[19] (그림 25-1).

알코올에 의한 췌장 기능의 변화로 제시되는 것에는 췌관내압의 상승, 췌장소화효소 합성변화, 대사산물에 의한 작용, 췌선방세포의 직접작용 등이 있다[20]. 췌관내압이 상승하면 췌장액의 역류로 인해 췌장의 자기소화를 초래되고 독성물질이 췌장내로 쉽게 접근하여 췌장을 손상시킬 수 있다. 이러한 췌관의 내압에 관련되는 인자로는 오디괄약근(sphincter of Oddi)의 압력변화와 췌액의 분비량 및 점도가 있다. 알코올은 오디괄약근의 기저압을 증가시키는 것으로 보고되고 있으나 감소시킨다는 연구 결과들도 있으며, 이러한 오디괄약근의 압력 변화가 췌장염을 일으키는 과정에 대해 아직 명확히 규명되지는 않은 상태이다[17,21,22]. 알코올은 정상인에게서는 췌장 분비를 억제하나 만성 알코올 중독

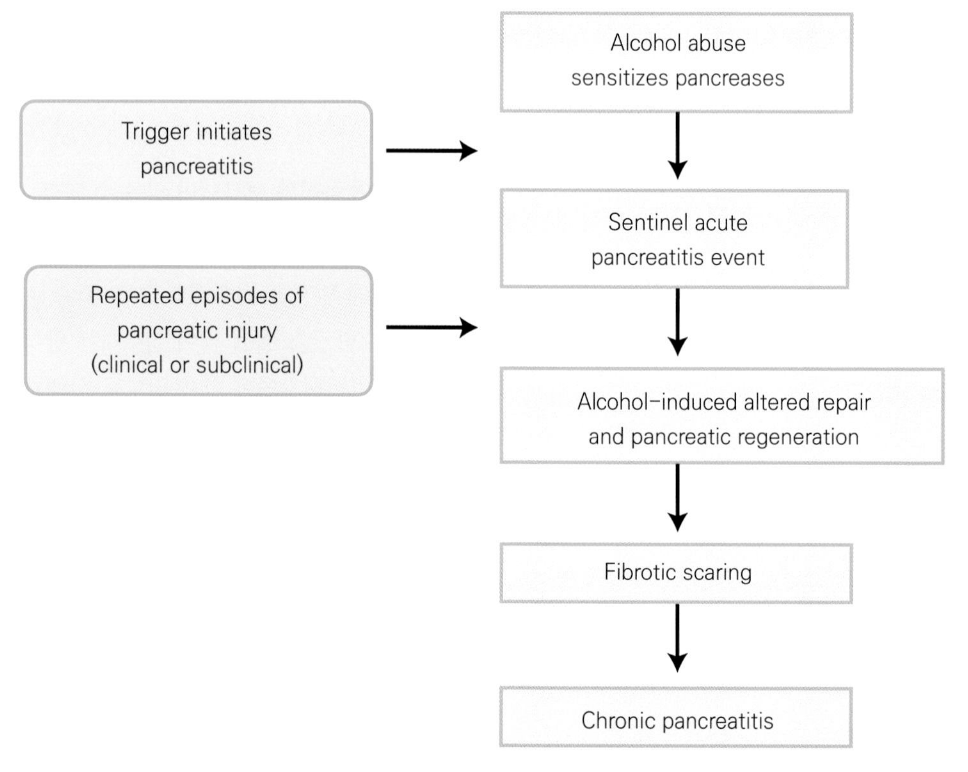

그림 25-1. **알코올 유발 만성췌장염의 전개 모델.**

자에서는 췌장 분비를 항진시킨다고 보고되고 있다[23]. 그리고 알코올은 췌장액에서 침전물을 형성하는 경향이 있다[24]. 만성 음주자에서 췌장소화효소의 분비가 증가하고 췌장의 중탄산 분비액이 감소하여 췌장의 단백질 농도는 증가한다[25]. 췌장액내의 단백질 농도의 증가에 의해 췌장액의 점성이 증가하면 췌장액내의 단백전(protein plug)이 형성될 수 있다. Lithostathine이나 glycoprotein GP2와 같은 단백질에 의한 단백전은 말초 췌관의 폐색을 유발하고 이로 인해 만성췌장염이 발생할 수 있다고 제시되고 있다[24,26,27]. 그러나 알코올이 오디괄약근의 압력 증가, 췌액의 단백질 농도증가가 만성 췌장염을 어떻게 유발할 수 있는지에 대한 기전이 정확히 밝혀지지 않았다[20]. 다만 점성 증가에 따른 췌장 손상이 췌장염의 진행에 있어 중요한 역할을 할 수 있을 것으로 예상된다.

트립시노겐(trypsinogen)은 트립신의 전구체로서 십이지장내에서 엔테로 키나아제(enterokinase)에 의해 통상 활성화된다. 그러나 특수한 상황에서는 cathepsin B에 의해서도 활성화 될 수 있다. 동물 실험에서 알코올은 췌장에서 트립시노겐, 카이모트립신, cathepsin B 합성을 증가시키는데 반해 항트립신 억제제의 합성은 감소시키는 것으로 보도되고 있다[28-30]. 일반적으로 췌선방세포는 소화효소를 비활성화 된 상태인 효소원(zymogen)형태로 합성 및 분비하고 항트립신 억제물질은 췌장에서 합성되는 트립신의 약 10% 정도를 억제할 수 있는 양이 합성되어 췌장이 자가소화(autodigestion)되는 것을 방지한다. 그러나 알코올 섭취에 의해 효소원 막의 안정성이 약화되고 상대적으로 트립신의 합성 분비량이 증가되면서 췌장내 소화효소의 자가활성화의 가능성이 높아 췌장염의 발생가능성이 높아진다[17,20]. 췌장은 알코올을 산화경로(oxidative pathway)와 비산화경로를 통해 대사하며 acetaldehyde와 fatty acid ethyl esters와 같은 독성 대사물을 배출한다. 알코올 섭취에 따라 췌장내 산화적 스트레스가 증가하여 효소원의 안정성을 약화시켜 췌장을 손상시킬 수 있으며, 이는 알코올에 의한 췌장 손상의 중요한 기전으로 작용할 가능성이 높다.

앞서 기술된 이러한 알코올의 췌장에 대한 영향을 고려하면 반복적인 음주에 의한 만성적인 췌장의 손상으로 인해 '괴사-섬유화' 가설에 의해 췌장의 섬유화가 촉진될 수 있다. 췌장의 섬유화는 알코올 유발 만성췌장염의 주된 병리학적 특징이다. 이러한 췌장의 섬유화에서 췌성상세포(pancreatic stellate cell)가 중요한 역할을 담당한다. 췌성상세포는 췌선방세포 주변에 존재하면서 기질(matrix)을 만들거나 없애는 역할을 담당한다. 알코올에 의한 췌선방세포의 손상되고 그에 따른 염증세포의 침착이 되면 췌성상세포의 활성화가 초래될 수 있다. 활성화된 췌성상세포와 췌장내 침윤된 염증세포로부터 다양한 염증성 사이토카인이 생성이 된다. 특히 TGFβ1과 PDGF (platelet derived growth factor) 등이 췌성상세포의 활성화와 증식 섬유소의 생성을 유발시켜 췌장의 섬유화가 진행된다[17].

3. 유전적인 요인

만성 알코올 섭취자들 중 일부에서만 실제로 만성췌장염이 발생하며, 최근 연구들에서 만성췌장염 환자들 중에서 만성 알코올 섭취자의 비율이 이전보다 낮다는 사실에서 유전적 감수성(genetic susceptibility)가 관여될 것으로 추측되고 있다[31]. 알코올성 만성췌장염의 유전적 감수성에 관여되는 인자는 PRSS1-PRSS2 locus (rs10273639)[32,33], CLDN2-RIPPLY1-MORC4 locus (rs7057398, rs12688220)[32,33], SPINK1(p.N34S)[34], CTRC (p.R254W, p.K247-R254del)[35], ABO locus (rs8176693)[36], FUT2 locus (rs632111, rs601138)으로 보고되었다[36,31]. 이러한 유전적 감수성은 방어요인(protecting factor)와 선행요인(predisposing factors)으로 구분될 수 있다[31]. 방어요인들에는 PRSS1-PRSS2 (rs10273639), PRSS1-PRSS2

(TT-genotype), ALDH2×2 allele가 있고, 선행요인들에는 RIPPLY1 (rs7057398), CLDN2-MORC4 (rs12688220), FUT2 non-secretor status, ABO blood-type B, CFTR (ΔF508, R1162Q, 5T allele), SPINK1(N34S), CTRC (c.760C > T, c738-761del24)로 구분된다.

최근 게놈 연구를 통해 Trypsin locus (PRSS1 rs 10273639) 및 Claudin 2 locus (CLDN2-RIPPLY1-MORC4 locus rs7057398 and rs12688220)가 알코올성 췌장염의 위험도를 높인다는 것이 새로이 밝혀졌다. PRSS1-PRSS2 (rs10273639)가 존재하는 환자에서는 알코올성 췌장염의 위험이 비알코올성 췌장염 환자보다 낮았고[32], PRSS1-PRSS2 (TT-genotype)은 알코올성 만성췌장염 환자에서 발현도가 낮아서 알코올성 만성췌장염에 대한 방어적 기능을 하는 것으로 추정된다[33]. RIPPLY1 (rs7057398)은 다른 알코올성 질환들에 비해 알코올성 만성췌장염 환자에서 높게 발현되고 특히 남성에서 더 많이 발현된다. 이에 비해 CLDN2-MORC4 (rs12688220)는 성별에 관계없이 알코올성 췌장염 환자들에서 강하게 연관되어 있다[33]. SPINK 1 (N34S)은 알코올성 만성췌장염 환자에서 발견되나 다른 원인에 의한 만성췌장염에서보다는 덜 발견된다. SPINK1(N34S)는 만성췌장염 환자들 중 5.8~6.8%에서 발견되나 정상인과 비교 시 통계학적으로 차이가 없거나[37-39] 미미하게 차이가 있었다[34]. 메타분석에 의하면 SPINK1(N34S) 고위험 단상형(haplotype)은 알코올성 만성췌장염과 유의미하게 연관된다고 보고되었으나(OR: 4.98), 이러한 연관성은 다른 형태의 췌장염과 비교 시 상당히 낮은 편이다[40]. 알코올성 만성췌장염 환자의 15%에서는 CFTR 변이를 가지고 있거나 CFTR mRNA 발현을 줄여 기능을 감소시키는 5T allele의 변이가 관찰된다[41,42]. 그러나 이러한 CFTR과 알코올성 만성췌장염과의 연관성은 0~8.9%로 정상인과 비교시 낮게 보고된다[42-44]. 따라서 CFTR이 알코올성 만성췌장염의 위험도를 높이는지에 대해서는 더 연구가 필요하다. CTRC 변이는 췌장염 환자의 3.3%에서 발견되며, 알코올성 만성췌장염에서 2.9%로 만성 간질환(0.7%)보다 높게 발견된다[35]. 이러한 CTRC 변이는 알코올 유발 췌장염에서 단백질분해효소/항단백분해효소(protease/antiprotease) 체계가 중요한 역할을 담당하며, 췌장염의 위험인자가 될 수 있음을 시사한다[31].

알코올 탈수소 효소(alcohol dehydrogenase)와 알데히드 탈수소 효소(aldehyde dehydrogenase, ALDH)와 같은 에탄올 대사에 관련된 단백질의 다형성(polymorphism)이 만성췌장염의 위험을 높일 수 있다. 알코올 대사에 관여하는 aldehyde-dehydrogenase (ALDH) 중 ALDH2는 대부분의 아세트알데히드를 제거한다. ALDH2×2 변종(variant)은 효소적으로 거의 비활성화되어 있으며[45], 상대적으로 아시아 지역에서 흔하게 발견된다. 이 변종은 알코올에 의한 부작용을 촉진하는 것을 알려져 있고 거의 대부분을 차지하기 때문에, ALDH2×2 대립유전자(allele)가 존재하는 것은 알코올성 만성췌장염의 예방인자가 될 수 있다[45]. 메타분석에 따르면 아시아에서는 ADH2, ADH3변종이 알코올성 만성췌장염의 위험도를 높이고 ALDH2×2 대립유전자는 위험도를 낮춘다. 비아시아권에서는 ADH3×2 대립유전자가 알코올성 만성췌장염의 위험도를 낮춘다[46]. 이러한 결과는 유전적 민감성이 지역과 인종에 따라 차이가 있음을 보여 준다. 게놈 차원의 연관 연구들에서 FUT2 non-secretor status이고 혈액형이 B형인 경우 만성췌장염의 위험도를 높아질 수 있다고 보고되었다[36]. 또한 이러한 조건을 가진 무증상의 정상인에서 혈청 리파아제 활성도가 높아 전임상의 췌장손상이 일어날 수 있다고 유추할 수 있다. 이렇게 새로이 발견된 유전적 연관성은 세포 수준에서의 알코올성 만성췌장염의 병리생태적이고 생화학적 과정에 대한 연구를 가능하게 한다.

4. 주요 증상 – 통증

만성췌장염 환자에서 가장 큰 임상적 문제는 통증이며, 대부분 환자는 일상 생활에 지장을 초래할 정도의 심한 통증을 호소할 수 있다. 알코올 유발 만성췌장염 환자에서의 통증에 대해서 2가지의 특징적인 통증 양상이 있음이 제시된다[47]. A형 통증은 만성췌장염 자체에 의해 발생하는 것으로 통증 지속 시간이 비교적 짧고, 10일을 넘기지 않으며 수개월에서 수년에 이르는 통증 소실 휴지기가 존재한다. 반면에 B형 통증은 가성낭종, 담즙울혈, 췌관 압력의 상승과 같은 췌장염의 국소 합병증으로 인해 발생하며, 매일 지속되는 통증이 오랜 기간 나타나거나 중증의 재발성 통증이 연속적으로 나타난다. 이러한 구분은 아직 다른 연구들에 의해 확립되지는 않으나, 만성췌장염 환자에서 통증의 유형에 따라 다른 임상경과가 있어 치료에 대한 다른 접근이 필요함을 시사한다[48]. 즉 A형 통증은 보존적인 치료로 경과 관찰할 수 있으나, B형 통증은 국소 합병증을 치료할 수 있는 배액법이나 수술적 접근이 필요할 수 있다[49].

만성췌장염에서의 통증이 만성췌장염이 진행함에 따라 점진적인 췌장실질의 파괴로 소실된다는 "burn-out"가설은 아직 논란이 되고 있다. 합병증이 없는 말기 췌장염 환자에서는 자연적으로 통증이 감소하고, 국소 합병증이 발생한 경우 적절한 치료를 통해 6년 이내에 50%, 10년 이내에 80% 이상 소실이 되었다는 보고가 있고[49], 평균 15년 이내에 77%에서 통증의 감소나 소실이 있었다는 보고가 있다[47,50]. 그러나 이러한 결과와 다르게 10년이상 추적 관찰한 연구에서 65% 환자에서 여전히 반복적인 통증이 남아있음을 보고한 연구도 있다[51]. 따라서 만성췌장염이 진행함에 따라 일부에서 통증의 호전이나 소실이 될 수 있으나 일반화하는 데는 무리가 있다. 이러한 의미에서 통증의 소실에 대한 막연한 예측으로 보존적 치료만을 고수하는 것은 마약성 진통제에 대한 중독 가능성이 있어 바람직한 방법은 아닐 수 있다[48].

췌장의 내 · 외분비 기능부전의 진행 정도와 췌장의 형태변화(췌장의 석회화, 췌관의 변형)의 정도가 통증의 강도와는 뚜렷한 연관성을 가지지는 않는다. 췌장의 내 · 외분비 기능이 감소함에 따라 통증이 감소하기도 하나[47,52] 통증이 지속되는 경우도 있어 이러한 기능 감소가 통증의 경과에 미치는 영향이 제한적이다[51]. 알코올성 만성췌장염에서 췌장의 석회화는 진단 후 5.5~8.5년에 발생한다[50,52]. 만성췌장염의 진행에 따라 췌장의 석회화는 증가하거나 감소할 수 있고, 단순히 석회화의 유무만으로 통증의 강도나 진행과 연관시키는 데 한계가 있다[51-53]. 주췌관을 포함한 췌관의 변형 정도도 통증과의 뚜렷한 상관관계를 보여주지는 않는다. 비록 만성췌장염에서 통증 발생이 췌관의 변형으로 인한 췌관 압력 상승이 원인이 될 수 있으나 다른 요인들이 복합적으로 작용하기 때문이다[48,51]. 결론적으로 췌관의 형태학적 변화나 췌장의 석회화를 통해 만성췌장염의 예후나 통증의 경과를 일반화하거나 예측하기는 어렵다. 그러나 유병기간이 길어질수록 일부에서 통증이 자연 소실될 수 있다는 것은 사실이며, 지속적인 통증의 원인이 국소합병증에 의한 것인지에 대한 적극적인 진단과 치료는 필요하다[20].

5. 내분비 및 외분비 기능부전

췌장의 외분비 기능이 10% 미만으로 감소하지 않는 한 지방변이 잘 발생하지 않으며, 특히 우리나라의 경우 지방변은 드물다[54]. 췌장의 외분비 기능저하는 만성췌장염이 진행함에 따라 50~80%에서 발생하며, 평균 5.6년 후에 87%에서 일어나지만 평균 13.1년이 걸리는 경우도 있다[50,52,55]. 심한 외분비 기능저하에 의한 지방변으로 인해 체중 감소나 감염이 문제가 되는 경우가 있으나, 만성췌장염의 경과나 예후에 큰 영향을 주지는 못한다[55]. 췌장의 내분비 기능저하에 따른 당뇨병은 만성췌장염의 주요 후기 합병증이며, 췌장염 환자의 사망에 기여하는 독립적인 위험인자로 알려져 있다[56]. 만성췌장염 환자에서의 당뇨병은 종종 저혈당 같은 생명을 위협하는 병발증을 야기하고, 다른 당뇨병 환자들과 마찬가지로 미세 및 대 혈관합병증을 발생시켜면서 만성췌장염 유병기간이 길수록 당뇨합병증이 많아지기 때문이다[55].

6. 알코올과 만성췌장염의 자연경과

여러 임상 및 실험연구를 바탕으로 만성췌장염의 진행에 있어서 '괴사-섬유화' 가설이 현재 널리 받아들여지고 있다. 즉 반복적인 급성췌장염의 발생이 췌장조직에 계속적인 손상을 주고 결국 비가역적인 섬유화를 초래한다는 것이다. 따라서 지속적인 알코올 섭취는 이미 진단된 만성췌장염 환자의 예후에 있어 악영향을 줄 수 있다[47,57]. 그러나 금주로 만성췌장염의 증상이나 예후에 긍정적인 영향을 줄 수 있는가에 대한 것에는 아직 일반화되지는 못하였다. 금주를 통해 만성췌장염의 진행을 늦출 수는 있으나 멈추지는 못하며[58], 통증이나 내·외분비 기능저하에 대해 다양한 연구결과가 보고되었다. 금주를 통해 50~75% 환자에서 통증이 소실된 보고도 있었으나[51,55], 지속적인 음주를 한 경우에도 37%에서 통증이 소실되었다고 보고하였다. 다른 연구에서는 금주가 통증[51] 호전이나 외분비 기능저하에 영향을 주지 못하고 내분비 기능의 호전에만 효과가 있었다[47,51]. 결론적으로 금주가 통증의 소실이나 내·외분비 기능의 호전에 명확한 효과를 보여 주지는 못하지만, 금주를 통해 일부에서 통증의 호전을 기대할 수 있으며 췌장기능저하를 둔화시킬 수는 있다. 그리고 음주가 만성췌장염의 예후에 악영향을 주는 것이 명백하기 때문에 모든 만성췌장염 환자에 있어 금주를 권하는 것이 바람직하다.

결론

알코올은 대사산물과 함께 췌장에 직간접적으로 췌장을 손상시키고, 반복적인 췌장손상과 섬유화로 만성췌장염을 유발하는 가장 큰 요인이다. 만성적인 음주뿐만 아니라 흡연과 같은 환경적인 요인과 개인의 유전적 감수성이 관여할 것으로 예상되나 아직 정확한 기전은 밝혀지지 않았다. 향후 합당한 동물모델의 개발 및 분자 유전학적 기술의 발전이 가능해 진다면 알코올 유발 만성췌장염의 발생기전에 대한 연구가 가능해 질 것으로 예상된다. 이러한 연구들과 함께 임상적으로 알코올 유발 만성췌장염의 자연경과와 예후에 대한 연구를 통해 금주를 포함한 치료 지침을 수립하는 것이 중요하다.

References

1. Yadav D, Timmons L, Benson JT, Dierkhising RA, Chari ST. Incidence, prevalence, and survival of chronic pancreatitis: a population-based study. Am J Gastroenterol 2011;106:2192-9.
2. Frulloni L, Gabbrielli A, Pezzilli R, et al. Chronic pancreatitis: report from a multicenter Italian survey (PanCroInfAISP) on 893 patients. Dig Liver Dis 2009;41:311-7.
3. Cote GA, Yadav D, Slivka A, et al. Alcohol and smoking as risk factors in an epidemiology study of patients with chronic pancreatitis. Clin Gastroenterol Hepatol 2011;9:266-73; quiz e27.
4. Herreros-Villanueva M, Hijona E, Banales JM, Cosme A, Bujanda L. Alcohol consumption on pancreatic diseases. World J Gastroenterol 2013;19:638-47.
5. Garg PK, Tandon RK. Survey on chronic pancreatitis in the Asia-Pacific region. J Gastroenterol Hepatol 2004;19:998-1004.
6. Majumder S, Chari ST. Chronic pancreatitis. Lancet 2016;387:1957-66.
7. Apte MV, Wilson JS. Alcohol-induced pancreatic injury. Best Pract Res Clin Gastroenterol 2003;17:593-612.
8. Irving HM, Samokhvalov AV, Rehm J. Alcohol as a risk factor for pancreatitis. A systematic review and meta-analysis. JOP 2009;10:387-92.
9. Samokhvalov AV, Rehm J, Roerecke M. Alcohol Consumption as a Risk Factor for Acute and Chronic Pancreatitis: A Systematic Review and a Series of Meta-analyses. EBioMedicine 2015;2:1996-2002.
10. Muniraj T, Aslanian HR, Farrell J, Jamidar PA. Chronic pancreatitis, a comprehensive review and update. Part I: epidemiology, etiology, risk factors, genetics, pathophysiology, and clinical features. Dis Mon 2014;60:530-50.
11. Yadav D, Hawes RH, Brand RE, et al. Alcohol consumption, cigarette smoking, and the risk of recurrent acute and chronic pancreatitis. Arch Intern Med 2009;169:1035-45.
12. Comfort MW, Gambill EE, Baggenstoss AH. Chronic relapsing pancreatitis; a study of 29 cases without associated disease of the biliary or gastrointestinal tract. Gastroenterology 1946;6:376-408.
13. Ammann RW, Muellhaupt B. Progression of alcoholic acute to chronic pancreatitis. Gut 1994;35:552-6.
14. Deng X, Wang L, Elm MS, et al. Chronic alcohol consumption accelerates fibrosis in response to cerulein-induced pancreatitis in rats. Am J Pathol 2005;166:93-106.
15. Elsasser HP, Haake T, Grimmig M, Adler G, Kern HF. Repetitive cerulein-induced pancreatitis and pancreatic fibrosis in the rat. Pancreas 1992;7:385-90.
16. Perides G, Tao X, West N, Sharma A, Steer ML. A mouse model of ethanol dependent pancreatic fibrosis. Gut 2005;54:1461-7.
17. Apte MV, Pirola RC, Wilson JS. Mechanisms of alcoholic pancreatitis. J Gastroenterol Hepatol 2010;25:1816-26.
18. Lankisch PG, Breuer N, Bruns A, Weber-Dany B, Lowenfels AB, Maisonneuve P. Natural history of acute pancreatitis: a long-term population-based study. Am J Gastroenterol 2009;104:2797-805; quiz 806.
19. Whitcomb DC. Hereditary pancreatitis: new insights into acute and chronic pancreatitis. Gut 1999;45:317-22.
20. Hyun JJ, Lee HS. Etiology, pathogenesis and natural course of chronic pancreatitis. Korean J Med 2012;83:1-17.
21. Goff JS. The effect of ethanol on the pancreatic duct

sphincter of Oddi. Am J Gastroenterol 1993;88:656-60.

22. Okazaki K, Yamamoto Y, Kagiyama S, et al. Pressure of papillary sphincter zone and pancreatic main duct in patients with alcoholic and idiopathic chronic pancreatitis. Int J Pancreatol 1988;3:457-68.
23. Planche NE, Palasciano G, Meullenet J, Laugier R, Sarles H. Effects of intravenous alcohol on pancreatic and biliary secretion in man. Dig Dis Sci 1982;27:449-53.
24. Guy O, Robles-Diaz G, Adrich Z, Sahel J, Sarles H. Protein content of precipitates present in pancreatic juice of alcoholic subjects and patients with chronic calcifying pancreatitis. Gastroenterology 1983;84:102-7.
25. Boustiere C, Sarles H, Lohse J, Durbec JP, Sahel J. Citrate and calcium secretion in the pure human pancreatic juice of alcoholic and nonalcoholic men and of chronic pancreatitis patients. Digestion 1985;32:1-9.
26. Apte MV, Norton ID, Haber PS, et al. Both ethanol and protein deficiency increase messenger RNA levels for pancreatic lithostathine. Life Sci 1996;58:485-92.
27. Rindler MJ, Hoops TC. The pancreatic membrane protein GP-2 localizes specifically to secretory granules and is shed into the pancreatic juice as a protein aggregate. Eur J Cell Biol 1990;53:154-63.
28. Singh M. Effect of chronic ethanol feeding on factors leading to inappropriate intrapancreatic activation of zymogens in the rat pancreas. Digestion 1992;53:114-20.
29. Ponnappa BC, Hoek JB, Jubinski L, Rubin E. Effect of chronic ethanol ingestion on pancreatic protein synthesis. Biochim Biophys Acta 1988;966:390-402.
30. Renner IG, Rinderknecht H, Valenzuela JE, Douglas AP. Studies of pure pancreatic secretions in chronic alcoholic subjects without pancreatic insufficiency. Scand J Gastroenterol 1980;15:241-4.
31. Aghdassi AA, Weiss FU, Mayerle J, Lerch MM, Simon P. Genetic susceptibility factors for alcohol-induced chronic pancreatitis. Pancreatology 2015;15:S23-31.
32. Whitcomb DC, LaRusch J, Krasinskas AM, et al. Common genetic variants in the CLDN2 and PRSS1-PRSS2 loci alter risk for alcohol-related and sporadic pancreatitis. Nat Genet 2012;44:1349-54.
33. Derikx MH, Kovacs P, Scholz M, et al. Polymorphisms at PRSS1-PRSS2 and CLDN2-MORC4 loci associate with alcoholic and non-alcoholic chronic pancreatitis in a European replication study. Gut 2015;64:1426-33.
34. Witt H, Luck W, Becker M, et al. Mutation in the SPINK1 trypsin inhibitor gene, alcohol use, and chronic pancreatitis. JAMA 2001;285:2716-7.
35. Rosendahl J, Witt H, Szmola R, et al. Chymotrypsin C (CTRC) variants that diminish activity or secretion are associated with chronic pancreatitis. Nat Genet 2008;40:78-82.
36. Weiss FU, Schurmann C, Guenther A, et al. Fucosyltransferase 2 (FUT2) non-secretor status and blood group B are associated with elevated serum lipase activity in asymptomatic subjects, and an increased risk for chronic pancreatitis: a genetic association study. Gut 2015;64:646-56.
37. Threadgold J, Greenhalf W, Ellis I, et al. The N34S mutation of SPINK1 (PSTI) is associated with a familial pattern of idiopathic chronic pancreatitis but does not cause the disease. Gut 2002;50:675-81.
38. Drenth JP, te Morsche R, Jansen JB. Mutations in serine protease inhibitor Kazal type 1 are strongly associated with chronic pancreatitis. Gut 2002;50:687-92.
39. Schneider A, Pfutzer RH, Barmada MM, Slivka A, Martin J, Whitcomb DC. Limited contribution of the SPINK1 N34S mutation to the risk and severity of alcoholic chronic pancreatitis: a report from the United States. Dig Dis Sci 2003;48:1110-5.

40. Aoun E, Chang CC, Greer JB, Papachristou GI, Barmada MM, Whitcomb DC. Pathways to injury in chronic pancreatitis: decoding the role of the high-risk SPINK1 N34S haplotype using meta-analysis. PLoS One 2008;3:e2003.
41. Sharer N, Schwarz M, Malone G, et al. Mutations of the cystic fibrosis gene in patients with chronic pancreatitis. N Engl J Med 1998;339:645-52.
42. Norton ID, Apte MV, Dixson H, et al. Cystic fibrosis genotypes and alcoholic pancreatitis. J Gastroenterol Hepatol 1998;13:496-9.
43. Gaia E, Salacone P, Gallo M, et al. Germline mutations in CFTR and PSTI genes in chronic pancreatitis patients. Dig Dis Sci 2002;47:2416-21.
44. Perri F, Piepoli A, Stanziale P, Merla A, Zelante L, Andriulli A. Mutation analysis of the cystic fibrosis transmembrane conductance regulator (CFTR) gene, the cationic trypsinogen (PRSS1) gene, and the serine protease inhibitor, Kazal type 1 (SPINK1) gene in patients with alcoholic chronic pancreatitis. Eur J Hum Genet 2003;11:687-92.
45. Edenberg HJ. The genetics of alcohol metabolism: role of alcohol dehydrogenase and aldehyde dehydrogenase variants. Alcohol Res Health 2007;30:5-13.
46. Zhong Y, Cao J, Zou R, Peng M. Genetic polymorphisms in alcohol dehydrogenase, aldehyde dehydrogenase and alcoholic chronic pancreatitis susceptibility: a meta-analysis. Gastroenterol Hepatol 2015;38:417-25.
47. Ammann RW, Muellhaupt B. The natural history of pain in alcoholic chronic pancreatitis. Gastroenterology 1999;116:1132-40.
48. Sakorafas GH, Tsiotou AG, Peros G. Mechanisms and natural history of pain in chronic pancreatitis: a surgical perspective. J Clin Gastroenterol 2007;41:689-99.
49. Ammann RW. The natural history of alcoholic chronic pancreatitis. Intern Med 2001;40:368-75.
50. Layer P, Yamamoto H, Kalthoff L, Clain JE, Bakken LJ, DiMagno EP. The different courses of early- and late-onset idiopathic and alcoholic chronic pancreatitis. Gastroenterology 1994;107:1481-7.
51. Lankisch PG, Lohr-Happe A, Otto J, Creutzfeldt W. Natural course in chronic pancreatitis. Pain, exocrine and endocrine pancreatic insufficiency and prognosis of the disease. Digestion 1993;54:148-55.
52. Ammann RW, Akovbiantz A, Largiader F, Schueler G. Course and outcome of chronic pancreatitis. Longitudinal study of a mixed medical-surgical series of 245 patients. Gastroenterology 1984;86:820-8.
53. Ammann RW, Muench R, Otto R, Buehler H, Freiburghaus AU, Siegenthaler W. Evolution and regression of pancreatic calcification in chronic pancreatitis. A prospective long-term study of 107 patients. Gastroenterology 1988;95:1018-28.
54. Lee DK. Epidemiology, etiology, and treatment of chronic pancreatitis in Korea. Korean Journal of Gastroenterology 2002;39:315-23.
55. Lankisch PG. Natural course of chronic pancreatitis. Pancreatology 2001;1:3-14.
56. Malka D, Hammel P, Sauvanet A, et al. Risk factors for diabetes mellitus in chronic pancreatitis. Gastroenterology 2000;119:1324-32.
57. Strate T, Yekebas E, Knoefel WT, Bloechle C, Izbicki JR. Pathogenesis and the natural course of chronic pancreatitis. Eur J Gastroenterol Hepatol 2002;14:929-34.
58. Gullo L, Barbara L, Labo G. Effect of cessation of alcohol use on the course of pancreatic dysfunction in alcoholic pancreatitis. Gastroenterology 1988;95:1063-8.

이승우

서론

만성췌장염은 췌장실질의 손상 및 스트레스로 인해 병리 반응을 보이는 유전적, 환경적 및 기타 위험인자를 가진 개인의 췌장의 병리학적 섬유증-염증성 증후군이다. 이에 따라 췌장의 위축, 섬유화, 통증 증후군, 췌관 변형 및 협착, 석회화, 췌장 외분비 기능장애, 췌장내분비 기능장애 및 형성 장애(dysplasia)를 유발한다[1].

만성췌장염의 원인은 신중한 진단 작업에도 불구하고 최대 25%의 환자에서 밝혀 낼 수 없다. 이 환자들은 결과적으로 특발성 만성췌장염으로 진단되며, 특히 병의 조기-발현(early-onset)이 있는 환자군에서 알코올성 만성췌장염과는 다른 임상 양상을 나타낸다. 전통적인 분류에 따르면, 특발성 만성췌장염은 알코올성 원인에 이어 두 번째로 흔한 췌장염의 원인에 해당한다. 특발성 만성췌장염은 알코올과 흡연, 열대성(tropical), 자가면역, 유전성, 부갑상선 항진증 및 고칼슘혈증, 외상 관련, 염증성 장질환 등 다른 잠재적 원인을 배제함으로써 진단 가능하다. 또한 미석증(microlithiasis), 오디괄약근 기능부전, 분리췌, 윤상췌, 췌담관 합류 이상, 담관 낭종, 경화성담관염, 혈관염, 신부전, 췌담도 종양과 같은 다른 원인이 배제되어야 한다[2]. 최근 몇 년간 만성췌장염의 원인에서 유전성 및 자가면역 병인에 대한 연구가 상당 부분 진전되어 특발성 만성췌장염의 빈도는 이전보다는 낮아지는 편이다. 그럼에도 특발성 만성췌장염은 만성췌장염 환자에서 아직도 10~25%의 빈도로 보고되고 있다. 알코올성 췌장염과는 달리 만성 특발성 췌장염은 조기-발현, 후기-발현(late-onset)의 두 가지 형태로 나타나는데 유전성 및 자가면역의 원인이 반드시 배제되어야 한다[3,4].

1. 임상 양상 및 분류

만성췌장염의 병인을 설명하기 위한 몇 가지 이론이 현재까지 제시되었다. 산화 스트레스(oxidative stress) 가설의 전제는 간에서 합성된 산화 효소 활성의 반응성 부산물이 만성적으로 담즙을 통해 췌관 역류를 일으켜 췌장에 손상을 입힌다는 것이다.

독성-대사(toxic-metabolic) 이론은 알코올이 세포 내 신진 대사의 변화를 통해 췌장샘 세포에 직접적으로 독성을 나타낸다는 것이다. 췌석 및 췌관 폐색 이론은 알코올이 췌장액의 미생물을 증가시켜 췌석 형성을 유발한다고 하였다. 췌석과 세엽 세포(acinar cell)가 만성적으로 접촉하면 궤양, 흉터(scar)가 발생하고 췌장샘의 폐쇄를 일으킨다. '괴사-섬유화(necrosis-fibrosis)' 가설은 급성 및 만성췌장염이 질병의 스펙트럼을 대표한다고 강조한다. 급성췌장염으로 인한 염증은 흉터와 외인성 압박을 유발할 수 있다.

췌장염의 면역학적 원인에 관한 연구는 췌장 성상세포(stellate cell)가 주된 역할을 나타내는 것을 보여 주었다. 췌장 성상 세포는 만성췌장염에서 섬유 조직을 생성하는 데 관여하며, 손상된 선상 세포 또는 국소 모집 백혈구에 의해 방출되는 알코올 및 사이토카인에 의해 활성화될 수 있다[5,6]. 시험관내(in vitro) 연구는 췌장 성상 세포가 임상적으로 관련된 담배 연기 성분, 니코틴 유래 니트로사민 케톤(nitrosamine ketone)에 의해 활성화 될 수 있으며, 니코틴성 아세틸콜린 수용체를 통해 발현한다는 것을 확인하여 흡연 유발 만성췌장염의 잠재적 병인을 제시하기도 하였다[7].

만성췌장염은 많은 사례에서 근본적인 원인을 발견하기 어려우나, 만성췌장염을 특발성으로 분류하기 전에 일반적인 원인의 존재를 확인하기 위한 철저한 확인이 필수적이다. 만성췌장염에서 최근 사용되는 대표적 병인 분류는 췌장 손상의 각기 다른 메커니즘을 반영하는 독성(Toxic), 특발성(Idiopathic), 유전(Genetic), 자가면역성(Autoimmune), 반복적(Recurrent), 폐쇄성(Obstructive)의 TIGAR-O 분류법이다[8].

이 분류법은 만성췌장염을 일으키는 각 병인의 상호작용에 대한 부분보다는 각 위험인자별 중증도에 대한 개별적 접근법을 제시하였다. 이 분류법에서 특발성 췌장염의 위험인자에 해당하는 대표적인 질환이 열대성 췌장염이다. 열대성 췌장염은 열대 지방에서 조기 발현(early-onset)하는 특발성 만성췌장염의 일종으로, 섬유탄산 췌장 당뇨병(fibrocalculous pancreatic diabetes)이라고도 알려져 있다. 남부 인도는 이 형태의 만성췌장염의 유병률이 특히 높은 지역이며, 조기 통증, 주요 췌장 담관 석회화 및 케토시스-내성 당뇨의 빠른 발병을 특징으로 하나. 열대 지방의 사회 경제적 지위가 낮은 계층에서 카사바(cassava) 및 덩이줄기(tuber)를 주식으로 하는 경우 질환 발생의 위험인자로 작용할 수 있다는 가설 및 유전적(Kazal type 1; SPINK1), 염증 원인과의 연관성이 제기되었으나, 이 질환의 발병 기전은 아직 정확하지 않다[9,10].

2. 진단 및 치료

10~20대의 연령대부터 최초의 임상 증상이 나타나기 시작하는 조기-발현 특발성 만성췌장염 환자는 보통 심한 통증을 보이지만, 형태학적 및 기능적인 췌장 손상은 천천히 진행되는 편이다. 대조적으로 후기-발현 특발성 만성췌장염 환자는 더 경미하거나 종종 통증이 없다. 두 가지 형태 모두 동등한 성별 분포를 나타내며, 알코올 및 니코틴에 노출된 환자보다 형태학적 및 기능적으로 췌장 손상이 느리게 그리고 드물게 발생한다. 조기-발현 형태의 만성췌장염은 후기-발현 형태에 비하여 췌장의 내분비 및 외분비 장애를 포함한 석회화(calcification)의 발생이 보다 드물거나 늦게 나타난다. 다만 췌장염 관련된 복통의 경우에는 조기-발현 형태가 알코올성 및 후기-발현 형태와 비교하여 더 빈번한 것으로 보고되었다. 대부분의 경우 조기-발현 특발성 만성췌장염은 유전성 췌장염과 임상적 및 생화학적 유사성이 있는 것으로 나타났다. 후기-발현하는 특발성 만성췌장염은 외인성 원인에 대한 높은 감수성을 가진 환자, 특히 적은 용량의 알코올이라도 오랜 섭취를 통해 발생할 수 있다. 조기-발현 형태에 비해 후기-발현 특발성 만성췌장염은 복통이 경미하거나 나타나지 않는 특징을 보인다[4].

최근 연구에 따르면 특발성 만성췌장염 환자에서 CFTR 변이의 빈도가 증가하고 알코올 및 흡연과 같은 외인성 요인에 대한 감수성이 증가했다. 이들은 일반적으로 유전성 췌장염에 비해 낮은 빈도이나 일반 정상 인구나 알코올성 만성췌장염과 비교해서는 더 흔하게 나타났다. 또한, 특발성 만성췌장염 환자는 자가면역 반응에 대한 증가 된 성향을 보였으며, 아마도 또한 특정 유전적 배경에 기인한 것으로 보인다. 이 가설은 이질적인 외인성 인자와 내인성 인자의 조합이 만성췌장염 증상을 유발한다고 제시하였다[12].

한편 췌장염 발생 시 원인을 규명하기 위해서 시행하는 검사의 범위가 명확히 규정되어 있지 않아 특발성 췌장염 진단 시 기관마다 차이가 있고 유병률에서도 차이를 보일 수 있다. 그러나 보편적으로 췌장염 발병 시 특정 약물 복용력과 췌장염의 가족력을 포함하는 면밀한 병력 청취, 신체검사, 간기능 검사, 중성지방 및 칼슘을 포함하는 대사성 검사를 포함하는 검사실 소견, 그리고 복부 초음파 및 CT 검사 등 영상학적 검사, 내시경초음파 검사(EUS)와 내시경적 역행성 담췌관조영술(ERCP) 등의 내시경 검사에서 뚜렷한 원인이 밝혀지지 않을 때 특발성 췌장염을 의심할 수 있다[13].

그러나 특발성 췌장염의 최종 진단까지 필요한 혈액학적, 영상학적, 내시경적, 외과적, 유전학적 검사 순서 및 도구에 대한 지침이 없어, 매운 드문 원인과 관련된 췌장염인 경우 뒤늦게야 원인 진단이 이루어지기도 하는데, 일례로 반복적 췌장염을 일으키며 특이 원인을 찾지 못하던 환자에서 바터 팽대부에 반복적으로 염증을 일으키던 Ancylostoma duodenale라는 십이지장충(hookworm)을 ERCP를 통해 발견하여 내시경적 제거술 및 구충 요법으로 췌장염이 치유되기도 하였다[14].

또한 내시경 진단 장비의 발전에 따라 특발성 만성췌장염 진단에서의 EUS의 역할에 대해서도 많은 연구가 이루어지고 있다. 201명의 특발성 췌장염 환자를 10년간 EUS를 시행 후 전향적 연구 분석하여 미석증이나 담석이 진단된 경우 담낭 절제 수술 또는 ERCP를 시행하였고, 췌장염 첫 진단에서 EUS소견이 정상이며 만성췌장염이나 분리췌가 진단된 경우는 재발성 췌장염 여부를 관찰하였으며, EUS소견이 정상이며 췌장염이 반복되는 경우는 오디괄약근 내압 검사와 ERCP를 시행하였다. 단일 급성췌장염 환자의 54%가 특발성으로 분류되었고, 재발성 췌장염의 원인으로는 오디괄약근 부전이 흔한 원인(41%)이었다. EUS 검사에서 췌장에 특이 소견이 없는 경우 특발성 췌장염의 재발률이 적었으며, 내시경 치료에도 불구하고 반복적인 췌장염이 발생하거나 분리췌 및 오디괄약근 기능부전에 기인한 환자는 재발률이 높았다. 따라서 EUS는 특발성 췌장염의 진단 및 평가에 유용한 도구가 될 수 있으며, EUS 소견이 정상인 경우 췌장염 원인 감별을 위한 추가 검사 및 진단 과정에 대한 지침 확보가 필요하겠다[15].

3. 췌장암과의 연관성

현재까지 특발성 만성췌장염과 췌장암과의 연관 관계에 대한 연구 조사 결과는 보고되지 않고 있으나, 미국 샌프란시스코 베이 지역(San Francisco Bay)과 MD Anderson 암센터의 총 4,515명의 췌장암 환자에 대한 환자-대조군 연구 비교 위험도를 다변량 모델 분석한 결과, 췌장염의 병력이 있는 경우 췌장암에 대한 비교 위험도(Odds ration, OR)가 7.2배 증가한다고 발표되었다. 총 비교 위험도는 55세 미만의 연령에서 9.9배로 나타났다. 또한 췌장염 발현이 3년 미만인 경우(OR = 29.95), 3~10년(OR = 2.6), 10년 이상(OR = 1.8)로 확인되어, 췌장염의 일시적인 병력이 짧은 경우 췌장암과 더 밀접한 관련이 있었다[16]. 이는 만성췌장염과는 달리 급성췌장염으로 내원 시에 췌장염의 원인이 특발성이라고 여겨지는 경우, 췌장암의 혼재 가능성을 꼭 확인해 봐야 한다는 내용을 시사한다.

결론

현재까지 한국인을 대상으로 한 특발성 만성췌장염에 대한 연구나 유병률에 대한 보고, 그리고 정확한 진단 과정에 대한 가이드라인은 없는 실정이다. 일반적인 만성췌장염의 진단 방법으로 원인을 알기 어려운 특발성 만성췌장염은 췌장염의 악화가 반복될 수 있어, 환자의 임상 양상을 고려하여 충분한 원인 확인을 위해 유전학적 및 자가면역에 대한 부분의 검사를 시행하고 원인 질환의 규명을 위해 노력해야 할 것이다.

References

1. Whitcomb DC, Frulloni L, Garg P, et al. Chronic pancreatitis: An international draft consensus proposal for a new mechanistic definition. Pancreatology 2016;16:218-24.
2. AR Gupte, CE Forsmark. Chronic pancreatitis. Curr Opin Gastroenterol 2014;30:500–5.
3. Alsamarrai A, Das SL, Windsor JA, Petrov MS. Factors That Affect Risk for Pancreatic Disease in the General Population: A Systematic Review and Meta-analysis of Prospective Cohort Studies. Clin Gastroenterol Hepatol 2014;12:1635-44.
4. Layer P, Yamamoto H, Kalthoff L, et al. The different courses of early and late onset idiopathic and alcoholic chronic pancreatitis. Gastroenterology 1994;107:1481-7.
5. FU Weiss, P Simon, N Bogdanova, et al. Complete cystic fibrosis transmembrane conductance regulator gene sequencing in patients with idiopathic chronic pancreatitis and controls. Gut 2005;54:1456-60.
6. H Witt, MV Apte, V Keim, JS Wilson. Chronic pancreatitis: challenges and advances in pathogenesis, genetics, diagnosis, and therapy Gastroenterology 2007;132:1557–73.
7. P Maisonneuve, AB Lowenfels, B Mullhaupt, et al. Cigarette smoking accelerates progression of alcoholic chronic pancreatitis. Gut 2005;54:510–4.
8. D Yadav, DC Whitcomb. The role of alcohol and smoking in pancreatitis. Nat Rev Gastroenterol Hepatol,2010;7;131-145.
9. Witt H, Luck W, Hennies HC, et al. Mutations in the gene encoding the serine protease inhibitor, Kazal type 1 are associated with chronic pancreatitis. Nat Genet 2000;25: 2136.
10. Paliwal S, Bhaskar S, Chandak GR. Genetic and phenotypic heterogeneity in tropical calcific pancreatitis. World J Gastroenterol 2014;20:17314–23.
11. Whitcomb DC. Genetic risk factors for pancreatic disorders. Gastroenterology 2013;144:1292-302.
12. Rosendahl J, Landt O, Bernadova J, Kovacs, et al. CFTR, SPINK1, CTRC and PRSS1 variants in chronic pancreatitis: is the role of mutated CFTR overestimated? Gut 2013;62:582–92.
13. Levy MJ, Geenen JE. Idiopathic acute recurrent pancreatitis. Am J Gastroenterol 2001;96:2540-55.
14. Tseng LM, Sun CK, Wang TL, Lin AC. Hookworm infestation as unexpected cause of recurrent pancreatitis. Am J Emerg Med. 2014;32:1435.e3-4.
15. Wilcox CM, Seay T, Kim H, Varadarajulu S. Prospective Endoscopic Ultrasound-Based Approach to the Evaluation of Idiopathic Pancreatitis: Causes, Response to Therapy, and Long-term Outcome. Am J Gastroenterol 2016;111:1339-48.
16. Bracci PM, Wang F, Hassan MM, Gupta S, Li D, Holly EA. Pancreatitis and pancreatic cancer in two large pooled case-control studies. Cancer Causes Control 2009;20:1723–31.

CHAPTER 27

유전성 만성췌장염
Hereditary chronic pancreatitis

이승우

서론

유전성 췌장염(hereditary pancreatitis)은 급성, 재발성 및 만성췌장염의 드문 원인 중 하나이다. 이는 급성 및 만성췌장염을 유발하는 요인과 유사하게 발현할 수 있어, 유전성 췌장염 진단 전에 다른 췌장염 유발 인자에 대한 평가 및 감별진단이 필수적이다. 1952년 만성췌장염을 진단받은 4명의 환자와, 질병 가능성이 있는 2명의 추가 구성원이 있는 가족이 유전성 췌장염으로 최초 증례 보고되었다[1]. 이 6명의 가족 구성원은 3대에 걸쳐 있었고, 30세 또는 그 이전 연령에 췌장염의 조기 발병이 있었으며, 상염색체 우성 형태로 증상과 후유증을 나타냈다. 이후 췌장에서 소화 효소의 작용에 영향을 미치는 여러 유전적 결함에 대한 연구가 지속되었다.

현재까지 밝혀진 유전성 췌장염과 관련한 변이는 PRSS1, SPINK1, CFTR 및 CTRC 유전자가 대표적이며 차세대 게놈 염기서열(sequencing) 연구가 발전에 따라 확인되었다. 이러한 유전적 변이는 다른 변이와도 연관될 수 있어 유전 경로가 복잡할 수 있으나, 유전자 변이의 종류와 무관하게 실제 환자의 임상 양상은 비슷한 경향이 있다. 유전성 췌장염의 치료는 환경 요인의 예방, 췌장선암 발생의 감시, 내분비 및 외분비 기능 이상의 치료, 통증 관리, 합병증에 대한 내시경 또는 외과 치료가 포함되며, 포괄적인 치료 전략을 개발하기 위해 조기 진단과 추적에 중점을 두어야 하겠다.

1. 유전성 췌장염의 분류 및 빈도

1) Human Cationic Trypsinogen (PRSS1)

1996년 Whitcomb 등[2]이 췌장 염증 시 트립시노겐(trypsinogen)의 조기 활성화 또는 트립신(trypsin)의 불성화와 연관하여 만성췌장염에 걸리기 쉬운 특정 유전자를 확인하였는데, 양이온성 트립시노겐(protease serine 1: PRSS1)유전자의 엑손3에서 122번(R122H 변이)의 아르기닌에서 히스티딘으로 치환을 발견했다. 만성췌장염에서 PRSS1 변이의 발견은 췌장염의 분자 메커니즘에 대한 새로운 발병 기전을 제시하여 만성췌장염 병인 연구의 새로운 장을 열게 되었다. 후속 연구에서 다양한 다른 PRSS1 변형이 보고되었고, A16V, N29T, R116C, R122C 및 기타 여러 유전적 변이를 포함한 다른 PRSS1 변이가 유전성 췌장염이 의심되는 가족 또는 췌장염 가족력이 없는 만성췌장염 환자에서 확인되었다. 현재까지 PRSS1 유전자의 R122H 및 N29I 변이가 유전성 췌장염과 관련된 가장 흔한 질병 관련 변이로 확인되었다[3]. 또한 PRSS1 변이와 연관된 유전성 췌장염은 췌장선암의 발생 위험이 증가할 수 있다고 보고되었다[4].

PRSS1 변이의 유병률 보고에 따른 국가적 차이는, 인종 및 지역적 차이의 가능성을 시사하였다. 북미 및 유럽 연구에서 유전성 췌장염의 PRSS1 변이의 검출률은 52%와 81%였지만, 일본인 대상 연구에서는 검출률이 44%였다[5,6]. 대조적으로 인도인 대상 연구에서는 PRSS1 변이는 관찰되지 않았다[7]. 한국인 대상 연구에서 특발성 및 유전성 췌장염에서 PRSS1 변이의 관련 여부는 보고마다 차이가 있다. 최초 특발성 만성췌장염 환자 연구에서는 PRSS1 변이가 발견되지 않았으나, 이후 보고에서는 12.8%및 12.5%으로 PRSS1의 R122H 변이가 가장 흔한 형태로 확인되었으며, 이는 서구와는 차이가 있겠으나 한국인에서도 PRSS1 변이가 유전성 췌장염의 한 원인이 될 수 있다는 가능성을 제시하였다[8-10].

2) Serine Protease Inhibitor, Kazal Type 1 (SPINK1)

SPINK1은 췌장내 트립신 활성을 억제하며 췌장실질을 보호하는 대표적인 항프로테아제(anti-protease)이다. SPINK1의 변이는 이러한 보호 작용을 방해하여 췌장염의 원인이 될 수 있으며, SPINK1 변이의 가장 흔한 유형은 N34S로 보고되었다[11]. 보통 인구의 약 2%에서 SPINK1 유전자의 고위험 뉴클레오타이드 변이가 나타날 수 있지만, 췌장염은 그 중 1% 미만에서만 발생한다. 그러나 SPINK1의 변이에 따른 만성췌장염 발생 위험도는 정상인에 비해 약 12배로 보고되어, 만성췌장염에서 SPINK1 변이는 질병 조절 인자로 작용할 수 있다[12].

SPINK1 변이의 유병률은 지역 및 인종별로 두드러지는 차이가 나타나지 않는데, 보통 원인별로 유전성 췌장염 20%, 알코올성 췌장염 7%, 특발성 췌장염 21%로 보고되었다[13]. 유전성 및 특발성 췌장염의 SPINK1 변이에 대한 유병률은 북미와 유럽 연합 연구에서 25.9%[14], 일본인 연구에서 28.8%(17/59, 특발성 23.4%, 유전성 50.0%) 이었다[11]. 인도인 연구에서 유전성 췌장염 환자 73%, 알코올성 만성췌장염의 26.8%, 특발성 만성췌장염 환자의 32.5%로 타 지역 보고와 유사하였고 N34S 변이가 가장 흔한 형태였다[7]. 한국인의 경우 알코올 유래 만성췌장염 환자 1명(2.1%, 1/47)만이 SPINK1(N34S) 돌연변이의 이형접합자(heterozygote)이었다[15]. 그러나 재발성 급성췌장염이나 만성췌장염을 진단받은 소아에 대한 연구에서 34.4%의 환자가 SPINK1 유전자의 IVS3 + 2T > C 또는 N34S 변이를 나타냈다[10]. 또 다른 연구 결과 PRSS1 변이가 없는 41명의 환자 중 SPINK1 변이(N34S 또는 IVS3 + 2T > C)의 전체 유병률은 31.7%였다. 한국에서 확인된 IVS3 + 2T9C 변이는 26.8%로 서구의 가장 흔한 변이인 N34S 이형접합 변이 7.3%의 비율보다 높게 나타났다[9].

3) Cystic Fibrosis Transmembrane Conductance Regulator (CFTR)

CFTR 유전자(F508del, R117H 및 N1303K)의 변이로 인한 cAMP-조절 염화물 채널 결함과 이에 따른 췌장 폐색은, 낭포성 섬유증(cystic fibrosis) 환자에서의 췌장 부전(pancreatic insufficiency)의 주원인이 된다. 췌장에서 CFTR은 췌관 세포의 중탄산염(HCO_3) 수송에서 중추적인 역할을 한다. 따라서 CFTR의 변이는 낭포성 섬유증과 무관하게 췌장염을 일으킬 수 있다. CFTR에서 1,700가지가 넘는 다양한 유전적 다형성(polymorphism)이 확인되었으며, 질병 발현은 변이와 접합성(zygosity)의 중증도에 따라 다르게 나타난다[16].

서구인에서 CFTR 변이는 F508del이 가장 흔하며 R117H이 CFTR의 두 번째 빈번한 변이로 보고되었다[12].

그러나 낭포성 섬유증은 한국과 일본을 포함한 동아시아에서 드문 질환이라, 한국인과 일본인 대상 연구에서 F508del과 R117H의 변이에 대한 보고는 없었다[17]. 그렇지만 특발성 만성췌장염 환자에서의 CFTR 변이의 유병률은 서구와 비슷하게 일본, 중국, 인도를 포함한 아시아 국가에서 9~21%의 범위로 보고되었다. 한국인 만성췌장염 환자에서 CFTR 변이의 유병률에 관한 연구 결과 Q1352H 변이는 만성 특발성 췌장염 환자의 최대 19%에서 확인되었다[18].

4) Calcium sensing receptor (CASR)

CASR은 7개의 엑손, 1078 아미노산, plasma membrane-bound G 단백질 결합 수용체이며 세포 외 칼슘 수치를 감지하고 많은 세포와 조직에서 발현된다. CASR은 주로 부갑상선 호르몬(PTH) 분비의 조절을 통해 칼슘 항상성(homeostasis)에 중심적인 역할을 하는 것으로 알려졌다. CASR은 췌관내측에서 주로 발현되며 cyclic-AMP를 증가시키고, CFTR을 통해 중탄산염 분비를 활성화시킨다. 또한 CASR은 혈중 전해질과 혈중 농도가 상승할 때 췌장액 칼슘 농도를 조절한다. 이 작용은 칼슘 농도가 높은 췌관액을 배출하고 트립신의 활성화 및 트립신의 안정화 위험을 증가시켜 급성췌장염의 병인이 될 수 있다[19]. 만성췌장염과 CASR 변이의 관련성은 가족성 고칼슘혈증 환자에서 처음 보고되었으며, 338명의 피험자에 대한 연구 결과 CASR의 R990G 변이가 확인되었다. 현재까지 70개 이상의 CASR 변이가 확인되었고 변이는 가족성(양성) 고칼슘 혈증, 신생아 중증 부갑상선 기능 항진증, 상염색체 우성 저칼슘혈증과 관련이 있다. 알코올성 췌장염 환자에서 CASR의 기능 상실 변이는 SPINK1 및 CFTR 변이 형과 관련하여 췌관세포 기능에 영향을 준다고 보고되었다[20].

5) Chymotrypsinogen C (CTRC)

Caldecrin으로도 알려진 CTRC는 1992년에 돼지 췌장에서 처음으로 분리되었다. 초기에는 이 유전자가 트립신을 분해하여 췌장을 트립신 관련 손상으로부터 보호할 수 있다고 여겨 연구가 시작되었다[21].

만성췌장염 환자에서 CTRC 변이의 빈도는 대조군에 비해 높은 것으로 보고되었다. 특발성 또는 유전성 만성췌장염 900명 이상의 환자의 대규모 유럽 코호트에서 DNA 염기 서열 분석으로 CTRC 변이가 확인되었다. 두 가지 흔한 변이는 p.R254W와 p.K247_R254del로 각각 2.1%와 1.2%의 빈도로 나타났다. 이는 만성췌장염 환자군(30/901, 3.3%)에서 대조군(21/2, 804, 0.7%)보다 유의하게 높았다[22].

최근 북미 췌장염 연구 II 코호트에서 재발성 급성췌장염, 만성췌장염 및 대조군을 가진 피험자에서 CTRC 변이의 발생을 평가했다. CFTR 또는 SPINK1 변이, 알코올 또는 흡연 환자에 CTRC 변이 c.180T가 재발성 급성췌장염이 만성췌장염으로의 진행을 촉진시키는 질병 조절제(disease modifier)임을 확인하였다[23].

국내의 만성췌장염과 CTRC 변이와의 연관성 보고는 116명의 특발성 만성췌장염 환자를 대상으로 유전자 연구 결과 1예(0.9%)가 확인되었을 뿐이라, 한국인에서의 연관성을 설명하기는 아직 어렵다[24].

2. 추적 관찰 및 췌장암과의 연관성

염증(inflammation)은 신체의 면역 반응의 일부로 병원체, 자극 물질 또는 손상된 세포와 같은 유해한 자극을 제거하는 자연 치유 과정이다. 또한 재발성 또는 만성 염증은 암발생에 대한 위험 요인(predisposing factor)으로 판단할 수 있으며 이는 만성췌장염-췌장암에서도 입증되는 부분이 있다[25]. 현재까지 파악된 유전성 만성췌장염과 췌장암과의 관련성은 PRSS1 변이가 대표적이다[4].

2012년, 국제 췌장암 환자-대조 연구재단(International Pancreatic Cancer Case-Control Consortium, PanC4)은 총 5,048명의 췌장암 환자와 10,947명의 대조군을 조사했다. 췌장암 환자의 6.2%에서만 췌장염의 병력이 있었으나, 췌장염의 병력이 있는 환자에서는 5.6배의 췌장암 발생 위험이 증가했다. 췌장염 진단 첫 2년 이내 췌장암의 위험도는 더 높았으며(위험도 OR : 13.6), 이는 건강 검진 대상자에서의 암 진단 누락 가능성 및 췌장암을 췌장염 진단으로 간과할 가능성을 시사할 수 있다[26]. 그러나 다른 원인의 만성췌장염과 비교하여 유전성 췌장염과 관련된 췌장암의 발생 위험도 평가는, 유전성 췌장염 질환 자체의 희귀성으로 인해 현재까지 공론화되지 않고 있다. 2008년 프랑스 유전성 췌장염 환자의 코호트를 분석한 결과 PRSS1 돌연변이는 연구 코호트의 68%(78% R122H, 12% N29I, 10% 기타)에서 확인되었고, 50세까지에서 췌장암의 발생 누적 위험도는 10%, 75세까지에서는 50%로 보고하였다. 이는 일반인들보다 유전성 췌장염 환자에서의 췌장암 발생 위험도가 높을 수 있음을 시사하며, 특히 흡연, 당뇨, 췌장 석회화가 동반된 경우 췌장암의 위험도가 증가하였다[27].

유전성 만성췌장염 환자에서 췌장암의 예방을 위한 추적 관찰 방법(surveillance)은 현재까지 지침화되지 않았다. 또한 예방적 췌장 절제술을 통해 얻을 수 있는 이점과 위험도에 대한 보고도 공론화되지 못하였다. 다만 환경적 요인과 췌장염 발생 간의 상호작용을 최소화하기 위해 약제, 흡연, 알코올, 고지방 식이를 억제하도록 관리해야 할 것이며, 만성췌장염과 동반되는 췌장 협착 및 결석, 낭종에 대한 적절한 내시경적/수술적 치료를 통해 환자의 내분비 및 외분비 기능 손상을 최소화 하는 것이 도움이 될 것이다. 또한 50세 연령 이후에 위험도가 증가하는 보고를 감안하여 50세 이후의 유전성 만성췌장염 환자에게 보다 적극적인 췌장암 발생 관리가 필요하겠다.

결론

한국인 만성췌장염에 관한 초기 유전자 연구에서 유전자 돌연변이는 구체화되지 못하였으나, 특발성 만성췌장염이나 유전성 췌장염 환자의 PRSS1, SPINK1 및 CFTR 돌연변이에 대한 최근 연구 결과는 서구와 큰 차이가 없을 것으로 예견되고 있다. 유전적 요인이 존재할 때 알코올 및 흡연과 같은 다른 위험 요인의 조합은 재발성 급성췌장염과 만성췌장염 위험을 증가시키는 것으로 알려져 있다. 따라서 만성췌장염의 진행과 합병증 발생을 피하기 위해 만성췌장염 환자에서 가족력이 있는 경우, 유전적 요인을 확인하는 것이 중요하다. 또한 유전성 만성췌장염을 진단하는 경우, 환자의 가족 또한 관리 및 상담이 필요하며, 유전성 췌장염은 일부에서 췌장암의 위험이 현저하게 증가할 수 있다는 것이므로 고위험군을 선별하여 원인을 확인하여 만성췌장염을 예방하는 것이 중요하겠다. 따라서 향후에도 지속적으로 한국인에서 유전성 췌장염 및 만성췌장염과 관련된 유전자 연구 및 치료 적용이 필요하다.

References

1. Comfort MW, Steinberg AG. Pedigree of a family with hereditary chronic relapsing pancreatitis. Gastroenterology 1952;21:54-63.
2. DC Whitcomb, RA Preston, CE Aston, et al. A gene for hereditary pancreatitis maps to chromosome 7q35. Gastroenterology 1996;110:1975–80.
3. Teich N, Rosendahl J, Toth M, Mossner J, Sahin-Toth M. Mutations of human cationic trypsinogen (PRSS1) and chronic pancreatitis. Hum Mutat 2006;27:721-30.
4. Weiss FU. Pancreatic cancer risk in hereditary pancreatitis. Front Physiol 2014;5:70.
5. Applebaum-Shapiro SE, Finch R, Pfutzer RH, et al. Hereditary pancreatitis in North America: the Pittsburgh-Midwest Multi-Center Pancreatic Study Group Study. Pancreatology 2001;1:439-43.
6. Otsuki M, Nishimori I, Hayakawa T, Hirota M, Ogawa M, Shimosegawa T. Hereditary pancreatitis: clinical characteristics and diagnostic criteria in Japan. Pancreas 2004;28:200-6.
7. Chandak GR, Idris MM, Reddy DN, et al. Absence of PRSS1 mutations and association of SPINK1 trypsin inhibitor mutations in hereditary and non-hereditary chronic pancreatitis. Gut 2004;53:723-28.
8. Lee WJ, Kim KA, Lee JS, et al. Cationic trypsinogen gene mutation in patients with chronic idiopathic pancreatitis. Korean J Gastroenterol 2004;43:41-6.
9. Oh HC, Kim MH, Choi KS, et al. Analysis of PRSS1 and SPINK1 mutations in Korean patients with idiopathic and familial Pancreatitis. Pancreas 2009;38:180-83.
10. LEE YJ, Kim KM, Choi JH, Lee BH, Kim GH, Yoo HW. High incidence of PRSS1 and SPINK1 mutations in Korean children with acute recurrent and chronic pancreatitis. J Pediatr Gastroenterol Nutr 2011;52:478-81.
11. Kume K, Masamune A, Mizutamari H, et al. Mutations in the serine protease inhibitor Kazal type 1 (SPINK1) gene in Japanese patients with pancreatitis. Pancreatology 2005;5:354-60.
12. Fink EN, Kant JA, Whitcomb DC. Genetic counseling for nonsyndromic pancreatitis. Gastroenterol Clin North Am 2007;36:325-33.
13. Drenth JP, teMorsche R, Jansen JB. Mutations in serine protease inhibitor Kazal type 1 are strongly associated with chronic pancreatitis. Gut 2002;50:687-92
14. Pfutzer RH, Barmada MM, Brunskill AP, et al. SPINK1/ PSTI polymorphisms act as disease modifiers in familial and idiopathic chronic pancreatitis. Gastroenterology 2000;119:615-23.
15. Lee KH, Ryu JK, Yoon WJ, Lee JK, Kim YT, Yoon YB. Mutation analysis of SPINK1 and CFTR gene in Korean patients with alcoholic chronic pancreatitis. Dig Dis Sci 2005;50: 1852-56.
16. Rowntree RK, Harris A. The phenotypic consequences of CFTR mutations. Ann Hum Genet 2003;67: 471-85.
17. Kimura S, Okabayashi Y, Inushima K, et al. Polymorphism of cystic fibrosis gene in Japanese patients with chronic pancreatitis. Dig Dis Sci 2000;45:2007-12.
18. Lee JH, Choi JH, Namkung W, et al. A haplotype-based molecular analysis of CFTR mutations associated with respiratory and pancreatic diseases. Hum Mol Genet 2003;12: 2321-32.
19. Racz GZ, Kittel A, Riccardi D, Case RM, Elliott AC, Varga G. Extracellular calcium sensing receptor in human pancreatic cells. Gut 2002;51:705-1120.
20. Szmola R, Sahin-Toth M. Chymotrypsin C (caldecrin) promotes degradation of human cationic trypsin: identity with Rinderknecht's enzyme Y. Proc

Natl AcadSci USA 2007;104:11227-32.

21. Rosendahl J, Witt H, Szmola R, et al. Chymotrypsin C (CTRC) variants that diminish activity or secretion are associated with chronic pancreatitis. Nat Genet 2008;40:78-82.
22. LaRusch J, Lozano-Leon A, Stello K, et al. The Common Chymotrypsinogen C (CTRC) Variant G60G (C.180T) Increases Risk of Chronic Pancreatitis But Not Recurrent Acute Pancreatitis in a North American Population.Clin Transl Gastroenterol 2015;6:e68.
23. Cho SM, Shin S, Lee KA. PRSS1, SPINK1, CFTR, and CTRC Pathogenic Variants in Korean Patients with Idiopathic Pancreatitis. Ann Lab Med 2016;36: 555-60.
24. Balkwill F, Mantovani A. Inflammation and cancer: back to Virchow? Lancet 2001;357: 539–45.
25. Duell EJ, Lucenteforte E, Olson SH, et al. Pancreatitis and pancreatic cancer risk: a pooled analysis in the International Pancreatic Cancer Case-Control Consortium (PanC4). Ann Oncol 2012;23:2964–70.
26. Rebours V, Lévy P, Ruszniewski P. An overview of hereditary pancreatitis. Dig. Liver Dis2012;44:8–15.

CHAPTER

28 만성췌장염에서 통증의 병태생리

Pathophysiology of pain in chronic pancreatitis

박세우

서론

만성췌장염은 염증세포의 침윤, 섬유화, 석회침착에 의해 비가역적으로 췌장 조직의 해부학적 변화와 손상을 유발하는 만성 염증성 질환으로 대략 80~90%의 환자가 전형적인 복통을 호소한다[1]. 만성췌장염에서 발생하는 통증의 기전은 정확히 알려져 있지는 않으나 만성췌장염에 따르는 염증 자체, 췌관 폐쇄, 췌장실질 내 압력의 상승, 감각신경 주변의 염증반응, 췌장내 감각신경의 증가, 염증성 손상에 의한 substance P, calcitonin gene related peptide (CGRP), prostaglandin, cytokine의 분비 등 다양한 가설이 제시되어 있다. 그 중 췌석의 동반 유무와 상관없이, 단일 혹은 다발성 췌관협착에 의한 췌관내 압력 상승이 가장 중요한 원인으로 알려져 있다. 다른 가설로는 췌장실질의 섬유화, 기질 압력의 상승 그리고 췌장 허혈도 가능한 원인으로 알려져 있다[2]. 또한 십이지장 혹은 총담관의 협착 같은 췌장외부 요인도 만성췌장염의 통증의 중요한 원인이 될 수도 있다[3].

1. 췌장 외적인 원인

췌장실질의 광범위한 염증과 섬유화에 의한 담관협착 혹은 십이지장협착은 췌장 외적인 원인의 중요한 부분을 차치한다[4]. Becker와 Mischke 등[5]은 만성췌장염을 가진 600명의 환자 중 19.5%가 “groove pancreatitis”라는 일종의 조직학적 형태를 보인다고 보고하였다. 이는 특징적으로 십이지장과 췌장 두부사이에 반흔판을 형성하는데, 이러한 반흔판이 십이지장의 연동운동을 방해하거나, 십이지장이나 담관의 직접적인 협착을 유발하거나, 때때로 폐쇄성 황달을 유발하기도 한다. 결국 이러한 복합적인 변화로 인하여 주변 신경이나 신경절을 압박하게 되면 만성 복통이 유발된다고 추정하고 있다[6].

2. 췌장 내적인 원인

1) 췌관내 압력의 증가

췌관내 압력은 췌관폐쇄 및 췌액의 분비량과 연관이 있는데 결국 이 두 가지 요인이 통증의 강도와 빈도를 결정한다[7-9]. 특히 확장된 췌관의 감압이나 가성낭종의 배액 후 통증이 호전된다는 사실에 기인하여 관내고압 가설은 매우 중요한 만성 통증의 원인으로 받아들여지고 있다[10]. Ebbehoj 등[9]은 감압수술 전과 후 관내 압력을 측정하여 통증과의 상관관계를 증명하였으며 Manes 등[11]은 수술 전 만성췌장염 환자의 관내 압력이 대조군에 비하여 유의하게 높았으며 수술 후 15.3% 정도의 감압효과가 있었고 관내 조직학적 변화도 이러한 압력의 변화와 상관관계가 있다고 보고하였다. 또 다른 연구에서는 췌장효소를 외부에서 공급했을 때 일부 만성췌장염 환자에서 통증의 호전을 보인다는 사실을 바탕으로 cholecystokinin (CCK)와의 연관성에 주목하였다. 즉 췌장효소의 공급이 CCK의 분비를 억제하여 췌액의 분비를 줄이고 그로 인하여 관내압력을 감소시켜 통증이 호전되었다고 하였다[11]. 췌장의 기능장애는 만성췌장염 진단 후 수년이 지나야 발생하며 이때 통증도 경감이 되거나 완전히 호전되는 현상이 나타나는데 이를 두고 Ammann 등[4]은 만성췌장염이 스스로를 소진시킨다는 "burn-out" 가설을 주장하였다. 특히 이들의 연구에서는 증상발생 후 평균 4.5년이 지난 후 통증이 경감된다고 하였으며, 이때 췌장분비 기능의 현저한 감소와 석회화가 나타난다고 하였다. 그러나 다른 대규모 역학연구에서는 췌장기능부전이 발생하고 석회화가 진행되어도 통증은 지속되며 특히 금주를 하거나 췌장절제술이나 감압 등의 수술을 받더라도 약 30% 내외의 환자에서 만성 통증은 지속된다고 반론을 제기하였다[12]. 또 다른 역학연구에서는 췌액분비(secretion)와 통증이 반드시 상관관계에 있지 않다고도 하였다. 흔히 췌장기능검사에서 사용되고 있는 secretin, CCK 또는 caerulein 등의 호르몬은 일반적으로 췌액의 분비를 촉진시키는데, 이러한 호르몬의 분비를 강력하게 억제시키는 somatostatin 유사체인 octreotide는 만성통증의 경감과는 통계학적으로 유의한 차이를 보이지 않았다[13,14].

2) 췌장실질의 허혈

또 다른 가설은 관내 혹은 실질 내 압력의 상승이 일종의 구획증후군(compartment syndrome)을 유발하여 실질조직의 허혈을 초래한다는 것이다[2]. 만성췌장염을 가진 고양이를 대상으로 한 실험연구에서 조직 압력이 상승할수록 혈류는 감소하며 이러한 현상은 조직을 절개하고 췌관을 배액하면 호전된다고 하였는데, 통증의 경감을 위해서는 췌관의 감압보다 조직의 절개가 더욱 효과적일 수 있다고 주장하였다[15].

3) 췌장실질의 섬유화

만성췌장염은 광범위한 췌장실질의 섬유화를 동반하는데 일반적으로 이러한 섬유화가 관내압력을 상승시켜 만성 통증을 유발한다고 알려져 있다[16]. 그러나 최근 연구에서는 섬유화의 정도와 통증의 강도는 통계학적으로 유의한 상관관계를 보이지 않는다고도 하였다[17].

4) 췌장의 가성낭종

일반적으로 췌장의 가성낭종은 크기가 커짐에 따라 주변장기를 압박하게 되고 이로 인하여 만성 통증이 유발된다고 알려져 있다. 특히 octreotide로 치료를 받은 환자의 60%에서 가성낭종의 크기가 줄고 결국 통증도 경감되었다고 보고하였다[18].

3. 췌장의 염증 반응

1) 급성 염증

급성췌장염이 만성췌장염으로 진행되는지에 대한

논란의 여지는 있으나 이와는 별개로 만성췌장염에서도 항상 급성췌장염은 동반되어 나타날 수 있다. 특히 반복적인 급성염증을 앓았던 환자에서 보다 심한 통증이 나타나는 경우가 많은데 이는 여러가지 활성화된 염증반응물질들과 효소들이 통증 생성에 관여한다고 생각되기 때문이다. 최근 쥐를 대상으로 한 연구에서 급성췌장염의 경과 중 neurotrophin nerve growth factor (NGF)의 발현이 관찰되었으며[19], 인간을 대상으로 한 연구에서 neurotrophin gene의 발현이 통증의 강도와 상관관계가 있었다[20].

2) 췌장 신경의 변화

만성췌장염의 통증에 대한 병태생리에서 최근 각광받고 있는 개념은 신경계와 염증반응의 상호작용이다. Keith 등[21]이 신경계와 신경계주위의 변화가 통증의 발생에 매우 중요한 기전이라고 설명하였는데 결국 음주기간, 췌장실질의 석회화뿐만 아니라 염증세포 특히 호산구의 신경 혹은 신경주위침범이 통증의 강도와 매우 밀접한 관계에 있다고 하였다. 이후 후속연구에서 만성췌장염이 진행될수록 신경섬유의 수와 직경이 모두 증가한다고 하였는데 만성췌장염 환자의 췌장실질 조직검체에서 만성염증세포들이 신경주위에 군집해 있었으며 특히 임파구들이 신경초(perineurium)를 침윤한 것을 확인할 수 있었다. 이러한 변화는 결국 염증반응물질이나 췌장효소의 활성화를 촉진시켜 췌장의 신경분포의 변화를 초래한다. 특히 calcitonin gene related peptide (CGRP)나 substance P (SP)가 주로 강하게 나타나는데 이 두 성분은 통증의 신경전달물질로도 잘 알려져 있어 이러한 사실들을 종합할 때 만성췌장염의 지속적인 통증의 원인은 염증세포의 직접적인 췌장신경침범 및 염증반응물질들의 증가에 기인한다고 볼 수 있다.

4. 신경면역 상호작용 (neuroimmune interaction)

몇몇 연구는 만성췌장염에서 신경구조와 면역세포간 밀접한 관계가 존재한다고 하였으며 이를 신경면역기전이라 정의하여 만성췌장염의 발생기전과 복통의 발생기전에 중요한 개념이라고 주장하였다.

1) 신경의 가소성 및 임상적 소견 (neuronal plasticity and clinical findings)

최근 일련의 연구들[17,22]은 신경 가소성의 지표로 만성췌장염 환자의 통증 지수와 밀접한 연관이 있는 growth associated protein 43(GAP-43)를 주목하였다. GAP-43은 신경 단백질로 엑손 성장 원추(axonal growth cone)와 시냅스 전 종말(presynaptic terminal)의 발달에 관여한다고 알려져 있다. 특히 인간의 중추신경 및 말초신경에 광범위하게 분포되어 있는 GAP-43은 신경 손상 후 지속적으로 시냅스 재형성에 깊게 관여하다. 따라서 만성적으로 염증이 반복되는 췌장실질 속 췌장신경섬유에서도 GAP-43의 발현이 뚜렷하게 관찰되었다. 결국 신경면역 상호작용이라는 개념은 신경주위 염증 정도와 임상적 통증 증후군에 직접적인 연관성을 설명하고 있으며 이 가설은 만성췌장염 환자의 통증 발생이 신경면역 상호작용에 기인한다는 사실을 뒷받침해 준다[20]. 특히 췌장실질 대 섬유화 비율 및 신경주위 면역세포 침윤 정도 같은 임상적 혹인 조직학적 소견들도 궁극적으로는 신경면역반응에 의한 결과물일 수 있다. 다시 말해, 췌장 섬유화의 정도나 질병이환기간 등 임상적 평가 항목들보다는 면역세포의 췌장신경 침윤 정도가 통증의 강도와 더 밀접한 관련이 있다고 할 수 있다[23].

2) 신경 성장 및 통증(nerve growth and pain)

최근의 한 연구[20]는 만성췌장염에서 NGF 및 NGF의 수용체 중 하나인 tyrosine kinase A (TrkA)의 발현이 신경 비대와 연관이 있는지에 대하여 보고하였는데 NGF는 신경모세포 증식 및 신경 성숙에 작용하여 신경생존유지에 영향을 미친다[24]. NGF 신호전달은 고친화도 혹은 저친화도 수용체에 결합함으로써 이뤄진다[25]. 고친화도 수용체는 TrkA로 신호전달은 internal tyrosine kinase domain을 통하여 전달된다. TrkA는 후근 및 일차 감각 신경의 말초 신경절 세포에 존재하며, 해로운 자극 및 조직 손상의 신경 전달을 담당한다. 다른 장기의 염증에서도 NGF의 양은 상승할 수 있는데 결국 NGF/TrkA 경로는 만성췌장염에서 활성화되어 이는 신경 성장 및 통증 증후군에 영향을 미칠 것으로 추정된다. NGF 자체는 사이토카인 같은 기능을 가지고 있는데 비만세포, 대식세포, B세포 기능을 변경하며, 감각 및 염증 부위에 분포된 교감신경섬유에 있는 TrKA를 활성화시킴으로써 신경면역 상호작용을 조절하는 것으로 생각된다. 또한 NGF mRNA 발현은 관세포, 퇴화 샘세포, 샘세포가 탈분화되어 관구조로 변하는 곳에 두드러진 반면, TrkA mRNA 는 신경초에 주로 존재한다.

분자생물학적 소견과 임상적 지표의 관점에서 NGF mRNA 양과 췌장섬유화 및 섬세포 손상정도, 또한 Trk A mRNA 양과 통증 정도는 매우 중요한 연관이 있는데 만성췌장염에서 활성화된 NGF/Trk A 경로가 신경 성장 및 통증 증후군에 영향을 미칠 것이라는 것을 보여 준다.

3) Neuro immune cross talk

또 다른 기전은 상향조절된 NGF가 SP 와 CGRP의 생성, 전사 및 히스타민 분출을 조절함으로써 만성췌장염 환자에 통증 증후군에 영향을 미친다는 것이다. 신경펩타이드인 SP는 감각정보 평활근 수축, 통증, 성행위, 상처 치유 및 조직 재생 신경전달에 관여하는 중요 tachykinin으로서 신경계 및 면역계 사이의 상호작용에 중요한 역할을 한다. 이 과정 중 특정 수용체인 neurokinin1 (NK-1R)이 중추적 역할을 하는데 최근 Shrikande 등[26]의 연구 결과는 만성췌장염 환자에서 NK-1R과 임상병리학적 소견의 중요한 관계가 증명되었다. 즉, 만성췌장염 환자의 조직에서 NK-1R mRNA 발현 단백질이 신경, 신경절, 혈관, 염증세포, 종종 섬유아 세포에서 확인되었다. NK-1R mRNA는 통증의 강도, 주기, 지속시간과 밀접한 연관이 있는 반면, 조직염증 정도와는 무관한 것으로 보고하였다. 결국, 염증 및 혈관 세포에서 NK-1R의 발현은 면역반응 SP 신경과 염증 세포와 혈관 사이의 상호 신호를 보여 준다.

4) Neuropeptides 및 cytokines

염증 세포와 신경 그리고 신경절 사이의 상호작용, 즉 신경면역 상호 신호의 정확한 기전은 아직 충분히 밝혀지지 않았다. 다만, 다양한 사이토카인이 통증과 염증에 관련된 SP와 다양한 기전으로 상호작용하는데, 예를 들어 IL-1과 SP는 공동작용으로 섬유아세포의 증식을 증가시킨다. SP는 직접 대식세포에서 IL-8의 방출을 자극하고 IL-8의 방출은 교감신경 후신경절을 자극함으로써 통증과민상태를 만든다. 만성췌장염 환자의 조직에서 IL-8 mRNA는 상당히 증가되어 있는데 IL-8은 커진 췌장신경주변부 대식세포에 주로 위치하며, 남아 있는 섬세포나 종종 관세포에도 존재한다[27]. 특히 IL-8 mRNA 발현은 만성췌장염 환자의 조직에서 염증 점수 및 관이형성과 연관이 있다. SP와 IL-8의 상호작용 역시 만성췌장염 환자의 통증에 중요한 인자로 알려져있는데 췌장 감각세포로부터 나온 SP를 매개체로 하여 IL-8의 mRNA 발현이 증가한다.

References

1. Andren-Sandberg A, Hoem D, Gislason H. Pain management in chronic pancreatitis. Eur J Gastroenterol Hepatol 2002;14(9):957-70.
2. Reber HA, Karanjia ND, Alvarez C, et al. Pancreatic blood flow in cats with chronic pancreatitis. Gastroenterology 1992;103(2):652-9.
3. Ammann RW, Muellhaupt B. The natural history of pain in alcoholic chronic pancreatitis. Gastroenterology 1999;116(5):1132-40.
4. Lankisch PG, Lohr-Happe A, Otto J, et al. Natural course in chronic pancreatitis. Pain, exocrine and endocrine pancreatic insufficiency and prognosis of the disease. Digestion 1993;54(3):148-55.
5. Becker V, Mischke U. Groove pancreatitis. Int J Pancreatol 1991;10(3-4):173-82.
6. Prinz RA, Aranha GV, Greenlee HB, et al. Common duct obstruction in patients with intractable pain of chronic pancreatitis. Am Surg 1982;48(8):373-7.
7. Manes G, Pieramico O, Uomo G. Pain in chronic pancreatitis: recent pathogenetic findings. Minerva Gastroenterol Dietol 1992;38(3):137-43.
8. Di Sebastiano P, di Mola FF, Buchler MW, et al. Pathogenesis of pain in chronic pancreatitis. Dig Dis 2004;22(3):267-72.
9. Bradley EL, 3rd. Pancreatic duct pressure in chronic pancreatitis. Am J Surg 1982;144(3):313-6.
10. Ebbehoj N. Pancreatic tissue fluid pressure and pain in chronic pancreatitis. Dan Med Bull 1992;39(2):128-33.
11. Ebbehoj N, Borly L, Madsen P, et al. Pancreatic tissue fluid pressure during drainage operations for chronic pancreatitis. Scand J Gastroenterol 1990;25(10):1041-5.
12. Manes G, Buchler M, Pieramico O, et al. Is increased pancreatic pressure related to pain in chronic pancreatitis? Int J Pancreatol 1994;15(2):113-7.
13. Beger HG, Schlosser W, Friess HM, et al. Duodenum-preserving head resection in chronic pancreatitis changes the natural course of the disease: a single-center 26-year experience. Ann Surg 1999;230(4):512-9; discussion 9-23.
14. Uhl W, Anghelacopoulos SE, Friess H, et al. The role of octreotide and somatostatin in acute and chronic pancreatitis. Digestion 1999;60(Suppl 2):23-31.
15. Malfertheiner P, Mayer D, Buchler M, et al. Treatment of pain in chronic pancreatitis by inhibition of pancreatic secretion with octreotide. Gut 1995;36(3):450-4.
16. Karanjia ND, Widdison AL, Leung F, et al. Compartment syndrome in experimental chronic obstructive pancreatitis: effect of decompressing the main pancreatic duct. Br J Surg 1994;81(2):259-64.
17. di Mola FF, Friess H, Martignoni ME, et al. Connective tissue growth factor is a regulator for fibrosis in human chronic pancreatitis. Ann Surg 1999;230(1):63-71.
18. Di Sebastiano P, Fink T, Weihe E, et al. Immune cell infiltration and growth-associated protein 43 expression correlate with pain in chronic pancreatitis. Gastroenterology 1997;112(5):1648-55.
19. Gullo L, Barbara L. Treatment of pancreatic pseudocysts with octreotide. Lancet 1991;338(8766):540-1.
20. Toma H, Winston J, Micci MA, et al. Nerve growth factor expression is up-regulated in the rat model of L-arginine-induced acute pancreatitis. Gastroenterology 2000;119(5):1373-81.
21. Friess H, Zhu ZW, di Mola FF, et al. Nerve growth factor and its high-affinity receptor in chronic pancreatitis. Ann Surg 1999;230(5):615-24.
22. Keith RG, Keshavjee SH, Kerenyi NR. Neuropathology of chronic pancreatitis in humans. Can J

Surg 1985;28(3):207-11.
23. Fink T, Di Sebastiano P, Buchler M, et al. Growth-associated protein-43 and protein gene-product 9.5 innervation in human pancreas: changes in chronic pancreatitis. Neuroscience 1994;63(1):249-66.
24. Zhu ZW, Friess H, Wang L, et al. Brain-derived neurotrophic factor (BDNF) is upregulated and associated with pain in chronic pancreatitis. Dig Dis Sci 2001;46(8):1633-9.
25. Di Sebastiano P, Fink T, di Mola FF, et al. Neuroimmune appendicitis. Lancet 1999;354 (9177):461-6.
26. Weihe E, Nohr D, Muller S, et al. The tachykinin neuroimmune connection in inflammatory pain. Ann N Y Acad Sci 1991;632:283-95.
27. Shrikhande SV, Friess H, di Mola FF, et al. NK-1 receptor gene expression is related to pain in chronic pancreatitis. Pain 2001;91(3):209-17.
28. Di Sebastiano P, di Mola FF, Di Febbo C, et al. Expression of interleukin 8 (IL-8) and substance P in human chronic pancreatitis. Gut 2000;47(3):423-8.

CHAPTER 29

만성췌장염에서 영양결핍

Malnutrition in chronic pancreatitis

박세우

서론

영양결핍이란 영양소 섭취가 부족하거나 균형을 이루지 않았을 때 또는 흡수와 이용이 제 기능을 못하여 영양이 불완전한 상태를 뜻한다[1]. The European Society of Clinical Nutrition and Metabolism (ESPEN)에서는 영양결핍을 다음과 같이 정의하였다: 체질량 지수(body mass index, BMI) < 18.5 kg/m^2, 의도하지 않은 체중감소율이 세 달 동안 5% 이상 혹은 기간과 무관하게 10% 이상, 70세 미만의 연령에서 체질량지수가 20 kg/m^2 미만이거나 70세 이상의 연령에서 22 kg/m^2 미만, 여성에서 free-fat mass index (FFMI) < 15 kg/m^2 혹은 남성에서 < 17 kg/m^2 등이다.

만성췌장염에서의 영양결핍은 췌장실질의 점진적인 파괴와 췌관 협착에 의한 췌장효소의 외분비 장애가 가장 중요한 기전이지만 이탄산염 분비감소로 인하여 십이지장 내강내로 충분한 양의 췌장효소가 분비되지 않는 것도 중요한 원인이 될 수 있다. 췌장 외분비 기능부전이 심해지면 단백질 및 탄수화물 흡수도 장애가 일어나며 특히 가장 높은 열량을 제공하는 지방의 흡수가 감소하기 때문에 심한 체중감소가 유발될 수 있다. 이 중 지방흡수 장애가 가장 빨리 나타날 수 있는데 이는 탄수화물과 단백질 소화에는 췌장효소 외에도 위장관의 다른 기전이 관여하기 때문이다.

외분비 기능부전은 설사, 지방변, 체중감소, 대사성 골질환, vitamin 결핍, 미네랄 결핍 등과 같은 증상이 있는 경우 의심할 수 있지만 일반적으로 만성췌장염에 이환된 후 약 5~10년 이후에나 증상이 발현되기 때문에 증상이 나타나기 전에 선제적으로 예측 진단하는 것이 중요하다. 그러므로 가장 중요한 것은 환자의 영양상태를 주기적으로 평가하는 것이다.

1. 발생 빈도

만성췌장염에서의 저체중은 약 8 ~ 39%로 매우 다양한 빈도로 보고되고 있는데 연구들 간 유의한 이질성이 관찰되며 평가 방법과 범위, 연구의 질이 달라 해석에 유의해야 한다[2]. 만성췌장염 환자에서 발생하는 점진적인 영양결핍과 대사장애는 주로 지방분 소화의 장애에 의해 유발되며 지용성 비타민인 A, D, E, K의 흡수부전도 동반되기 쉽다. 이 중 비타민 A의 경우 1~16%, 비타민 D의 경우 33~87%, 비타민 E의 경우 2~27%, 그리고 비타민 K의 경우 13~63% 정도까지 보고하고 있다[2]. 그에 반해 수용성 비타민의 결핍은 비교적 적게 보고되고 있으나 만성 음주가 동반된 환자에서 thiamine 결핍은 비교적 흔한 것으로 알려져 있다. 외분비 기능장애뿐만 아니라 내분비기능의 장애로 당뇨가 합병되면 만성췌장염 환자의 영양 상태는 더욱 악화될 수 있다. 그러나 이러한 만성췌장염 환자에서의 영양평가는 환자의 선택 오류, 낮은 유병률, 연구들간 방법론적인 이질성 등으로 인하여 일반화가 어렵다는 한계가 있다.

2. 영양결핍의 원인 및 병태생리

일반적으로 섭취한 음식물의 분해와 흡수는 소화효소의 분비, 운동 기전을 포함하여 여러 위장 기관의 유기적인 상호작용에 의하여 이루어지는데 이 때 췌장은 약 10가지 이상의 소화효소와 함께 단백질, 물, 이탄산염을 분비한다. 소화효소는 지방, 단백질, 탄수화물을 비롯한 영양소를 분해하는데, 섭취된 음식물의 소화에 필요한 양보다 훨씬 많은 양이 분비된다. 주로 식사와 연관되어 위장관 운동과 분비의 통합적인 반응에 의하여 췌장 소화효소 분비가 조절되며 이때 췌장의 반응은 섭취된 음식물의 성상과 조성에 따라 영향을 받는다. 예를 들어 고형식과 유동식의 혼합 식이는 총에너지 동량의 고형식 혹은 유동식 단독 식이보다 오랫동안 췌장의 반응을 유도한다. 특히 위에서부터 십이지장까지 음식물이 전달되는 동안 흡수되는 영양소의 총 열량이나 음식물에 포함된 지방, 단백질, 탄수화물의 조성이 췌장효소의 분비시간, 췌장의 반응시간과 분비효소의 조성을 결정하는 핵심적인 요소이다.

이 과정에서 십이지장에 도달한 영양소는 미주신경을 포함하는 신경체계와 cholecystokinin (CCK)를 포함하는 조절성 펩타이드 분비에 의한 체액체계를 자극하여 췌장효소 분비를 유도한다. 뿐만 아니라 근위부 소장에서부터 말단부 소장에 이르기까지 소장 점막세포에 존재하는 소화효소도 음식물의 분해와 흡수를 촉진시킨다. 이러한 정상적인 외분비 췌장기능이 90% 이상 현저하게 소실된 만성췌장염의 환자에서 영양결핍은 흔히 발생할 수 있다.

영양결핍의 중증도는 외분비 췌장기능을 담당하는 실질의 위축 및 파괴의 정도와 만성췌장염에 병발된 합병증 등과 밀접한 관련이 있는데, 지속적인 음주, 통증으로 인한 식이 회피, 가성낭종에 따른 감염과 같은 합병증은 영양결핍을 악화시키는 주요 원인이 된다. 뿐만 아니라 기초 대사량도 영양결핍의 중증도와 연관이 있는데 만성췌장염 환자의 30~50%에서는 흔히 기초 대사량이 증가하고 영양결핍이 유발되어 있는 경우에는 65%까지 심하게 증가하기도 한다[3]. 앞서 언급한 것처럼 만성췌장염의 증상이 시작된 뒤 소화불량의 징후가 나타나기까지 알코올성 췌장염에서는 평균 9년, 특발성 췌장염에서는 15년 이상이 소요된다고 알려져 있다[4].

만성췌장염 환자에서 나타나는 체중감소는 특히 지방의 흡수장애와 밀접한 관련을 가지는데, 임상적으로 지방변이 나타나기 위해서는 90% 이상의 외분비 기능 손실이 있어야 한다[5]. 지방의 소화부전은 단백질이나 탄수화물보다 훨씬 심하고 일찍 발생한다[6]. 이는 소장에서 지방의 소화를 위해서는 lipase는 물론 colipase나 담즙산 등의 보조인자들을 필요로 하며, 소장 점막세포에는 중성지방을 소화시킬 수 있는 효소가 없기 때문이다. 반면 단백질은 췌장단백 분해 효소가 전혀 없더라도 위에서 보상성으로 분비가 증가되는 단백분해효소와 소장 점막의 peptidase에 의해 어느 정도의 소화와 흡수가 유지된다[7]. 탄수화물도 마찬가지로 침샘의 아밀라아제와 소장점막 효소에 의해 소화, 흡수가 유지된다[8]. 담즙산의 분비가 충분하지 않으면 지방 소화 장애는 더욱 악화될 수 있다. 더구나 췌장에서 분비되는 이탄산염의 양도 감소하기 때문에 소장 pH가 감소하므로 그나마 분비되는 소량의 lipase가 신속하게 파괴되기 쉽다[9]. 췌장에서 분비되는 효소는 장하부로 내려가면서 활성도가 점차 감소하는데 회장에서 amylase는 74%, trypsin은 20~30%의 활성도를 유지하는 데 반하여 lipase는 1%의 낮은 활성도를 보인다[10]. 췌장 외분비 부전에 의한 소화장애를 췌장효소 투여로 치료할 때 단백질과 탄수화물의 소화장애는 쉽게 조절되는 반면에 지방 소화의 개선에는 어려움이 있으며, 따라서 외분비 기능부전의 치료는 지방변의 치료를 의미하기도 한다.

3. 영양상태의 평가 및 진단

일반적으로 입원 환자에서 영양 상태를 확인하기 위하여 다음과 같은 4단계를 실시한다. 1) 입원 시 간단하게 영양 상태를 선별한다. 2) 영양 상태의 위험이 있는 환자는 자세한 영양 설문을 통하여 정확한 위험도를 파악한다. 3) 각각 환자의 개별적인 영양 요구를 파악하고 영양 치료를 계획한다. 4) 추적 관찰을 하면서 영양 상태 호전에 따라 영양 치료를 조정한다[11]. 영양 상태를 선별할 수 있는 가장 간단한 방법은 4개의 설문으로 이루어져 있다. 1) 최근 3개월 동안에 체중 감소가 있는가? 2) 체중질량지수가 20.5 kg/m^2 이하인가? 3) 최근 일주일 동안에 식이가 감소했는가? 4) 심각한 질환을 환자가 앓고 있는가? 이 중 한 문항이라도 문제가 있는 경우 2차 선별검사를 실시한다. 혹은 다른 영영 평가 지표로서 1) 최근 6개월 동안에 10% 이상의 체중 감소가 있는가? 2) 최근 1개월 동안에 5% 이상의 체중 감소가 있는가? 3) 체중질량지수가 20 kg/m^2 이하인가? 4) 생화학검사 소견에서 다음과 같은 소견이 관찰되는가? Albumin < 3.0g/dl, transferrin < 1.5 g/dl, prealbumin < 1.0 mg/dl, or total lymphocyte count < 1,500/mm^3. 중 한 문항이라도 문제가 있는 경우 2차 선별검사를 실시하기도 한다(표 29-1).

췌장 외분비 기능을 검사하는 방법은 매우 다양한데 직접적으로 췌장을 secretin과 CCK으로 자극하여 검사하는 방법이 있으며, 간접적으로 72시간 변 지방 농도 검사, fecal elastase, chymotrypsin, 혈중 trypsin, 13-C triglyceride breath test 등이 있다. 그 중 가장 많이 쓰이는 방법은 fecal elastase와 13-C triglyceride breath test이다[13]. 만성췌장염 환자에서 임상적으로 췌장 외분비 기능부전이 의심되는 환자는 fecal elastase와 혈중 hemoglobin, albumin, prealbumin, retinol-binding protein, magnesium 등을 측정한다. 혈중 magnesium < 2.05 mg/dL인 경우 췌장 외분비 기능부전의 좋은 지표로 알려져 있다. Fecal elastase가 < 15 μg/g feces이거나 15~200 μg/g feces이면서 혈중 영양 지표 등이 감소한 경우 진단에 큰 도움이 된다.

4. 치료

만성췌장염 환자의 외분비 기능부전으로 인한 영양결핍 치료의 원칙 중 가장 중요한 것은 철저한 금주에 대한 교육과 실천으로 시작하며 지방변을 줄이고 적절한 양의 칼로리를 공급하는 것인데 세부적으로 다음 3가지로 나누어 볼 수 있다. 1) 췌장효소의 공급, 2) 영양결핍의 평가와 치료, 3) 적절한 식이의 유지이다.

지방변이 있으나 영양결핍은 없는 환자에서는 4~5회의 식사가 적절하며 증가된 휴식시 에너지 소비 양상을 만족시키기 위해서 최소 35 kcal/kg/day의 칼로리를 섭취하도록 한다[11]. 지방의 섭취는 하루 필요한 열량의 30~40%가 이상적이며 그 이상의 고지방식이는 지속적인 통증과 연관이 있다는 연구가 있어 50~80 g으로 제한하는 것이 좋다. 그러나 지방을 너무 제한할 경우 심한 영양결핍의 원인이 될 수 있으며 따라서 적절한 식이요법에도 불구하고 체중이 증가하지 않는 환자에서는 MCT (medium-chain TG) 공급을 고려한다. MCT는 lipase, colipase, 담즙산에 의존하지 않고 소장을 통하여 간문맥으로 직접 흡수가 가능하다[14]. MCT는 다른 지방에 비하여 맛이 없고, 에너지 밀도가 낮으며 50 g 이상 공급할 경우 근육 경련, 오심, 설사와 같은 부작용을

표 29-1. **영양 위험 선별(Nutrition risk screening 2002)[12]**

Secondary screening			
Impaired nutritional status		**Severity of disease**	
Absent Score 0	Normal nutritional status	Absent Score 0	Normal nutritional requirements
Mild Score 1	Weight loss > 5% in 3 mo or Food intake below 50~75% of normal requirement in preceding week	Mild Score 1	Hip fracture, chronic patients, in particular with acute complications; cirrhosis, chronic obstructive pulmonary disease, chronic hemodialysis, diabetes, oncology
Moderate Score 2	Weight loss > 5% in 2 mo or BMI 18.5–20.5 + impaired general condition or Food intake below 25~50% of normal requirement in preceding week	Moderate Score 2	Major abdominal surgery Stroke Severe pneumonia, hematologic malignancy
Severe Score 3	Weight loss > 5% in 1 mo (15% in 3 mo) or BMI < 18.5 + impaired general condition or Food intake below 0~25% of normal requirement in preceding week	Severe Score 3	Head injury BMT Intensive care unit (APACHE > 10)
Total score = Impaired nutritional status Score + Severity of disease Score			
Age-adjusted total score = Age if ≥ 70 yr: Add 1 to total score above			
Score ≥ 3: The patient is nutritionally at risk and a nutritional plan is initiated.			
Score < 3: Weekly screening of the patient			

BMI: body mass index; BMT: bone marrow transplantation.

유발하기도 한다. 단백질은 100~150 g으로 조절하며 나머지 영양소는 탄수화물의 형태로 섭취하도록 하는데 매일 필요한 탄수화물은 약 300 g으로 하루 칼로리의 반을 차지하도록 구성하는 것이 좋다. 현성 당뇨병 환자는 탄수화물 섭취를 제한할 필요가 있다. 영양결핍이 있는 환자에서는 6~7회의 식사가 적절하며 하루 체중 1 kg당 40~45 kcal를 섭취하도록 한다. 영양소의 조성은 필요한 칼로리 섭취를 충분히 유지하되 지방함량은 조금 줄여 하루 50~80 g을 섭취하도록 하며 탄수화물과 단백질(kg당 1~1.5 g)의 함량을 늘이는 것이 적절하다[15].

췌장효소제 투여는 통상적으로 Steatorrhea 15 g/d, 지속적인 체중 감소, 단백과 탄수화물 흡수 부전, 혹은 설사, 속쓰림의 증상이 있는경우 투여해볼 수 있다. 이는 지방 외에도 단백질과 탄수화물의 소화를 돕기 위한 목적으로 사용하며 설사와 소화불량을 돕는데 혹은 정상 영양을 유지하는데 도움이 된다. 장용 제제는 pH 5.5 이상에서 용해되기 때문에 일반적으로 십이지장에서 활성화되기 시작하며, 프로톤펌프차단제는 가장 강력한 위산 분비 억제효과를 가지기 때문에 장용 제제의 활성화라는 측면에서 비교적 일관성 있는 투약 효과를 보인다.

만성췌장염 환자에서 췌장효소 투약의 목표는 매 식이마다 체중 1 kg당 최소한 1,000 units의 lipase를 공급하는 것이다. 지방 1 g을 소화시키기 위해 2,000 units의 lipase가 필요하므로 식사에는 최소 25,000~75,000 units의 lipase가 필요하다. 현재 시판되는 췌장효소제는 돼지 췌장 추출물로부터 만든 pancreatin을 주원료로 하고 있는데 시판되는 소화제의 제형과 역가는 표 29-2와 같다. 대체로 1 g의 pancreatin에는 30,000 IU의 lipase 활성도가 포함되어 있다.

그 외 만성췌장염 환자는 비타민 D와 칼슘의 흡수장애, 불충분한 식이, 통증, 알코올 중독, 흡연으로 인하여 골밀도가 감소하기 쉽다. Duggan 등[16]에 의하면 골다공증 이환율이 정상 대조군의 10.2%에 비하여 만성췌장염 환자에서 34%로 현저히 높다고 보고하고 있다. 따라서 전반적인 평가로 bone mineral density 검사가 필요할 수 있으며 적절한 통증 조절, 적당한 식이, 금주, 금연과 비타민 D(1,520 IU/일)와 칼슘의 공급이 필요하다[17].

표 29-2. **국내 시판 중인 소화제의 효소 역가**

약제명	제형	성분	췌장효소활성도(USP Unit)		
			Lipase	Protease	Amylase
Anase	Tablet	Pancrelipase	32,500	0	0
Bearse	Enteric-coated T.	Lipase 15 mg Pancreatin 78.6 mg	24,000	4,200	36,000
Beszyme	Tablet	Pancreatin 400 mg Bromelain 30 mg	10,000	33,000	31,000
Festal gold	Enteric-coated T.	Pancreatin 150 mg Lipase 15 mg	19,600	12,000	15,000
Festal plus	Tablet	Pancreatin 315 mg	9,660	25,000	31,000
Gesterin	Dragee	Pancreatin 200 mg Bromelain 7,500 U	6,133	23,000	20,000
Norzyme	Enteric-coated microsphere	Pancreatin 457 mg	25,000	78,125	93,375
Pancron	Enteric-coated T.	Pancreatin 175 mg	5,366	22,000	31,000
Panga	Tablet	Pancrelipase 325 mg	32,500	0	0
Romantase	Tablet	Pancreatin 300 mg	10,500	37,500	30,000

References

1. Delano MJ, Moldawer LL. The origins of cachexia in acute and chronic inflammatory diseases. Nutr Clin Pract 2006;21:68-81.
2. Lohr JM, Dominguez-Munoz E, Rosendahl J, et al. United European Gastroenterology evidence-based guidelines for the diagnosis and therapy of chronic pancreatitis (HaPanEU). United European Gastroenterol J 2017;5:153-99.
3. Hebuterne X, Hastier P, Peroux JL, et al. Resting energy expenditure in patients with alcoholic chronic pancreatitis. Dig Dis Sci 1996;41:533-9.
4. Layer P, Yamamoto H, Kalthoff L, et al. The different courses of early- and late-onset idiopathic and alcoholic chronic pancreatitis. Gastroenterology 1994;107:1481-7.
5. Latifi R, McIntosh JK, Dudrick SJ. Nutritional management of acute and chronic pancreatitis. Surg Clin North Am 1991;71:579-95.
6. Lanspa SJ, Chan AT, Bell JS, 3rd, et al. Pathogenesis of steatorrhea in primary biliary cirrhosis. Hepatology 1985;5:837-42.
7. DiMagno EP, Malagelada JR, Go VL. Relationship between alcoholism and pancreatic insufficiency. Ann N Y Acad Sci 1975;252:200-7.
8. Layer P, Zinsmeister AR, DiMagno EP. Effects of decreasing intraluminal amylase activity on starch digestion and postprandial gastrointestinal function in humans. Gastroenterology 1986;91:41-8.
9. Burton FR, Burton MS, Garvin PJ, et al. Enteral pancreatic enzyme feedback inhibition of the exocrine secretion of the human transplanted pancreas. Transplantation 1992;54:988-92.
10. Layer P, Go VL, DiMagno EP. Fate of pancreatic enzymes during small intestinal aboral transit in humans. Am J Physiol 1986;251:G475-80.
11. Rasmussen HH, Irtun O, Olesen SS, et al. Nutrition in chronic pancreatitis. World J Gastroenterol 2013; 19:7267-75.
12. Mercadante S, Tirelli W, David F, et al. Morphine versus oxycodone in pancreatic cancer pain: a randomized controlled study. Clin J Pain 2010;26: 794-7.
13. Lindkvist B. Diagnosis and treatment of pancreatic exocrine insufficiency. World J Gastroenterol 2013; 19:7258-66.
14. Scolapio JS, Malhi-Chowla N, Ukleja A. Nutrition supplementation in patients with acute and chronic pancreatitis. Gastroenterol Clin North Am 1999; 28:695-707.
15. Castineira-Alvarino M, Lindkvist B, Luaces-Regueira M, et al. The role of high fat diet in the development of complications of chronic pancreatitis. Clin Nutr 2013;32:830-6.
16. Duggan SN, O'Sullivan M, Hamilton S, et al. Patients with chronic pancreatitis are at increased risk for osteoporosis. Pancreas 2012;41:1119-24.
17. Bang UC, Matzen P, Benfield T, et al. Oral cholecalciferol versus ultraviolet radiation B: effect on vitamin D metabolites in patients with chronic pancreatitis and fat malabsorption - a randomized clinical trial. Pancreatology 2011;11:376-82.

만성췌장염의 합병증

Complications of chronic pancreatitis

이현직

서론

만성췌장염은 만성 염증성 변화로 인해 췌장의 내분비 및 외분비 기능장애 등과 같은 영구적 기능장애를 유발하게 된다. 만성췌장염의 합병증으로는 췌장의 석회화, 췌관 결석, 가성낭종, 농양, 인접 장기 협착, 위장관 출혈 등 매우 다양하고 예후에 나쁜 영향을 미친다고 알려져 있다. 합병증은 표 30-1과 같이 췌장내 합병증과 췌장외 합병증으로 나누어 진다.

표 30-1. **만성췌장염의 합병증**

췌장내 합병증	췌장 외 합병증
췌장 석회화 및 췌관 결석	주위 장기 협착 (십이지장, 대장, 총담관)
가성낭종	소화성 궤양
농양	출혈
췌장암	흉수 및 복수
내분비 기능부전(당뇨병)	비장의 병변 골격계 병변 대사성 변화 췌장외 악성종양

1. 췌장내 합병증 (intrapancreatic complications)

1) 췌장의 석회화 및 췌관 결석

만성췌장염에서는 췌장의 기능부전과 경화, 섬유화, 췌관의 협착이나 확장, 췌실질의 위축, 석회화, 그리고 췌관 결석 등의 소견이 관찰된다. 만성췌장염에서 췌장내 석화화 비율은 다양하며, 단순복부 X-선 촬영상 약 10~55%에서 관찰된다[1,2]. 또한 복부초음파(abdominal ultrasonography), 컴퓨터단층촬영(computed tomography, CT), 자기공명영상(magnetic resonance imaging, MRI)에서도 쉽게 관찰할 수 있다. 이러한 석화화는 특발성 만성췌장염보다 알코올성 만성췌장염에서 약 6.8년 먼저 발생한다. 췌장의 석회화는 통증이 없는 만성췌장염 환자에서 더욱 빈번하여 70~80%에서 관찰될 수 있다[2-5]. 우리나라 보고에서는 71.4%에서 석화화를 보고하였다[6]. 일반적으로 췌장의 석회화는 만성췌장염이 많이 진행되어 정상 췌장 기능의 20% 미만까지 감소된 것을 의미하지만[7], 반면에 췌장기능의 감소와 관련이 없다는 보고도 있다[8,9]. 췌장의 석회화는 만성

췌장염 이외에도 양성 또는 악성 췌장 종양, 췌장 감염 등 다른 췌장 질환에서도 관찰될 수 있으므로 감별진단에 주의하여야 한다. 췌관 결석은 만성췌장염 환자의 약 20~90%에서 관찰되며[9-13], 췌관 결석으로 인해 췌관의 폐쇄를 유발하고 췌관내 압력이 상승되어 통증을 발생시킬 수 있고 췌장염의 급성 악화가 가능하다. 췌관 결석은 영상 검사에서 잘 보이며 다양한 모양, 크기와 불규칙한 구조를 가지고 있다. 표면은 불규칙하거나 과립상 또는 침상 돌기의 형태를 가지며 백색 혹은 회백색의 색깔을 띈다[5]. 한 연구에서는 278명의 만성췌장염 환자 중 234명에서 췌관 결석이 있었으며[14], 우리나라 연구에서는 영상 검사상 췌장의 석회화 소견은 65%에서 관찰되었으며[15], 위치는 췌장 두부 부분이 86.6%(13명)으로 가장 많았다[16]. 췌관 결석은 먼 쪽 췌관내에서 생기기 시작해서 점차적으로 전 췌관에 분산되어 분포하게 되며[17], 주 췌관에서 주로 생기며 분지관에서도 생길 수 있다. 복통이 있는 환자에서 주췌관의 췌관 결석이 원인일 경우, 내시경적 치료, 체외충격파쇄석술(extracorporeal shock wave lithotripsy, ESWL), 수술적 치료를 이용하여 췌관 감압, 췌석 제거 및 췌관 배액 등을 고려해야 한다(그림 30-1).

2) 가성낭종

가성낭종은 급성췌장염보다 주로 알코올성 만성췌장염에서 비교적 빈번한 합병증으로 나타난다. 췌장내부나 주위에 상피층이 없는 구조물 내에 췌장의 외분비액과 삼출액이 모여 있는 것으로서[18], 만성췌장염에서 췌관이 좁아짐으로 인해 말단 췌관이 확장되고 이로 인해 분지 췌관의 파열로 인해 췌액이 누출되면서 발생한다. 만성췌장염의 환자 중 약 30~40%에서 관찰되며[19], 우리나라 다기관 연구에 따르면 814명의 만성췌장염 환자 중 28.4%(231명)에서 발생하였다[20]. 가성낭종의 증상은 무증상에서부터 갑작스런 출혈 또는 복수 등 다양하다. 우리나라 보고에서는 복통(93%), 오심 및 구토(41.5%), 발열(26.8%), 그 외 복부 팽만감, 체중감소, 황달 등으로 나타났다[21]. 가성낭종의 합병증으로는 가성낭종 파열, 파열로 인한 복수, 가성낭종의 벽에 위치하는 작은 혈관들의 파열로 인한 출혈 및 쇼크, 감염, 농양 형성, 거대 낭종으로 인한 총담관 폐쇄, 문맥 고혈압, 비장 경색, 비정맥혈전증 등이 발생할 수 있다[22]. 가성낭종의 진단은 보통 복부초음파에서 관찰되지만, 주변 가까운 기관과의 명확한 관계 파악 및 감별진단을 위

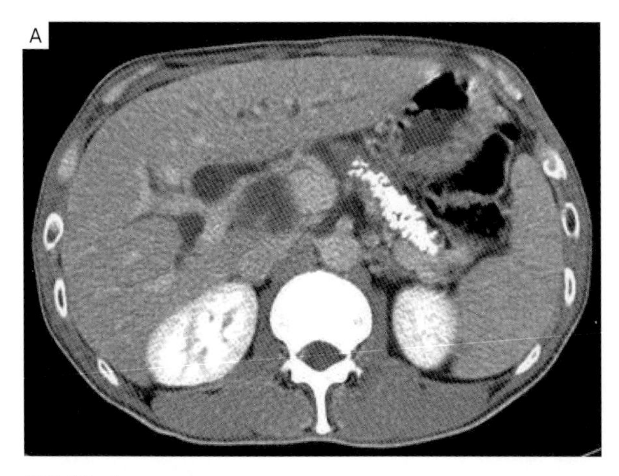

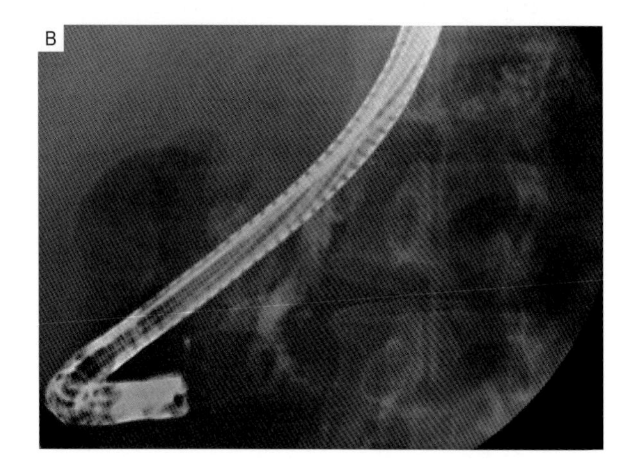

그림 30-1. **췌장 석회화.**
A. 췌장체부와 미부실질에서 다양한 크기의 석회화와 췌관내 결석들이 복부컴퓨터단층촬영에서 관찰된다.
B. 췌장체부와 미부실질에서 다양한 크기의 석회화와 췌관내 결석들이 내시경적 역행성담췌관조영술에서 관찰된다.

해 CT 또는 MRI가 필요하다. 또한 췌장 낭성 종양과 가성낭종의 감별이 매우 중요하다. 낭성 종양에 비해 가성낭종은 낭포의 벽이 얇고 주로 낭포가 하나이며, CT 상 만성췌장염의 증거나 염증 변화가 관찰된다. 영상학적으로 감별이 의심스러울 경우 세침 천자를 통해 낭액에 대한 분석이 필요하다. 만성췌장염에서 발생하는 가성낭종의 자연 경과는 정확하게 알려져 있지는 않지만, 자연적으로 소실 되는 것이 매우 드물다[5]. 일반적으로 가성낭종의 20~40%에서 합병증이 발생한다. 따라서 가성낭종에 대한 치료는 환자의 증상, 낭종의 성상이나 위치, 또는 합병증 여부에 따라서 치료의 대상이 된다. 증상이나 합병증이 없다면 기다려 볼 수 있지만 복부 통증, 황달, 체중 감소, 조기포만감 또는 열 등이 있다면 배액을 해주는 것이 좋다. 가성낭종에 대한 치료로는 수술적 배액술, 내시경적 배액술과 경피적 배액술이 있다. 무증상의 가성낭종에 대한 예방적 치료에 대해 일부 연구자들은 낭종의 주변 주 혈관 압박, 주변 기관인 위 또는 십이지장에 대해 증상을 유발하는 압박, 담즙 흐름을 방해하는 총담관 협착, 낭종내 출혈 또는 감염, 6주 이상 지속되며 크기가 4 cm 이상인 경우, 췌장흉막누공 등에서 배액을 권유하기도 한다[23](그림 30-2).

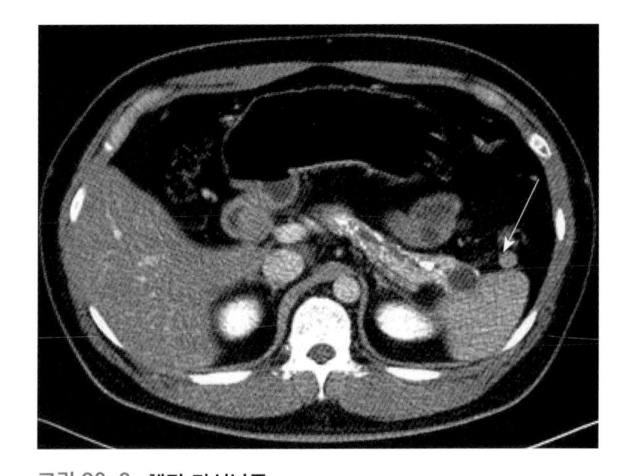

그림 30-2. **췌장 가성낭종.**
만성췌장염 환자로 복부컴퓨터단층촬영에서 주췌관의 불규칙한 협착과 확장, 췌관 실질의 석회화와 췌장 미부에서 약 2 cm 크기의 가성낭종이 관찰된다.

3) 농양

만성췌장염에서는 췌장 농양이 드물게 발생하며, 약 1.8%에서 자발적 농양 발생이 보고되었다[24]. 만성췌장염이 급성으로 악화되어 조직 괴사 및 감염으로 인해 발생하거나, 수술적 또는 내시경적 치료 후 합병증으로 나타날 수 있다. 농양의 치료로는 내시경적 배액술, 외과적 배액술 또는 경피적 배액술을 시행할 수 있다.

4) 췌장암

췌장의 만성 염증은 췌장암의 위험인자로 만성췌장염이 췌장암의 전암 병변으로 간주되고 있다. 이는 바렛식도(barrett's esophagus)와 식도암, 담석과 담낭암과 동일한 기전으로 생각되고 있다. 만성췌장염과 췌장암과의 명확한 관련과 발생기전에 관하여 아직 완전하게 밝혀지지 않았지만, 췌장암 발생 전 췌장 상피내 종양(pancreatic intraepithelial neoplasia) 발생, 만성 염증과 그로 인한 유전자 손상 증가 및 암세포 분화 유발 등과 더불어 여러 원인인자들과 여러 단계들이 필요한 것으로 예측되고 있다. 여러 연구에서 만성췌장염과 췌장암의 상관관계가 제시되었고, 만성췌장염에서 췌장암 발생률도 다양하게 보고된다. 비교적 초기 연구인 국제췌장염연구그룹에서 시행한 연구에 따르면, 6개국의 2,015명의 만성췌장염의 환자들 중에서 2년 이상 추적 관찰한 결과, 56명(2.8%)의 환자에게서 췌장암이 발생하였다. 최소 2년 이상 추적 관찰이 가능한 경우 점차적으로 췌장암의 누적 위험도가 증가하여 표준화 발생률(standardized incidence ratio)은 16.5%이었으며 5년 이상 시 14.4이였으며, 10년 누적 위험도는 1.8%, 20년 누적 위험도는 4%로 만성췌장염은 췌장암의 위험인자로서 췌장암 발생 빈도 증가를 보고하였다[25]. 최근의 다른 메타분석에서도 만성췌장염의 췌장암 발생 상대위험도(relative risk)는 13.3(95% CI 6.1-28.9)으로 보고하고 있으며, 만성췌장염 진단 1년 이후에 대해 췌장암의 상대위험도는 11.8, 췌장염 진단 후 2년 이내 췌장암 진단받은 환자들을 제외하면 상대 위험도는 5.8로 비교적 낮게 보고하였다[26]. 아시아에서도 비슷한 연구가 보고되었고[27,28], 우리나라의 13개 병원의 다기관 연구에서는 814명의 만성췌장염 환자 중 25명(3.1%)에서 췌장암이 발생한 것으로 보고하였다[20].

만성췌장염 환자에서 동반된 췌장암의 감별진단은 일반적 영상 소견으로 특히 췌장 석화회가 동반되어 있을 경우 매우 어렵다. 감별진단이 어려울 경우 CT, MRI와 더불어 내시경초음파를 이용한 세침흡입검사(endoscopic ultrasonography guided fine needle aspiration, EUS-FNA), 복부초음파 등 영상검사를 이용한 조직검사를 통하여 적극적 감별 노력과 암 진단을 위한 노력이 필요하다. 또한 조직학적 진단이 어려우나 암이 강력하게 의심되고 수술적 절제가 가능한 병변일 경우 진단적 수술 시행도 고려하여야 한다. 아직까지 췌장암의 조기 발견을 위한 검사 방법 및 주기에 관한 원칙은 확립되지 않았다. CA 19-9는 췌장암 진단에 가장 많이 사용 되는 종양 표지자이며, 췌장암과 만성췌장염 감별진단에 도움을 줄 수 있다. 췌장암 환자 중 약 70~80%에서 증가를 보이지만 담도 협착, 담관염 등에서도 상승할 수 있다. 만성췌장염 환자에서 복부 불편감이 심해지거나, 체중감소, 황달 등이 발생하면 췌장암의 발생에 대해 의심해 보아야 하며[5], 또한 여러 위험 인자들이 있지만 만성췌장염에서 당뇨병 동반 여부가 췌장암의 높은 발생 위험도와 관련 있는 것으로 보고되었다[29,30].

5) 내분비 기능부전(당뇨병)

당뇨병은 만성췌장염의 내분비 기능부전으로 나타나며 주요 후기 합병증이다. 초기에는 약 8% 정도의 적은 숫자에서 나타나나 10~20년 지나면 70~80%의 환자에서 당뇨병이 발생한다[1,31]. 다른 여러 연구에서도 비슷하게 당뇨병 발생 기간은 특발성 만성췌장염에서는 약 11~28년, 알코올성 만성췌장염에서는 약 6~20년이 걸린다[32-34]. 국내 보고에서는 만성췌장염 환자들 중 24~43.4%에서 당뇨병이 있었다[15,35]. 만성췌장염 환자들 중 췌장수술군과 비수술군 간 당뇨병 발생위험에 대한 연구에서는 수술군이 비수술군에 비해 증가하지 않았으나, 췌장원위부절제술을 받은 군에서 췌장십이지장절제술, 췌장 또는 낭종 배액술 등보다 당뇨병 발병이 높았다. 췌장 배액 수술은 당뇨병의 발생을 예방하지는 못했고, 당뇨의 발생위험은 췌장염이 진행할수록 높아지며, 췌장 석회화가 시작되면 3배 이상의 위험도를 보였다[31,36]. 당뇨병의 합병증으로 신경질환, 망막질환, 미세 및 대혈관 합병증이 발생하며 망막질환의 빈도는 특발성 당뇨병에서의 발생 빈도와 비슷하다[37,38].

2. 췌장 외 합병증 (extrapancreatic complications)

1) 주위 장관 협착

장관 합병증 중 십이지장 협착은 만성췌장염의 일시적 염증 악화, 췌장 두부의 심한 염증과 섬유화, 가성낭종의 압박 등으로 인해 발생하며, 약 1~5%로 보고되고 있고[39,40], 가장 주된 원인은 알코올성 만성췌장염이다. 증상은 메스꺼움, 구토, 체중 감소, 복통 등이 있으며 총담관 협착과 같이 나타날 수 있다. 십이지장 궤양, 십이지장 또는 췌장 종양, 분할성 췌장, 여러 염증성 질환과 감별진단이 필요하며, 진단은 상부위장관내시경, 위조영검사, CT, 내시경적 역행성담췌관조영술(endoscopic retrograde cholangio-pancreatography, ERCP), 자기공명췌담관조영술(magnetic resonance cholangio-pancreatography, MRCP) 등이 진단에 도움된다. 또한 대장은 췌장 농양에 의해 대장 괴사, 췌장염의 확장으로 인한 대장 협착, 췌장-대장누공, 가성낭종으로 인한 대장 협착 등이 드물지만 나타날 수 있다. 이런 합병증은 급성췌장염에서 더 자주 발생하며 췌장암으로 잘못 진단되거나 진단이 늦어질 수 있다[41]. 장관 협착이 만성췌장염의 급성 염증 악화에 의한 경우에는 내과적인 치료, 즉 금식과 보전적 치료로서 췌장의 부종과 염증이 좋아지면서 협착이 해소될 수 있다. 또한, 가성낭종이 원인일 경우 가성낭종에 대한 배액 치료로서 협착이 자연적으로 치유될 수 있다. 췌장의 섬유화에 의한 경우이거나 지속적 협착 또는 심한 합병증이 동반 될 경우 췌십이지장절제술, 위공장문합술 등 외과적 치료가 필요하다[42].

2) 총담관 협착

해부학적으로 췌장 두부와 원위부 총담관 사이가 가까이 있어 총담관 협착의 원인으로서 만성췌장염이 중요한 요인 중 하나이다. 만성췌장염에 의한 총담관 협착의 원인으로 만성췌장염의 급성 악화 및 담도 주위 부종(peri-ductal swelling), 췌장 만성 염증에 의한 췌장 실질의 섬유화(fibrotic stricture), 가성낭종에 의한 담관 압박 등이 있으며[5], 발생 빈도는 약 3~45%까지 다양하게 보고되고 있다[35,43-47]. 특히 췌장 두부에 발생 시 더 자주 나타나게 되며 60%까지 보고되고 있다[48]. 총담관 협착으로 인한 증상은 무증상, 복통, 체중 감소, 황달, 열 등 다양하고, 악화와 완화가 반복되며, 합병증으로는 초기에 담관염이 발생할 수 있고 이차적인 담도성 간경변증과 같은 심한 합병증까지 초래할 수 있다[49-52]. 따라서, 혈액검사 중 간기능 검사 이상, 특히 혈청 alkaline phosphatase (ALP)의 상승 여부를 주의 깊게 추적 관찰해야 한다. 만성췌장염 환자에게서 지속적인 정상치 2배 이상의 ALP 증가는 담관염 또는 이차적 담도성 간경변증의 가능성을 의미하므로 적절한 추가적인 검사가 권유되지만, 상승 정도가 협착의 정도나 간 손상 정도와 비례하지는 않는다고 보고되기도 하였다[53,54]. 협착 부위의 위치와 정도를 확인하기 위해 복부초음파, EUS, CT, ERCP, MRCP 등이 이용된다. 과거에는 ERCP를 많이 시행하였지만 최근에는 비침습적인 MRCP가 많이 이용되고 있다. 또한, 담관 협착이 만성췌장염에 의한 것인지 췌장암에 의한 것인지 감별이 중요하므로 담관내 겸자생검(intraductal forcep biopsy), 솔질세포진검사(brush cytology), EUS-FNA, 관강내 초음파검사(intraductal ultrasonography, IDUS) 등을 통한 감별진단에 대한 주의 깊은 접근이 필요하다. 총담관 협착에 대한 치료로는 일시적인 황달의 경우, 즉 췌장두부의 부종 또는 가성낭종에 의해 담관이 압박되어 발생한 경우는 보존적으로 치료가 가능하지만, 지속되거나 재발성 협착일 경우 담도배액술을 고려해야 한다. 내시경적과 수술적 치료 방법이 있으며, 아직 어떤 치료가 더 우월한지에 대한 비교 연구는 없는 상태이지만 환자의 전신상태, 수술과 관련된 합병증, 췌장의 형태학적 변화, 췌관 및 담관의 해부학적 형태, 악성 종양 동반 가능성 등 다양한 상황을 고려해야 한다. 내시경적 치료로는 담즙의 적절한 배액을 유지하기 위해 내시경을 이용하여 좁아진 부위에 대해 풍선 확장술 또는 담도 배액관 삽입술을 시행하여 확장시킬 수 있다. 담도 배액관 삽입(endoscopic biliary stenting)은 기술적으로 성공률이 높으며 시술의 위험성이 적고, 합병증 발생이 낮고 입원기간이 짧아 단기간 내에 담도폐색 완화에 우수하나 높은 재발률로 인해 일시적인 해소 효과를 나타내기 때문에 일부 증상이 있는 총담관 협착 환자에게는 수술적 치료를 고려하는 것이 좋다[48,55].

3) 소화성 궤양

만성췌장염에서 소화성 궤양의 동반률은 다양하게 보고되며, 주로 12~21%에서 발생한다[3,56]. Marks 등[57]은 529명의 만성췌장염 환자 중 20%가 위장관 출혈, 3.5%

가 소화성 궤양으로 보고하였으며, Bergert 등[58]은 541명의 만성췌장염 환자 중 위장관 출혈이 22.2%에서 궤양 또는 정맥류 출혈로 보고하였다. 만성췌장염에서 소화성 궤양의 발생기전은 확실하지 않으나, 만성췌장염에 의해 췌장의 외분비기능장애로 인한 췌액분비 감소와 췌액내 중탄산염(bicarbonate) 분비 감소로 인해 정상적 중화 기능이 감소하여 십이지장내 pH (potential of hydrogen)가 낮아지는 것이 중요한 병리생리학적 배경 원인으로 생각된다[59-61]. 따라서, 만성췌장염 환자에서 상복부 통증을 지속적으로 호소하는 경우 상부위장관 내시경을 시행하여 소화성 궤양에 대한 검사를 시행 및 감별진단하는 것이 도움이 되며[61], 일반적인 소화성 궤양의 치료와 동일하게 위산분비 억제제인 양성자펌프 억제제(proton pump inhibitor, PPI) 등을 이용하여 치료한다. 그 외 만성췌장염과 동반된 위기능저하증(gastroparesis)과 십이지장 운동장애(antroduodenal dysmotility)도 메슥거림, 구토, 통증 등으로 나타날 수 있으며, 췌장 주변 염증과 만성췌장염과 관련된 호르몬 분비 장애 등의 결과로 인한 것으로 생각 되고 있다[62,63].

4) 출혈

만성췌장염에서 급성 출혈은 드물지만 위장관, 췌관, 복막강내 또는 후복막강내 출혈은 높은 사망률을 보이므로 가장 위험한 합병증 중 하나이다. 원인으로는 소화성 궤양, 위정맥류, 가성낭종 출혈, 췌장 동맥의 가성동맥류, 췌장 동맥의 누공 및 파열, 드물지만 대장 정맥류[64], hemosuccus pancreaticus[65,66] 등이 있다. 위 또는 십이지장의 소화성 궤양, 식도 또는 위 정맥류 등은 만성췌장염 환자에서 위장관 출혈을 일으킬 수 있는 빈번한 원인이며, 이 중 가성 동맥류는 드물지만 생명에 심각한 영향을 미치는 합병증 중 하나이다. 이는 췌장의 심한 염증, 췌장액의 유출로 야기된 췌장 또는 인접 혈관들의 미란으로 인한 결과로 발생한다. 즉, 심한 염증반응과 함께 췌장효소에 의해 췌장 또는 췌장 주변 혈관이 자가소화(autodigestion)되면서 동맥 혈관이 가성낭종 내로 파열하는 경우, 이미 형성된 가성낭종이 내장 동맥(visceral artery)을 압박하여 가성낭종이 가성동맥류로 변화되는 경우, 가성낭종이 장벽을 침식하고 점막층과 누공을 형성하는 경우 등으로 알려져 있다[67]. 이런 지속된 혈관 손상이 가성낭종과 연결되어 가성 동맥류가 형성되고 이것이 파열되는 경우가 가장 많으며, 만성췌장염 환자들 중 약 4~10%에서 발생한다[68-71]. 위장관 출혈이 동반되지 않는 만성췌장염 환자에서 동맥조영술을 시행한 결과 10～21%에서 가성동맥류가 발견되었다[72,73]. 췌장 주위의 혈관들 중에서 주로 비장 동맥, 위십이지장 동맥, 췌장십이지장 동맥, 간동맥 등에서 발생되며, 드물게 상장간동맥, 복강동맥 등에서도 발생된다. 증상은 만성췌장염 환자에서 바터팽대부와 췌관을 통하거나, 대장 또는 십이지장 누공을 통해 토혈, 혈변 같은 위장관 출혈, 원인이 밝혀지지 않은 빈혈 등으로 나타날 수 있다. 가성낭종이 혈액에 의해 갑자기 팽창하게 되면 심한 복통과 함께 복부에 종괴가 만져지고 복벽에서 동맥의 박동을 관찰될 수도 있으며, 가성낭종이 파열되면서 복강 또는 후복강내 출혈을 일으킬 수도 있다. 토혈이나 흑색변 증상시 소화성 궤양 출혈, 위정맥류 출혈등과 감별진단이 쉽지 않지만 가성동맥류 출혈에 대한 적절한 치료를 위해 신속하고 정확한 감별을 하는 것이 중요하다. 가성동맥류는 일반적으로 역동적-조영 복부컴퓨터단층촬영(dynamic-contrast abdominal computed tomography)을 이용하여 가성동맥류의 위치, 주변 혈관들과의 관계, 다른 만성췌장염 합병증 등을 대부분 정확히 알 수 있다. 또한, 혈관조영술은 90% 이상 가성동맥류출혈의 위치를 진단할 수 있다[74,75]. 가성 동맥류의 치료는 대량 출혈로 인한 사망률이 높으므로 우선적으로 중재적 혈관 조영술 및 색전술이 필요하며 성공률은 80~90%이다[71,76]. 만약 중재적 혈관 색전술 후 반복적 출혈이 되거나 지혈이 어려울 경우 직접 동맥 결찰술 및 낭종 배액술 또는 부분췌장절제술 같은 수술적 치료가 필요하다(그림 30-3).

5) 흉수 및 복수

췌장성 복수와 흉막 유출은 비교적 드문 합병증이며, 췌관의 손상, 가성낭종의 파열로 인한 복강 또는 흉강 내 췌액의 누출, 복부 또는 흉강으로 누공 형성(pancreatic internal fistula)으로 인한 췌액의 직접적 누출 등이 원인이다. 만성췌장염에 의한 췌장 복수는 급성췌장염과 달리 주로 다른 증상이나 징후 없이 서서히 진행하여 발생한다. 일부 환자들은 복통, 체중감소, 호흡 곤란 등을 호소하기도 한다. 췌장성 복수 또는 흉수는 반드시 간경화, 결핵, 암 전이성 복수 등과 감별되어야 한다. 췌장성 복수 또는 흉수를 진단하고 다른 질환들과 감별진단하기 위해서는 복수 또는 흉수 천차와 천차액 분석이 필요하다. 복수 분석에서는 색깔은 일반적으로 맑거나 갈색이며, 아밀라제 농도가 매우 높게 나타나며 보통 1,000 IU/L 이상 증가되어 있고, 알부민이 3 g 이상 증가되어 있다. 흉수 분석에서도 일반적으로 amylase와 lipase가 같이 상승되어 있으면 의심할 수 있다. 또한, ERCP와 MRCP는 췌관 파열 부위 또는 누공 등을 확인할 수 있으므로 중요한 진단 검사이다. 췌장 외누공(pancreatic external fistula)은 만성췌장염 또는 가성낭종의 수술적, 경피적 치료 후 주로 나타난다. 이런 외누공은 농양 또는 출혈이 종종 동반된다. 내과적 치료로는 금식, 복수 천차, 비경구영양요법 및 일반적인 보전적 치료 등으로 약 50%에서는 호전이 가능하다[77-81]. Long-acting somatostatin analogue (octreotide)으로 내장 혈류량을 줄이고 췌장 분비를 줄여서 치료한 보고가 있으나, 좋은 장기간 치료 결과를 보여주지 못했다[82]. 금식, 완전정맥영양 등 내과적 치료에도 불구하고 복수 또는 흉수가 지속되면 ERCP 또는 MRCP를 실시하여 췌관의 협착, 누공 및 췌액의 누출여부를 확인한다. 췌관 파열 또는 누공이 확인된 경우 경유두적 췌관 스텐트를 삽입하는 것이 가장 도움이 된다. 스텐트를 이용한 췌관 배액은 췌장액의 배액을 원활하게 하며 췌관내 압력 감소를 유도하므로 파열된 췌관이나 누공을 막고 손상된 췌관의 치유를 도울 수 있다[83-85]. 여러 연구에서 췌관 파열과 누공에서 췌장 스텐트를 삽입하여 약 50%의 성공적 치료성적을 보고하였다[86-88]. 내시경적 치료에 실패한 췌장 누공은 수술적 접근이 필

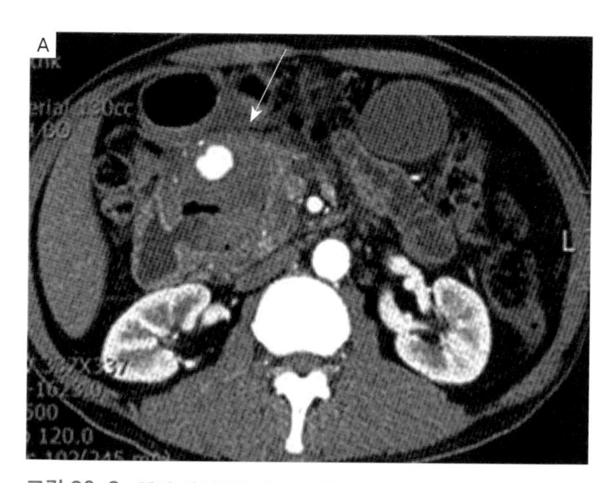

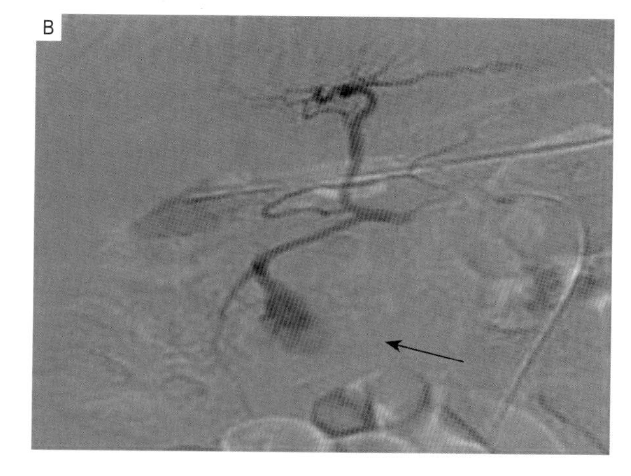

그림 30-3. **췌장 가성낭종내 발생한 가성동맥류.**
A. 만성췌장염 환자의 복부컴퓨터단층촬영에서 가성낭종 안에 혈액이 고여 있는 모양이 관찰된다.
B. 만성췌장염 환자의 비동맥혈관조영술에서 혈액이 가성낭종으로 뿜어져 나가는 모양이 관찰된다.

요하며 수술적 방법으로는 장관내 가성낭종 배액술, 췌관-공장 문합술(pancreatojejunostomy), 부분 췌장 절제술 그리고 누공-공장문합술 등이 있으며, 약 90%에서 성공적으로 보고된다[89]. 드물지만 췌장-요관 누공(pancreaticoureteral fistula)도 나타날 수 있다[90].

6) 비장 질환

비장은 췌장과 이웃해 있기 때문에 만성췌장염의 영향을 많이 받으며, 가장 흔히 동반되는 것은 비정맥혈전증이다. 만성췌장염에서 비정맥혈전증은 여러 원인에 의해서 유발되는데, 혈관 내피의 염증성 및 혈전유발성(prothrombotic) 변화, 가성낭종 등 비장정맥에 대한 외인성 압박, 비교적 낮은 관류(perfusion), 췌장의 섬유화 등에 의해 발생한다. 대부분의 환자는 무증상이며 빈도는 만성췌장염 환자 중 약 4~40% 이다[91-99]. 부분 폐쇄가 완전 폐쇄보다 자주 발생하며, 상장간 정맥 또는 간문맥 폐색도 빈번하게 동반되어 발생한다. 또한, 비장정맥혈전증에 의해 식도, 위 정맥류도 17~55%에서 동반되어 나타나며[91,96,100], 첫 임상 증상이 종종 파열된 식도, 위정맥류 출혈로 인해 위장관 출혈로 나타나기도 한다. 진단은 도플러를 이용한 복부초음파, EUS, CT 또는 MRI로 할 수 있다. 최근에는 EUS가 복부초음파에 비해 좀 더 정확한 검사로 사용되고 있다. 영상학적 진단이 어려울 경우 또는 지름술(shunt operation)을 계획하고 있는 경우 혈관 조영술을 이용할 수 있다. 치료로는 식도, 위 정맥류에 대해서는 경화 치료나 내시경적 정맥류 묶음술(endoscopic variceal ligation, EVL)을 시행한다. 비정맥혈전증 치료로는 비장절제가 주변의 정맥 유출(venous collateral outflow)과 주변 정맥류를 줄일 수 있으므로 가장 좋은 치료로 선택된다. 하지만 예방적 비장 절제에 대해서는 아직 논란의 여지가 있다. 또한 비장정맥혈전증에 합병된 위 정맥류 치료에 대해 비장동맥색전술을 이용한 치료도 시도되고 있다[95,101,102]. 또한 비장정맥혈전증, 비장 가성낭, 비장 경색, 비장 괴사, 비장 혈종, 비장 혈관 출혈 등이 나타날 수 있으며, 비장정맥혈전증으로 인해 일부에서 치명적 합병증인 비장 파열 나타날 수 있다[103,104].

7) 골격계 질환

만성췌장염과 관련된 대사성 골 질환은 비교적 흔하게 관찰되며, 골다공증 또는 골감소증의 유병률은 65%로 알려져 있다[105]. 이는 흡연, 과도한 알코올 섭취, 비타민 결핍, 여성, 뼈 생성과 흡수의 불균형을 초래하는 만성 염증 등 다양한 원인에 의해 발생되며, 또한 골절의 위험성이 높아질 수 있다. 일반적인 골병증 환자들과 동일하게 금주, 금연, 비타민 D와 칼슘 투여 등의 치료가 필요하다[106].

8) 외분비 췌장 기능부전

외분비 췌장 기능부전의 증상은 대부분 지방 흡수장애, 다양한 복부 불편감, 심할 경우 체중 감소 및 지방변 등으로 나타난다. 외분비 췌장 기능부전은 췌장실질의 위축으로 인한 기능 소실, 즉 췌장효소의 정상적인 생성, 저장 또는 분비 기능의 이상으로 발생한다[106]. 더불어 만성췌장염에서 불규칙한 췌관이나 췌석으로 인한 췌관 폐쇄로 인해 더욱 악화될 수 있다. 또한 지방 흡수 장애로 인해 다양한 지용성 비타민 결핍(vitamin A,D,E,K)이 흔하게 발생하며, 칼슘, 마그네슘, 필수 아미노산 등의 감소가 동반될 수 있다[107]. 이는 췌장기능이 90% 이상 소실되고 외분비 기능이 약 10% 이내로 줄어들었을 때 임상적으로 중요한 지방 흡수 장애 즉 지방변 등이 나타난다. 원인에 따라 발생 시기나 특징의 차이가 있으며, 알코올성 췌장염은 10년, 특발성 만성췌장염은 약 20년 이상 기간이 소요되고 대부분 10년 이상 지난 후 발생한다[32,108,109]. 만성적인 외분비 췌장

기능부전의 빈도는 만성췌장염 환자의 약 40~50%에서 발생한다[110]. 우리나라에서는 만성췌장염으로 인한 심한 지방변 환자가 비교적 드물며[111], 국내 연구에서는 약 13.2%에서 지방변을 호소하는 환자가 보고되었다.[6]

치료의 목표로서 체중 감소, 지방변과 같은 증상을 줄이고, 영양 장애와 관련된 합병증이나 심혈관계 합병증의 위험성과 사망률을 낮추며, 영양 흡수를 정상으로 회복시키기 위해 췌장효소를 투여한다. 적응증으로는 지속적인 체중 감소, 심한 지방변, 췌장 외분비 기능부전으로 인한 설사 또는 복부 팽만 등의 증상이다. 췌장효소제는 판크레아틴 제제, 장용제피형 정제, 장용제피형 마이크로스피어 제제 및 세균 기원의 저항성 리파아제 등이 있다. 한 연구 단체에서는 여러 연구와 권고안을 바탕으로 췌장효소제 투여 후 체중 증가, 지방변 및 영양 상태의 호전과 개선 여부를 평가하여 치료의 성공 여부를 판단하고 치료 실패 시 순응도를 조사하는 췌장효소 제제 투여의 알고리즘이 제시되기도 했다[112]. 추가적으로 위액 분비를 억제하는 PPI, 또는 소장 내 박테리아 과증식 또는 담즙염(bile salt) 설사에 대한 경험적 치료가 도움이 된다[113].

9) 췌장외 악성종양

만성췌장염 환자에서 췌장외 악성 종양은 매우 드물며 약 3~12%로 다양하게 보고된다[1, 3,114-116]. 만성췌장염의 주된 원인이 알코올이며, 이 중 흡연자 비율도 높으므로 만성췌장염 환자 중 구강, 인후 및 폐암 등 상부호흡기 암의 발생 빈도가 높을 것으로 고려되어 진다[1,3,114, 117].

10) 동반 질환

여러 연구에서 만성췌장염 환자 중 알코올성 간경변증의 동반에 대해 보고하였으며 약 16~20%로 보고되었다[118-120]. 또한 만성췌장염 환자들 중 Giardiasis 감염율이 약 27%로 높게 보고되었으며 이는 췌장의 외분비 기능이 Giardiasis 의 숙주 방어 기능에 중요한 역할을 하므로 감소된 췌장 외분비 기능으로 인한 것으로 생각되어 진다[121]. 만성췌장염 환자의 약 17%에서 심한 호산구 증가증이 관찰되며, 췌장 주변 장기의 심한 손상 특히 늑막 삼출, 심낭염, 복수 등과 췌장 가성낭종과 관련이 있다[122].

11) 기타 드문 질환

그 외 드문 만성췌장염 합병증으로 허리근농양(psoas abscess)[123], 급성 폐쇄성 화농성 췌관염(acute obstructive suppurative pancreatic ductitis)[124], 십이지장위축(duodenal dystro-phy)[125], 췌장심낭 누공(pancreaticopericardial fistula)[126], 하대정맥 혈전증(inferior vena caval thrombosis)[127], 췌관-문맥 누공(pancreatic duct-portal vein fistula)[128] 등이 보고되었다.

References

1. Lankisch PG, Lohr-Happe A, Otto J, et al. Natural course in chronic pancreatitis. Pain, exocrine and endocrine pancreatic insufficiency and prognosis of the disease. Digestion 1993;54:148-55.
2. Chen W, Zhang W, Li B, et al. Clinical manifestations of patients with chronic pancreatitis. Hepatobiliary Pancreat Dis Int 2006;5:133-7.
3. Miyake H, Harada H, Kunichika K, et al. Clinical course and prognosis of chronic pancreatitis. Pancreas 1987;2:378-85.
4. Klöppel G, Bommer G, Commandeur G, et al. The endocrine pancreas in chronic pancreatitis. Virchows Archiv A 1978;377:157-74.
5. 정재복. 소화기학. p1101-17, 서울, 군자출판사, 2009
6. 이종균. 만성췌장염의 진단기준 및 한국에서의 진단 현황. 대한췌담도학회지 2008;13:29-37.
7. Toskes PP, Greenberger NJ. Acute and chronic pancreatitis. Disease-a-Month 1983;29:5-81.
8. Lankisch PG, Otto J, Erkelenz I, et al. Pancreatic calcifications: no indicator of severe exocrine pancreatic insufficiency. Gastroenterology 1986;90: 617-21.
9. Ammann R, Muench R, Otto R, et al. Evolution and regression of pancreatic calcification in chronic pancreatitis: a prospective long-term study of 107 patients. Gastroenterology 1988;95:1018-28.
10. Karanjia ND, Reber HA. The cause and management of the pain of chronic pancreatitis. Gastroenterol Clin North Am 1990;19:895-904.
11. Rosch T, Daniel S, Scholz M, et al. Endoscopic treatment of chronic pancreatitis: a multicenter study of 1000 patients with long-term follow-up. Endoscopy 2002;34:765-71.
12. Brand B, Kahl M, Sidhu S, et al. Prospective evaluation of morphology, function, and quality of life after extracorporeal shockwave lithotripsy and endoscopic treatment of chronic calcific pancreatitis. Am J Gastroenterol 2000;95:3428-38.
13. Sarles H, Bernard JP, Gullo L. Pathogenesis of chronic pancreatitis. Gut 1990;31:629-32.
14. Barthet M, Daniel R, Bernard J-P, et al. Radiolucent pancreatic lithiasis: a precursor stage for calcified pancreatic lithiasis or a new entity? Eur J Gastroenterol Hepatol 1997;9:697-701.
15. 김영호, 윤용범, 김정룡 등. 한국인에서의 만성췌장염의 임상적 특성. 대한소화기학회지 1993; 25:182-9.
16. 노성훈, 김원호, 최광준 등. 췌관 결석을 동반한 만성췌장염. 대한외과학회지 1990;39:348-53.
17. Sarles H, Sahel J. Pathology of chronic calcifying pancreatitis. Am J Gastroenterol 1976;66:117-39.
18. Bradley EL. A clinically based classification system for acute pancreatitis: summary of the International Symposium on Acute Pancreatitis, Atlanta, Ga, September 11 through 13, 1992. Arch Surg 1993;128: 586-90.
19. Sanfey H, Aguilar M, Jones RS. Pseudocysts of the pancreas, a review of 97 cases. Am Surg 1994;60: 661-8.
20. Ryu JK, Lee JK, Kim YT, et al. Clinical features of chronic pancreatitis in Korea: a multicenter nationwide study. Digestion 2005;72:207-11.
21. 정재복, 송시영, 강진경 등. 췌장 가성낭종의 예후에 영향을 미치는 인자. 대한소화기학회지 1994;26: 859-68.
22. Habashi S, Draganov PV. Pancreatic pseudocyst. World J Gastroenterol 2009;15:38-47.
23. Lerch MM, Stier A, Wahnschaffe U, et al. Pancreatic pseudocysts: observation, endoscopic drainage, or resection? Dtsch Arztebl Int 2009;106:614-21.
24. Ammann R, Münch R, Largiadèr F, et al. Pancreatic and hepatic abscesses: a late complication in 10 patients with chronic pancreatitis. Gastroenterology 1992;103:560-5.
25. Lowenfels AB, Maisonneuve P, Cavallini G, et

al. Pancreatitis and the risk of pancreatic cancer. International Pancreatitis Study Group. N Engl J Med 1993;328:1433-7.
26. Raimondi S, Lowenfels AB, Morselli-Labate AM, et al. Pancreatic cancer in chronic pancreatitis; aetiology, incidence, and early detection. Best Pract Res Clin Gastroenterol 2010;24:349-58.
27. Ueda J, Tanaka M, Ohtsuka T, et al. Surgery for chronic pancreatitis decreases the risk for pancreatic cancer: a multicenter retrospective analysis. Surgery 2013;153:357-64.
28. Wang W, Liao Z, Li G, et al. Incidence of pancreatic cancer in Chinese patients with chronic pancreatitis. Pancreatology 2011;11:16-23.
29. Brodovicz KG, Kou TD, Alexander CM, et al. Impact of diabetes duration and chronic pancreatitis on the association between type 2 diabetes and pancreatic cancer risk. Diabetes Obes Metab 2012;14:1123-8.
30. Munigala S, Singh A, Gelrud A, et al. Predictors for Pancreatic Cancer Diagnosis Following New-Onset Diabetes Mellitus. Clin Transl Gastroenterology 2015;6:e118.
31. Malka D, Hammel P, Sauvanet A, et al. Risk factors for diabetes mellitus in chronic pancreatitis. Gastroenterology 2000;119:1324-32.
32. Layer P, Yamamoto H, Kalthoff L, et al. The different courses of early-and late-onset idiopathic and alcoholic chronic pancreatitis. Gastroenterology 1994;107:1481-7.
33. Ammann RW, Muellhaupt B. The natural history of pain in alcoholic chronic pancreatitis. Gastroenterology 1999;116:1132-40.
34. Ammann RW, Akovbiantz A, Largiader F, et al. Course and outcome of chronic pancreatitis. Longitudinal study of a mixed medical-surgical series of 245 patients. Gastroenterology 1984;86:820-8.
35. 최광준, 송시영, 김원호 등. 만성췌장염의 임상적 고찰. 대한소화기병학회지 1991:722-8.
36. Hyun JJ, Lee HS. Etiology, Pathogenesis and Natural Course of Chronic Pancreatitis. Korean J Med 2012; 83:1-17.
37. Otsuki M. Chronic pancreatitis in Japan: epidemiology, prognosis, diagnostic criteria, and future problems. J Gastroenterol 2003;38:315-26.
38. Gullo L, Parenti M, Monti L, et al. Diabetic retinopathy in chronic pancreatitis. Gastroenterology 1990; 98:1577-81.
39. Makrauer FL, Antonioli DA, Banks PA. Duodenal stenosis in chronic pancreatitis. Dig Dis Sci 1982;27: 525-32.
40. Hancock RJ, Christensen RM, Osler TR, et al. Stenosis of the colon due to pancreatitis and mimicking carcinoma. Can J Surg 1973;16:393-8.
41. Mohamed SR, Siriwardena AK. Understanding the colonic complications of pancreatitis. Pancreatology 2008;8:153-8.
42. Makrauer FL, Antonioli DA, Banks PA. Duodenal stenosis in chronic pancreatitis: clinicopathological correlations. Dig Dis Sci 1982;27:525-32.
43. Vitale GC, Reed DN, Jr., Nguyen CT, et al. Endoscopic treatment of distal bile duct stricture from chronic pancreatitis. Surg Endosc 2000;14:227-31.
44. Frey CF, Suzuki M, Isaji S. Treatment of chronic pancreatitis complicated by obstruction of the common bile duct or duodenum. World J Surg 1990; 14:59-69.
45. Scott J, Summerfield JA, Elias E, et al. Chronic pancreatitis: a cause of cholestasis. Gut 1977;18: 196-201.
46. Bradley III EL, Salam AA. Hyperbilirubinemia in inflammatory pancreatic disease: natural history and management. Ann Surg 1978;188:626-9.
47. Wisløff F, Jakobsen J, Osnes M. Stenosis of the common bile duct in chronic pancreatitis. Br J Surg 1982;69:52-4.
48. Vijungco JD, Prinz RA. Management of biliary and duodenal complications of chronic pancreatitis. World J Surg 2003;27:1258-70.

49. Lillemoe KD, Pitt HA, Cameron JL. Current management of benign bile duct strictures. Adv Surg 1992;25:119-74.
50. Harris AI, Korsten MA. Acute suppurative cholangitis secondary to calcific pancreatitis. Gastroenterology 1976;71:847-50.
51. Gregg JA, Carr-Locke DL, Gallagher MM. Importance of common bile duct stricture associated with chronic pancreatitis. Diagnosis by endoscopic retrograde cholangiopancreatography. Am J Surg 1981;141:199-203.
52. Afroudakis A, Kaplowitz N. Liver histopathology in chronic common bile duct stenosis due to chronic alcoholic pancreatitis. Hepatology 1981;1:65-72.
53. Littenberg G, Afroudakis A, Kaplowitz N. Common bile duct stenosis from chronic pancreatitis: a clinical and pathologic spectrum. Medicine (Baltimore) 1979;58:385-412.
54. Eckhauser FE, Knol JA, Strodel WE, et al. Common bile duct strictures associated with chronic pancreatitis. Am Surg 1983;49:350-8.
55. Baghdadi S, Abbas MH, Albouz F, et al. Systematic review of the role of thoracoscopic splanchnicectomy in palliating the pain of patients with chronic pancreatitis. Surg Endosc 2008;22:580-8.
56. Vantini I, Piubello W, Scuro L, et al. Duodenal ulcer in chronic relapsing pancreatitis. Digestion 1982;24:23-8.
57. Marks I, Bank S, Louw J, et al. Peptic ulceration and gastrointestinal bleeding in pancreatitis. Gut 1967; 8:253-9.
58. Bergert H, Dobrowolski F, Caffier S, et al. Prevalence and treatment of bleeding complications in chronic pancreatitis. Langenbecks Arch Surg 2004;389:504-10.
59. Schulze S, Pedersen NT, Jørgensen M, et al. Association between duodenal bulb ulceration and reduced exocrine pancreatic function. Gut 1983; 24:781-3.
60. Dreiling DA, Naqvi MA. Peptic ulcer diathesis in patients with chronic pancreatitis. Am J Gastroenterol 1969;51:503-10.
61. 윤용범, 대한소화기학회. 췌장염. p237-50, 서울, 군자출판사, 2003.
62. Vu MK, Vecht J, Eddes EH, et al. Antroduodenal motility in chronic pancreatitis: are abnormalities related to exocrine insufficiency? Am J Physiol Gastrointest Liver Physiol 2000;278:G458-66.
63. Chowdhury RS, Forsmark CE, Davis RH, et al. Prevalence of gastroparesis in patients with small duct chronic pancreatitis. Pancreas 2003;26:235-8.
64. Kitagawa S, Sato T, Hirayama A. Colonic Varices Due to Chronic Pancreatitis: A Rare Cause of Lower Gastrointestinal Bleeding. ACG Case Rep J 2015;2: 168-70.
65. Ferreira J, Tavares AB, Costa E, et al. Hemosuccus pancreaticus: a rare complication of chronic pancreatitis. BMJ Case Rep2015; published online 25 June 2015
66. Sturdik I, Kuzma M, Kuzmova Z, et al. Hemosuccus pancreaticus - rare complication of chronic pancreatitis. Vnitr Lek;62:833-6.
67. Bresler L, Boissel P, Grosdidier J. Major hemorrhage from pseudocysts and pseudoaneurysms caused by chronic pancreatitis: surgical therapy. World J Surg 1991;15:649-52; discussion 652-3.
68. Kiviluoto T, Kivisaari L, Kivilaakso E, et al. Pseudocysts in chronic pancreatitis. Surgical results in 102 consecutive patients. Arch Surg 1989;124:240-3.
69. Stroud WH, Cullom JW, Anderson MC. Hemorrhagic complications of severe pancreatitis. Surgery 1981;90:657-65.
70. Eckhauser FE, Stanley JC, Zelenock GB, et al. Gastroduodenal and pancreaticoduodenal artery aneurysms: a complication of pancreatitis causing spontaneous gastrointestinal hemorrhage. Surgery 1980;88:335-44.

71. Udd M, Leppaniemi AK, Bidel S, et al. Treatment of bleeding pseudoaneurysms in patients with chronic pancreatitis. World J Surg 2007;31:504-10.
72. White A, Baum S, Buranasiri S. Aneurysms secondary to pancreatitis. AJR Am J Roentgenol 1976;127:393-6.
73. Boijsen E, Tylén U. Vascular changes in chronic pancreatitis. Acta Radiol: Diagn 1972;12:34-48.
74. Bergert H, Hinterseher I, Kersting S, et al. Management and outcome of hemorrhage due to arterial pseudoaneurysms in pancreatitis. Surgery 2005;137:323-8.
75. Balachandra S, Siriwardena AK. Systematic appraisal of the management of the major vascular complications of pancreatitis. Am J Surg 2005;190:489-95.
76. Tulsyan N, Kashyap VS, Greenberg RK, et al. The endovascular management of visceral artery aneurysms and pseudoaneurysms. J Vasc Surg 2007;45:276-83; discussion 283.
77. Weaver D, Walt A, Sugawa C, et al. A continuing appraisal of pancreatic ascites. Surg Gynecol Obstet 1982;154:845-8.
78. Parekh D, Segal I. Pancreatic ascites and effusion. Risk factors for failure of conservative therapy and the role of octreotide. Arch Surg 1992;127:707-12.
79. Yamazaki T, Ochi Y, Tanaka N, et al. Massive ascites caused by intra-pancreatic arterioportal fistula: a rare complication of chronic pancreatitis. Clin J Gastroenterol 2017;10:73-8.
80. Shklyaev AE, Korepanov AM, Malakhova IG, et al. Rare complication of pancreatitis pankreatoplevralny fistula both pleural cavity. Eksp Klin Gastroenterol 2015:92-5.
81. Pandey S, Shetty SA, Janarthanan K, et al. Pancreatico-pleural and bronchial fistulae and associated pseudocysts: case series. Jop 2014;15:478-84.
82. Gomez-Cerezo J, Barbado Cano A, Suarez I, et al. Pancreatic ascites: study of therapeutic options by analysis of case reports and case series between the years 1975 and 2000. Am J Gastroenterol 2003;98:568-77.
83. Bracher GA, Manocha AP, DeBanto JR, et al. Endoscopic pancreatic duct stenting to treat pancreatic ascites. Gastrointest Endosc 1999;49:710-5.
84. Varadarajulu S, Rana SS, Bhasin DK. Endoscopic therapy for pancreatic duct leaks and disruptions. Gastrointest Endosc Clin N Am 2013;23:863-92.
85. Kozarek R. Pancreatic stents can induce ductal changes consistent with chronic pancreatitis. Gastrointest Endosc 1990;36:93-5.
86. Varadarajulu S, Noone TC, Tutuian R, et al. Predictors of outcome in pancreatic duct disruption managed by endoscopic transpapillary stent placement. Gastrointest Endosc 2005;61:568-75.
87. Telford JJ, Farrell JJ, Saltzman JR, et al. Pancreatic stent placement for duct disruption. Gastrointest Endosc 2002;56:18-24.
88. Lawrence C, Howell DA, Stefan AM, et al. Disconnected pancreatic tail syndrome: potential for endoscopic therapy and results of long-term follow-up. Gastrointest Endosc 2008;67:673-9.
89. Alexakis N, Sutton R, Neoptolemos JP. Surgical treatment of pancreatic fistula. Dig Surg 2004;21:262-74.
90. Patel HG, Cavanagh Y, Shaikh SN. Pancreaticoureteral Fistula: A Rare Complication of Chronic Pancreatitis. N Am J Med Sci 2016;8:163-6.
91. Bernades P, Baetz A, Levy P, et al. Splenic and portal venous obstruction in chronic pancreatitis. A prospective longitudinal study of a medical-surgical series of 266 patients. Dig Dis Sci 1992;37:340-6.
92. Rösch J, Herfort K. Contribution of splenoportography to the diagnosis of diseases of the pancreas. I. Tumorous diseases. Acta Med Scand 1962;171:251-61.
93. Leger L, Lenriot J, Lemaigre G. L'hypertension et la stase portales segmentaires dans les pancréatites

chroniques. A propos de 126 cas examinés par spléno-portographie et spléno-manométrie. J Chir (Paris) 1968;95:599-608.

94. Rignault D, Mine J, Moine D. Splenoportographic changes in chronic pancreatitis. Surgery 1968;63:571-5.

95. Evans G, Yellin A, Weaver F, et al. Sinistral (left-sided) portal hypertension. Am Surg 1990;56:758-63.

96. Moossa A, Gadd MA. Isolated splenic vein thrombosis. World J Surg 1985;9:384-90.

97. Sakorafas GH, Sarr MG, Farley DR, et al. The significance of sinistral portal hypertension complicating chronic pancreatitis. Am J Surg 2000;179:129-33.

98. Weber SM, Rikkers LF. Splenic vein thrombosis and gastrointestinal bleeding in chronic pancreatitis. World J Surg 2003;27:1271-4.

99. Heider TR, Azeem S, Galanko JA, et al. The natural history of pancreatitis-induced splenic vein thrombosis. Ann Surg 2004;239:876-82.

100. Bradley EL, 3rd. The natural history of splenic vein thrombosis due to chronic pancreatitis: indications for surgery. Int J Pancreatol 1987;2:87-92.

101. McDermott VG, England RE, Newman GE. Case report: bleeding gastric varices secondary to splenic vein thrombosis successfully treated by splenic artery embolization. Br J Radiol 1995;68:928-30.

102. Jones KB, de Koos PT. Postembolization splenic abscess in a patient with pancreatitis and splenic vein thrombosis. South Med J 1984;77:390-3.

103. S S, Olakkengil S, Rozario AP. Occult splenic rupture in a case of chronic calcific pancreatitis with a brief review of literature. Int J Surg Case Rep 2015;14:95-7.

104. Moya Sanchez E, Medina Benitez A. Atraumatic splenic rupture as a complication of acute exacerbation of chronic pancreatitis, an unusual disease. Rev Esp Enferm Dig 2017;109:477-8.

105. Duggan SN, Smyth ND, Murphy A, et al. High prevalence of osteoporosis in patients with chronic pancreatitis: a systematic review and meta-analysis. Clin Gastroenterol Hepatol 2014;12:219-28.

106. Ramsey ML, Conwell DL, Hart PA. Complications of Chronic Pancreatitis. Dig Dis Sci 2017;62:1745-50.

107. Dutta SK, Bustin MP, Russell RM, et al. Deficiency of fat-soluble vitamins in treated patients with pancreatic insufficiency. Ann Intern Med 1982;97:549-52.

108. DiMagno EP, Go VL, Summerskill W. Relations between pancreatic enzyme outputs and malabsorption in severe pancreatic insufficiency. N Engl J Med 1973;288:813-5.

109. Kamisawa T, Egawa N, Inokuma S, et al. Pancreatic endocrine and exocrine function and salivary gland function in autoimmune pancreatitis before and after steroid therapy. Pancreas 2003;27:235-8.

110. Trikudanathan G, Navaneethan U, Vege SS. Modern treatment of patients with chronic pancreatitis. Gastroenterol Clin North Am 2012;41:63-76.

111. Lee D. Natural Course and Medical Treatment of Chronic Pancreatitis. Korean J Gastroenterol 2005:345-51.

112. Pezzilli R, Andriulli A, Bassi C, et al. Exocrine pancreatic insufficiency in adults: a shared position statement of the Italian Association for the Study of the Pancreas. World J Gastroenterol 2013;19:7930-46.

113. Domínguez-Muñoz JE. Pancreatic exocrine insufficiency: diagnosis and treatment. J Gastroenterol Hepatol 2011;26:12-6.

114. Ammann RW, Knoblauch M, Mohr P, et al. High incidence of extrapancreatic carcinoma in chronic pancreatitis. Scand J Gastroenterol 1980;15:395-9.

115. Rocca G, Gaia E, Iuliano R, et al. Increased incidence of cancer in chronic pancreatitis. J Clin Gastroenterol 1987;9:175-9.

116. Thorsgaard Pedersen N, Nyboe Andersen B, Pedersen G, et al. Chronic pancreatitis in Copenhagen. A retrospective study of 64 consecutive patients. Scand J Gastroenterol 1982;17:925-31.

117. Marks IN, Girdwood AH, Bank S, et al. The

prognosis of alcohol-induced calcific pancreatitis. S Afr Med J 1980;57:640-3.
118. Spicak J, Pulkertova A, Kralova-Lesna I, et al. Alcoholic chronic pancreatitis and liver cirrhosis: coincidence and differences in lifestyle. Pancreatology 2012;12:311-6.
119. Renner IG, Savage WT, Stace NH, et al. Pancreatitis associated with alcoholic liver disease. Dig Dis Sci 1984;29:593-9.
120. Dutta SK, Mobrahan S, Iber FL. Associated liver disease in alcoholic pancreatitis. Am J Dig Dis 1978;23:618-22.
121. Lopez JJ, Wright JA, Hammer RA, et al. Chronic pancreatitis is associated with a high prevalence of giardiasis. Can J Gastroenterol 1992;6:73-6.
122. Tokoo M, Oguchi H, Kawa S, et al. Eosinophilia associated with chronic pancreatitis: an analysis of 122 patients with definite chronic pancreatitis. Am J Gastroenterol 1992;87:455-60.
123. Hotoleanu C, Bheecarry K. A rare presentation of a relatively common disease: psoas abscess as a complication of chronic pancreatitis. Rom J Intern Med 2014;52:50-2.
124. Gedam BS, Sadriwala QS, Bansod PY. Chronic pancreatitis with acute obstructive suppurative pancreatic ductitis: a rare case report. J Surg Case Rep 2017;2:1-3
125. Smirnov AV, Glotov AV, Nerestyuk YI, et al. Rare complication of duodenal dystrophy in patient with chronic pancreatitis. Khirurgiia (Mosk) 2016:91-3.
126. Khan MS, Shahbaz N, Zia HA, et al. Pancreaticopericardial Fistula: A Case Report and Literature Review. Case Rep Crit Care 2016;2016:1-6.
127. Vinod KV, Arun K, Nisar KK, et al. Inferior vena caval thrombosis: a rare complication of acute pancreatitis. J Assoc Physicians India 2014;62:430-2.
128. Brown A, Malden E, Kugelmas M, et al. Diagnosis of pancreatic duct-portal vein fistula; a case report and review of the literature. J Radiol Case Rep 2014;8:31-8.

CHAPTER 31

만성췌장염의 내과적 치료

Medical treatment of chronic pancreatitis

오탁근, 정준표

서론

만성췌장염의 치료 목표는 급성 및 만성 통증을 없애고, 재발방지를 위해 질병 과정을 정지시키며, 당뇨 및 영양장애 등의 대사성 장애들을 교정하며, 정신적인 안정을 유지하는 것 등이다[1].

만성췌장염 환자의 대부분은 지속적인 염증에 의한 만성적인 심한 복통을 호소하고 일부에서는 반복적인 급성악화에 따른 입원을 반복하게 되며[2], 만성췌장염의 경과중에 다양한 췌장내와 췌장외 합병증이 발생하며, 반복적인 만성염증으로 인해 췌장의 내분비 및 외분비 기능의 부전이 초래된다. 만성췌장염의 치료는 환자들이 가장 힘들어 하는 복통을 해결하며, 임상 상황에 따라 내과적인 약물 치료와 함께, 내시경 혹은 영상의학적 중재술 그리고 적절한 시기에 외과적 수술을 시행함으로서 증상의 호전과 함께 췌장 기능도 최대한 유지할 수 있도록 하는 것이다. 이러한 치료는 여러 전문분야적 접근(multidisciplinary approach)을 통해 효과적으로 이루 질 수 있다.

1. 복통

1) 복통의 양상

만성췌장염에서의 복통의 발생기전은 매우 다양하며, 복통의 양상도 다양한데, 일반적인 특징을 보면, 지속적이며 주로 심와부에서 느껴지나 가끔 좌상복부에서 느껴지기도 하며, 척추 T12과 L2 사이의 배부나 좌측 견갑부로 방사하기도 한다. 전형적으로 복통은 식후에 발생하여, 이 때문에 위장질환으로 오인하기 쉽다. 오심이 동반되기도 하며, 구토 후에도 복통이 호전되지 않는 소견은 위염 또는 위배출구 폐쇄에 의한 복통과 대비된다[3]. 복통의 정도는 환자에 따라 다르며, 같은 환자에서도 통증 발생 때마다 다를 수 있다[4].

음주 후 12~24시간에 발생하거나 또는 음주한 다음 날 오후에 발생하는 지속적인 복통은 알코올성 췌장염에 의한 복통의 특징이다. 그러나 금주하고 있는 기간 동안에도 복통이 악화되기도 한다. 복통 발생 시 환자는 앞으로 몸을 구부리는 췌장성자세(pancreatic position)를 취하거나, 옆으로 누워 무릎을 가슴에 대는 자세(jack-knife position)를 취한다[3]. 무통기간(pain-free interval)은 예측하기 어려우며, 수 주에서 수개월 지속되기도 하기 때문에, 복통에 대한 각종 치료법의 효과를 평가하는 데 어려움이 있다[4-7].

Ammann과 Muellhaupt[6]는 알코올성 만성췌장염 환자의 통증 양상을 관찰한 결과 두 가지 유형을 관찰하였는데, A형은 짧고 재발하는(short episodes/relapsing) 통증으로 흔히 급성 재발성 췌장염 단계에서 보여지며 통증의 지속은 10일 미만이며 이후 수개월 이상의 휴지기가 온다. 이러한 환자들에게 발생한 통증은 진통제로 조절하게 되며 심한 경우 입원해서 치료하게 되는데 대부분 한 번 이상의 입원이 필요하였다. B형은 연속적이고 지속되는(consistent/prolonged episodes) 통증으로 종일 지속되며 중간중간 악화될 때 입원치료를 하게 된다. B형 만성통증은 가성낭종과 같은 국소합병증과 연관이 많았고 수술이 필요한 경우가 A형보다 유의하게 많았다[6].

최근 Mullady 등[8]은 복통의 양상과 중증도에 따라서 5가지의 형태로 구분하였는데, A형은 대부분 통증이 없으나, 간헐적으로 경미하거나 중증도의 통증이 보이는 경우(usually pain free, but episodes of mild to moderate pain), B형은 경미하거나 중등도의 통증이 지속적으로 있는 경우(constant mild to moderate pain), C형은 대부분 통증이 없는 상태이나, 간헐적으로 심한 통증이 있는 경우(usually free of abdominal pain, but episodes of severe pain), D형은 경미하거나 중증도의 통증이 지속적으로 있으면서, 간헐적인 심한 통증이 있는 경우(constant mild to moderate pain plus episodes of severe pain), 그리고 E형은 심한 통증이 지족적으로 있는 경우(constant severe pain)인데, 빈도를 보면 각각 14.0%(A형), 9.2%(B형), 30.9%(C형), 38.2%(D형) 및 7.7%(E형) 이었다[8]. 이 형태의 통증가운데 B형, D형 및 E형은 통증이 지속적인 양상으로 전체의 55%이었고, A형과 C형은 간헐적인 통증으로 45%를 차지하였다. 연속적인 통증으로 보이는 환자군에서 간헐적인 통증군보다 장애, 입원, 진통제 사용이 많았고 삶의 질이 낮았다. 그러나 통증의 정도에 따라 환자를 구분하였을 때는 이러한 장애, 입원, 진통제 사용 및 삶의 질과 연관성이 없어서 만성췌장염의 복통의 형태에서 중요한 것은 개인이 느끼는 중증도보다는 통증이 연속적인지 간헐적인지가 중요하다고하였다[8]. 이러한 결과로 보아 임상적으로 중요한 것은 만성췌장염 환자의 약 50% 정도에서는 수술이나 내시경적 치료와 같은 침습적인 치료 없이도 복통을 조절할 수 있으므로, 침습적인 치료를 시행할 때는 주의 깊은 관찰과 정확한 판단이 필요하다[4].

만성췌장염의 통증의 지속여부는 만성췌장염이 오래 진행되면 통증의 소실이 일어난다고 하는 연구[9]와 복통의 양상이나 중증도는 영상검사에서 발견되는 구조적인 변화와 관련없이 발생한다는 보고[10]도 있어 향후 해결되어야 과제로 생각된다.

2) 복통의 치료

만성췌장염 환자에서 복통의 치료(표 31-1, 그림 31-1)는 복통을 일으키는 병인을 찾아내고, 병인에 따라서 치료를 하는 것이 원칙이나, 가성낭종, 담관이나 십이지장 협착, 췌관 결석 등과 같은 확실한 병인이 발견되면 치료하기가 용이하지만, 상기와 같은 복통의 원인이 될 만한 소견이 발견되지 않으면 복통을 해결하는 데 어려움이 동반된다.

통증 조절은 단계적으로 시도하게 되는데 일반적으로 생활습관 변화 및 식이조절[11,12], 췌장효소의 보충과 진통제의 사용으로 조절하게 된다.

통증 관리의 일반적인 권고사항으로는 크게 알코올 섭취 중단, 식이조절, 금연을 들 수 있다. 알코올 섭취 중단은 췌장염의 근본적인 원인이 알코올 섭취인 경우 특히 중요하다. 금주는 증상을 개선시킬 수는 있지만 모든 환자에서 그렇지는 않다. 그러나, 알코올 섭취를

표 31-1. 만성췌장염 환자에서 통증의 약물치료

Agent	Typical starting dosage	Comments
Propoxyphene with Acetaminophen (100 and 650 mg acetaminophen daily Respectively)	1-2 po q 8 h	Maximum dose should not exceed 4 g of
Tramadol(50 mg)	1-2 po q 8 h	Do not exceed 400 mg daily
Antioxidants	Typical total daily dose might contain 500-1,000 mg Vit C, 250-300 IU Vit E, 500-800 mg selenium, 2 gm methionine and 9,000-10,000 IU b-carotene	
Tricyclic anti-depressants	Amitryptyline: initiate at 25 mg po nocte, increase 25 mg/week as tolerate	Usual maximum of 100-150 mg nocte. Variety of gastrointestinal, cardiac, neurological side effects at high dosage
Selective serotonin reuptake inhibitors	Citaopram, fluoxetine, sertraline, paroxetine and others	Initial dose and side effects vary with agent
Combined serotonin and norepinephrine re-uptake inhibitors	Duolexitine beginning at 20-40 mg daily, increase to 60 mg daily as tolerated	Side effects rare, may cause nausea, vomiting, and constipation
Pancreatic enzymes	Non-enteric-coated enzymes only(e.g. Viokase-16 or equivalent at 4 pills with each meal and at night)	Co-treat with H2-receptor antagonist or PPI to prevent degradation of enzymes by gastric acid
Octreotide	50-100 mg SQ t.d.s., can Increase to 200 mg SQ t.d.s.	Data supporting effect-iveness are very limited. May cause abdominal pain, gallstones

Aliment Oharmacol Ther 2009;29:713에서 인용[30].

지속한다면 알코올에 의한 만성췌장염 환자의 사망률이 유의하게 증가하는 것으로 알려져 있다[13].

금주가 복통완화에 과연 도움이 되는가에 대해서는 아직 논란의 여지가 있으나, 많은 환자들을 대상으로 관찰한 결과들에서는 알코올이 복통에는 영향을 미치지 않는 것으로 나타나고 있다[6,14]. 그럼에도 불구하고 금주를 하면 췌외분비 및 췌내분비 부전이 악화되는 속도를 늦추는 등의 다른 이점들이 있기 때문에 적극적으로 환자에게 권유되어야 한다[3,7].

저지방 식사나 충분한 수분공급이 정도의 차이는 있지만 통증 완화에 도움이 될 수 있다. 중간 체인 중성지방(medium chain triglyceride, MCT) 공급이 도움이 될 수 있다[15]. 작용 기전은 장내 MCT 투여가 혈장 CCK (cholecystokinin) 수준을 최소한으로 증가시키거나 항산화 효과를 일으킨다는 것과 연관지을 수 있으며. 또한 지방변을 동반한 만성췌장염 환자에 있어서 체중감소를 줄이는 역할을 할 수도 있다.

흡연은 만성췌장염의 진행을 가속화시키고 췌장암의 위험이 증가시킬 수 있기 때문에 금연 또한 통증관리에 역할을 할 수 있다[12,16-20].

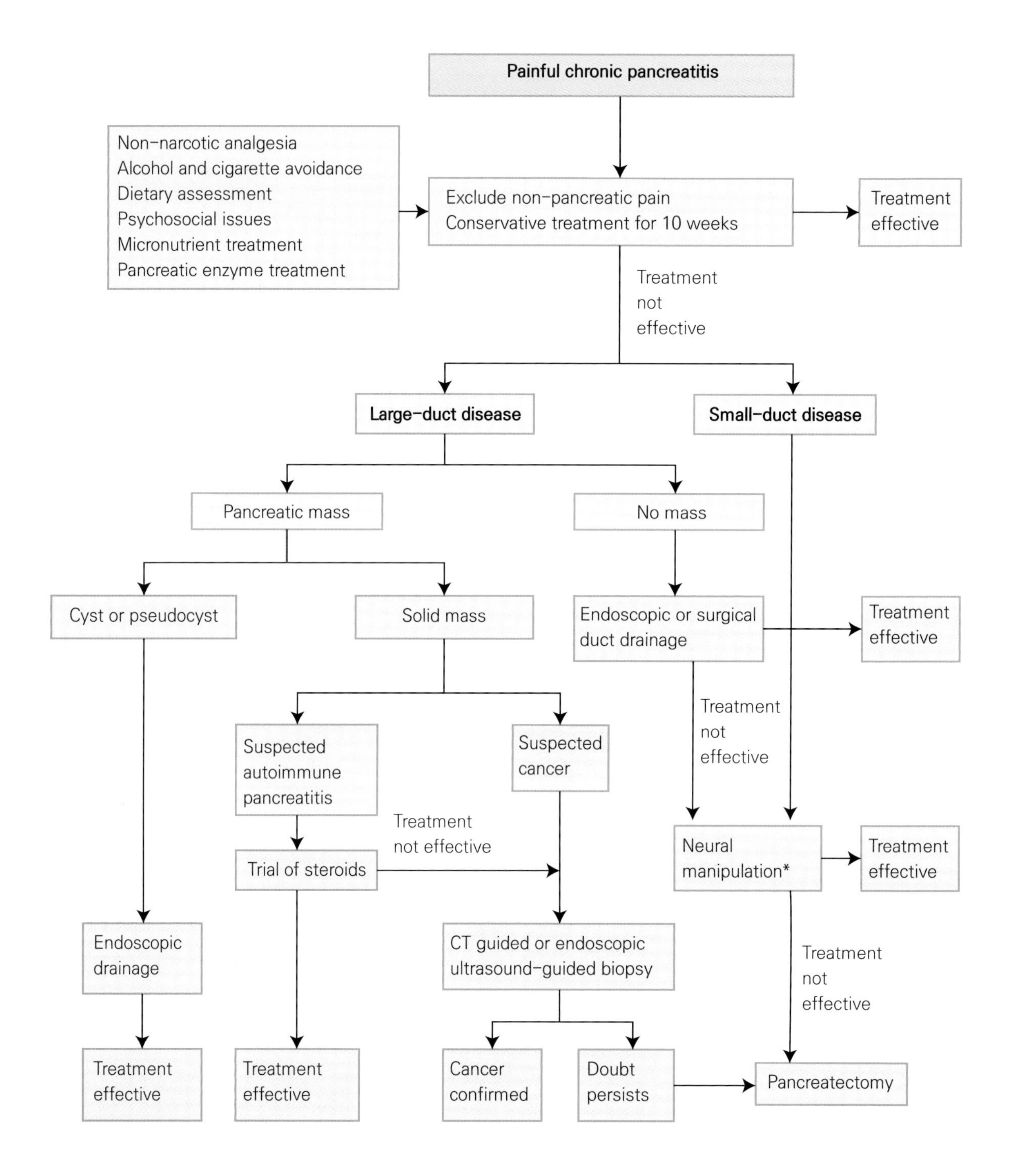

그림 31-1. **만성췌장염의 통증 치료 알고리즘.**

Note that the solid mass in autoimmune pancreatitis is often in the head of pancreas and suggests cancer, but that ducts are usually constricted.

* Procedures include thoracic splanchnicectomy, coeliac plexus block, and neurostimulation.

Lancet 2011;1193에서 인용[1].

(1) 약물치료

① 췌장효소제(pancreatic enzymes)

췌장효소 보충은 일부 환자에서 췌장 외분비 기능의 자극을 억제하여 통증 완화에 도움이 될 수 있는데, 그 근거는 식후 지방과 단백에 의해 분비되는 CCK-RF (cholecystokinin releasing factor)에 의해 CCK가 유리되는데, 정상적으로 CCK-RF를 파괴하는 serine protease가 만성췌장염에서는 분비가 감소되어 CCK-RF의 상승이 지속적으로 CCK 분비를 자극하게 된다. 따라서 췌장효소가 CCK-RF 대사를 정상화시켜서 복통 감소 효과를 기대하는 것이다[21,22].

만성췌장염에 의한 복통의 치료에 있어서 췌장효소제의 효능에 대한 연구 결과[23-27]에서 췌장효소제가 효과가 있는 것으로 판정되었던 연구들에서는 비장용성 피복 용제를 사용하였고, 효과가 없는 것으로 판정되었던 연구들에서는 장용성 피복 용제(enteric coated)를 사용하였다[28]. 즉 십이지장에서 serine protease, CCK-RF 및 CCK 간의 되먹임 조절 기구를 이용하려면 비장용성 피복용제의 췌장효소제를 사용해야 한다[4]. 그 이유는 장용성 피복용제는 췌장효소를 원위부 소장에서 유리할 수 있기 때문이다[5]. 그러므로 장용성 피복용제를 불가피하게 사용해야 한다면 갈아서 사용하는 것을 고려해야 한다[4]. 복통의 치료에 필요한 췌장효소제의 용량은 정당 25,000 USP uint의 protease를 함유하고 있는 췌장효소제 4~8정을 하루에 4번(식사 시 및 야간) 투여한다[29,30]. 반응이 없는 경우 용량을 증가한다. 투여기간은 적어도 6주 동안 투여한다[30]. 복통이 호전되지 않으면 compliance를 확인하고, compliance가 좋은 경우에는 위산분비 억제제(H2-blocker 혹은 proton pump inhibitor)를 병용한다[31]. 위산 차단은 위산에 의한 췌장효소제의 파괴를 막을 수 있을 뿐만 아니라[3], 십이지장의 pH를 상승시켜 췌장의 자극을 감속시키는 효과도 있다[5]. 췌장효소제 투여는 부작용이 거의 없는 치료법이기 때문에 복통을 호소하는 모든 만성췌장염 환자에서 일단 시도해 볼 수 있다[3].

만성췌장염 환자에서 어떤 환자가 가장 좋은 반응을 보일지는 불분명하다. 그러나, 두 임상시험 결과에 따르면 췌장의 주췌관을 침범하지 않고 췌관의 변화가 거의 없는 small duct disease로 지방변을 동반하지 않고, 만성췌장염의 진행이 많이되지 않은 환자, 여성, 특발성 만성췌장염 환자가 가장 췌장효소 보충제의 효과가 있다고 알려져 있다. 반면 알코올성 췌장염 환자가 주가 되는 주췌관을 침범한 환자에 있어서는 효과가 적은 것으로 알려져 있다[23,24,30].

최근 발표된 만성췌장염의 진단 및 치료에 대한 유럽소화기학 가이드라인에 의하면[32], 만성췌장염의 통증 완화를 위해서 췌장효소제 투여는 추천되지 않고 있다. 근래 췌장효소 투여가 중추신경계에 존재하는 통증연관 통로에 작용하는 CCK 효과를 차단한다는 보고도 있다[30].

② 진통제(analgesics)

통증을 호소하는 환자 중 일부는 진통제를 투여하여 조절할 수 밖에 없는 경우가 있다. 복통의 정도에 따른 약물 치료 요법에서 중요한 것은 환자의 복통에 대해 적극적으로 대처해 주어야 한다는 것인데, 진통제 투여 후에는 자주 환자의 반응을 확인하고 불충분한 경우에는 즉시 진통제의 종류를 바꾸거나 용량을 증량해 주어야 한다[4,30].

통증의 치료는 만성 통증에 대한 3단계 WHO 가이드라인을 따르면 된다. 즉 비마약성 진통제와 보조적인 통증 완화제를 투여하고 통증이 조절되지 않으면 마약성 진통제를 효과가 낮은 것부터 투여하는 것이 추천된다[32]. 만성췌장염의 진단과 치료에 대한 유럽소화기학 가이드라인[32]에서는 Level I의 약물로는 paracetamol, Level II는 Tramadol을 권장하였고, Level III에서는 morphine이 가장 많이 사용된다고 하였다[32].

Tramadol은 가장 흔히 사용되는 약물로 대부분

400~800 mg/day가 필요하나[34,35], 하루에 400 mg 이상은 투여하지 말라는 문헌도 있다[30]. 투여 후 효과가 없으면 Myprodol을 추가하며 최종적으로 meperidine과 같은 마약성 진통제를 사용한다[4]. Morphine이나 pentazocine은 오디괄약근의 압력을 증가시킬 수 있기 때문에 사용하지 않는 것이 좋다[36]. 치료 목표는 복통의 소실이 아니라 완화이기 때문에 적절하게 서서히 용량, 횟수를 늘려간다[31].

장기간의 마약성 진통제의 투여는 내성 및 의존성을 유발할 수 있으므로 되도록이면 피하는 것이 좋다. 아울러 opioid제제 투여 시에는 최대 약 50%의 환자에서 투여 시에는 통증이 소실되지 않으므로, 투여를 중단하여야 하며, 피부접착 opioid제제는 초기에는 사용하지 말고, 정제(tablets)를 소화시키는데 문제가 있거나, malabsorption이 있는 경우 투여하는 것이 좋다. 또한 opioid 투여로 초래되는 장 기능 이상의 증상으로는 변비 이외에도, 역류, 가스 및 복부팽만 등이 발생할 수 있으며, 투여 환자의 약 5%에서는 opioid 용량을 증가하면 복통이 paradoxical하게 증가하는 'narcotic bowel syndrome'이 생길수 있는 것을 염두에 두어야 한다[32,37].

마약성 진통제의 사용을 줄이기 위해 삼환계 항우울제, gabapentin, pregabalin, 선택적 세로토닌 재흡수(reuptake)억제제 혹은 세로토닌 및 norepinephrine 재흡수 억제제 등이 사용되고 있다[2,30]. 이러한 약제의 사용은 다른 만성통증 질환에서 효과가 증명되었으며 만성췌장염에서 통증의 일부는 신경병적 통증이 기여하기에 효과가 있는 것으로 생각된다[2].

항우울제는 만성췌장염 환자에 동반될 수 있는 정신과적, 심리적 및 정신-신체 문제들의 조절 작용, 중추신경계에 작용하는 진통효과 및 다른 진통제와의 상승작용 등의 이론적 장점을 가지고 있어[38], 보조 치료제로 많이 사용되고 있다. Amitriptylline, nortriptyline이 신경병증 통증을 감소시켜 주는 것으로 알려져 있는데[39], 저용량의 Amitriptylline (3주간 매일 밤 10 mg)과 비스테로이드성 항염증 약물 병용이 통증 사이클을 끊는데 도움이 된다고 한다[40]. 또한 단기간 입원하여 금식하며, 췌장 자극을 최소화하는 것 또한 통증 사이클을 끊는 데 도움이 될 수 있다. 한편, 무작위, 이중맹검, 위약대조 시험에서 pregabalin (75 mg 하루 2회 투여하다가 점진적으로 최대 300 mg 하루 2회 투여)투여가 만성췌장염 환자에서 치료 3주 후 비교하였을 때 위약군에 비해 효과적인 통증 완화가 된 것으로 보고되고 있다[41]. 전향적 연구 보고에서 pregabalin[41,42]의 경우 3주간의 단기요법에서 통증 완화의 효과를 보였지만 그 결과에 대한 장기간의 효과 및 환자의 삶의 질과 생존과의 연관성에 대한 효과는 밝혀지지 않았으며 약제를 투여한 군에서 더 많은 부작용(가벼운 두통과 술 취한 느낌)이 관찰되었다고 하여 추가 연구가 필요하다.

마약성 진통제에 대한 효과 보고로 1999년 시행된 소규모 연구에 의하면 morphine에 비해서 tramadol이 다른 진통제에 비해서 위장관 부작용을 덜 일으킨다는 보고[34]가 있고, 지속적인 통증이 있는 환자의 경우 만성 마약성 진통제가 필요할 수 있는데, 모르핀 황산염이나 fentanyl patch 같은 지속형 제제는 일반적으로 3~4시간 정도 지속되는 약물 치료보다 더 효과적일 수 있지만, morphine과 fentanyl patch를 비교한 연구에 의하면 효과는 비슷하지만 fentanyl patch 사용 시 피부 부작용이 더 많았다는 보고도 있다[43].

만성췌장염에서 통증을 조절하기 위해서 진통제를 투여할 때 마약성 진통제가 필요한 경우가 많다. 이 경우에 통증은 조절되지만 마약성 진통제에 대한 의존성과 중독성이 나타날 수 있으므로 적절한 용량을 선택하는 것이 중요하다. 진통제를 추가하거나 변경을 해야 하는 경우는 일반적으로 통증이 삶의 질을 저하시키거나 정상적인 사회 및 업무 기능을 수행할 수 있는 능력을 방해할 때 고려해야 한다. 마약성 진통제는 한번 투여를 시작하면 진통제를 줄이거나, 중단하기 어려우므로 통증을 없앨 수 있는 다른 방법은 없는지 약물 투여

전에 다시 한 번 고민해 보아야 한다. 더불어, 가능하면 마약성 진통제 용량을 줄이기 위해서 다른 보조적 통증 완화제, 비마약성 진통제 및 중재술을 포함한 다른 치료 방법을 항상 생각해보아야 한다.

③ 항산화제

만성췌장염의 병인에서 산소 유리기에 의한 손상이 주요 기전의 하나로 설명되고 있으며[44], 만성췌장염은 비가역적이고 지속적인 염증 및 산화스트레스로 인하여 항산화물질이 소모되고 동시에 흡수장애가 동반되기 때문에 혈중 및 췌장세포 내에 항산화물질의 결핍이 유발되는데[31], 만성췌장염 환자에서 혈중 농도가 감소하는 대표적인 항산화 물질은 selenium, beta-carotene, vitamin C, vitamin E, methionine, d-alpha-tocopherol acetate 등이다[45].

만성췌장염 환자에서 항산화물질을 이용한 치료 연구들은 상이한 결과를 보고하고 있는데 먼저, allopurinol, demethyl sulfoxide, S-adenoxyl-methionine, curcumin 등을 이용한 단독 요법의 경우 통증 치료에 큰 효과가 없으나[45,46], selenium, beta-carotene, vitamin C, vitamin E, methionine, d-alpha-tocophetol acetate 등을 이용한 다제 항산화물질 임상연구에서는 만성췌장염 환자의 혈중 한산화물질 농도도 개선이 되고 통증도 감소하며 환자들의 삶의 질도 개선된다고 보고되었고[47,48], 쥐를 이용한 실험에서 항산화제가 췌장의 섬유화를 예방할 수 있다고 하였다[49].

반면 Siriwardena 등[50]은 만성췌장염이 있는 70명의 환자(위약군 37명, 항산화제 투여군 33명)가 항산화제 또는 위약을 6개월 동안 투여한 다른 무작위 대조 연구에서, 혈중 항산화제 농도는 상승하였지만, 통증 점수, 삶의 질, 입원 횟수 또는 외래 방문에 차이가 없었다고 하였다. 이러한 상반되는 결과는 연구 집단(평균 나이 및 영양 상태), 흡연율, 췌장염의 원인(특발성 또는 알코올) 또는 항산화제의 조성 때문인지는 확실하지는 않다. 이와 같이 항산화 치료의 통증 관리의 역할에 대해서는 향후 추가 연구 및 검토가 필요할 것으로 생각된다.

최근 발표된 만성췌장염의 진단 및 치료에 대한 유럽 소화기학 가이드라인에 의하면[32], 만성췌장염의 통증 완화를 위해서 항산화제를 전형적인 서양의 알코올성 만성췌장염의 통증 완화를 위하여 일상적(routine)으로 투여하는 것은 증거가 충분하지 않다고 하였다.

④ 기타 약물

기타 약물들로는 합성 트립신 억제제(systhetic trypsin inhibitor)인 camostat mesilate, CCK-A receptor antagonist, 췌관내 단백 색전의 점소성을 감소시키는 fenipentol과 teprenon, 거담제인 bromohexide chloride 및 경구용 췌석 용해제인 trimethadione (TMO) 등이 있다[51]. Camostat mesilate의 작용기전은 첫째, 이소성으로 활성화된 췌효소를 저해하고, 둘째, 장관내에서 단백분해를 저해하여 장관애 CCK-RF 분비 자극 작용을 가지는 아미노산의 생성을 억제하고 결국 CCK의 생성을 억제하여 식후 췌분비 자극을 억제하는 것이다[51]. 그러나 camostat mesilate는 chymotrypsin의 활성은 저해하지 않기 때문에 장기 투여해도 단백흡수 장애는 일어나지 않는다[51]. 근래 camostat mesilate가 췌장의 섬유화를 예방한다는 보고도 있다[52].

CCK-A receptor antagonist인 loxiglumide는 만성췌장염의 급성동통 발작에 사용(600 mg)하면 효과적이라는 보고가 있다[53]. 합성 somatostatin 유사체인 octreotide는 췌액분비를 감소시켜 췌관 또는 췌간질의 압력을 낮출 수 있다는 이론적 배경을 갖고 있으나 그효능에 대해서는 연구 결과가 상이하다[54,55]. 또한 octroetide 피하 주사는 동통을 유발하고 값이 비싼 문제점이 있다[4].

자가면역 췌장염에 대한 약물치료는 Chapter 38에 기술되어 있다.

(2) 신경차단술

신경차단술은 경피적, 그리고 내시경초음파를 이용하거나, 흉강경을 이용할 수 있으며, 약제는 알코올, 스테로이 등의 단독 및 국소 마취제와의 병용 투여 등이 이용되고 있다[32, 56, 57].

내시경초음파 유도하 celiac plexus block은 단지 50%에서 효과를 보이며, 효과를 보는 기간이 짧고, 설사 및 저혈압 등의 부작용이 있어 일상적으로 추천되는 않는다[32]. Mahr 등[58]은 흉강경적 장신경 절단술(thoracoscopic splanchnic nerve resection) 시행 후 평균 16개월간의 추적관찰 기간 동안 15명의 만성췌장염으로 인한 복통을 호소하는 환자 중 80%에서 효과가 있었다고 보고하였다. 하지만 근래 장기관찰 연구에 의하면 흉각경적 장신경 절단술의 효과는 단기성으로서, 장기간 관찰 후에는 적어도 50%에서 복통이 재발한다고 하였다[59,60].

이외에 다른 방법으로는 radiofrequency 및 transthoracic splanchnic block (Th 11 및 Th 12 level), intrathecal morphine therapy (via continuous infusion), radiation therapy (single dose of 8 Gy), spinal cord stimulation (via epidural lead placement at &6-T7 level), transcranial magnetic stimulation, electroacupuncture 등이 시도되고 있다[32].

(3) 내시경 중재술(endoscopic intervention)

합병증이 없고, 췌장 주췌관이 확장된 만성췌장염 환자에서 내과적 치료(6~8주)로 통증이 해소되지 않으면 내시경 치료를 고려할 수 있다. 증상이 없고, 합병증이 없는 만성췌장염 환자에서 내시경치료는 고려할 필요는 없는데, 담도협착이나, 가성낭종이 있는 경우는 예외이다[32]. ESWL이 효과적인 경우는 췌장의 주췌관에 결석이 크면서(> 5 mm), 두부 혹은 체부였으면서, 주췌관의 협착이 없는 경우로, ESWL로 췌석을 분쇄 후 내시경으로 제거할 수 있다[32]. 기타 자세한 내시경 중재시술은 Chapter 32에 기술하였다.

요약하면 만성췌장염에서 복통의 치료는 복통을 일으키는 차료가능한 원인의 규명을 위한 노력과 함께, malabsorption이나 영양결핍 유무를 확인하며 금주와 금연 등으로 생활방식을 교정하고, 적절한 식이요법을 시행하면서 부족한 영양소를 공급해야 한다. 또한 해부학적으로 치료 가능한 문제가 있는지 검토하여, 내시경 시술을 비롯한 수술도 초기에 적극적으로 검토하는 것이 바람직하며, 마약성 진통제 투여 시작 전에 여러 전문가가 함께 논의하여 각 환자에게 적합한 통증 치료방법을 선택하는 것이 가장 바람직한 방법으로 생각된다.

2. 외분비 기능부전

1) 병태생리

췌장의 외분비 기능부전은 외분비 기능이 90%이상 파괴되어야 발생하며, 임상적으로 흡수장애로 나타난다[61]. 지방질의 흡수장애가 단백질이나 탄수화물의 흡수장애보다 먼저 나타나는데, 그 이유는 첫째, 단백질은 췌장에서 분비되는 단백분해 효소 외에도 위의 pepsin 또는 장점막의 단백분해 효소에 의해 분해되고, 탄수화물도 타액선이나 장점막의 탄수화물분해 효소에 의해 분해되기 때문이며[4,62], 둘째, 췌장 lipase는 산이나 단백분해 효소에 의해 쉽게 파괴되기 때문이다[63]. 췌장에서 분비되는 효소는 생리적으로 십이지장에서 활성도가 높고 원위부로 갈수록 그 활성도는 감소한다. 예를 들면, amylase는 회장에서도 74%의 활성도를 유지하고, trypsin은 20~30% 정도를 유지하는데 반하여, lipase는 겨우 1%만이 회장까지 도달하게 된다[64]. 만성췌장염 환자에서 conventional preparation (tablet 또는 powder)의 췌장효소를 경구 투여하면 trypsin은 22%가 십이지장까지 도달하나 lipase는 8%만이 십이지장에 도달한다[63]. 이처럼 췌장 lipase가 산이나 단백분해 효소에 의해 쉽게 파괴되는 문제 때문에 췌외분비 부전에 의해 흡수장애를 췌장효소의 경구 투여로 치료할 때 단백질과 탄수화물의 흡수장애는 쉽게 조절이 되나 지방변의 치료는 잘 안된다. 따라서 췌장 외분비 기능부전의 치료는 곧 지방변의 치료를 의미하기도 한다[4].

지방변의 정의는 하루 100 g의 지방을 섭취하였을 때 대변으로 지방이 7 g 이상 배출되는 것으로서[65], 만성췌장염 환자의 약 30%에서 뚜렷한 지방변(15 g/일)을 호소한다[66]. 일반적으로 대변으로 배출되는 지방의 양은 췌장 질환에 의한 경우가 다른 질환에 의한 경우보다 많아 육안으로 식별할 만큼의 지방이 대변으로 배설되는 것(30~40 g/일)은 췌장 질환에 의한 지방변을 의미한다[67].

만성췌장염 환자의 장관내 환경은 지방의 소화 및 흡수에 더욱 불리하게 되어 있다. 즉 췌장 외분비 기능의 저하에 따라 중탄산염의 분비도 감소하기 때문에 식후 2시간이 지나면 십이지장의 pH가 췌장 lipase의 생존에 치명적인 4 이하로 감소하며[68], 낮은 pH에서는 micelle 형성이 감소하고, 또한 micelle 형성에 필수적인 담즙산이 침전하게 된다. pH가 낮을 때 담즙산의 농도가 감소하는 현상은 위산 차단제 등을 투여해서 pH를 증가시키면 가역적으로 다시 증가하게 된다[69].

2) 고려사항

식후 정상적으로 췌장에서 분비되는 lipase의 양은 300,000 IU (international unit)이며, 약 5~10%의 lipase가 십이지장에 도달하면 지방변을 교정할 수 있기 때문에[68], 이론적으로 30,000 IU 이상의 lipase를 투여하면 지방변을 교정할 수 있다. Conventional preparation의 췌장효소 30,000 IU를 경구 투여하면 증상이 호전이나 영양상태의 개선을 이룰 수는 있으나 지방변을 완치하는 경우는 드문데, 그 이유 중의 하나는 십이지장내에서 lipolytic activity 농도가 5~10%에 도달하지 못하기 때문이다. 이를 극복하기 위해서 시도해 온 방법들은 첫째, 제산제(H2-blocker 또는 proton pump inhibitor) 등의 병용 투여로 위산을 중화하거나 차단하는 방법, 둘째, 장용성 피복, microencapsulation 등과 같이 산이나 단백분해에 저항하는 제형의 개발[70], 셋째, lipase의 고단위화[71], 넷째, gastric lipase나 fungal lipase 같이 위산에 저항성이 있는 lipase[72]의 개발 등이다[4].

위산을 억제하는 방법은 실제 지방변의 치료 효과를 높일 수 있는 것으로 보고되고 있으나, 환자들이 약을 추가해서 복용해야 하는 문제 때문에 순응도나 비용면에서 문제가 된다[73]. 근래 사용된 enteric-coated microtablet 제형은 이론적인 이점에도 불구하고 역시 지방변을 완치하는 예는 적다[73]. 그 이유로서는 enteic-coated microtablet이 대개 pH 5 이상에서 용해되기 때문에 지방 효소에 가장 중요한 위치인 십이지장보다는 원위부의 소장에서 대부분 용해되어 substrate-enzyme의 coordinated transit에 문제가 생기는 것이다[74]. 이후 minimicrosphere제형까지 등장하였다[75].

Gastric lipase나 fungal lipase[72]는 산에 저항하는 성질은 분명히 있으나 불행히도 생리적 농도의 담즙산 존재하에서 불활성화하기 때문에 실용화되지는 못하고 있다[4]. 1992년 Cleasby 등[76]이 처음 보고한 Bacterial lipase는 시험관내에서 역가가 매우 높고(돼지 췌효소의 150배 이상), 위산에 대해 저항성이 있을 뿐만 아니라 gastric lipase나 fungal lipase와는 달리 담즙산 존재하에서도 할성을 유지하는 것으로 나타나, 이 bacterial lipase가 췌장성지방변 치료제로서 사용될 수 있는 가능성이 제시되었으나[77] 아직 실용화되지 못하고 있다.

국내에서는 아직 만성췌장염에 대한 체계화된 역학적 연구 보고가 없어 췌장성 지방변이 얼마나 문제가 되는지는 알수 없으나, 그간 보고된 단일 기관의 연구 보고들에 의하면 다행히도 췌장성 지방변이 만성췌장염의 주 증상은 아닌 것으로 판단된다[4]. 이러한 현상은 아마도 우리나라 국민의 지방 섭취량이 절대적으로 낮은 것에 기인하는 것 같다. 가까운 일본에서도 저지방 식이로 인하여 서구에 비해 지방변의 빈도가 훨씬 적은 것으로 보고되고 있다[78]. 1995년도 우라나라 전국 영양 실태 조사 보고서에[79] 의하면 일일 지방 섭취량이 1970년의 17.2 g에서 1995년 38.5 g으로 2배 이상 상승하였지만, 이는 여전히 일본보다도 적은 수준이다. 하지만 근래 식생활이 서구화되어 향후에는 지방변을 호소하는 만성췌장염 환자가 증가할 가능성이 있다.

3) 췌장효소 보충요법 (pancreas enzyme replacement therapy, PERT)

만성췌장염에서 췌장효소 보충제로 췌장 외분비 기능부전 치료법은 식사의 양 및 성질(지방 함량), 췌장의 잔류 기능 및 치료 목표(지방변 제거, 복부증상(복부 팽만감, 설사)의 개선, 영양 상태 개선 등, 질환의 중증도에 달려 있다. 치료법은 단순식이 요법 또는 췌장 소화효소 보충제 병용을 포함할 수 있다[4].

만성췌장염 환자의 외분비 기능부전은 췌장의 기증 저장능이 크기 때문에 이환된 후 약 5~10년후 나타난다. 외분비 기능부전은 설사, 지방변, 체중감소, 대사성 골질환, 비타민 결핍, 미네랄결핍 등과 같은 증상이 있는 경우 의심할 수 있지만 증상이 나타나기 전에 미리 진단하는 것이 중요하다[31]. 영양상태를 확인할 수 있는 다음의 간단한 설문조사((1) 최근 3개월 동안에 체중감소가 있는가? (2) 체질량지수가 20.5 kg/m^2 이하인가? (3) 최근 일주일 동안에 식이가 감소했는가? (4) 심각한 질환을 앓고 있는가?)를 시행하여, 이중 한 문항이라도 문제가 있으면 2차 선별검사를 실시한다(chapter 29).

만성췌장염 환자의 외분비 기능부전으로 인한 영양결핍의 치료원칙은 3가지로 구분되는데, (1) 췌장효소의 공급, (2) 영양결핍의 평가와 치료, (3) 적절한 식이의 유지 등이다. 췌장효소의 공급은 지방 외에도 단백질과 탄수화물의 소화를 돕기 위한 복합적으로 사용된다. 또한 췌장효소의 공급은 설사와 소화불량을 돕는데 도움이 되며, 정상 영양을 유지하는데 도움이 된다[31].

지방변 환자 치료에 있어서 한 가지 방법은 지방 섭취를 제한하는 것이다. 제한의 정도는 지방 흡수 장애의 심각성에 달려 있는데, 일반적으로 하루에 20 g 이하로 지방 섭취를 제한한다. 지방 제한 후에도 지방변이 지속되는 환자는 췌장 소화 효소 보충제 병용이 필요하다[4].

췌장효소제 투여는 지방변이 있는 경우로 대변내 하루 지방이 15 g보다 많이 배설되는 경우인데, 대변내 지방 측정이 어려운 경우에는 임상적으로 malabsorption의 징후가 있거나, malnutirtion의 증거(anthropometric and/or biochemical signs)가 있는 경우이다[32]. 췌장효소제 투여 시에는 fat-soluble vitamin, prealbumin, retinol binding protein, magnesium 등이 포함되어야 한다. 처음에는 4~6주간 췌장효소제를 투여하여 효과를 관찰할수 있다[32]. 췌장효소제는 enteric-coated microsphere 혹은 mini-microsphore(< 2 mm) 제제가 우선적으로 추천되나, 2.2~2.5 mm 크기의 micro- 혹은 mini-tablets도 효과적이다[32].

소화효소제 치료 효과를 높이기 위하여 식사는 하루 5~6회로 나누어 한번 식사량을 줄이는 것도 도움이 된다. 만성췌장염 환자에서 췌장효소 투약의 목표는 매 식이 마다 체중 1 kg당 1,000 units의 lipase를 공급하는 것이다. 지방 1 g을 소화시키기 위해 2,000 units의 lipase가 필요하므로 식사시에는 25,000~75,000 units의 lipase가 필요하고[31], 간식에는 절반의 lipase함량이 필요하다[32]. 한 연구에 의하면 식간 혹은 식후에 췌장효소를 투여할 경우 효과가 높은 것으로 알려져 있으므로 환자들에게 식전에 투여하지 말고, 식간 혹은 식후에 투여하도록 알려주는 것이 중요하다[80]. 유럽가이드라인[32]에 의하면 췌장효소제는 식사 시 음식과 함께 복용해야 하며, 식사 시 한 알(cap 혹은 tablet) 이상의 효소제를 복용하는 경우에는 식사 시작 시 일부를 복용하는 것이 효과적이다.

또한 calcium이나 magnesium제산제는 췌장효소와 결합하여 침전물을 만들수 있으므로 병용 투약 시 효과 감소를 염두에 두어야 한다. 췌장효소의 효과가 없는 환자에서 고려해야 할 점은 순응도, 식전복약, 용양부족, 많은 섬유소 섭취, 소장의 점막질환 및 장내 세균의 과다 증식, 위장관 운동항진 등이다. 이 중 섬유소가 많은 음식(상추 등)은 lipase의 활성도를 50% 이상 감소시킬 수 있다[31].

만성췌장염 환자의 30~50%는 휴식 시 에너지 소비양상(resting energy expenditure)이 증가되어 있다. 특히 BMI가 20 kg/m^2 미만인 경우 20% 이상 증가한다[81]. 증가된 휴식 시 에너지 소비 양상을 만족시키기 위해서는 최소한 35 kcal/day의 칼로리가 필요하다. 매일 필요한 탄수화물은 약 300 g으로 하루 칼로리의 반을 차지한다. 그렇지만 현성 당뇨병 환자는 탄수화물 섭취를 제한할 필요가 있다. 매일 필요한 단백질은 1.0~1.5 g/kg BW이다. 지방은 하루에 필요한 칼로리의 30~40%가 좋으나 최근 30% 이상의 고지방 식이는 만성췌장염 환자의 지속적인 통증과 연관성이 있다는 연구가 있어 30% 이하가 적당하기는 하지만 너무 낮은 경우 영양결핍의 원인이 될 수 있다[31,82].

췌장효소 투약 및 영양 치료에도 불구하고 체중이 증가하지 않거나 지방변이 지속되는 경우 MCT (medium chain triglyceride) 공급을 고려한다. MCT는 lipase에 의존하지 않고 소장에서 직접 흡수되기 때문에 췌장을 자극하지 않는 장점이 있다. MCT는 다른 지방에 비하여 열량이 낮고, 맛이 없는 단점을 갖고 있어 하루 50 g 미만의 공급이 필요하다. 50 g 이상 공급할 경우 근육 경련, 오심, 설사와 같은 부작용이 나타날 수 있다. MCT가 풍부한 음식은 코코넛 오일, palm kernel oil, camphor tree drupes 등이다[31]. 하지만 최근 발표된 만성췌장염의 진단 및 치료에 대한 유럽소화기학 가이드라인에서 MCT 공급은 추천되지 않는다[32].

만성췌장염 환자는 비타민 D와 칼슘의 흡수장애, 불충분한 식이, 통증, 알코올 중독, 흡연으로 인하여 골밀도가 감소하기 쉬워, 골다공증 이환율이 34%로 높다(정상 대조군 10.2%)고 보고된다[83]. 따라서 만성췌장염 환자는 모두 골밀도검사를 시행하는 것이 필요하며, 적절한 통증 조절, 적당한 식이, 금주, 금연과 함께, 비타민 D(1,520 IU/day)와 칼슘의 공급이 필요하다. 비타민 D의 25 수산화 형태인 calcifediol은 비타민 D2 또는 D3 보다 더 극성인 성질 때문에 지방 흡수 장애 환자에서 더 쉽게 흡수된다. 반면 흡수가 더 잘되어 고칼슘혈증이 보다 쉽게 나타날 수 있기 때문에 치료 시작 몇 주간은 혈청 칼슘 수치를 모니터링 해야 한다. 비타민 D 외에도 비타민 A, E, K 등의 공급이 필요할 수 있으나, 다른 지용성 비타민은 감소하는 경우가 드물다[31,85].

췌장효소제 투여효과는 maldigestion관련 증상(지방변, 체중감소, 방귀 등)의 소실과 환자의 영양상태로 판단할 수 있으나[32]. 환자의 영양 상태를 나타내는 지표로 판단하는 것이 정확한 방법이다[86].

소화효소 투여에도 효과가 없을 때 가장 흔한 원인은 환자의 순응도 문제로 인하여 충분한 소화효소 투여가 되지 않는 경우이다. 그 외에도 불활성화 및 적절한 소장부위에서 적절한 환경속에서 소화효소와 음식이 섞일 수 있는 조건이었는지 여부를 고려해야 한다. 다른 합병증이 같이 있는지 그리고 만성췌장염의 진단이 틀렸거나 다른 질환이 병발했는지 여부도 확인해야 한다. 소화효소의 효과를 올리는 방법으로는 원인을 파악하고 소화효소의 용량을 2~3배 올리는 방법, 다른 제형으로 바꾸는 방법, 위산분비 억제제를 같이 투여하는 방법 등이 있다[2,32]. 이런 방법에도 효과가 없는 경우에는 maldigestion의 다른 원인을 찾아야 한다[32]. 경구 효소제 복용과 같이 췌장기능검사(CFA 혹은 13C-MTG-BT)를 시행하여 확인해야 하며[32], 또한 만성췌장염 환자에서는 비정상적인 장내 bacterial colonisation이 생길수 있다는 것을 염두에 두어야 한다[87].

2017년 영국 NIHR Pancreas Biomedical Research Unit Patient Advisory Group이 시행한 연구(1966년부터 2015년 사이 발표된 전체 2,806개 논문 검토 후, 이 중 randomized controlled trail 17개 논문을 선택하여 분석하였고, 이 중 14개 논문은 메타분석 시행함)[68]에서 췌장 외분비 기능부전에서 췌장효소 보충요법(PERT)는 증상의 호전이 있었고(flatulence, 복통, fecal consistency), 지방과 단백의 흡수를 증가(improve)시키며, 1년까지 투여한 연구결과에서 혈청 영양지표, 체중, 위장관 증상 및 삶의 질을 현저하게 개선시켰다. 고용량(60,000 USP units/day 이상) 투여 시 CFA가 높았고, enteric-coated microsphere 투여가 non-coated microsphere 투여보다 CFA가 높았다. 위산분비 억제는 PERT의 효능을 더 좋게 개선하지만, 고용량의 췌장효소제와 저용량 췌장소제 및 위산분비 억제제 병합 투여 시 효과는 유사하였다. PERT 투여 시 효과 판정은 lipid-soluble vitamins, retinol-binding protein, albumin 및 prealbumin 등이 유용하며, 특별한 부작용은 없었다고 하였다.

3. 내분비 기능부전

만성췌장염에서 당 불내인성이나 당뇨병의 발생률은 시간이 경과함에 따라 증가한다[88]. 이와 같은 당대사장애의 발생률은 만성췌장염의 원인에 따라 차이가 있을 수 있다. 즉 알코올 췌장염인 경우 췌장손상이 더 심하기 때문에 당대사 이상의 발생률이 다른 원인에 의한 만성췌장염에서보다 더 높다[89]. 당불내인성이나 당뇨병은 만성췌장염의 30~70%에서, 그리고 만성 석회화성 췌장염의 90%에서 발견된다[88].

췌장염과 연관된 당뇨병은 전형적으로 만성췌장염 진단 후 첫 10년 이내에 발병하며, 10~15년 이내에 만성췌장염 환자가 당뇨가 발병할 확률은 80%이다[90,91]. 만성췌장염 환자에서 당뇨가 잘 방생하는 경우는 알코올성 만성췌장염, 음주를 계속하는 경우, 과도한 흡연(heavy smoking), 심한 췌외분비기능부전, 연령의 증가, 당뇨병의 가족력이 있는 경우, 췌장의 석회화, 질병의 이환기간 장기화 및 췌장 수술병력 등이다[4,32].

만성췌장염에서 당뇨병이 발생하는 기간은 알코올 만성췌장염에서 약 20년, 나이가 들어 발병한 특발성 만성췌장염에서는 약 12년, 젊은 환자에서 발생한 특발성 췌장염에서는 약 28년 만에 당뇨병이 발생한다[92]. 알코올 유발 만성췌장염 환자에서는 장기간 관찰 시 40~80%에서 당뇨병이 발생하는데, 코호트 연구 결과에서는 25년 만에 83%의 환자에서 당뇨병이 발생하였다[93].

만성췌장염에서 당뇨병의 발생기전은 췌장섬유화의 진행에 따른 β세포의 감소와 췌장 섬유화와 경화에 의한 췌도 세포로의 혈류 감소에 기인한다[88]. 일반적으로 β세포가 20~40%만 남아 있어도 공복 혈당과 혈장 인슐린치는 거의 정상으로 유지되지만, 이 경우에도 경구당 부하 검사를 시행하면 당 불내인성이 나타나고[88], β세포가 80% 정도 파괴되어야 비로소 공복 고혈당이 나타난다[88]. 또한 만성췌장염에서는 혈당 조절에 중요한 역할을 하는 장내호르몬인 incretin (GIP, GLP-1)의 감소가 종종 관찰되는데, 이는 entero-pancreatic axis와 식후 인슐린 분비에 영향을 미친다[94,95]. 하지만 만성췌장염이 지속되면 인슐린을 분비하는 베타세포뿐만 아니라, 혈당을 올리는 호르몬인 글루카곤을 분비하는 알파세포까지 파괴되는데, 이 두 종류의 췌장내분비세포의 파괴로 인하여 인슐린 치료 중에 저혈당에 빠질 위험이 높아질 수 있다[96].

만성췌장염과 연관되어 발생하는 당뇨병은 3c형당뇨병(T3cDM)으로 구별되기도 하는데, 만성췌장염에 의한 당뇨병의 증상은 일반 당뇨병과 거의 유사하나[88], glucagon 및 pancreatic polypeptide 등의 호르몬 감소로 저혈당이 흔히 발생한다[4].

만성췌장염에 의한 당뇨병은 몇 가지 임상적 특징

을 갖고 있는데 가장 현저한 특징은 혈당치가 불안정하여 변화가 심하다는 것이다[93,85]. 만성췌장염에 의한 당뇨병에서 불안정한 혈당치에 기여하는 인자들은 1) glucagon deficiency, 2) 저혈당에 대한 glucagon 반응의 변화(blunt), 3) 탄수화물의 malabsorption/maldigestion, 4) 장운동의 증가, 5) dumping syndrome, 6) 환자요인으로 low carbohydrate intake 및 음주 등이다[3,88].

반면에 만성췌장염에 의한 당뇨병은 다른 당뇨병과는 달리 대표적인 급성 합병증인 당뇨성 케토산증이나 당뇨성 혼수의 발생은 상대적으로 적다[88]. 미세 혈관성 당뇨 합병증의 발생은 일반 당뇨와 비슷하나[91], 실명 또는 말기 신부전증과 같은 말기 당뇨 합병증의 발생에 대해서는 잘 알려져 있지 않다. 그 이유 중의 하나는 만성췌장염 환자의 높은 사망률 때문이다[4,88].

만성췌장염에 의한 당뇨병의 치료는 식이 조절이 우선이며, 금주 및 췌장효소제 투여 등으로 환자의 영양상태를 개선하는 것이 필요하다[88]. 만성췌장염에서 당뇨병을 조기 진단하기 위해서 매년 공복혈당과 당화혈색소(HbA1c)의 측정이 권유된다[98].

약물치료로는 일부 환자에서는 sulfonylurea가 효과적인 경우도 있는데, 이때는 저혈당의 위험을 줄이기 위해 작용 시간이 짧은 제제를 사용하는 것이 좋다[88]. 그러나 간기능과 신기능 이상이 동반되어 있는 경우 저혈당의 위험성이 매우 증가하기 때문에 sulfonylurea의 사용은 금기이다[88].

만성췌장염에 의한 당뇨병 발생 원인을 고려할 때 환자의 대부분에서는 인슐린 치료가 필요하며, 인슐린 요구량은 제I형 당뇨 환자와 비슷하다[91]. 저혈당의 문제 때문에 엄격하게 혈당을 조절하는 것은 바람직하지 않으며[97], HbA1c도 7~8% 정도로 유지하는 것이 좋다. 나아가서 환자 스스로 혈당을 측정하면서 소량의 인슐린을 자주 맞는 것이 좋다[88]. 아울러 당뇨약제 투약 이외에 인크레틴(incretin) 분비의 촉진과 영양상태 개선을 일으키는 췌장효소제 투여가 필요하다[99]. 최근에는 지속적인 혈당 조절 및 인슐린 분비기능을 가진 인슐린 펌프가 결합된 인공췌장이 개발되고 있고 췌장이식도 실험적으로 사용되고 있으나 아직 더 많은 임상연구가 필요한 실정이다[100].

References

1. Braganza JM, Lee AH, McCloy RF, McMahon MJ. Chronic pancreatitis. Lancet 2011;377:1184-97.
2. 이광혁. 만성췌장염의 내과적 치료. 대한췌담도학회지. 2017;22:72-6.
3. Pitchumoni CS. Pathogenesis and management of pain in chronic pancreatitis. World J Gastroenterol 2000;6:490-6.
4. 정준표. 만성췌장염 - 치료(내과적) 및 예후-. 대한소화기학회 총서9. 췌장염. 윤용범. 군자출판사. 2003.02. p179-204. 대한소화기학회
5. Warshaw AL, Banks PA, Fernandez-Del Castillo C. AGA technical review: treatment of pain in chronic pancreatitis. Gastroenterology 1998;115:765-76.
6. Ammann RW, Meullhaupt B. Zurich Pancreaitis Study Group. The natural history of pain in alcoholic chronic pancreatitis. Gastroenterology 1999; 116:1132-40.
7. DiMagno EP. Toward understanding(and management) of painful chronic pancreatitis. Gastroenterology 1999;116:1252-7.
8. Mullady DK, Yadav D, Amann ST, et al. Type of pain, pain-associated complications, quality of life, disability and resource utilization in chronic pancreatitis: a prospective cohort study. Gut 2011; 60:77-84.
9. Mullhaupt B, Truninger K, Ammann R. Impact of etiology on the painful early stage of chronic pancreatitis: a long-term prospective study. Z Gastroenterol 2005;43:1293-301.
10. Wilcox CM, Yadav D, Ye T, et al. Chronic pancreatitis pain pattern and severity are independent of abdominal imaging findings. Clin Gastroenterol Hepatol 2015;13:552-60.
11. Kataoka K, Sakagami J, Hirota M, Masamune A, Shimosegawa T. Effects of oral ingestion pf the elemental diet in patients with painful chronic pancreatitis in the real-life setting in Japan. Pancreas 2014;43:451-7.
12. Ikeura T, Takaoka M, Uchida K, Miyoshi H, Okazaki K. Beneficial effect of low-fat elemental diet therapy on pain in chronic pancreatitis. Int J Chronic Dis 2014;2014:862091.
13. Steer ML, Waxman I, Freedman S. Chronic pancreatitis. N Engl J Med 1995; 332:1482-90.
14. Lankisch PG, Seidensticker F, Lohr-Happe A, Otto J, Creutzfeldt W. The course of pain is the same in alcohol- and nonalcohol-indiced chronic pancreatitis. Pancreas 1995;10:338-41.
15. Shea JC, Bishop MD, Parker EM, et al. An enteral therapy containing medium-chain triglycerides and hydrolyzed peptides reduces postprandial pain associated with chronic pancreatitis. Pancreatology 2003; 3:36.
16. Maisonneuve P, Lowenfels AB, Müllhaupt B, et al. Cigarette smoking accelerates progression of alcoholic chronic pancreatitis. Gut 2005; 54:510.
17. Lowenfels AB, Maisonneuve P. Defining the role of smoking in chronic pancreatitis. Clin Gastroenterol Hepatol 2011;9:196-7.
18. Cote GA, Yadav D, Slivka A, et al. Alcohol and smoking as risk factors in an epidemiology study of patients with chronic pancreatitis. Clin Gastroenterol Hepatol 2011;9:266-73.
19. Maisonneuve P, Lowenfels AB, Muellhaupt B, et al. Cigarette smoking accelerates progression of alcoholic chronic pancreatitis. Gut 2005;54:510-4.
20. Pasca di Magliano M, Forsmark C, Freedman S, et al. Advances in acute and chronic pancreatitis: from development to inflammation and repair. Gastroenterology 2013;144(1);e1-e4.
21. Owyang C. Negative feedback control of exocrine pancreatic secretion: role of cholecystokinin and cholinergic pathway. J Nutr 1994; 124:1321S-6S.
22. Owyang C, Louie DS, Tatum D. Feedback regulation

of pancreatic enzyme secretion: eupression of cholecystokinin release by trypsin. J Clin Invest 1986;77:2042-7.

23. Slaff J, Jacobson D, Tilman CR, Curington C, Toskes P. Protease-specific suppression of pancreatic exocrine secretion. Gastroenterology 1984;87:44-52.
24. Isaksson G, Ihse I. Pain reduction by an oral pancreatic enzyme preparation in chronic pancreatitis. Dig Dis Sci 1983;28:97-102.
25. Halgreen H, Pederson NT, Worning H. Symptomatic effect of pancreatic enzyme therapy in patients with chronic pancreatitis. Scand J Gastroenterol 1986;21:104-8.
26. Mossner J, Secknus R, Meyer J, Niederau C, Adler G. Treatment of pain with pancreatic extracts in chronic pancreatitis: results of a prospective placebo-controlled multicenter trial. Digestion 1992;53:54-66.
27. Malesci A, Gaia E, Floretta A, et al. No effect of long-term treatment with pancreatic extract on recurrent abdominal pain in patients with chronic pancreatitis. Scand J Gastroenterol 1995;30:392-8.
28. Toskes PP. Treatment of pain in chronic pancreatitis: inhibition of enzyme secretion. In:Buchler MW, Friess H, Uhl W, Malfertheiner P, editors. Chronic pancreatitis. Novel consepts in biology and therapy. Oxford:Blackwell Publishing;2002:389-94.
29. Greenberger NJ. Enzymatic therapy in patients with chronic pancreatitis. Gastroenterol Clin North Am 1999;28:687-93.
30. Lieb II JG, Forsmark CE. Review article: pain and chronic pancreatitis. Aliment Pharmacol Ther 2009;29:706-19.
31. 박창환. 만성췌장염에서 투약, 영양과 식이. 대한췌담도학회지 2014;19:176-81.
32. Lohr JM, Dominguez-Munoz E, Rosendahl J, et al. Unted European gastroenterology evidence-based guidelines for the diagnosis and therapy of chronic pancreatitis(HaPanEU). Uinted Euro Gastroenterol J 2017;5(2):153-99.
33. Kahl S, Glasbrenner B, Schulz H-U, malfertheiner P. An integrated approach to the non-operative treatment of pain in chronic pancreatitis. In; Buchleer MW, fries H, Uhl W, Malfertheiner P, editors. Chronic pancreatitis. Novel concepts in biology and therapy. Osford: Blackwell Publishing;2002:409-419.
34. Wilder-Smith CH, Hill L, Osler W, et al. Effect of tramadol and morphine on pain and gastrointestinal motor function in patients with chronic pancreatitis. Dig Dis Sci 1999;44:1107-16.
35. Ground S, Radbruck L, Meuser T, et al. High-dose tramadol in comparison to low-dose morphine for cancer pain relief. J Pain Symptom Manage 1999;18:174-9.
36. Niderau C. Medical treatment: what really works. AGA Postgraduate Course 1998;71-9.
37. Drossman D, Szigethy E. The narcotic bowel syndrome: A recent update. Am J Gastroenterol 2014;2:22-30.
38. Alter CL. Palliative and supportive care of patients with pancreatic cancer. Semin Oncol 1996;23:229-40.
39. Gilron I, Bailey JM, Tu D, et al. Nortriptyline and gabapentin, alone and in combination for neuropathic pain: a double-blind, randomised controlled crossover trial. Lancet 2009; 374:1252.
40. Fioramonti J, Bueno L. Centrally acting agents and visceral sensitivity. Gut 2002; 51(Suppl 1):i91.
41. Olessen SS, Bouwense SA, Wilder-Smith OH, van Goor H, Drewes AM. Pregabalin reduces pain in patients with chronic pancreatitis in a randomized, controlles trial. Gastroenterology 2011;141:536-43.
42. Olessen SS, Graversen C, Olessen AE, et al. Randomised clinical trial: pregabalin attenuates experimental visceral pain through sub-cortical mechanisms in patients with painful chronic pancreatitis. Aliment Pharmacol Ther 2011;34:878-87.
43. Niemann T, Madsen LG, Larsen S, Thorsgaard N.

Opioid treatment of painful chronic pancreatitis. Int J Pancreatol 2000;27:235-40.
44. Braganza JM. A framework for the aetiogenesis of chronic pancreatitis. Digestion 1998;59:1-12.
45. Brianna G, Horacio RR, Khalid K. Antioxidants and chronic pancreatitis: theory of oxidative stress and trials of antioxidant therapy. Dig Dis Sci 2012;57: 835-41.
46. Banks PA, Hughes M, Ferrante M, Noordhoek EC, Ramagopal V, Slinka A. Does allopurinol reduce pain of chronic pancreatitis? Int J Pancreatol 1997;22:171-6.
47. Kirk GR, White JS, McKie L, et al. Combined antioxidant therapy reduces pain and improves quality of life in chronic pancreatitis. J Gastrointest Surg 2006; 10:499-503.
48. Bhardwaj PI, Maulik SK, Saraya A, Tandon RK, Acharya SK. A randomized controlled trial of antioxidant supplement for pain relief in patients with chronic pancreatitis. Gastroenterology 2009;136:149-59.
49. Kim W-B, Ahn B-O, Oh T-Y, et al. Antioxidants ameliorate the fibrosis and inflammation of chronic pancreatitis in mice. Gastroenterology 2002;122:A413.
50. Siriwardena AK, Mason JM, Sheen AJ, et al. Antioxidant therapy does not reduce pain in patients with chronic pancreatitis: the ANTICIPATE study. Gastroenterology 2012; 143:655.
51. Fukumitsu KI, Otsuki M. Chronic pancreatitis: etiology, clinical features and medical management. 임상소화기내과 1998;13:585-94.(in Japanese)
52. Emori Y, Matsumra N, Ochi K, et al. Effect of an oral trypsin inhibitor on pancreatic fibrosis induced by repeated administration of an SOD inhibitor in rat. Gastroenterology 2002;122:A413.
53. Shiratori K, takeuchi T, Satake K, et al. Clinical evaluation of oral administration of a cholecystokinia receptor antagonist(loxiglumide) to patient with acute, painful attacks of chronic pancreatitis: a multicenter dose-response study in Japan. Pancreas 2002;25:E1-E5.
54. Malfertheiner P, meyer D, Buchler M, et al. Treatment of pain in chronic pancreatitis by inhibition of pancreatic secretion with octreotide. Gut 1995;36:450-4.
55. Schmalz MJ, Soergel KH, Johanson JF. The effect of octreotide acetate(sandostatin), on the pain of chronic pancreatitis. Gastroenterology 1992;102:A290.
56. Leung JW, Bowen-Wright M, Aveling W, et al. Coeliac plexus block for pain in pancreatic cancer and chronic pancreatitis. Br J Surg 1983; 70:730.
57. Busch EH, Atchison SR. Steroid celiac plexus block for chronic pancreatitis:result in 16 cases. J Clin Anecth 1989;1:431-3.
58. Maher JW, Johlin FC, Pearson D. Thorascopic splanchnicectomy for chronic pancreatitis pain. Surgery 1996;120:603-10.
59. Maher JB, Johlin FC, Heitshusen D. Long-term follow-up of thorascopic splanchnicectomy for chronic pancreatitis pain. Surg Endosc 2001;15:706-9.
60. Buscher HC, Jansen JB, van Dongen R, Bleichrodt RP, van Goor H. Long-term results of bilateral thorascopic splanchnisectomy in patients with chronic pancreatitis. Br J Surg 2002;89:158-62.
61. DiMagno EP, Go VLW, Summerskill WHJ. Realtions between pancreatic enzyme outputs and malabsorption in severe pancreatic insufficiency. N Engl J Med 1973;288:813-5.
62. DiMagno EP, Malagelada JR, Go VLW. Relationship between alcoholism and pancreatic insufficiency. Ann NY Acad Sci 1975;252:200-7.
63. DiMagno EP, Malageralda JR, Go VLW, Moertel CG. Fate of orally ingested enzymes in pancreatic insufficiency: comparison of two dosage schedules. N Engl J Med 1977;296:1318-22.
64. Layer P, Go VLW, DiMagno EP. Fate of pancreatic enzymes during small intestinal aboral transit in humans. Am J Physiol 1986;251:G475-80.

65. Apte M, Keogh GW, Wilson JS. Chronic pancreatitis: complication and management. J Clin Gastroenterol 1999;29:225-40.
66. Lankisch PG, droge M, Hofses S, Konig H, Lembocke B. Steatorrhea: you cannot trust your eyes when it comes to diagnosis. Lancet 1996;347:1620-1.
67. DiMagno EP, Layer P, Clain JE. Chronic pancreatitis. In:Go VLW, DiMagno EP, Gardner JD, Lobenthal L, Rever HA, Scheele GA, editors. The pancreas:biology, pathobiology and disease. New York:Plenium Press, 1993;676-7.
68. de la Iglesia-Garcia D, Huang W, Szatmary P, et al. Efficacy of pancreatic enzyme replacement therapy in chronic pancreatitis: systemic review and meta-analysis. Gut 2017;66:1474-86.
69. Regan PT, Malageralda JR, DiMagno EP, Go VLW. Reduced intraluminal bile acid concentrations and fat maldigestion in pancreatic insufficiency: correction by treatment. Gastroenterology 1979;77:285-9.
70. Dutta SK, Rubin J, Harvey J. Comparative evaluation of the therapeutic efficacy of a pH sensitive enteric coated pancreatic enzyme preparation with conventional pancreatic enzyme therapy in the treatment of exocrine pancreatic insufficiency. Gastroneterology 1983;84:476-82.
71. Malesci A, Mariani A, Mezzi G, Bocchia P, Basilico M. New enteric coated high-lipase pancreatic extract in the treatment of pancreatic steatorrhea. J Clin Gastroenterol 1994;18:32-5.
72. Zentler-Munro PL, Assoufi BA, Balasubramanian K, et al. Therapeutic potential and clinical efficacy of acid-resistant fugal lipase in the treatment of pancreatic steatorrhea due to cystic fibrosis. Pancreas 1992;7:311-9.
73. DiMagno EP. Exocrine pancreatic insufficiency: current and future treatment. In: Buchler MW, Friess H, Uhl W, Malfertheiner P, editors. Chronic pancreatitis. Novel concepts in biology and therapy. Oxford: Blackwell Publishing;2002:403-8.
74. Guarner L, Rodriguez R, Guarner F, Malageralda JR. Fate of oral enzymes in pancreatic insufficiency. Gut 1993;34:708-12.
75. Chung JP, Kee SJ, Park HJ, et al. Are minimicrosphere pancrelipase capsules effective enough for the treatment of pancreatic steatorrhea? Am J Gastroenterol 2001;96:1643-4.
76. Cleasby A, Garman E, Egmond MR, Batenburg M. Crystallization and preliminary x-ray study of a lipase from Pseudomonas glumae. J Mol Biol 1992;224:281-2.
77. Raimondo M, DiMagno EP. Lipolytic activity of bacterial lipase survives better than that of porcine lipase in human gastric and duodenal content. Gastroenterology 1994;107:231-5.
78. Nakamura T, Takeuchi T. Pancreatic steatorrhea, malabsorption, and nutrition biochemistry: a comparison of Japanese, European, and American patients with chronic pancreatitis. Pancreas 1997;14: 323-33.
79. Ministry of Health and Welfare. '95 national Nutrition Survey Report. Pp5-51, 1977.
80. Dominguez-Munoz JE, Iglesias-Garcia J, Iglesia-Rey M, Flgueiras A, Vilarino-Insura M. Effect of the administration scheduleon the therapeutic efficacy of oral pancreatic enzyme supplements in patients with exocrine insufficiency; a randomized, three-way crossover study. Aliment Pharmacol Ther 2005;21:993-1000.
81. Rasmussen HH, Irtun Q, Olssen SS, Drewes AM, Hoist M. Nutrition in chronic pancreatitis. World J Gstroenterol 2013;19:7267-75.
82. Castineira-Alvaino M, Lindkvist B, Luaces-Regueria M, et al. The role of high fat diet in the development of complications in chronic pancreatitis. Clin Nutr 2013;32:830-6.
83. Duggan SN, OSullivan M, Hamilton S, Feehan SM, Ridgway PF, Conlon KC. Patients with chronic pancreatitis are at increased risk for osteoporosis.

Pancreas 2012;41:1119-24.
84. Bang UC, Matzen P, Benfield T, Beck Jensen JE. Oral cholecalciferol versus ultraviolet radiation B: effect on vitamin D metabolites in patients with chronic pancreatitis and fat malabsorption - a randomized clinical trail. Pancreatology 2011;11:376-82.
85. Duggan SN, Amyth ND, OSullivan M, Feehan S, Ridgway PF, Conlon KC. The prevalence of malnutrition and fat-soluble vitamin deficiencies in chronic pancreatitis. Nutr Clin Pract 2014;29:348-54.
86. Dominguez-Munoz JE, Iglesias-Garcia J, Vilarino-Insua M, et al. 13C-Mixed triglyceride breath test to assess oral enzyme substitution therapy in patients with chronic pancreatitis. Clin Gastroneterol hepatol 2007; 5: 484–488.
87. Casellas F, Guarner L, Vaquero E, et al. Hydrogen breath test with glucose in exocrine pancreatic insufficiency. Pancreas 1998; 16: 481–486.
88. Diem P. Pathogenesis and treatment of diabetes secondary to chronic pancreatitis. In: Buchler MW, Friess H, Uhl W, Malfertheiner P, editors. Chronic pancreatitis. Novel concept in biology and therapy. Oxford: Blackwell Publishing;2002:355-8.
89. Sarles H, Cros RC, Bidart JM, International Group for the Study of Pancreatic Diseases. A multicenter inquiry on the etiology of pancreatic diseases. Digestion 1979;19:110-25.
90. Lankisch PG, Lohr-Hoppe A, otto J, Creutzfeldt W. Natural course in chronic pancreatitis. Digestion 1993;54:148-55.
91. Del Prato S, Tiengo A, Pancreatic diabetes. Diab Rev 1993;1:260-85.
92. DiMagno EP. Exocrine pancreatic insufficiency: Current and future treatment. Chronic pancreatitis: Novel concept in biology and therapy. Edited by Buchler MW, Friess H, Uhl W, Malfertheiner P. Blackwell publishing. 2002. pp403-8.
93. Malka D, Hammel P, Sauvanet A, et al. Risk factors for diabetes mellitus in chronic pancreatitis. Gastroenterology 2000;119:1324-32.
94. Ebert R, Creutzfeldt W. Reversal of impaires GIP and insulin secretion in patients with pancreatogenic steatorrhea following enzyme substitution. Diabetologia 1980;19:198-204.
95. Gomez-Cerezo J, Garces MC, Codoceo R, et al. Postprandial glucose-dependent insulinotrophic polypeptide and insulin responses in patients with chronic pancreatitis with and without secondary diabetes. Regul Pept 1996;67:210-5.
96. Donowitz M, Hendler R, Spiro HM, Binder HJ, Felig P. Glucagon secretion in acute and chronic pancreatitis. Ann Intern Med 1875;83:778-81.
97. Apte M, Keogh GW, Wilson JS. Chronic pancreatitis: complication and management. J Clin Gastroenterol 1999;29:225-40.
98. Rickels MR, Bellin M, Toledo FG, et al. Detection, evaluation and treatment of diabetes mellitus in chronic pancreatitis: recommendations from PancreasFest 2012. Pancreatology 2013;13:336-42.
99. Anderson DK, Korc M, Petersen GM, et al. Diabetes, pancreatogenic diabetes, and pancreatic cancer. Diabetes 2017;66:1103-10.
100. 김광준. 본 장 중 내분비 기능부전 감수.

CHAPTER 32

만성췌장염의 내시경 치료

Endoscopic treatment of chronic pancreatitis

이동기

서론

내시경치료의 대상이 되는 병변은 췌관 협착, 췌관결석, 췌관 파열, 가성낭종, 담도 협착, 십이지장 협착 등이다[1-3]. 내시경치료는 약물에 반응하지 않는 상기 병변의 효과적인 치료 수단으로서 수술적 치료에 앞서 선택되는 치료법이다. 최근 치료를 위한 기계와 기구의 발전과 임상 경험의 축적으로 내시경 치료 성적은 점점 좋아지고 치료 영역은 점차 확대되고 있다. 내시경 치료의 장점은 수술적 치료에 비하여 덜 침습적이고 시술 성공률이 높고 동시에 시술 합병증이 적다는 점이다. 하지만 수술에 비하여 증상의 반복 등으로 재시술이 필요한 경우가 많다. 내시경 치료가 실패했거나 효과가 없다면 그 때 수술을 진행하여도 되고 이전의 내시경 치료가 수술을 방해하지 않는다[4-7].

내시경 치료는 주로 ERCP가 사용되고 최근에는 ERCP로 치료 접근이 안 되는 경우에는 EUS를 사용하여 ERCP의 치료 한계를 극복하고 있다. 췌관결석의 치료에는 담석과 달리 직접 내시경적으로 분쇄하는 것이 어렵고, 담석 분쇄를 위하여 체외충격파쇄석술(extracorporeal shock wave lithotripsy, ESWL)를 사용하는 경우가 많다.

1. 췌관 협착

주췌관 확장의 정의는 다음 3가지 중 하나를 충족하면 된다[8,9]. 3가지 조건은 1) 주췌관 직경이 6 mm 이상, 2) 6 Fr nasopancreatic drainage catheter와 접하고 있는 췌관으로 조영제 조영이 안 될 때, 그리고 3) 경비적췌관배액관으로 24시간 동안 생리식염수 관류하는 동안 통증이 있을 때 등이다.

내시경치료의 가장 좋은 병변은 췌장두부의 단일 협착이다. 췌장 미부 혹은 다발성 주췌관 협착은 내시경 치료로 효과를 보기 어렵다[8]. 배액관 삽입 전 테플론부지, 풍선확장술 혹은 Sohendra retrieval device 등을 이용하여 협착을 확장한다[8,9]. 배액관은 한 개 혹은 담도에서의 적극적 내시경방법과 같이 점진적으로 배액관 수를 늘려 다수의 플라스틱 배액관을 삽입할 수 있다. 총 배액관 삽입 기간은 일 년 정도를 권한다. 단일 플라스틱 배액관 삽입 후 임상 성적은 배액관 제거 후 14~69개월 추적 기간 중 통증 해소는 70~95%로 보고하고 있다[8]. 하지만 약 2년 추적 관찰 중 통증의 재발이 38% 정도로 높게 보고된다[10]. Costamagna 등[11]은 평균 3개 배액관을 일 년간 삽입 후 제거하였고 이후 38개월 추적 관찰 결과 협착 해소는 95%의 환자에서 통증의 해소는

84%의 환자에서 경험하였다고 보고하였다. 필자도 최근 협착 해소를 위하여 다수의 플라스틱 배액관 삽입을 통하여 좋은 성적을 얻고 있다(그림 32-1).

췌장 배액관 삽입의 합병증은 배액관 폐쇄가 가능하고 10% 정도 환자에서 배액관 이탈이 문제가 된다[12]. 배액관이 이탈되면서 반대쪽 십이지장 벽을 천공 시키는 경우도 있다. 이러한 배액관 폐쇄와 이탈을 줄이기 위하여 새로운 "wing stent"와 "S" 모양의 배액관이 소개되어 임상에 이용되기도 한다[13,14]. 배액관에 의한 췌장의 섬유화는 대상 환자 모두 이미 췌장의 섬유화가 초래되었기 때문에 큰 문제는 되지 않는다. 최근 양성 담도 협착에서와 같이 췌관 협착의 치료로 제거가 가능한 피막형자가팽창형 금속 배액관(full-covered self-expandable metal sten, FCSEMS)이 사용되기도 한다. 췌관에 FCSEMS를 사용하는 것은 담도와 달리 고려하여야 할 사항이 많다. 담도와 달리 췌관 주변은 췌장실질이 있기 때문에 피막이 췌관의 흐름을 방해해서는 안된다. 당연히 시술 대상이 되는 환자는 췌장 위축이 많이 진행되고 플라스틱 배액관으로 치료가 되지 않는 난치성췌관 협착에 적용함이 옳다. 또한, 배액관의 일

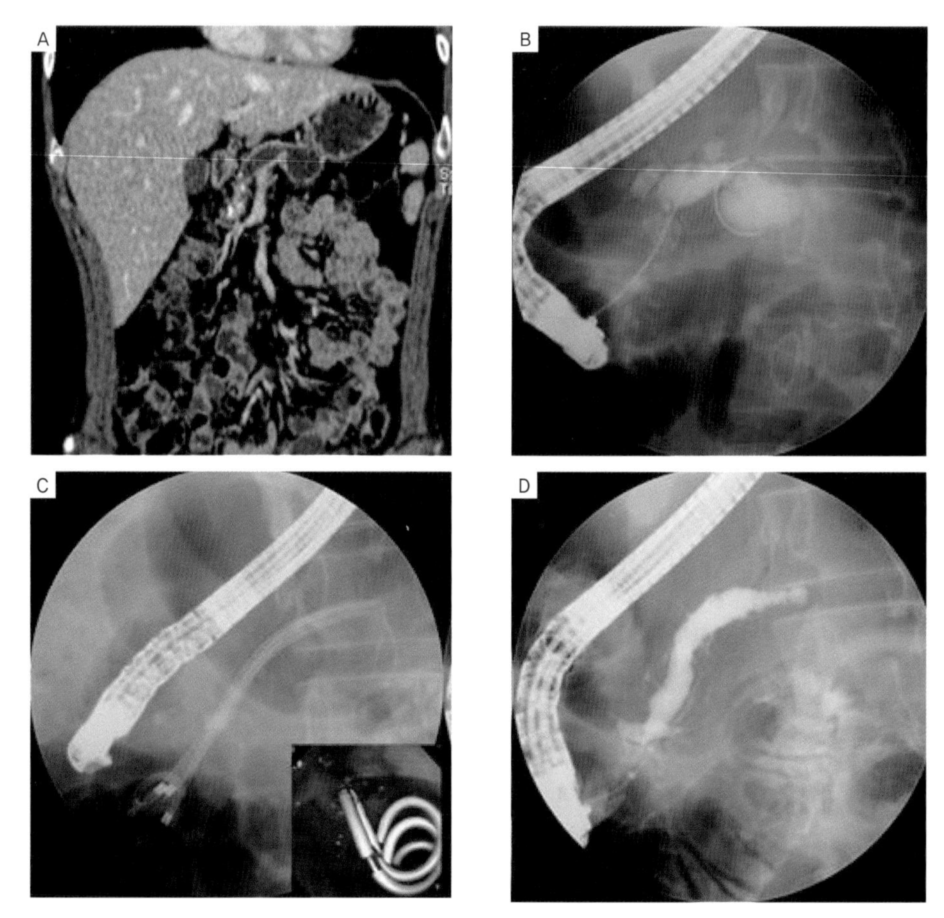

그림 32-1. **만성췌장염에 의한 췌관 협착에 대한 복수 플라스틱 스텐트를 이용한 치료.**
A. 복부 전산화 단층촬영상에서 췌장 두부에 췌장실질 석회화와 췌관 협착으로 인하여 췌관이 확장되어 있음.
B. 내시경역행담췌관조영술에서 췌관석과 췌관 협착에 따른 췌관 확장을 확인함.
C. 췌관내로 복수의 플라스틱 스텐트를 삽입함.
D. 스텐트 삽입하고 3개월 후 기존의 췌장 협착이 해소됨을 알 수 있음.

탈이 예상되기 때문에 이의 방지를 위한 "bumpy type stent" 같은 디자인의 스텐트가 유용하다[15,16](그림 32-2). 간혹 이 스텐트 유치 후 급격한 팽창력 때문에 극심한 통증을 호소하면 배액관을 다시 제거해 주어야 한다. 아직 배액관의 필요 유치 기간에 대한 합의도 없다. 대략 3개월 정도 유치 후 제거를 하는 것으로 보고되고 있다. 따라서 담도에서와는 달리 만성췌장염에서의 FCSEMS의 사용은 아직 적응증과 대상 선정에 좀 더 많은 임상 성적의 축적이 필요하다.

유럽소화기내기경학회의 가이드라인[17]은 10Fr 배액관 한 개를 3, 4개월 간격으로 1년간 유치하는 것을 권한다. SEMS에 관하여는 uncovered SEMS는 유치하면 안 되고 FCSEMS는 아직 임상 연구 단계로 규정하고 있다.

진행된 만성췌장염 치료에서 고려하여야 할 것들이 몇 가지 있다. 양성 담관 협착에서와 같이 치료 후 recoiling 효과로 췌관 협착 재발이 가능하다. 특히 음주를 계속한다면 이 가능성은 더 크다. 협착의 해소가 완전하지 않더라도 충분한 기간 배액관 유치를 하였고, 담도에서와는 달리 증상의 호전이 있다면, 완전한 협착

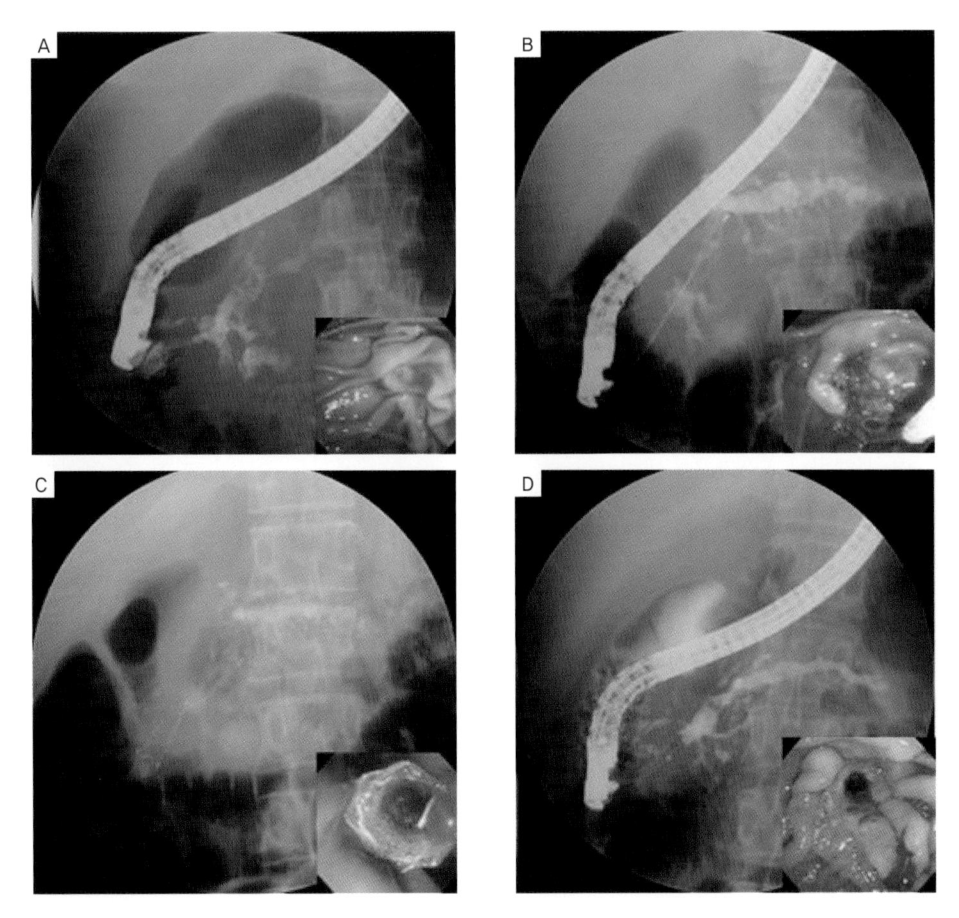

그림 32-2. **만성췌장염에 의한 췌관 협착에 대한 자가팽창형 피막형 금속 스텐트를 이용한 치료.**
A. 복부 전산화 단층촬영상에서 췌장 두부에 췌장실질 석회화와 췌관 협착으로 인하여 췌관이 확장되어 있음.
B. 내시경역행담췌관조영술에서 췌관석과 췌관 협착에 따른 췌관 확장을 확인함.
C. 제거가 가능한 피막형 자가팽창 금속배액관을 삽입함.
D. 스텐트 삽입하고 3개월 후 기존의 췌장 협착이 해소됨을 알 수 있음.

해소를 위하여 추가 배액관 삽입 없이 경과 관찰을 할 수 있다. 하지만 이 때 주의할 것은 배액관을 충분한 기간 혹은 반복하여 배액관 삽입을 하였음에도 협착이 그대로 있고 협착 후방 담관 확장의 호전이 없다면 췌장암이 동반되었는지에 대한 면밀한 검사와 추적 관찰이 필요하다.

2. 췌관결석

췌관결석은 만성췌장염의 50%에서 발견된다[7]. 인디아에 많은 열대성 췌장염에서의 췌관결석은 알코올성 췌장염에서보다 크고 더 단단하다[18,19]. 하지만 알콜성 췌장염에서의 췌관결석은 대부분 심한 주췌관 협착과 동반되어 있기 때문에 주췌관 협착이 별로 없는 열대성 췌장염에서보다 치료가 어렵다. 결석의 크기가 5 mm보다 작다면 바스켓으로 제거가 가능하지만 이보다 큰 것들은 대부분 주췌관에 감돈되어 있고 협착이 동반되어 있어 체외충격파쇄석술(extracorporeal shock wave lithotripsy, ESWL)로 결석 분쇄 후 제거를 해야 한다[2,17,18,20-25](그림 32-3). 대부분 결석 제거 전 내시경적 췌장괄약근 절개술(endoscopic pancreatic sphincterotomy)을 시행한다. ESWL은 radio-opaque하거나 radio-lucent한 모든 결석을 효과적으로 분쇄할 수 있다. 17편의 연구 491명의 환자를 대상으로 한 메타분석[26]에서 결석 제거율은 37~100%로 보고하고 있으며 치료 후 통증도 매우 잘된다. 또 다른 11편의 연구 분석[27]에서 1,100명 이상의 환자를 분석한 논문에서는 89%의 결석 분쇄율을 보고하고 있다. 결석 분쇄 성적은 결석을 targeting하는 능력이 좋을수록 시술 건수가 많아 경험이 많을수록 높게 보고되고 있다.

결석이 췌두부 혹은 체부에 있고 이로 인한 통증을 호소하는 환자가 ESWL에 가장 좋은 시술 대상이다. 만약 결석이 췌미부에 있거나, 다발성 췌관협착이 동반되어 있을 때, 췌관 전체에 걸쳐 다수의 결석이 들어차 있을 때 그리고 가성낭종이 동반되어 있을 때에는 ESWL 보다는 수술 등 다른 치료법을 선택하여야 한다.

우리나리에서 ESWL은 대부분 진통제 주사만으로 시술을 하고 있으나 환자의 통증을 감안하고 사정이 허락하면 경막하 마취를 하고 시술하는 것이 좋다[28]. 이상적인 ESWL 기계는 radio-opaque한 결석을 치료할 수 있는 fluoroscopy와 radiolucent한 결석을 치료할 수 있는 ultrasound targeting 기능을 모두 갖춘 장비이다. 만약 fluoroscopy만 이용이 가능하다면 radio-lucent 결석은 경비-췌관배액관을 삽입하여 targeting할 수 있다. 췌관결석은 3 mm 이하로 분쇄하면 ERCP로 제거가 가능하다. 평균 3 sessions의 충격파 시술(5,000~6,000 shocks/session)이 필요하다[1]. 일부 보고에서는 ESWL만으로 부서진 결석의 자연 배출이 가능하다고 한다[29]. 하지만 우리나라에서와 같이 췌관 협착이 동반된 경우에는 거의 대부분 결석 분쇄 후 ERCP로 분쇄된 결석을 제거해 주고 동시에 협착에 대한 치료가 같이 이루어져야 한다.

ESWL 후 통증 해소는 80% 이상에서 보고되고 있다[1,2]. 최근 120명의 환자를 대상으로 한 연구[30]에서 통증 완화는 85% 환자에서 보고되었고, 이 중 추가적인 진통제 복용 없이 완전히 통증이 해소된 환자는 50%이었고 85% 환자에서는 수술을 피할 수 있었다. 통증 완화에 대한 장기 보고는 거의 없는데 대략 2/3 환자에서 장기적으로 통증 완화 효과가 있는 것으로 추정된다. 한 연구[31]에서는 ESWL 후 5년 이상 통증이 없는 환자가 60% 정도로 보고하고 있다. 하지만 이 보고는 열대성 만성췌장염 환자가 주 대상이었기 때문에 협착과 결석 재발이 많은 알콜성 만성췌장염 환자에서의 장기 치료 성적은 이보다는 나쁠 것으로 예상한다.

ESWL 후 췌장의 내외분비 기능이 호전되었다는 보고도 있으나 대상 환자수가 적어 일반적으로 말하기는 어렵다[31]. ESWL의 합병증으로는 피부에 멍이 들 수도 있고 혈뇨 췌장염 등이 가능하다[18,32]. 특히 췌장실질의 위축이 심하지 않은 경우는 ESWL session 간 2~3일의

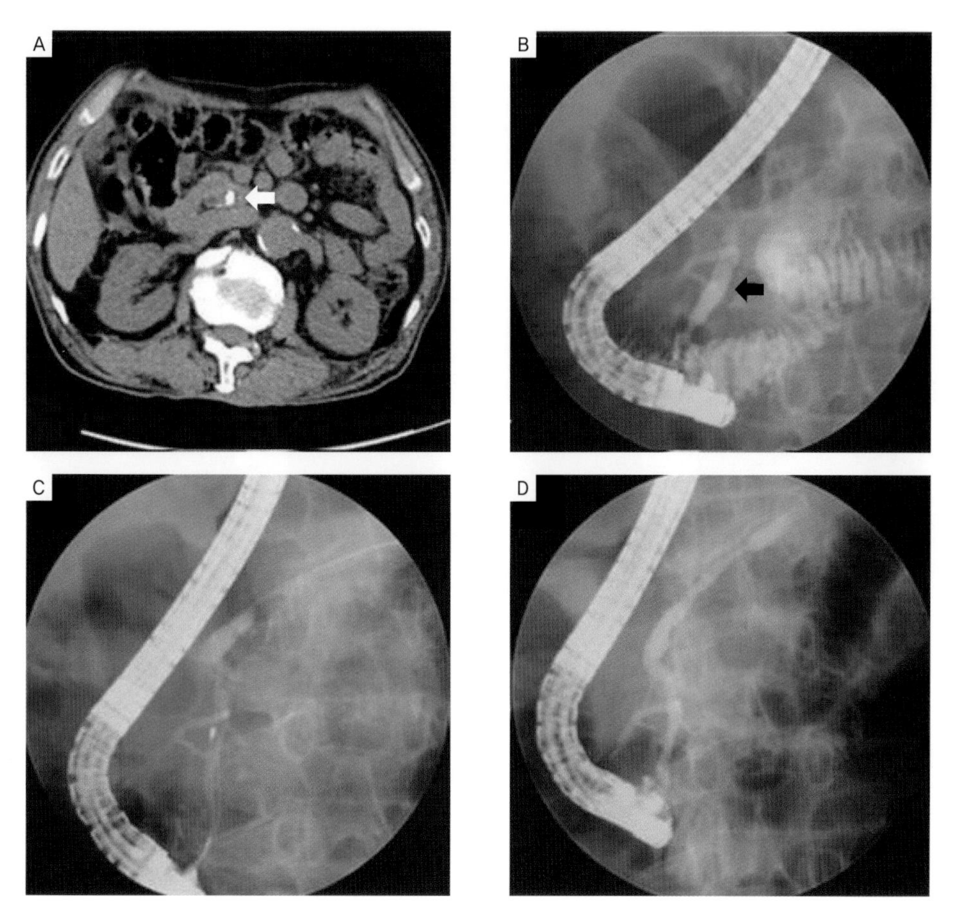

그림 32-3. **체외충격파쇄석술(Extracorporeal Shock-Wave Lithotripsy, ESWL)을 이용한 췌관석 제거.**
A. 복부 전산화 단층촬영상 췌장 두부에 췌장석이 관찰됨(흰색 화살표).
B. 내시경역행담췌관조영술상 췌관 협착에 비해 크기가 큰 췌관석이 관찰됨(검은 화살표).
C. 체외충격파쇄석술 시행 후 dormia basket을 이용하여 파쇄된 췌관석을 제거함.
D. 췌관석을 제거한 뒤 췌관내 췌관석이 없음을 확인함.

시간적 여유를 두고 시행하는 것이 안전하다.

최근에는 ESWL 이외에도 ultra-thin single operator cholangioscopy를 이용하여 직접 췌관에서 결석을 내시경으로 확인하고 레이저(그림 32-4)나 전기 수압으로 결석 분쇄도 가능하다. 내시경 삽입을 위하여 시술 전 EPT와 유두부 풍선 확장술이 시술에 도움이 된다[33,34]. 간혹, 결석을 바스켓으로 파지 후 담도에서와 같이 기계적 쇄석술을 사용할 수도 있으나, 췌장 바스켓은 담도용보다 철선이 가늘고 약한 반면 결석은 담도에서보다 더 단단한 경우가 있어 기계적 쇄석술이 실패할 확률이 높다. 이런 상황이 초래되면 결석을 파지한 상태로 바스켓 감돈이 초래되는데 담도와는 달리 췌관의 공간이 좁고 췌장 손상의 가능성이 많아 바스켓 제거가 어렵고 위험하다. 따라서 췌관 결석의 기계적 쇄석술은 시행하지 않는 것이 좋다[2].

3. 만성췌장염으로 초래된 양성담도 협착

만성췌장염에서 담도 협착의 발생은 3~46%로 보고된다[12]. 협착의 원인이 췌장실질의 염증이나 가성낭종

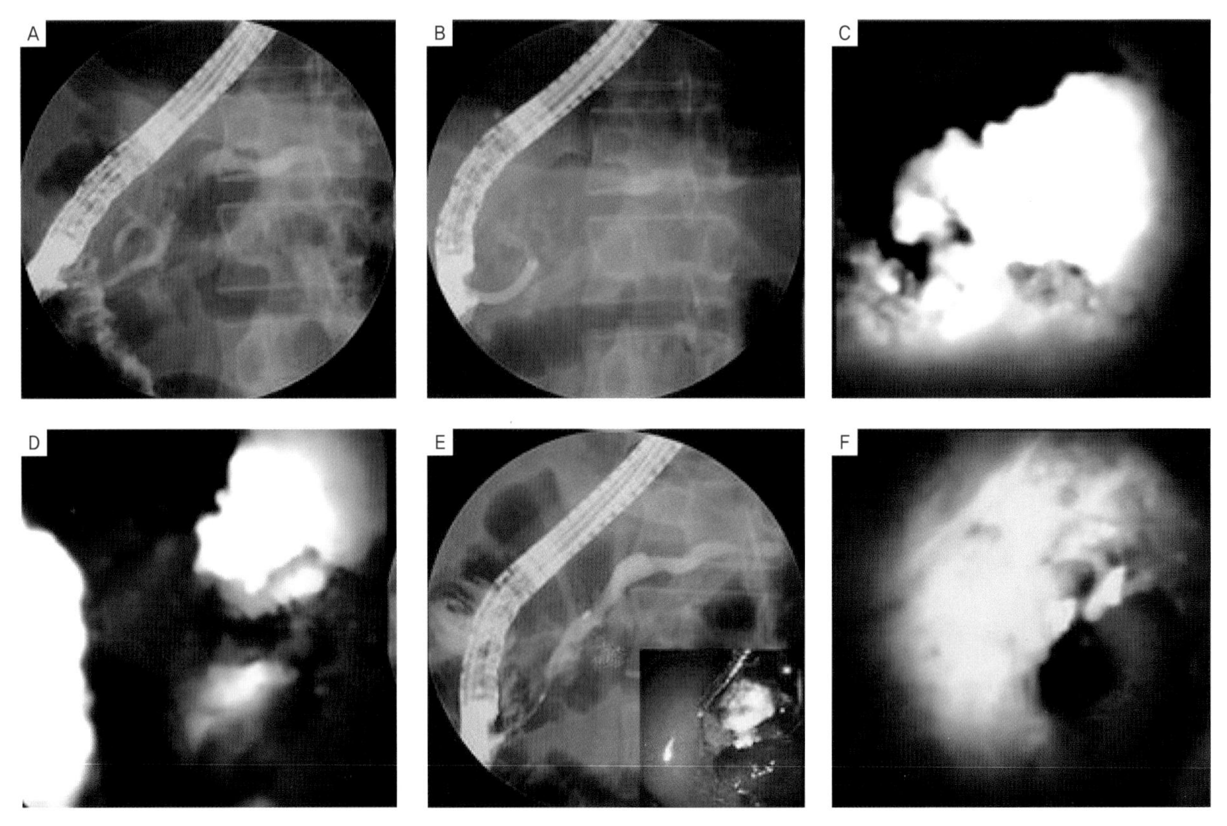

그림 32-4. **SpyGlass (Boston Scientific, Marlborough, MA, USA)를 이용한 췌관석의 치료.**
A. 내시경역행담췌관조영술상에서 췌장 두부에 복수의 췌관석이 관찰됨.
B. 췌관내로 SpyGlass를 삽입함.
C. SpyGlass상에서 췌관내 췌관석을 관찰됨.
D. Electro-hydrauric lithotripsy을 이용하여 췌관석을 파쇄함.
E. Dormia basket을 이용하여 췌관석을 제거함.
F. SpyGlass상에서 췌관내 남은 췌관석이 없음을 확인함.

때문이라면 가역적이지만, 췌장실질의 섬유화 때문이라면 불가역적이다. 유럽내시경학회 가이드라인[17]은 협착에 의한 증상이 있거나, secondary biliary cirrhosis, 담도 결석, 한 달 이상 혈청 alkaline phosphatase가 정상의 2~3배 이상 혹은 빌리루빈 수치 상승이 있을 때 치료의 대상으로 삼고 있다. 한 개의 플라스틱스텐트 삽입으로는 치료 효과가 매우 떨어져 약 4년 추적 관찰 동안 효과가 지속적으로 효과가 있는 경우가 25% 정도 이다[33]. 다른 양성 담도 협착에서와 같이 다수의 플라스틱 스텐트 삽입의 한 개 삽입에서보다 우수한 성적을 보고하고 있다. 한 non-randomized study[34]에서는 다수의 스텐트에서 92%의 치료 성공률을 보인 반면 단일 플라스틱 배액관군은 24%의 낮은 치료 성공률을 보였다.

SEMS도 사용될 수 있다(그림 32-5). 제거가 안되는 uncovered SEMS는 사용하면 안 되고 제거가 가능한 FCSEMS를 사용하여 좋은 결과를 보고한 임상 결과들이 속속 나오고 있다. 22~28개월 추적 기간 동안 50~80%의 치료 성공률을 보고하고 있다[35,36]. 필자도 최근에는 이들 환자의 치료로 플라스틱 배액관보다는 FCSEMS의 사용을 선호한다.

양성담도 협착 환자에서 내시경 치료의 개념은 섬

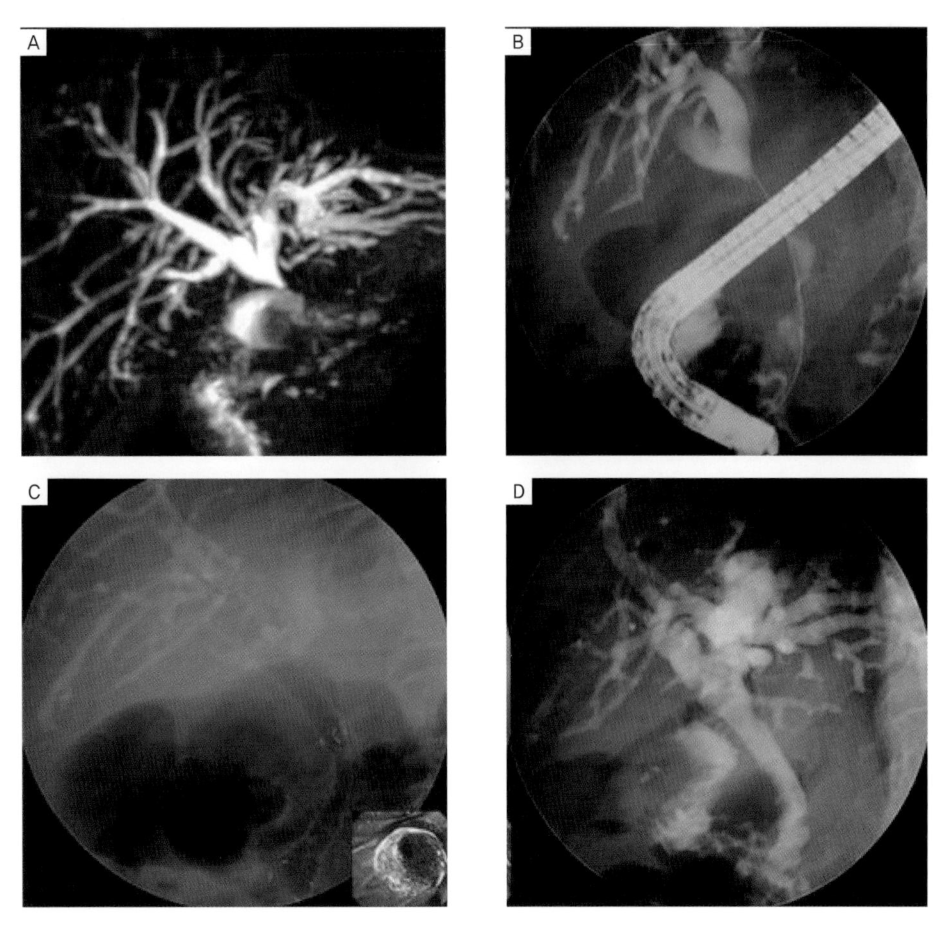

그림 32-5. **만성췌장염으로 초래된 양성 담도 협착에서 막형 자가 팽창형 금속 스텐트를 이용한 치료.**
A. MRCP에서 만성췌장염에 의해 발생한 양성 담도 협착 소견.
B. 내시경역행담췌관조영술상에서 담도 협착을 확인할 수 있다.
C. 협착부위에 막형 자가 팽창형 금속 스텐트를 삽입하였다.
D. 3개월 후 막형 자가 팽창형 금속 스텐트를 제거한 후 이전에 보이던 양성 담도 협착이 해소된 것을 알 수 있다.

유화는 이미 불가역적 조직 변화가 초래된 조직의 mechanical dilation을 통한 tissue의 remodeling이다. 따라서 다수의 플라스틱 배액관을 삽입하든지, 또는 FCSEMS를 삽입하든지 충분히 넓은 구경의 배액관이 충분한 기간 유치되어 있을 수록 장기 치료 성적이 좋을 것이다. 또한 이 경우는 다른 양성 담도 협착과는 달리 환자가 다시 음주를 하면 주변 췌장의 염증이 재발하여, 아무리 성공적으로 담관 협착을 치료해 놓아도 협착의 재발 가능성이 매우 높다.

4. 췌관 누출

췌관 누출은 췌관 협착 혹은 결석으로 높아진 췌관의 압력으로 주췌관 혹은 분지 췌관이 터져서 발생할 수 있다. 췌장 외상에서와 같이 ERCP로 췌관에서 조영제가 췌장실질 혹은 췌장 바깥으로 새어 나가는 것으로 확진이 가능하다[37]. 췌관 파열의 정도에 따라 췌장의 액체저류, 가성낭종, 복수, 늑막액 혹은 췌장 누공 형성 등의 형태로 나타날 수 있다[8,9]. 경유두적 배액관 삽입이 가장 효과적인 치료법이다[37]. 배액관이 췌관 파열 부위를 지나 위치하면 92% 환자에서 치료가 가능하고, 배액관이 파열 부위를 지나서 위치하지 못한 경우에는 50%에서 치유가 가능하다. 이러한 경유두적 배액관 삽입 치료 개념은 췌장 외상 환자에서의 치료와 동일하다.

5. 가성낭종

가성낭종은 만성췌장염 환자의 20~40%에서 발생하며 췌관 협착이나 결석에 의한 주췌관 혹은 췌관분지의 파열이 그 원인이다[38]. 낭종이 주변 장기를 압박하거나 감염 등이 초래되어 증상이 있는 경우와 가성낭종에 의한 합병증을 예방하거나 치료할 상황이 있다면 치료의 대상이 된다. 예방적 치료가 필요한 경우는 췌장-늑막 누공, 5 mm 이상의 낭종이 6주 이상 지속, 주혈관의 압박 혹은 큰 결석이 있는 경우 등이다[39]. 만성췌장염에 동반된 가성낭종은 급성과 달리 저절로 소실되는 경우가 드물다[40].

낭종의 내시경 치료는 경벽적배액술과 경유두적배액술이 있다. 경벽적 치료는 가성낭종이 장관을 압박하여 장관에 튀어나오는 덩어리가 있을 때 시술 대상이 된다. 경벽적 치료는 낭종의 위치에 따라 경위적 혹은 경십이지장적배액술의 가능하다. 전자가 더 시술 성적이 좋은데 이는 십이지장 벽이 위장보다 얇아 배액관 제거 후 낭종-십이지장루가 낭종-위장루보다 오래 효과적으로 유지되기 때문이다[41]. 경벽적배액술은 한 두 개의 double pigtail 플라스틱 배액관을 삽입한다. 직선형 배액관은 출혈과 배액관 일탈의 위험이 크다[42]. 배액관은 가성낭종 재발 방지를 위하여 2달 정도 유치해둔다[43]. 빈도는 흔하지 않으나 낭종에 가성동맥류가 있는 경우는 치료에 신중하여야 한다[44]. 낭종을 천자하면 낭종 내 높은 압력으로 대량 출혈이 초래될 수 있다. 낭종 치료 전 가성동맥류 색전술을 시행하는 것이 필요하다. 경유두적 시술은 낭종이 주췌관 혹은 분지 췌관과 교통이 있고 낭종 크기가 6 cm 이하일 때가 시술 대상이다[1]. 배액관이 낭종-주췌관 연결 부위를 지나 위치하면 bridging 효과로 낭종이 치유된다(그림 32-6). 주췌관 협착으로 배액관을 bridging 시킬 수 없을 때에는 직접 내액관근위부 선단을 낭종 내에 위치시켜 낭종을 치료하기도 한다.

이 시술의 합병증으로는 출혈, 감염 및 누출이 4% 환자에서 있고 이로 인한 사망률은 0.5%로 보고되고 있다[45]. 감염은 경유두적배액술에서 누출은 경벽적 치료에서 잘 발생한다. 낭종에 의한 위장관 벽의 튀어 나옴이 확실할 때에는 시술을 내시경초음파 도움 없이 ERCP용 내시경만을 사용하여 시술할 수 있다. 하지만 위장관 돌출이 저명하지 않은 경우에는 내시경초음파를 사용하여 시술 한다. 내시경초음파를 이용하여 시술 할 때 또 하나의 장점은 천자 전 천자 루트에 혈관의 존재를 확인함으로써 출혈을 피할 수 있다. 내시경적 치료 성공률은 80~95%로 높게 보고되고 있고 시술 후 재발률은 10~20% 정도이다[9,17]. 이러한 치료 성적은 수술적 치료에 비하여 뒤지지 않거나 우수하여 만성췌장염에 동반된 가성낭종의 치료로 내시경 치료가 수술보다 첫 치료 방법으로 선택된다.

6. 내시경초음파 치료의 이용

만성췌장염의 치료로 내시경초음파가 이용되는 경우는 전술한 바와 같이 가성낭종이 위장관벽으로 돌출되지 않은 경우 유용하게 사용된다. 낭종과 위 혹은 십이지장 벽 사이의 거리가 4 cm 이내인 경우 내시경초음파로 시술이 가능하다. 이러한 경우에 해당하는 가성낭종은 44~53% 정도에 해당된다[46]. 돌출이 있는 경우에는 ERCP 내시경을 이용할 수도 있고 EUS를 이용할 수도 있다. 두 시술의 치료 성적에는 큰 차이가 없는 것으로 보고되고 있다[47]. EUS의 장점은 바늘 천자 부위의 혈관을 피할 수 있고 낭종에 정확히 바늘을 삽입하여 바늘이 낭종 내로 삽입되었는지를 초음파로 확인 가능한

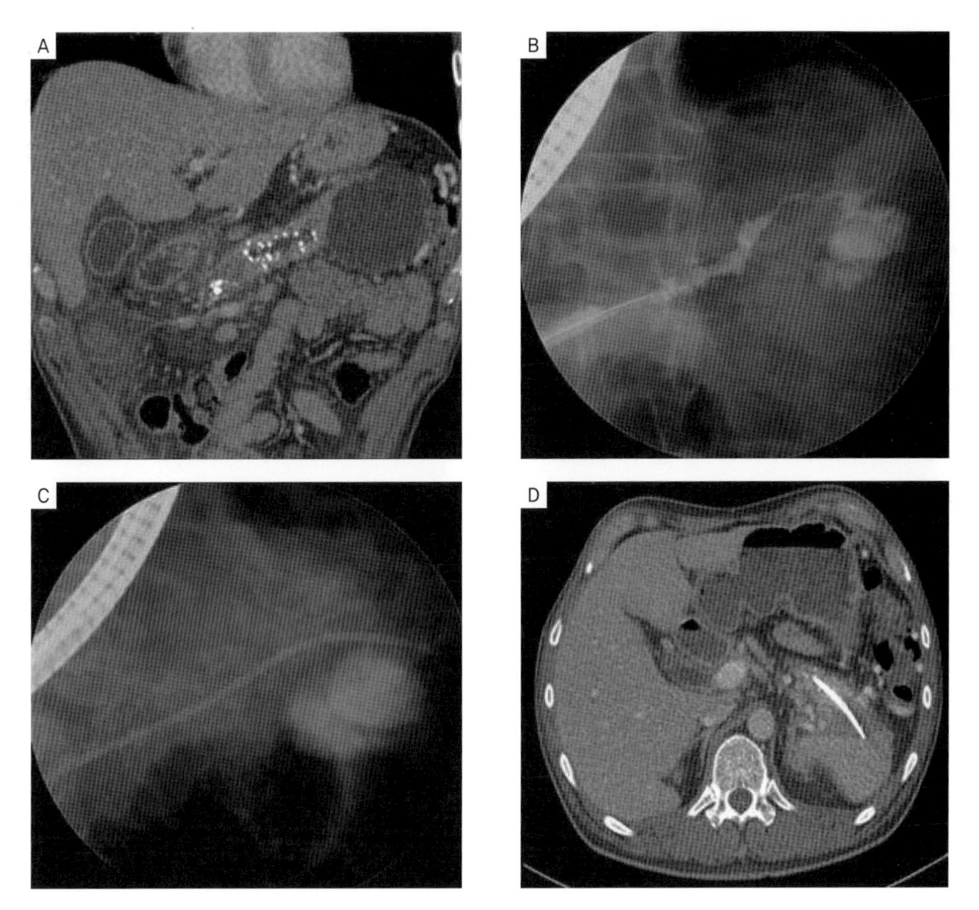

그림 32-6. **내시경적 역행성 췌담도조영술을 이용한 췌장 가성낭종의 치료.**
A. 복부 전산화단층촬영상 췌장 미부에 가성낭종이 관찰됨.
B. 내시경적 역행성 췌담도조영술상 췌관과 가성낭종이 연결되어 있음.
C. 가성낭종의 배액을 위해 췌관내로 플라스틱 스텐트를 삽입함.
D. 스텐트 삽입 후 1개월 후 시행한 복부 전산화 단층촬영상 가성낭종의 크기가 감소함.

것이다. ERCP의 장점은 내시경 거상기를 이용하여 천자 바늘이나 기타 천자부위 확장 등의 시술이 EUS에서보다 원할 한 것이다. 최근 가성낭종의 치료로 EUS를 이용한 방법과 수술로 cystogastrostomy를 비교한 연구[48]에서 내시경초음파 시술군에서 입원 기간, 비용 및 육체적 정신적 만족도가 좋은 것으로 보고되었고, 내시경 치료군에서 가성낭종의 재발은 전혀 없었다.

ERCP로 췌관삽관이 불가능한 경우 십이지장 혹은 위에서 췌장실질을 관통하여 천자 바늘을 췌관에 삽입하여 유도 철선을 유두부로 진입시켜 원하는 시술을 할 수 있다. 경피적으로 췌관의 중재적 방법은 매우 어렵기 때문에 역행성내시경적 방법으로 췌관삽관이 안 될 때 초음파내시경적 접근이 매우 유용하다. 특히 십이지장-췌장절제술 후 췌장-공장 문합부 협착이나 폐쇄가 초래된 경우 초음파내시경 중재술이 매우 유용하다. 그러나 췌장의 내시경초음파 중재술은 기본적으로 위장관과 췌장실질을 천자하여 췌관에 천자 바늘이 도달하여야 하는 것이기 때문에 위험하다. 특히 진행된 만성췌장염 환자에서는 췌장실질이 단단하여 천자바늘의 삽입이 쉽지 않을 수도 있다. 이 시술의 성공률은 77~92%로 보고되고 있고[49,50], 합병증으로는 통증, 출혈, 천광 등이 있고, 유병률은 0~44%이다[49-51]. 이 시술은 숙련된 EUS 내시경 의사에 의하여 행해져야 하며 수술을 포함한 합병증 발생에 대처할 수 있는 기관에서 행해져야 한다.

내과적 치료에 불응하거나 수술의 어려움이 있는 만성췌장염에 의한 통증을 EUS를 이용한 celiac block으로 치료 할 수 있다. celiac plexus 주변에 corticosteroid (triamcinolone)과 bupivacaine을 주입하여 화학적 신경차단술을 시행한다. 메타분석에 의하면 50~55% 환자에서 통증 완화 효과가 기대된다[52,53]. 하지만 통증 완화 기간이 비교적 짧고 45세 이하의 환자와 이전 췌장 수술을 받은 환자에서는 효과가 떨어진다. 마취과에서 시행하는 방사선 유도 시술에 비하여 치료 성적이 좋지 않다. 이 시술의 합병증으로는 설사와 교감신경 차단으로 초래되는 고혈압 등이 있다[53]. 또한 주사제가 주변 장기에 잘못 주입되면 해당 장기의 손상이 가능하다.

결론

만성췌장염에서 내시경 치료는 효과적이고 비교적 안전하다. 하지만 협착이나 결석의 치료는 여러 차례의 ERCP가 필요한 경우가 많다. 또한, 수술적 치료에 비하여 재발 가능성이 높다. 하지만 내시경 치료는 수술에 비하여 덜 침습적이기 때문에 전 세계적으로 만성췌장염의 일차 치료로 선호되고 널리 받아들여지고 있다. 또한, 내시경치료로 궁극적인 치료 목적을 달성하여 수술을 피할 수 있는 경우도 매우 많기 때문에, 치료 대상이 되는 환자에서는 적극적인 내시경 치료가 필요하다.

References

1. Tandan M, Nageshwar Reddy D. Endotherapy in chronic pancreatitis. World J Gastroenterol 2013;19: 6156-64.
2. Kim YH, Jang SI, Rhee K, Lee DK. Endoscopic treatment of pancreatic calculi. Clin Endosc 2014;47: 227-35.
3. Seicean A, Vultur S. Endoscopic therapy in chronic pancreatitis: current perspectives. Clin Exp Gastroenterol 2015;8:1-11.
4. Floyd JB, Jr. Long-term results of pancreaticojejunostomy in patients with chronic pancreatitis. Am J Surg 1988;155:186.
5. Cremer M, Deviere J, Delhaye M, Baize M, Vandermeeren A. Stenting in severe chronic pancreatitis: results of medium-term follow-up in seventy-six patients. Endoscopy 1991;23:171-6.
6. Farnbacher MJ, Schoen C, Rabenstein T, Benninger J, Hahn EG, Schneider HT. Pancreatic duct stones in chronic pancreatitis: criteria for treatment intensity and success. Gastrointest Endosc 2002;56:501-6.
7. Rosch T, Daniel S, Scholz M, et al. Endoscopic treatment of chronic pancreatitis: a multicenter study of 1000 patients with long-term follow-up. Endoscopy 2002;34:765-71.
8. Tringali A, Boskoski I, Costamagna G. The role of endoscopy in the therapy of chronic pancreatitis. Best Pract Res Clin Gastroenterol 2008;22:145-65.
9. Delhaye M, Matos C, Deviere J. Endoscopic technique for the management of pancreatitis and its complications. Best Pract Res Clin Gastroenterol 2004;18:155-81.
10. Eleftherladis N, Dinu F, Delhaye M, et al. Long-term

outcome after pancreatic stenting in severe chronic pancreatitis. Endoscopy 2005;37:223-30.
11. Costamagna G, Bulajic M, Tringali A, et al. Multiple stenting of refractory pancreatic duct strictures in severe chronic pancreatitis: long-term results. Endoscopy 2006;38:254-9.
12. Adler DG, Lichtenstein D, Baron TH, et al. The role of endoscopy in patients with chronic pancreatitis. Gastrointest Endosc 2006;63:933-7.
13. Raju GS, Gomez G, Xiao SY, et al. Effect of a novel pancreatic stent design on short-term pancreatic injury in a canine model. Endoscopy 2006;38:260-5.
14. Ishihara T, Yamaguchi T, Seza K, Tadenuma H, Saisho H. Efficacy of s-type stents for the treatment of the main pancreatic duct stricture in patients with chronic pancreatitis. Scand J Gastroenterol 2006; 41:744-50.
15. Park DH, Kim MH, Moon SH, Lee SS, Seo DW, Lee SK. Feasibility and safety of placement of a newly designed, fully covered self-expandable metal stent for refractory benign pancreatic ductal strictures: a pilot study (with video). Gastrointest Endosc 2008; 68:1182-9.
16. Moon SH, Kim MH, Park DH, et al. Modified fully covered self-expandable metal stents with antimigration features for benign pancreatic-duct strictures in advanced chronic pancreatitis, with a focus on the safety profile and reducing migration. Gastrointest Endosc 2010;72:86-91.
17. Dumonceau JM, Delhaye M, Tringali A, et al. Endoscopic treatment of chronic pancreatitis: European Society of Gastrointestinal Endoscopy (ESGE) Clinical Guideline. Endoscopy 2012;44:784-800.
18. Ong WC, Tandan M, Reddy V, Rao GV, Reddy N. Multiple main pancreatic duct stones in tropical pancreatitis: safe clearance with extracorporeal shockwave lithotripsy. J Gastroenterol Hepatol 2006; 21:1514-8.
19. Chari S, Jayanthi V, Mohan V, Malathi S, Madanagopalan N, Viswanathan M. Radiological appearance of pancreatic calculi in tropical versus alcoholic chronic pancreatitis. J Gastroenterol Hepatol 1992;7:42-4.
20. Delhaye M, Vandermeeren A, Baize M, Cremer M. Extracorporeal shock-wave lithotripsy of pancreatic calculi. Gastroenterology 1992;102:610-20.
21. Sauerbruch T, Holl J, Sackmann M, Paumgartner G. Extracorporeal lithotripsy of pancreatic stones in patients with chronic pancreatitis and pain: a prospective follow up study. Gut 1992;33:969-72.
22. Dumonceau JM, Deviere J, Le Moine O, et al. Endoscopic pancreatic drainage in chronic pancreatitis associated with ductal stones: long-term results. Gastrointest Endosc 1996;43:547-55.
23. Costamagna G, Gabbrielli A, Mutignani M, et al. Extracorporeal shock wave lithotripsy of pancreatic stones in chronic pancreatitis: immediate and medium-term results. Gastrointest Endosc 1997;46: 231-6.
24. Neuhaus H. Fragmentation of pancreatic stones by extracorporeal shock wave lithotripsy. Endoscopy 1991;23:161-5.
25. Kozarek RA, Brandabur JJ, Ball TJ, et al. Clinical outcomes in patients who undergo extracorporeal shock wave lithotripsy for chronic calcific pancreatitis. Gastrointest Endosc 2002;56:496-500.
26. Guda NM, Partington S, Freeman ML. Extracorporeal shock wave lithotripsy in the management of chronic calcific pancreatitis: a meta-analysis. JOP 2005;6:6-12.
27. Nguyen-Tang T, Dumonceau JM. Endoscopic treatment in chronic pancreatitis, timing, duration and type of intervention. Best Pract Res Clin Gastroenterol 2010;24:281-98.
28. Darisetty S, Tandan M, Reddy DN, et al. Epidural anesthesia is effective for extracorporeal shock wave lithotripsy of pancreatic and biliary calculi. World J

Gastrointest Surg 2010;2:165-8.
29. Ohara H, Hoshino M, Hayakawa T, et al. Single application extracorporeal shock wave lithotripsy is the first choice for patients with pancreatic duct stones. Am J Gastroenterol 1996;91:1388-94.
30. Seven G, Schreiner MA, Ross AS, et al. Long-term outcomes associated with pancreatic extracorporeal shock wave lithotripsy for chronic calcific pancreatitis. Gastrointest Endosc 2012;75:997-1004 e1.
31. Tandan M, Reddy DN, Talukdar R, et al. Long-term clinical outcomes of extracorporeal shockwave lithotripsy in painful chronic calcific pancreatitis. Gastrointest Endosc 2013;78:726-33.
32. Tandan M, Reddy DN. Extracorporeal shock wave lithotripsy for pancreatic and large common bile duct stones. World J Gastroenterol 2011;17:4365-71.
33. Barthet M, Bernard JP, Duval JL, Affriat C, Sahel J. Biliary stenting in benign biliary stenosis complicating chronic calcifying pancreatitis. Endoscopy 1994;26:569-72.
34. Catalano MF, Linder JD, George S, Alcocer E, Geenen JE. Treatment of symptomatic distal common bile duct stenosis secondary to chronic pancreatitis: comparison of single vs. multiple simultaneous stents. Gastrointest Endosc 2004;60:945-52.
35. Cahen DL, Rauws EA, Gouma DJ, Fockens P, Bruno MJ. Removable fully covered self-expandable metal stents in the treatment of common bile duct strictures due to chronic pancreatitis: a case series. Endoscopy 2008;40:697-700.
36. Behm B, Brock A, Clarke BW, et al. Partially covered self-expandable metallic stents for benign biliary strictures due to chronic pancreatitis. Endoscopy 2009;41:547-51.
37. Telford JJ, Farrell JJ, Saltzman JR, et al. Pancreatic stent placement for duct disruption. Gastrointest Endosc 2002;56:18-24.
38. Andren-Sandberg A, Dervenis C. Pancreatic pseudocysts in the 21st century. Part I: classification, pathophysiology, anatomic considerations and treatment. JOP 2004;5:8-24.
39. Lerch MM, Stier A, Wahnschaffe U, Mayerle J. Pancreatic pseudocysts: observation, endoscopic drainage, or resection? Dtsch Arztebl Int 2009;106:614-21.
40. Andren-Sandberg A, Dervenis C. Pancreatic pseudocysts in the 21st century. Part II: natural history. JOP 2004;5:64-70.
41. Beckingham IJ, Krige JE, Bornman PC, Terblanche J. Endoscopic management of pancreatic pseudocysts. Br J Surg 1997;84:1638-45.
42. Cahen D, Rauws E, Fockens P, Weverling G, Huibregtse K, Bruno M. Endoscopic drainage of pancreatic pseudocysts: long-term outcome and procedural factors associated with safe and successful treatment. Endoscopy 2005;37:977-83.
43. Howell DA, Dy RM, Hanson BL, Nezhad SF, Broaddus SB. Endoscopic treatment of pancreatic duct stones using a 10F pancreatoscope and electrohydraulic lithotripsy. Gastrointest Endosc 1999;50:829-33.
44. Balachandra S, Siriwardena AK. Systematic appraisal of the management of the major vascular complications of pancreatitis. Am J Surg 2005;190: 489-95.
45. Hookey LC, Debroux S, Delhaye M, Arvanitakis M, Le Moine O, Deviere J. Endoscopic drainage of pancreatic-fluid collections in 116 patients: a comparison of etiologies, drainage techniques, and outcomes. Gastrointest Endosc 2006;63:635-43.
46. Sanchez Cortes E, Maalak A, Le Moine O, et al. Endoscopic cystenterostomy of nonbulging pancreatic fluid collections. Gastrointest Endosc 2002;56:380-6.
47. Kahaleh M, Shami VM, Conaway MR, et al. Endoscopic ultrasound drainage of pancreatic pseudocyst: a prospective comparison with conventional endoscopic drainage. Endoscopy 2006;

38:355-9.

48. Varadarajulu S, Bang JY, Sutton BS, Trevino JM, Christein JD, Wilcox CM. Equal efficacy of endoscopic and surgical cystogastrostomy for pancreatic pseudocyst drainage in a randomized trial. Gastroenterology 2013;145:583-90 e1.
49. Kahaleh M, Hernandez AJ, Tokar J, Adams RB, Shami VM, Yeaton P. EUS-guided pancreatico-gastrostomy: analysis of its efficacy to drain inaccessible pancreatic ducts. Gastrointest Endosc 2007;65:224-30.
50. Tessier G, Bories E, Arvanitakis M, et al. EUS-guided pancreatogastrostomy and pancreatobulbostomy for the treatment of pain in patients with pancreatic ductal dilatation inaccessible for transpapillary endoscopic therapy. Gastrointest Endosc 2007;65:233-41.
51. Brauer BC, Chen YK, Fukami N, Shah RJ. Single-operator EUS-guided cholangiopancreatography for difficult pancreaticobiliary access (with video). Gastrointest Endosc 2009;70:471-9.
52. Puli SR, Reddy JB, Bechtold ML, Antillon MR, Brugge WR. EUS-guided celiac plexus neurolysis for pain due to chronic pancreatitis or pancreatic cancer pain: a meta-analysis and systematic review. Dig Dis Sci 2009;54:2330-7.
53. Kaufman M, Singh G, Das S, et al. Efficacy of endoscopic ultrasound-guided celiac plexus block and celiac plexus neurolysis for managing abdominal pain associated with chronic pancreatitis and pancreatic cancer. J Clin Gastroenterol 2010;44:127-34.

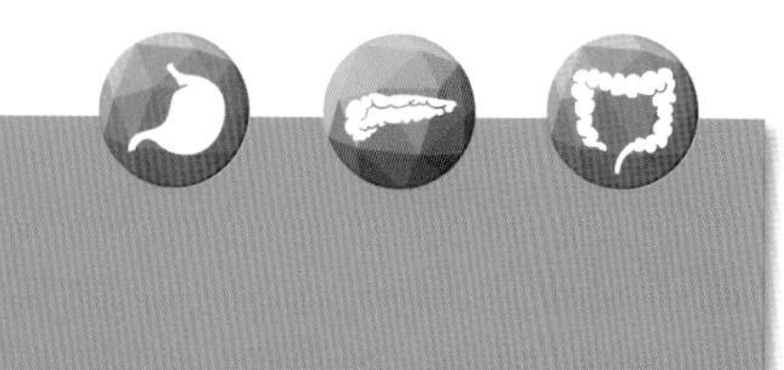

CHAPTER 33

만성췌장염의 외과적 치료

Surgical treatment of chronic pancreatitis

황호경

서론

만성췌장염은 췌장의 해부학적 구조의 변형을 일으키며 췌장의 내분비 및 외분비 기능 소실이 점진적으로 진행되는 질환이다. 췌장뿐만 아니라 주변 조직의 변형으로 인해 여러 합병증을 유발하기도 한다. 만성췌장염 환자에서 내과적 약물치료나 내시경시술등의 치료에도 불구하고 통증이 조절되지 않거나, 만성췌장염 관련 합병증이 생긴 경우는 수술을 고려해야 한다. 난치성 통증으로 인하여 약 40~75%의 환자에서 결국에는 수술을 요하게 되고[1], 수술 후 34~95%의 환자에서 통증을 완화할 수 있었다고 보고한다[1]. 지금까지의 여러 무작위대조군연구[2,3]에서는 수술이 보존적 치료나 내시경치료 등에 비하여 통증 조절에 더 효과적이었다고 발표하고 있지만, 여전히 만성췌장염의 치료는 보존적 치료에서부터 시작하여, 내시경치료, 그리고 마지막으로 수술을 선택하는 단계적 접근이 이루어지고 있다. 전통적으로 수술의 적응증이 되는 경우는 다음과 같다. 1) 다른 내과적 치료에도 불구하고 통증 조절이 되지 않는 경우, 2) 총담관이나 십이지장의 폐쇄나 가성낭종에 의한 합병증 유발 시, 그리고 3) 악성종양이 의심이 되는 경우이다. 수술을 통해 난치성 통증을 해결하고, 환자들의 삶의 질을 높이며, 가능하면 췌장의 내분비 및 외분비 기능을 보존하고, 췌장 및 주변 조직이 더 이상 손상을 입지 않도록 하는 데에 그 목적이 있겠다[4,5]. 본 장에서는 만성췌장염의 수술 적응증이 되는 경우를 살펴 보고, 적절한 수술 시기에 대해 고찰하며, 수술 전후에 고려해야 사항 및 어떤 술식이 적용 가능한지에 대해 기술하고자 한다.

1. 수술의 적응증

1) 난치성 복통

통증에 대한 조절은 만성췌장염 환자의 치료시 가장 어려운 부분이며 수술의 가장 흔한 적응증이 된다. 만성췌장염 환자 중 85% 이상이 복통을 호소하며[6] 그 중 약 40~75%가 내과 치료에 반응하지 않는 통증으로 인하여 결국 수술을 받게 된다. 조절되지 않는 통증으로 인한 잦은 입원은 사회활동을 어렵게 하고 삶의 질을 떨어뜨리며, opioid 진통제에 대한 중독 등 여러 가지 문제를 일으키게 된다. 질환이 생기고 10년이 지난 시점에서도 절반 이상의 환자가 통증으로 고통받기도 한다[7]. 통증에 대한 병태생리학적 원인은 아직까지 명확히 밝혀지진 않았지만 섬유화로 인한 주췌관의 협착과 췌석(pancreatic stone)에 의해 췌장내 압력 상승에 의한 물리적 기전이 첫 번째 원인으로 꼽힌다. 이러한 경우 배액술 및 췌장부분절제술로 75~95%에서 통증을 경감시킬 수 있으나, 췌장전절제술을 시행하고도 통증이 지속되는 환자들을 볼 때, 췌장내 nocireceptor의 활성화나 췌장내 만성적인 염증에 의한 신경외막의 손상으로 조직 매개체가 신경 섬유에 자극을 주어 통증을 유발할 수 도 있고, viscerosensory cortex의 변화와 같은 중추신경계의 이상에 의한 통증 유발 가능성도 있다.[8,9]

2) 만성췌장염의 합병증

만성췌장염이 진행되면서 췌장실질뿐만 나니라 주변으로 섬유화가 진행 되면서 총담관 폐쇄, 십이지장 폐쇄, 가성낭종, 가성동맥류 등 수술이 필요한 합병증이 생길 수 있다.

(1) 총담관 폐쇄

진행되는 염증으로 인한 섬유화나 염증성 종괴에 의하여 총담관의 폐쇄가 올 수 있으며 전체 입원 환자의 약 6%(3~23%)에서 발생할 수 있고, 수술을 요하는 환자에서는 35%(15~60%)로 그 빈도가 올라간다[10]. 초기 치료로서 협착이 생긴 총담관에 스텐트를 삽입하여 감황 할 수 있으나 장기적으로 성적이 좋지 않기 때문에 내시경치료에도 불구하고 일년 이내에 해결이 되지 않으면 담도공장문합술(hepaticojejunostomy)을 시행하는 것이 좋다[11,12].

(2) 십이지장 폐쇄

십이지장 폐쇄는 그리 흔한 합병증은 아니다. 입원 환자의 1.2%(0.5~13%), 수술을 요하는 환자에서는 약 12%(2~36%)의 빈도를 보인다[10]. 보존적 치료로 해결이 가능한 경우도 있지만 섬유화로 인한 영구적인 협착이 생겼을 경우에는 위공장문합술의 우회술을 시행해야 한다.

(3) 가성낭종

췌장 가성낭종은 약 20~40%에서 발생하는 것으로 보고되고 있다. 췌장염에 의해 파손된 췌장실질내 혹은 췌장 주위에 형성된 낭종으로 그 안에는 혈장성분과 비슷한 전해질과 높은 농도의 췌장효소인 아밀라아제, 리파아제, 트립신이 함유되어 있고, 낭종을 이루는 벽은 상피층이 결여되어 있는 섬유화 또는 육아조직으로 구성된다. 최근에는 치료를 요하는, 크고 증상이 있는 가성낭종은 대개 내시경으로 치료가 가능하나 수술을 요하는 경우는 다음과 같다. 낭종의 크기가 5~6 cm 이상인 경우, 6주 이상 낭종의 크기가 감소하지 않는 경우, 감염, 출혈과 파열, 그리고 낭종으로 인한 장폐쇄 혹은 담도폐쇄 등의 합병증이 동반된 경우, 심한 괴사가 동반되어 있는 경우, 악성종양의 가능성을 배제할 수 없는 경우, 증상이 있으면서 주체관과 가성낭종이 연결되어 있거나 주췌관의 확장을 동반하는 경우, 그리고 재발성인 경우이다. 수술 방법에는 외배액술, 내배액술, 절제술이 있으며 수술 시 낭종벽의 생검을 포함하여 악성종양의 가능성을 배제해야 한다[13].

① 외배액술

가성낭종의 벽이 미성숙하여 내배액이 불가능한 경우라든지, 감염되어 있는 경우, 전신 상태가 불량한 경우에 행할 수 있으며, 단점으로는 출혈, 췌장농양, 췌피누공, 피부 손상, 높은 재발률이 있을 수 있다[13].

② 내배액술

내배액술은 주로 낭공장문합술(cystojejunos-tomy), 낭위문합술(cystogastrostomy)로 행해진다. Roux-en-Y

낭공장문합술은 가장 많이 사용하는 방법으로 가성낭종이 횡행 결장간막의 기저부에 있으면서 위의 후벽과 유착이 되지 않은 경우에 유용하게 시행할 수 있는 방법이다(그림 33-1). 낭위문합술은 위의 후벽과 가성낭종이 유착되어 있는 경우에 낭공장 문합술보다 쉽고 빠르게 수술을 시행할 수 있다[13]. 이때에는 위의 전벽을 열고 위 안에서 후벽에 위치한 가성낭종의 위치를 초음파나 주사기 흡입을 통해 확인 후 진행할 수 있다(그림 33-2).

③ 췌장절제술

가성낭종이 췌장 미부에 국한되어 있는 경우 췌미부 절제술을 시행할 수 있다. 이때 주췌관의 확장 여부를 수술 중 혹은 수술 전 다양한 영상진단법으로 확인하는 것이 중요한데, 췌관의 근위부에 협착이 있는 경우 Roux-en-Y 췌공장문합술로 잔여 췌장을 배액해주는 것이 추천된다[13].

(4) 혈관 관련 합병증

주요 혈관 합병증은 그리 흔하지는 않지만 급성으로 오며 매우 치명적인 합병증이다. 주로는 가성낭종 벽내에 위치한 동맥의 부식으로 생긴다. 출혈은 팽대부를 통하여 장관내로 들어갈 수도 있고 복강내로 터질 수도 있다. 원인이 되는 혈관은 대개 94%에서 비장동맥, 위십이지장동맥, 상하 췌십이지장동맥(superior and inferior pancreaticoduodenal artery)에서 발생한다[14]. 출혈이 생겼을 때는 혈관조형술에 의한 색전술이 가장 효과적이며 수술은 만성 염증으로 인해 출혈 부위로 쉽게 접근을 할 수 없는 경우가 있을 수 있으므로 혈관조영술이 실패했을 경우에 고려해야 한다[14].

3) 악성종양이 의심되는 경우

만성췌장염과 췌장암의 감별이 어려운 경우가 많다. 만성췌장염의 약 30%에서 염증성 종괴를 형성할 수 있고, 췌장암에 의해서 이차적으로 췌장염이 유발될 수도 있기 때문이다. 이런 경우 임상증상도 비슷하여 여러 검사에도 불구하고 감별이 어려운 경우가 있다. 실제로 만성췌장염 환자에서 췌장암 발생 가능성은 16배로 증가하며 평생을 통해 환자의 약 5%에서 암이 발생하는 것으로 보고 있다[15]. 수술 전 췌장암이 의심되어 수술받은 환자의 6.4~10.3% 정도에서는 최종 조직검사상 만성췌장염으로 진단되기도 하지만[16,17], 반대로 Van Gulik 등[18]은 처음 진단이 만성췌장염이었으나 추적관찰기간 3년 안에 절제 불가능한 췌장암으로 진행된 22명의 환자를 보고하기도 하였다. 췌장암과 감별이 어려운 경우에는 절제술을 시행해야 하며 수술 후에도 정기적인 검사가 요구된다. Sakorafas 등[19]의 연구를 보면 만성췌장염으로 수술을 진행한 환자에서 평균 3.4년이 경과한 후에 췌장암이 발생하는 경우가 2.9%였다. 특히 수술 후에도 통증의 재발이 빈번하고 황달이 생기며 식욕감소 및 체중감소를 보이는 경우 췌장암에 준하여 검사를 해야겠다.

2. 수술 시기

만성췌장염에 대한 치료는 대개 단계적인 절차에 의해 이루어진다. 처음에는 약물 치료 등 대증적 요법, 금주 및 금연과 같은 삶의 방식에 대한 변화, 내시경적 접근법 등의 치료를 먼저 시도하고, 마지막 단계로 수술을 고려한다. 이는 췌장 수술의 높은 합병증 발생률 및 사망률에 대한 걱정 때문이다. Van der Gagg Na 등[20]에 의한 연구를 보면 통증을 호소하고 나서 평균 40개월 후, 그리고 내시경 치료를 평균 2회 정도 받고 난 후에 수술을 하는 것으로 나타났다. 만성췌장염에서 수술 시기의 결정은 그 적응증이 되는 상황에 따라 달라지겠지만, 통증 완화의 목적으로는 수술이 마지막 치료 단계로 여겨졌다. 하지만 통증을 일으키는 기전으로 만성 염증에 의한 섬유화의 진행, 췌관의 협착, 췌관의 폐쇄

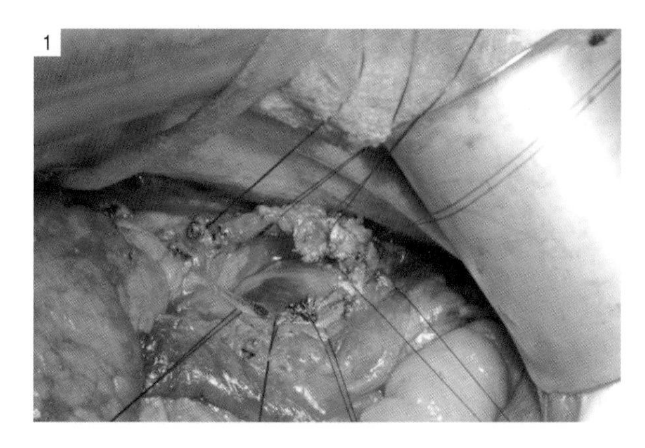
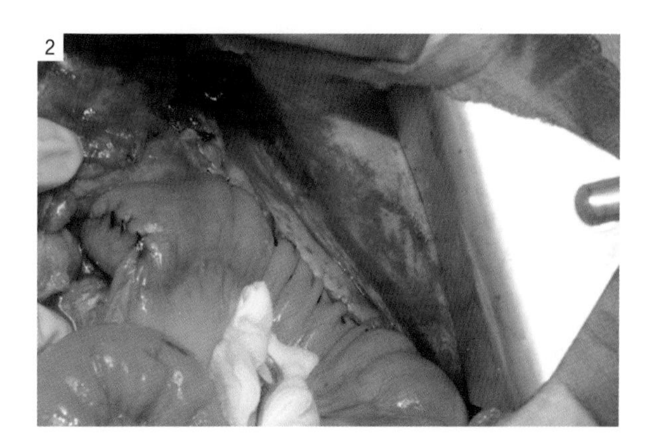

그림 33-1. **낭공장문합술.**
1. 가성낭종의 벽을 절제하고 고여 있던 액을 제거한다. 이때 절제된 낭벽은 조직검사를 통해 악성동반 유무를 검사한다.
2. Roux-en-Y 낭공장문합술(cystojejunostomy)를 시행한다.

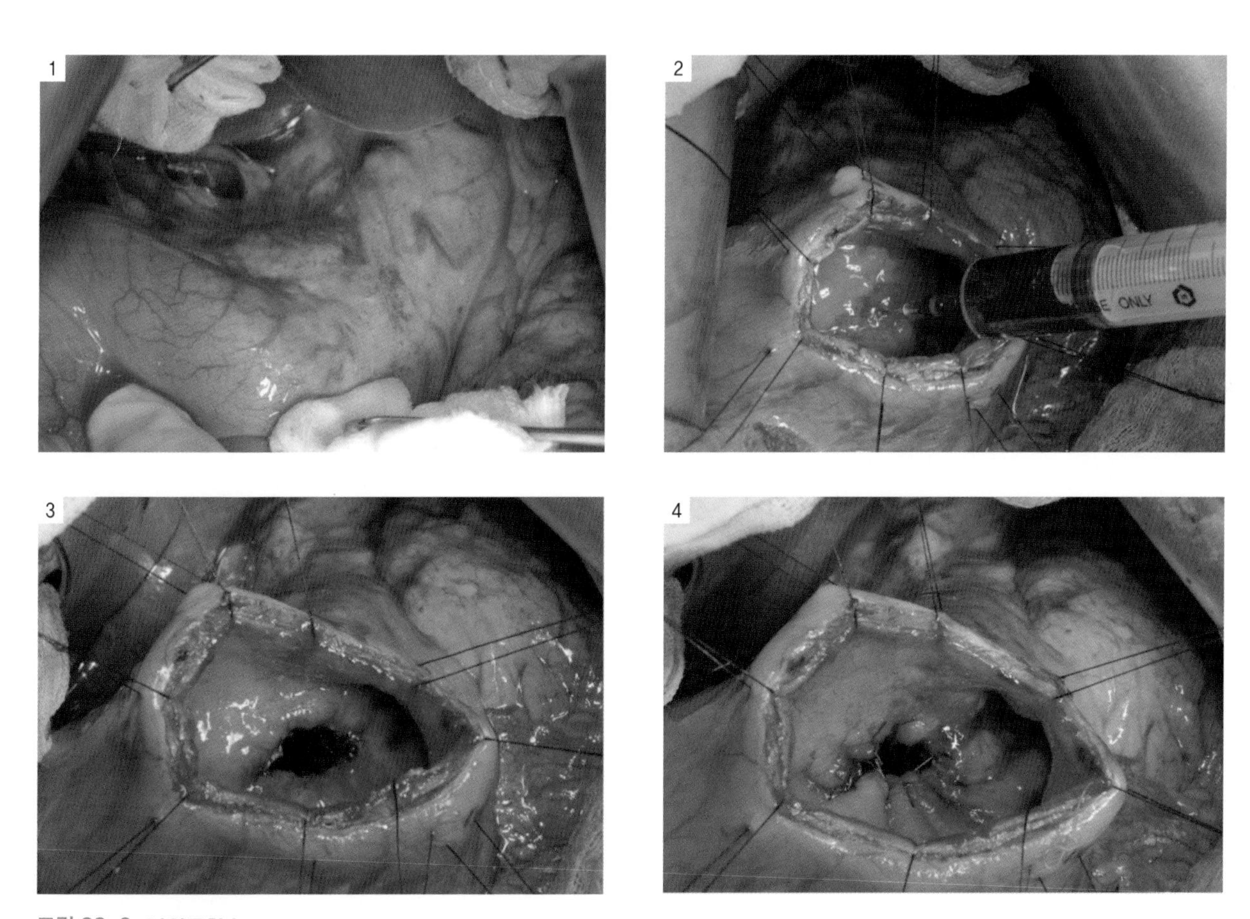

그림 33-2. **낭위문합술.**
1. 가성낭종이 위의 후벽과 유착이 심하여 박리가 불가능한 경우 위의 전벽(anterior wall)을 절개하고 접근한다.
2. 가성낭종의 위치는 주사기를 이용하여 흡입해 봄으로써 쉽게 확인이 가능하다.
3. 위의 후벽과 가성낭종 사이 창을 낸다.
4. 위와 낭벽 사이의 봉합을 통해 낭위문합술(cystogastrostomy)을 시행한다.

로 인하여 췌관내 압력 상승(ductal hypertension)을 가장 대표적인 요인으로 생각할 때, 이러한 상황을 약물치료로서 호전을 기대하기에는 한계점이 있다. 최근에는 조기 수술을 시행함으로써 통증 완화에 좋은 성적을 보고하는 연구가 늘어가고, 잔존 췌장의 기능 보존에도 도움이 된다는 보고들이 있다[21-23]. 조기 수술의 정의는 만성췌장염을 처음 진단 받았을 시점의 첫 치료로서 수술을 받은 것으로 정의한 연구가 있고[2,24,25], 증상 발현 후 3년 이내에 수술을 시행하는 경우를 조기 수술로 정의한 연구들도 있다[23,26].

1) 통증 조절 측면에서의 조기 수술의 효과

Yang 등[27]은 체계적문헌고찰(systemic review)을 통해 만성췌장염에서 조기에 수술하는 것이 성공적인 통증 완화를 가져오고, 췌장기능을 보존할 수 있으며, 반복적인 시술의 빈도를 낮출 수 있다고 보고하였다. Ahmed 등[28]은 내시경 치료와 수술의 효과를 비교한 무작위대조군연구(randomized controlled trial)를[2,3] 분석한 결과, 치료 후 추적기간에 따른 통증 조절의 효과가 중(2~5년), 장기(5년) 기간에서 모두 수술을 받은 환자에서 더욱 좋았다. 또한 삶의 질 및 외분비 기능 개선 효과도 수술이 더 좋았고, 두 그룹 사이의 합병증이나 사망률에는 차이가 없었다. 수술과 보존적 치료 사이에서의 효과를 분석한 연구에서는[29] 수술이 보존적 치료보다 통증 조절의 효과가 더 좋았으며 췌장 기능의 보존도 더 좋았다. 따라서 만성췌장염 환자에서 췌장의 비가역적인 변화가 일어나기 전에 조기에 수술을 하는 것이 통증의 효과적인 조절과 췌장기능 보존 측면에서 내시경시술이나 보존적 치료보다 유리하다고 하겠다.

2) 암 예방 측면에서의 조기 수술의 효과

그 동안의 여러 연구에서 만성췌장염이 췌장암의 위험인자임은 잘 밝혀진 사실이다[30-32]. 췌장염에서 췌장암으로 발전하는 기전에 대해서는 아직까지 명확하게 밝혀지진 않았지만 만성 염증에 의한 Kras유전자의 활성화가 만성췌장염에서 췌장암으로 발전하는데 중요한 역할을 한다고 보고 있다[33-35]. 주췌관을 묶어서 만성췌장염을 유발한 동물 모델에서 배액수술을 할 경우, 구획증후군(compartment syndrome)을 해결해 줌으로써 췌장의 허혈을 방지하며 암 예방에 효과가 있었다는 보고가 있다[36]. 또 다른 실험으로 폐쇄성 췌장염에서 시행된 배액술은 조직학적 분화도 및 췌장의 외분비 기능을 개선하는 효과가 있었다는 보고가 있다[22]. 일본에서 시행된 후향적 다기관 연구에서는[37] 수술을 받은 그룹이 수술을 받지 않은 그룹보다 의미 있게 췌장암 발생률이 적었다(hazard ratio, 0.11; 95% CI, 0.0014-0.80; p = 0.03). 따라서 그 동안의 연구를 종합해 볼 때 만성췌장염에서 췌절제술이나 배액술은 통증 완화에도 좋은 성적을 보이지만 췌장암 예방에도 효과적이라고 할 수 있겠다.

3) 췌장기능 보존 및 재시술 측면에서의 조기 수술의 효과

Lamme 등[22]은 주췌관을 막은 후 췌공장배액술을 조기에 한 그룹과 늦게 시행한 그룹을 비교한 동물 실험을 통해 조기 수술이 조직학적 회복 및 외분비 기능 회복에 더 좋았다고 보고하였다. 임상연구에서도 수술을 통해서 만성췌장염 환자의 췌장기능이 소실되는 것을 지연시킬 수 있었다는 연구들이 있다[21,24,38]. 재시술을 받는 빈도를 고려해 볼 때, 무작위대조군연구의 장기간(5년) 추적관찰을 보고한 논문에서 첫 치료로서 내시경시술을 받은 경우가 수술을 받은 환자들에 비하여 의미있게 재시술의 빈도가 높았으며(68% vs 5%) 합병증률은 비슷한 반면 입원기간, 입원 횟수 등은 수술을 받은 그룹에서 더 낮았다[39]. 또한 내시경 시술을 받은 환자들의 47%에서 결국에는 수술을 받게 되었다. 첫 치료로서 수술, 내시경, 및 보존적 치료를 비교한 다른 연구에서도 수술을 받은 그룹이 재시술의 빈도가 가장 낮았다[25].

3. 수술 전후 고려 사항

수술이 환자의 통증 조절 및 만성췌장염 관련 합병증을 해결하는 데에 성공적인 치료가 되기 위해서는 수술 전 꼼꼼히 확인해야 할 사항들이 있으며 환자 및 보호자에게 수술 후의 치료 성적과 발생 가능한 합병증 등에 대한 충분한 설명도 있어야만 한다.

1) 내분비 및 외분비 기능

만성췌장염 환자는 수술 후 오랜 기간의 외래 추적관찰이 이루어지므로 치료의 효과를 장기적으로 분석하기 위해서 수술 전후 각 병원의 실정에 맞는 내분비, 외분비 기능 검사를 하는 것이 중요하다. 외래 진료 시에는 급성 통증의 재발 여부나 통증의 정도, 체중증가, 췌장효소제 복용유무, 지방변 유무 등도 꼼꼼히 물어보고 기록해 놓아야 하겠다. 정기적으로 삶의 질 평가를 위한 설문조사를 하는 것도 도움이 되겠다.

2) 암의 가능성 검토

췌두부에 염증성 종괴 형성이 있는 환자에서 9년간의 관찰 기간 동안 약 6%에서 암이 발생하는 것으로 보고되었다[4,40]. 수술 전 영상 검사에서 염증성 종괴 형성이 의심 되는 경우라면 암에 대한 가능성을 철저히 조사해야 하며, 췌장절제술을 통한 조직검사도 이루어져야 한다. 하지만 만성 염증으로 인하여 주변 장기나 혈관과의 유착이 심한 경우, 혹은 주변혈관의 확장이 심하여 절제가 불가능한 경우도 있을 수 있으므로 이러한 경우에는 수술 중 초음파 검사 등을 통해 종양 형성이 의심되는 부분을 찾아 조직검사를 해야 한다. 또한 만성췌장염 환자의 1.8~4%에서 암이 발생할 위험성이 있고 췌장암 이외의 암 발생률도 3.9~13%에 이르므로 주기적인 검사가 반드시 필요하다[30,41].

3) 환자 및 보호자 면담 시 고려 사항

만성췌장염 환자의 자연 경과를 보면 5년 생존율이 67%, 10년 생존율이 43%[42]로 적절한 치료를 받지 못할 경우 예후가 좋지 않음을 주지시킬 필요가 있다. 또한 만성췌장염 관련 사망률도 12~20%[42-44]에 이른다. 수술 후의 통증 경감이나 삶의 질 향상 등과 같은 목표한 바를 성취하기 위해서는 환자 및 보호자의 협조가 필수적이다. 특히 알코올성 만성췌장염의 환자에서 수술 후 치료 실패의 가장 큰 원인은 수술 후 금주의 실패이다[37]. 또한 흡연은 만성췌장염을 악화시키는 동시에 췌장암 발생 위험성을 26배 증가시키므로 금연도 필수라 하겠다[15]. 수술 전 opioid 진통제를 장기간 복용하였거나 의존성이 생긴 경우에도 진통제를 사용하지 않았던 환자에 비하여 치료 실패률이 높았다[20,23,28,45]. Ahmed 등[23]은 통증의 기간이 3년이 넘었고, 내시경 시술을 받은 횟수가 5회 이상, 그리고 수술 전 매일 opioid 진통제를 복용한 경우가 수술 후 통증 조절 실패의 주요 위험요소라고 보고하였다. 수술 전 이 부분을 명확히 설명을 하고 금주/금연 클리닉 등과 협조하여 심리학적 지지도 함께 이루어져야 하겠다.

4. 수술 방법

수술 방법을 선택할 때에는 췌장내에 염증성 종괴가 있는지, 주췌관의 협착이나 확장이 있는지, 주변 장기(총담관, 십이지장)나 혈관의 침범이 있는지의 유무를 고려하여 적절한 수술 방법을 선택해야 한다. 수술은 크게 췌관배액술, 췌장절제술, 그리고 췌장절제술 및 배액술이 함께 이루어지는 술식으로 나뉠 수 있다. 각

술식에 대한 자세한 사항은 아래에 기술하였고, 술식에 따른 치료 성적은 표로 간략히 정리하였다(표 33-1).

1) 췌관배액술

주췌관의 확장(> 5 mm)이 있으면서 염증성 종괴가 없는 경우 췌관배액술을 시행한다. 췌장액의 배액을 위한 수술을 동물모델에서 최초로 시행한 사람은 1909년 Coffey[46]였다. 이후 1911년 Link[47]는 만성췌장염 환자에서 처음으로 배액술을 성공적으로 시행하였는데, 주췌관에 카테터를 삽입하여 피부밖으로 배액시키는 시술로 통증 완화와 체중 증가를 가능하게 했다.

(1) Du Val 술식

카테터를 이용한 췌관의 배액이 임상에서 성공한지 40여 년이 지난 1954년 Du Val[48]은 췌관의 배액을 위해 원위부 췌절제술, 비장절제술을 시행하고, 췌장의 원위부에서 공장과 단단 문합을 해주는 술식(caudal end-to-end pancreaticojejunostomy)을 제안했다(그림 33-3).

(2) Peustow-Gillesby 술식

Du Val 술식을 변형한 것으로 1958년 Puestoew와 Gillesby[49]는 원위부 췌절제술을 한 후에 공장은 췌장에 씌워 주는 방식으로 췌공장문합술(Inva- ginating pancreaticojejunostomy)을 시행하여 주췌관의 배액을 더욱 효과적으로 만들었다(그림 33-4). 하지만 지금은 Du Val 술식이나 Peustow-Gillesby 술식은 잘 사용하지 않는다.

(3) Partington-Rochelle 술식

1960년 Partington과 Rochelle가 발표한 방법[50]으로, 췌장 절제에 따른 도세포 감소나 주위 큰 혈관에 생길 수 있는 합병증을 막기 위해서 원위부 췌절제술이나 비장절제술을 시행하지 않고 주췌관과 공장을 측측 문합하는 방법이다(side-to-side pancreaticojejunostomy)(그림 33-5). 주췌관의 확장(> 5 mm)이 있으면서 염증성 종괴가 없는 경우에 가장 많이 시행되는 술식이다. 췌장의 전면부에서 확장된 주췌관을 두부에서 미부까지 가능하면 많이 열어 주는 것이 중요하다. 췌공장 문합의 길이가 6 cm 이상인 경우가 수술의 성공을 결정짓

표 33-1. **수술별 치료 성적 비교**

저자	년도	수술비교	연구	통증완화률	합병증	삶의 질	내/외분비 기능
Klempa[72]	1995	DPPHR vs. PD	RCT	Better in DPPHR (100 vs. 70%)	Equal	NR	Better in DPPHR
Buchler[73]	1995	DPPHR vs. PPPD	RCT	Better in DPPHR (75 vs. 40%)	Equal	NR	Better in DPPHR
Izbicki[54]	1995	Beger vs. Frey	RCT	Equal (94-95%)	Better in Frey	Equal	Equal
Izbicki[55]	1997	Beger vs. Frey	RCT	Equal (93-95%)	Better in Frey	Equal	Equal
Izbicki[16]	1998	PPPD vs. Frey	RCT	Equal (94-95%)	Better in Frey	Better in Frey	Equal
Farkas[74]	2006	DPPHR vs. PPPD	RCT	Equal (85-90%)	Better in DPPHR	Better in DPPHR	Better in DPPHR
Diener[75]	2008	DPPHR vs. PD	Meta	Equal	Equal	Better in DPPHR	Better in DPPHR
Sukharamwala[76]	2015	DPPHR vs. PPPD	Meta	Equal	Equal	Better in DPPHR	Better in DPPHR
Zhou[71]	2015	Frey vs. Beger Frey vs PPPD	Meta	Equal Equal	Better in Frey Better in Frey	Equal Better in Frey	Equal Better in Frey

RCT: randomized controlled trial; NR: not recorded; DPPHR: duodenum-preserving pancreatic head resection; PPPD: pylorus-preserving pancreatoduodenectomy; Meta: systemic review and meta analysis.

는 인자로 받아들여지고 있다. 두부쪽에서는 십이지장과의 경계로부터 1~2 cm까지 절개해 주어 주췌관내의 췌석을 가능한 모두 제거해 준다. 수술 후 약 80% 환자에서 통증 완화가 있었고 이미 생긴 내분비, 외분비 기능 이상을 개선시키지는 못하지만 보존적 치료와 비교 시 췌장 기능의 저하가 지연된다는 보고가 있다[38,51].

2) 췌장절제술

췌장절제술의 적응증은 췌장관의 확장이 없는 경우, 악성이 의심될 때, 그리고 이전의 배액술이 실패한 경우이다.

(1) 췌십이지장절제술(pancreatoduodenectomy)

췌십이지장절제술은 1935년 팽대부의 악성종양 치료를 위해 Whipple에 의하여 처음 기술이 되었다[52]. 첫 보고에서 3명의 환자에서 시행된 췌십이지장절제술은 두 단계로 시행이 되었다. 첫 번째 수술은 감황을 위한 담낭-위 문합술과 영양상태 개선을 위한 위-공장 문합술이 이루어졌고, 두번째 수술을 통해 팽대부 종양을 포함하여 십이지장과 췌두부를 함께 절제하는 근치적 수술로 이루어졌다. 만성췌장염의 치료로서 본 술식을 처음 보고한 예는 1946년 Whipple에 의하여 두 명의 췌장전절제술을 시행 받은 환자와 세 명의 췌십이지장절제술을 받은 환자의 성적을 보고한 것이다[53]. 췌십이지장절제술을 받은 환자들은 모두 2~3년간의 추적관찰을 통해 통증 경감이 이루어졌다. 만성췌장염 환자에서 본 수술의 적응이 되는 경우로는 췌두부에 종괴를 형성하여 악성종양과 감별이 어렵고, 총담관과 십이지장 폐쇄가 있으면서 췌관의 확장이 없는 경우, 병변이 췌두부에 국한된 경우이다. 수술 후 통증 완화는 75~95% 정도이다[54,55]. 췌배액술이나 Beger 술식, Frey 술식과 비교하여 통증완화는 비슷하나 췌실질을 많이 절제함으로써 췌장기능의 감소가 있다는 단점이 있다. 심한 염증으로

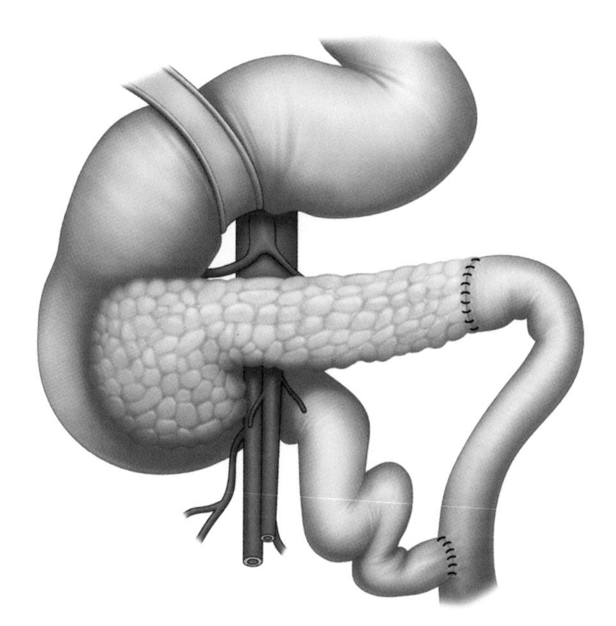

그림 33-3. **Du Val 술식.**
췌미부절제술과 비장절제술 후 단단 췌공장문합술(caudal end-to-end pancreaticojejunostomy)을 시행해 준다.

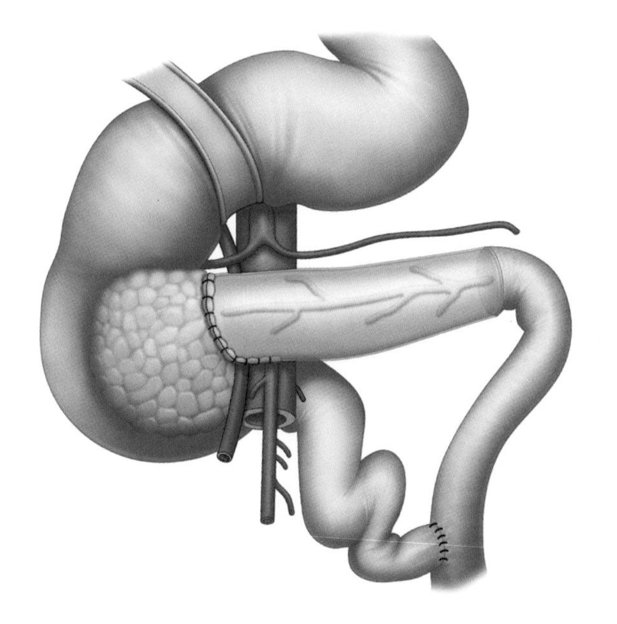

그림 33-4. **Puestow-Gillesby 술식.**
췌미부절제술과 비장절제술 후 공장으로 췌장을 씌워주는 방식으로 췌공장문합술(invaginating pancreaticojejunostomy)을 시행해 준다.

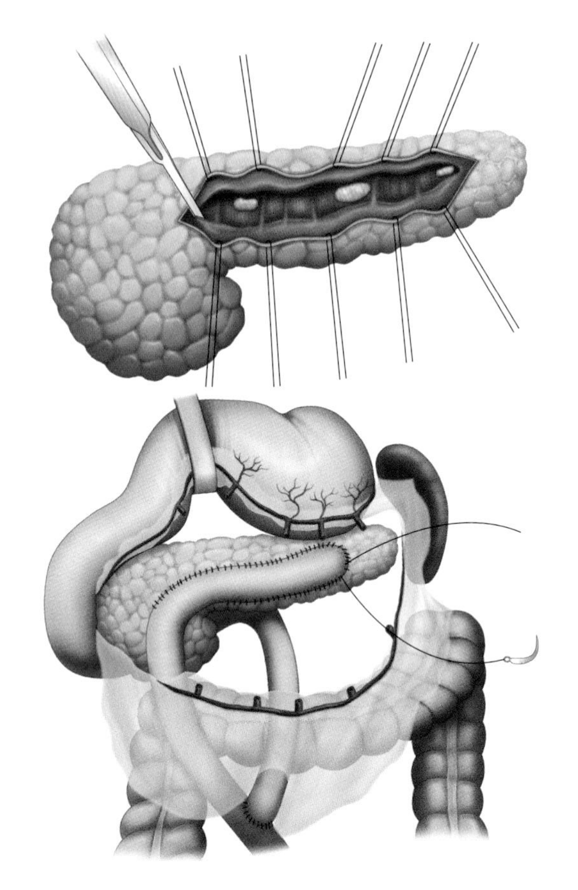

그림 33-5. **Partington-Rochelle 술식.**
확장된 주췌관을 열고 췌석을 제거한 뒤 Roux-en-Y 측측췌공장문합술(side-to-side pancreaticojejunostomy)을 시행한다. 췌장과 공장의 문합 길이가 6 cm 이상이 되도록 해 주는 것이 좋다.

인해 혈관 주위의 조직 박리가 어렵거나 문맥압 항진증으로 인해 주변 혈관의 확장이 심한 경우에는 절제가 어려울 수 있으므로 수술 전 영상검사를 면밀히 관찰하여 수술 가능성에 대한 신중한 판단이 요구된다.

(2) 췌장전절제술(total pancreatectomy)

췌장전절제술은 1944년 Priestley[56]이 처음으로 성공시켰고, 그 대상은 저혈당으로 고통받고 있던 인슐린종 환자였다. 만성췌장염의 치료로서 췌장전절제술의 성공은 1944년 Clagett[57]에 의해 행해졌다. 수술 후 환자는 통증이 경감되었지만 수술 후 10주가 지나자 저혈당으로 사망하고 말았다. 부분 췌장절제술로도 증상의 호전이 없는 경우, 췌장암의 위험이 높은 경우, 다른 췌장수술로 인한 췌장루와 같은 합병증이 생긴 경우에 남아있는 췌장을 전부 절제해 내는 술식이다. 통증 완화는 보고자에 따라 60~85%이나, 수술 후 당뇨와 외분비 기능소실로 인한 지방변, 몸무게 감소, 삶의 질 저하 등의 문제를 초래하게 되므로 다른 방법으로 해결을 할 수 없을 때 마지막으로 선택하는 술식이라는 인식이 강하였다. 하지만 수술 후 인슐린이나 췌장도세포자가이식(islet autotransplantation) 등을 통하여 당뇨의 효과적인 조절 및 췌장효소제의 투여로 외분비 기능을 유지하는 방법들이 좋아지면서 만성췌장염의 수술적 치료로서 재조명을 받고 있다. 췌장전절제술 후 도세포자가이식은 1979년 Najarian JC 등[58]에 의해 수술로서 당뇨를 치료할 수 있는 방법으로 처음 보고가 되었다. Hinnakotla S 등[59]의 보고에 따르면 소아 만성췌장염 환자 75명에 대한 췌장전절제술 및 췌장도세포자가이식술의 성적을 보면 90%에서 통증 완화가 이루어졌고, 41.3%에서 인슐린을 투여받지 않아도 되었다. Bramis K 등[60]에 의한 체계적문헌고찰에서는 90%에서 통증 경감 및 삶의 질 개선에 있어서 효과적이었고, 인슐린 비의존성은 5년과 8년 추적관찰 기간에 각각 46%, 10%로 보고하여 수술 후 시간 경과에 따라 감소함을 알 수 있었다. 따라서 시간이 경과하면서 내분비 기능이 감소함을 고려해 볼 때 도세포자가이식을 포함한 췌장전절제술은 만성췌장염의 치료에 있어서 비용대비 효과를 고려해야 할 것이고, 잘 선택된 환자에게 적용이 되어야 하겠다. 췌장전절제술 및 도세포자가이식을 계획한다면 당뇨가 없는 환자, 마약성 진통제에 대한 중독현상이 있기 전, 그리고 췌장의 섬유화가 덜 진행되어 세포채취가 많이 이루어질 수 있는 조기에 이러한 수술을 계획하는 것이 더욱 유리하겠다[61-63]. 도세포자가이식을 시행하지 않은 환자와의 비교연구[64]에서는 통증 정도는 모든 그룹에서 의미 있게 수술 후 낮아졌으나(visual analogue scale score: 10 → 3, 10 → 2), 인슐린 의존성은 도세포자가이식을 받지 않은 그룹에서 의미있게 높았다. Alexakis N 등[65]은 십이지장과 비장보존 췌장전제술을 19명의 만성췌장염 환자에서 시행한 성적을 보고하였는데 약 81%에서 완전한 통증 완화를 경험할 수 있었다.

(3) 원위부 췌절제술(distal pancreatectomy)

만성췌장염은 대부분 췌장 두부의 염증으로 인하여 여러 가지 문제가 발생하는 경우가 많기 때문에 췌절제술은 주로 췌두부를 포함한 술식에 대한 보고가 많고, 원위부 췌절제술 대한 연구는 많지 않다. 본 수술의 적응증이 되는 경우는 췌관이 확장되어 있지 않으면서 췌장의 체부 또는 미부에 병변이 국한된 경우이다. 주로 가성동맥류가 생긴 경우나 증상이 있는 가성낭종이 적응증이 된다. Hutchins RR 등[66]의 보고에 의하면 원위부 췌절제술은 가성낭종의 경우 치료 효과가 가장 좋았으며, 비교적 낮은 합병증률을 보이면서도 60%의 환자에서 통증 완화와 사회복귀가 가능하였다. 하지만 2년의 추적관찰 기간 동안 새로이 당뇨가 발생할 위험이 약 46% 정도였다.

3) 췌장절제술 및 배액술

주췌관의 확장과 함께 췌두부에 염증성 종괴가 있을 경우 췌두부 실질을 제거하고 주췌관을 배액시켜주는 방법이다.

(1) 십이지장보존 췌두부 절제술(Beger 술식)

1980년에 Beger[67]에 의해 소개된 수술로서 십이지장을 보존하면서 췌장의 두부만을 절제하고, Roux-en-Y loop을 이용하여 end-to-end 또는 end-to-side 췌공장문합술을 해준다(그림 33-6). 이때 남겨지는 부분은 위십이지장 동맥의 후분지, 췌장내 총담관, 췌십이지장구(pancreaticoduodenal groove)이다. 이론적으로 본 술식의 장점은 염증 관련 합병증을 유발하던 두부를 제거함으로써 통증을 경감시키고, 제거되는 췌장실질을 최소화하여 내분비장애를 줄일 수 있으며, 총담관 및 십이지장을 보존하여 장관의 생리적 기능을 유지할 수 있다. Beger 등[4]은 알코올성 만성췌장염의 환자 중 췌장 두부에 염증성 종괴를 형성한 환자군에서 시행된 본 술식의 26년간의 장기추적관찰 결과를 발표하면서, 91.7% 환자가 통증으로부터 자유로워졌고 11% 환자가 당뇨의 개선을 보였다. 급성 병변이 생겨 입원하는 경우도 수술 전 69%에서 수술 후 9%로 감소하였고 69%의 환자에서 삶의 질 개선이 이루어졌음을 보고하였다. 우수한 성적을 만성췌장염으로 인하여 췌장 실질의 섬유화가 많이 진행된 경우에는 위십이지장 동맥의 분지를 살리면서 췌장 실질만 제거하는 것이 쉽지 않은데다 그 이후에 좀 더 간단히 시행할 수 있으면서 치료성적이 좋은 Frey 술식이 소개되면서 국내에서는 많이 시행되지는 않는 것 같다.

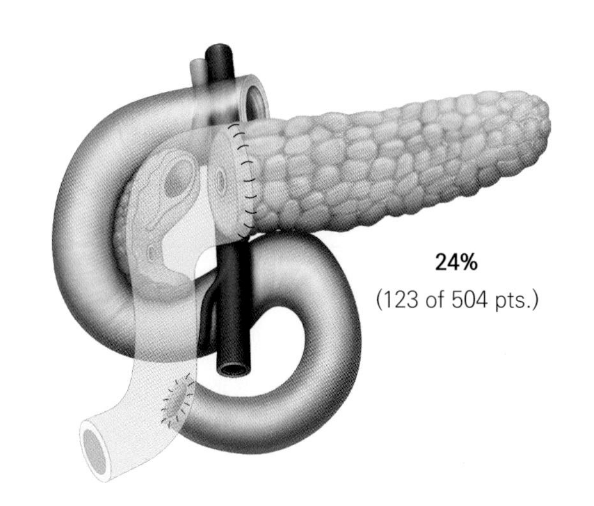

그림 33-6. **Beger 술식.**
십이지장과 총담관을 보존하며 췌두부를후면부까지 절제한다. Roux-en-Y 췌공장문합술을 시행하며 총담관의 협착이 있는 경우 담도공장문합술도 함께 시행할 수 있다.

(2) Frey 술식

Beger 술식과 Partington-Rochelle 술식을 조합한 형태로서, 1987년 Frey와 Smith가 제안한 방법이다[68]. 췌두부의 후면부는 남겨둔 채 전면부 실질을 절제하고 주췌관은 횡으로 길게 절개하여 췌두부부터 미부까지 Roux-en-Y 측측 췌공장문합술(side-to-side pancreaticojejunostomy)을 시행한다(그림 33-7, 8). 췌두부를 절제함으로써 췌두부의 Wirsung관, Santoriniri관, 그리고 작은 분지췌관들의 배액이 가능하도록 하며, 측측 췌공장문합을 통해 확장된 주췌관의 완전한 감압이 되도록 한다. 췌두부의 후면부를 절제하지 않고 남겨 두기 때문에 Beger 술식과 비교하여 비교적 쉽게 시행할 수 있다. 확장된 주췌관을 절개할 때에 비하여 췌두부 실질을 절제할 때 출혈이 많이 생길 수 있다. 따라서 췌두부의 전면부를 절제 시 위십이지장동맥으로부터 내려오는 췌십이지장동맥의 주행을 확인하여 봉합결찰을 잘 하는 것이 수술 중 출혈을 막는 데에 도움이 된다. 췌두부 및 구상돌기(uncinate process)를 가능한 많이 절제하여 췌석(pancreatic stone)과 석회화된 췌장실질을 충분히 제거하는 것이 췌장염의 재발을 방지하는 데에 매우 중요하다. 절제된 췌실질 조직은 반드시 조직검사를 통하여 동반된 암의 유무를 확인하여야 한다. 확장된 주췌관은 육안이나 촉지하여 비교적 쉽게 찾아 절개할 수 있는데, 수술 전 영상 검사에서 예상한 것과는 다르게 주췌관의 확장이 넓지 않은 경우는 초음파를 이용하거나 주사기를 이용하여 췌장액을 흡입해 봄으로써 위치를 확인할 수 있다. 수술 후 약 75~91.4% 환자에서 통증 완화를 보였고, 7~15%에서는 당뇨의 악화가 있었으며, 수술 후 새로 당뇨가 발생하는 경우는 단순 시 췌공장문합술을 시행하는 경우보다 대개 높게 보고되고 있다(32~57% vs. 8~33%)[20,69,70]. 외분비 기능은 수술 후에 더 이상의 악화 없이 비교적 잘 유지되는 것으로 보고되고 있다. Zhou Y 등[71]에 의한 체계적 문헌고찰에서 Frey 술식은 췌십이지장절제술과 비교 시 짧은 수술 시간과 낮은 합병증 발생률, 짧은 재원기간, 췌장기능의 보존, 그리고 삶의 질 측면에서 좋은 성적을 보였고, Beger 술식과의 비교에서는 짧은 수술 시간과 낮은 합병증 발생률이 장점이었다.

결론

만성췌장염은 점진적으로 진행하는 염증성 질환으로 결국에는 췌장에 비가역적 변화를 일으켜 심한 통증과 그로 인한 사회경제활동 제한, 주변장기의 폐쇄성 합병증, 췌두부의 염증성 종괴형성, 내분비/외분비 기능 소실, 췌장암의 위험도 증가 등을 일으킨다. 만성췌장염에 대한 치료적 접근은 통증 완화를 위한 약물요법, 내시경 시술, 그리고 마지막 단계로 수술을 고려하는 방식으로 이루어져 왔다. 하지만 통증 완화에 대한 치료 성적이나 내분비/외분비 기능 유지, 그리고 암의 발생률 감소의 측면에서 조기에 수술을 하는 것이 더 좋은 결과를 가져온다는 여러 연구로 인해, 치료에 대한 접근을 새로이 할 필요가 있다. 수술 방법을 선택함에 있어서 주췌관의 확장 여부, 염증성 종괴의 형성 유무 및 위치, 총담관이나 십이지장 폐쇄, 가성낭종의 형성과 같은 합병증 발생 여부에 따라 췌장절제술을 시행할 것인지 배액술을 시행할 것인지를 선택해야겠다. 주췌관의 확장만 있을 경우에는 Partington-Rochelle 술식을 시행하여 충분한 주췌관의 배액을 해 주는 것이 가장 좋은 방법이 되겠고, 췌두부의 염증성 종괴가 있을 경우에는 Frey 술식을 통한 췌두부 절제 및 배액을 하는 것이 다른 수술과 비교하여 낮은 합병증률과 우수한 통증 완화 효과를 보이는 것으로 보고되고 있다. 만성적인 고통으로 인해 사회경제적으로 어려움을 겪고 있는 경우가 많고 진통제 의존성이나 알코올 중독에 빠져 있는 경우도 많기 때문에 수술로써 목표한 치료 성적을 거두기 위해서는 금연/금주 및 심리적 지지요법도 함께 시행하는 것이 좋겠다. 수술 후에 장기적 추적관찰이 이루어지므로 외래 진료 시 통증의 재발 유무, 내분비/외분비 기능의 악화나 개선이 있는지를 면담을 통해 꼼꼼히 기록해 두는 것이 중요하겠고, 암 발생에 대한 위험도 고려하여 정기적으로 검진하는 것이 좋겠다.

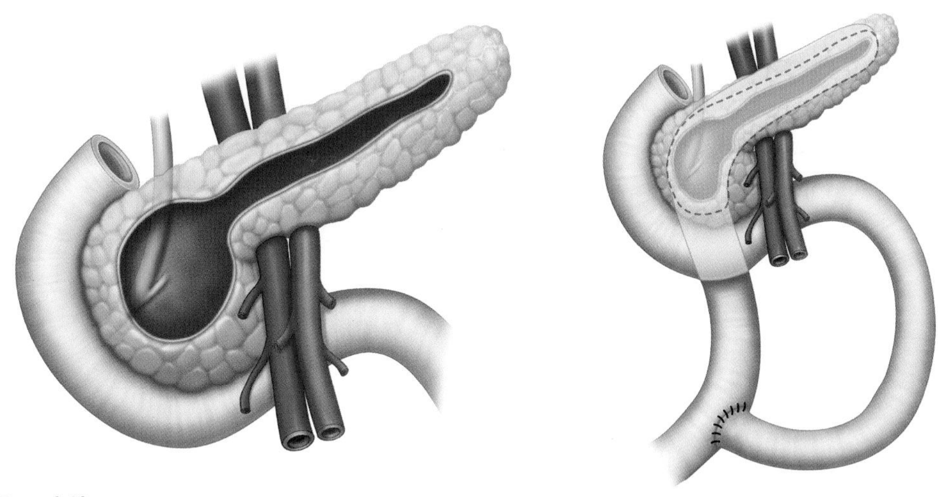

그림 33-7. **Frey 술식.**
췌두부전면부를 절제하고 주췌관을 췌미부까지 충분히 절개해 준 후 Roux-en-Y 췌공장문합술을 시행한다.

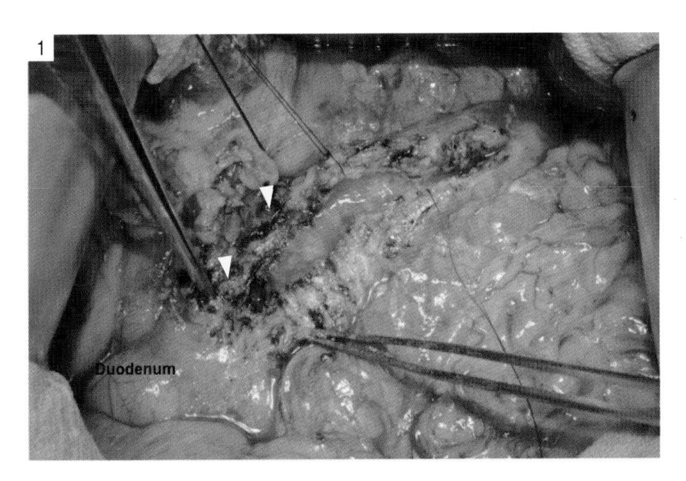

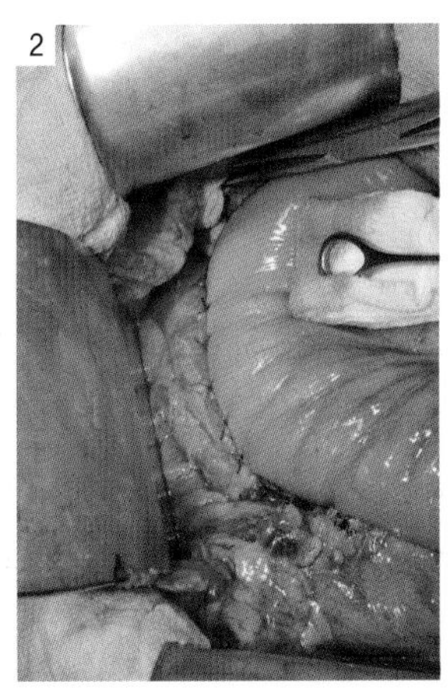

그림 33-8. **Frey 술식.**
1. 췌두부 실질을 제거하고 주췌관은췌미부까지 충분히 절개한다. 위십이지장동맥의 분지가 내려오는 부분은 촉지로 확인을 하여 미리 봉합결찰을 해두면 췌두부 실질 절제 시 출혈을 줄일 수 있다(흰색 화살표).
2. Roux-en-Y 췌공장문합술을 시행한다.

References

1. Issa Y, van Santvoort Hc Fau - van Goor H, van Goor H Fau - Cahen DL, et al. Surgical and endoscopic treatment of pain in chronic pancreatitis: a multidisciplinary update. Dig Surg 2013;30:35-50.
2. Dite P, Ruzicka M Fau - Zboril V, Zboril V Fau - Novotny I, et al. A prospective, randomized trial comparing endoscopic and surgical therapy for chronic pancreatitis. Endoscopy 2003;35:553-58.
3. Cahen DL, Gouma Dj Fau - Nio Y, Nio Y Fau - Rauws EAJ, et al. [Surgical drainage of the pancreatic duct in patients with chronic pancreatitis is more effective than endoscopic drainage: randomized trial]. Ned Tijdschr Geneeskd 2007;151:2624-30.
4. Beger HG, Schlosser W Fau - Friess HM, Friess Hm Fau - Buchler MW, et al. Duodenum-preserving head resection in chronic pancreatitis changes the natural course of the disease: a single-center 26-year experience. Ann Surg 1999;230:512-9; discussion 519-23.
5. Bachmann K, Izbicki Jr Fau - Yekebas EF, Yekebas EF. Chronic pancreatitis: modern surgical management. Langenbecks Arch Surg 2011;396:139-49.
6. Fasanella KE, Davis B Fau - Lyons J, Lyons J Fau - Chen Z, et al. Pain in chronic pancreatitis and pancreatic cancer. Gastroenterol Clin North Am 2007;36:335-64, ix.
7. Lankisch PG, Lohr-Happe A Fau - Otto J, Otto J Fau - Creutzfeldt W, et al. Natural course in chronic pancreatitis. Pain, exocrine and endocrine pancreatic insufficiency and prognosis of the disease. Digestion 1993;54(3):148-55.
8. Drewes AM, Krarup Al Fau - Detlefsen S, Detlefsen S Fau - Malmstrom ML, et al. Pain in chronic pancreatitis: the role of neuropathic pain mechanisms. Gut 2008;57:1616-27.
9. Frokjaer JB, Olesen Ss Fau - Drewes AM, Drewes AM. Fibrosis, atrophy, and ductal pathology in chronic pancreatitis are associated with pancreatic function but independent of symptoms. Pancreas 2013;42:1182-7.
10. Vijungco JD, Prinz RA. Management of biliary and duodenal complications of chronic pancreatitis. World J Surg 2003;27:1258-70.
11. Cahen DL, van Berkel Am Fau - Oskam D, Oskam D Fau - Rauws EAJ, et al. Long-term results of endoscopic drainage of common bile duct strictures in chronic pancreatitis. Eur J Gastroenterol Hepatol 2005;17:103-8.
12. Smits ME, Rauws Ea Fau - van Gulik TM, van Gulik Tm Fau - Gouma DJ, et al. Long-term results of endoscopic stenting and surgical drainage for biliary stricture due to chronic pancreatitis. Br J Surg. 1996;83(6):764-8.
13. Lee WJ. Surgical treatment of pancreatitis. Korean J Gastroenterol 2005;46:352-7.
14. Balachandra S, Siriwardena AK. Systematic appraisal of the management of the major vascular complications of pancreatitis. Am J Surg 2005;190:489-95.
15. Hoffmeister A Fau - Mayerle J, Mayerle J Fau - Beglinger C, Beglinger C, et al. English language version of the S3-consensus guidelines on chronic pancreatitis: Definition, aetiology, diagnostic examinations, medical, endoscopic and surgical management of chronic pancreatitis. Z Gastroenterol 2015;53(12):1447-95.
16. Izbicki JR, Bloechle C Fau - Broering DC, Broering Dc Fau - Knoefel WT, et al. Extended drainage versus resection in surgery for chronic pancreatitis: a prospective randomized trial comparing the longitudinal pancreaticojejunostomy combined with local pancreatic head excision with the pylorus-preserving pancreatoduodenectomy. Ann Surg

1998;228:771-9.
17. Taylor B. Carcinoma of the head of the pancreas versus chronic pancreatitis: diagnostic dilemma with significant consequences. World J Surg 2003;27:1249-57.
18. van Gulik TM, Moojen Tm Fau - van Geenen R, van Geenen R Fau - Rauws EA, et al. Differential diagnosis of focal pancreatitis and pancreatic cancer. Ann Oncol 1999;10 Suppl 4:85-8.
19. Sakorafas GH, Sarr MG. Pancreatic cancer after surgery for chronic pancreatitis. Dig Liver Dis 2003;35:482-5.
20. van der Gaag NA, van Gulik Tm Fau - Busch ORC, Busch Or Fau - Sprangers MA, et al. Functional and medical outcomes after tailored surgery for pain due to chronic pancreatitis. Ann Surg 2012;255(4):763-70.
21. Nealon WH, Thompson JC. Progressive loss of pancreatic function in chronic pancreatitis is delayed by main pancreatic duct decompression. A longitudinal prospective analysis of the modified puestow procedure. Ann Surg 1993;217:458-68.
22. Lamme B, Boermeester Ma Fau - Straatsburg IH, Straatsburg Ih Fau - van Buijtenen JM, et al. Early versus late surgical drainage for obstructive pancreatitis in an experimental model. Br J Surg 2007;94:849-54.
23. Ahmed Ali U, Nieuwenhuijs Vb Fau - van Eijck CH, van Eijck Ch Fau - Gooszen HG, et al. Clinical outcome in relation to timing of surgery in chronic pancreatitis: a nomogram to predict pain relief. Arch Surg 2012;147:925-32.
24. Maartense S, Ledeboer M Fau - Bemelman WA, Bemelman Wa Fau - Ringers J, et al. Effect of surgery for chronic pancreatitis on pancreatic function: pancreatico-jejunostomy and duodenum-preserving resection of the head of the pancreas. Surgery 2004;135:125-30.
25. Rutter K, Ferlitsch A Fau - Sautner T, Sautner T Fau - Puspok A, et al. Hospitalization, frequency of interventions, and quality of life after endoscopic, surgical, or conservative treatment in patients with chronic pancreatitis. World J Surg 2010;34:2642-7.
26. Riediger H, Adam U Fau - Fischer E, Fischer E Fau - Keck T, et al. Long-term outcome after resection for chronic pancreatitis in 224 patients. J Gastrointest Surg 2007;11:949-959; discussion 959-60.
27. Yang CJ, Bliss La Fau - Schapira EF, Schapira Ef Fau - Freedman SD, et al. Systematic review of early surgery for chronic pancreatitis: impact on pain, pancreatic function, and re-intervention. J Gastrointest Surg 2014;18:1863-9.
28. Ahmed Ali U, Pahlplatz Jm Fau - Nealon WH, Nealon Wh Fau - van Goor H, et al. Endoscopic or surgical intervention for painful obstructive chronic pancreatitis. Cochrane Database Syst Rev 2015;19.
29. Nealon WH, Thompson JC. Progressive loss of pancreatic function in chronic pancreatitis is delayed by main pancreatic duct decompression. A longitudinal prospective analysis of the modified puestow procedure. Ann Surg 1993;217:458-66.
30. Lowenfels AB, Maisonneuve P Fau - Cavallini G, Cavallini G Fau - Ammann RW, et al. Pancreatitis and the risk of pancreatic cancer. International Pancreatitis Study Group. N Engl J Med 1993; 328(20):1433-37.
31. Bansal P, Sonnenberg A. Pancreatitis is a risk factor for pancreatic cancer. Gastroenterology 1995;109(1):247-51.
32. Malka D, Hammel P Fau - Maire F, Maire F Fau - Rufat P, et al. Risk of pancreatic adenocarcinoma in chronic pancreatitis. Gut 2002;51:849-52.
33. Ji B, Tsou L Fau - Wang H, Wang H Fau - Gaiser S, et al. Ras activity levels control the development of pancreatic diseases. Gastroenterology 2009;137: 1072-82, 1082 e1071-6.
34. Guerra C, Schuhmacher Aj Fau - Canamero M, Canamero M Fau - Grippo PJ, et al. Chronic pancreatitis is essential for induction of pancreatic

ductal adenocarcinoma by K-Ras oncogenes in adult mice. Cancer Cell 2007;11(3):291-302.
35. Guerra C, Collado M Fau - Navas C, Navas C Fau - Schuhmacher AJ, et al. Pancreatitis-induced inflammation contributes to pancreatic cancer by inhibiting oncogene-induced senescence. Cancer Cell 2011;19:728-39.
36. Karanjia ND, Widdison Al Fau - Leung F, Leung F Fau - Alvarez C, et al. Compartment syndrome in experimental chronic obstructive pancreatitis: effect of decompressing the main pancreatic duct. Br J Surg 1994;81:259-64.
37. Ueda J, Tanaka M Fau - Ohtsuka T, Ohtsuka T Fau - Tokunaga S, et al. Surgery for chronic pancreatitis decreases the risk for pancreatic cancer: a multicenter retrospective analysis. Surgery 2013;153:357-64.
38. Nealon WH, Townsend Cm Jr Fau - Thompson JC, Thompson JC. Operative drainage of the pancreatic duct delays functional impairment in patients with chronic pancreatitis. A prospective analysis. Ann Surg 1988;208:321-9.
39. Cahen DL, Gouma Dj Fau - Laramee P, Laramee P Fau - Nio Y, et al. Long-term outcomes of endoscopic vs surgical drainage of the pancreatic duct in patients with chronic pancreatitis. Gastroenterology 2011;141:1690-5.
40. Korc M, Friess H Fau - Yamanaka Y, Yamanaka Y Fau - Kobrin MS, et al. Chronic pancreatitis is associated with increased concentrations of epidermal growth factor receptor, transforming growth factor alpha, and phospholipase C gamma. Gut 1994;35(10):1468-73.
41. Lowenfels AB, Maisonneuve P Fau - Cavallini G, Cavallini G Fau - Ammann RW, et al. Prognosis of chronic pancreatitis: an international multicenter study. International Pancreatitis Study Group. Am J Gastroenterol 1994;89:1467-71.
42. Thorsgaard Pedersen N Fau - Nyboe Andersen B, Nyboe Andersen B Fau - Pedersen G, Pedersen G Fau - Worning H, et al. Chronic pancreatitis in Copenhagen. A retrospective study of 64 consecutive patients. Scand J Gastroenterol 1982;17(7):925-31.
43. Ammann Rw Fau - Akovbiantz A, Akovbiantz A Fau - Largiader F, Largiader F Fau - Schueler G, et al. Course and outcome of chronic pancreatitis. Longitudinal study of a mixed medical-surgical series of 245 patients. Gastroenterology 1984;86(5):820-8.
44. Miyake H Fau - Harada H, Harada H Fau - Kunichika K, Kunichika K Fau - Ochi K, et al. Clinical course and prognosis of chronic pancreatitis. Pancreas 1987;2(4):378-85.
45. Alexakis N, Connor S Fau - Ghaneh P, Ghaneh P Fau - Raraty M, et al. Influence of opioid use on surgical and long-term outcome after resection for chronic pancreatitis. Surgery 2004;136:600-8.
46. Coffey RC. XVII. Pancreato-enterostomy and Pancreatectomy: A Preliminary Report. Ann Surg 1909;50:1238-64.
47. Link G. V. The Treatment of Chronic Pancreatitis by Pancreatostomy: A New Operation. Ann Surg 1911;53:768-82.
48. Duval MK, Jr. Caudal pancreatico-jejunostomy for chronic relapsing pancreatitis. Ann Surg 1954;140:775-85.
49. Puestow Cb Fau - Gillesby WJ, Gillesby WJ. Retrograde surgical drainage of pancreas for chronic relapsing pancreatitis. AMA Arch Surg 1958;76:898-907.
50. Partington Pf Fau - Rochelle RE, Rochelle RE. Modified Puestow procedure for retrograde drainage of the pancreatic duct. Ann Surg 1960;152:1037-43.
51. Nealon WH, Thompson JC. Progressive loss of pancreatic function in chronic pancreatitis is delayed by main pancreatic duct decompression. A longitudinal prospective analysis of the modified puestow procedure. Ann Surg 1993;217:458-66.
52. Whipple Ao Fau - Parsons WB, Parsons Wb Fau - Mullins CR, Mullins CR. Treatment of carcinoma

of the ampulla of vater. Ann Surg 1935;102(4):763-79.
53. Whipple AO. Radical surgery for certain cases of pancreatic fibrosis associated with calcareous deposits. Ann Surg 1946;124(6):991-1008.
54. Izbicki JR, Bloechle C Fau - Knoefel WT, Knoefel Wt Fau - Kuechler T, et al. Duodenum-preserving resection of the head of the pancreas in chronic pancreatitis. A prospective, randomized trial. Ann Surg 1995;221:350-8.
55. Izbicki JR, Bloechle C Fau - Knoefel WT, Knoefel Wt Fau - Kuechler T, et al. [Drainage versus resection in surgical therapy of chronic pancreatitis of the head of the pancreas: a randomized study]. Chirurg 1997;68:369-77.
56. Priestley Jt Fau - Comfort MW, Comfort Mw Fau - Radcliffe J, Radcliffe J. Total Pancreatectomy for Hyperinsulinism Due to an Islet-Cell Adenoma: Survival and Cure at Sixteen MOnths after Operation Presentation of Metabolic Studies. Ann Surg 1944; 119(2):211-21.
57. Clagett OT. Total pancreatectomy for chronic pancreatitis with calcification. Proc. Staff Meet. Mayo Clin 1946;21:32.
58. Najarian Js Fau - Sutherland DE, Sutherland De Fau - Matas AJ, Matas Aj Fau - Goetz FC, et al. Human islet autotransplantation following pancreatectomy. Transplant Proc 1979;11(1):336-40.
59. Chinnakotla S, Bellin Md Fau - Schwarzenberg SJ, Schwarzenberg Sj Fau - Radosevich DM, et al. Total pancreatectomy and islet autotransplantation in children for chronic pancreatitis: indication, surgical techniques, postoperative management, and long-term outcomes. Ann Surg 2014;260:56-64.
60. Bramis K, Gordon-Weeks An Fau - Friend PJ, Friend Pj Fau - Bastin E, et al. Systematic review of total pancreatectomy and islet autotransplantation for chronic pancreatitis. Br J Surg 2012;99:761-6.
61. Sutherland DE, Gruessner Ac Fau - Carlson AM, Carlson Am Fau - Blondet JJ, et al. Islet autotransplant outcomes after total pancreatectomy: a contrast to islet allograft outcomes. Transplantation 2008;86:1799-802.
62. Blondet JJ, Carlson Am Fau - Kobayashi T, Kobayashi T Fau - Jie T, et al. The role of total pancreatectomy and islet autotransplantation for chronic pancreatitis. Surg Clin North Am 2007;87: 1477-501, x.
63. Sutherland DE, Radosevich DM, Bellin MD, et al. Total pancreatectomy and islet autotransplantation for chronic pancreatitis. J Am Coll Surg 2012;214(4): 409-24; discussion 424-6.
64. Garcea G, Weaver J Fau - Phillips J, Phillips J Fau - Pollard CA, et al. Total pancreatectomy with and without islet cell transplantation for chronic pancreatitis: a series of 85 consecutive patients. Pancreas 2009;38(1):1-7.
65. Alexakis N, Ghaneh P Fau - Connor S, Connor S Fau - Raraty M, et al. Duodenum- and spleen-preserving total pancreatectomy for end-stage chronic pancreatitis. Br J Surg 2003;90:1401-8.
66. Hutchins RR, Hart Rs Fau - Pacifico M, Pacifico M Fau - Bradley NJ, et al. Long-term results of distal pancreatectomy for chronic pancreatitis in 90 patients. Ann Surg 2002;236:612-8.
67. Beger Hg Fau - Witte C, Witte C Fau - Krautzberger W, Krautzberger W Fau - Bittner R, et al. Experiences with duodenum-sparing pancreas head resection in chronic pancreatitis. Chirung 1980;51(5):303-7.
68. Frey CF, Smith GJ. Description and rationale of a new operation for chronic pancreatitis. Pancreas 1987;2:701-7.
69. van Loo ES, van Baal Mc Fau - Gooszen HG, Gooszen Hg Fau - Ploeg RJ, et al. Long-term quality of life after surgery for chronic pancreatitis. Br J Surg 2010;97:1079-86.
70. Gestic MA, Callejas-Neto F Fau - Chaim EA, Chaim Ea Fau - Utrini MP, et al. Surgical treatment

of chronic pancreatitis using Frey's procedure: a Brazilian 16-year single-centre experience. HPB (Oxford) 2011;13:263-71.

71. Zhou Y, Shi B, Wu L, et al. Frey procedure for chronic pancreatitis: Evidence-based assessment of short- and long-term results in comparison to pancreatoduodenectomy and Beger procedure: A meta-analysis. Pancreatology 2015;15:372-9.
72. Klempa I, Spatny M Fau - Menzel J, Menzel J Fau - Baca I, et al. [Pancreatic function and quality of life after resection of the head of the pancreas in chronic pancreatitis. A prospective, randomized comparative study after duodenum preserving resection of the head of the pancreas versus Whipple's operation]. Chirurg 1995;66:350-9.
73. Buchler MW, Friess H Fau - Muller MW, Muller Mw Fau - Wheatley AM, et al. Randomized trial of duodenum-preserving pancreatic head resection versus pylorus-preserving Whipple in chronic pancreatitis. Am J Surg 1995;169:65-9; discussion 69-70.
74. Farkas G, Leindler L Fau - Daroczi M, Daroczi M Fau - Farkas G, Jr., et al. Prospective randomised comparison of organ-preserving pancreatic head resection with pylorus-preserving pancreaticoduodenectomy. Langenbecks Arch Surg 2006;391:338-42.
75. Diener MK, Rahbari Nn Fau - Fischer L, Fischer L Fau - Antes G, et al. Duodenum-preserving pancreatic head resection versus pancreatoduodenectomy for surgical treatment of chronic pancreatitis: a systematic review and meta-analysis. Ann Surg 2008;247:950-61.
76. Sukharamwala PB, Patel Kd Fau - Teta AF, Teta Af Fau - Parikh S, et al. Long-term Outcomes Favor Duodenum-preserving Pancreatic Head Resection over Pylorus-preserving Pancreaticoduodenectomy for Chronic Pancreatitis: A Meta-analysis and Systematic Review. Am Surg 2015;81:909-14.

CHAPTER 34

만성췌장염의 장기 예후

Long-term prognosis of chronic pancreatitis

정장한

서론

만성췌장염으로 인해 나타나는 주요 증상은 췌외분비 및 췌내분비 기능부전에 의한 것과 통증이다. 수많은 췌장 합병증과 췌장염과 관련된 질환들이 만성췌장염의 경과와 예후에 영향을 미친다. 하지만 아직까지 수많은 질환들의 만성췌장염의 예후에 미치는 영향에 대해 조사되지 않았다. 단지 몇가지 연구에서 만성췌장염의 경과와 세가지 주요 증상과의 연관성을 기술하였다.

1. 복통

대부분의 환자들에게서 통증은 삶의 질에 많은 영향을 끼치는 증상으로, 통증의 경과는 만성췌장염을 앓은 기간, 췌외분비 및 췌내분비 기능저하 그리고 췌장의 석회화 및 췌관의 변화와 같은 형태학적 변화와 관련있다고 알려져 있다. 하지만 5.8~20%의 환자들에게서는 통증이 없는 경과를 보이기도 한다[1-6].

만성췌장염이 진행됨에 따라 췌장의 실질이 파괴되고 이로 인해 통증이 감소된다는 주장에 대해서는 많은 논쟁이 있어 왔다[7,8]. 한 장기간의 연구에서 만성췌장염 환자 145명 중 85%가 췌장염이 발병한지 평균 4.5년이 지난 뒤부터 통증을 느끼지 못한 것으로 보고하였다[1]. 하지만 한 연구에 따르면 관찰한 기간이 길수록 통증이 없어지는 환자군의 비율도 늘지만, 10년 이상 관찰한 환자군의 53%에서 반복성 통증을 호소하는 것으로 조사되었다[5].

췌장의 외분비 및 내분비기능부전이 진행됨에 따라 통증이 감소한다는 여러 보고도 있었다[7-10]. 하지만 경도-중등도의 췌외분비 기능부전의 환자군에서 각각 26%, 34%의 환자들이 통증을 호소하였고, 심한 췌외분비 기능부전의 환자군에서도 40%의 환자들이 통증을 호소하였다는 조사를 통해 췌장 기능부전과 통증 사이의 연관성이 없다고 밝힌 연구도 발표되어 췌장의 기능감소와 통증과의 관계 역시 아직까지도 정립되지 않은 상태이다.

췌장의 형태학적인 변화 즉, 석회화와 통증 그리고 췌관의 변형과 통증 사이의 관계도 밝혀지지 않았다. 췌장의 석회화 발생률이 증가할수록 통증이 감소된다는 연구[1,9], 컴퓨터 단층촬영을 통해 췌장의 석회화가 발견된 만성췌장염 환자의 89%가 통증을 호소하였고

39%의 환자들은 매우 심한 통증을 호소하였다는 연구[11] 등이 발표되었다. 또한 수술 중 췌관의 변형으로 인해 췌관내 압력이 올라간 환자들이 통증이 심했다는 내용의 연구가[12] 있는 반면, 췌관의 변형과 통증과는 관계가 없다는 연구[13], 특히 88명의 만성췌장염 환자들 중 내시경적 역행성 췌담도조영술을 통해 Cambridge classification의 심한 췌관 변형이 확인된 환자는 42명이었고, 그 중 57%인 16명만이 통증이 없어졌으며 14명의 정상적이 췌관 형태를 갖은 환자 중 17%인 10명이 심한 통증을 호소하여 췌관의 변형과 통증 사이의 상관성이 없음을 주장한 연구 등이 있었다[5]. 이와 같은 연구들을 통해 만성췌장염으로 인해 발생하는 췌장의 형태학적인 변화는 만성췌장염의 예후 및 통증의 경과를 예측하는데 큰 의미가 없다고 할 수 있겠다.

여러 연구들에서 알코올성 만성췌장염의 경우 특발성 만성췌장염에 비해 통증이 심하다는 결과가 보여졌다[5,6,14]. 금주가 만성췌장염의 통증을 줄일 수 있다는 결과를 나타낸 연구들이 발표되었다. 금주를 한 만성췌장염의 환자 중 60%의 환자들이 통증이 감소된 반면 지속적으로 음주를 한 환자 중 26%에서만 통증이 감소되었으며[6], 214명의 알코올성 만성췌장염 환자 중 금주를 한 66명의 환자들의 52%에서 통증이 감소되었고 지속적인 음주를 한 환자 중에서는 37%에서만이 통증이 감소되었다[5]. 이와 같이 발표된 연구들을 바탕으로 금주가 만성췌장염 환자들의 통증 호전에 도움이 된다고 생각할 수 있지만 금주를 통해 통증이 감소된 환자군의 특징에 대해서는 조사된 바가 없다.

만성췌장염 환자들의 통증 감소를 위해 시행하는 체외충격파술 또는 내시경적 시술을 통한 췌석의 제거 및 췌관 협착에 대한 스텐트 삽입과 같은 중재적 시술의 효과는 아직 정립되지 않았다. 일본의 연구에서는 체외충격파술과 내시경적 시술과 함께 췌석을 제거한 환자들의 97%의 환자들에게서 통증이 사라졌고, 3년 이상 추적관찰 중 약 70%의 환자들이 통증을 호소하지 않았다[15]. 하지만 독일의 연구에서는 통증에 있어 체외충격파술과 내시경적 시술이 효과가 없다고 발표하였다[16]. 스텐트 삽입술을 통해 췌장액 배액을 유도하여 얻어지는 통증 감소 효과도 아직 뚜렷한 근거가 없다. 더욱이 수술적 치료와 중재적 시술 사이의 배액 효과에 대한 연구들에서는 아직까지 수술적 치료가 우세한 것으로 알려져 있다[17-19]. 또한 스텐트나 체외충격파술 등이 통증 감소에 큰 영향이 없다고 보고한 연구도[20] 있어 아직까지 중재적 시술이 통증 완화를 위한 치료법이라 정의하기 어렵다.

만성췌장염 환자들은 통증이나 합병증들로 수술적 치료가 필요하게 된다. 하지만 수술적 치료가 통증에 미치는 영향에 대해 조사하기가 어렵다. 첫 번째 '통증으로부터의 해방'이라는 것에 대한 정의가 뚜렷하지 않고, 두번째 동일한 적응증의 모든 환자들에 대한 수술법이 같지 않기 때문이다. 수술적 치료의 선택은 환자마다의 특수성을 고려하여 결정해야 한다. 많은 연구들은 다양한 수술법들 간의 차이를 고려하더라도 오랜 시간 동안 추적관찰을 하였을 때 수술로써 통증 감소를 얻은 환자들이 약 90%까지 된다고 보고하였다[21-28].

2. 외분비 기능부전

췌외분비 기능부전은 만성췌장염 환자의 예후에 중요한 인자가 아니지만 악액질 및 감염의 위험에 이르는 다량의 지방변이 있을 경우에는 예후에 영향을 미치기도 한다. 만성췌장염의 진행과 췌외분비 기능부전의 악화에 대한 연구들은 다양한 결과들을 보여주고 있다. 한 연구에 따르면 대변 내의 chymotrypsin이 40 ㎍보다 낮게 측정되는 심한 췌외분비 기능부전이 만성췌장염 환자의 86.6%에서 관찰되었고 평균 5.65년만에 발생하였다고 보고하였다[1]. 다른 연구에서는 secretin-pancreozymin test를 통해 조사한 췌외분비 기능부전이 143명의 만성췌장염 환자 중 46.2%에서 진행되지 않았고, 42.6%에서는 악화되었으며 11.2%에서는 오히려 호전된 것으로 보고하였다[5]. 또한 여러 연구들에서는 췌외분비 기능부전이 호전될 수 있다는 근거를 제시하였는데, 그 중 한 연구에서는 음주를 중단하였을 경우 보존적 또는 수술적 치료 없이도 췌외분비 기능이 호전되는 것을 보고하였다[5].

3. 내분비 기능부전

췌내분비 기능부전의 경우는 췌외분비 기능부전과는 다른 경향을 보이는데, 한 보고에 따르면 335명의 만성췌장염 환자들 중 8%의 환자들이 당뇨병을 진단받았고 5%의 환자들이 인슐린이 필요한 상황이었으나 평균 9.8년 후 당뇨병을 진단받은 환자들이 약 10배에 해당하였다[5]. 한 전향적 코호트 연구에서는 수술적 치료를 받은 환자들이 수술적 치료를 받지 않은 환자들에 비해 당뇨병의 발생률이 높지 않은 것으로 보고하였고, 췌장액 배액술이 당뇨병의 발생을 예방하지 못하는 것으로 보고하였다[29]. 만성췌장염의 췌내분비 합병증은 예후에 중요한 역할을 한다. 특히 수술적 치료 후 발생하는 저혈당이 불량한 예후를 유발한다. 아직 췌내분비 기능부전으로 인해 발생한 당뇨병의 혈관 합병증이 만성췌장염 환자의 예후에 어떠한 영향을 미치는지에 대해서는 아직 조사되지 않았다.

4. 합병증

만성췌장염에 의해 발생할 수 있는 합병증으로는 췌장 가성낭종과 농양, 간외담도 및 십이지장의 협착, 복수 및 흉수 그리고 위장관내 출혈 등이 있다. 이 모든 합병증들은 만성췌장염의 예후에 영향을 미치지만 대규모 연구들을 통해 조사된 바는 없다.

5. 췌장암

만성췌장염 환자에서의 췌장암 발생률은 1.4~ 2.7%로 보고되고 있다[1,5,30-32]. 다기관 코호트 연구에서 최소 2년 이상 추적관찰할 경우 췌장암 누적 발생률이 유의하게 증가하였고, 만성췌장염 진단받은 후 10년 후에는 1.8%, 20년 후에는 4%의 누적 발생률이 조사되었다[33]. 즉, 만성췌장염은 췌장암의 전암병변이라 평가할 수 있겠다. 하지만 만성췌장염 환자에서 췌장암을 진단하기란 매우 어렵다. 그러므로 복부 통증의 악화, 급격한 체중 감소, 황달 및 십이지장 결절성 점막 등을 포함하는 영상학적 검사에서의 이상소견이 보이는 경우 췌장암을 의심해야 한다. 췌장 석회화가 감소되는 것이 췌장암의 증가에 따라 석회화가 침식된다는 보고가 있지만[34], 정립된 사항은 아니다. 또한 췌장의 석회화는 췌장암의 존재 유무를 결정할 수 있는 요소가 아니다.

6. 췌장외 악성종양

만성췌장염 환자에서 췌장외 악성종양의 발생률은 3.9~12.5%로 다양하다[5,6,30,32,35]. 만성췌장염 환자에서 상기도 암의 발생도 보고되었는데, 이는 만성췌장염의 가장 흔한 원인이 알코올이기 때문에 음주하면서 담배라든지 다른 발암물질들을 흡입하여 발생했을 것으로 여겨진다.

7. 삶의 질

만성췌장염 환자들의 사회 경제적 상황에 대한 보고들이 있었다. 만성췌장염을 앓고 있는 남성 환자 2명 중 1명은 통증이나 당뇨병 발생에도 불구하고 정상적인 사회생활이 가능하지만 3명 중 1명 꼴로 1년 중 3개월 이상 경제활동을 하지 못하는 것으로 조사된 보고가 있었으며[36], 5년 동안 추적관찰한 결과 40%의 환자들만이 경제활동을 유지하고 있었으나 나머지 환자들은 경제활동을 유지하기 어려웠다는 결과를 보고하기도 하였다[30]. 음주를 지속하는 환자군에서 경제활동을 유지하기 어려운 증상들을 호소하였다는 보고도 있어[6], 음주를 지속할수록, 유병기간이 길어질수록 만성췌장염 환자들의 삶의 질이 떨어진다는 것을 확인할 수 있었다.

8. 사망률

만성췌장염에 의한 사망률은 추적관찰한 기간과 만성췌장염의 원인이 다양하여 비교하기 어렵지만, 비슷한 기간 동안 추적관찰했던 3가지 연구들에 의하면 일반적인 사망률은 20.8~35%, 만성췌장염과 관련한 사망률은 12.8~19.8%로 조사되었다[1,5,6]. 만성췌장염으로 실직을 했거나 저체중일 경우 사망률이 높은 것으로 보고되었다[37]. 보존적 혹은 수술적 치료 후에도 지속적인 음주를 할 경우에는 사망률이 3배 정도 높인다는 보고도 있었다[38].

9. 예후

만성췌장염의 예후는 보존적 치료나 수술적 치료와는 무관하다. 10년 생존율은 70%, 20년 생존율은 45%로 알려져 있다. 40세 이전에 만성췌장염을 진단받은 환자들보다 중년의 나이에 진단받은 환자들의 경우 사망률은 2.3배, 노년의 나이에 진단받은 환자들의 경우 사망률은 6.3배 높은 것으로 알려져 있다. 또한 음주를 지속할 경우 음주를 중단한 경우의 1.6배, 흡연을 동반할 경우 비흡연 경우의 1.4배 높은 사망률을 보이며, 간경화가 동반될 경우 2.5배 높은 사망률을 보인다. 성별이 만성췌장염의 예후에 미치는 영향은 없다.

References

1. Ammann RW, Akovbiantz A, Largiader F, Schueler G. Course and outcome of chronic pancreatitis. Longitudinal study of a mixed medical-surgical series of 245 patients. Gastroenterology 1984;86(5 Pt 1):820-8.
2. Ammann RW, Hammer B, Fumagalli I. Chronic pancreatitis in Zurich, 1963-1972. Clinical findings and follow-up studies of 102 cases. Digestion 1973;9(5):404-15.
3. Creutzfeldt W, Fehr H, Schmidt H. [Follow-up and diagnostic procedure in chronically recurrent and chronic pancreatitis]. Schweiz Med Wochenschr 1970;100(28):1180-9.
4. Goebell H. Onset and development of chronic pancreatitis. Internist(Berl) 1986;27(3):172-4.
5. Lankisch PG, Lohr-Happe A, Otto J, Creutzfeldt W. Natural course in chronic pancreatitis. Pain, exocrine and endocrine pancreatic insufficiency and prognosis of the disease. Digestion 1993;54(3):148-55.
6. Miyake H, Harada H, Kunichika K, Ochi K, Kimura I. Clinical course and prognosis of chronic pancreatitis. Pancreas 1987;2(4):378-85.
7. Ammann R. Chronic pancreatitis. Problems of indication for surgery and contribution to the spontaneous process of chronic recurrent pancreatitis. Dtsch Med Wochenschr (1946)1970;95(1):1-7.
8. Ammann R. Treatment of chronic pancreatitis. Dtsch Med Wochenschr(1946) 1970;95(22):1234-5.
9. Ammann RW, Largiader F, Akovbiantz A. Pain relief by surgery in chronic pancreatitis? Relationship

between pain relief, pancreatic dysfunction, and alcohol withdrawal. Scand J Gastroenterol 1979;14(2):209-15.
10. Ammann R. Clinical aspects, spontaneous course and therapy of chronic pancreatitis. With special reference to the problem of nomenclature. Schweiz Med Wochenschr 1989;119(21):696-706.
11. Malfertheiner P, Buchler M, Stanescu A, Ditschuneit H. Pancreatic morphology and function in relationship to pain in chronic pancreatitis. Int J Pancreatol 1987;2(1):59-66.
12. Bradley EL, 3rd. Pancreatic duct pressure in chronic pancreatitis. Am J Surg 1982;144(3):313-6.
13. Jensen AR, Matzen P, Malchow-Moller A, Christoffersen I. Pattern of pain, duct morphology, and pancreatic function in chronic pancreatitis. A comparative study. Scand J Gastroenterol 1984;19(3):334-8.
14. Hayakawa T, Kondo T, Shibata T, Sugimoto Y, Kitagawa M. Chronic alcoholism and evolution of pain and prognosis in chronic pancreatitis. Dig Dis Sci 1989;34(1):33-8.
15. Tadenuma H, Ishihara T, Yamaguchi T, Tsuchiya S, Kobayashi A, Nakamura K, et al. Long-term results of extracorporeal shockwave lithotripsy and endoscopic therapy for pancreatic stones. Clin Gastroenterol Hepatol 2005;3(11):1128-35.
16. Adamek HE, Jakobs R, Buttmann A, Adamek MU, Schneider AR, Riemann JF. Long term follow up of patients with chronic pancreatitis and pancreatic stones treated with extracorporeal shock wave lithotripsy. Gut 1999;45(3):402-5.
17. Cahen DL, Gouma DJ, Laramee P, et al. Long-term outcomes of endoscopic vs surgical drainage of the pancreatic duct in patients with chronic pancreatitis. Gastroenterology 2011;141(5):1690-5.
18. Cahen DL, Gouma DJ, Nio Y, et al. Endoscopic versus surgical drainage of the pancreatic duct in chronic pancreatitis. N Eng J Med 2007;356(7):676-84.
19. Dite P, Ruzicka M, Zboril V, Novotny I. A prospective, randomized trial comparing endoscopic and surgical therapy for chronic pancreatitis. Endoscopy 2003;35(7):553-8.
20. Holm M, Matzen P. Stenting and extracorporeal shock wave lithotripsy in chronic pancreatitis. Scand J Gastroenterol 2003;38(3):328-31.
21. Berney T, Rudisuhli T, Oberholzer J, Caulfield A, Morel P. Long-term metabolic results after pancreatic resection for severe chronic pancreatitis. Arch Surg 2000;135(9):1106-11.
22. Hutchins RR, Hart RS, Pacifico M, Bradley NJ, Williamson RC. Long-term results of distal pancreatectomy for chronic pancreatitis in 90 patients. Ann Surg 2002;236(5):612-8.
23. Nealon WH, Matin S. Analysis of surgical success in preventing recurrent acute exacerbations in chronic pancreatitis. Ann Surg 2001;233(6):793-800.
24. Sakorafas GH, Farnell MB, Nagorney DM, Sarr MG, Rowland CM. Pancreatoduodenectomy for chronic pancreatitis: long-term results in 105 patients. Arch Surg 2000;135(5):517-23; discussion 23-4.
25. Sakorafas GH, Sarr MG, Rowland CM, Farnell MB. Postobstructive chronic pancreatitis: results with distal resection. Arch Surg 2001;136(6):643-8.
26. Strate T, Taherpour Z, Bloechle C, et al. Long-term follow-up of a randomized trial comparing the beger and frey procedures for patients suffering from chronic pancreatitis. Ann Surg 2005;241(4):591-8.
27. White SA, Sutton CD, Weymss-Holden S, et al. The feasibility of spleen-preserving pancreatectomy for end-stage chronic pancreatitis. Am J Surg 2000;179(4):294-7.
28. Yekebas EF, Bogoevski D, Honarpisheh H, et al. Long-term follow-up in small duct chronic pancreatitis: A plea for extended drainage by "V-shaped excision" of the anterior aspect of the pancreas. Ann Surg 2006;244(6):940-6; discussion

6-8.
29. Malka D, Hammel P, Sauvanet A, et al. Risk factors for diabetes mellitus in chronic pancreatitis. Gastroenterology. 2000;119(5):1324-32.
30. Thorsgaard Pedersen N, Nyboe Andersen B, Pedersen G, Worning H. Chronic pancreatitis in Copenhagen. A retrospective study of 64 consecutive patients. Scand J Gastroenterol 1982;17(7):925-31.
31. Mohr P, Ammann R, Largiader F, Knoblauch M, Schmid M, Akovbiantz A. Pancreatic carcinoma in chronic pancreatitis. Schweiz Med Wochenschr 1975;105(18):590-2.
32. Ammann RW, Knoblauch M, Mohr P, et al. High incidence of extrapancreatic carcinoma in chronic pancreatitis. Scand J Gastroenterol 1980;15(4):395-9.
33. Lowenfels AB, Maisonneuve P, Cavallini G, et al. Pancreatitis and the risk of pancreatic cancer. International Pancreatitis Study Group. N Eng Med 1993;328(20):1433-7.
34. Tucker DH, Moore IB. Vanishing pancreatic calcification in chronic pancreatitis. A sign of pancreatic carcinoma. N Eng J Med 1963;268:31-3.
35. Rocca G, Gaia E, Iuliano R, et al. Increased incidence of cancer in chronic pancreatitis. J Clin Gastroenterol 1987;9(2):175-9.
36. Gastard J, Joubaud F, Farbos T, et al. Etiology and course of primary chronic pancreatitis in Western France. Digestion 1973;9(5):416-28.
37. Nojgaard C, Bendtsen F, Becker U, Andersen JR, Holst C, Matzen P. Danish patients with chronic pancreatitis have a four-fold higher mortality rate than the Danish population. Clinl Gastroenterol Hepatol 2010;8(4):384-90.
38. Ammann RW, Muellhaupt B. The natural history of pain in alcoholic chronic pancreatitis. Gastroenterology 1999;116(5):1132-40.

자가면역 췌장염

AUTOIMMUNE PANCREATITIS

CHAPTER 35

자가면역 췌장염의 역학, 유형 및 임상양상

Epidemiology, type and clinical manifestations of autoimmune pancreatitis

정재복

서론

자가면역 췌장염(autoimmune pancreatitis, AIP)은 개념이 확립되기 전에는, primary inflammatory pancreatitis, lymphoplasmacytic sclerosing pancreatitis, nonalcoholic duct destructive chronic pancreatitis, 췌관 협착형 만성췌장염 등의 다양한 진단명으로 불리워 졌는데 이는 자가면역 췌장염의 다양한 측면을 보여주는 증거임을 알수 있다.

자가면역 췌장염은 일반적인 췌장염과 달리 복통은 경미하고 주로 폐쇄성 황달이 주증상이며, 당뇨병이 흔히 동반되고 췌장외 장기를 침범하는 임상양상을 보이는 질환으로 과거에는 췌장암으로 오인하여 수술을 하는 경우가 있었다. 또한 특징적인 조직학적, 영상학적 소견을 보이며 스테로이드 치료에 매우 잘 반응한다. 췌장에 섬유화 염증을 일으킬 뿐아니라 전신을 침범하여 담관, 침샘, 후복막, 림프절, 갑상선, 신장, 폐, 간 등에도 섬유화 염증을 유발할 수 있는데 면역글로불린인 IgG4가 중요한 역할을 하는 것으로 알려져 있으며, 최근에는 임상양상과 조직병리학적 소견이 다른 두 가지 유형, 즉 1형(type 1)과 2형(type 2)으로 분류되어진다.

1. 역학(epidemiology)

역사적으로 1961년 Sales 등[1]이 hypergammaglobulin이 동반된 췌장염 환자를 보고하였고, 1995년 일본의 Yoshida 등[2]이 AIP개념을 제안하면서, 스테로이드로 치료한 증례를 보고하였다. 이후 초기에는 대부분 일본에서 많은 보고가 있었으나, 근래 아시아뿐만 아니라 전 세계적으로 환자가 보고되었고, 수가 점차적으로 증가 하는 추세에 있다.

자가면역 췌장염의 유병률은 2011년 일본에서 인구 10만 명당 4.6으로, 연간 발생률은 인구 10만 명당 1.4로 보고되었고[3], 우리나라에서는 만성췌장염 환자 중 약 2%가 AIP로 보고[4]되었다. 자가면역 췌장염에 대한 개념이 널리 알려기지 전에는 수술 전 췌장암으로 진단되어 수술받은 환자 중 2.5%가 자가면역 췌장염으로 확진된 보고[5]도 있다. 우리나라에서는 2002년 처음으로 자가면역 췌장염 환자가 보고[6,7]된 이래, 최근 환자수가 증가하는 추세에 있다.

발생연령을 보면, 아시아 에서는 평균연령이 59.0~66.4세[8], 미국 64.1세, 영국 57.6세, 독일 45.5세 및 이태리 43.3세로[9], 유럽의 자가면역 췌장염의 발생연령이 젊은 경향을 보였는데, 이는 지역에 따른 자가면역 췌장염의 유형별 발생 빈도가 다르기 때문일 것으로 생각된다. 유형별 발생연령은 1형이 61.4세, 2형이 39.9세[10]로 2형에서 젊었다.

자가면역 췌장염의 남녀비는 약 2.6~3.7:1로 남자에서 많이 발생하는데, 아시아 국가에서는 3.7대1(한국 2.6대1)[8], 미국 2.9대1[11] 및 유럽 1.8대1[12]로 유럽에서 성별 차이가 적었으며, 유형별로는 1형에서 남자가 77%였으나 2형에서는 남자가 55%로 남녀 차이가 뚜렷하지 않은 경향을 보였다[10].

2. 유형(type)

자가면역 췌장염을 임상적, 병리학적 특징에 따라 1형(type 1)과 2형(type 2) 두 가지로 분류하는데[13,14,15,16,17](표 35-1), 국제적인 연구에(10개국, 23개기관) 의하면 총 1,064명의 대상 환자 중 1형이 91.9%, 2형이 8.1%로 1형이 월등하게 많았는데, 지역별로는 다소 차이가 있어 2형의 발생빈도가 아시아 국가(3.7%)가 유럽(12.9%)과 미국(13.7%)에 비해 낮았으며, 평균 연령은 1형이 2형에 비해 고령이었으며(1형 61.4세 vs. 2형 39.9세), 성별비는 남자가 1형에서 월등히 많았으나, 2형에서는 차이가 현저하지 않았다(남자; 1형 77% vs. 2형에서 55%)[10].

자가면역 췌장염의 특징적인 병리조직학적 소견은 T림프구와 IgG4-positive 형질세포의 침윤(dense infiltration), 나선형 섬유화(storiform fibrosis) 및 폐쇄성정맥염(obliterative phlebitis) 등으로 흔히 LPSP (lymphoplasmacytic sclerosing pancreatitis)라고 불린다[13]. 미국과 유럽 병리학자들이 종괴를 형성한 자가면역 췌장염 환자의 수술적 절제 후 특징적인 병리 조직학적을 보고 하면서 idiopathic duct-centric pancreatitis (IDCP)[14] 혹은 granulocyte epithelial lesion이 있는 자가면역 췌장염[15]이라고 보고하였는데, 췌관의 epithelium에 neutrophilic infiltration이 IDCP의 특징적인 소견으로, LPSP에서는 보이지 않으며, IDCP에서는 IgG4-positive 형질세포의 침윤과 obliterative phlebitis는 드물다. 현재 LPSP는 1형(type 1), IDCP는 2형(type 2)으로 구분된다[16].

유형별 임상 양상의 차이를 보면, 폐쇄성황달은 1형에서 많았으며(75% vs 47%), 복통과 급성췌장염은 2형에서 많았다. 2형에 비해 1형에서 췌장의 전반적인 종대, 혈청 IgG4 증가, 후복강섬유화, 침샘종대, 전반적인 림프절종대 등이 흔했고, 궤양성대장염은 2형에서 많았다. 두 가지 유형 모두 스테로이드 투여에 반응이 좋았으나, 재발은 1형에서 흔했다. 2형에서 국소적인 병변을 보인 경우가 흔해 진단의 어려움으로 인해 절제수술을 한 경우가 많았으며, 영상의학적 소견 및 스테로이드 반응성은 1형과 2형 자가면역 췌장염이 유사한 반면, 2형 자가면역 췌장염은 혈청 IgG4가 정상이고 재발이 거의 없으며 궤양성대장염이 흔히 동반되는 점이 다르다[9].

3. 임상 양상(clinical manifestations)

자가면역 췌장염 환자들의 증상은 통증이 없는 황달이 가장 흔하여 약 반수 이상에서 황달 때문에 병원에 내원 하는데, 이때 황달은 주로 췌두부 종대에 의한 외인성 압박으로 췌장내 총담관이 눌려서 발생한다. 대부분 복부 증상은 경미하거나 비특이적이며 췌장염의 특징으로 볼 수 있는 심한 복통은 대개 없다. 체중 감소도 35%에서 동반된다. 자가면역 췌장염이 널리 알려지기 전에는 약 반수 이상의 환자에서 통증을 동반하지 않은 황달과 췌장 종대로 인해 췌장 또는 담도의 악성 질환으로 의심되었고, 일부 환자에서는 악성 질환을 완전히 배제할 수 없거나 악성 종양과의 감별이 어려워 개복수술을 시행하였다.

아시아 5개국 10개 병원에서 시행한 연구결과[8]

표 35-1. **자가면역 췌장염의 type 1과 type 2의 비교**

Clsssification	Type 1	Type 2
Other name	LPSP AIP without GEL IgG4 related	IDCP AIP with GEL IgG4 unrelated
Ethnic	Asia > USA, Europe	Europe > USA > Asia
Age	60 yrs or older	A decade younger
Sex	Usually male (- 70%)	Equal
Clinical findings		
Obstructive juandice	often	often
Abdominal pain	rare	common
Pancreas swelling	common	common
Serology		
IgG4	high	normal
Auto-antibody	present	absent
Histopathology	Lymphocyte and plasamcyte infiltration, storiformfibrosis, and obliterative phlebitis Infiltration of IgG4 plasma cells	Granulocyte epithelial lesion often with destruction and obliteration of the PD
Extrapancreatic	Sclerosing cholangitis, Sclerosing sialadenitis, Retroperitoneal fibrosis, etc.	Unrelated with OOI
Ulcerative colitis	rare	often
Histology needed for diagnosis	No	Yes
Steroid response	Good	Good
Relapse rate	Occasional (30 - 40%)	Low (- 9%)

LPSP: lymphoplasmacytic sclerosing pancreatitis; IDCP: idiopathic duct centric chronic pancreatitis; GEL: granulocytic epithelial lesion; AIP: autoimmune pancreatitis; OOI: other organ involvement; PD: pancreatic duct.
Cai O, Gastroenterol Res Pract 2017;2017:3246459, page 2에서 인용[3].

(표 35-2) 가장 흔한 증상은 황달(46~74%) 이었고, 체중감소(4~51%), 복통(19~44%) 등의 순이었다. 전반적인 췌장종대는 일본(64%)과 한국(81%)에서 많았으며, 부분적인 췌장종대는 대만(70%)과 중국(72%)에서 많았다. 혈청 IgG4 증가는 58~100%에서 있었다. 췌장외 장기침범은 경화성담관염이 가장 많았다(60~81%). 스테로이드 사용으로 대부분 효과가 있었으며, 수술한 경우는 대만(40%)과 중국(72%)에서 많았다. 일본, 한국, 대만 및, 중국의 자가면역 췌장염은 유사한 임상양상을 보였는데, 이는 유전적인으로 유사한 특성을 가진 것에 기인한다고 생각된다[8].

세계 8개국(일본, 한국, 대만, 인도, 미국, 독일, 이태리 및 영국), 15개 병원에서 시행된 연구 결과[9]를 보면, 총 731명 중 1형이 72%, 2형이 28%이었다. 폐쇄성활달은 1형에서 많았으며(75% vs 47%), 복통과 급성췌장염은 2형에서 많았다. 1형이 2형에 비해 췌장의 전반적인 종대, 혈청 IgG4 증가, 후복막섬유화, 침샘종대, 전반적인 림프절종대 등이 흔했고, 궤양성대장염은 적었다. 두 가지 유형 모두 스테로이드 투여에 반응이 좋았으나, 재발은 1형에서 흔했다. 2형군에서 국소적인 병변을 보인 경우가 흔해 진단의 어려움으로 인해 절제수술을 한경우가 많았다. 지역별 차임점을 보면, 아시아 국가들은 유사한 임상양상을 보였고, 미국, 영국의 경우 아시아 국가들과 유사하였지만, 영국 환자들에서 근위담관의 담관염이 많았다(79%). 8개국 중 이태리와 독일을 제외한 6개국 1형 환자들의 임상양상은 유사하였지

표 35-2. **아시아 자가면역 췌장염 환자: 임상, 영상의학 및 혈청학적 소견**

	한국	일본	대만	중국
N	118	137	47	25
연령(세)	57.2	62.2	64.9	54.0
성별(남자)	72%	80%	89%	88%
초기증상				
폐쇄성황달	54%	46%	74%	72%
체중감소	35%	4%	51%	40%
복통	29%	19%	17%	44%
미만성췌장종대	81%	64%	30%	28%
혈청 IgG4증가	58% (50/86)	86% (95/111)	100% (28/28)	0/0
경화성담관염	81% (95)	60% (82)	74% (35)	72% (18)
원위부	84	78	35	18
간문부	6	9	0	8
간내담관	8	11	0	0
경화성침샘염	7%	22%	0	4%
후복강섬유화	13%	7%	0	4%
치료				
스테로이드	86%	74%	70%	16%
절제	6%	9%	40%	16%
Bypass op.	5%	4%	0	56%
추적관찰	3%	16%	0	12%
스테로이드 반응예	100%	100%	70%	100%
스테로이드 투여 후 재발	19%	8%	3%	50%

Kamisawa T, et al. Pancreas 2011;40:200-5에서 인용해서 작성[8].

만, 이태리 환자들은 여성에서 많이 발생하였고, 형청 IgG4증가도 적었으며, 급성췌장염과 궤양성대장염 동반이 흔한 반면, 다른 장기 침범은 드물었다. 독일 환자들도 연령이 젊었으며, 여성에게 많았고, 복통과 급성 췌장염이 흔했다[9].

자가면역 췌장염은 췌장외 타 장기에 병변을 일으킬 수 있는데, 경화성담관염은 4가지 유형으로 나타날 수 있어[18,19](그림 35-1), 췌장암, 담도암, 만성췌장염, 담낭암 및 원발성경화성담관염 등과 감별이 필요하다. 폐에 발생하는 병변은 soild nodular type, round-shaped ground-glass opacity (GGO), alveolar interstitial type과 bronchovascular type으로 나타날 수 있는데[20], 종양형인 경우 수술 후 진단이 확인되는 경우가 있어, 수술 전 조직 진단이 꼭 필요하다. 신장병변으로는 후복강섬유화로 인한 hydronephrosis[21], tubulointerstitial nephritis (TIN)[22], membranous nephropathy[23], pyelitis[24] 등이 보고되었다. 침샘과 눈물샘에 병변이 나타나는 IgG4-related dacryoadenitis 및 sialadenitis (IgG4-DS)와 submandibular gland에만 국한되어 커지는 IgG4-KT (IgG4 related Kuttner tumor)[25], hypophysitis[26], 만성갑상선염[27], aortitis[28], 그리고 다양한 림프절 병변[29] 등이 보고되고 있다.

위장관에서의 병변은 식도, 위, 십이지장팽대부, 소장 및 대장 등에서 다양한 모양으로 나타나는데, 협착, 점막하 종양, 궤양형, 만성궤양 및 협착, 융기형 종양, 다발성 용종 및 십이지장 유두부의 종대 등의 다양한

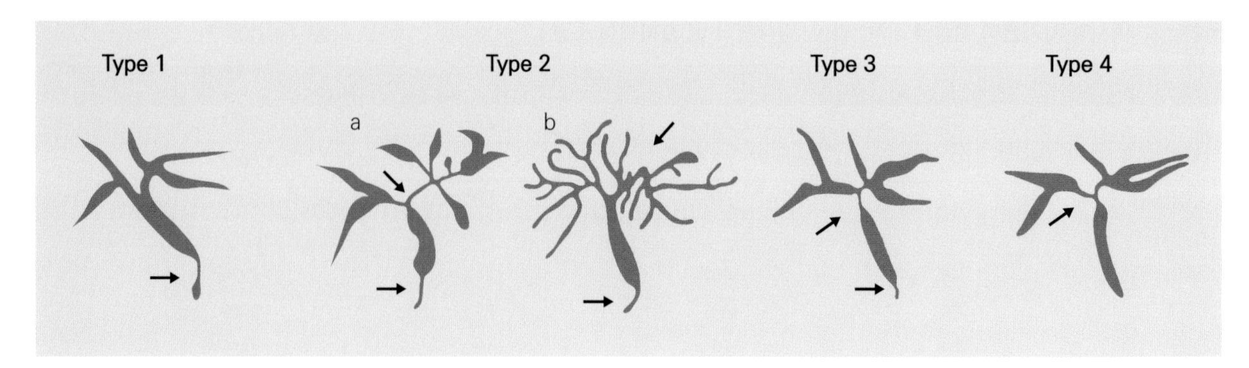

그림 35-1. **자가면역 췌장염 연관 경화성담관염 유형[18].**

형태로 나타나 병변이 있는 경우에는 항상 조직생검이 필수적이다[30].

2012년 10개국(일본, 한국, 대만, 미국, 독일, 이태리, 영국, 헝가리, 스웨덴 및 프랑스) 23개 기관, 총 1,064명을 대상으로한 임상연구 결과[10], 치료 방법은 1형의 경우 대부분 스테로이드를 투여하였고(74%), 2형에서는 62%에서 투여 하였다. 스테로이드 투여로 유형에 관계없이 대부분 관해 되었다. 담관내 스텐트 삽관은 1형에서 71%, 2형에서 77%에서 시행되었다. 스테로이드 투여 이유로는 1형이 황달, 복통이 주이유였고, 2형에서는 복통 및 염증성장질환이었다. 혈청 IgG4는 1형에서, 스테로이드 치료로 95.7%에서 감소하였고, 45.5%에서 정상으로 되었다. 재발은 1형에서 31%, 2형에서는 9%였다. 재발 부위로는 1형이 담관계나 췌장이었고, 2형은 췌장에 국한되었다. 재발빈도는 1형이 여러 번 되었으나, 2형에서는 한 번이었다. 재발이 없었던 환자들에 비해 한번 이상 재발이 있었던 경우 췌관 결석이 많이 발생하였다(4.0% vs 14.4%). 추적 관찰기간 동안, 위암(11명), 폐암(9명), 전립선암(7명), 대장암(5명) 및 췌장암(5명) 등이 발생하였는데, 췌장암의 경우(5명) 모두 남성, 평균 77세(65~80세)로, 자가면역 췌장염 진단 평균 5년 뒤(0.7~7년) 진단되었다[10].

우리나라 자가면역 췌장염의 특징을 요약하면 유형별로는 1형이 월등히 많고, 2형은 5.6%~12.5%로 1형에 비해 낮게 보고된다[9,31,32,33]. 평균 발생연령는 57.2세, 남녀비는 2.6대1로 남자에서 많이 발생하였으며, 초기 증상으로는 폐쇄성황달이 54%로 제일 많았으며, 체중감소 35%, 복통 29% 및 당뇨병 악화 18% 등의 순이었고, 증상이 없는 경우가 6%이었다. 췌장외 다른 장기 침범을 보면, 경화성담관염이 가장 많았으며, 경화성 sialadenitis, 경화성담낭염, 후복강섬유화, 신장병변, 림프절병변, 가성종양(간, 폐, 척추주위) 및 당뇨병(기존 당뇨병의 악화 및 새로 발생), 그리고 드물게 눈물샘 종대, 갑상선염, 전립선염 등이 보고되었다[9]. 스테로이드 치료에 모두 잘 반응하였으며, 스테로이드 치료 후 재발은 관찰기간에 따라 19%[8] 내지는 33%[34]로 보고된다. 일본의 자가면역 췌장염과 비교하면 대부분의 임상양상은 유사한데, 췌장외 다른 장기침범 양상이 다르고, 2형 자가면역 췌장염 발생빈도가 한국에 비해 낮은 경향을 보였다[33].

자가면역 췌장염의 장기예후에 대해서는 아직 잘 밝혀져 있지 않았으나 자가면역 췌장염으로 진단되는 일부 증례에서 췌석이 발견되거나 췌장의 위축성 변화등 비가역적인 만성췌장염의 전형적인 소견을 보이는 경우도 있으며, 스테로이드 등으로 치료를 하지 않으면 병이 진행해서 췌석을 형성 하는 등의 비가역적인 만성 췌장염으로 진행 할 수 있다[35,36], 또한 췌장의 외분비 및 내분비 기능부전이 올 수 있다[37].

자가면역 췌장염에서 악성종양의 SIRs (standardized incidence ratios)는 3.83으로 일반 인구의 악성종양의 발생 빈도보다 높다고 하며[38], 자가면역 췌장염 환자의 췌장조직에서 악성으로 이행될 수 있는 소견[39]과 유전자 변이[40], 그리고 종양억제 유전자의 methylation 이상 등[41]이 보고되어 췌장암 발생 위험 가능성을 시사하고 있다.

자가면역 췌장염 환자들은 자가면역 췌장염과 연관된 합병증으로 사망할 확률은 낮으며, 일반 인구와 비교시 생존율에 차이는 없다[42]고 하지만, 스테로이드를 오래 사용하므로서 발생할 수 있는 합병증으로 인해 사망할 수 있으므로 경과 관찰중에 합병증 유무를 확인하는 것과 동시에 악성종양 발생 유무를 주기적으로 확인해야 한다.

References

1. Sarles H, Sarles JC, Muratoren R, Guien C. Chronic inflammatory sclerosing of the pancreas- an autonomous pancreatic disease? Am J Dig Dis 1961; 6:688-98.
2. Yoshida K, Toki F, Takeuchi T, Watanabe S, Shiratori K, Hayashi N. Chronic pancreatitis caused by an antoimmune abnormality. Proposal of the concept of autoimmune pancreatitis. Dig Dis Sci 1995;40:1561-8.
3. Cai O, Tan S. From pathogenesis, clinical manifestation, and diagnosis to treatment: An overview on autoimmune pancreatitis. Gastroenterol Res Pract 2017;2017:3246459. doi: 10.1155/2017/3246459. PMID:28197205
4. Ryu JK, Lee JK, Kim YT, et al. Clinical features of chronic pancreatitis in Korea: a multicenter nationwide study. Digestion 2005;72(4):207-11.
5. Hardacre JM, Iacobuzio-Donahue CA, Sohn TA, et al. Results of pancreaticoduodenectomy for lymphoplasmacytic sclerosing pancreatitis. Ann Surg 2003;237:853-8. discussion 858-9.
6. 김진영, 장혜순, 김명환 등. 스테로이드 복용으로 호전된 자가면역 췌장염 1예. 대한소화기학회지. 2002;39:304-8.
7. Hong SP, Park SW, Chung JP, et al. Autoimmune pancreatitis with effective steroid therapy. Yonsei Med J 2003;44:534-8.
8. Kamisawa T, Kim MH, Liao WC, et al. Clinical characteristics of 327 Asian patients with autoimmune pancreatitis based on Asian diagnostic criteria. Pancreas 2011;40:200-5.
9. Kamisawa T, Chari ST, Giday SA, et al. Clinical profile of autoimmune pancreatitis and its histological subtypes: an international multicenter survey. Pancreas 2011;40:352-8.
10. Hart PA, Kamisawa T, Brugge WR, et al. Long-term outcomes of autoimmune pancreatitis: a multicentre, international analysis. Gut 2012;62:1771-6.
11. Ahmed N, Hart PA, Chari ST. Autoimmune pancreatitis in the USA. In: Kamisawa T, Chung JB, editors. 1st ed. Autoimmune pancreatitis. Springer-Verlag Berlin Heidelberg 2015, p189-195.
12. Beyer G, Mayerle J, Lerch MM. Autoimmune pancreatitis in Europe. In: Kamisawa T, Chung JB, editors. 1st ed. Autoimmune pancreatitis. Springer-Verlag Berlin Heidelberg 2015, p197-203.
13. Kawaguchi K, Kolike M, Tsuruta K, Okamoto A, Tabata I, Fujita N. Lymphoplasmacytic sclerosing pancreatitis with cholangitis: a variant of primary sclerosing cholangitis extensively involving pancreas. Human Pathol 1991;22:387-95.

14. Notohara K, Burgart LJ, Yadav D, Chari S, Smyrk TC. Idiopathic chronic pancreatitis with periductal lymphoplasmacytic infiltration: clinicopathologic features of 35 cases. Am J Surg Pathol 2003;27:1119-27.
15. Zamboni G, Lüuttges J, Capelli P, et al. Histopathological features of diagnostic and clinical relevance in autoimmune pancreatitis: a study on 53 resection specimens and 9 biopsy specimens. Virchows Arch 2004;445:552-63.
16. Sah RP, Chari ST, Pannala R, et al. Differences in clinical profile and relapse rate of type 1 versus type 2 autoimmune pancreatitis. Gastroenterology 2010; 139:140-8.
17. Kamisawa T, Ryu JK, Kim MH, Okazaki K, Shimosegawa T, Chung JB. Recent advances in the diagnosis and management of autoimmune pancreatitis: similarities and differences in Japan and Korea. Gut Liver 2013;7(4):393-400.
18. Nakazawa T, Ohara H, Sano H, Ando H, Joh T. Schematic classification of sclerosing cholangitis with autoimmune pancreatitis by cholangiography. Pancreas 2006;32:229.
19. Nakazawa T, Naitho I, Ohara H. IgG4-related sclerosing cholangitis. In: Kamisawa T, Chung JB, editors. 1st ed. Autoimmune pancreatitis in Europe. Springer-Verlag Berlin Heidelberg 2015, p. 101-10.
20. Inoue D, Zen Y, Abo H, et al. Immunoglobulin G4-related lung disease; CT findings with pathologic correlations. Radiology 2009;251:260-70.
21. Hamano H, Kawa S, Ochi Y, et al. Hydronephrosis associated with retroperitoneal fibrosis and sclerosing pancreatitis. Lancet 2002;359:1403-4.
22. Takeda S, Haratake J, Kasai T, et al. IgG4-associated idiopathic tubulointerstitial nephritis complicating autoimmune pancreatitis. Nephrol Dial Transplant 2004;19:474-6.
23. Alexander MP, Larsen CP, Gibson IW, et al. Membranous glomerulonephritis is a manifestation of IgG4-related disease. Kidney Int 2013;83:455-62.
24. Kuroda N, Nakamura S, Miyazaki K, et al. Chronic sclerosing pyelitis with an increased number of IgG4-positive plasma cells. Med Mol Morphol 2009;42: 236-8.
25. Kubota K, Hosono K, Nakajima A. Sialadentits and dacryoadenitis:IgG4-related Mikulicz's disease would precede autoimmune pancreatitis and be likely to relapse. In: Kamisawa T, Chung JB, editors. 1st ed. Autoimmune pancreatitis. Springer-Verlag Berlin Heidelberg 2015, p111-119.
26. Shimatsu A, Oki Y, Fujisawa I, et al. Pituitary and stalk lesions(infundibulo-hypophysitis) associated immunoglobulin G4-related systemic disease: an emerging cilnical entity. Endocr J 2009;56:1033-41.
27. Li Y, Nishihara E, hirokawa M, et al. Distinct clinical, serological and sonogrpahic characteristics of Hashimoto's thyroiditis based with and without IgG4-positive plasma cells. J Clin Endocrinol Metab 2010;95:1309-17.
28. Kasashima S, Zen Y, Kawashima A, et al. A clinicopathologic study of immunoglobulin G4-related sclerosing disease of the thoracic aorta. J Vasc Surg 2010;52:1587-95.
29. Uchida K, Okazaki K. Lymphadenopathy. In: Kamisawa T, Chung JB, editors. 1st ed. Autoimmune pancreatitis. Springer-Verlag Berlin Heidelberg 2015, p. 135-141.
30. Koizumi S, Kamisawa T, Kuruma S. IgG4-related gastrointestinal lesion. In: Kamisawa T, Chung JB, editors. 1st ed. Autoimmune pancreatitis. Springer-Verlag Berlin Heidelberg 2015, p.143-6.
31. Song TJ, Kim JH, Kim MH, et al, Comparison of clinical findings between histologically confirmed type 1 and type 2 autoimmune pancreatitis. J Gastroenterol Hepatol 2012;27;700-8.
32. Ryu JK, Chung JB, Park SW, et al. Review of 67 patients with autoimmune pancreatitis in Korea; A multicenter nationwide study. Pancreas 2008;37(4):

377-85.

33. Kamisawa T, Ryu JK, Kim MH, Okazaki K, Shimosegawa T, Chung JB. Recent advances in the diagnosis and management of autoimmune pancreatitis: similarities and differences in Japan and Korea. Gut Liver 2013;7(4):393-400.
34. Treatment and follow up of autoimmune pancreatitis. 대한소화기학회지 2007;50(Suppl 5):103-5.
35. Chari ST, Smryk TC, Levy MJ, et al. Diagnois of autoimmune pancreatitis: the Mayo Clinic experience. Clin Gastroenterol Hepatol 2006;4:1010-6.
36. Takayama M, Hamano H, Ochi Y, et al. Recurrent attacks of autoimmune pancreatitis result in pancreatic stone formation. Am J gastroenterol 2004;99:932-7.
37. Ikeura T, Miyoshi H, Shimatani M, Uchida K, Takaoka M, Okazaki K. Long-term outcomes of autoimmune pancreatitis. World J Gastroenterol 2016;22:7760-6.
38. Shiokawa M, Kodama Y, Yoshimura K, et al. Risk of cnacer in patients with autoimmune pancreatitis. Am J Gastroenterol 2013;109:610-7.
39. Inoue H, Miyatani H, Sawada Y, Yoshida Y. A case of pancreas cancer with autoimmune pancreatitis. Pancreas 2006;33:208-9.
40. Kamisawa T, Horiguchi S, Hayashi Y, et al. K-ras mutation in the major duodenal papilla and gastric and colonic mucosa in patients with autoimmune pancreatitis. J Gastroenterol 2010;45:771-8.
41. Kinugawa Y, Uehara T, Sano K, et al. Methylation of tumor suppressor genes in autoimmune pancreatitis. Pancreas. 2017;46(5):614-80.
42. Buijs J, Cahen DL, van heerde MJ, et al. The long-term impact of autoimmune pancreatitis on pancreatic function, quality of life, and life expectancy. Pancreas 2015;44:1965-71.

CHAPTER 36 자가면역 췌장염의 병인

Pathogenesis of autoimmune pancreatitis

이상원

서론

자가면역 췌장염은 면역관용(immune tolerance)의 조절장애에 의해서 발생하는 자가면역질환으로 면역글로불린 G4(IgG4)연관질환의 췌장침범에 따른 제1형 자가면역 췌장염과 특발성 췌관-중심적 만성췌장염인 제2형 자가면역 췌장염으로 분류된다[1]. 제1형 자가면역 췌장염은 췌장 부종, 혈청 IgG4 증가 및 $IgG4^+$ 형질세포의 조직 내 침윤을 특징으로 하며, 나선형 섬유화(storiform fibrosis), 폐색 정맥염(obliterative phlebitis) 및 경화 담관염(sclerosing cholangitis), 경화 타액선염(sclerosing sialadenitis), 후복강 섬유화(retroperitoneal fibrosis) 등의 기타장기침범(other organ involvement, OOIs)을 동반할 수 있다. 기타장기침범은 자가면역 췌장염 조직소견과 유사한 조직병리소견을 보이고 스테로이드에 잘 반응한다는 특징을 갖고 있지만, 간혹 침범 장기의 원발성 질환으로 오인되는 경우도 있다[2]. 자가면역 췌장염은 보통 컴퓨터단층촬영이나 자기공명이미지, FDG-양전자방출단층촬영 등의 영상기법과 혈청 IgG4를 포함한 혈액검사를 통해서 발견되지만, 정확한 진단을 위해서는 반드시 조직검사가 필요하다[3,4]. 반면, 제2형 자가면역 췌장염은 유럽이나 미국에 비해 아시아에선 드문 질환으로 췌장 부종은 관찰되지만, 혈청 IgG4 증가 와 $IgG4^+$ 형질세포의 조직 내 침윤 및 기타장기침범은 관찰되지 않는다 [1].

1. 자가면역 췌장염에 관여하는 유전요인 (genetic background)

일본에서 최초로 보고된 자가면역 췌장염 연관 유전자는 주조직적합복합체(major histocompatibility complex, MHC) II형인 HLA-DRB1×0405-DQB1×0401이며, MHC I형에 해당하는 ABCF1 proximal to C3-2-11와 telomeric of HLA-E도 일본인의 자가면역 췌장염의 발생과 연관이 있는 것으로 보고되었다[5]. 하지만, 위에서 언급한 유전자들은 한국 자가면역 췌장염 환자에서는 유의한 상관관계를 보이지 못했다. 한국인에서는 DQB1의 아미노산 하나가 aspartic acid로의 치환이 자가면역 췌장염 재발의 예측인자임이 보고되었다[6]. 또한, 제1형 자가면역 췌장염 환자에서 혈청 IgG4 농도가 B세포에서의 Fc receptor-like 3(FCRL3) 대립유전자의 발현 정도와 그리고, $CD4^+$ T세포 및 $CD8^+$ T세포에서의 cytotoxic T lymphocyte antigen 4(CTLA-4)의 발현 정도와 비례한다는 것이 보고되었다[7,8]. FCRL3의 다형성은 자가면역 췌장염 이외에도 류마티스관절염이나 전신홍반루푸스와 같은 다른 자가면역질환에서도 발생 연관성이 알려져 있다[9]. 흥미로운 점은, 모든 유전요인이 동시에 관여하지 않는다는 것인데, 예로 FCRL3 다형성은 HLA-DRB1×0405-DQB1×0401 발현 정도와 비례하지 않는다[7]. Toll like receptor (TLR)-4 유전자의 다형성도 다양한 자가면역질환의 발생에 관여하는 것으로 알려져 있지만, 자가면역 췌장염에서의 역할은 명확하지는 않다[10]. 단일염기 다형성(single nucleotide polymorphism, SNP)을 이용한 연구에서 KCNA3이 자가면역 췌장염 발생과 연관이 있는 것과[11], cystic fibrosis trans-membrane conductance regulator (CFTR) 유전자 변이가 자가면역 췌장염과 연관되었다고 결과도 보고되었다[12]. 이상의 결과를 정리하면 표 36-1과 같다[13].

2. 자가면역 췌장염에 관여하는 선천면역 (innate immunity)

자가면역 췌장염 발생에 관여하는 선천면역 기전은 pattern recognition receptor 중에서 주로 TLRs와 nucleotide-binding oligomerization domain (NOD) like receptors (NLRs)을 통한 기전이다. IgG4연관질환 환자의 단핵구세포(monocyte)와 호염기과립구(basophil)에서 TLRs와 NLRs의 활성화가 B세포활성인자(B cell activating factor, BAFF)의 분비를 촉진시키고, 순차적으로 B세포를 활성화시키면서 IgG4의 생성을 증가시킨다[14,15]. 또 하나의 증거로는 제1형 자가면역 췌장염의 조직에서 많은 TLR-7 양성 M2 대식세포의 침윤이 관찰되기도 한다[16]. 미생물과 자가면역 췌장염 발생과의 직접적인 연관성은 아직 밝혀지지 않았으나, 미생물과 자가항원의 분자 유사성(molecular mimicry)을 통해서 유추해 볼 수 있다. 실제로 유럽의 자가면역 췌장염 환자에서 발견된 plasminogen-binding protein (PBP)의 아미노산 서열이 췌장에서 높은 발현율을 보이는 ubiquitin-protein ligase E3 component n-recognin-2 (UBR2)와 H. pylori의 PBP 아미노산 서열과 유사성이 있다는 것이 알려짐으로써 H. pylori 감염과 자가면역 췌장염 발생과의 연관성의 가능성이 더욱 높아졌다[17]. 세균과 달리, 바이러스 감염과 자가면역 췌장염 또는 IgG4연관질환과의 연관성은 아직 보고된 바가 없지만, 바이러스가 TLR-3과 TLR-4의 ligand인 pathogen-associated molecular patterns (PAMPs)를 유도하여 IgG4의 생성을 증가시킬 수 있기 때문에, 바이

표 36-1. **자가면역 췌장염의 유전요인**

연관 유전자	면역세포	연관 유전사이트	기능
HLA-DRB1×0405-DB1×04010	T세포	HLA-DRB1×0405-CDB1×04010 일배체형	자가면역반응의 유도
FCRL3	B세포	FCRL3-110 대립유전자	자가면역 췌장염의 발생 감수성
CTLA4	T세포	+6230G/G +49A/A	자가면역 췌장염의 저항성 및 재발의 예측
KCNA3	T세포	SNP (rs2840381, rs1058184, rs2640480, rs1319782)	자가면역 췌장염에서 T세포 증식과 활성화
CFTR	해당없음	유전자 변이 (1556V, 5T, S42F 등)	자가면역 췌장염에서 스테로이드 치료의 낮은 효과 예측

러스와 IgG4연관질환, 나아가 자가면역 췌장염 발생과의 상관관계가 있을 것으로 예상한다[18,19].

3. IgG4연관 질환(IgG4 related diseases)

IgG4는 전체 IgG의 약5%를 차지하며 사람에 따라서 농도차이가 100배까지 나지만 각 개인에선 비교적 안정적인 농도를 유지한다[20]. IgG의 constant domain (Fc portion)은 다른 IgG subclass와도 95% 이상의 homology을 보이지만, IgG4는 heavy change의 2번째 constant domain의 염기서열에 유의한 차이를 보여 C1q와 Fc-gamma수용체와 매우 낮은 결합력을 갖게 되어, 이론적으로는 classical complement pathway의 활성화를 시킬 수 없다[21,22]. 다른 IgG subclass와의 확연한 차이는 "Fab-arm exchange"라고 불리는 절반의 IgG4가 교환되는 현상이다. 보통 IgG는 Hinge region에 위치한 heavy chain간의 inter-chain disulfide결합을 쉽게 형성하는데, 약50%의 IgG4는 intra-chain bond를 형성하여 쉽게 분리될 수 있다(그림 36-1A). 분리된 절반의 IgG4는 무작위로 다른 항원-결합부위를 가진 절반의 IgG4와 disulfide결합을 통해, 기능적으로 monovalent한 새로운 형태의 항체를 형성하는데, 이를 "bi-specific"항체라고 부른다(그림 36-1B). Bi-specific IgG4는 항원에 대해서 교차결합을 하지 못하기에 면역복합체를 형성할 수 없다[23,24].

많은 경우는 아니지만, IgG4는 류마티스인자의 특징적인 활성을 가지고 다른 IgG항체의 Fc부분, 특히 다른 IgG4에 결합하기도 한다. 전형적 류마티스인자와는 달리 다양한 부분을 통해서 결합을 할 수 있는데, 주로 Fc부분을 통해서 결합을 한다고 알려져 있다. 이러한 Fc부분간의 결합은 일시적으로 Fab-arm exchange를 유도함으로써 항염증 효과를 유발할 수 있다고 알려져 있다[20,24]. IgG4의 생성은 IgE와 마찬가지로 Th2세포에서 분비하는 Interleukin (IL)-4와 IL-13에 의해서 조절된다. 대조적으로 IL-10, IL-12, IL-21은 IgE보다는 IgG4의 생성을 촉진한다[25]. 이는 IL-10을 생성하는 Treg세포의 활

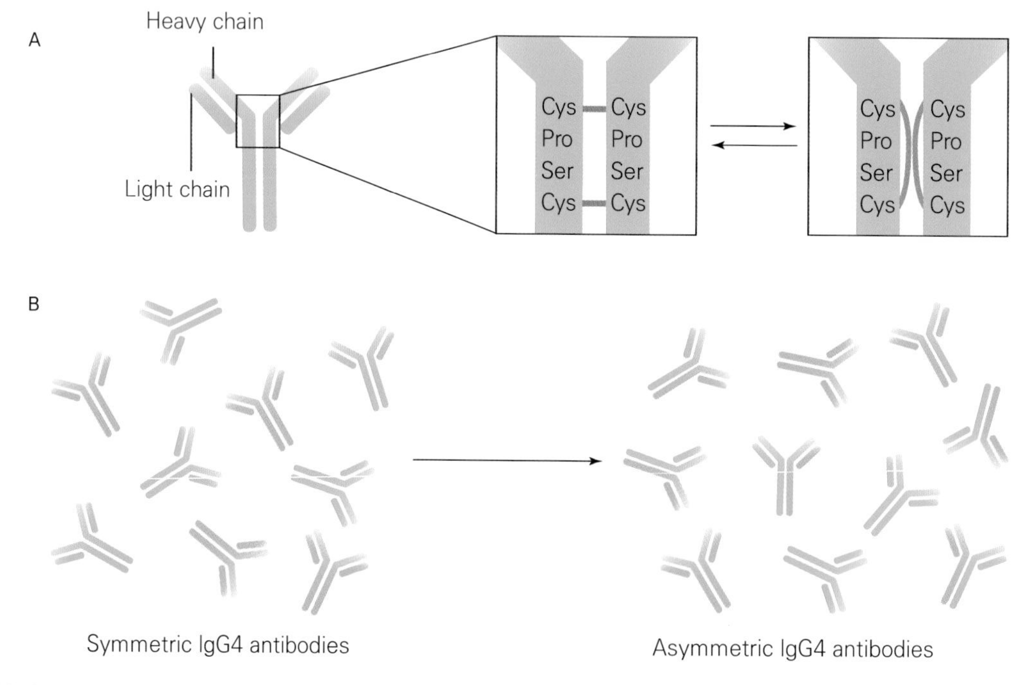

그림 36-1. **IgG4항체 간 Fab-arm exchange[24].**

성이 Th2세포 우위 면역반응의 상태에서 IgG4가 더 많이 생성된다는 실험적 이론과 일치한다. 이러한 선택적 IgG4유도를 "수정된 Th2세포반응"이라 일컫기도 한다[26].

간략한 IgG4연관 질환의 병인기전이 그림 36-2에 기술되어 있다. 가장 중요한 세포는 CD4+ cytotoxic T세포로서, 다양한 세포독성 물질의 분비를 통해서 직접적으로 세포독성을 나타내기도 하고, interferon-gamma와 transforming growth factor (TGF)-beta를 통해서 각 기관의 조직에 존재하는 fibroblast를 자극하여 섬유화를 유도한다. 이때 CD4+ cytotoxic T세포의 활성화 상태를 유지하기 위해 자가항원을 인식하는 항원-특이적 IgG4를 세포표면에 발현시킨 자가반응성 B세포나 plsmablasts세포의 MHC II형을 통한 지속적인 항원제시가 있어야 한다. Follicular helper T세포(Tfh)는 IL-4와 IL-10을 분비하고, 순차적으로 자가반응성 B세포는 형질세포로 분화하게 하고 더 많은 IgG4의 생성이 유도된다[24]. 이러한 일련의 자가면역반응이 췌장에서 유발된 경우에 자가면역 췌장염이 발생하게 된다.

4. 자가면역 췌장염에 관여하는 후천면역 (Innate immunity)

자가면역 췌장염 연관 후천면역의 주역은 Breg세포와 Treg세포이다. 먼저 B세포에 대한 최근 보고에 따르면, CD19+ CD24high CD38high regulatory B (Breg)가 자가면역 췌장염의 활성도를 억제하는 반면, CD19+ CD24high CD27high Breg세포는 제1형 자가면역 췌

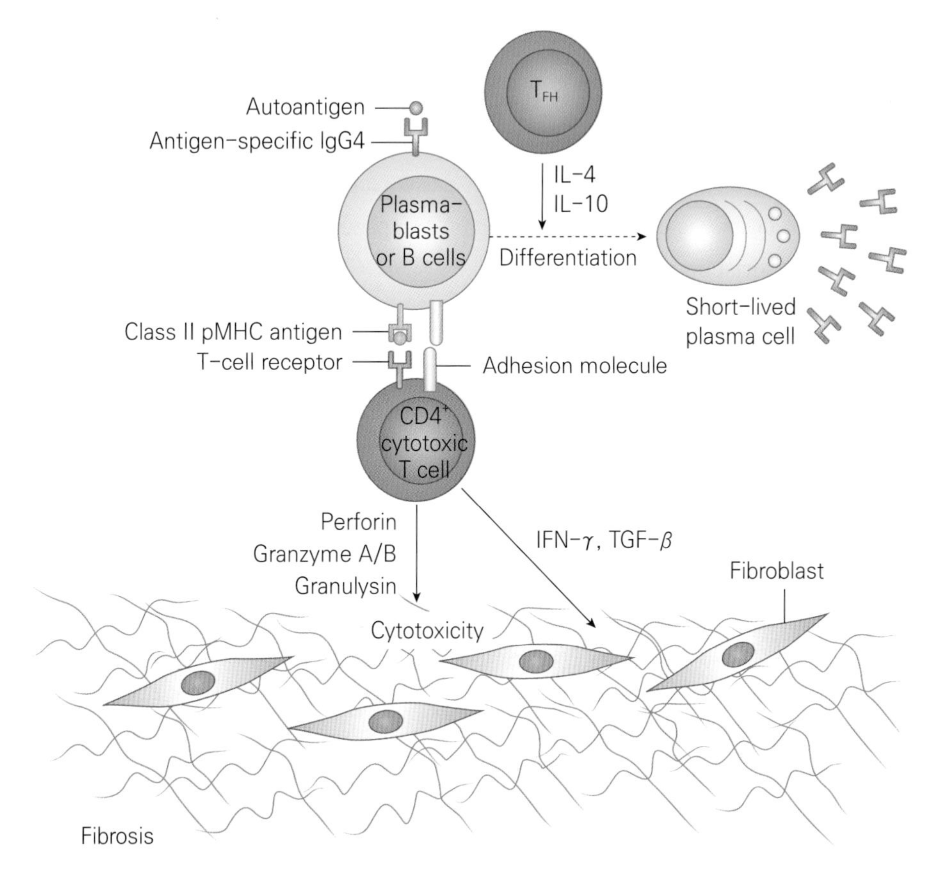

그림 36-2. **IgG4연관 질환의 병인기전[24].**

장염의 발생에 관여한다[27]. T세포에 대한 보고에 따르면, 제1형 자가면역 췌장염 환자에서 naïve Treg세포는 유의하게 감소되어 있지만, memory T세포는 유의하게 증가되어 있다[28]. 게다가 자가면역 췌장염 환자의 간 조직 내 IL-10의 생성이 유전자 수준에서 증가되어 있는 Treg세포의 침윤이 증가된 보고도 있다[29]. 이외에도 $CD8^+$ T세포가 췌장과 췌장주변으로 많은 침윤되어 췌장암으로 오인되었던 경우도 있었는데, 이것은 $CD8^+$ T세포가 자가면역 췌장염의 발병 기전에 영향을 미칠 수 있다는 것을 보여 준다[30].

결론

자가면역 췌장염의 발생은 발생-연관 유전자와 TLRs와 NLRs 등의 pattern recognition receptor을 통한 선천면역기전, Breg과 Treg세포를 통한 후천면역 및 자가반응성 IgG4발현 항원제시세포와 $CD4^+$ cytotoxic T세포를 통한 조직 섬유화를 특징으로 하는 IgG4연관 질환의 기전 등 면역관용의 다양한 이상반응에 의해서 유도될 수 있다.

References

1. Chari ST, Kloeppel G, Zhang L, Notohara K, Lerch MM, Shimosegawa T. Histopathologic and clinical subtypes of autoimmune pancreatitis: the honolulu consensus document. Pancreatology 2010;10(6):664-72.
2. Shimosegawa T, Chari ST, Frulloni L, et al.. International consensus diagnostic criteria guidelines of the International Association of Pancreatology. Pancreas 2011;40(3):352-8.
3. Umehara H, Okazaki K, Masaki Y, et al. A novel clinical entity, IgG4-related disease (IgG4RD): general concept and details. Mod Rheumatol 2012;22(1):1-14.
4. Okazaki K, Uchida K, Koyabu M, Miyoshi H, Takaoka M. Recent advances in the concept and diagnosis of autoimmune pancreatitis and IgG4-related disease. J Gastroenterol 2011;46(3):277-88.
5. Kawa S, Ota M, Yoshizawa K, et al. HLA DRB 10405-DQB10401 haplotype is associated with autoimmune pancreatitis in the Japanese population. Gastroenterology 2002;122(5):1264-9.
6. Park DH, Kim MH, Oh HB, et al. Substitution of aspartic acid at position 57 of the DQbeta1 affects relapse of autoimmune pancreatitis. Gastroenterology 2008;134(2):440-6.
7. Umemura T, Ota M, Hamano H, Katsuyama Y, Kiyosawa K, Kawa S. Genetic association of Fc receptor-like 3 polymorphisms with autoimmune pancreatitis in Japanese patients. Gut 2006;55(9): 1367-8.
8. Umemura T, Ota M, Hamano H, et al. Association of autoimmune pancreatitis with cytotoxic T-lymphocyte antigen 4 gene polymorphisms in Japanese patients. Am J Gastroenterol 2008;103(3):588-94.
9. Kochi Y, Yamada R, Suzuki A, et al. A functional variant in FCRL3, encoding Fc receptor-like 3, is associated with rheumatoid arthritis and several autoimmunities. Nat Genet 2005;37(5):478-85.
10. Umemura T, Katsuyama Y, Hamano H, et al. Association analysis of Toll-like receptor 4 polymorphisms with autoimmune pancreatitis. Hum Immunol 2009;70(9):742-6.
11. Ota M, Ito T, Umemura T, Katsuyama Y, Yoshizawa K, Hamano H, Kawa S. Polymorphism in the KCNA3 gene is associated with susceptibility to

autoimmune pancreatitis in the Japanese population. Dis Markers 2011;31(4):223-9.

12. Chang MC, Jan IS, Liang PC, et al. Cystic fibrosis transmembrane conductance regulator gene variants are associated with autoimmune pancreatitis and slow response to steroid treatment. J Cyst Fibros 2015;14(5):661-7.
13. Cai O, Tan S. From Pathogenesis, Clinical Manifestation, and Diagnosis to Treatment: An Overview on Autoimmune Pancreatitis. Gastroenterol Res Pract 2017;2017:3246459.
14. Watanabe T, Yamashita K, Fujikawa S, et al. Involvement of activation of toll-like receptors and nucleotide-binding oligomerization domain-like receptors in enhanced IgG4 responses in autoimmune pancreatitis. Arthritis Rheum 2012;64(3):914-24.
15. Watanabe T, Yamashita K, Sakurai T, et al. Toll-like receptor activation in basophils contributes to the development of IgG4-related disease. J Gastroenterol 2013;48(2):247-53.
16. Fukui Y, Uchida K, Sakaguchi Y, et al. Possible involvement of Toll-like receptor 7 in the development of type 1 autoimmune pancreatitis. J Gastroenterol 2015;50(4):435-44.
17. Frulloni L, Lunardi C, Simone R, et al. Identification of a novel antibody associated with autoimmune pancreatitis. N Engl J Med 2009;361(22): 2135-42.
18. Haruta I, Yanagisawa N, Kawamura S, et al. A mouse model of autoimmune pancreatitis with salivary gland involvement triggered by innate immunity via persistent exposure to avirulent bacteria. Lab Invest 2010;90(12):1757-69.
19. Nishio A, Asada M, Uchida K, Fukui T, Chiba T, Okazaki K. The role of innate immunity in the pathogenesis of experimental autoimmune pancreatitis in mice. Pancreas 2011;40(1):95-102.
20. Aalberse RC, Stapel SO, Schuurman J, Rispens T. Immunoglobulin G4: an odd antibody. Clin Exp Allergy 2009;39(4):469-77.
21. Tao MH, Smith RI, Morrison SL. Structural features of human immunoglobulin G that determine isotype-specific differences in complement activation. J Exp Med 1993;178(2):661-7.
22. Canfield SM, Morrison SL. The binding affinity of human IgG for its high affinity Fc receptor is determined by multiple amino acids in the CH2 domain and is modulated by the hinge region. J Exp Med 1991;173(6):1483-91.
23. van der Neut Kolfschoten M, Schuurman J, Losen M, et al. Anti-inflammatory activity of human IgG4 antibodies by dynamic Fab arm exchange. Science 2007;317(5844):1554-7.
24. Cortazar FB, Stone JH. IgG4-related disease and the kidney. Nat Rev Nephrol 2015;11(10):599-609.
25. Wood N, Bourque K, Donaldson DD, et al. IL-21 effects on human IgE production in response to IL-4 or IL-13. Cell Immunol 2004;231(1-2):133-45.
26. Nirula A, Glaser SM, Kalled SL, Taylor FR. What is IgG4? A review of the biology of a unique immunoglobulin subtype. Curr Opin Rheumatol 2011;23(1):119-24.
27. Sumimoto K, Uchida K, Kusuda T, et al. The role of CD19+ CD24high CD38high and CD19+ CD24high CD27+ regulatory B cells in patients with type 1 autoimmune pancreatitis. Pancreatology 2014;14(3):193-200.
28. Miyoshi H, Uchida K, Taniguchi T, et al. Circulating naïve and CD4+CD25high regulatory T cells in patients with autoimmune pancreatitis. Pancreas 2008;36(2):133-40.
29. Kusuda T, Uchida K, Miyoshi H, et al. Involvement of inducible costimulator- and interleukin 10-positive regulatory T cells in the development of IgG4-related autoimmune pancreatitis. Pancreas 2011;40(7):1120-30.
30. Li SY, Huang XY, Chen YT, Liu Y, Zhao S. Autoimmune pancreatitis characterized by predominant CD8+ T lymphocyte infiltration. World J Gastroenterol 2011;17(41):4635-9.

CHAPTER 37

자가면역 췌장염의 진단

Diagnosis of autoimmune pancreatitis

37-1 자가면역 췌장염의 진단기준(Diagnostic criteria of autoimmune pancreatitis)

정재복

서론

자가면역 췌장염의 임상병리학적 특징을 요약하면 1) 경미한 복부증상으로, 흔히 췌장염의 급성 발병은 없으며, 2) 종종(occasional) 폐쇄성황달의 출현, 3) 혈청 IgG 및 IgG4 증가, 4) 자가항체의 출현, 5) cpasule-like low density rim을 동반하는 전반적인 췌장종대, 6) 췌관조영술에서 췌관의 불규칙적인 협착, 7) 병리조직 소견상 췌장의 lymphocyte와 IgG4-positive plasma cell의 미만성 침윤, 나선형 섬유화(storiform fibrosis), 폐쇄성정맥염, 8) 경화성담관염, 경화성침샘염, 후복강섬유화 등과 같은 췌장외 장기 병변의 동반 출현, 그리고 9) 스테로이드 치료에 반응이 좋은 것 등이다.

그러나 모든 환자에서 자가면역 췌장염의 특징적인 임상양상, 검사실 소견, 영상의학적 소견이 나타나지는 않으며, 또한 췌장의 조직생검 자체가 용이하지 않으며, 조직생검을 시행하여도, 자가면역 췌장염의 특징적인 병리조직소견이 항상 보이지는 않기 때문에 진단에 어려움이 있다. 이러한 점을 극복하기 위하여, 2002년 처음으로 일본에서 영상의학적소견, 췌관조영술 소견, 형청학적 검사 및 조직학적 소견 등을 이용하여 자가면역 췌장염의 진단기준을 제정하였다[1](표 37-1-1). 이후 2006년 서울 아산병원의 Kim 진단기준[2], 2011년 개정된 일본 진단기준[3], 미국 Mayo clinic의 HISORt 진단기준[4]이 발표되었다. 한국에서는 2007년 대한췌담도확회에서 한국 진단기준을 제정하였고[5,6](표 37-1-2), 대한췌담도학회와 일본 췌장학회는 2007년 1월[7], 8월[8]과 2008년 1월[9] 3회의 한일 자가면역 췌장염 심포지엄을 가진 후 아시아 진단기준[9]을 만들었다(표 37-1-3). 아시아 진단기준을 토대로 2011년 국제적인 진단기준이 만들어졌다[10](표 37-1-4).

1. 일본 진단기준

2002년 일본에서 처음으로 발표된 자가면역 췌장염의 진단기준(표 37-1-1)은 영상의학적 소견, 혈청학적 소견 및 조직병리학적 소견 등의 세가지 항목으로 구성되는데, 이중 영상의학적 소견은 진단에 필수적이며,

혈청학적 또는 조직병리학적 소견이 있으면 진단이 가능하다. 영상의학적 소견에서는 췌장의 미만성 종대와 더불어 내시경적역행성췌관조영술(ERCP)에서 췌관이 3분의 1 이상 협착소견이 필수적이다.

표 37-1-1. **자가면역 췌장염 일본 진단기준; 2002년 일본췌장학회 제정**

1. Diffuse or segmental narrowing of the main pancreatic duct with irregular wall(more than 1/3 length of the entire pancreas) and diffuse or localized enlargement of the pancreas by imaging studies
2. High serum gamma-globulin and/or IgG, or the presence of autoantibodies, such as antinuclear antibodies and rheumatoid factor
3. Marked interlobular fibrosis and prominent infiltration of lymphocytes and plasma cells in the periductal area, occasionally with lymphoid follicles, in the pancreas

For dagnosis of AIP criterion 1 must be present together with criterion 2 and/or 3.
However, it is necessary to exclude malignant diseases such as pancreatic or biliary cancers[1].

2. 한국 진단기준

김 등[11]은 영상의학적 소견, 혈청학적, 조직병리학적 기준에 스테로이드 반응성 등의 4가지 요소를 이용하는 진단기준을 발표하였는데, 이 기준은 자가면역 췌장염의 의심은 가는데, 기존 일본 기준에서 진단이 어려운 증례에서 스테로이드 투여로 그 반응을 확인하여 자가면역 췌장염으로 진단할 수 있어, 진단의 예민도를 높이기 위한 기준이었다.

대한췌담도학회에서 2007년 다기관 연구를 통해 전국의 자가면역 췌장염 환자를 수집, 분석하여 한국 진단기준(Korean Diagnostic Criteria)를 제정하였다[5,6](표 37-1-2). 이 기준은 영상의학적, 혈청학적, 조직병리학적 및 스테로이드 반응성 등의 4가지 항목으로 구성되어 있고, 영상의학적 소견과 다른 한 가지 기준을 충족하면 진단이 가능하다. 다양한 영상의학적 소견을 반영

표 37-1-2. **자가면역 췌장염의 한국 진단기준(Korean diagnostic criteria); 2007년 대한췌담도학회 제정[6]**

Definite Diagnosis: Criterion I together with any of criterion II to IV

Criterion I. Imaging (Both required)
1. Imaging (CT or MRI) of pancreatic parenchyma; Diffusely/segmentally/focally enlarged gland, occasionally with mass and/or hypoattenuation rim
2. Imaging (ERCP or MRCP) of pancreatobiliary ducts; Diffuse/segmental/focal pancreatic duct narrowing, often with stenosis of bile duct

Criterion II. Serology (One required)
1. Elevated level of serum IgG or IGG4
2. Detected autoantibodies

Criterion III. Histopathology of pancreatic/extrapancreatic lesions(One required)
1. Lymphoplasmacytic infiltration & fibrosis, often with obliterative phlebitis
2. Presence of abundant (>10 cells/HPF) IgG4-positive plasma cells

Criterion IV. Response to steroids
1. Resolution/marked improvement of pancreatic/extrapancreatic lesion with steroid therapy

Probable Diagnosis: Criterion V or VI

Criterion V.
Unexplained pancreatic disease but only with characteristic pancreatic histology

Criterion VI. (Both required)
1. Other organ involvement and/or serologic abnormalities
2. Various atypical pancreatic imaging suggesting chronic pancreatitis with negative workup for known etiologies

하고자 하였고, 췌장의 비수술적 조직학적 진단의 어려움을 감안하여 췌장외 타장기의 조직학적 소견도 포함하였다. 아울러 기존 일본 기준과 마찬가지로 영상의학적 진단이 필수적인데, 췌관 협착의 진단을 위해 ERCP 뿐만 아니라 MRCP로도 진단이 가능하도록 하였다. 또한 자가면역 췌장염의 특징적인 소견이 있음에도 불구하고, 비전형적인 영상소견 때문에 진단이 어려운 경우를 대비하여, 특징적인 조직학적 소견만 보이는 경우를 probable diagnosis로 따로 분류하였으며, 자가면역 췌장염이 IgG4와 연관된 전신적 질환이라는 병태 생리를 반영해서[12], 비전형적인 영상소견과 함께, 췌장외 타기관 침범 소견만 있는 경우도 probable diagnosis로 진단할 수 있게 하였다.

3. 아시아 진단기준

대한췌담도학회와 일본췌장학회는 공동으로 만든 자가면역 췌장염의 아시아 진단기준은[9](표 37-1-3), 영상학적, 혈청학적 및 조직병리학 기준 3가지로 구성되었으며, 영상의학적 기준과 나머지 1개의 기준만 충족

표 37-1-3. **자가면역 췌장염의 아시아 진단기준(Asian Diagnostic Criteria)**

Criterion I. Imaging (both required)
Imaging of pancreatic parenchyma
Diffusely/segmentally/focally enlarged gland, occasionally with mass and/or hypoattenuated rim
Imaging of pancreatobiliary ducts
Diffuse/segmental/focal pancreatic ductal narrowing, often with the stenosis of bile ducts
Criterion II. Serology (One required)
Elevated level of serum IgG or IgG4
Detected autoantibodies
Criterion III. Histology of pancreatic biopsy lesion
Lymphoplasmacytic infiltration in fibrosis, common with abundant IgG4-positive cell infiltration
Option: response to steroids
Diagnostic trial of steroid therapy could be done carefully in patients fullfilling criterion I alone with negative workup for pancreatobiliary cancer by experts
Diagnosis of AIP is made when any two criteria including criterion I are satisfied or histology of lymphoplasmacytic sclerosing pancreatitis is present in the resected pancreas

2008년 대한췌담도학회와 일본췌장학회 공동제정
Otsuki M, et al. J Gastroenterol 2008;43:405에서 인용[9].

표 37-1-4. **1형 자가 면역췌장염의 국제 진단기준(International Consensus Diagnostic Criteria)**

Diagnosis	Primary basis for Diagnosis	Imaging Evience	Collateral Evidence
Definite type 1 AIP	Histology	Typical/indeterminate	Histology confirmed LPSP (Level 1 H)
	Imaging	Typical Indeterminate	Any non-D level 1/2 Two or more from level 1(+ level 2 D*)
	Response to steroid	Indeterminate	Level 1 S/OOI + Rt or Level 1 D + Level 2 S/OOI/H + Rt
Probable type 1 AIP		Indeterminate	Level 2 S/OOI/H + Rt

* Level 2 D is counted as level 1 in this setting
Shimosegawa T, et al. Pancreas 2011;40:353에서 인용[10].

표 37-1-5. **1형 자가면역 췌장염에서 Level 1 과 Level 2 진단기준**

Criterion		Level 1	Level 2
P	Parenchymal imaging	Typical; Diffuse enlargement with delayed enhancement (sometimes associated with rim-like enhancement)	Indeterminate (including atypical[†]): Segemntal/focal enlargement with delayed enhancement
D	Ductal imaging (ERP)	Long(> 1/3 length of the main pancreatic duct) or multiple strictures without marked upstream dilatation	Segmental/focal narrowing without marked upstream dilatation (duct size, < 5 mm)
S	Serology	IgG4, > 2×upper limit of normal value	IgG4, 1-2×upper limit of normal value
OOI	Other organ involvemen	a or b a. Histology of extrapancreatic organs Any three of the followings: (1) Marked lymphoplasmacytic infiltration with fibrosis and without granulocytic infilt-ration (2) Storiform fibrosis (3) Obliteative fibrosis (4) Abundant(> 10 cells/HPF) IgG4-positive cells b. Typical radiological evidence At least one of the following: (1) Segmental/multiple proximal (hilar/intrahepatic) or proximal and distal bile duct stricture (2) retroperitoneal fibrosis	a or b a. Histology of extrapancreatic organ including endoscopic biopsies of bile duct[‡]: Both of the following: (1) Marked lymphoplasmacy-tic infiltration without granulocytic infiltration (2) Abundant(> 10 cells/HPF) IgG4-positive cells b. Physical or radiological evidence At least one of the following: (1) Symmetrically enlarged salivary/lachrymal glands (2) Radiological evidence of renal involvement described in association with AIP
H	Histology of the pancreas	LPSP (core biopsy/resection) At least 3 of the followings: (1) Periductal lymphoplasmacytic infiltrate without granulocytic infiltration (2) Obliterative phlebitis (3) Storiform fibrosis (4) Abundant(> 10 cells/HPF) IgG4-positive cells	LPSP (core biopsy) Any 2 of the followings: (1) Periductal lymphoplasmacytic infiltrate without granulocyte infiltration (2) Obliterative phlebitis (3) Storiform fibrosis (4) Abundant(> 10 cells/HPF IgG4-positive cells
		Diagnostic steroid trial	
Response to steroid (Rt)*		Rapid (≤ 2 wk) radiologically demonstrable resolution or marked improvement in pancreatic/extrapancreatic manifestations	

* Diagnostic steroid trial should be done carefully by pancreatologist with caveats (see text) only after negative workup for cancer including endoscopic ultrasound-guided fine needle aspiration.

† Atypical: Some AIP cases may show low-density mass, pancreatic ductal dilatation, or distal atrophy. Such atypical imaging findings in patients with obstructive jaundice and/or pancreatic mass are highly suggestive of pancreatic cancer. Such patients should be managed as pancreatic cancer unless there is strong collateral evidence for AIP, and a through workup for pancreatic cancer is negative.

‡ Endoscopic biopsy of duodenal papilla is a useful adjunctive method because ampulla often is involved pathologically in AIP.

Shimosegawa T, et al. Pancreas 2011;40:354에서 인용[10].

표 37-1-6. **2형 자가면역 췌장염의 국제 진단기준(International Consensus Diagnostic Criteria)**

Diagnosis	Imaging Evidence	Collateral Evidence
Definite type 2 AIP	Typical/Indeterminate	Histologically cinfirmed IDCP (level 1 H) or clinical inflammatory bowel disease + level 2 H + Rt
Probable type 2 AIP	Typical/Indeterminate	Level 2 H/clinical inflammatory bowel disease + Rt

Shimosegawa T, et al. Pancreas 2011;40:354에서 인용[10].

표 37-1-7. **국제 진단기준(ICDC) 사용으로 유형 구분이 불분명한 자가면역 췌장염의 진단**

Diagnosis	Imaging Evidence	Collateral Evidence (Case with only D1/2)
AIP-not otherwise specified	Typical/indeterminate	D1/2 + Rt

Shimosegawa T, et al. Pancreas 2011;40:355에서 인용[10]

표 37-1-8. **2형 자가면역 췌장염에서 Level 1 과 Level 2 진단기준**

	Criterion	Level 1	Level 2
P	Parenchymal imaging	Typical; Diffuse enlargement with delayed enhancement (sometimes associated with rim-like enhancement)	Indeterminate(including atypical†): Segemntal/focal enlargement with delayed enhancement
D	Ductal imaging (ERP)	Long(> 1/3 length of the main pancreatic duct) or multiple strictures without marked upstream dilatation	Segmental/focal narrowing without marked upstream dilatation (duct size, < 5 mm)
OOI	Other organ involvemen		Clinically diagnosed inflammatory bowel diasese
H	Histology of the pancreas (core biopsy/resection)	IDCP:Both of the following: (1) Granulocyic and infiltration of ductal wall (GEL) with or without granulocytic acinar inflammation (2) Absent or scant(0-10 cells/ HPF) IgG4-positive cells	Both of the following: (1) Granulocytic and lymphoplasmacytic acinar infiltrate (2) Absent or scant(0-10 cells/HPF) IgG4-positive cells
		Diagnostic steroid trial	
	Response to steroid (Rt)*	Rapid (≤ 2wk) radiologically demonstrable resolution or marked improvement in manifestations	

* Diagnostic steroid trial should be done carefully by pancreatologist with caveats (see text) only after negative workup for cancer including endoscopic ultrasound-guided fine needle aspiration.

† Atypical: Some AIP cases may show low-density mass, pancreatic ductal dilatation, or distal atrophy. Such atypical imaging findings in patients with obstructive jaundice and/or pancreatic mass are highly suggestive of pancreatic cancer. Such patients should be managed as pancreatic cancer unless there is strong collateral evidence for AIP, and a through workup for pancreatic cancer is negative.

Shimosegawa T, et al. Pancreas 2011;40:355에서 인용[10].

하면 진단할 수 있으며, 수술을 시행한 경우, 특징적인 조직병리학적 소견을 보일 때도 진단이 가능하며, 영상학적 기준만 충족하는 경우에서는 췌장암을 배제하는 검사를 적극적으로 시행하여, 음성이면 조심스럽게 스테로이드 치료를 할 수 있고, 치료에 반응이 있으면 자가면역 췌장염 진단이 가능하도록 하는 항목이 추가되었다. 이 기준은 비교적 간단하여 전형적인 증례에서는 임상적으로 적용하기가 쉬운 장점이 있는 반면, 비전형적인 증례에서는 췌장암과의 감별진단이 어려운 단점이 있고, 2형 자가면역 췌장염은 포함되지 않았다.

4. 국제 진단기준

자가면역 췌장염은 초기에 일본을 비롯하여 한국, 대만 등 아시아 국가에서 많이 보고되었으나, 이 질한의 개념이 널리 알려 지면서, 미국과 유럽에서도 환자수가 증가하여, 국제적인 자가면역 췌장염의 진단기준의 필요성이 있게되어, 국제췌장학회에서는 2011년 자가면역 췌장염의 International Consensus Diagnostic Criteria를 제정, 발표하였다[10](표 37-1-4). 이 기준은 임상적, 병리학적 특징에 따라 1형과 2형 두 가지로 구분하여 각각의 진단기준을 만들었다.

1형 자가면역 췌장염의 국제 진단기준(표 37-1-4, 5)은 췌장실질 영상소견(P, parenchymal imaging), 췌관영상소견(D, ductal imaging), 혈청학적 검사소견(S, serology), 타장기 침범(OOI, other organ involvement), 조직학적 소견(H, histology of pancreas), 스테로이드 치료에 대한 반응성(Rt, responsiveness to steroid) 등 6가지로 항목으로 구성되어 있으며 확진은 조직학적 소견, 영상소견, 스테로이드 반응성 3가지를 기본으로 추가 소견이 있을 때 진단이 가능하도록 하였다. 또한 진단기준으로 정한 6가지 항목에 대하여 전형적인 소견인 경우는 level 1, 아닌 경우 level 2로 구분하였다(표 37-1-5).

2형 자가면역 췌장염의 국제 진단기준(표 37-1-6, 8)은 1형과 달리 진단에 조직학적 소견이 필수적이며, 혈청소견(S)을 제외한 5가지 항목으로 구성되어 있다. 타장기 침범(OOI)은 임상적으로 진단된 만성염증성장질환만 포함된다.

결론

Sumimoto 등[13]은 현재까지 제정, 이용되고 있는 5가지(ICDC, 한국, 일본-2011, 아시아, HISORt) 자가면역 췌장염의 진단기준의 진단 정확도, 민감도 및 특이도를 비교 보고하였는데, 정확도는 ICDC(96.7%), 한국(93.4%), 일본-2011(91.2%), 아시아(89.0%), HISORt(89.0%) 등의 순이었고, 민감도는 ICDC(95.1%), 한국(90.2%), 일본(86.9%), 아시아(83.6%) 및 HISORt(83.6%), 특이도는 5가지 모두 100%이었으며, 대상환자 총 91명 중 1명만이 4가지 진단기준 모두에 합당하지 않았지만, 단지 한국 진단기준에서만 probable AIP로 진단이 가능함을 보고 하면서, 5가지 진단기준 중 ICDC가 가장 민감도가 높아, 자가면역 췌장염 진단에 가장 유용하다고 하였다. 이상의 결과를 보면 3~4가지 자가면역 췌장염의 진단기준을 병용하면 자가면역 췌장염이 의심되는 환자는 모두 진단이 가능할 것으로 생각된다.

현재까지 자가면역 췌장염의 자연경과 및 오랜기간의 추적 관찰 보고가 없기 때문에, 2011년 제정, 발표되어 사용중인 국제적인 자가면역 췌장염의 진단기준이 완벽하다고 생각되지는 않으며, 향후 지속적인 수정 및 보완을 통해 이상적인 진단기준이 만들어 질 것을 기대한다.

표 37-1-9. **자가면역 췌장염 진단기준의 정확도, 민감도 및 특이도**

	ICDC	Korean	JPS-2011	Asian	HISORt
Accuracy					
Definite	(88/91) 96.7%	(85/91) 93.4%	(83/91) 91.2% (83/89 denying type 2 AIP by ICDC)* 93.3%	(81/91) 89.0%	(81/91) 89.0%
Probable	(89/91) 97.8%	(88/91) 96.7%	(83/91) 91.2% (83/89 denying type 2 AIP by ICDC)* 93.3%		
Sensitivity					
Definite	(58/61) 95.1%	(55/61) 90.2%	(53/61) 86.9% (53/59 denying type 2 AIP by ICDC)* 89.8%	(51/61) 83.6%	(51.61) 83.6%
Probable	96.7%	95.1%	86.9%(53/61) (53/59 denying type 2 AIP by ICDC)* 89.8%		
Specificity	(30/30) 100%	(30/30) 100%	(30/30) 100%	(30/30) 100%	(30/30) 100%

* Sensitivity of JPS-2011 in the case of type 1 AIP diagnosed by ICDC.
ICDC:International Diagnostic Consensus Criteria.
Sumimoto K, et al. Pancreatology 2013;13:233에서 인용[13].

References

1. Members of the Criteria Committee for Autoimmune Pancreatitis of the Japan Pancreas Society. Diagnostic criteria for autoimmune pancreatitis by the Japan pancreas Society(2002). (in Japanese with English abstract) Suizo 2002; 17:585-7.
2. Kim KP, Kim MH, Kim JC, Lee SS, Seo DW, Lee SK. Diagnostic criteria of autoimmune chronic pancreatitis revisited. World J Gastroenterol 2006;12: 2487-96.
3. The Japan Pancreas Society, the Ministry of Health and Welfare Investigation Research team for Intractable Pancreatic Disease. Clinical diagnostic criteria for autoimmune pancreatitis 2011 (Proposal) (in Japanese with English abstract). J Jpn Pancreas (Suizo) 2012;27:17-25
4. Chari ST, Smyrk TC, Levy MJ, et al. Diagnosis of autoimmune pancreatitis; the Mayo Clinic experience. Clin Gastroenterol Hepatol 2006;4:1010-6.
5. Ryu JK, Lee KT, Kim MH. Comparison of diagnostic criteria for autoimmune pancreatitis. Korean J Pancreas Biliary Tract 2007;12:105-26.
6. Lee K. Comparison of diagnostic criteria for AIP. Korean criteria : Comparison with those of Japan and USA. 대한췌담도학회지 2007;12(2):114-24.
7. Kamisawa T, Chung JB, Irie H, et al. Japan-Korea

Symposium on Autoimmune Pancreatitis (KOKURA 2007). Pancreas 2007;35(3):281-4.
8. Park SW, Chung JB, Otsuki M, et al. Conference report:Korea-Japan symposium on autoimmune pancreatitis. Gut Liver 2008(2):81-7.
9. Otsuki M, Chung JB, Okazaki K, et al. Asian diagnostic criteria for autoimmune pancreatitis: consensus of the Japan-Korea Symposium on Autoimmune Pancreatitis. J Gastroenterol 2008;43: 403-8.
10. Shimosegawa T, Chari ST, Frulloni L, et al. International consensus diagnostic criteria for autoimmune pancreatitis: guidelines of the International Association of Pancreatology. Pancreas 2011;40:352-8.
11. Kim KP, Kim MH, Kim JC, Lee SS, Seo DW, Lee SK. Diagnostic criteria for autoimmune chronic pancreatitis revisited. World J Gastroenterol 2006; 12:2487-96.
12. Kamisawa T, Okamoto A. Autoimmune pancreatitis: proposal of IgG4-related sclerosing disease. J Gastroenterol 2006;41:613-25.
13. Sumimoto K, Uchida K, Mitsuyama T, et al. A proposal of a daignostic algorithm with validation on International Consensus Diagnostic Criteria for autoimmune pancreatitis in a Japanese cohort. Pancreatology 2013;13:230-7.

37-2 자가면역 췌장염의 혈청학적 진단(Serologic diagnosis of autoimmune pancreatitis)

정재복

서론

자가면역 췌장염과 연관된 혈청 지표는 일반적으로 immunoglubulin, 자가항체(autoantibodies), complement 및 lymphoid 세포의 활동 지표로 구분 될 수 있다. 이러한 지표들은 자가면역 췌장염의 진단, 췌장암과의 감별진단, 재발 예측지표와 임상 추적기간 동안의 자가면역 췌장염의 질병 활동도 등에 이용되고 있다[1] (표 37-2-1).

1. 면역글로불린(immunoglobulin)

1) IgG

처음으로 자가면역 췌장염이라는 개념이 제안되었을 때 혈청 IgG의 증가가 특징적인 검사소견으로 기술되었으며[2], 2002년 일본에서 처음 제정되었던 자가면역 췌정염의 진단기준의 형청학적 지표로 인용되었다[3]. 하지만 자가면역 췌장염의 진단에 혈청 IgG는 민감도 및 특이도에 있어 IgG4에 비해 떨어져서, 현재는 혈청 IgG는 재발을 예측하는 지표나 자가면역 췌장염 환자의 추적 관찰하는 동안 질병의 활동도를 에측하는 지표로 주로 이용된다[4].

2) IgG4

IgG4는 전체 IgG 의 3~7%만 차지하는 소량이지만, 자가면역 췌장염 환자의 혈철에는 건강한 사람 보다 10배 이상 증가하며, 자가면역 췌장염 환자의 90%에서 증가하며, 췌장암, 만성췌장염, 원발성경화성간경변(orimary biliary cirrhosis), 원발성경화성담관염(primary sclerosing cholangitis) 및 Sjögren's 증후군 환자에서는 거의 증가하지 않는다[5,6]. 혈청 IgG4와 IgG4/IgG비는 자가면역 췌장염 환자에서 스테로이드 치료 후 현저히 감소하므로, 혈청 IgG4는 자가면역 췌장염의 질병 활동도 지표로 활용되면서, 자가면역 췌장염의 진단기준의 판단 지표로 포함되어 있다[5,7,8,9,10]. 혈청 IgG4가 증가되어 있는 자가면역 췌장염 환자에서는 진단 시 황달이 있는 경우가 많고, 영상소견상 미만성 췌장종대가 흔하고, 췌장병변에 18F-2-fluoro-2-deoxy-d-glucose가 유의하게 높으며, 췌장외 병변이 다발성 으로 동반되고, 스테로이드의 유지요법이 필요된다[11,12]. 아울러 IgG4를 생산하는 plasma cell의 조직내 침윤은 자가면역 췌장염의 특징적인 조직학적 소견으로, 병리학적 진단에 이용된다.

IgG4는 자가면역 췌장염과 췌장암의 감별진단에 가장 유용한 혈청 검사로 알려지고 있는데, 민감도 86%, 특이도 96% 그리고 감별진단 정확률이 91%이다[13,14]. 하지만 일부 췌장암 환자에서도 혈청 IgG4의 증가와 조직에 다수의 IgG4 bearing plasma cell 침윤이 보일수 있어[15] 두 질환의 감별에 세심한 주의가 필요하다.

3) IgE

혈청 IgE는 자가면역 췌장염 환자의 30~40%에서 증

표 37-2-1. **자가면역 췌장염에서 이용되는 혈청 표지자의 검출률**[4]

표지자	%
면역글로로부린(immunoglobulins)	
IgG4	90.9
IgG	67.0
IgE	39.8
IgA	8.0
IgM	4.5
자가항체(autoantinodies)	
Antinuclear antibody (ANA)	52.7
Rheumatoid factor (RF)	23.9
Anti-SSA (Ro) antibody	0.0
Anti-SSB (La) antibody	0.0
Antimitochondrial antibody (AM)	4.3
보체 성분 및 면역복합체 (complement component and immune complex)	
C3	34.5
C4	32.1
Circulating immune complex (CIC)	82.9
림프모양세포의 활동표지자(activity markers for lymphoid cells)	
Soluble interleukin-2 receptor (sIL-2R)	84.0
β_2 microglobulin (β_2-mg)	75.6

가하며, 양성 검출률(positive detection rate)은 86%로 높다[16,17]. 이러한 소견은 알레르기 기전이 자가면역 췌장염의 기전에 관여하는 것으로 생각될 수 있는데, 현재까지 아직 확실하게 밝혀진 것은 없다. 혈청 IgE의 증가가 자가면역 췌장염의 질병 활동도를 반영하지는 않지만, 비활동성 자가면역 췌장염의 진단에는 유용한 지표일 수 있다[17].

4) IgA 및 IgM

흥미롭게도 자가면역 췌장염 환자에서 IgG4의 증가와 함께, IgA와 IgM은 감소한다. IgG:IgM과 IgG:IgA는 다른 질환 환자와 비교하면 자가면역 췌장염 환자에서 유의하게 증가하여, 이들 비는 자가면역 췌장염과 다른 질환들과의 감별에 유용한 진단적 민감도와 특이도를 보여, 감별진단에 novel 진단적 표지자로 이용될 수 있음을 시사한다[18].

2. 자가항체(autoantibodies)

자가면역 췌장염이 개념이 처음 도입될 때 항핵항체(antinuclear antibody) 및 류마티스 인자(rheumatoid factor)가 특징적인 검사 소견이라고 보고되었고[2], 2002년 일본의 진단적 기준 혈청 지표로 제안 되었다[3].

ANA 및 RF는 자가면역 췌장염 환자 혈청에서 30~50% 검출되며, 스테로이드 치료 후에는 빠른 시일 안에 검출 되지 않는다[4]. Anti-SSA/Ro, Anti-SSB/La 자가항체 및 antimitochondrial antibody는 자가면역 췌장염 환자에서 거의 검출되지 않는다[1,19].

Carbonic anhydrase II(CA II)와 lactoferrin은 췌관세포에 분포되어 있다. 이 두 가지 단백은 자가면역 췌장염의 병인에 주된 항원으로 생각되어 왔지만, 현재 진단에 이 두 가지 단백이 민감하지도 특이하지도 않은 것으로 알려져 있다[20,21].

Helicobacter pylori 감염이 자가면역 췌장염의 발생을 trigger하는데 관여한다는 보고[4]에 의하면 인간 CA II와 H. pylori의 alpha-carbonic anhydrase의 구조가 유사한 점이 있으며(substantial), H pylori의 plasminigen-binding protein (PBP) 가운데 일부 peptide가 췌장의 선세포에서 발현되는 ubiquitin-protein ligase E3 component, n-recognin 2 (UBR2)와 유사한 구조를 가지기 때문인 것으로 생각된다[4]. 자가면역 췌장염 환자에서 PBP peptide에 대한 항체가 높게 검출되지만, 체장암 환자에서는 거의 검출되지 않는다[22].

최근 자가면역 췌장염의 진단 및 췌장암과의 감별진단을 위해 혈청 자가항체를 찾기위한 연구[23,24]가 진행되어 향후 그 결과가 기대된다.

3. Complement 및 circulating immune complex

자가면역 췌장염 환자의 30~40%에서 complement가 감소하며, circulating immune complex (CIC)가 증가하는데, CIC의 증가는 혈청 IgG1 증가, C4 감소 및 C3의 감소 경향을 동반하며, 혈청 mannose-binding lectin의 뚜렸한 상승은 없다[25]. 자가면역 췌장염 환자에서 complement C3c, IgG4 및 IgG가 췌관, 담관 췌장 선세포의 Collagen IV-positive basement membrane에 침착 되는 것으로 보아, 자가면역 췌장염의 병인에 CIC-mediated 기전이 관여하는 것으로 생각된다[26]. IgG4 연관 신장질환(tubulointestinal nephritis)의 활동기에 혈청 complement가 감소한다[27].

4. Lymphoid cells의 활동 표지자

자가면역 췌장염의 특징적인 병리조직 소견은 풍부한 림프구의 침윤인데, 이런 소견은 림프세포의 혈청 표지자인 soluble interleukin-2 receptor(sIL-2R) 및 beta-2-microbulin (beta2-m)이 혈청내 증가하며, 이런 증가는 자자면역 췌장염의 할동도와 비례한다[28]. 혈청내 sIL-2R검사는 자가면역 췌장염의 진단 민감도에 있어, 혈청 IgG4와 비슷하며, IgG보다는 높고, 스테로이드 치료 후에는 유의하게 감소 하여, 스테로이드 유지요법의 지표로 사용 가능하다. 혈청 SIL-2R 수치는 또한 췌장외 타장기 침범으로 인한 병변의 숫자와 잘 비례하여 자가면역 췌장염의 자가면역 활동도를 판단하는 유력한 혈청 표지자로 생각된다[28].

결론

자가면역 췌장염의 진단에 혈청검사는 매우 중요한 부분으로, 현재 대부분의 병원에서 immuno-globulin을 측정할 수 있으므로, 자가면역 췌장염이 의심되거나, 불분명한 췌장암 의심 환자에서는 혈청 IgG와 IgG4를 측정하는 것이 필요하다. 자가면역 췌장염에서 재발률은 30~50%로 추정되며, 스테로이드 치료로 재발률을 상당히 줄일 수 있는데[29,30,31], 재발을 예측할 수 있는 혈청 검사로는 CIC, IgG, IgG4, sIL-2R, complement 등이 재발 예측에 유용하다고 한다[32,22,34]. 임상적으로 재발이 되기 수개월 전에 혈청 CIC와 IgG4가 증가된 증례가 보고되어[6], 혈청 CIC 수치가 IgG4 같은 역할을 할 수 있을 것으로 생각된다. 또한 췌장외 장기 침범이 다양하게 있는 경우, 특히 눈물샘, 침샘, 그리고 hilar lymphadenopathy가 있는 경우, 혈청 IgG4가 뚜렷하게 상승되므로, 혈청 IgG4의 상승이 현저한 경우에는 이들 부위의 병변을 확인하는 것이 필요하다[11].

References

1. Kawa S, Hamano H, Kiyosawa K. Autoimmune pancreatitis and IgG4-related disease. In: Rose N, MacKay I, editors. The autoimmune disease. 5th ed. St Louis: Academic Press;2013. p. 935-49.
2. Yoshida K, Toki F, Takeuchi T, Watanabe S, Shiratori K, Hayashi N. Chronic pancreatitis caused by an antoimmune abnormality. Proposal of the concept of autoimmune pancreatitis. Dig Dis Sci 1995;40:1561-8.
3. Members of the Criteria Committee for Autoimmune Pancreatitis of the Japan Pancreas Society. Diagnostic criteria for autoimmune pancreatitis by the Japan pancreas Society (2002). (in Japanese with English abstract) Suizo 2002;17:585-7.
4. Kawa S, Watanabe T, Muraki T. Serology. In:Kamisawa T, Chung JB, editors. Autoimmune pancreatitis. 1st ed. Springer-Verlag Berlin Heidelberg 2015, p. 61-67.
5. Kawa S, Hamano H. Assessment of serological markers for the diagnosis of autoimmune pancreatitis. J Jpn Pancreas Soc 2003;17:607-10.
6. Kawa S, Hamano H. Clinical features of autoimmune pancreatitis. J Gastroenterol 2007;42(Suppl 18):9-14.
7. Ryu JK, Lee KT, Kim MH. Comparison of diagnostic criteria for autoimmune pancreatitis. Korean J Pancreas Biliary Tract 2007;12:105-26.
8. Lee K. Comparison of diagnostic criteria for AIP. Korean criteria : Comparison with those of Japan and USA. 대한췌담도학회지 2007;12(2):114-24.
9. Otsuki M, Chung JB, Okazaki K, et al. Asian diagnostic criteria for autoimmune pancreatitis: consensus of the Japan-Korea Symposium on Autoimmune Pancreatitis. J Gastroenterol 2008;43: 403-8.
10. Shimosegawa T, Chari ST, Frulloni L, et al. International consensus diagnostic criteria for autoimmune pancreatitis:guidelines of the International Association of Pancreatology. Pancreas 2011;40:352-8.
11. Hamano H, Arakura N, Muraki T, Ozaki Y, Kiyosawa K, Kawa S. Prevalence and distribution of extrapancreatic lesions complicating autoimmune pancreatitis. J Gastroetnerol 2006;41(12):1197-205.
12. Matsubayashi H, Sawai H, Kimura H, et al. Characteristics of autoimmune pancreatitis based on serum IgG4 level. Dig Liver Dis 2011;43(9);731-5.
13. Hamano H, Kawa S, Horiuchi A, et al. High serum IgG4 concentrations in patients with sclerosing pancreatitis. N Engl J Med 2001;344:732-8.
14. Kawa S, Okazaki K, Kamisawa T, Shimosegawa T, Tanaka M. Japanese consensus guidelines for management of autoimmune pancreatitis: II. Extrapancreatic lesions, differential diagnosis. J Gastroetnerol 2010;45:1264-71.
15. Ghazale A, Chari ST, Smyrk TC, et al. value of serum IgG4 in the diagnosis of autoimmune pancreatitis and in distinguishing it from pancreatic cancer. Am J Gastroenterol 2007;102(8):1646-53.
16. Kamisawa T, Anjiki H, Egawa N, Kubota N. Allergic manifestations in autoimmune pancreatitis. Eur J Gastroenterol Hepatol 2009;21(10):1136-9.
17. Hirano K, Tada M, Isayama H, et al. Clinical analysis of high serum Ig8+E in autoimmune pancreatitis. World J Gastroenterol 2010;16(41);5241-6.
18. Taguchi M, Kihara Y, Nagashio Y, Yamamoto M, Otsuki M, Harada M. Decreased production of immunoglobulin M and A in autoimmune pancreatitis. J Gastroenterol 2009;44(11):1133-9.
19. Kino-Ohsaki J, Nishimori I, Morita M, et al. Seerum antibodies to carbonic anhydrase I and II in patients with idiopathic chronic pancreatitis and Sjogren's syndrome. Gastroenterology 1996;110(5):1579-86.
20. Smyk DS, Rigopoulou EI, Koutsoumpas AL, Kriese S, Burroughs AK, Bogdanos DP. Autoantibodies

in autoimmune pancreatitis. Int J Rheumatol 2012;2012:940831
21. Okazaki K, Chiba T. Autoimmune related pancreatitis. Gut 2002;51(1):1-4.
22. Frulloni L, Lunardi C, Simone R, et al. Identification of a novel antibody associated with autoimmune pancreatitis. N Engl J Med 2009;361(22):2135-42.
23. Felix K, Hauck O, Fritz S, et al. Serum protein signatures differentiating autoimmune pancreatitis versus pancreatic cancer. PLoS One 2013;8:e82755.
24. Felix K, Hauck O, Schnölzer M, et al. Identification of novel serum autoantibodies for differential diagnosis of autoimmune pancreatitis and pancreatic ductal adenocarcinoma. Pancreas. 2016;45:1309-19.
25. Muraki T, Hamano H, Ochi Y, et al. Autoimmune pancreatitis and complement activation system. Pancreas 2006;32(1):16-21.
26. Detlefsen S, Brasen JH, Zamboni G, Capelli P, Kloppel G. Deposition of complement C3c, immunoglobulin(Ig)G4 and IgG at the basement membrane of pancreatic duct and acini in autoimmune pancreatitis. Histopathology 2010;57(6):825-35.
27. Saeki T, Nishi S, Imai N, et al. Clinicopathological characteristics of patients with IgG4-realted tubulointerstitial nephritis. Kidney Int 2010;78(10): 1016-23.
28. Matsubayashi H, Uesaka K, Kanemoto H, et al. Soluble IL-2 receptor, a new marker for autoimmune pancreatitis. Pancreas 2012;41(3):493-6.
29. Takayama M, Hamano H, Ochi Y, et al. Recurrence attacks of autoimmune pancreatitis result in pancreatic stone formation. Am J Gastroenterol 2004;99(5):932-7.
30. Hart PA, Kamisawa T, Brugge WR, et al. Long-term outcomes of autoimmune pancreatitis: a multicentre, international analysis. Gut 2012:62(12):1771-6.
31. Kim HM, Chung MJ, Chung JB. Remission and relapse of autoimmune pancreatitis: focusing on corticosteroid treatment. Pancreas 2010;39:555-60.
32. Kubota K, Watanabe S, Uchiyama T, et al. Factors predictive of relapse and spontaneous remission of autoimmune pancreatitis patients treated/not treated with corticosteroids. J Gastroenterol 2011;46(6):834-42.
33. Kawa S, Hamano H, Ozaki Y, et al. Long-term follow up of autoimmune pancreatitis: characteristics of chronic disease and recurrence. Clin Gastroenterol Hepatol 2009;7(Suppl 11): S18-22.
34. Takuma K, Kamisawa T, Tabata T, Inaba Y, Egawa N, Igarashi Y. Short-term and long-term outcomes of autoimmune pancreatitis. Eur J Gastroenterol Hepatol 2011;23(2):146-52.

37-3 자가면역 췌장염의 내시경 소견: 내시경적 역행성 담췌관조영술 및 내시경초음파 (Endoscopic findings of autoimmune pancreatitis: ERCP and EUS)

정재복, 박정엽

서론

자가면역 췌장염은 약 10~20년 전에는 임상진료 의사에게 익숙한 병명이 아니었지만, 지난 10여년 동안 자가면역 췌장염에 대한 연구보고가 증가 하고, 임상의사들의 관심도 많아져, 이제는 친숙한 병명으로 되었다. 자가면역 췌장염의 진단은 아직 모든 환자에서 쉽게 이루어 지지는 않고 있으며, 국제적으로 합의된 진단기준을 활용하여 진단하게 된다. 자가면역 췌장염의 진단에 ERCP는 중요한 역할을 하는데, 진단기준이 처음으로 제정된 2002년 일본 진단기준[1]에서 부터 ERCP 소견이 진단 항목으로 포함되어 있고, 이후 제정된 진단기준에도 췌관의 형태가 중요한 진단 항목으로 포함되어 있다.

내시경초음파(endoscopic ultrasonogrpahy)는 췌장실질의 이상 유무를 판단할 뿐만 아니라, 근래에는 내시경초음파 소견에서 의심되는 병변을 조직검사(EUS-guided trucut biopsy 혹은 EUS-FNA)를 시행할 수 있어 종괴형으로 발현되는 자가면역 췌장염에서 췌장암과의 감별 시 이용되며, EUS elastography나 contrast-enhanced harmonic EUS를 시행하여 췌장 실질의 추가 평가를 할 수 있다.

1. 내시경적 역행성 담췌관조영술(endoscopic retrograde cholangiopancreatography, ERCP)

1) 내시경적 역행성 췌관조영술(endoscopic retrograde pancreatography, ERP)

자가면역 췌장염의 ERP소견은 췌장암에서 흔히 관찰되는 주췌관의 국소적 협착이나 단절 소견대신에 다발성 협착소견이 관찰되는 것이 특징이다[2](그림 37-3-1, 2). 협착의 길이와 정도는 다양한데, 주췌관 전반에 걸쳐서 나타나고, 췌두부가 가장 흔하다[3]. 이러한 췌관의 변화는 만성췌장염에서 보이는 주췌관의 협착과 구슬형 확장과는 다른 소견으로 협착과 협착 사이에 위치한 주췌관의 직경은 정상적이거나 주췌관 직경이 가늘어진 소견을 나타내어 오히려 급성췌장염에서 보이는 소견과 비슷하다[3].

췌관의 협착부위 길이를 모두 합하면 주췌관 전체 길이의 1/3 이상을 차지하는 것이 보통이다. 자가면역 췌장염에서의 췌관 협착은 다발성인 것 외에도, 협착 가장자리가 부드럽고, 긴 협착이 존재해도 상류관(upstream duct)의 확장은 미미한 것이 췌장암과 구별되는 소견이다.

췌관 조영 시 힘을 주어 조영제를 주입하여야만 주췌관 전체를 조영할 수 있는 경우가 있는데, 이유는 췌장 전체가 부어 있어 주췌관이 눌려 있는 것이 주요인으로 추정되며[4], 저자도 ERCP 시행 시 조영제를 힘껏 주입하여도 췌관조영이 전혀 안되는 예를 경험하였다.

ERP 소견에서 자가면역 췌장염과 췌장암과의 감별점은 첫째, 협착 부위가 길며(췌관 전체의 1/3 보다 길다), 둘째, 협착 부위에서 췌관의 직경이 5 mm 보다 큰 상류 확장이 없고, 셋째, 협착이 다발성이며, 넷째, 협박 부위에서 부가지(side branch)가 나타나는 것 등이다[5]. 근래 연구보고에 의하면 특징적인 ERP소견은 자가면역 췌장염 1형이나 2형에서 모두 비슷한 빈도로 나타나므로[6], 2형 자가면역 췌장염 의심 환자에서, 혈청검사에서 IgG4가 정상 이면서, 췌장 이외의 장기 침범 소견이 없을 경우에는 특히 ERP소견이 진단에 도움이 될 수 있다[7].

ERP검사는 CT소견상 췌장의 미만성 종대 및 췌장가장자리의 균일한 증강 테(homogeneous enhancement rim) 등 자가면역 췌장염의 특징적인 소견이 보일 때는 검사를 시행할 필요는 없지만, CT소견상 췌장의 부분 종대, 췌관의 현저한 확장 및 단절 혹은 췌장 종괴 등 자가면역 췌장염의 비전형적인 소견이 보일 때는 ERP소견이 자가면역 췌장염의 감별진단에 도움이 된다[8]. 그러므로 CT검사 소견에서 전형적인 자가면역 췌장염 소견이 보일 때 ERCP를 시행할 필요는 없고, CT에서 비전형적인 소견이 보일 때만 ERCP를 시행하는 것이 바람직하다[9]. 자가면역 췌장염 환자에서, ERCP를 시행 후 췌장염 발생은 거의 없는데[6,8,10,11], 이유는 만성췌장염 환자에서 ERCP후 췌장염 발생이 드문 것과 같이 췌장의 섬유화 및 췌관의 변화 등이 그 이유로 생각된다.

자가면역 췌장염에서 주체관이 좁아지는 것은 다른 협착이나 폐쇄와 달리 주췌관의 직경이 정상보다 좁아지고, 좁아진 것이 확장되면서 불규칙한 소견을 보인다[12].

Wakabayashi 등[13]은 췌장암(80명)과 국소형 자가면역 췌장염(9명)의 췌관조영술을 비교한 결과 주췌관의 폐쇄가 자가면역 췌장염에서 많지 않았으며(자가면역 췌장염 11% vs. 췌장암 60%), 3 cm 이상의 주췌관 폐쇄 빈도가 많았고(자가면역 췌장염 100% vs. 췌장암 22%), upstream MPD 직경이 4 mm 미만의 빈도가 많아(자가면역 췌장염 67% vs. 췌장암 4%), 주췌관의 폐쇄 길이가 길고, upstream MPD의 직경이 작으면 자가면역 췌장염의 가능성이 많다고 하였다. Takuma 등[14]은 주췌관의 skip lesion, 좁아진 주췌관에서 부가지의 출현, 좁아진 주췌관의 길이가 3 cm 이상, 그리고 upstream MPD의 직경이 5 mm 미만 인 경우에 자가면역 췌장염의 가능성이 많다고 하였다. Sugumar 등[15]은 ERP소견만으로 자가면역 췌장염을 진단할 경우 민감도 44%, 특이도 92% 및 interobserver agreement 0.23으로 보고하면서, 자가면역 췌장염에서 특징적인 소견으로 긴 협착(주췌관의 > 1/3), 협착 부위에서 upstream dilatation이 뚜렸렷하지 않으며(< 5 mm), 협착이 다발성이며, 협착부위에서 부가지가 보이는 것들이라고 하면서, 이러한 ERP 소견을 숙지하면, 자가면역 췌장염의 진단에 유용하다고 하였다.

자가면역 췌장염에서 보이는 췌관의 변화는 스테로이드 치료를 2주 정도 시행하면 호전되는 것이 특징적인 소견으로[2](그림 37-3-1), 다른 방법으로 자가면역 췌장염의 진단이 어렵거나 췌장암과 감별이 안되는 경우에, 시도될 수 있는 방법이다.

2) 내시경적 역행성 담관조영술(endoscopic retrograde cholangiography, ERC)

자가면역 췌장염 환자의 절반 정도에서는 담관의 이상 소견도 동반된다. 일본 환자들의 보고에서 자가면역 췌장염 환자의 췌장 외 병변 중 경화성담관염(IgG4-SC)이 53.4~81%로 제일 빈도가 높았고[16,17], 한국에서의 빈도는 60%이었다[17](그림 37-3-2).

IgG4-SC에서는 혈청 IgG4가 증가하며, 담관벽에 lymphocytes와 plasma cells의 침윤이 굉장히 많다[18]. IgG4-SC에서 제일 흔한 모양이 췌장내 총수담관의 침범이지만, 간내담관이나 간문부를 포함한 담관 내 어느 곳에서도 병변이 생길 수 있다[19]. 그러므로 IgG4-SC는 원발성경화성담관염(primary sclerosing cholangitis, PSC)이나 담관암과의 감별이 필요하다.

IgG4-SC는 간혹 자연적으로 회복되기도 하지만, 스

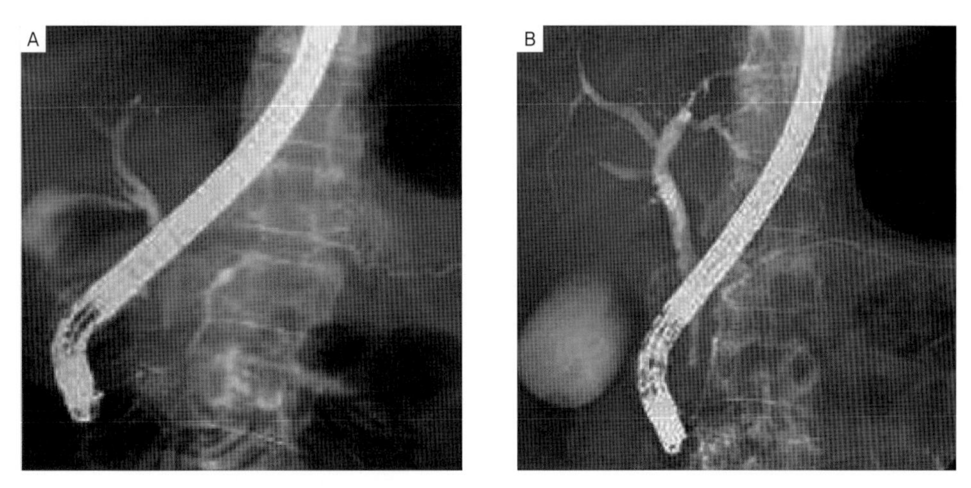

그림 37-3-1. **자가면역 췌장염의 내시경 역행성 췌관조영술 소견[2].**
A. 치료 전 주췌관이 전반적으로 불규칙하게 좁아져 있다. B. 스테로이드 치료 후 주췌관의 협착이 호전되었다.

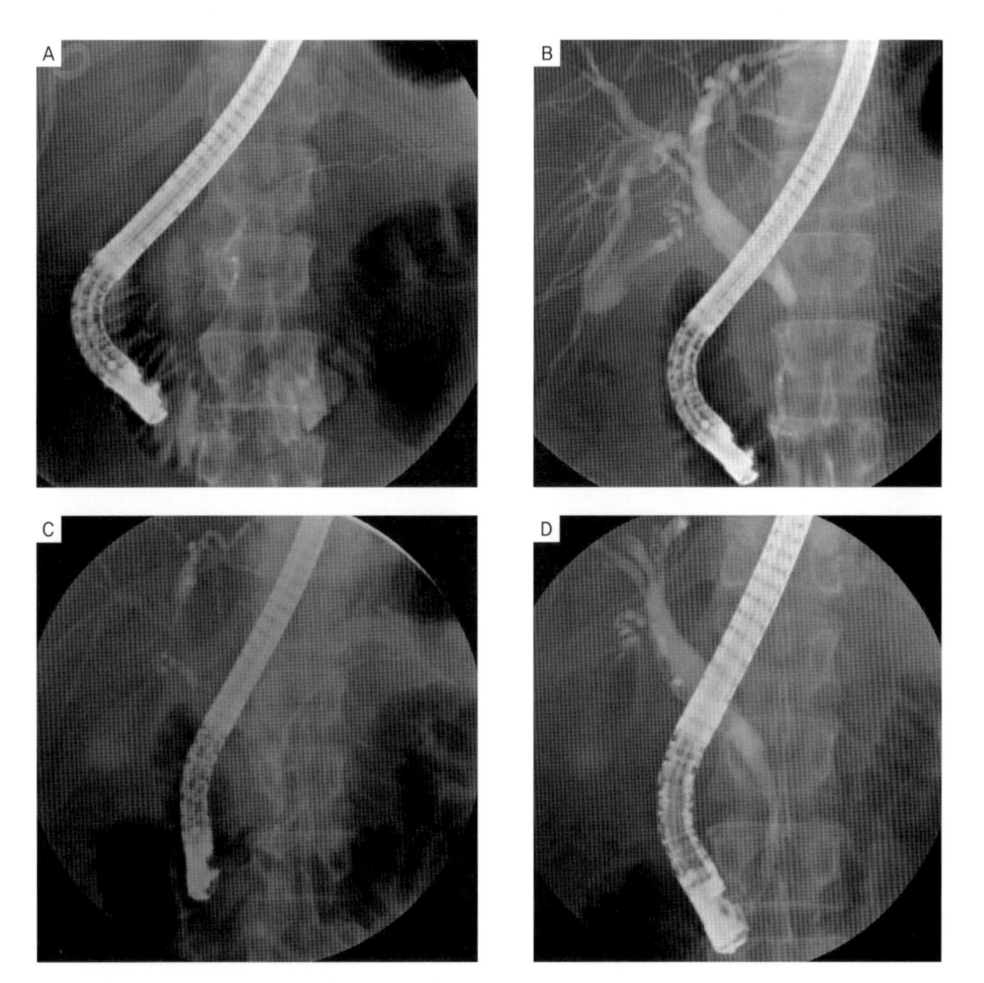

그림 37-3-2. **자가면역 췌장염 환자의 ERCP 소견.**
A. 췌관조영술상 전반적인 췌관의 불규칙하고 경미한 협착이 관찰되고, 췌관으로 선택적 삽관 시 캐뉼라를 통과하는 데에 있어 저항은 느껴지지 않았다.
B, C. 담관조영술상 췌장내 담관에 길고 부드럽게 줄어드는 협착이 관찰된다.
D. 약 4개월간의 스테로이드 경구투여 후 이전에 관찰되던 췌관과 담관의 협착이 모두 호전되었다.

테로이드 치료에 반응을 잘 한다[19](그림 37-3-2). 혈청 IgG4는 IgG4-SC 환자에서 약 74~90%에서 상승한다[19,20]. 하지만 PSC 환자 12~22%에서 그리고 담관암 환자 8% 에서도 혈청 IgG4가 증가하므로[20,21], 감별에 주의가 필요하다. 근래 보고[22]에 의하면 담즙내 IgG4는 IgG4-SC에서만 증가하고, PSC나 담관암에서는 증가하지 않는다고 하여 감별진단에 도움이 될 수 있을 것으로 생각된다.

3) 경구담관 내시경술(peroral cholangioscopy)

경구담관 내시경을 이용하여 담도 점막을 관찰하면 악성과 양성 질환을 구분할 수 있다. 담도 점막의 혈관 모양과 배열, 담도 표면의 불규칙성, 주름의 집합(convergence), 점막의 부종(edema) 등을 기준으로 악성과 양성을 구분하고 조직검사를 통해 자가면역 췌장염의 진단에 도움을 받을 수 있다.

Itoi 등[23]은 혈관의 팽창(dilation)과 꾸불꾸불한 혈관 혹은 부분적으로 확장된(enlarged) 혈관은 PSC나 담관암 보다는 IgG4-SC를 시사하는 소견이라고 하면서, 가장 흔한 소견은 혈관의 팽창(62%)과 꾸불꾸불한 혈관(69%)이라고 하였는데, 팽창되고, 꾸불꾸불한 혈관은 PSC 환자에서는 5예 중 1예도 보이지 않았으나, IgG4-SC 환자에서는 13예 중 9예에서 볼 수 있었으며, 흉터나 pseudodiverticula는 PSC 환자에서 부분적으로 확장된 혈관은 담관암에서 현저히 많았으며, 자가면역 췌장염에서 보이는 이러한 변화들은 스테로이드 투여 후 담도 협착과 함께 대부분 소실되었다고 하였다.

요약하면 경구 담관내시경검사는 육안적으로 담관 내부의 병변을 확인함과 동시에, 병변 부위에서 조직생검을 정확히 할 수 있어, 조직학적인 확진을 가능하게 하는 진단 방법으로 생각된다.

4) 담관내 초음파검사 (intraductal ultrasonography)

ERC 검사 중에 담관내 초음파내시경(intraductal ultrasonography, IDUS)검사는 담관벽을 관찰하는데 유용한 검사이다. 자가면역 췌장염의 특징적인 IDUS 소견은 담관벽의 원형의-대칭적(circular-symmetric)인 비후, 부드러운 외부 가장자리(smooth outer margin), 부드러운 내부 경계(smooth inner margin) 그리고 협착부위 담관의 homogeneous internal echo 등이다[18]. 담관조영술상 담관의 협착이 없는 부위의 담관벽 두께가 IgG4-SC와 담관암의 감별진단에 유용한 기준이 될 수 있다(기준; 0.8 mm). ERCP를 시행하면서 IDUS를 같이 검사하면, IgG4-SC를 진단하는 데 더 많은 유용한 정보를 얻을 수 있다[18].

2. 내시경초음파 (endoscopic ultrasonography, EUS)

1) 내시경초음파 (endoscopic ultrasonography, EUS)

자가면역 췌장염에서 보이는 내시경초음파 소견은, 췌장의 미만성 종대와 부분적인 brigh echoes, 저에코 췌장(frankly hypoechic pancreas), 저에코 종양, 췌관의 확장 혹은 경화성 모양, 총수담관확장, 담관벽의 비후 및 췌장 주위의 저에코 가장자리(perihypoechoic margin) 등이다[24,25](그림 37-3-3, 4, 5).

Hoki 등[26]은 EUS에서 보이는 췌관 및 췌장 실질의 변화 소견의 빈도를 보면 췌관의 불규칙(irregularity) 40%, 고에코 벽(hyperechoic wall) 36%, 확장 12%의 순이었고, 췌장 실질 변화는 고에코 strands 56%, 고에코 foci 32%, 낭종(cysts) 16%, 췌석(calculi) 16%, 엽상(lobularity) 8% 등의 순이었다. 자가면역 췌장염과 췌

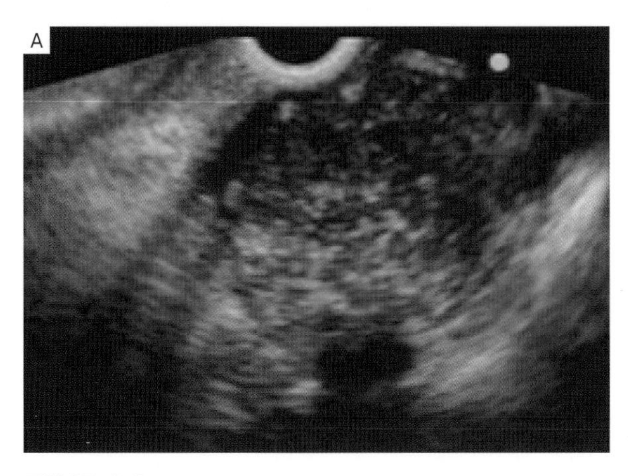

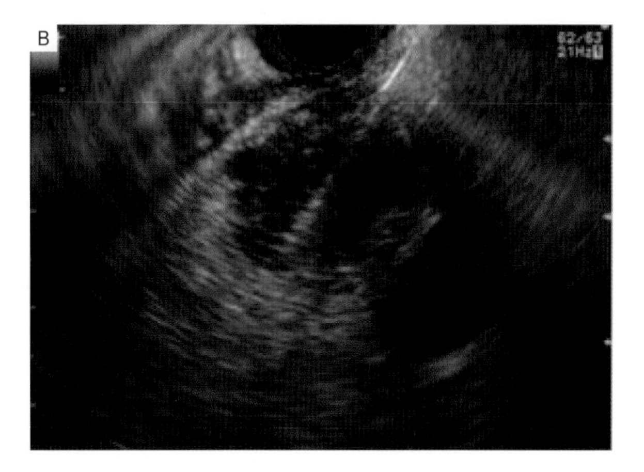

그림 37-3-3. **자가면역 췌장염의 내시경초음파 소견과 조직검사.**
A. 췌장 실질의 에코는 떨어져 있으나 격막의 에코는 오히려 증가되어 있고, 종양 내부에 밝은 에코가 보인다.
B. 자가면역 췌장염의 진단을 위해 19 gauge trucut 바늘로 조직검사를 시행하고 있다.

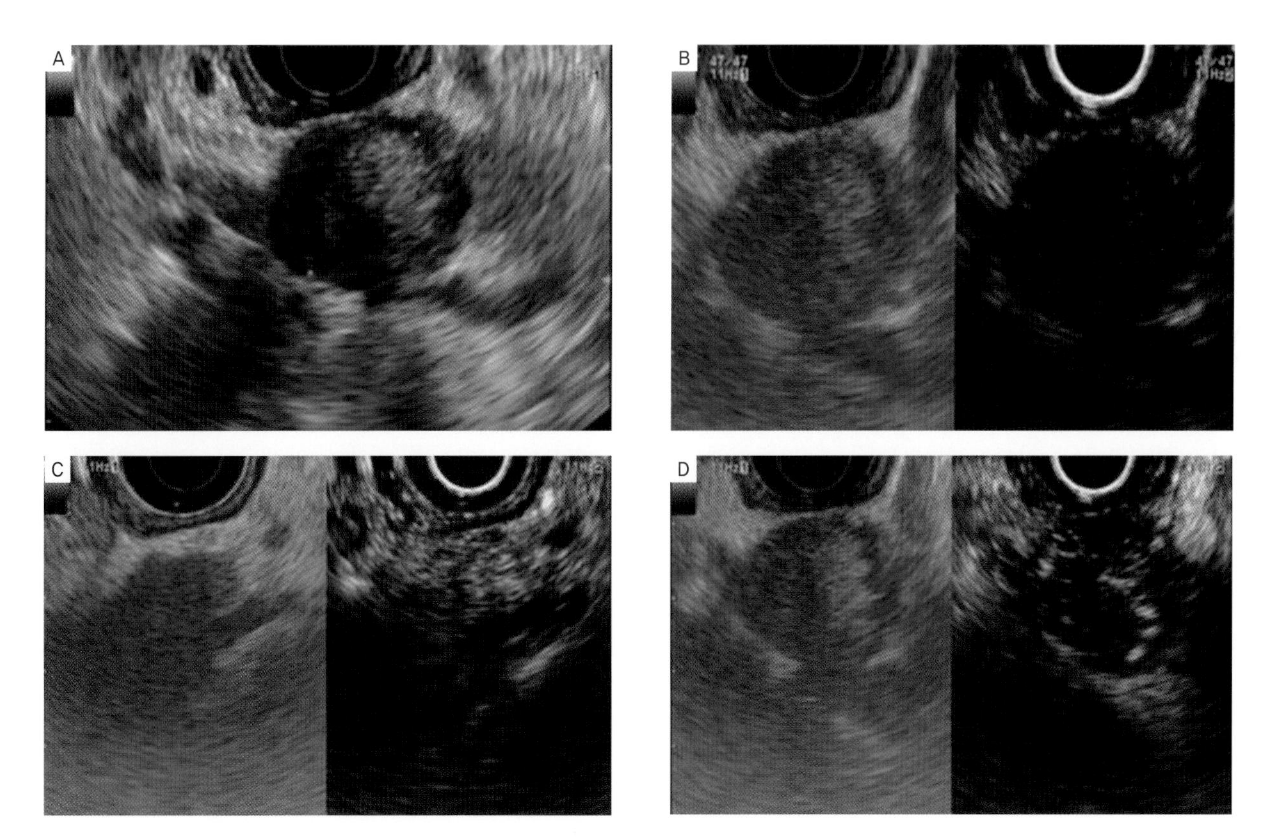

그림 37-3-4. **자가면역 췌장염 환자의 조영증강 하모닉 영상 내시경초음파(CEH-EUS) 소견.**
A. 조영증강 전 내시경초음파 소견상 혼합된 에코 발생도(mixed echogenic)의 췌장 체부 종괴가 관찰된다.
B. 조영제 투여 직후 종괴의 미세혈관이 조영되지 않은 사진이다(early phase).
C. 조영제 투여 약 15초 후 종괴의 미세혈관이 조영되는 사진으로, 주변 췌장 실질과 비교하여 조영 정도가 다소 증가되어 있다(enhanced phase).
D. 조영제 투여 약 1분 후 종괴의 미세혈관으로부터 조영제가 빠져나간 사진이다(delayed phase).

장암을 비교하면 자가면역 췌장염에서는 DHA(diffuse hypoechoic area), DE(diffuse enlargement), BWT(bile duct wall thickening), PHM(peripancreatic hypoechoic margin), DPS(diffuse pancreas swelling) 등의 소견이 췌장암에 비해 통계적으로 유의하게 많았으며, 췌장암에서는 FHA(focal hypoechoic area) 및 FE(focal enlargement)가 유의하게 많았고, LN(lymph node diameter > 10 mm) 소견은 두 질환 간(자가면역 췌장염; 72% vs. 췌장암; 50%) 차이가 없었다.

요약하면 자가면역 췌장염에서 EUS검사는 특징적인 소견(DPS 및 PHM)이 보이는 경우에는 거의 확진이 가능하지만 기타 소견이 보이는 경우에는 다른 진단기준 항목을 검토해야 한다.

2) 조영증강 하모닉 영상 내시경초음파 (contrast-enhanced harmonic endoscopic ultrasonography, CEH-EUS)

조영증강 하모닉영상 내시경초음파(CEH-EUS) 검사는 췌장 병변의 혈관 형성 패턴(hypo-, hyper-, 혹은 isoenhancement)의 정보를 제공하여 췌장 병변의 진단 정확도를 향상 시키는 검사이다[27,28,29]. 자가면역 췌장염의 조영증강 EUS소견은 hypervascularization을 보이는 것이 특징이다[27,30](그림 37-3-4). Imazu 등[29]은 조영증강 내시경초음파검사를 시행하면서, 소프트웨어를 이용하여 혈관의 조영 증가 효과를 정량적으로 측정(time intensity curve, TIC)하였다. 이 TIC를 분석하여 BI (base intensity before injection), PI (peak intensity), peak까지 시간, MIG (Maximum intensity gain) 등을 자가면역 췌장염 환자(8예) 및 췌장암 환자(22예)에서 계산한 결과, 자가면역 췌장염에서 PI와 MIG가 현저히 높았으며(PI; 21.4 vs. 9.6, MIG; 17.5 vs. 6.6), TIC를 이용하여 자가면역 췌장염과 췌장암의 감별이 가능하였다(민감도; 100%, 특이도; 100%)고 하면서, 종양형 자가면역 췌장염과 췌장암을 감별하는데 유용한 검사라고 하였다.

3) 탄성초음파(elastography)

EUS-elastography는 췌장의 양성과 악성 질환을 감별하는 데 사용되는데[31,32,33], 문헌보고에 의하면 췌장 고형 종양의 진단 정확도는 민감도 85~100%, 특이도 33~93%로 보고된다[33].

Dietrich 등[31]은 자가면역 췌장염에서 EUS-elastography의 특징적인 소견으로 췌장의 두부에서부터 미부까지 미만성으로 고루 분포되는 푸른 색조를 보이면서 작은 점들이 산재하는 영상을 보이고, 석회화는 없고, 췌관의 확장이 없는 것이라고 하였다(그림 37-3-5-1, 2, 3, 4). 하지만 현재 시점에서 확진을 위해서는 EUS-FNA가 필요하다[34].

3. 조직 채취(tissue acquisition)

조직학적 진단이 모든 질환의 최종 확진 방법이나, 췌장 질환 특히 자가면역 췌장염에서는 췌장병변에서 조직을 얻는 것은 쉽지 않다. 일본에서 보고된 자료[18]에 의하면 2011년 일본 전국병원에서 자가면역 췌장염 환자 901명 중 409명(45.5%)에서 췌장 조직을 얻을 수 있었는데, 채취 방법을 보면 EUS-FNA 63.8%, 수술 15.9%이었다.

Trucut biopsy가 조직학적 진단을 내리는데 유리하지만 trucut 조직검사가 불가능한 부위도 있다. 19-gauge 바늘을 이용한 EUS-FNA(그림 37-3-3)는 유용할 수 있지만, 합병증 위험이 동반되며, 기술 습득이 필요하다[35,36]. 22-gauge 바늘을 이용한 EUS-FNA의 자가면역 췌장염의 진단에서, Kanno 등[37]은 80%에서 자가면역 췌장염 진단이 가능하였다고 하였으며, 22G 바늘을 이용 일본에서 시행한 다기관 연구[38]에 의하면 78예

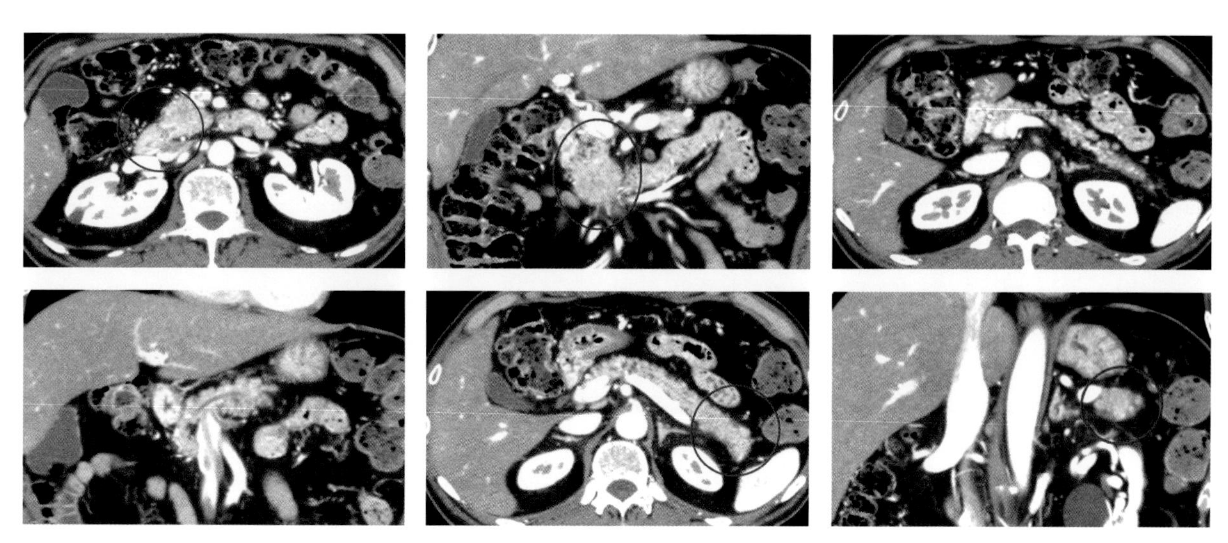

그림 37-3-5-1. **다발성 종양으로 발현된 자가면역 췌장염 환자.**
컴퓨터 단층촬영 축상면의 동맥기 영상에서 췌장 두부의 실질이 국소적으로 확대되고 췌장주변부에 저음영의 띠가 보인다. 췌장 미부의 실질도 국소적으로 확장되고 주변부에는 저음영의 띠와 췌장주위 지방침윤이 있다.
출처: 일본 Yoshiki Hirooka 교수와 Takuya Ishikawa 교수가 제공함.

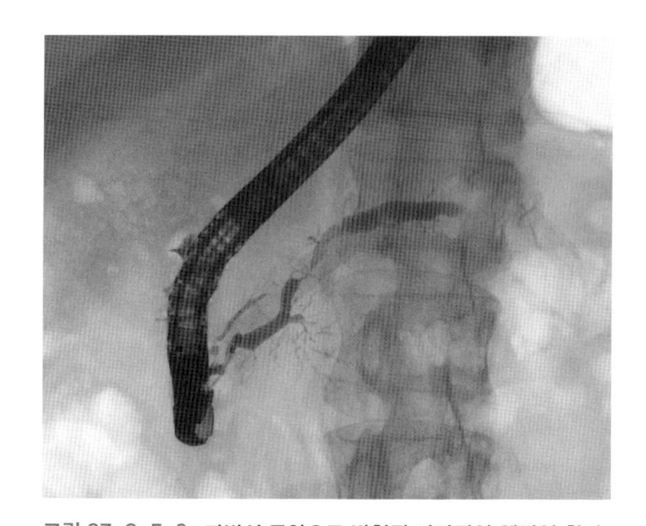

그림 37-3-5-2. **다발성 종양으로 발현된 자가면역 췌장염 환자**
컴퓨터 단층촬영 축상면의 동맥기 영상에서 췌장 두부의 실질이 국소적으로 확대되고 췌장 주변부에 저음영의 띠가 보인 내시경적 역행성 췌관 조영술상 전반적인 췌관의 경미한 확장이 관찰되며, 췌장 두부의 국소적인 췌관 협착소견이 관찰되고 있으며. 췌장 미부의 췌관은 조영되지 않는다.
출처: 사진은 일본 Yoshiki Hirooka 교수와 Takuya Ishikawa 교수가 제공함.

중 45예(57.7%)에서 조직학적 진단이 가능하였다. 특히 적절한 조직을 얻기 위해서는 조직 채취 중 FNA 바늘의 빠른 직임과 생검 조직 획득 후 조심스러운 조작이 필요하다고 하였고, 스프링 장착 생검 바늘을 추천하였다[37]. 최근 새로운 생검 바늘(fork-tip needle 혹은 flexible EUS core biopsy needle)을 이용하여 조직진단이 가능하였다는 증례 보고[39,40]가 있어 향후 결과가 기대된다.

자가면역 췌장염에서 담도 병변(IgG4-SC)이 있는 경우 조직검사에 의한 병리학적 진단은 gold standard 이다[41]. 하지만 담관에서 생검겸자에 의한 조직 채취는 용이하지 않다[18]. Ghazale 등[19]은 16개의 조직생검에서 적절한 상피세포를 획득하였지만, 조직학적으로 IgG4-SC를 진단할 수 없었고, IgG4 immunostaining 에서는 16개의 검체 중 14개에서 10개 이상의 IgG4 양성 세포(/high-power field)를 확인할 수 있었다고 하면서, immunostaining 검사를 강조하였다. Endobiliary biopsy로 악성 병변과 IgG4-SC를 감별하는데 민감도는 18~88%, 특이도는 9~100%로 보고된다[42,43,44,45].

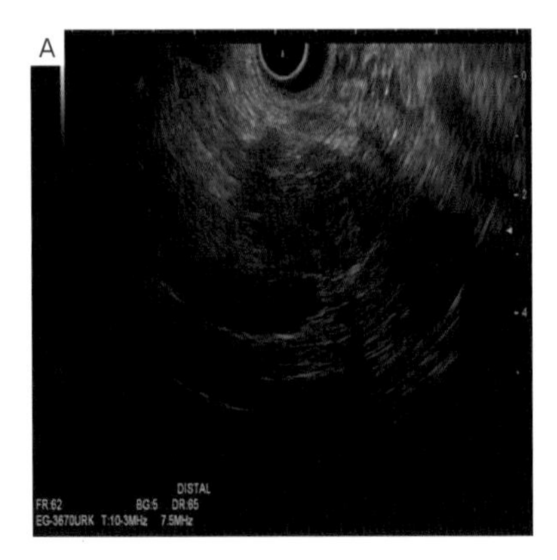
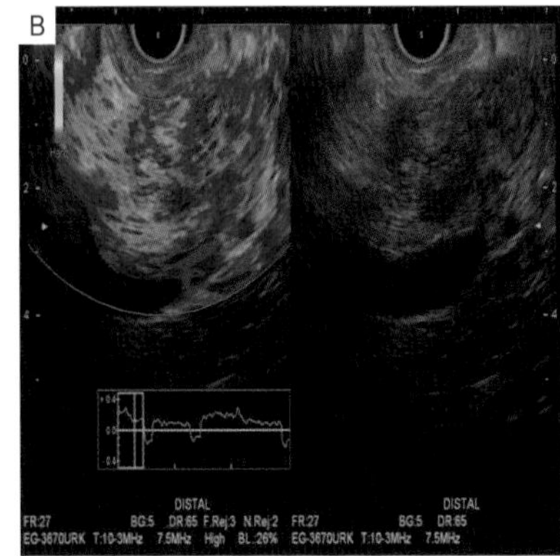
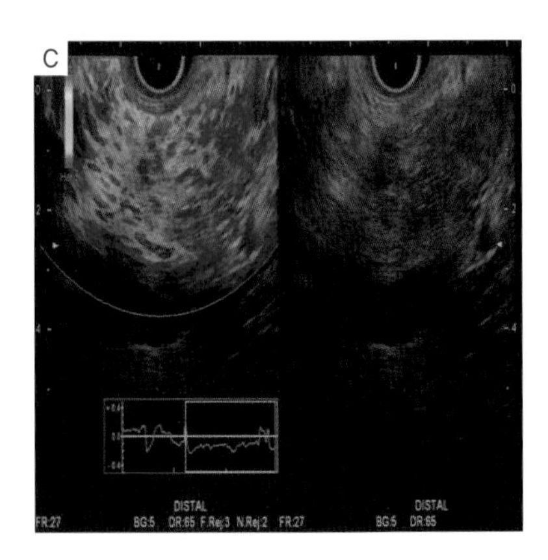

그림 37-3-5-3. **다발성 종양으로 발현된 자가면역 췌장염 환자.**

A. 췌장 두부 자가면역성 췌장염의 내시경초음파 소견에서 혼합된 에코 발생도(mixed echogenic)의 췌장 두부 종괴가 관찰된다.

B, C. 탄성 초음파내시경 검사(EUS-elastography) 소견에서 정성적 분석(qualitative analysis)상 이질적인 파란색 우세 패턴(heterogeneous blue predominant pattern)을 보이며, B-mode 초음파내시경 영상 소견상 췌관 확장을 동반하지 않는 혼합된 에코 발생도(mixed echogenic)의 췌장 두부 종괴가 관찰된다.

출처: 일본 Yoshiki Hirooka 교수와 Takuya Ishikawa 교수가 제공함.

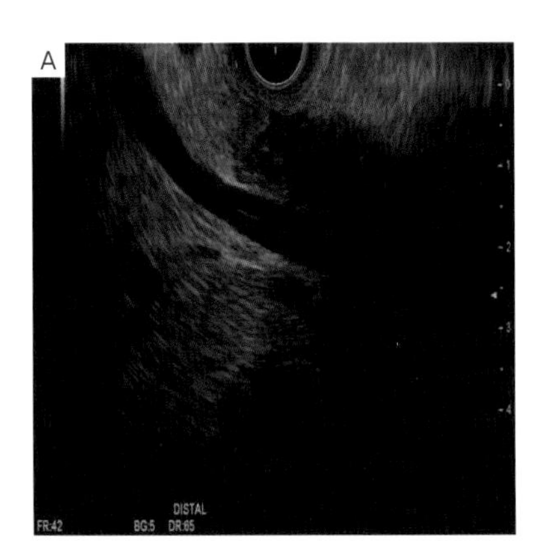
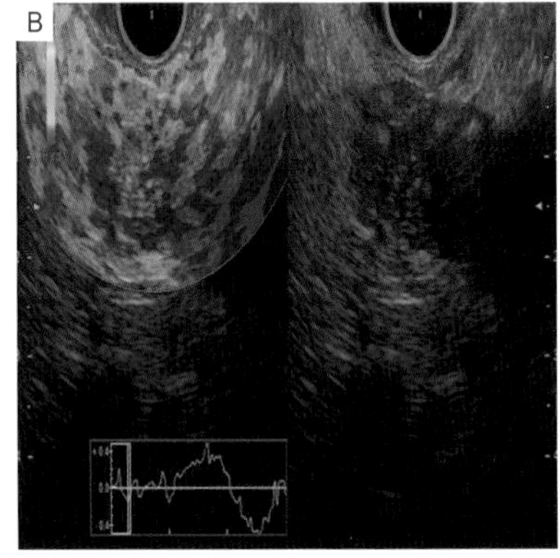
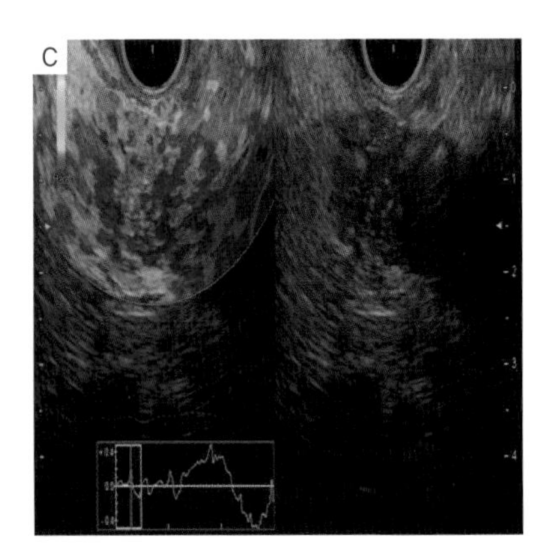

그림 37-3-5-4. **다발성 종양으로 발현된 자가면역 췌장염 환자.**

A. 췌장 미부 자가면역 췌장염의 내시경초음파 소견에서 혼합된 에코 발생도(mixed echogenic)의 췌장 미부 종괴가 관찰된다.

B, C. 탄성 초음파내시경 검사(EUS-elastography) 소견에서 정성적 분석(qualitative analysis)상 이질적인 파란색/녹색 패턴(heterogeneous blue/green pattern)을 보이며, B-mode 초음파내시경 영상 소견상 췌관 확장을 동반하지 않는 혼합된 에코 발생도(mixed echogenic)의 췌장 미부 종괴가 관찰된다.

출처: 사진은 일본 Yoshiki Hirooka 교수와 Takuya Ishikawa 교수가 제공함.

ERCP를 하는 중에 유두부 모양을 관찰하면 자가면역 췌장염 환자의 특징적인 십이지장 유두부 소견으로 '부어 있는 유두(swollen papilla)'를 볼 수 있다[46]. Swollen papilla의 모양은 다양하다. 더불어 십이지장 유두부를 NBI (narrow-band imaging)로 검사하면 도움이 된다[47]. 유두부에서 시행한 생검 검사를 통해 얻어진 조직에 IgG4 면역 염색을 시행하면 자가면역 췌장염의 진단에 유용한데[48,49], 민감도와 특이도가 각각 52~80% 그리고 89~100%로 보고된다[44,50,51,52]. 그러므로 자가면역 췌장염이 의심되는 환자에서 내시경 검사를 시행하는 경우에는 십이지장 유두부의 관찰을 세심히 할 필요가 있으며, 모든 환자에서 조직검사를 시행하는 것이 진단에 도움이 될 수 있을 것으로 생각한다.

결론

자가면역 췌장염에서 ERCP검사는 다른 영상 검사(US, CT 및 MRI)와 혈청 검사에서 진단이 가능하면 검사를 시행할 필요가 없으나, 진단이 가능하지 않으면, ERCP검사를 시행하여, 췌관 및 담관의 변화를 확인하고, 십이지장 유두부의 관찰과 함께, 조직생검을 시행하여, IgG4 면역화학염색후 세포를 관찰하여 이상 유무를 확인 하는 것이 자가면역 췌장염 진단에 도움이 된다. 또한 EUS검사는 조직생검을 목적으로 하는 경우에 주로 시행되므로, 조직생검 전 췌장 및 담도계 관찰을 주의 깊게 관찰 할 필요가 있으며, 조직생검 시에는 생검 중 및 조직 채취 후 세심한 주의를 기울여 진단 율을 높이는 것이 필요하다.

자가면역 췌장염에 대해서는 약 15년 전보다 많은 정보가 보고되었고, 임상 양상, 진단 방법 및 치료 등에서 많이 발전되었으며, 진료의사들이 자가면역 췌장염을 대부분 이해하고 있다. 하지만, 아직 자가면역 췌장염의 자연경과는 확실하게 알고 있지 못한 실정이다. 향후 자가면역 췌장염의 초기 병변에 대한 이해가 높아지면, ERCP와 EUS의 역할은 현재보다 더 중요할 수 있을 것으로 생각된다.

References

1. Members of the Criteria Committee for Autoimmune Pancreatitis of the Japan Pancreas Society. Diagnostic criteria for autoimmune pancreatitis by the Japan pancreas Society (2002). (in Japanese with English abstract) Suizo 2002;17:585-7.
2. Hong SP, Park SW, Chung JP, et al. Autoimmune pancreatitis with effective steroid therapy. Yonsei Med J 2003;44:534-8.
3. 이세준. 2004년도 연세대학교 의과대학 소화기학 연수 강좌 책자. p73-82.
4. 김명환. 자가면역 췌장염 놓치지 않기. 2004년 소화기학회 POSTGRADUATE COURSE 책자. p403-408.
5. Sugumar A, Levy MJ, Kamisawa T, et al. Endoscopic retrograde pancreatography criteria to diagnose autoimmune pancreatitis: an international multicenter study. Gut 2011;60:666-70.
6. Song TJ, Kim JH, Kim MH, et al. Comparison of clinical findings between histologically confirmed type 1 and type 2 autoimmune pancreatitis. J Gastroenterol Hepatol 2012;27:700-8.
7. Lerch MM, Mayerle J. The benefits of diagnostic ERCP in autoimmune pancreatitis. Gut 2011;60:565-6.
8. Kim JH, Kim MH, Byun JH, et al. Diagnostic strategy for differentiating autoimmune pancreatitis from pancreatic canacer: is an endoscopic retrograde pancreatography essential? Pancreas 2012;41:639-47.
9. Shimesegawa T, Chari ST, Frulloni L, et al. International consensus diagnostis criteria for autoimmune pancreatitis: guide-lines of the International Association of Pancreatology. Pancreas 2011;40:352-8.
10. Horiuchi A, Kawa S, Hamano H, et al. ERCP features in 27 patients with autoimmune pancreatitis. Gastrointest Endosc 2002;55:494-9.
11. Naitoh I, Nakazawa T, Okumura F, et al. Endoscopic retrograde cholangiopancreatography-related adverse events in patients with type 1 autoimmune pancreatitis. Pancreatology 2016;16:78-82.
12. Okazaki K, Kawa S, Kamisawa T, et al. Amendment

of the Japanese consensus guidelines for autoimmune pancreatitis. J Gastroenterol 2014;49:567-88.
13. Wakabayashi T, Kawaura Y, Satomura Y, et al. Clinical and imaging features of autoimmune pancreatitis with focal pancreatic swelling or mass formation: Comparison with so-called tumor-forming pancreatitis and pancreatic carcinoma. Am J Gastroenterol 2003;98:2697-87.
14. Takima K, Kamisawa T, Tabata T, Inaba Y, Egawa N, Igarashi Y. Utility of pancreatography for diagnosing autoimmune pancreatitis. World J Gastroenterol 2011;17:2332-7.
15. Sugumar A, Levy MJ, Kamisawa T, et al. Endoscopic retrograde pancreatography criteria to diagnose autoimmune pancreatitis: An international multicenter study. Gut 2011;60:666-70.
16. Kanno A, Nishimori I, Masamune A, et al. Nationwide epidemiological survey of autoimmune pancreatitis in Japan. Pancreas 2012;41:835-9.
17. Kamisawa T, Tyu JK, Kim MH, et al. Recent advances in the diagnosis and management of autoimmune pancreatitis: Similarities and differences in Japan and Korea. Gut Liver 2013;7:394-400.
18. Kanno A, Masamune A, Shimosegawa T. Endoscopic approaches for the diagnosis of autoimmune pancreatitis. Dig Endosc 2015;27:250-8.
19. Ghazale A, Chari ST, Zhang L, et al. Immunoglobulin G4-associated cholangitis: Clinical profile and response to therapy. Gastroenterology 2008;134:706-15.
20. Ohara H, Nakazawa T, Kawa S, et al. Establishment of a serum IgG4 cut-off value for the differential diagnosis of IgG4-related sclerosing cholangitis: A Japanese cohort. J Gastroenterol Hepatol 2013;28:1247-51.
21. Zhang L, Lewis JT, Abraham SC, et al. IgG4+ plasma cell infiltrates in liver explants with primary sclerosing cholangitis. Am J Surg Pathol 2010;34:88-94.
22. Vosskuhl K, Negm AA, Framke T, et al. Measurement of IgG4 in bile: A new approach for diagnosis of IgG4 associated cholangiopathy. Endoscopy 2012;44:48-52.
23. Itoi T, Kamisawa T, Igarashi Y, et al. The role of peroral video cholangioscopy in patients with IgG4-related sclerosing cholangitis. J Gastroenterol 2013;48:504-14.
24. Farrel JJ, Garber J, Sahani D, Brugge WR. EUS findings in patients with autoimmune pancreatitis. Gastrointest Endosc 2004;60:927-36.
25. Hyodo N, Hyodo T. Ultrasonographic evaluation in patients with autoimmune-related pancreatitis. J Gastroenterol 2003;38:1155-61.
26. Hoki N, Mizuno N, Sawaki A, et al. Diagnosis of autoimmune pancreatitis using endoscopic ultrasonography. J Gastroenterol 2009;44:154-9.
27. Hocke M, Ignee A, Dietrich CF. Contrast-enhanced endoscopic ultrasound in the diagnosis of autoimmune pancreatitis. Endoscopy 2011;43:163-5.
28. Hocke M, Schulze E, Gottschhalk P, Topalidis T, Dietrich CF. Contrast-enhanced endoscopic ultrasound in discrimination between focal pancreatitis and pancreatic cancer. World J Gastroenterol 2006;12:246-50.
29. Imazu H, Kanazawa K, Mori N, et al. Novel quantitative perfusion analysis with contrast-enhanced harmonic EUS for differentiation of autoimmune pancreatitis from pancreatic carcinoma. Scand J Gastroenterol 2012;47:853-60.
30. Hocke M, Igneee A, Dietrich CF. Three-dimensional contrast-enhanced endoscopic ultrasound for the diagnosis of autoimmune pancreatitis. Endoscopy 2011;43(Suppl 2 UCTN):E381-2.
31. Dietrich CF, Hirche TO, Ott M, Ingee A. Real-time tissue elastography in the diagnosis of autoimmune pancreatitis. Endoscopy 2009;41:718-20.
32. Janssen J, Schlorer E, Greiner L. EUS elastography of the pancreas: Feasibility and pattern description of

the normal pancreas, chronic pancreatitis, and focal pancreatic lesions. Gastrointest Endosc 2007;65:971-8.
33. Mei M, Ni J, Liu D, Sun L. EUS elastography for diagnosis of solid pancreatic masses: A meta-analysiiis. Gastrointest Endosc 2013;77:578-89.
34. Seicean A, mosteanu O, Seicean R. Maximazing the endosonography: the role of contrast harmonics, elastography and confocal endomicroscopy. World J Gastroenterol 2017;23:25-41.
35. Varadarajulu S, Fraig M, Schmulewitz N, et al. Comparison of EUS-guided 19-gauge Trucut needle biopsy with EUS-guided fine-needle aspiration. Endoscopy 2004;36:397-401.
36. Iwashita T, Yasuda I, Doi S, et al. Use of samples from endoscopic ultrasound-guided 19-gauge fine-needle aspiration in diagnosis of autoimmune pancreatitis. Clin Gastroenterol Hepatol 2012;10:316-22.
37. Kanno A, Ishida K, Hamada S, et al. Diagnosis of autoimmune pancreatitis by EUS-FNA by using a 22-gauge needle based on the International Consensus Diagnostic Criteria. Gastrointest Endosc 2012;76:594-602.
38. Kanno A, Masamune A, Fujishima F, et al. Diagnosis of autoimmune pancreatitis by EUS-guided FNA using a 22-gauge needle: a prospective multicenter study. Gastrointest Endosc 2016;84:797-804.
39. Kerdsirichairat T, Saini SD, Chamberlain PR, Prabhu A. Autoimmune pancreatitis diagnosed with core biopcsy obtained from a novel Fork-Tip EUS Needle. ACG Case Rep J 2017;4:e7, doi:10.14309/crj.2017.7.
40. Runge TM, Hart PA, Sasatomi E, Baron TH. Diagnosis of autoimmune pancreatitis using, new, flexible EUS core biopsy needles: report of 2 cases. Gastrointest Endosc 2017;85:1311-2.
41. Ohara H, Okazaki K, Tsubouchi H, et al. Clinical diagnostic criteria of IgG4-related sclerosing cholangitis 2012. J Hepatol-Biliary Pancreatic Sci 2012;19:536-42.
42. Ghazale A, Chari ST, Zhang L, et al. Immunoglobulin G4-associated cholangitis: clinical profile and response to therapy. Gastroenterology 2008;134:706-15.
43. Oh HC, Kim MH, Lee KT, et al. Clinical clues to suspicion of IgG4-associated sclerosing cholangitis disguised as primary sclerosing cholangitis or hilar cholangiocarcinoma. J Gastroenterol Hepatol 2010;25:1831-7.
44. Kawakami H, Zen Y, Kuwatani M, et al. IgG4-related sclerosing chpolangitis and autoimmune pancreatitis: histological assessment of biopsies from Vater's ampulla and bile duct. J Gastroenterol Hepatol 2010;25:1648-55.
45. Naitoh I, Nakazawa T, Ohara H, et al. Endoscopic transpapillary intraductal ultrasonogrpahy and biopsy in the diagnosis of IgG4-related sclerosing cholangitisa. J Gastroenterol 2009;44:1147-55.
46. Kubota K, Kato S, Akiyama T, et al. Differentiating sclerosing cholangitis cauuased by autoimmune pancreatitis and primary sclerosing cholangitis according to endoscopic duodenal papillary features. Gastrointest Endosc 2008;68:1204-8.
47. Kubota K, Fujita Y, Sekino Y, et al. Dynamic narrow-band imaging and detection of duodenal papillitis with increased Igg4+ plasma cells facilitated differential diagnosis in patients with hilar biliary stricture. Gastrointest Endosc 2014;(Suppl 79): AB348.
48. Kamisawa T, Tu Y, Egawa N, Tsuruta K, Okamoto A. A new diagnostic endoscopic tool for autoimmune pancreatitis. Gastrointest Endosc 2008;68:358-61.
49. Sepehr A, Mino-Kenudson M, Ogawa F, Brugge WR, Deshpande V, Lauwers GY. IgG4+ to IgG4+ plasma cells ratio of ampulla can help differentiate autoimmune pancreatitis from other 'mass forming' pancreatic lesions. Am J Surg Pathol 2008;32:1770-9.

50. Kamisawa T, Tu Y, Egawa N, et al. A new diagnostic endoscopic tool for autoimmune pancreatitis. Gastrointest Endosc 2008;68:358-61.
51. Kubota K, Kato S, Akiyama T, et al. Differentiating sclerosing cholangitis caused by autoimmune pancreatitis and primary sclerosing cholangitis according to endoscopic duodenal papillary features. Gastrointest Endosc 2008;68:1204-8.
52. Moon SH, Kim MH, Park do H, et al. IgG4 immunostaining of duodenal papillary biopsy specimens may be useful for supporting a diagnosis of autoimmune pancreatitis. Gastrointest Endosc 2010;71:960-6.

37-4 자가면역 췌장염의 영상소견(Imaging findings of autoimmune pancreatitis: US, CT and MRI)

서니은, 박미숙

1. 초음파검사(ultrasonography, US)

초음파로 자가면역 췌장염을 진단하는 것은 쉽지 않다. 임상적으로 상복부 통증, 피로감, 황달 등의 주소로 내원시에 주로 황달의 원인을 찾기 위한 검사로 초음파를 시행하게 된다. 초음파상 대부분 미만성으로 혹은 국소성으로 췌장이 커지고 경계는 비교적 명확하며 주변의 염증 소견은 미약한 편이다(그림 37-4-1). 균질한 실질 에코를 가지면서 혈관 침습이나 석회화는 거의 보이지 않는다[1]. 초음파에서 병변의 에코는 대부분 균질하게 감소하는 것으로 보고되어 있다[2].

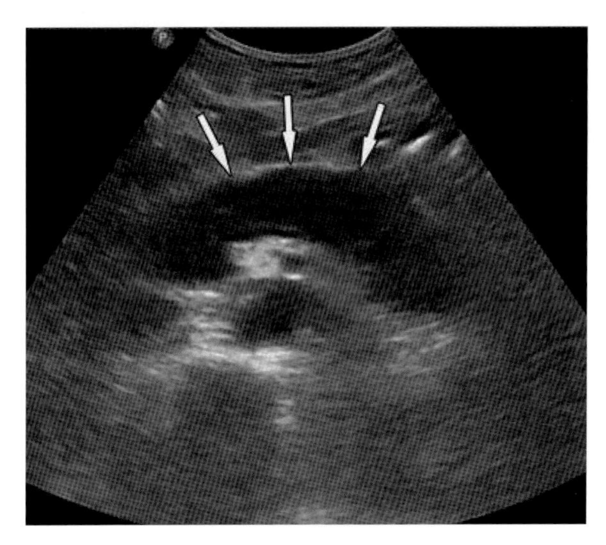

그림 37-4-1. **자가면역 췌장염의 초음파 소견.** 초음파에서 뚜렷한 국소 병변은 보이지 않으나 췌장의 실질 에코가 전반적으로 균질하게 감소되어 있다(화살표).

2. 전산화 단층촬영 (computed tomography, CT)

자가면역 췌장염은 형태학적 양상에 따라 미만성(diffuse), 국소성(focal), 다발성(multifocal)의 세 가지 종류로 나뉠 수 있다. 미만성 자가면역 췌장염의 전형적인 CT 소견은 부드러운 경계를 갖는 췌장의 전반적 비후, 즉 소시지 같은 모양을 보이는 것이며 정상 췌장의 갈라진 틈의 소실이 보일 수 있다[1,3]. 석회화나 결석은 일반적으로 거의 보이지 않는다[4,5]. 조영증강 영상에서는 염증성 침윤 정도와 섬유화 정도에 따라 다양한 소견을 보일 수 있다. 보통 췌장기 조영증강 영상에서 낮은 조영증강을 보이고 지연기에는 높은 조영증강을 보인다[1,3]. 이러한 지연성 조영증강은 섬유화에 기인한 것으로 생각된다. 췌장 주변에는 저음영으로 보이는 테두리가 보일 수 있으며 이는 섬유조직, 염증 등에 인한 것으로 생각된다. 이 테두리는 자가면역 췌장염의 특징적인 소견 중 하나이다(그림 37-4-2). 췌장 주변 테두리는 역동적 조영증강 영상에서 췌장기에 낮은 조영증강을 보이고 지연기에는 높은 조영증강을 보인다[1,3].

국소성 자가면역 췌장염은 어느 부위에서나 생길 수 있으나 종종 췌장 머리 부분을 침범하며 췌장 실질의 국소적 비대와 종괴와 비슷한 모양으로도 보일 수 있어 췌장암과 구별이 어려운 경우가 있다(그림 37-4-3, 4). 췌장 주변 침윤이나 가성낭종은 드문 편이며 혈관 합병증은 자가면역 췌장염 환자의 23~57%에서 보고되어 있다[6,7]. 췌장 주변이나 문맥 주변으로 림프절 비대를 동

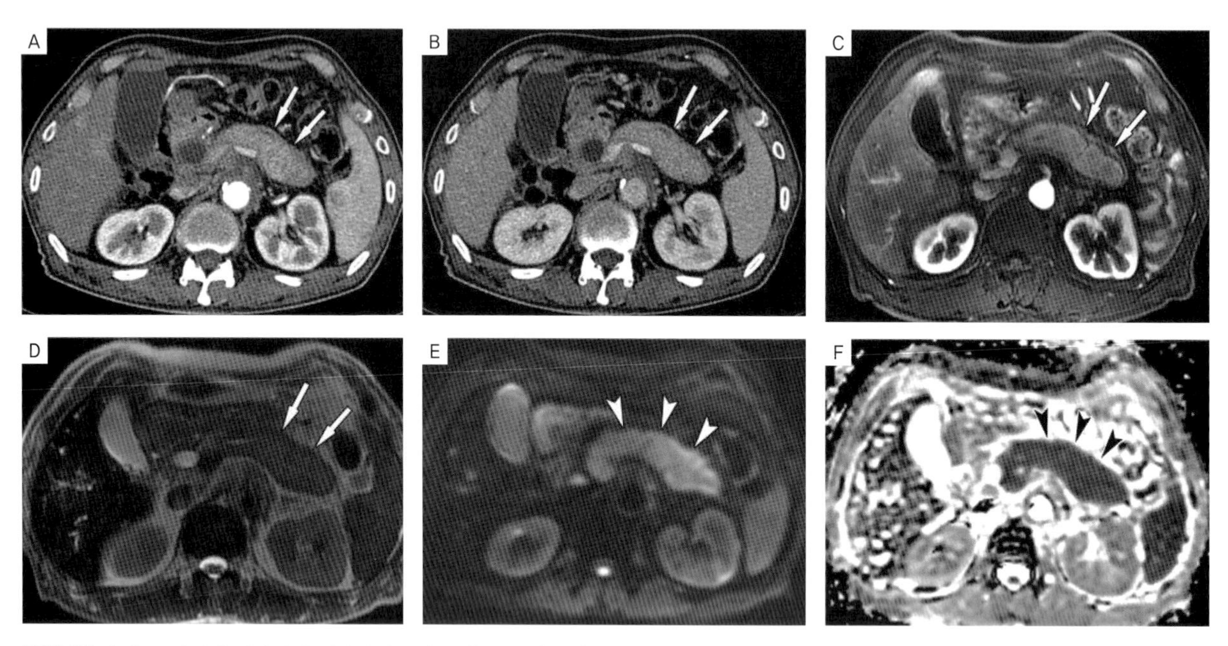

그림 37-4-2. **미만성 자가면역 췌장염의 CT(A-B)와 MR(C-F) 소견.**
A. 췌장기 조영증강 CT에서 췌장 체부 및 미부가 미만성으로 커져 있고, 췌장 주위의 테두리가 저음영으로 보인다(화살표).
B. 지연기 조영증강 CT에서 췌장 실질은 균질한 조영증강을 보이고 췌장 주위의 테두리도 지연성 조영증강을 보인다(화살표).
C. 췌장기 조영증강 MR에서 특징적인 췌장 주위의 테두리가 뚜렷이 보이며 췌장 실질에 비해 저신호 강도로 보인다(화살표).
D. T2 강조 영상에서는 췌장 실질의 신호 강도는 전반적으로 약간 증가되어 있으며, 췌장 주변의 테두리는 저신호 강도로 보인다(화살표).
E. 확산 강조 영상 (b factor = 800)에서 췌장의 신호 강도가 전반적으로 증가되어 있다(흰 화살촉).
F. ADC (Apparent Diffusion Coefficient) 영상에서는 췌장의 감소된 신호 강도를 보여 비교적 강한 확산 제한을 보이는 것이 특징이다(검은 화살촉).

반할 수 있다.

췌장의 형태와 췌관의 불규칙한 협착 및 확장은 스테로이드 치료 후 1~2주부터 점차 정상으로 회복된다. 일부 환자에서는 치료 후 췌장 실질의 위축을 보일 수 있는데, 이는 자가면역 췌장염의 burn-out phase에서 볼 수 있는 소견이다.

3. 자기공명영상 (magnetic resonance imaging, MRI)

자기공명 영상에서도 췌장의 전반적인 비대와 T2 강조 영상에서 약간 증가된 신호 강도를 관찰할 수 있다. 조영증강 영상에서는 불균일한 조영증강을 보일 수 있고 CT와 마찬가지로 지연기에 점차적인 조영증강을 보인다[1]. CT에서도 관찰될 수 있는 췌장 주변 테두리는 T1 그리고 T2 강조 영상에서 낮은 신호 강도를 보이며, 역동적 조영증강 영상에서 지연 조영증강을 보인다. 자기공명 담췌관 조영술(MR cholangio-pancreatography, MRCP) 에서는 췌담관의 불규칙한 협착을 잘 관찰할 수 있다(그림 37-4-3). 자가면역 췌장염에서 췌관의 전형적인 영상 소견은 주췌관의 긴 분절에 걸친 협착, 여러 개의 협착, 협착으로 인행 상부 췌관의 확장이 심하지 않은 것(< 5 mm) 등이다[3]. 특히 1형 자가면역 췌장염의 경우 담관의 협착도 동반할 수 있는데, 총담관이 췌장을 지날 때 담관 내경을 관찰할 수 있고 총담관벽의 지연성 조영증강을 보이는 것이 특징이다[8]. 확산 강조

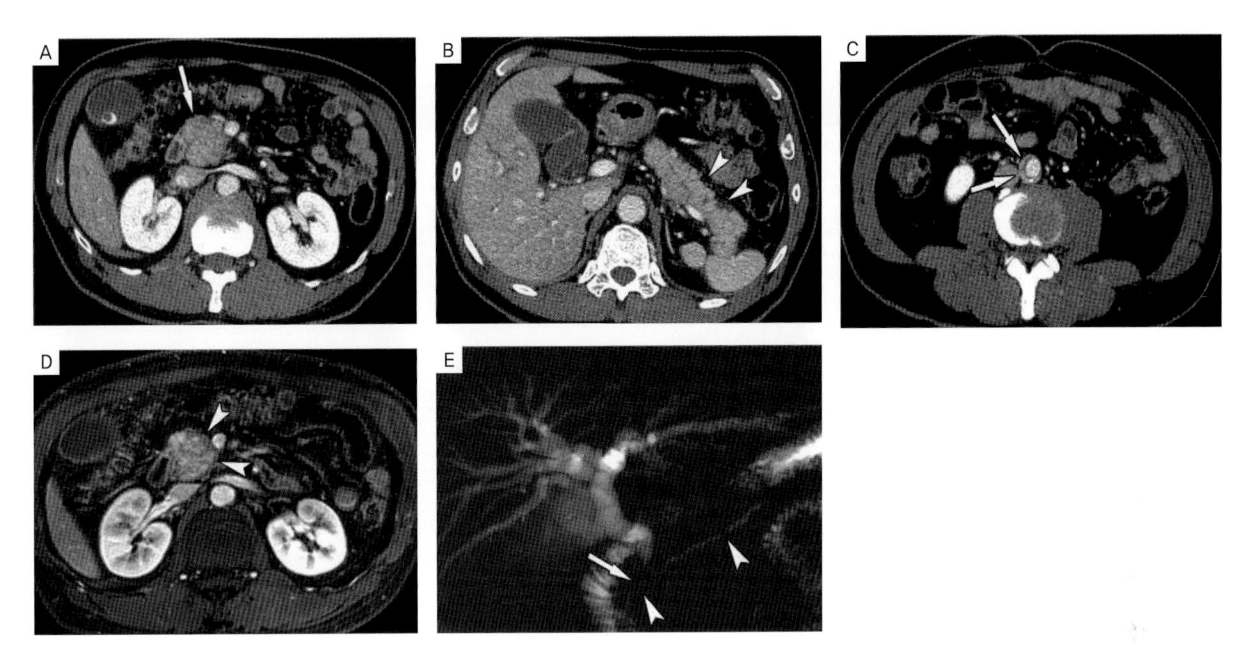

그림 37-4-3. **국소성 자가면역 췌장염의 CT (A-D)와 MR (E) 소견.**
A. 조영증강 CT에서 췌장 두부가 커져 있다(화살표).
B. 원위부 췌장 주변으로 약간의 침윤을 동반하고 있고(화살촉) 주췌관은 현저히 늘어나 있지 않다.
C. 아래 레벨의 횡단면 CT에서 복부 대동맥을 둘러싸는 후복막강 섬유화가 관찰되어(화살표) 이러한 소견은 자가면역 췌장염의 진단에 도움이 된다.
D. 조영증강 T1 강조 영상에서 췌장 두부가 커져 있고 췌장 주변으로 저신호 강도의 테두리가 의심된다(화살촉).
E. MRCP 영상에서 주췌관에 여러 군데의 협착이 있으며(화살촉) 주췌관의 뚜렷한 확장은 보이지 않는다. 췌장 두부 내의 총담관에도 협착이 있으며(화살표) 이로 인해 담관이 전반적으로 확장되어 있다.

영상에서는 침범된 췌장 실질이 비교적 강한 신호 강도를 보인다[9](그림 37-4-2).

4. 국소성 자가면역 췌장염과 췌장암의 감별

자가면역 췌장염의 영상 진단에서 중요한 점 중 하나는 국소성 자가면역 췌장염과 췌장암의 감별이다. 두 질환 모두 고령의 남성에서 흔하고 황달과 같은 비슷한 임상 양상으로 나타날 수 있다. 혈청 IgG4 수치나 종양 표지자(CA 19-9) 수치가 감별에 도움이 될 수 있다. 두 질환 모두에서 혈청 IgG4 수치가 상승될 수 있으나 자가면역 췌장염에서 정상 수치의 두 배 이상으로 많이 증가되는 것으로 알려져 있다. 한 연구에 따르면 IgG4 수치가 135 mg/dL 이상일 때 97%의 특이도와 95%의 민감도로 췌장암과 자가면역 췌장염을 구분하여 진단할 수 있다고 한다[10].

영상에서 두 질환은 구분하기 어려운 경우가 많으나 몇 가지 감별에 도움이 되는 소견들이 알려져 있다(표 37-4-1). 국소성 자가면역 췌장염과 췌장암 모두 초기 조영증강 영상에서 저혈관성으로 보일 수 있으나 지연기에 지속적인 조영증강을 보이는 것은 자가면역 췌장염을 더 시사하는 소견이다. 췌장 주변의 테두리나 췌장 이외 장기의 이상 소견이 동반되는 경우 췌장암보다 국소성 자가면역 췌장염을 더 시사한다[3]. 확산 강조 영상이 두 질환의 감별에 도움이 된다고 알려져 있으며, 좀 더 강한 확산 제한을 보이는 것은 국소성 자가면역 췌장염에 가까운 소견이다[9,11]. 췌관 이상의 소견도 두 질환 간에 차이가 있다. 자가면역 췌장염의 경우 보

표 37-4-1. **국소성 자가면역 췌장염과 췌장암의 영상의학적 감별**

	자가면역 췌장염	췌장암
조영증강 양상	췌장기에 저혈관성이며 지연기에 조영증강을 보인다.	췌장기에 저혈관성이며 지연기에 췌장 주변부의 조영증강을 보일 수 있다.
췌장 실질 변화	원위부 췌장의 실질 위축이 거의 없다.	원위부 췌장의 실질 위축이 자주 동반된다.
췌관 변화	- 긴 분절의 협착을 보이며 주췌관의 확장이 거의 없음. - 여러 군데의 협착 - 병변 부위의 췌관이 보임 (penetrating sign) - 간내 담관의 협착 동반	- 급격한 췌관의 협착과 상부 췌관의 확장 - 짧은 단일 분절의 협착
췌장 이외 장기	담관, 신장, 후복막강, 침샘 등의 IgG4-related disease가 동반될 수 있음.	전이 소견 가능함

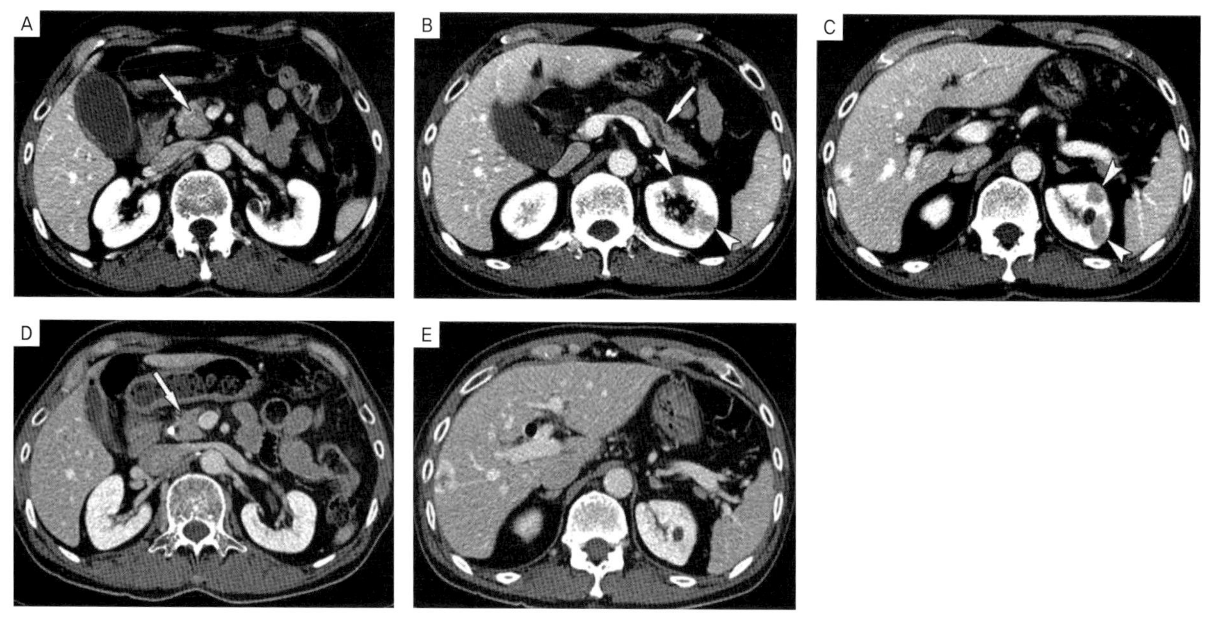

그림 37-4-4. **췌장암과의 감별이 필요한 국소성 자가면역 췌장염.**
A. 췌장 두부에 국소적인 저음영이 있고 췌장 주위의 테두리는 뚜렷하지 않다(화살표).
B. 주췌관이 전반적으로 확장되어 있어(화살표) 췌장 두부암과 주췌관 폐쇄를 의심할 수 있다. 좌측 신장에는 둥근 저음영의 병변들이 보인다(화살촉).
C. 상부 횡단면 CT 영상에서 좌측 신장에 여러 개의 둥근 저음영의 병변들이 더욱 잘 관찰되며(화살촉), 이러한 소견은 자가면역 췌장염과 신장 침범을 시사한다.
D. 스테로이드 치료 후 횡단면 CT에서 미만성으로 커졌던 췌장 머리 부위 병변의 부피가 많이 감소되었다(화살표).
E. 스테로이드 치료 후 좌측 신장 병변도 모두 호전되었다.

통 긴 분절의 협착과 여러 군데의 협착이 있는 경우가 많고, 협착 상부의 췌관이나 담관의 확장이 심하지 않은 것이 특징이다[8]. 대조적으로 췌상암은 췌관이 급격히 좁아지면서 상부 췌관의 확장을 동반하는 것이 일반적이다.

췌장 이외의 장기에 IgG4-related sclerosing disease를 시사하는 소견이 있으면 자가면역 췌장염의 진단에 도움이 된다(그림 37-4-4). 자가면역 췌장염은 IgG4-

relatred slcerosing disease가 췌장을 침범한 것이므로 전신적으로 다른 장기를 침범하는 소견이 흔히 관찰된다. 췌장 병변과 더불어 IgG4-related sclerosing disease에 합당한 담관 협착이나 후복막강 섬유화, 양측성 침샘 비대, 신장 병변 등이 함께 있으면 췌장암보다는 자가면역 췌장염의 진단을 강하게 시사한다[12].

References

1. Sahani DV, Kalva SP, Farrell J, et al. Autoimmune pancreatitis: imaging features. Radiology 2004; 233:345-2.
2. Farrell JJ, Garber J, Sahani D, Brugge WR. EUS findings in patients with autoimmune pancreatitis. Gastrointest Endosc 2004;60:927-36.
3. Khandelwal A, Shanbhogue AK, Takahashi N, Sandrasegaran K, Prasad SR. Recent advances in the diagnosis and management of autoimmune pancreatitis. AJR Am J Roentgenol 2014; 202:1007-21.
4. Kim KP, Kim MH, Song MH, Lee SS, Seo DW, Lee SK. Autoimmune chronic pancreatitis. Am J Gastroenterol 2004;99:1605-16.
5. Nakazawa T, Ohara H, Sano H, et al. Difficulty in diagnosing autoimmune pancreatitis by imaging findings. Gastrointest Endosc 2007; 65:99-108.
6. Kawamoto S, Siegelman SS, Hruban RH, Fishman EK. Lymphoplasmacytic sclerosing pancreatitis (autoimmune pancreatitis): evaluation with multidetector CT. Radiographics 2008; 28:157-70.
7. Raina A, Yadav D. Splanchnic vascular involvement and autoimmune pancreatitis. J Gastroenterol Hepatol 2012;27:1766-7.
8. Park SH, Kim MH, Kim SY, et al. Magnetic resonance cholangiopancreatography for the diagnostic evaluation of autoimmune pancreatitis. Pancreas 2010;39:1191-8.
9. Choi SY, Kim SH, Kang TW, Song KD, Park HJ, Choi YH. Differentiating Mass-Forming Autoimmune Pancreatitis From Pancreatic Ductal Adenocarcinoma on the Basis of Contrast-Enhanced MRI and DWI Findings. AJR Am J Roentgenol 2016;206:291-300.
10. Hamano H, Arakura N, Muraki T, Ozaki Y, Kiyosawa K, Kawa S. Prevalence and distribution of extrapancreatic lesions complicating autoimmune pancreatitis. J Gastroenterol 2006;41:1197-205.
11. Muhi A, Ichikawa T, Motosugi U, et al. Mass-forming autoimmune pancreatitis and pancreatic carcinoma: differential diagnosis on the basis of computed tomography and magnetic resonance cholangiopancreatography, and diffusion-weighted imaging findings. J Magn Reson Imaging 2012; 35:827-36.
12. Shimosegawa T, Chari ST, Frulloni L, et al. International consensus diagnostic criteria for autoimmune pancreatitis: guidelines of the International Association of Pancreatology. Pancreas 2011;40:352-8.

37-5 자가면역 췌장염의 병리(Pathology of autoimmune pancreatitis)

홍승모

1. 자가면역 췌장염의 개념의 변화

자가면역과 관련된 췌장염에 대한기술은 오래전부터 보고되었다. Ball 등[1]은 1950년에 궤양성 대장염 환자에서 관찰된 췌장염에 대한 보고를 하였고, Sarles 등[2]은 고감마글로불린 혈증이 동반된 췌장의 만성 염증성 경화 환자를 처음으로 보고하였다. '자가면역 췌장염'이라는 용어는 일본의 Yoshida 등[3]에 의하여 1995년에 처음 사용 되었다. 이들은 폐쇄성 황달을 주소로 내원한 68세 여자환자에서 미만성 췌장비대와 불규칙한 췌관 협착, 고감마글로불린 혈증과 췌장의 섬유화 소견을 보고하였고, 이 환자는 스테로이드(corticosteroid) 치료에 반응을 보였고 이 질환을 '자가면역 췌장염'이라 명명하였다. Hamano 등[4]은 자가면역 췌장염에서 혈청 IgG4가 상승한 것을 보고하였다. Kamisawa 등[5]은 림프형질세포 침윤 경화성 췌장염(lymphoplasmocytic sclerosing pancreatitis)이 보이는 환자에서 췌장뿐 아니라 다수의 다른 장기에서 IgG4를 생산하는 다수의 형질세포 침윤과 다른 장기들의 경화성 질환을 보고하였고, 이를 'IgG4 연관질환'이라 명명하였다.

국내에서는 김 등[6]이 2002년 경구 스테로이드 요법으로 치유한 자가면역 췌장염에 대한 증례를 최초로 보고한 이후, 이와 관련된 보고가 증가하고 있다[7]. 자가면역 췌장염은 IgG4의 침윤이 담관, 신장, 폐, 위, 후복막 등 여러 장기를 침범하고 다양한 임상증상을 보인다[8-13]. 자가면역 췌장염에 대한 개념이 잡혀지기 시삭한 초창기에 자가면역 췌장염에 대한 병리학적 기술은 현재분류에 의한 1형과 2형 자가면역 췌장염의 구분 없이 보고되었다[14-17]. 그 이후, 2010년도에 1형과 2형 자가면역 췌장염의 정의와 진단기준이 국제적 합의에 의하여 만들어졌다[18,19]. 이에 의하여 자가면역 췌장염은 빈번한 폐쇄성 황달을 증상으로 하고, 영상소견에서 췌장 종괴를 동반할 수 있고, 병리검사에서 림포구와 형질세포의 침윤과 섬유화를 보이며, 스테로이드 치료에 극적인 치료반응을 보이는 췌장염으로 정의한다[18]. 또한 국제적 합의에 의한 전신의 IgG4 연관질환의 병리학적 진단기준도 마련되었다[20].

2. 자가면역 췌장염의 병리학적 소견

앞서 기술한 것처럼 자가면역 췌장염은 1형과 2형으로 분류한다. 1형 자가면역 췌장염이 2형에 비하여 상대적으로 매우 흔하여, 전체 자가면역 췌장염의 약 90%를 차지한다. 1형과 2형 공통으로 영상에서 췌장의 미만성 또는 분절성 비대 소견과 주췌관의 다발성 또는 분절성 협착과 상부 췌관의 확장소견을 보이고, 췌관 주변의 림프구와 형질세포의 침윤(lymphoplasmocytic infiltration)과 소용돌이 모양의 섬유화의 공통적인 병리적 소견을 보인다[18].

1) 1형 자가면역 췌장염

1형 자가면역 췌장염은 전신성 IgG4 연관질환의 췌장 발현으로 혈청 IgG4의 상승, 조직내 IgG4 면역화학염색에 발현이 되는 형질세포의 침윤, 췌장의 이상 영상소견과 다른 장기의 침윤을 종합하여 진단한다. 병리적으로, 1형 자가면역 췌장염은 림프구, 형질세포 침윤성 췌장염라고도 불리며, 그 이름과 같이 췌관 주변에 림포구와 형질세포의 침윤(그림 37-5-1), IgG4 면역화학염색에 염색이 되는 형질세포의 침윤의 증가[21-24] (그림 37-5-2), 소용돌이 모양의 섬유화(storiform fibrosis; 그림 37-5-3), 폐쇄성 소정맥염(obliterative phlebitis; 그림 37-5-4) 등의 조직학적 소견을 특징으로 한다. 이 중 폐쇄성 소정맥염은 림포구와 형질세포의 침윤이 심한 경우 H&E염색으로 잘 관찰이 안 될 수도 있으며, 이러한 경우 탄력섬유을 잘 관찰할 수 있는 elastic염색이 폐쇄성 소정맥염의 관찰에 도움이 된다(그림 37-5-5).

2012년에 국제적 합의에 의하여 확립된 IgG4 연관질환에 대한 병리학적 진단기준은 1형 자가면역 췌장염에 대한 병리진단기준을 포함하며[20], 아래의 (1)-(3)의 세 가지 조직병리소견이 1형 자가면역 췌장염의 진단을 위하여 필수적이다.

(1) 치밀한 림포구와 형질세포의 침윤
    (dense lymphoplasmacytic infiltration)
(2) 최소한 국소적인 소용돌이 모양의 섬유화
(3) 폐쇄성 소정맥염
(4) IgG4 면역화학검사 양성의 형질세포의 수
    (수술검체의 경우 50개 이상/HFP, 생검 검체의 경우 10개 이상/HFP)

이 중 (1)-(3)의 criteria 중 두 가지 이상의 소견을 만족할 경우, 조직학적으로 IgG4 연관질환을 강력히 시사함(histologically highly suggestive of IgG4-RD)이라고 진단을 하고, 한 가지 이상의 소견을 만족할 경우에는 조직학적으로 IgG4 연관질환의 가능성이 의심됨(probable histological features of IgG4-RD)이라고 진단을 한다.

그 외에 아래의 두 가지 조직병리소견은 1형 자가면

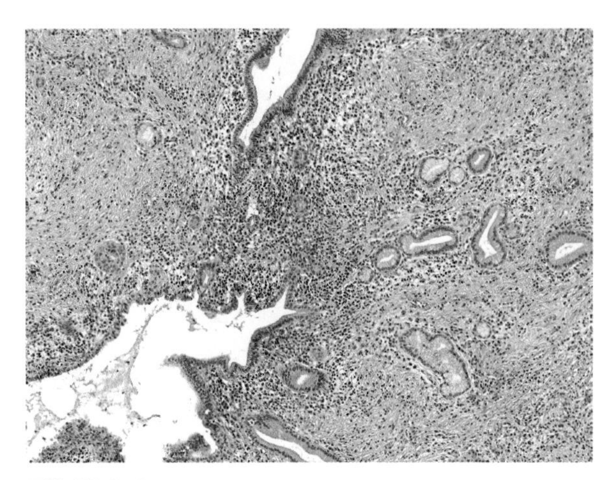

그림 37-5-1. **1형 자가면역 췌장염의 현미경 소견.** 췌관 주변으로 림포구와 형질세포의 치밀한 침윤을 보인다(H&E염색, 100배).

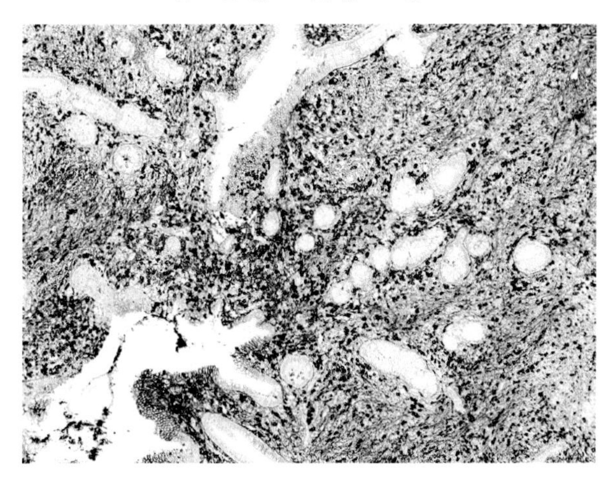

그림 37-5-2. **1형 자가면역 췌장염의 현미경 소견.** IgG4 면역화학염색에 염색이 되는 형질세포 침윤의 증가를 보인다(IgG4 면역화학염색, 100배).

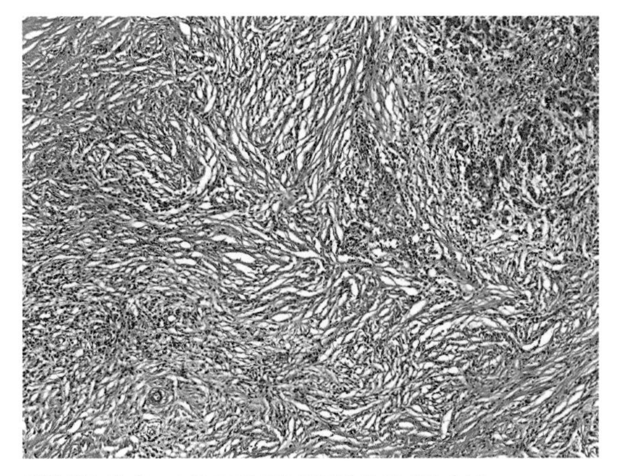

그림 37-5-3. **1형 자가면역 췌장염의 현미경 소견.** 소용돌이 모양의 섬유화가 관찰된다(H&E염색, 200배).

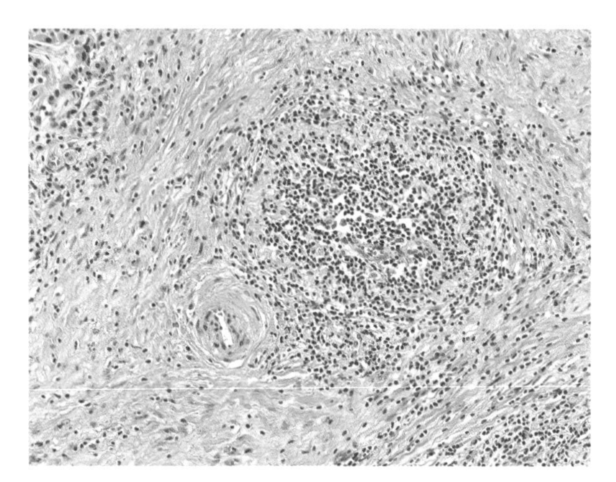

그림 37-5-4. **1형 자가면역 췌장염의 현미경 소견.** 폐쇄성 소정맥염. H&E염색에서 림포구와 형질세포의 침윤은 관찰되지만 폐쇄성 소정맥염의 소견은 뚜렷하게 관찰되지 않는다(H&E염색, 200배).

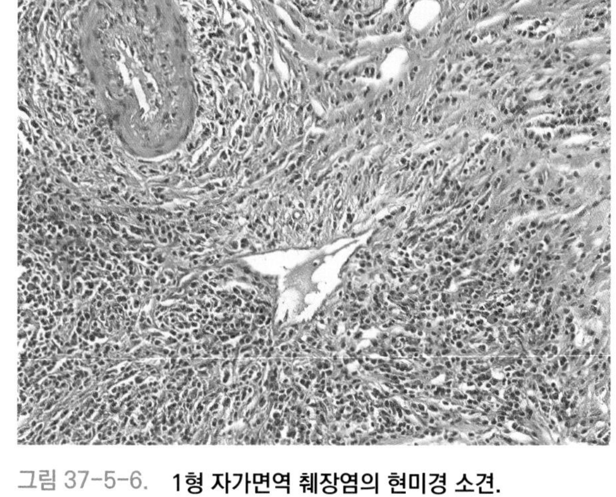

그림 37-5-6. **1형 자가면역 췌장염의 현미경 소견.** 자가면역 췌장염의 현미경 소견. 혈관의 폐쇄를 동반하지 않은 소정맥염. 소정맥 주변으로림포구와 형질세포의 침윤이 관찰되지만, 소정맥의 내강이 잘 유지되고 있다(H&E염색, 200배).

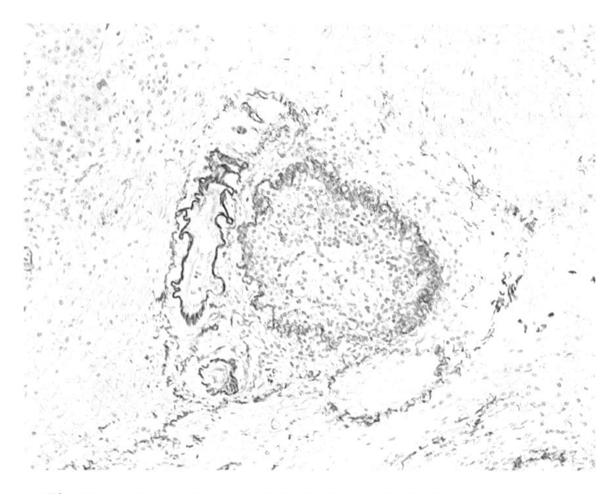

그림 37-5-5. **1형 자가면역 췌장염의 현미경 소견.** 폐쇄성 소정맥염. 그림37-5-4와 동일한 부위의 elastic 염색소견으로 림포구와 형질세포의 침윤에 의한 폐쇄성 소정맥염의 소견이 뚜렷하게 관찰된다(elastic염색, 200배).

역 췌장염의 진단을 위하여 부수적으로 필요하지만 진단의 민감도 또는 특이도와의 관련성은 없다.

(1) 혈관의 폐쇄를 동반하지 않은 소정맥염 (그림 37-5-6)

(2) 호산구의 수 증가

2) 2형 자가면역 췌장염

2형 자가면역 췌장염은 특발성 췌관 중심 췌장염(idiopathic ductocentric pancreatitis), 과립구 상피 병변 양성 췌장염(granulocytic epithelial lesion-positive pancreatitis), 또는 비알콜성 췌관 파괴성 췌장염(non-alcoholic duct-destructive pancreatitis)로 불리어 지며[15, 25], 1형 자가면역 췌장염과 비교할 때에 발생빈도는 매우 낮아서 전체 자가면역 췌장염의 약 10%를 차지하며, 2형 자가면역 췌장염에 대한 국내의 문헌보고는 매우 드물다[26, 27].

1형 자가면역 췌장염의 혈청 IgG4의 상승과 같은 알려진 진단마커가 2형 자가면역 췌장염에는 없다. 궤양성 대장염과 크론병 같은 염증성 장질환이 있는 환자의 췌장생검에서 중성구의 침윤 또는 림포구와 형질세포의 췌실질 손상이 관찰되고, 스테로이드 치료에 반응할 경우 2형 자가면역 췌장염이라 진단한다[18]. 그러므로, 2형 자가면역 췌장염의 진단에 있어 병리의사의 역할이 매우 중요하다. 조직학적 소견으로, 염증세포에 의한 췌관과 선방의 침윤이 공통적이지만, 주로 중성구의 췌관벽 침윤이 특징적인 소견이다[15,25, 28-30](그림 37-5-7). 췌관 상피세포는 현저한 중성구의 침윤에 의하여 발생하는 과립구 상피성 병변(granulocytic epithelial lesion, GEL)이 진단에 특징적인 소견이다[25,28]. 췌엽내의 선방세포에 중성구의 침윤 또한 관찰지만(그림 37-5-8), 진단에 특이적인 것은 아니다. IgG4양성의 형질세포가 일부 보일 수는 있지만, 전체 IgG양성의 형질세포 수의 40%를 초과하지는 않는다[29]. 폐쇄성 소정맥염과 소용돌이 모양의 섬유화는 1형 자가면역 췌장염에 비하여 자주 관찰 되지 않는다[31].

3. 1형 자가면역 췌장염과 2형 자가면역 췌장염의 병리학적 소견 비교

개략적인 1형과 2형 자가면역 췌장염의 병리학적 소

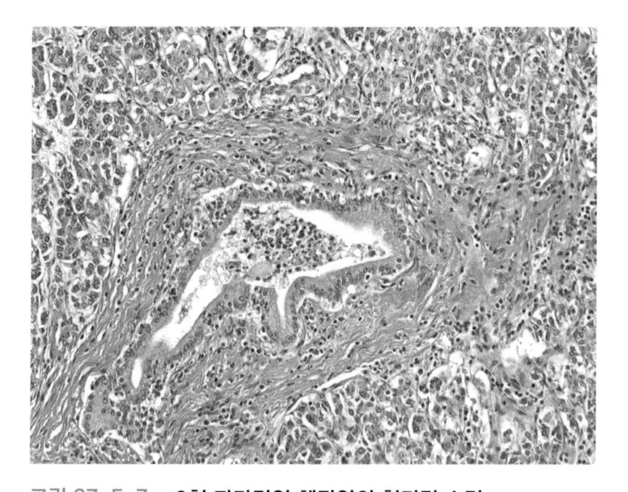

그림 37-5-7. **2형 자가면역 췌장염의 현미경 소견.**
2형 자가면역 췌장염의 현미경 소견. 췌관상피세포에 다수의 중성구의 침윤에 의한 상피성 병변이 관찰되고 또한 췌관내강의 중성구 농양도 관찰이 된다(H&E염색, 200배).

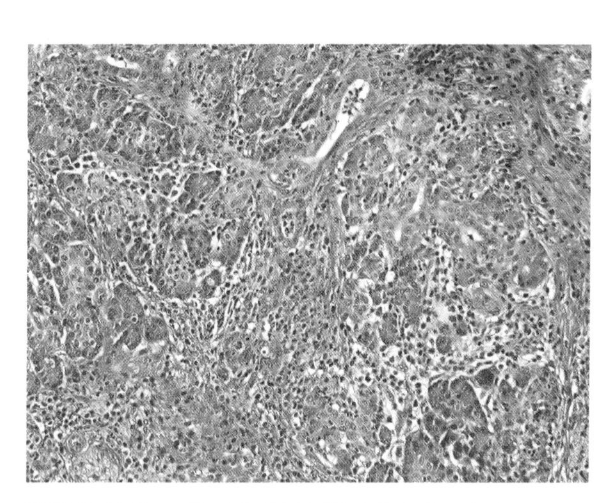

그림 37-5-8. **2형 자가면역 췌장염의 현미경 소견.**
췌엽내의 선방세포에 다수의 중성구와 일부의 호산구의 침윤이 관찰된다(H&E염색, 200배).

표 37-5-1. **1형과 2형 자가면역 췌장염의 비교**

	1형	2형
진단 시 평균 연령	60대	40대
남성 이환율	75%	50%
혈청 IgG4의 상승	66%	25%
췌장외 타장기의 침윤	있음(50%)	없음(0%)
림프구와 형질세포의 침윤	++	++
췌관주변 염증	++	++
소용돌이 모양의 섬유화	++	+
폐쇄성 소정맥염	++	+
과립구 상피성 병변	없음	있음
IgG4 조직염색	다수 (고배율시야당 10개 이상의 세포)	소수 (고배율시야당 10개 미만의 세포)
IgG4 연관 질환	있음	없음

References

1. Ball WP, Baggenstoss AH, Bargen JA. Pancreatic lesions associated with chronic ulcerative colitis. Arch Pathol (Chic) 1950;50:347-58.
2. Sarles H, Sarles JC, Muratore R, Guien C. Chronic inflammatory sclerosis of the pancreas--an autonomous pancreatic disease? Am J Dig Dis 1961; 6:688-98.
3. Yoshida K, Toki F, Takeuchi T, et al. Chronic pancreatitis caused by an autoimmune abnormality. Proposal of the concept of autoimmune pancreatitis. Dig Dis Sci 1995;40:1561-8.
4. Hamano H, Kawa S, Horiuchi A, et al. High serum IgG4 concentrations in patients with sclerosing pancreatitis. N Engl J Med 2001;344:732-8.
5. Kamisawa T, Funata N, Hayashi Y, et al. A new clinicopathological entity of IgG4-related autoimmune disease. J Gastroenterol 2003;38:982-4.
6. Kim JY, Chang HS, Kim MH, et al. A case of autoimmune chronic panreatitis improved with oral steroid therapy. Korean J Gastroenterol 2002;39:304–8.
7. Kim KP, Kim MH, Lee YJ, et al. Clinical characteristics of 17 cases of autoimmune chronic pancreatitis. Korean J Gastroenterol 2004;43:112–9.
8. Kim JY, Kim MH, Jung JH, et al. Comparison of clinical findings between autoimmune pancreatitis with bile duct involvement and primary sclerosing cholangitis. Korean J Gastroenterol 2006;48:104-11.
9. Lee KT. Comparison of clinical findings between autoimmune pancreatitis with bile duct involvement and primary sclerosing cholangitis. Korean J Gastroenterol 2006;48:137-9.
10. Lee YH, Tae HJ, Kim JO, et al. Autoimmune pancreatitis accompanied by tubulointerstitial nephritis. Korean J Med 2012;83:775-80.
11. Bang S, Park JY. Suspected pulmonary involvement of autoimmune pancreatitis. Korean J Gastroenterol 2011;58:58-60.
12. Baek SD, Kim MH, Kim YK, et al. Gastric involvement in autoimmune pancreatitis. Korean J Gastrointest Endosc 2011;42:201-5.
13. Kim MJ, Han JH, Park WR, et al. A case of IgG4-related autoimmune pancreatitis and retroperitoneal fibrosis. Korean J Pancreas Biliary Tract 2012;17:23-8.
14. Kloppel G, Luttges J, Lohr M, Zamboni G, Longnecker D. Autoimmune pancreatitis: pathological, clinical, and immunological features. Pancreas 2003; 27:14-9.
15. Ectors N, Maillet B, Aerts R, et al. Non-alcoholic duct destructive chronic pancreatitis. Gut 1997;41: 263-8.
16. Kawaguchi K, Koike M, Tsuruta K, et al. Lymphoplasmacytic sclerosing pancreatitis with cholangitis: a variant of primary sclerosing cholangitis extensively involving pancreas. Hum Pathol 1991;22:387-95.
17. Sood S, Fossard DP, Shorrock K. Chronic sclerosing pancreatitis in Sjogren's syndrome: a case report. Pancreas 1995;10: 419-21.
18. Shimosegawa T, Chari ST, Frulloni L, et al. International consensus diagnostic criteria for autoimmune pancreatitis: guidelines of the International Association of Pancreatology. Pancreas 2011;40:352-8.
19. Chari ST, Kloeppel G, Zhang L, et al. Histopathologic and clinical subtypes of autoimmune pancreatitis: the Honolulu consensus document. Pancreas 2010;39: 549-54.
20. Deshpande V, Zen Y, Chan JK, et al. Consensus statement on the pathology of IgG4-related disease. Mod Pathol 2012;25:1181-92.
21. Zhang L, Notohara K, Levy MJ, Chari ST, Smyrk TC. IgG4-positive plasma cell infiltration in the diagnosis of autoimmune pancreatitis. Mod Pathol

2007;20:23-8.
22. Dhall D, Suriawinata AA, Tang LH, Shia J, Klimstra DS. Use of immunohistochemistry for IgG4 in the distinction of autoimmune pancreatitisfrom peritumoral pancreatitis. Hum Pathol 2010;41:643-52.
23. Detlefsen S, Mohr Drewes A, Vyberg M, Kloppel G. Diagnosis of autoimmune pancreatitis by core needle biopsy: application of six microscopic criteria. Virchows Arch 2009;454:531-9.
24. Chari ST, Smyrk TC, Levy MJ, et al. Diagnosis of autoimmune pancreatitis: the Mayo Clinic experience. Clin Gastroenterol Hepatol 2006;4:1010-6;quiz 1934.
25. Notohara K, Burgart LJ, Yadav D, Chari S, Smyrk TC. Idiopathic chronic pancreatitis with periductal lymphoplasmacytic infiltration: clinicopathologic features of 35 cases. Am J Surg Pathol 2003;27:1119-27.
26. Chun YJ, Chang JH, Lee IS, et al. Steroid responsive pancreatic mass-forming type 2 autoimmune pancreatitis. Korean J Gastroenterol 2011;58:53-7.
27. Kang HJ, Song TJ, Yu E, Kim J. Idiopathic duct centric pancreatitis in Korea: A clinicopathological study of 14 cases. Korean J Pathol 2011;45:491-7.
28. Zamboni G, Luttges J, Capelli P, et al. Histopathological features of diagnostic and clinical relevance in autoimmune pancreatitis: a study on 53 resection specimens and 9 biopsy specimens. Virchows Arch 2004;445:552-63.
29. Kloppel G, Detlefsen S, Chari ST, Longnecker DS, Zamboni G. Autoimmune pancreatitis: the clinicopathological characteristics of the subtype with granulocytic epithelial lesions. J Gastroenterol 2010; 45:787-93.
30. Zhang L, Chari S, Smyrk TC, et al. Autoimmune pancreatitis (AIP) type 1 and type 2: an international consensus study on histopathologic diagnostic criteria. Pancreas 2011;40:1172-9.
31. Hart PA, Zen Y, Chari ST. Recent Advances in Autoimmune Pancreatitis. Gastroenterology 2015; 149:39-51.

37-6 자가면역 췌장염의 감별진단(Differential diagnosis of autoimmune pancreatitis)

정재복

서론

자가면역 췌장염에서의 감별진단은 췌장암과 감별하는 것이 가장 중요하다. 자가면역 췌장염의 경우, 폐쇄성 황달을 주소로 내원하는 경우가 많으며, 고령에서 발생하고, 당뇨병이 새로 병발하고 일부에서는 체중감소도 나타나므로 임상양상이 췌장암과 유사하여[1], 진단과정에서 자가면역 췌장염을 염두에 두지 않으면, 췌장암과 혼동하기 쉽다. 임상에서 자가면역 췌장염의 개념이 널리 알려지기 전에는 수술 후에야 자가면역 췌장염으로 진단되는 경우가 있었다. 자가면역 췌장염은 스테로이드 약물요법으로 치료가 가능한 질환이기 때문에 췌장암과의 감별진단을 반드시 하여 불필요한 수술을 줄여야 한다.

자가면역 췌장염과 췌장암의 감별은 임상양상, 혈청검사, 영상검사소견, 조직생검 및 스테로이드 투여에 대한 반응 등이 이용되는데, 황달은 자가면역 췌장염에서는 호전과 악화를 반복할 수 있지만, 췌장암에서는 점점 악화된다. (그림 37-6-1)

1. 혈청검사

췌장암 환자에서 특이적으로 증가하는 것으로 알려진 혈청 CA 19-9는 자가면역 췌장염 환자에서도 증가되어 있는 경우가 많아서 두 질환의 감별에 큰 도움을 못 준다. 이에 반해 혈청 IgG4의 측정은 췌장암과의 감별진단에 유용하여, 보고에 의하면 민감도는 90%, 특이도 98%, 정확도 95%로 감별에 유용한 검사이다[2]. 하지만 췌장암에서도 혈청 IgG4의 증가가 있을 수 있다. 두 질환에서 혈청 IgG4 증가의 정도에 따른 양성율을 보면, Kamisawa 등[3]은 혈청 IgG4의 증가(> 135 mg/dL)는 자가면역 췌장염에서 71%이었으며, 췌장암에서는 6%에서 있었다고 하였고, Ghazale 등[4]은 혈청 IgG4 수치가 280 mg/dL이상인 경우 자가면역 췌장염인 경우 53%인 반면 췌장암에서는 1%로 보고하여, 혈청 IgG4의 증가 정도를 감별진단 시 고려해야 한다.

2. 영상검사

임상에서는 자가면역 췌장염과 췌장암의 감별을 위해서 대부분 영상의학적 소견을 자세히 검토하게 되는데, 자가면역 췌장염에서는 췌장의 미만성 종대, 후기 조영증강(delayed enhancement), 캡슐 모양의 가장자리(capsule-like rim), 주췌관의 협착(다발성, 혹은 전체 길이의 1/3 이상) 등이 있으면서 주췌관의 upstream 확장이 없는 경우에는 대부분 자가면역 췌장염의 진단이 가능하다[3,5,6]. 반면 췌장암에서는 non-enhanced mass, 주췌관의 확장(upstream dilatation)과 췌장 실질위축(proximal parenchymal atrophy) 등이 보인다[3,5,6]. 하지만 종괴를 형성하는 자가면역 췌장염의 경우에는 췌장암과의 감별이 쉽지않다. 췌장의 종괴가 homogeneous enhancement, absence of significant upstream MPD dilatation(> 5 mm), absence of proximal pancreatic atrophy 등의 소견을 보이면 자가면역 췌장염에 대한 추가 검사를 하는 것이 필요하다[7].

3. 내시경검사

ERP소견상 자가면역 췌장염의 특징적인 소견으로는 주췌관의 긴 협착(1/3 이상), 협착 부위에서 부터의 주췌관의 확장이 없음(> 5 mm), 다발성 협착, 협착 부위에서 시작되는 부 가지(sdie branches) 등이다[8]. CT 등 다른 영상검사소견에서 전형적인 자가면역 췌장염 소견이 없는 경우나 부가적인 소견이 진단에 도움이 되는 없는 경우에 선택적으로 시행된다[9].

십이지장 유두부 생검조직을 IgG4 면역염색을 하는 것이 자가면역 췌장염의 진단에 도움이 될 수 있는데, 민감도가 52~80%, 특이도가 89~100%)로 보고된다[10,11,12,13]. 특히 혈청 IgG4가 증가 하지 않거나 췌장 조직검사가 용이하지 않은 경우 유용한 방법이다[14]. 자가면역 췌장염의 진단을 결정하기 모호한 경우에는 EUS-FNA 혹은 EUS-guided trucut biopsy를 시행하여 악성질환이 아님을 확인 해야 하는데, 첫 번째 조직검사에서 악성으로 진단 안되어도, 임상적으로 악성질환이 강력히 의심되면, 2차 조직검사를 시행해야 한다[15].

4. 스테로이드 투여

스테로이드 반응에 의한 감별법은 스테로이드를 2주간 투여 후 그 반응을 판단하여 자가면역 췌장염과 췌장암의 감별을 위해 사용될 수 있다[16], 스테로이드 치료에 대한 반응 여부는 임상증상이 호전, 혈청검사에서 발견되었던 자가 항체의 소실, 증가되었던 혈청 IgG와 IgG4 수치의 정상화, 비정상적인 췌장영상 소견의 정상화로 핀단할 수 있다. 경구 스테로이드 투여에 의한 췌장소견은 종대되었던 췌장이 정상소견으로 환원되고, 췌관조영술상으로는 진단 시 보였던 췌관의 협착 소견이 스테로이드 투여로 정상적인 췌관 모양으로 변화한다. 하지만 췌장암에서도 스테로이드 치료로 임상증상의 호전과 증가 되었던 혈청 IgG4가 감소할 수 있어 세심한 주의가 필요하며, 스테로이드를 이용한 감별법은 조직검사(EUS-FNA 등)를 시행하여 악성이 아님을 확인한 경우에만 시도되어야 한다[17].

결론

자가면역 췌장염의 진단 및 췌장암과의 감별진단을 위해 혈청 자가항체를 찾기 위한 연구[18,19]가 최근 진행되어 향후 그 결과가 기대되며, 일부 자가면역 췌장염에서는 초기 진단 시 췌장암과 같이 병발 되는 경우도 있어[20], 영상검사상 종괴를 형성하는 환자에서, 자가면역 췌장염과 췌장암의 감별이 어려운 경우에는 적극적으로 수술을 고려해야 한다.

자가면역 췌장염과 췌장암의 감별시 기억해야 할 것들은[7], 1) 자가면역 췌장염의 진단과 악성 종양과의 감별을 위하여 국제 진단기준(International Consensus Diagnostic Criteria, ICDC)을 이용한다. 2) 자가면역 췌장염은 드문 질환으로, 췌장암보다는 훨씬 발생 빈도가 적다. 3) 췌장 영상소견이 자가면역 췌장염의 진단과 췌장암과의 감별에 기본이 된다. 4) 모든 부분적인 췌장종괴는 조직학적 검사를 먼저 시행 한후, 스테로이드를 사용해야 한다. 5) 혈청 IgG4는 췌장암 환자와 만성 췌장염 환자에서도 증가될 수 있어, 혈청 IgG4 증가 만으로는 자가면역 췌장염을 진단할 수 없으며, 췌장암을 배제할 수도 없다. 6) 증가된 혈청 IgG4는 부적절하게 스테로이드가 사용된 췌장암 환자에서 감소할 수 있다. 7) 스테로이드 반응 평가에서 췌관협착의 정상화 및 췌장종괴의 소실이 중요한 소견이다. 8) 자가면역 췌장염에서는 스테로이드 치료 후 2주에는 호전되므로, 객관적인 호전반응이 2~4주 안에 없는 경우에는 자가면역 췌장염의 가능성이 없으므로 절제를 고려한다.

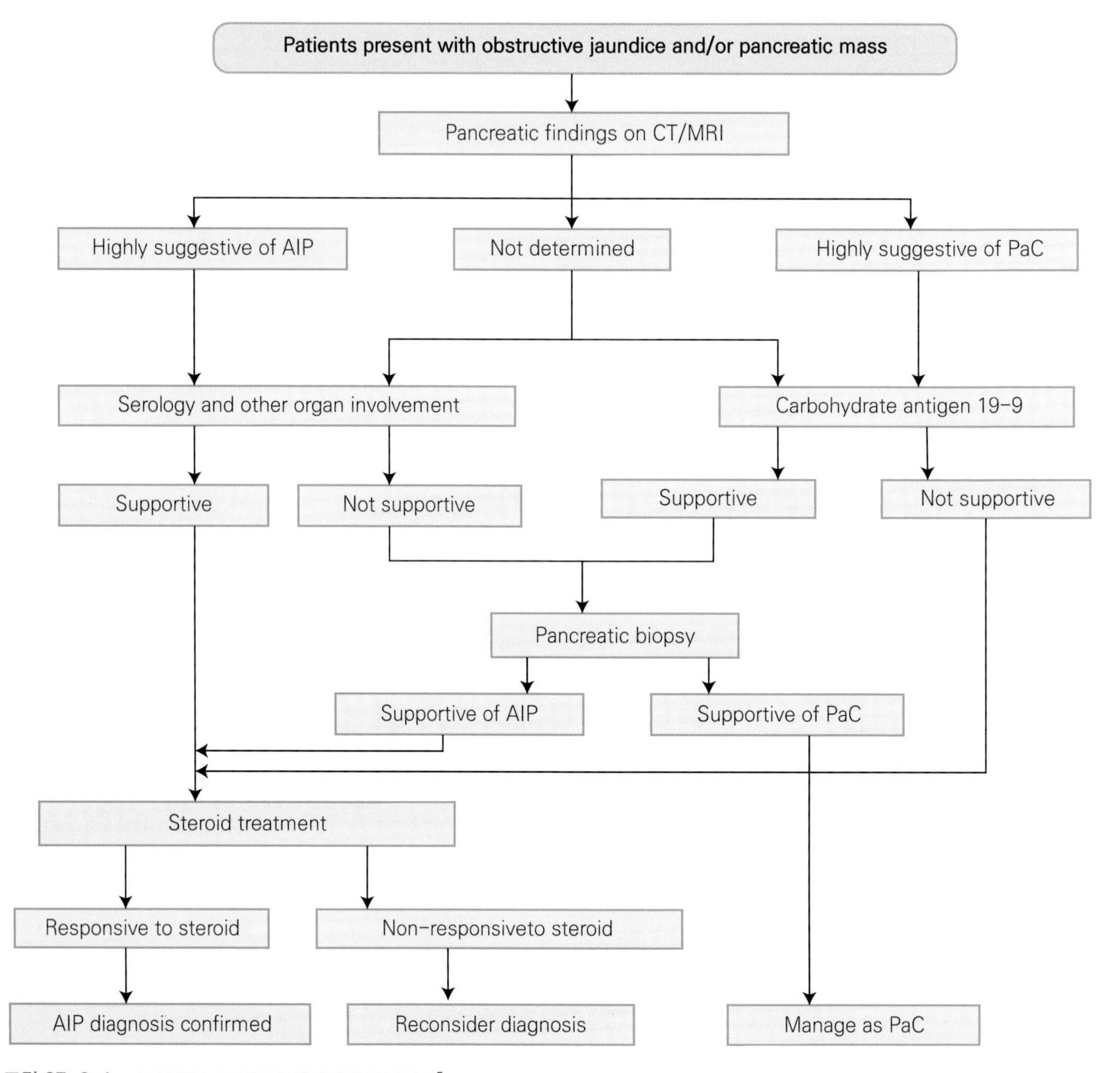

그림 37-6-1. **자가면역 췌장염과 췌장암의 감별진단[5].**

References

1. Kamisawa T, Chari ST, Giday SA, et al. Clinical profile of autoimmune pancreatitis and its histological subtypes; an international multicenter survey. Pancreas 2011;40(6):809-14.
2. Kamisawa T, Okamoto A. IgG4-related sclerosing disease.World J Gastroenterol 2008;14(25):3948-55.
3. Kamisawa T, Imai M, Yui Chen P, et al. Strategy for differentiating autoimmune pancreatitis from pancreatic cancer. Pancreas 2008;37(3):e62-7.
4. Ghazale A, Chari ST, Smyrk TC, et al. Value of serum IgG4 in the diagnosis of autoimmune pancreatitis and in distinguishing it from pancreatic

cancer. Am J Gastroenterol 2007;102:1646-53.
5. Chari ST, Takahashi N, Levy MJ, et al. A diagnostic startegy to distinguish autoimmune pancreatitis from pancreatic cancer. Clin Gastroenterol Hepatol 2009; 7(10):1097-103.
6. Shin JU, Lee JK, Kim KM, et al. The differentiation of autoimmune pancreatitis and pancreatic cancer using imaging findings. Hepatogastroenterology 2013;60(125):1174-81.
7. Woo YS, Lee KT. Clinical features. In: Terumi Kamisawa, Chung JB, editors. Autoimmune pancreatitis. 1st ed. Springer-Verlag Berlin Heidelberg 2015; 53-59.
8. Segumar A, Levy MJ, kamisawa T, et al. Endoscopic retrograde pancreatography criteria to diagnose autoimmune pancreatitis: an international multicentre study. Gut 2011;60:666-70.
9. Shimosegawa T, Chari ST, Frulloni L, et al. International consensus diagnostic criteria for autoimmune pancreatitis: guidelines of the International Association of Pancreatology. Pancreas 2011;40:352-8.
10. Kawakami H, Zen Y, Kuwatani M, et al. IgG4-related sclersing cholangitis and autoimmune pancreatitis: histological assessment of biopsies from Vater's ampulla and the bile duct. J Gastroenterol Hepatol 2010;25:1648-55.
11. Kamisawa T, Tu Y, Egawa N, et al. A new diagnostic endoscopic tool for autoimmune pancreatitis. Gatrointest Endosc 2008;68:358-61.
12. Kubota k, Kata S, Akiyama T, et al. Differentiating sclerosing cholangitis caused by autoimmune pancreatitis and primary sclerosing cholangitis according to endoscopic duodenal papillary features. Gastrointest Endosc 2008;68:1204-8.
13. Moon SH, KIm MH, Park do H, et al. IgG4 immunostaining of duodenal papillary biopsy specimens may be useful for supporting a diagnosis of autoimmune pancreatitis. Gastroinetst Endosc 2010;71;960-6.
14. Moon SH, Kim MH. The role of endoscopy in the diagnosis of autoimmune pancreatitis. Gastrointest Endosc 2012;76:645-56.
15. Eloubeidi MA, Varadarajulu S, Desai S, et al. value of repeat endoscopic ultrasound-guided fine needle aspiration for suspected pancreatic cancer. J Gastroenterol Hepatol 2008;23:567-70.
16. Moon SH, Kim MH, Park DH, et al. Is a 2-week steroid trial after initial negative investigation for malignancy useful in differentiating autoimmune pancreatitis from pancreatic cancer? A prosepctive outcome study. Gut 2008;57(12):1704-12.
17. Gardner TB, Levy MJ, Takahashi N, Smyrk TC, Chari ST. Misdaignosis of autoimmune pancreatitis: a cuation to clinicians. Am J Gastroenterol 2009;104 (7):1620-3.
18. Felix K, Hauck O, Fritz S, et al. Serum protein signatures differentiating autoimmune pancreatitis versus pancreatic cancer. PLoS One 2013;8:e82755.
19. Felix K, Hauck O, Schnölzer M, et al. Identification of novel serum autoantibodies for differential diagnosis of autoimmune pancreatitis and pancreatic ductal adenocarcinoma. Pancreas 2016;45:1309-19.
20. Ikeura T, Myoshi H, Shimatani M, Uchida K, Takaoka M, Okazaki K. Long-term outcomes of autoimmune pancreatitis.World J Gastroenterol 2016;22(34):7760-6.

CHAPTER 38

자가면역 췌장염의 치료 및 예후

Treatment and prognosis of autoimmune pancreatitis

정재복, 이진헌

서론

자가면역 췌장염 환자의 경우 질병의 자연적인 완화가 일부(약 10~25%)에서 일어 날수 있지만, 주된 치료는 스테로이드 약물 투여이다. 진단 당시 환자의 증상과 동반되는 합병증의 유무에 따른 치료가 우선 되어야 하고, 스테로이드 투여로 자가면역 췌장염의 완화(remission)를 유도 할 수 있으며, 스테로이드 유지요법으로 재발을 줄일 수도 있다.

스테로이드는 자가면역 췌장염의 진단 시 영상검사 소견, 형청검사, 그리고 조직소견 등으로 자가면역 췌장염의 진단이 어려운 경우에 스테로이드를 투여한 후 치료 효과를 판정하여, 자가면역 췌장염의 진단이 가능하도록 하는데 이용되기도 한다[1,2,3].

자가면역 췌장염에서 완화는 증상과 함께 비정상적인 혈청학적 검사, 영상검사 소견 및 조직소견이 정상으로 돌아 오는 경우를 의미 하는데, 1) 증상적인 완화(symptomatic remission), 2) 혈청학적 완화(serological remission), 3) 방사선학적 완화(radiologic remission), 4) 조직학적 완화(histologic remission) 그리고 5) 기능적 완화(functional remission) 등의 5가지 이다[4,5,6].

증상적인 완화는 복통과 황달 등이 소실되는 것이고, 혈청학적 완화는 증가되었던 혈청 IgG 혹은 IgG4 의 수치가 정상으로 되는 것을 의미하는데, 영상의학적 완화는 스테로이드 투여 후 2~4주 내에 이루이진다[5,7]. 조직학적 완화는 이상적인 조직소견이 정상으로 되는 것인데, 실제 임상에서는 이것을 증명하기는 어렵다. 기능적 완하는 췌장의 외분비/내분비 이상이 정상으로 되는 것을 의미한다. 완전 완화(complete remission)는 증상적인, 혈청학적 그리고 영상의학적 완화가 있는 경우이고, 불완전 완화(incomplete remission)는 3가지 중 2가지만 있는 경우이다.

1. 치료

1) 스테로이드

자가면역 췌장염에서 스테로이드 치료는 주된 치료로 치료 후 반응은 매우 좋으며[8] 치료를 하지 않은 경우에 비해 임상적, 조직병리학적 그리고 혈청학적 등 모든 면에서 자가면역 췌장염의 완화율을 높인다[8-11]. 더불어 스테로이드 치료는 자가면역 췌장염의 완화까지의 시간을 단축시키고, 췌장의 외분비 기능을 개선 시킨다.

스테로이드 투여의 적응증으로는 자가면역 췌장염의 췌장 침범으로 인한 폐쇄성황달, 복통, 배부통 및 담관침범으로 인한 폐쇄성 황달 등의 증상 있는 경우와 영상검사에서 췌장종괴가 있거나 IgG4 연관 경화성담관염으로 인한 간기능장애가 지속적으로 있는 경우 등이다[12](그림 38-1).

완화 유도로 스테로이드 치료 시 약물 투여량과 기간은 아직 정립되어 있지 않지만, 일반적으로 30~40 mg/day을 투여하는데, 최근 발표된 ICDC에서는 완화를 유도 하는 목적으로는 스테로이드를 하루 0.6~1 mg/kg를 투여하는 것을 권장한다[3]. 스테로이드 투여 기간은 각 지역 및 국가별로 다소 차이가 있어, 한국과 일본에서는 30~40 mg/day을 1~2개월 투여하며, 미국에서는 40 mg/day을 한 달간 투여한다. 일반적으로 30~40 mg/day의 용량으로 한 달간 투여하는 것이 자가면역 췌장염의 완화 유도를 이루기 위한 치료 방법인데, 약물 투여 용량 및 기간은 환자 개개인의 임상 소견과 질병의

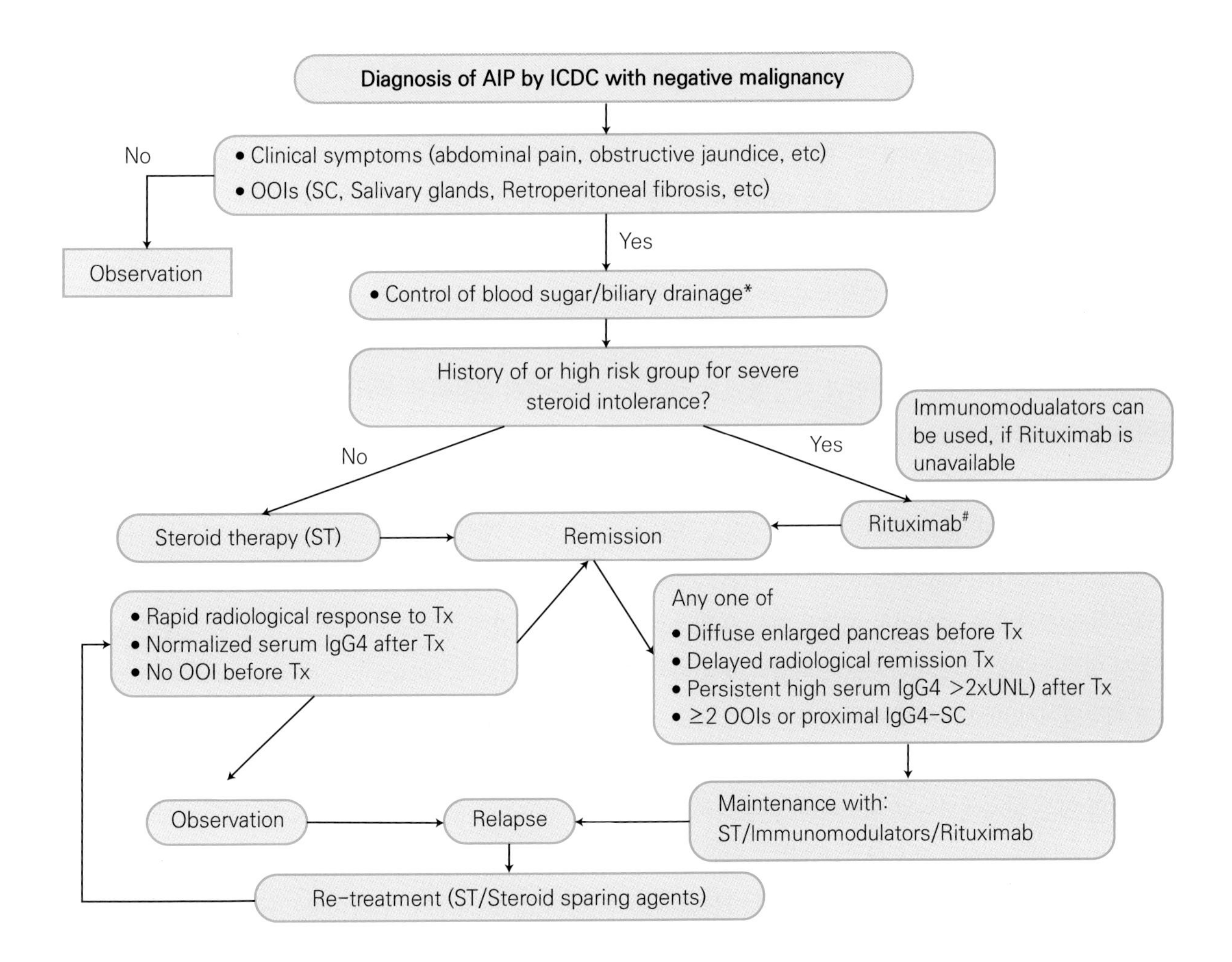

그림 38-1. **자가면역 췌장염의 약물치료.**
ICDC: International consensus of diagnostic criteria; OOi: other organ involvement; SC: sclerosing cholangitis; ST: steroid therapy.
Okazaki K, et al. Pancreatology 2017;17:4에서 인용[12].

활동도에 따라 결정하는 것이 좋으나[13], 초기 치료기간은 12주 동안 유지할 것을 권장한다[12].

스테로이드 약물 투여 중단 전에는 치료 반응을 확인해야 하는데, 임상적 완화는 2~3주면 가능하지만, 혈청학적 및 영상의학적 완화는 수 주에서 수개월 걸린다[14]. 특히 담도협착이나 후복강 섬유화 등이 있는 경우 더 오랜 시간이 소요된다. 스테로이드의 감량은 5 mg/week으로 조절한다[13].

자가면역 췌장염의 재발을 예방하기 위해서는 스테로이드 유지요법이 필요한데, 한국과 일본에서는 2.5~5.0 mg/day를 최소 6개월 이상 3년 동안 투여할 것을 권장하는 반면[15], 미국에서는 단기간 고용량의 스테로이드 투여로, 질병의 완화 유도 후 감량하여(5 mg/week) 중단하는 것을 권장한다[16].

특히 췌장염상검사에서 미만성 췌장종대가 있는 경우, 영상의학 검사에서 완화가 늦어지는 경우, 스테로이드 투여 후에도 지속적으로 혈청 IGG4의 상승(> 정상의 2배)되어 있는 경우에는 유지요법이 권장된다[8,12] 최근 보고[17]에 의하면 1형 자가면역 췌장염에서 스테로이드 유지요법(≥ 5 mg/day)을 시행한 경우에서의 재발률이(26.1%), 유지요법을 안한 경우(45.2%)와 2.5 mg/day 소량으로 한 경우(43.4%)보다, 낮았다고 하면서, 스테로이드(5 mg/day)를 2~3년간 투여하는 것이, 스테로이드 부작용을 줄이면서 제발율 30% 미만으로 낮출수 있는 안전한 방법이라고 추천하였다. 1형 자가면역 췌장염에서 치료전 질병 활동도가 낮거나, 2형 자가면역 췌장염에서 스테로이드 유지요법은 필요없으며, 1형의 일부 환자에서는 스테로이드 외에 다른약제(steroid sparing agent)가 유용할 수 있다[12].

고용량의 스테로이드를 장기간 사용하면 약물의 부작용 의험성이 증가하는데, 가가면역 췌장염에서 스테로이드 치료 후 glucose intolerance, 기존 당뇨병의 악화, 골다공증, 척추 압박골절, 대퇴부 head 의 avascular necrosis 그리고 폐렴 등이 보고되었다[13]. 임상에서는 moon face, dorsal hump, 복벽의 striae를 동반하는 체중증가 같은 체형의 변화가 가장 흔하다. 중증의 스테로이드 부작용이 생기는 경우에는 스테로이드 투여를 중단하고, 다른 치료 방법을 찾아야 한다[11,18].

2) Immunomodulatory agents

자가면역 췌장염에서 완화 유지요법으로 immunomodulatory agents를 사용한 결과를 보면, 2010년 전에 발표된 논문에 의하면[19-22] 가장 많이 사용된 약물은 azathioprine이었고, 이외에 methotrexate, mycophenolate mofetil 및 cyclophosphamide 등이 었다.

최근 Mayo Clinic 보고[23]는 41명을 대상으로 하였는데, 가장 많이 사용한 약물이 azathioprine(2~3 mg/kg/day)이었고, 그 다음 6-mercaptopurine, mycophenolate mofetil 등의 순이었다. 적응증은 자가면역 췌장염의 재발이나 진단 시 IgG4연관 담관염이 있는 경우였으며, 55%에서 2달 이상 추적관찰하는 동안 재발 없이 완화 상태를 유지하였다. 반면 45%에서 immunomodulator 치료 중 재발이 발생하여 스테로이드를 감량할 수 없었다. 처음 재발 시 immunomodulator 제제를 사용한 경우나 스테로이드를 고용량 투여한 경우나 재발 없이 지내는 기간에 유의한 차이는 없었다. 부작용은 1/4에서 발생하였는데, bacteremia, myelosuppression, nausea, vomiting 등이었다[23].

Schwaiger 등[24]은 murine model에서 immunomodulator 제제 실험 결과, azathioprine보다 cyclosporine 혹은 rapamycin이 췌장의 조직 손상이 훨씬 덜하다고 보고하여, 임상이용 가능성을 제기 하였다. 현재로는 자가면역 췌장염의 재발 환자에서 immunomodulator를 사용하면 약 50%에서 효과가 있어 향후 azathioprine 외에 다른 약물을 찾아내야 될 것으로 생각된다[25].

3) Rituximab (RTX)

Rituximab (RTX)은 anti-CD20 antibody로 CD20-positive B lymphocute를 deplete 시키는데, 류마티스관절염, Wegener's granulomatosis, pemphigus vulgaris, orbital pseudolymphoma와 microscopic polyangitis 등의 자가면역질환 치료에 효과적인 것으로 알려져 있다.

자가면역 췌장염에서 처음 RTX의 치료는 재발된 IgG4연관 경화성담관염환자로[26], 고용량의 스테로이드 치료에 반응하지 않았고, 6-MP로 유지요법 중에도 재발이 되었던 환자로, RTX 치료 후 담관조영술상 현저하게 호전되었으며, 간기능도 정상으로 되었다. 췌장 및 안와 종대로 치료도 소실되었다.

MGH (Massachusetts General Hospital) 보고[27]에 의하면 10명의 IgG4-RD(췌장외 장기 침범이 뚜렷하였고, 1명은 췌장침범, 2명은 담관 병변) 환자에 RTX를 투여(1000mg infusion, 0일과 15일, 두 번)하여 10명 중 9명에서 한달만에 현저한 임상적 효과가 있었으며, 6명은 RTX치료 시작시 투여하였던 스테로이드를 감량 할수 있었고, 6개월 추적기간 동안 40%에서 재발로 인한 추가 RTX치료를 하였다[27].

Mayo Clinic 보고[23]에서는 12명의 환자(1명은 담관 병변만 있었으며, 11명은 췌장병변이 있으면서 담관병변은 있는 환자와 없는 환자 혼합)를 2년 동안 RTX 치료(375 mg/m^2 용량으로, 처음 주 1회 4번 치료하고, 이후 3개월마다 2년 동안 치료하여, 총 12회 치료)하여 12명 중 10명에서 임상적으로 완전 완화가 치료 시작 3개월 안에 보였는데, 이 중 4명은 고용량의 스테로이드 복용이 어려워, RTX로만 치료하였다. 1명은 부분 완화를 보이면서, 다른 질환으로 간기능 이상이 지속되었다. RTX 치료 중 재발은 없었다[23].

RTX 치료의 부작용으로는 cytokine 유도 infusion reaction으로 약 10%에서 첫 번째 infusion 시 경미하게 보이며, 이외의 부작용으로는 면역학적인 중개(mediated) 과민반응으로 피부, 호흡기 및 관절 관련 증상이 발생한다. 중요한 것은 myelosuppression(특히 lymphopenia)으로 약물 투여 후 14일에 생기는데, 14일 이후에도 cytopenia가 생길 수 있어 주기적인 혈액검사로 확인이 필요하다. 가장 중요한 합병증은 감염으로 약 30%에서 발생하는데, 대부분은 경미한 감염이지만 PML (progressive multifocal leukoencephalopathy)의 합병증이 생기면 대부분 사망하므로 약물 투여 전이에 대한 설명이 필요하다[28].

요약하면, 현재까지 문헌에 따르면 RTX는 기본 약물치료에 반응을 안하는 환자를 포함하여 자가면역 췌장염이나 IgG4-RD 치료에 효과적인 것으로 생각되며, 고용량 스테로이드 치료를 못하는 경우에는 완화를 유도하는 치료에도 사용 할 수 있다. 아울러 스테로이드 혹은 immunomodulator로 유지요법하는 중에 재발하는 경우에도 유용하다. 약물 사용기간은 아직 명확하지 않으며, 현재 연구 중이다. 결론적으로 RTX는 안전하고, 환자의 순응도가 좋지만 비용과 부작용을 고려하여, 다른 약물로 치료가 안되는 환자에서만 사용하는 것이 바람직하다[25].

2. 예후

1) 재발(relapse)

자가면역 췌장염의 재발은 유형, 초기 진단 시 임상양상, 영상검사소견 및 동반되는 타장기침범 유무 등에 따라 재발률이 다르다.

자가면역 췌장염의 재발은 1형에서 30~40%, 2형에서는 9% 내외로 보고되는데[29], 최근 장기관찰 보고에 의하면 1년 이내 10.0%, 3년 이내 25.8%, 5년 이내 35.1%에서 재발하였고, 스테로이드 치료를 계속하여도 7년 까지 42.5%에서 재발됨을 보고하였다[17]. 처음 진단 시와 유사한 혈청학적, 영상의학적 소견과 함께 이에 따른 증상이 나타난다. 임상증상은 흔히 혈청학적, 영상의학적 이상을 동반하지만, 혈청학적 이상만 나타날 수 있다. 증상이 없는 혈청학적 이상은 불완전 완화, subclnical disease activity와 타장기에 발견되지 않은 병변이 있을 때 보인다[14,16].

재발 부위로는 1형에서는 담도(50.6%), 췌장(42.9%), 침샘(7.3%), 폐(4.5%), 림프절병변(1.6%), 및 신장(1.2%) 등의 순으로 보고된다[29]. 2형은 췌장에서 주로 재발한다. 재발은 대부분 3년이내에 되는데[11,30-32], Mayo clinic 보고[20]에서는 1형 자가면역 췌장염에서 1년 35%, 2년 42%, 3년 46%에서 재발되었다. 스테로이드 치료 환자에서는 스테로이드 투여 감량 중(15%) 혹은 유지요법 중(18%)에 비해 종료 후(67%) 대부분 재발한다[30]. 자가면역 췌장염을 스테로이드 초기치료로 완화 유도 후 스테로이드 유지요법을 2~3년 이상 계속하면 재발을 감소시킬 수 있다[10,17].

재발을 예측할 수 있는 경우는 1형 자가면역 췌장염에서 치료 전 혈청 IgG4가 정상의 4배 이상으로 높은 경우, 스테로이드 치료 후 지속적으로 혈청 IgG4가 높은 경우, 췌장의 미만성 종대, 근위부 경화성담관염이 있는 경우, 췌장외 타 장기 침범(두 군데 이상)이 있는 경우[29]와 HLA DQ beta1 57 genotype[33] 등이 보고되는데, 이가운데 담관침범이 있는 경우에만 재발 경향이 뚜렷하여[11,20,30,32,33] IgG4연관 담관병변이 있는 경우 한번이라도 재발이 있는 경우 56.1%로 없는 경우 25.7%에 비해 높았으나, 췌장병변(미만성 종대 32.3% vs. 종괴형 32.3%), 혈청 IGg4 수치(지속적 상승 21.7% vs. 정상 31.3%), 원위부 담도병변 유무(있는 경우 33.9% vs. 없는 경우 31.1%) 등에 따른 차이는 없었다[30]. 최근 논문에서 췌장의 미만성 종대가 유일한 의미있는 예측인자라고 하였다[17]. 한국에서의 한 보고[33]에 의하면 HLA class II allele DQ beta1의 57 residue의 aspartic acid가 non-asparatic acid로의 대치가 있는 경우 재발이 100%에서 보인 반면, 재발이 안 된 환자에서는 29.6%에서만 있어, 이 변화가 재발의 한 요인이라고 하였는데, 향후 많은 환자를 대상으로 추가 연구가 필요하다[28]. 2형 자가면역 췌장염에서 재발을 예측할 수 있는 요인은 뚜렷하지 않다[29]. Kawa 등[34]은 혈청 IgG4수치와 IC-mRF (immune complex determined by the monoclonal rheumatoid factor method)가 임상적으로 재발을 보이기 몇 개월 전에 증가하였던 예를 보고하면서 재발 예측인자로서의 가능성을 이야기하였고, Muraki 등[35]은 혈청 C3 및 C4 가 질병활동도나 조직손상을 monitoring 하는데 유용하다고 하였다.

자가면역 췌장염에서 스테로이드 치료 중이나 중단 후 재발이 되는 경우 치료 방법은 3가지가 있는데[23,37]. 첫째, 스테로이드를 다시 투여하는 방법, 둘째, immunomodulator를 투여하는 방법, 그리고 셋째, 표적 약물 사용 등이다. 스테로이드를 다시 투여하면 완화를 재유도하는데 효과적이지만, 스테로이드를 초기 치료 시보다 서서히 감량해야 하며, 소량의 스테로이드 투여에 의한 유지요법을 더 오랫동안 해야 된다. 현재 사용가능한 immunomodulator는 azathioprine, methotrexate, 6-mercaptopurine, mycophenolate mofetil, cyclosporine 및 cyclophosphamide 등이다[30]. 이러한 약제는 완화 유도 목적으로 스테로이드와 함께 사용할 수 있으며, 18개월 동안 투여하는 경우 추가 재발을 예방할 수 있다. Mayo Clinic 보고[23]에 의하면 immunomodulator를 스테로이드와 함께 투여하여도 스테로이드 단독 투여에 비해 1형 AIP에서 재발률을 감소 시키지 못하였으며, immunomodulater 치료에 의한 실패 나 intolerance가 45%라고 하였다. 이 약물 치료 방법도 향후 추가 연구가 필요하다[29].

Rituximab (RTX)은 anti-CD20 antibody로 CD20-positive B lymphocute를 deplete 시키는데, 류마티스관절염, Wegener's granulomatosis, pemphigus vulgaris, orbital pseudolymphoma와 microscopic polyangitis 등의 자가면역질환 치료에 효과적인 것으로 알려져 있다[28]. RTX를 immunomodulator치료로 실패한 자가면역 췌장염 환자 12명에서 투여하여 10명(83%)에서 완전 완화에 성공하였다는 보고[23]도 있으나, 향후 많은 환자를 대상으로 한 추가 연구가 필요하다.

기술한 약물치료 이외에, 초기 진단 시 췌장암과의 감별이 안되는 종양 모양을 보이는 환자, 약물치료에 반응이 없어, 장기간 담도 배액관을 삽입해야 되는 경우 등에서는 수술적 치료도 고려해 볼 수 있다[12,38].

2) 장기예후(long-term prognosis)

자가면역 췌장염의 장기 추적관찰 중 일부 환자들은 만성췌장염의 특징적인 소견인 심한 췌장 석회화 및 췌석 등을 보이는데, 이런 소견은 자가면역 췌장염이 만성췌장염으로 이행될 수 있음을 시사한다[38].

Takayama 등[39]은 42명의 자가면역 췌장염 환자중(평균 추적기간 54.5개월, 범위 13~111개월) 19%에서 췌장 석회화가 발생하였는데, 특히 재발이 있었던 환자의 54.5%에서 석회화가 발생하여, 재발이 없었던 환자에 비해 석회화가 유의하게 많았다고 보고하였으며, Kawa 등[40]은, 췌장의 석회화가 자가면역 췌장염의 재발 유무에 따라 발생빈도가 유의하게 차이가 있음을 보고하였다(재발된 경우 33% vs. 재발 안 된 경우 7%).

Hirano 등[41]은 69명의 자가면역 췌장염 환자를 장기간 추적관찰결과(median 평균 추적기간, 91개월; 범위 36~230개월), 40%에서 췌석이 발생하였음을 보고하면서, 자가면역 췌장염 진단 시 췌두부의 종대나 췌두부 부위의 췌관(Wirsung 및 santorini 관)의 협착이 있는 경우 통계적으로 유의하게 췌석이 많이 생겼다고 하였다. 또한 자가면역 췌장염 환자에서 에탄올 섭취량이 많은 경우(> 50 g/day), 췌석 발생 및 췌장 위축 위험을 증가 시킨다고 하였는데, 추가 확인 연구가 필요하다[42].

췌장기능의 변화를 보면 외분비 기능부전은 34%-82%에서, 내분비 기능부전은 38~57%에서 보인다[43].

Murayama 등[44]은 최소 3년 이상 추적 관찰하였던 73명의 자가면역 췌장염 환자(추적기간 median 88개월; 범위 36~230개월) 중 22%(16예)에서 만성췌장염의 진단기준에 합당하였음을 보고하였는데, 다변양 분석결과 췌장두부 종대 및 췌장 체부의 주췌관의 non-narrowing이 만성췌장염으로의 이행에 유의한 독립적인 위험인자로 보고하였다. 만성췌장염으로 이행하는 이유로는 질환의 급성기에 췌장 두부 종대는 췌장 두부의 주췌관인 Wirsung 및 Santori 관의 협착을 초래하고, 이어서 췌액의 저류로 인해 췌관내 압력이 증가하면서, 자가면역 췌장염의 특징적인 소견의 췌관의 협착소견이 이 부위에서는 보이지 않게된다. 이러한 형태적인 변화와 반복적인 자가면역 췌장염의 재발로 췌장 석회화 및 췌장 위축이 발생할 수 있다고 생각된다[44].

자가면역 췌장염에서 악성종양의 SIRs (stan-dardized incidence ratios)은 3.83으로 일반 인구의 악성종양의 발생 빈도보다 높은데, 특히 자가면역 췌장염의 진단 시 악성종양의 발생빈도가 높으며, 후복강 섬유화의 동반빈도가 높았다[45].

자가면역 췌장염에서는 췌장암을 비롯한 위암, 대장암, 담도암, 악성림프종, 갑상선암 등 다양한 종류의 악성종양이 동반되는데[38], 가장 흔한 것이 위암이다. 이유는 위암이 많이 발생하는 지역(한국, 일본)에서 자가면역 췌장염의 보고가 많기 때문일 것으로 생각된다[46]. 국제 다기관 연구에 의하면 1,064명의 자가면역 췌장염 환자 중 5명에서 췌장암이 있었는데[30] 자가면역 췌장염에서 염증이 지속되면 췌장암 발생의 위험이 높아지고, 결국 췌장암 발생빈도가 높아질 가능성이 있다[46].

자가면역 췌장염에서 췌장암 발생은 15예가 있었는데[47-55], 이 중 40%는 자가면역 췌장염 진단 1년 이내에 췌장암이 발견되었으며, 조직소견상 6명 모두에서 침습성 췌관선암이 있는 주위에 IgG4양성 형질세포의 침윤이 많은 반면, 암세포가 없는 부위에서는 IgG4양성

형질세포의 수가 매우 적었다.

KRAS 변이가 췌장뿐만 아니라 십이지장 주유두부, 총담관, 담낭상피세포, 위점막, 및 대장점막 등에서 관찰되었으며[56], 수술로 절제된 자가면역 췌장염 환자 췌장조직에서 PanIN-1(82%), PanIN-2(25%) 와 PanIN-3(4%) 병변이 관찰[50]된 것으로 보아 이런 변화들이 췌장의 자가면역 췌장염에서 췌장암 발생과 연관이 있을 것으로 생각된다[46]. 아울러 최근 Kinugawa 등[57]은 자가면역 췌장염에서 종양억제 유전자의 methylation 이상이 발암과정과 연관이 있을 가능성을 보고하였다. 이상의 결과로 보아, 자가면역 췌장암 환자에서는 장기 추적 관찰시 췌장뿐만 아니라 타 장기도 암 발생 유무를 주기적으로 세심하게 확인하는 것이 필요할 것으로 생각된다.

자가면역 췌장염 환자들은 자가면역 췌장염과 연관된 합병증으로 사망할 확률은 낮으며, 일반 인구와 비교시 자가면역 췌장염 환자들에게서 생존율에 차이는 없다[58]고 하지만 스테로이드를 오래 사용함으로써 발생할 수 있는 합병증으로 인해 사망할 수 있으므로 세심한 관찰이 필요하다.

결론

자가면역 췌장염의 자연 경과에 대한 장기 관찰보고는 아직 없다. 그러므로 자가면역 췌장염의 장기예후에 대해 정확히 예측하기는 어렵다. 하지만 현재 자가면역 췌장염의 진단, 감별진단, 치료 등에 대해서는 많은 것들이 연구 발표되었으며, 진료 시에도 적용하고 있다. 향후 추가 연구가 진행되어, 이상적인 진단 및 치료법이 만들어지고, 장기예후를 완전히 예측할 수 있어, 질병의 진행을 예방하는 조치를 시행하면 환자가 오래도록 건강한 삶을 유지할 수 있는 시기가 올 것을 기대한다.

References

1. Kim KP, Kim MH, Kim JC, Lee SS, Seo DW, Lee SK. Diagnostic criteria of autoimmune chronic pancreatitis revisited. World J Gastroenterol 2006;12: 2487-96.
2. Otsuki M, Chung JB, Okazaki K, et al. Asian diagnostic criteria for autoimmune pancreatitis: consensus of the Japan-Korea Symposium on Autoimmune Pancreatitis. J Gastroenterol 2008;43: 403-8.
3. Shimosegawa T, Chari ST, Frulloni L, et al. International consensus diagnostic criteria for autoimmune pancreatitis:guidelines of the International Association of Pancreatology. Pancreas 2011;40:352-8.
4. Chari ST, Murray JA. Autoimmune pancreatitis, part II: the relapse. Gastroenterology 2008;134:625-8.
5. Ghazale A, Chari ST. Optimizing corticosteroid treatment for autoimmune pancreatitis. Gut 2007;56: 1650-2.
6. Kim HM, Chung MJ, Chung JB. Remission and relapse of autoimmune pancreatitis: focusing on corticosteroid treatment. Pancreas 2010;39:555-60.
7. Nishino T, Toki F, Oyama H, et al. Biliary tract involvement in autoimmune pancreatitis. Pancreas 2005;30:76-82.
8. Kamisawa T, Okamoto A, Wakabayashi T, et al. Appropriate ateroid therapy for autoimmune pancreatitis based on long-term outcome. Scand J

Gastroenterol 2008;43:609-13.
9. T, Nishimori I, Inoue N, et al. treatment for autoimmune pancreatitis: consensus on the treatment for patients with autoimmune pancreatitis in Japan. J Gastroenterol 2007;42(Suppl 18):50-8.
10. Masamune A, Nishimori I, Kikuta K, et al. Randomiszed controlled trial of long-term maintenance corticosteroid therapy in patients with autoimmune pancreatitis. Gut 2017;66:487-494.
11. Kamisawa T, Shimosegawa T, Okazaki K, et al. Standard steroid treatment for autoimmune pancreatitis. Gut 2009;58:1504-7.
12. Okazaki K, Chari ST, Frulloni L, et al. International consensus for the treatment of autoimmune pancreatitis. Pancreatology 2017;17:1-6
13. Bang S, Chung JB. Steroid theapy for autoimmune pancreatitis. In autoimmune pancreatitis. 1st ed. editors, Kamisawa T, Chung JB. Springer-Verlag Berlin Heidelberg 2015, 1st ed. p149-153.
14. Horiuchi A, Kawa S, Hamano H, et al. ERCP features in 27 patients with autoimmune pancreatitis. Gastrointest Endosc 2002;55:494-9.
15. Church NI, Pereira SP, Dehergoda MG, et al. Autoimmune pancreatitis:clinical and radiological features and objective response to steroid therapy in a UK series. Am J Gastroenterol 2007;102:2417-25.
16. Chari ST, Smyrk TC, Levy MJ, et al. Diagnosis of autoimmune pancreatitis: the Mayo Clinic experience. Clin Gastroenterol Hepatol 2006;4:1010-6;quiz 934.
17. Kubota K, Kamisawa T, Okazaki K, et al. Low-dose maintenance steroid treatment could reduce the relapse rate in patients with type 1 autoimmune pancreatitis; a long-term Japanese multicenter analysis of 510 patients. J Gastroenterol 2017;DOI 10.1007/s00535-016-1302-1)
18. Hirano K, Tada M, Isayama H, et al. Long-term prognosis of autoimmune pancreatitis with and without cortcosteroid treatment. Gut 2007;56:1719-24.
19. Sandanayake NS, Church NI, Chapman MH, et al. Presentation and management of post-treatment relapse in autoimmune pancreatitis/immunoglobulin G4-associated cholangitis. Clin Gastroenterol Hepatol 2009;7:1089-96.
20. Raina A, Yadav D, Krasinskas AM, et al. Evaluation and management of autoimmune pancreatitis: experience at a large US center. Am J Gastroenterol 2009;104:2295-306.
21. Ghazale A, Chari ST. Optimising corticosteroid treatment for autoimmune pancreatitis. Gut 2007;56:1650-2.
22. Frulloni L, Scattolini C, Falconi M, et al. Autoimmune pancreatitis: differences between the focal and diffuse forms in 87 patients. Am J Gastroenterol 2009;104:2288-94.
23. Hart PA, Topazion MD, Witzig TE, et al. Treatment of relapsing autoimmune pancreatitis with immunomodulators and rituximab: the Mayo Clinic experience. Gut 2013;62:1607-15.
24. Schwaiger T, van den Brandt C, Fitzner B, et al. Autoimmune pancreatitis in MRL/Mp mice is a T cell-mediated disease responsive to cyclosporine A and rapamycin treatment. Gut 2013;63(3):494-505.
25. Hart PA, Chari ST. Treatment: immunomodulatory drugs and Rituximab. In In autoimmune pancreatitis. editors, Kamisawa T, Chung JB. Springer-Verlag Berlin Heidelberg 2015, 1st ed. p155-160.
26. Topazion M, Witzig TE, Smyrk TC, et al. Rituximab therapy for refractory biliary strictures in immunoglobulin G4-associated cholangitis. Clin Gastroenterol Hepatol 2008;6:364-6.
27. Khosroshahi A, Carruthers MN, deshpande V, Unizony S, Bloch DB, Stone JH. Rituximab for the treatment of IgG4-related disease: lessens from 10 consecutive patients. Medicine 2012;91:57-66.
28. Carson KR, Evens AM, Richey EA, et a;. Progressive multifocal leukoencephalopathy after rituximab

therapy in HIV-negative patients: a report of 57 cases from the Research on Adverse Drug Events and Reports project. Blood 2009;113:4834-40.
29. Park SW, Treatment of relapsed autoimmune pancreatitis. In autoimmune pancreatitis. editors, Kamisawa T, Chung JB. Springer-Verlag Berlin Heidelberg 2015, 1st ed. p149-153.
30. Hart PA, Kamisawa T, Brugge WR, et al. Long-term outcomes of autoimmune pancreatitis: a multicentre, international analysis. Gut 2013;62:1771-6.
31. Sah RP, Chari ST. Autoimmune pancreatitis: an update on classification, diagnois, natural history and management. Curr Gastroenterol Rep 2012;14:95-105.
32. Sah RP, Chari ST, Pannala R, et al. Differences in clinical profile and relapse rate of type 1 versus type 2 autoimmune pancreatitis. Gastroneterology 2010;139:140-8;quiz e12-3
33. Park DH, kim MH, Oh HB, et al. substitution of aspartic acid at position 57 of the DQbeta1 affects relapse of autoimmune pancreatitis. Gastroenterology 2008;134:440-6.
34. Kawa S, hamano H. Clinical features of autoimmune pancreatitis. J Gastroenterol 2007;42 Suppl 18:9-14.
35. Muraki T, Hamano H, Ochi Y, et al. Autoimmune pancreatitis and complement activation system. Pancreas 2006;32:16-21.
36. Liu B, Li J, Yan LN, et al. Retrospective study of steroid therapy for patients with autoimmune pancreatitis in Chinese population. World J Gastroenterol. 2013;19:569-74.
37. Kkamisawa T, Chari ST, Merch MM, et al. recent advances in autoimmune pancreatitis: type 1 and type 2. Gut 2013;62:1373-80.
38. Hoffmanova I, Gurlich R, Janik V, Szabo V, Vernerova Z. Dilemmas in autoimmune pancreatitis. Surgical resection or not ? Bratisel Lek Listy 2016;117(80):463-7.
39. Takayama M, Hamano H, Ochi Y, et al. Recurrent attacks of autoimmune pancreatitis result in pancreatic stone formation. Am J gastroenterol 2004; 99:932-7.
40. Kawa S, hamano H, Ozaki Y, et al. Long-term follow-up of autoimmune pancreatitis: characteristics of chronic disease and recurrence. Clin Gastroenterol Hepatol 2009;7:S18-22.
41. Murayama M, Arakura N, Ozaki Y, et al. Risk factors for pancreatic formation in autoimmune pancreatitis over a long-term course. J Gastroenterol 2012; 47:553-60.
42. Hirano K, Tada M, Isayama H, et al. High alcohol consumption increases the risk of pancreatic stone fomation and pancreatic atrophy in autoimmune pancreatitis. Pancreas 2013;42(3):50-5.
43. Ikeura T, Miyoshi H, Shimatani M, Uchida K, Takaoka M, Okazaki K. Long-term outcomes of autoimmune pancreatitis. World J Gastroenterol 2016;22:7760-6.
44. Murayama M, Arakura N, Ozaki Y, et al. Type 1 autoimmune pancreatitis can transform into chronic pancreatitis: a long-term follow-up study of 73 Japanese patients. Int J Rheumatol 2013;2013: 272595. doi:10.1155/2013/272595.
45. Shiokawa M, Kodama Y, Yoshimura K, et al. Risk of cnacer in patients with autoimmune pancreatitis. Am J Gastroenterol 2013;109:610-7.
46. Shimizu K. Occurrence of malignant neoplasms. In autoimmune pancreatitis. 1st ed. editors, Kamisawa T, Chung JB. Springer-Verlag Berlin Heidelberg 2015, 1st ed. p175-179.
47. Fukui T, Mitsuyama T, takaoka M, Uchida K, Matsushita M, Okazaki K. pancreatic cancer associated with autoimmune pancreaitis in remission. Intern Med 2008;47:151-5.
48. Ghazale A, Chari ST. Is autoimmune pancreatitis a risk factor for pancreatic cancer? Pancreas 2007;35:376.
49. Gupta R, Khosroshahi A, Shinagare S, et al. Does autoimmune pancreatitis increase the risk of

pancreatic carcinoma?: a retrospective analysis of pancreatic resections. Pancreas 2013;42;506-10.

50. Inoue H, Miyatani H, Sawada Y, Yoshida Y. A case of pancreas cancer with autoimmune pancreatitis. Pancreas 2006;33:208-9.
51. Kamisawa T, Chen PY, Tu Y, et al. Pancreatic cancer with a high serum IgG4 concentration. World J Gastroenterol 2006;12:6225-8.
52. Loos M, Esposito I, Hedderich DM, Ludwig L, Fingerle A, Friess H, Klopel G, Buhler P. Autoimmune pancreatitis complicated by carcinoma of the pancreatobiliary system: a case report and review of the literature. Pancreas 2011;40:151-4.
53. Motosugi U, Ichikawa T, yamaguchi H, et al. Small invasive ductal adenocarcinoma of the panreas associated with lymphoplasmacytic sclerosing pancreatitis. Pathol Int 2009;59:744-7.
54. Pezzilli R, Vecchiarelli S, Di marco MC, serra C, Santini D, Calculli L, et al. Pancreatic ductal adenocarcinoma associated with autoimmune pancreatitis. Case Rep Gastroenterol 2011;5:378-85.
55. Witkiewicz AK, Kennedy EP, Kennyon L, Yeo CJ, Hurban RH. Synchronous autoimmune pancreatitis and infiltrating pancreas ductal adenocarcinoma: case report and review of the literature. Human Pathol 2008;39:1548-51.
56. Kamisawa T, Horiguchi S, Hayashi Y, et al. K-ras mutation in the major duodenal papilla and gastric and colonic mucosa in patients with autoimmune pancreatitis. J Gastroenterol 2010;45:771-8.
57. Kinugawa Y, Uehara T, Sano K, et al. Methylation of tumor suppressor genes in autoimmune pancreatitis. Pancreas 2017;46(5):614-8.
58. Buijs J, Cahen DL, van heerde MJ, et al. The long-term impact of autoimmune pancreatitis on pancreatic function, quality of life, and life expectancy. Pancreas 2015;44:1965-71.

PART ▶▶ 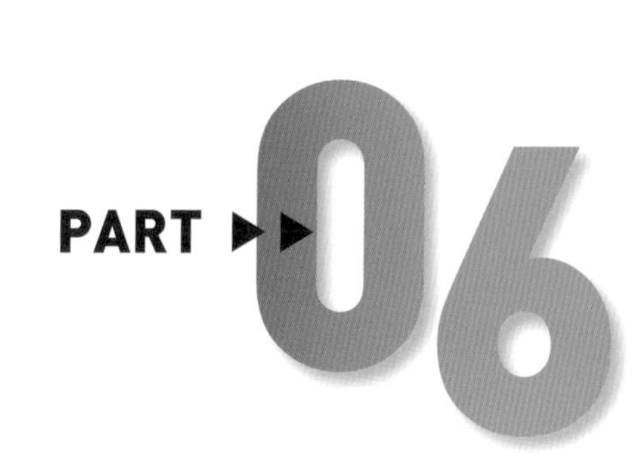

췌장의 외분비 종양

TUMORS OF THE EXOCRINE PANCREATIC TISSUE: PANCREATIC CANCER

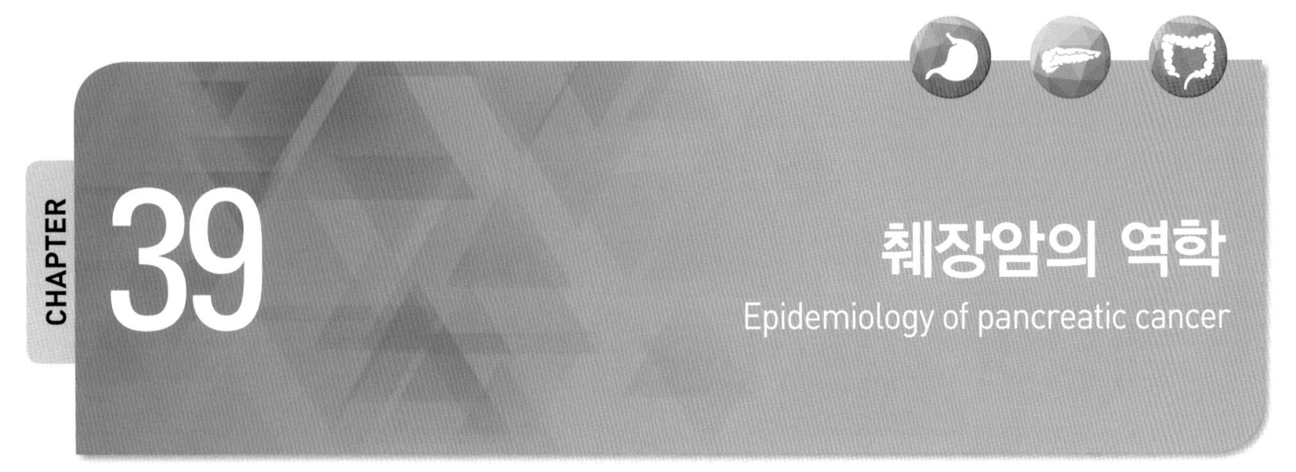

이희승, 이세준

서론

췌장암은 미국에서는 암으로 인한 사망 원인으로 4번째를 차지하고 대개 65~85세 사이의 노인층에서 많이 발생하고 40세 이전에서는 드물다. 췌장암의 발생률은 10만 명당 1~10명 이내로 추정되며 남자에서 좀 더 많이 발생한다[1]. 대개 미국과 유럽의 선진국에서는 발생률이 높고 아프리카나 남아시아 지역에서는 발생률이 낮다. 지난 30년 동안 다른 고형암에 비해 발생률이 크게 변하지는 않았다[2]. 그러나 개발도상국에서 소득이 증가되면서 비만이나 당뇨 인구의 증가, 흡연인구의 증가와 영상학적 진단이 보편화되면서 점점 이들 지역에서의 췌장암 발생이 증가하고 있다.

췌장암에서 두 개의 주요 타입은 85%를 차지하는 선암과 5% 내외를 차지하는 내분비암이다. 대부분(85%)은 췌관 상피 세포 기원의 선암이며, 나머지가 신경내분비암, 낭종암 등이 차지한다. 췌장암의 대부분은 두부에서 발생하며 수술적 절제가 유일한 완치 방법이지만, 대부분의 경우 진단 시점에 이미 진행된 상태로 발견이 되며, 진단 당시 절제 가능한 경우는 불과 10~15%에 불과하다. 절제 불가능한 췌장암에서는 5년 생존율이 6%를 넘지 못하고 수술적 절제를 시행한 환자에서조차도 예후가 매우 불량하고, 수술 절제 후 5년 생존율은 node 양성인 환자에서 10%, node 음성인 환자에서는 약 25~30%에 불과하다[1].

세계적으로 암으로 인한 사망 원인으로 남자에서는 8번째, 여자에서는 9번째를 차지한다. 2012년에 발표된 GLOBOCAN 보고서에 따르면, 전세계적으로 년당 332,000명이 췌장암으로 사망하고, 이는 암사망 원인의 7위를 차지한다. 2012년에 약 338,000명의 환자가 췌장암으로 진단을 받아 이는 전체 11번째로 흔한 암이다. 5년 생존율은 약 5% 미만이다[3].

대한민국의 경우 췌장암은 소화기 암종 중 위암, 대장암, 간암 다음으로 흔한 암이다. 보건복지부 한국 중앙암등록본부 주관으로 시행되고 있는 2014년 한국 중앙암등록사업 연례 보고서에 의하면 췌장암은 악성 종양 등록건수 총 217,057건 중 5,948예(남자 3,191 여자 2,757)로 전체 암종 중 발생등록분율 2.7%로 8위(남자 2.8%로 7위, 여자 2.6%로 8위)를 차지하고 있으며 등록건수 및 등록 분율이 남녀 공히 꾸준히 증가하고 있다. 전체 암종 중 사망분율은 7.2%(5,614명)로 5위를 차지하고 있으며, 췌장암 환자의 2010~2014년 기간의 5년 상대 생존율(관찰한 암환자와 동일한 연령층의 인구집단이 같은 관찰 기간에 살아있을 정도를 관찰생존율에 나누어 구한 값)은 10.1%(남자 9.8%,여자 10.5%)로 10대 암 중 남녀 모두에서 최하위를 차지하고 있다[4].

모든 암에서와 같이 췌장암도 원인이 명확하게 밝혀진 것은 아니나 알려진 위험인자와 유전적 증후군이 몇 가지 있다(표 39-1)[5-12]. 각각의 위험인자에 대해 살펴보면 다음과 같다.

1. 고령

췌장암의 발생은 연령의 증가와 함께 증가한다. 약 80%의 환자는 60~80세에 발생한다. 40세 이전 발생은 매우 드물고, 전체 췌장암 발생의 약 50% 이상이 70세 이후에 발생한다. 30세 이전에는 극히 드물어 가족력을 의심하여야 하며, 50세 이전에는 많지 않다가 급격히 증가하며 평균 연령이 65~70세이다. 또한 노인 환자에서는 동반된 다른 질환으로 수술이 불가능한 경우가 상대적으로 많다. 췌장암은 치명적인 암이지만 전체 인구에서 유병률이 높지 않아 선별검사를 위해서는 매우 높은 예민도와 특이도가 요구된다. 예를 들면 95%의 예민도와 특이도를 가진 선별검사 방법을 이용하여 65세 이상의 미국인 3,500만 명 중 췌장암 환자 2만 8,000명을 진단하려면 2만 6,600명을 진단할 수 있으나 174만 8,600예의 위양성 검사의 결과를 낳게 되고 위양성 수/참양성 수 비는 65에 이른다.

표 39-1. **췌장암의 위험인자**[1]

위험인자	상대적 위험도
당뇨	2
만성췌장염	2~6
비만	2
O형 이외의 혈액형	1~2
유전적 증후군과 연관 유전자(%)	
Hereditary pancreatitis *(PRSS1, SPINK1)*	50%
Familial atypical multiple mole and melanoma syndrome *(p16)*	10~20%
Hereditary breast and ovarian cancer syndromes *(BRCA1, BRCA2, PALB2)*	1~2%
Peutz-Jeghers syndrome (STK11 [LKB1])	30~40%
Hereditary nonpolyposis colon cancer (Lynch syndrome) *(MLH1, MSH2, MSH6)*	4%
Ataxia-telangiectasia *(ATM)*	Unknown
Li-Fraumeni syndrome *(P53)*	Unknown

2. 유전성 위험인자

췌장암 환자의 약 5~10%는 가족력을 지니고 있다. 췌장암에 대한 유전성 위험 요소는 크게 2가지로 분류 가능하며, 췌장암을 포함한 타암의 발생 빈도가 높은 유전성 증후군과 가족성 췌장암이 존재한다. 직계 가족 중에 췌장암 가족력이 있는 사람은 일반인에 비해 췌장암 발생 가능성이 상대적으로 높아 가족 중에 췌장암 환자가 1명이 있으면 2배, 2명이면 6배, 3명이면 30배 이상 췌장암 발생 가능성이 높아진다[13]. 특이한 암증후군이 알려지지 않으면서 췌장암 발생이 높은 가족들이 존재하며, 이들의 분자생물학적 병인은 다양하다. 일부 가족성 췌장암(familial pancreatic cancer)에서 염색체 4q32-34의 이상이 제기되었고 *BRCA2*나 *p16* 유전자 변이가 관련됨이 보고되었다. 하지만 대부분에서는 아직 특별한 유전적 이상이 확인되지 않았다.

유전성 췌장암을 일으키는 주요 유전자 변이는 아직 알려져 있지 않지만, BRCA1, 2의 germline mutation(태생적 돌연변이) 이 현재까지 가족성 췌장암에서 발견되는 가장 흔한 유전자 돌연변이로 알려져 있다. 또한, 유전성 췌장염은 췌장의 단백분해 효소에 관여하는 유전자의 변이(mutations)나 다형성(polymorphisms)으로 발생하며 임상적으로 재발성 급성췌장염 형태이며 대개 만성췌장염으로 진행되며 결국 정상인보다 높은

50배 이상의 췌장암 발생 위험성을 가지게 된다[14].

유전성 췌장염(hereditary pancreatitis)은 상염색체 우성으로 유전하며 80%의 투과도를 보인다. 혈연관계를 가진 가족 중에서 2대 또는 그 이상에서 20대 이전(평균 13.9세)에 반복적인 췌장염이 나타난다. 이 중 약 70%에서 cationic trypsinogen 유전자(PRSS1) 변이가 나타난다고 밝혀져 있으며 trpysinogen의 조기 미성숙 활성화와 관련이 있다. 췌장암은 몇몇 유전성 질환군과도 연관되어 있는데 이는 유전성 췌장염, 유전성 비용종성 대장암, 가족성 선종성 용종증, Gardener 증후군, Peutz-Jeghers 증후군, 린다우병, 신경섬 유종증, 혈관확장성운동실조증, 제1형 다발성내분비종양증 등이다.

3. 혈액형

ABO 혈액형 타입이 췌장암의 발생 위험과 관련이 있다. 이전에 시행된 대규모 코호트 연구에서 O형 이외의 혈액형에서 췌장암 발생이 더 많은 것을 확인하였다[15] (type A, AB, and B; Hazard ratio 1.32, 1.51, and 1.72).

4. 만성췌장염

만성췌장염은 췌장암의 잘 알려진 위험인자로 성별과 연령에 대해 보정한 후 예상되는 췌장암 췌장암 발생의 누적 위험도는 10년내 1.8%, 20년내 4%로 췌장암이 발생 가능하다[16]. 만성췌장염 환자는 만성적인 췌장염증의 존재로 인해 췌장암의 발생 위험이 증가한다. 만성췌장염 환자에서 췌장암의 발생 위험은 만성췌장염의 지속 기간뿐만 아니라 병인에 따라 다양하다. 췌장암 환자는 체중 감소, 복통 및 황달과 같은 만성췌장염과 유사한 증상을 나타낼 수 있다.

만성췌장염과 췌장암과의 연관성은 많은 역학 연구에서 규명되어 왔는데 두 질환은 빈번하게 같이 존재한다. 감별진단이 어려우며 췌장암으로 인해 췌장염이 올 수 있어 특발성 췌장염의 경우 췌장암이 원인일 가능성도 염두에 두어야 한다. 암종으로 인한 주췌관의 폐색으로 상부에 섬유화가 야기되며, 암종 주위의 비특이적인 염증으로 인해 흡인 세포검사에서 자주 암세포가 음성으로 나온다. 2년 이상 추적 관찰한 경우 췌장암의 위험도는 16~26배, 5년 이상 추적 관찰한 경우 13~14배이며, 10년마다 약 2%의 누적위험도로 보고되며 20년간 4~5%의 보고도 있다. 또한 심한 정도나 기간과도 무관한 것으로 여겨진다. 만성췌장염 환자의 약 4%에서 췌장암이 발생하는 것으로 알려져 있고, 췌장암 환자의 약 1.34%에서 그 원인이 만성췌장염에서 기인하는 것으로 알려져 있다.

5. 당뇨

당뇨병은 오래전부터 췌장암과의 관련성이 알려져 왔으나 췌장암의 초기 소견인지 또는 췌장암의 위험인자인지는 확실하지 않다. 당뇨병에서 생기는 암종 중 췌장암은 5~20%를 차지한다. 50세 이상의 당뇨병 환자는 일반인보다 위험도가 10배 높다는 보고도 있어, 고령에서 발병하고 비교적 일찍 insulin을 요하거나 당뇨병 가족력이 없거나 비교적 마른 체형 등의 비전형적인 임상상을 보이는 경우 췌장암을 의심할 수 있으나 이러한 임상상만으로 분명하게 췌장암과 구분할 수는 없다. 최근 88개의 기존 연구를 메타분석한 결과 당뇨를 가진 환자의 췌장암 발생에 대한 상대 위험도(relative risk)는 2.08로 약 2배 가량 높은 것을 알 수 있었다[17]. 한편, 당뇨는 췌장암의 원인이기 보다는 결과일 것이라고 생각되어 왔다. 동일 연령의 췌장암 환자 그룹에서 대조군에 비해 당뇨의 비율이 훨씬 높고 췌장암 진단 2년 이내 당뇨를 진단 받는 경우가 많기 때문이다. 췌장암의 50~80%에서 당불내성과 당뇨병이 발생하는데 대개의 경우 췌장암 진단 2년 내에 당뇨병이 진단되어 시기적으로 연관성이 있다. 이들에서 인슐린 저항성과 고인슐린 혈증이 관찰된다. 췌장암은 두부 및 체부에 빈번하나 베타세포는 미부에 많이 분포하므로 췌장암에 의한 직접적인 파괴보다는 인슐린에 대한 민감성 저하와 당뇨유발 인자분비 같은 2차적인 내분비기능장애로 당뇨병이 발생되는 것으로 생각된다. 수술이 가능한 췌장암의 경우 췌십이지장절제술(pancreaticoduodenectomy) 후에 췌장암 진단 후 새롭게 발생한 당뇨의 57%(17/30)가 치료되었고, 기존의 장기간 당뇨를 앓아 왔던 환자에서는 큰 차이를 보이지 않았다. 최근 연구에서는 췌장암이 adrenomedullin 양성 엑소좀을 혈액내로 분비함으로써 인슐린 분비를 억제하고 paraneoplastic beta cell dysfunction 을 유도한다고 보고하였다[17]. 또 다른 연구에서는 오히려 비정상적인 당대사와 인슐린 저항성이 췌장암의 원인 인자일 수 있다는 발표도 있다[18].

6. 췌장 낭종

최근 들어 영상학적 진단법의 발전과 검진의 활성화를 통해 무증상 췌장 낭성병변의 발견이 증가하고 있다. 췌장 낭종이 있는 경우와 췌장 낭종이 없는 경우를 비교해 보면 췌장암 발생률이 약 22.5배 증가한다고 알려져 있고, 특히 췌장 낭종 크기가 5 mm 이상인 경우는 작은 경우에 비하여 췌장암 발생률이 6.2배 증가하는 것으로 알려져 있다[19-21]. 관내 유두상 점액 종양은 가장 흔한 췌장의 종양성 낭종으로서 악성화 가능성이 있기 때문에 추적관찰을 요한다.

7. 흡연

흡연은 거의 모든 보고에서 일정하게 관찰되는 췌장암 발생의 잘 알려진 독립적 위험인자이다. 1985년 International Agency for Research on Cancer (IARC)에서 흡연은 췌장암의 중요한 원인인자라고 규정하였다[22]. 다기간 코호트 연구에서 췌장암의 20~30%가 흡연과 관련이 있으며 흡연자 중에서 췌장암 발생의 상대 위험도는 최소 1.5배이고, 흡연량에 따라 증가한다. 췌장암 발생 위험은 금연과 함께 감소하며, 한 대규모 전향적 연구에서는 흡연자의 췌장암 발생 상대 위험도는 2.5배였다[23]. 금연 후 2년까지 위험도는 48%까지 감소하고 약 10~15년 중단시점에 비흡연자 수준까지 췌장암 발생의 위험도는 떨어진다[24]. 유전성 췌장염 환자에서 흡연하는 경우에 2~150배에 이르며 비흡연자에 비해 20년 일찍 발생한다. 또한 가족력이 있는 췌장암 환자에서 3~8배 더 위험도를 증가시킨다.

결론

췌장암은 다른 암에 비해 전암 병변이 뚜렷하게 밝혀지지 않아 선별검사가 쉽지 않다. 췌장암 발생의 위험성을 높이는 가장 유력한 환경적 요인은 흡연으로 20~25% 정도의 췌장암에서 나타난다[23]. 또한 1형이나 2형 당뇨 병력이 오래된 환자에서도 췌장암 발생 위험성이 일반인에 비해 높고, 일부 환자에서는 췌장암으로 인해 당뇨가 발생하기도 한다[25]. 그 밖에 비만, 만성췌장염과 ABO 혈액형이 위험인자로 여겨지고 있다[26,27]. 알코올은 그 자체는 위험인자가 아니나 장기간의 폭음에 의해 만성췌장염이 발생하면 위험성이 높아진다. 5~10%의 췌장암이 선천적 소인을 가진 것으로 추정되나 많은 경우에서 가족성 성향을 확인하기는 어렵다[28].

췌장암의 전암 병변이나 조기암을 효과적으로 선별할 수 있는 검사가 아직 없고, 아스피린도 다른 암에서는 예방 효과가 있으나 아직 췌장암에서는 효과가 입증되지 않았다[29]. 췌장암의 유전적 소인을 가진 환자를 대상으로 선별검사가 필요하다는 의견은 많지만 어떤 방법으로 얼마의 간격으로 시행할지에 대해서는 아직 의견이 분분하다[30]. 췌장암의 고위험군을 선별하기 위한 연구가 지속적으로 필요하고, 기회 비용을 고려한 적절한 검사법 및 예방적 치료가 향후 필요한 실정이다.

References

1. Ryan DP, Hong TS, Bardeesy N. Pancreatic adenocarcinoma. N Engl J Med 2014;371:2140-1.
2. Jemal A, Bray F, Center MM, et al. Global cancer statistics. CA Cancer J Clin 2011;61:69-90.
3. Ferlay J, Soerjomataram I, Dikshit R, et al. Cancer incidence and mortality worldwide: sources, methods and major patterns in GLOBOCAN 2012. Int J Cancer 2015;136:E359-86.
4. Jung KW, Won YJ, Oh CM, et al. Cancer Statistics in Korea: Incidence, Mortality, Survival, and Prevalence in 2014. Cancer Res Treat 2017;49:292-305.
5. Ruijs MW, Verhoef S, Rookus MA, et al. TP53 germline mutation testing in 180 families suspected of Li-Fraumeni syndrome: mutation detection rate and relative frequency of cancers in different familial phenotypes. J Med Genet 2010;47:421-8.
6. Swift M, Morrell D, Massey RB, et al. Incidence of cancer in 161 families affected by ataxia-telangiectasia. N Engl J Med 1991;325:1831-6.
7. Kastrinos F, Mukherjee B, Tayob N, et al. Risk of Pancreatic Cancer in Families With Lynch Syndrome. JAMA-Journal of the American Medical Association 2009;302:1790-5.
8. Giardiello FM, Brensinger JD, Tersmette AC, et al. Very high risk of cancer in familial Peutz-Jeghers syndrome. Gastroenterology 2000;119:1447-53.
9. Jones S, Hruban RH, Kamiyama M, et al. Exomic Sequencing Identifies PALB2 as a Pancreatic Cancer Susceptibility Gene. Science 2009;324:217. doi:10.1126/science.1171202.
10. Iqbal J, Ragone A, Lubinski J, et al. The incidence of pancreatic cancer in BRCA1 and BRCA2 mutation carriers. Br J Cancer 2012;107:2005-9.
11. Vasen HF, Gruis NA, Frants RR, et al. Risk of developing pancreatic cancer in families with familial atypical multiple mole melanoma associated with a specific 19 deletion of p16 (p16-Leiden). Int J Cancer 2000;87:809-11.
12. Rebours V, Boutron-Ruault MC, Schnee M, et al. Risk of pancreatic adenocarcinoma in patients with hereditary pancreatitis: a national exhaustive series. Am J Gastroenterol 2008;103:111-9.
13. Jacobs EJ, Chanock SJ, Fuchs CS, et al. Family history of cancer and risk of pancreatic cancer: a pooled analysis from the Pancreatic Cancer Cohort Consortium (PanScan). Int J Cancer 2010;127:1421-8.
14. Whitcomb DC. Genetic Risk Factors for Pancreatic Disorders. Gastroenterology 2013;144:1292-302.
15. Wolpin BM, Chan AT, Hartge P, et al. ABO blood group and the risk of pancreatic cancer. J Natl Cancer Inst 2009;101:424-31.
16. Ekbom A, McLaughlin JK, Karlsson BM, et al. Pancreatitis and pancreatic cancer: a population-based study. J Natl Cancer Inst 1994;86:625-7.
17. Batabyal P, Vander Hoorn S, Christophi C, et al. Association of diabetes mellitus and pancreatic adenocarcinoma: a meta-analysis of 88 studies. Ann Surg Oncol 2014;21:2453-62.
18. Wolpin BM, Bao Y, Qian ZR, et al. Hyperglycemia, Insulin Resistance, Impaired Pancreatic -Cell Function, and Risk of Pancreatic Cancer. J Nat Cancer Inst 2013;105:1027-35.

19. Matsubara S, Tada M, Akahane M, et al. Incidental Pancreatic Cysts Found by Magnetic Resonance Imaging and Their Relationship With Pancreatic Cancer. Pancreas 2012;41:1241-6.
20. Tada M, Kawabe T, Arizumi M, et al. Pancreatic cancer in patients with pancreatic cystic lesions: a prospective study in 197 patients. Clin Gastroenterol Hepatol 2006;4:1265-70.
21. Tanaka S, Nakao M, Ioka T, et al. Slight Dilatation of the Main Pancreatic Duct and Presence of Pancreatic Cysts as Predictive Signs of Pancreatic Cancer: A Prospective Study. Radiology 2010;254: 965-72.
22. Somers E. International Agency for Research on Cancer. CMAJ 1985;133:845-6.
23. Bosetti C, Lucenteforte E, Silverman DT, et al. Cigarette smoking and pancreatic cancer: an analysis from the International Pancreatic Cancer Case-Control Consortium (Panc4). Ann Oncol 2012;23: 1880-8.
24. Fuchs CS, Colditz GA, Stampfer MJ, et al. A prospective study of cigarette smoking and the risk of pancreatic cancer. Arch Intern Med 1996;156:2255-0.
25. Ben Q, Xu M, Ning X, et al. Diabetes mellitus and risk of pancreatic cancer: A meta-analysis of cohort studies. Eur J Cancer 2011;47:1928-37.
26. Aune D, Greenwood DC, Chan DS, et al. Body mass index, abdominal fatness and pancreatic cancer risk: a systematic review and non-linear dose-response meta-analysis of prospective studies. Ann Oncol 2012;23:843-52.
27. Klein AP, Lindstrom S, Mendelsohn JB, et al. An Absolute Risk Model to Identify Individuals at Elevated Risk for Pancreatic Cancer in the General Population. PloS One 2013;8.
28. Klein AP, Brune KA, Petersen GM, et al. Prospective risk of pancreatic cancer in familial pancreatic cancer kindreds. Cancer Res 2004;64:2634-8.
29. Cook NR, Lee IM, Gaziano JM, et al. Low-dose aspirin in the primary prevention of cancer the women's health study: A randomized controlled trial. JAMA 2005;294:47-55.
30. Canto MI, Harinck F, Hruban RH, et al. International Cancer of the Pancreas Screening (CAPS) Consortium summit on the management of patients with increased risk for familial pancreatic cancer. Gut 2013;62: 339-47.

CHAPTER 40

췌장암의 분자유전학적 변화

Molecular genetic alterations in pancreatic cancer

박정엽

서론

췌장암은 여러 가지 유전자의 변화가 단계별로 누적되어 발생한다는 이론이 제시된 지 20년이 되었다[1](그림 40-1). 그동안 이루어진 인간 유전자 연구(human genome project) 등 많은 대규모 유전자 연구 등을 통해서 보고된 췌장암의 주요 유전자의 변이는 *KRAS, TP53, CDKN2A, SMAD4, MLL3, TGFBR2, ARID1A, SF3B1, EPC1, ARID2, ATM, ZIM2, MAP2K4, NALCN, SLC16A4, MAGEA6* 등이 있다[2](표 40-1). 또한 수많은 유전자의 돌연변이 이외에도 TGF-β, Hedgehog, Notch, WNT와 같은 분자 경로의 변화도 일어난다는 것이 밝혀졌으며 최근에는 메틸화(methylation)와 microRNA (miRNA)의 증가 또는 감소 등의 후성적(epigenetic) 변화도 췌장암에서 있을 수 있다는 것이 알려졌다[3].

1. 췌장암 발생과정에서 일어나는 유전자 변이

전통적인 췌장암 발생 모델은 *KRAS, CDKN2A, TP53* 그리고 *SMAD4* 순서로 분자 변화가 일어난다고 알려져 있다. 이 모델은 췌장암의 전암 병변으로 알려진 pancreatic intraepithelial neoplasm (PanINs)의 분석을 바탕으로 하고 있으며 각 유전자의 변화는 독립적으로 일어난다는 가정을 하고 있다[1]. 따라서 이 가설은 췌장암이 발생하기 위한 유전자의 변화 누적이 긴 시간에 걸쳐서 일어난다고 추정하지만 다른 암과 달리 초기부터 급속하게 전이하는 췌장암의 특성을 설명하기에는 부족한 점이 있다. 최근 제시된 이론은 일부 췌장암에서 이들 유전자의 변화가 과거에 믿어진 것처럼 순서대로 일어나는 것이 아니라 동시 다발적으로 일어날 가능성을 제시했다. 동시에 여러 유전자의 변이가 일어나는 chromothripsis는 췌장암이 왜 갑자기 발생하며 또한 초기부터 전이를 할 수 있는지를 설명할 수 있는 방법 중 하나가 될 수 있다[4].

1) *KRAS*

췌장암에서 일어나는 분자 변화 중 가장 중요한 변화는 *KRAS*의 돌연변이로 췌장암의 90%에서 나타나는 반면에 다른 암에서는 20~30% 정도만 나타난다. *KRAS*의 돌연변이는 주로 codon 12에서 일어나지만 codon 61과 13에서도 발생한다. *KRAS*의 돌연변이는 강한 증식

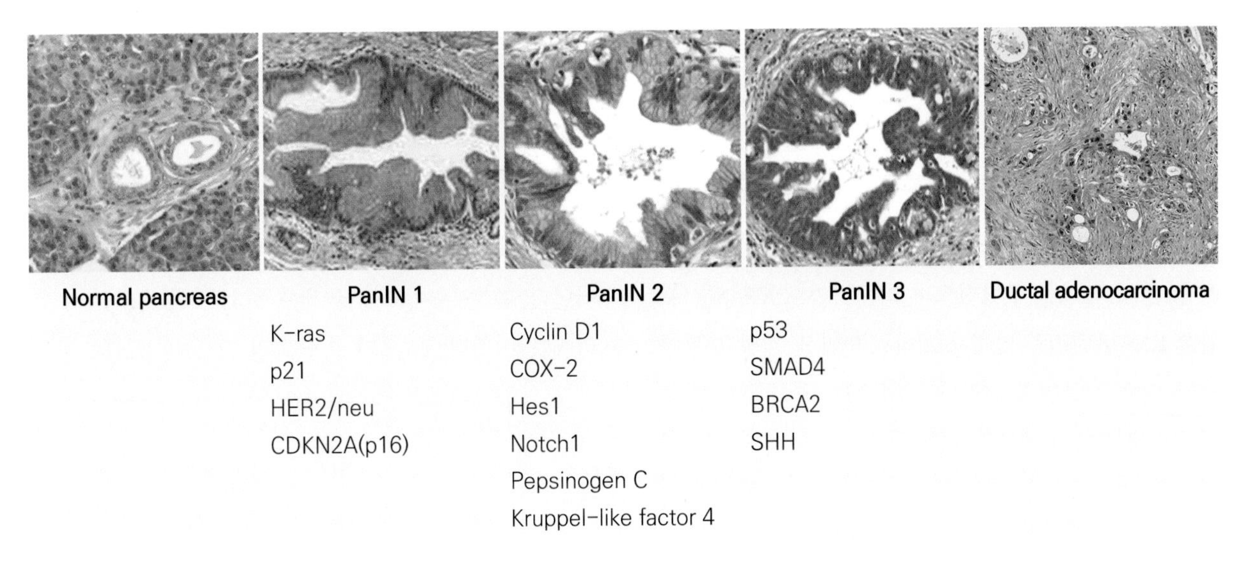

그림 40-1. **췌장암의 발생과정 모델.**
정상 췌관 상피 세포가 전암병변인 pancreatic intraepithelial neoplasia (PanIN)으로 진행하면서 초기에는 *Her-2/neu*가 과발현되고 *Kras*의 돌연변이가 발생하며 *p16*의 비활성화 그리고 *p53, DPC4, BRCA2*의 비활성화가 후반에 나타난다.
출처: Hruban RH, et al. Clin Cancer Res 2000;6:2969-72.

표 40-1. **췌장암에서 일어나는 분자유전학적 변화**

	이름	변화	기능
CDKN2A	Cyclin-dependent kinase inhibitor 2A	비활성화	Cyclin-dependent kinase inhibitor
KRAS	v-Ki-ras2 Kirsten rat sarcoma viral oncogene homolog	활성화	Signal transduction, proliferation, cell survival, and motility
TP53	Tumor protein p53	비활성화	Cell cycle arrest, apoptosis, senescence, DNA repair, metabolism change
SMAD4/DPC4	Mothers against decapentaplegic, drosophila, homolog of, 4	비활성화	Signal transmission
AKT2	v-akt murine thymoma vira oncogene homolog 2	활성화	AKT pathway, hormone metabolism
TGFBR2	Transforming growth factor, β receptor II (70/80 kDa)	비활성화	Signal transduction
MAP2K4	Mitogen-activated protein kinase 4	비활성화	MAPK pathway

능력을 가진 전암병변의 발생을 유도할 수 있다. 전암병변인 pancreatic intraepithelial neoplasia-1 (PanIN-1)의 99%에서 *KRAS*의 돌연변이가 관찰되어 암 발생의 초기 단계에서 일어나는 변화로 알려져 있다. 췌장암의 발생에 *KRAS*가 얼마나 기여하는지는 KRASG12D 돌연변이를 가진 췌장암 마우스 모델의 개발로 또한 입증되었다. *KRAS*는 guanosine triphosphate (GTP)와 결합하는 단백질의 정보를 가지고 있으며 이 단백질은 세포의

생존과 그리고 이동에 관여한다. *KRAS*의 돌연변이는 또한 RAF/mitogen-activated protein (MAP) kinase 그리고 PI3K-AKT 경로 등의 활성화를 유도한다[5,6].

*KRAS*가 췌장암에서 중요한 역할을 수행하는 것이 밝혀진 이래 이를 타깃으로 하는 치료법의 개발을 위해서 많은 노력이 이루어졌으나 최근까지도 *KRAS*를 포함한 RAS 단백질을 타깃으로 하는 약제의 개발은 불가능한 것으로 알려져 있었다[7]. 2014년도에 최초로 변형된 RAS에 결합할 수 있는 화학물질로 SOS1이 보고되었다. SOS1은 GDP에서 GTP로 변화하는 과정을 촉진하여 RAS의 활동성을 조절한다. 그 이후 RAS와 결합할 수 있는 여러 유사한 화학물질이 보고되었으나 아직까지 췌장암에서 보이는 *KRAS* G12D나 G12V에 특정적으로 결합하는 화학물질은 개발되지 않았다[8].

2) *CDKN2A*

*CDKN2A*는 암억제유전자(tumor suppressor)로 췌장암의 90%이상에서 비활성화가 관찰된다. *CDKN2A*의 비활성화는 돌연변이, 삭제, 그리고 메탈화(methylation) 등에 의해서 일어난다. 췌장암 발생과정 중 PanIN-2 단계에서 나타나기 시작하며 chromosome 9p에 위치한다. 비활성화 기전은 다양해서 homozygous deletion, 한쪽 allele의 돌연변이와 반대쪽 allele의 삭제, 그리고 promoter의 methylation 등에 의하여 일어난다. *CDKN2A*는 여러 단백질을 만드는데 그 중에는 p16/ARF와 p16/INK4가 있다. p14/ARF는 TP53을 안정화시키고 p16/INK4는 cyclin과 cyclin dependent kinase (CDKs)의 complex 형성을 억제한다[9,10]. KRASG12D 돌연변이를 가진 췌장암 마우스 모델에 p16의 손실이 동반되는 경우 KRASG12D 돌연변이만 있는 마우스 모델에 비하여 더 빠르게 췌장암을 형성하는 것으로 보아 췌장암 발생 초기에 *KRAS*와 함께 협력 작용을 하는 것으로 생각된다[11].

3) *TP53*

*TP53*의 비활성화는 PanIN-3에서 나타나며 85% 정도의 췌장암에서 관찰된다. *TP53*의 비활성화는 특징적으로 한쪽 allele의 돌연변이와 반대쪽 allele의 삭제로 일어난다. *TP53*는 세포사멸, 세포주기, 그리고 DNA의 수리에 관여한다. DNA가 손상되면 *TP53*은 p21의 전사를 유도하는데 p21은 cyclin-dependent kinase 억제제로 G1단계에서 세포 주기를 멈추도록 한다. *TP53*의 비활성화는 유전자의 불안정성을 유발하여 DNA가 손상된 상태로 세포가 증식하도록 한다. 마우스 모델에서 *TP53*의 돌연변이는 다른 암유전자(oncogene)와 같이 협력하는 것으로 보여지며 p53이 비활성화된 마우스 모델에서 암 발생률이 상승하고 암 발생에 소요되는 시간과 생존기간이 짧아지는 것이 확인되었다[12,13].

4) TGF-β/*SMAD4*

*SMAD4*의 비활성화는 PanIN-3에서 관찰된다. *SMAD4*는 염색체 18q에 위치하며 *SMAD4*의 비활성화는 췌장암 중 55%에서 나타난다. *SMAD4*의 비활성화는 homozygous deletion, 한쪽 allele의 돌연변이와 반대쪽 allele의 삭제로 일어난다. *SMAD4* 단백질은 transforming growth factor (TGF-β) 경로를 통해 세포의 증식과 분화에 영향을 미친다. TGF-β은 정상 세포와 암 발생 초기에는 세포 증식을 억제하는 효과를 보이지만 암 발생 후기에는 오히려 암 발생을 유도하는 효과를 보인다. 이러한 차이는 *SMAD4*의 손실이 일정부분 기여하는 것으로 보여지며 *SMAD4*의 손실은 TGF-β의 증식 억제 효과의 손실로 이어지고 좋지 않은 예후를 초래한다. *SMAD4*의 손실은 KRASG12D 돌연변이를 가진 췌장암 마우스 모델에서 더 빠르게 췌장암 발생을 유도하며 더 많은 섬유화와 침범성을 가진 종양을 만든다. 하지만 *SMAD4* 손실 단독으로는 병리 이상 소견을

보이지 않는다. TGF-β 경로의 활성화는 SMAD 경로 이외에도 MAPK, RhoA, 그리고 PI3K 경로의 활성화도 일으킨다[14-16].

TGF-β 신호 경로는 암세포뿐만 아니라 주위의 기질세포(stromal cell)에도 영향을 미친다. 기질 구획을 구성하는 췌장 성상 세포(pancreatic stellate cell)과 섬유아세포(fibroblast)도 TGF-β 신호 경로를 가지고 있으며 종양세포에서 분비되는 라이간드(ligand)에 반응하는 것으로 보여진다. 이렇게 활성화된 TGF-β 신호 경로는 type I과 III 콜라젠(collagen)의 증가로 이어진다[17].

2. 췌장암에서 나타나는 분자 경로의 변화들

지금까지 이루어진 수 많은 유전자 연구들을 바탕으로 췌장암에서 일어나는 12개의 주요 분자 경로의 변화가 보고된 바 있다. 이들 과정에는 K-Ras, TGF-β, JNK, Integrin, Wnt/Notch, Hedgehog 등이 있다[18](표 40-2).

1) Hedgehog

Hedgehog 신호 경로 또한 TGF-β 신호 경로처럼 암세포와 주의의 기질 세포에서 중요한 역할을 수행한다. Hedgehog 신호 경로는 Patched (PTCH) 라는 수용체에 의하여 조절되며 정상 상태에서는 라이간드가 없는 경우 Smoothened (SMO)라는 수용체에 대하여 억제 작용을 한다. Sonic Hh (Shh)와 같은 라이간드와 결합하면 PTCH는 SMO에 대한 억제 작용을 중단하게 된다. 결과적으로는 GLI와 같은 전사 인자들의 활성화 그리고 이들 단백질의 핵내 이동을 유발하며 세포 주기의 진행과 세포 사멸(apoptosis)에 연관된 유전자의 활성을 일으킨다. 췌장암에서 Hedgehog 신호 경로의 여러 부분에서 변화가 관찰되었고 Shh 라이간드의 과발현이 췌장암 조직의 대부분에서 관찰된다. Shh의 과발현은 마우스 모델에서 PanIN 병변의 발생과 연관이 있다. Shh의 과발현은 또한 기질 세포의 활성화도 연관이 있어 Shh를 과발현하는 종양을 마우스에 이식하는 경우 더 심한 섬유조직형성(desmoplsia)이 발생하는 것을 알 수 있다[19].

2) Notch

Hedeghog 경로와 마찬가지로 Notch 경로도 배아발생단계(embryogenesis)에서 활성화되지만 췌장암을 포함한 많은 종류의 암에서 다시 재활성되는 것이 관찰된다. Notch 경로는 정상조직에서 분화되지 않은 세포(undifferentiated cell)를 유지하는 기능을 한다. 주위 세포의 세포막에 있는 라이간드와 Notch 수용체가 결합하면 수용체의 세포내 부위(intracellular domain)가 떨어져나간다. 이렇게 떨어져나간 수용체의 일부는 핵내로 이동하여 다른 전사인사와 상호 작용을 하여 타깃 유전자의 전사를 유도한다. Notch 경로의 여러 유전자들의 발현이 PanIN 병변에서 증가되는 것이 관찰되어 Notch의 재활성화는 암 발생에 관여할 것으로 생각된다. Notch 경로는 EGFR과 nuclear factor-κβ와 상호 작용한다. Notch-1의 과발현이 침습적인 표현형(phenotype)과 연관이 있다는 보고도 있다[20-22].

3) WNT

WNT 경로는 Notch처럼 발생단계에서 세포의 증식과 분화에 관여한다. 이 경로는 WNT 수용체에 라이간드가 결합하여 활성화되며 β-catenin의 세포내 방출로 이어진다. 정상적 상황에서는 β-catenin는 GSK3-b kinase에 의하여 인산화되어 비활성화되어 있지만 일단 세포내로 이동하면 전사인자와 결합하여 타깃 유전자의 전사를 유도한다. 많은 췌장암에서 β-catenin의 증가가 관찰되며 siRNA 등을 이용하여 β-catenin을 억제하면 세포 사멸이 증가되는 것이 관찰된다. 동물 모델

표 40-2. **췌장암에서 많이 나타나는 12개의 분자 경로 이상**

분자 경로	변이된 유전자들
Apoptosis	CASP10, VCP, CAD, HIP1
DNA damage control	ERCC4, ERCC6, EP300, RANBP2, TP53
Regulation of G1/S phase transition	CDKN2A, FBXW7, CHD1, APC2
Hedgehog signaling	TBX5, SOX3, LRP2, GLI1, GLI3, BOC, BMPR2, CREBBP
Homophilic cell adhesion	CDH1, CDH10, CDH2, CDH7, FAT, PCDH15, PCDH17, PCDH18, PCDH9, PCDHB16, PCDHB2, PCDHGA1, PCDHGA11, PCDHGC4
Integrin signaling	ITGA4, ITGA9, ITGA11, LAMA1, LAMA4, LAMA5, FN1, ILK
c-Jun N-terminal kinase signaling	MAP4K3, TNF, ATF2, NFATC3
KRAS signaling	KRAS, MAP2K4, RASGRP3
Regulation of invasion	ADAM11, ADAM12, ADAM19, ADAM5220, ADAMTS15, DPP6, MEP1A, PCSK6, APG4A, PRSS23
Small GTPase-dependent signaling (other than KRAS)	AGHGEF7, ARHGEF9, CDC42BPA, DEPDC2, PLCB3, PLCB4, RP1, PLXNB1, PRKCG
TGF-β signaling	TGFBR2, BMPR2, SMAD4, SMAD3
Wnt/Notch signaling	MYC, PPP2R3A, WNT9A, MAP2,TSC2, GATA6, TCF4

에서 WNT 과정의 이상은 암 발생과정 후기에 일어나는 것으로 나타났으며 초기에는 β-catenin을 통한 WNT 과정의 활성화가 *KRAS*에 의한 암 발생과정을 억제하는 것으로 보여진다[23].

3. 분자 변화에 따른 췌장암의 아형 분류

최근 transcriptome 데이터를 기반으로 췌장암을 squamous, pancreatic progenitor, immunogenic 그리고 aberrantly differentiated endocrine exocrine (ADEX)의 4가지 아형으로 분류하는 시도가 있었다. 이들 subtype은 유전적으로 뿐만 아니라 조직학적으로도 다른 특성을 보인다. Squamous는 adenosquamous carcinoma로, immunogenic은 colloid 또는 췌장내 유두상 점액종양과 연관된 carcinoma로 ADEX는 흔하지 않은 acinar cell carcinoma의 형태로 나타난다. 이중 squamous 형태는 좋지 않은 예후인자이다[24].

Squamouse 아형은 염증, 저산소증에 반응, 대사과정의 재포로그래밍(reprogrmaming), TGF-β 과정, MYC 과정, 자가소화작용(autophagy), *TP63*ΔN 발현의 증가로 특징지어진다. 이 아형은 *TP53*과 *KDM6A*의 돌연변이와 연관이 있다. *TP63*ΔN은 *TP53*의 돌연변이와 함께 상피세포의 plasticity 그리고 tumorigenicity, epithelial mesenchymal 변화에 관여한다. Pancreatic progenitor 아형은 *CDH1/E-cadherin*와 같은 상피세포 마커 유전자의 높은 발현이 특징적이다. 또한 초기 췌장 발생에 관여하는 FOXA2/3, PDX2, MNX1과 GATA6의 높은 발현도 관찰된다. 이 유전자들은 췌관 세포의 분화에 중요하다고 알려져 있다. Squamous 아형에 비하여 epidermal growth factor 수용체 억제제인 erlotinib에 대하여 더 민감하다. ADEX 아형에서는 선방세포(acinar cell)와 내분비 세포로의 분화에 관여하는 유전자들이 높게 발현된다. Immunogenic 아형은 pancreatic progenitor 아형에서 나타나는 유전자 변화와 비슷한 양상을 보이나 면역과 관계된 전사 프로그램의 활성화로 구분되어진다. 여기에는 B 그리고 T 세포 수용체 신호체계, Toll-like 수용체 신호체계, 그리고 항원 전달과 면역 억제에 관여하는 CTLA4와 PD1 등이 연관되어 있다. 특히 immunogenic 아형은 B 세포와 T 세포의 침윤이 종양 조직 내에 증가하는 것이 관찰된다[24].

4. 췌장암에서 나타나는 후성적 변화

최근 중요한 몇몇 연구들에서 후성적 변화(epigenetic change)가 유전자 발현을 활성화 또는 억제시킬 수 있으며 이를 통해 췌장암에서 중요한 역할을 할 수 있음이 보고되었다. 후성적 변화는 다른 유전적 변화와 달리 가역적인 부분이 있어 새로운 치료 타깃이 될 수도 있다. 또한 진단과 치료를 위해서 필요한 정보를 추가로 제공할 것으로 기대되어 췌장암 환자의 예후를 호전시키는데 기여할 것으로 기대한다[25].

1) DNA methylation

DNA methylation은 cytosine residue의 5-carbon에 methyl group (CH_3^-)의 결합이다. 이와 같은 methyl group의 결합에는 DNA methyltransferase가 관여하는데 췌장암의 경우 이중 DNMT1이 80%에서 과발현이 된다. DNA methylation은 주로 CpG islands에서 일어난다. CpG island는 DNA중 CG가 50% 이상으로 구성된 부분이다. CpG islands는 유전자의 전사(transcription)가 시작되는 부분(promoter) 근처에 위치하며 인간의 유전자 중 60%가 CpG islands와 연관이 있다. CpG islands는 나이가 들수록 methylation이 증가하는데 최근 연구들에 의하면 이러한 CpG islands의 methylation에 의하여 유전자의 기능이 손실될 수 있고 여러 가지 암에서 보이는 암억제 유전자 손실과 연관성이 밝혀졌다[26-29].

Hypermethylation에 의하여 비활성화가 되는 췌장암 연관 유전자에는 *CDKN2A/p16, MLH2, CDH1, SPARC, RELN, CCND2, TFPI2, RUNX3, SOCS-1, TSLC1/IGSF4* 등이 있다. 이 중에서 SPARC는 세포외 기질(extracellular matrix)과 상호작용하는 칼슘과 결합하는 단백질(calcium binding protein)을 만들며 세포의 이동, 증식, 혈관 생성, 세포-기질 부착(cell-matrix adhesion) 그리고 조직 리모델링(remodeling)에 관여하는 것으로 알려져 있다. 췌장암 주위 섬유아세포(fibroblasts)에서도 발현되며 췌장암세포와 섬유아세포에서 *SPARC*의 발현은 췌장암의 좋지 않은 예후와 연관이 있다[30,31].

2) MicroRNAs

MicroRNA (miRNA)는 단백질을 만들지 않는 짧은 RNA (18-24 nucleotide)로 mRNA와 결합하여 전사(transcription) 조절에 관여한다. miRNA의 이상 발현은 여러 종양에서 보고된 바 있으며 세포의 분화, 증식 그리고 사멸 등과 연관성이 알려져 있다. 췌장암에서도 miR-200, miR-34, miR-21, miR-155, miR-221, and miR-222 등의 다양한 miRNA의 이상 발현이 보고되었으며 대부분의 이상발현은 miRNA의 증가이다. miRNA의 발현 이상이 췌장암의 발생과 연관이 있다는 보고가 있으며 예후와 연관시키거나 신약 개발에 사용하려는 연구도 진행 중이다[31-35].

지금까지 췌장암에서 이상이 보고된 miRNA 중 miR-21은 췌장암 조직 중 약 79%에서 발현이 확인되어 정상 또는 만성췌장염에 비하여 많이 증가되어 있음이 확인되었다. miR-21이 강하게 발현되는 경우 그렇지 않은 경우에 비하여 림프절 전이가 더 많은 것이 또한 확인되었다. miR-34의 경우 p53에 의하여 직접 조절 받고 Notch 과정의 단백질과 Bcl-2등을 조절하는 것이 밝혀져 암줄기세포(cancer stem cell)의 생존과 연관이 있을 가능성과 p53이 손실된 췌장암세포에서 치료 목적으로 사용될 가능성이 제시되었다[36,37].

결론

췌장암은 매우 좋지 않은 악성종양이다. 여태까지 많은 연구들을 통해서 췌장암에서 일어나는 분자 변화들이 보고되었지만 이러한 연구 결과들을 실제 임상에서 췌장암의 예방과 치료에 적용시키기 위해서는 더 많은 연구가 필요하다.

References

1. Hruban RH, Goggins M, Parsons J, Kern SE. Progression model for pancreatic cancer. Clin Cancer Res 2000;6:2969-2972.
2. Biankin AV, Waddell N, Kassahn KS et al: Pancreatic cancer genomes reveal aberrations in axon guidance pathway genes. Nature 2012; 491:399–405.
3. Hong SM, Park JY, Hruban RH, Goggins M. Molecular signatures of pancreatic cancer. Arch Pathol Lab Med 2011;135:716-727.
4. Notta F, Chan-Seng-Yue M, Lemire M, et al. A renewed model of pancreatic cancer evolution based on genomic rearrangement patterns. Nature 2016; 538:378-382.
5. Kanda M, Matthaei H, Wu J, et al. Presence of somatic mutations in most early-stage pancreatic intraepithelial neoplasia. Gastroenterology 2012; 142:730–733.
6. Schubbert S, Shannon K, Bollag G. Hyperactive Ras in developmental disorders and cancer. Nat Rev Cancer 2007; 7:295–308.
7. Zorde Khvalevsky E, Gabai R, Rachmut IH, et al. Mutant KRAS is a druggable target for pancreatic cancer. Proc Natl Acad Sci U S A 2013;110:20723-20728.
8. Evelyn CR, Duan X, Biesiada J, et al. Rational design of small molecule inhibitors targeting the Ras GEF, SOS1. Chem Biol 2014;21:1618-28.
9. Schutte M, Hruban RH, Geradts J, et al. Abrogation of the Rb/p16 tumor-suppressive pathway in virtually all pancreatic carcinomas. Cancer Res 1997; 57:3126–30.
10. Caldas C, Hahn SA, da Costa LT. Frequent somatic mutations and homozygous deletions of the p16 (MTS1) gene in pancreatic adenocarcinoma. Nat Genet 1994; 8:27–32.
11. Qiu W, Sahin F, Iacobuzio-Donahue CA, et al. Disruption of p16 and activation of Kras in pancreas increase ductal adenocarcinoma formation and metastasis in vivo. Oncotarget 2011;2:862-73.
12. DiGiuseppe JA, Redston MS, Yeo CJ, et al. p53-independent expression of the cyclin-dependent kinase inhibitor p21 in pancreatic carcinoma. Am J Pathol 1995; 147:884–888.
13. Vogelstein B, Kinzler KW. Cancer genes and the pathways they control. Nat Med 2004; 10:789–799.
14. Hahn SA, Schutte M, Hoque AT, et al. DPC4, a candidate tumor suppressor gene at human chromosome 18q21. 1. Science 1996; 271:350–353.
15. Siegel PM, Massague J. Cytostatic and apoptotic actions of TGF-beta in homeostasis and cancer Nat Rev Cancer 2003; 3:807–821.
16. Derynck R, Zhang YE. Smad-dependent and Smad-independent pathways in TGF-beta family signalling. Nature 2003;425:577–584.
17. Vogelmann R, Ruf D, Wagner M, Adler G, Menke A. Effects of fibrogenic mediators on the development of pancreatic fibrosis in a TGF-beta1 transgenic mouse model. Am J Physiol Gastrointest Liver Physiol 2001;280:G164–G172.
18. Jones S, Zhang X, Parsons DW, et al. Core signaling

pathways in human pancreatic cancers revealed by global genomic analyses. Science 2008;321:1801–1806.
19. Bailey JM, Swanson BJ, Hamada T, et al. Sonic hedgehog promotes desmoplasia in pancreatic cancer. Clin Cancer Res 2008;14:5995–6004.
20. Apelqvist A, Li H, Sommer L, et al. Notch signalling controls pancreatic cell differentiation. Nature 1999;400:877–881.
21. Wang Z, Banerjee S, Li Y, Rahman KM, Zhang Y, Sarkar FH. Down-regulation of notch-1 inhibits invasion by inactivation of nuclear factor-kappaB, vascular endothelial growth factor, and matrix metalloproteinase-9 in pancreatic cancer cells. Cancer Res 2006;66:2778–2784.
22. Miyamoto Y, Maitra A, Ghosh B, et al. Notch mediates TGF alpha-induced changes in epithelial differentiation during pancreatic tumorigenesis. Cancer Cell 2003;3:565–576.
23. Pasca di Magliano M, Biankin AV, Heiser PW, et al. Common activation of canonical Wnt signaling in pancreatic adenocarcinoma. PLoS One 2007;2:e1155.
24. Bailey P, Chang DK, Nones K, et al. Genomic analyses identify molecular subtypes of pancreatic cancer. Nature 2016;531:47-52.
25. Lomberk GA, Urrutia R. The triple-code model for pancreatic cancer: cross talk among genetics, epigenetics, and nuclear structure. Surg Clin North Am 2015;95:935–52.
26. Li A, Omura N, Hong SM, Goggins M. Pancreatic cancer DNMT1 expression and sensitivity to DNMT1 inhibitors. Cancer Biol Ther 2010; 9:321-329.
27. Bird AP. CpG-rich islands and the function of DNA methylation. Nature 1986;321:209–213.
28. Matsubayashi H, Sato N, Fukushima N, et al. Methylation of cyclin D2 is observed frequently in pancreatic cancer but is also an age-related phenomenon in gastrointestinal tissues. Clin Cancer Res 2003; 9:1446–1452.
29. Jones PA, Baylin SB. The fundamental role of epigenetic events in cancer. Nat Rev Genet 2002;3:415–428.
30. Sato N, Fukushima N, Maehara N, et al. SPARC/osteonectin is a frequent target for aberrant methylation in pancreatic adenocarcinoma and a mediator of tumor-stromal interactions. Oncogene 2003; 22:5021–5030.
31. Infante JR, Matsubayashi H, Sato N, et al. Peritumoral fibroblast SPARC expression and patient outcome with resectable pancreatic adenocarcinoma. J Clin Oncol 2007; 25:319–325.
32. Hwang HW, Mendell JT. MicroRNAs in cell proliferation, cell death, and tumorigenesis. Br J Cancer 2006; 94:776–780.
33. Bloomston M, Frankel WL, Petrocca F, et al. MicroRNA expression patterns to differentiate pancreatic adenocarcinoma from normal pancreas and chronic pancreatitis. JAMA 2007;297:1901–1908.
34. Lee EJ, Gusev Y, Jiang J, et al. Expression profiling identifies microRNA signature in pancreatic cancer. Int J Cancer 2007; 120:1046–1054.
35. Szafranska AE, Davison TS, John J, et al. MicroRNA expression alterations are linked to tumorigenesis and non-neoplastic processes in pancreatic ductal adenocarcinoma. Oncogene 2007; 26:4442–4452.
36. Kent OA, Mullendore M, Wentzel EA, et al. A resource for analysis of microRNA expression and function in pancreatic ductal adenocarcinoma cells. Cancer Biol Ther 2009; 8:2013–2024.
37. Dillhoff M1, Liu J, Frankel W, et al. MicroRNA-21 is overexpressed in pancreatic cancer and a potential predictor of survival. J Gastrointest Surg 2008 ;12:2171-2176.
38. Ji Q1, Hao X, Zhang M, et al. MicroRNA miR-34 inhibits human pancreatic cancer tumor-initiating cells. PLoS One 2009; 28:e6816.

신수진, 김은경

1. 췌장의 조직학적 구조

췌장은 위와 횡행결장의 뒤와 대동맥과 대정맥의 앞쪽, 후복막강에 위치하는 소엽성 선으로서 앞부분은 복막으로 덮여있다. 길이는 15~20 cm, 성인에서의 무게는 85~120 gm이다. 췌장은 외분비 성분과 관, 내분비 성분으로 이루어져 있으며, 췌장의 대부분은 외분비 성분이다(그림 41-1A). 외분비 성분은 세엽(acini)의 소엽 단위(lobular unit)로 구성되어 있다. 소엽은 중앙에 작은 내강이 있는 사이관(intercalated duct)이 삼각형의 세엽세포(pancreatic acinar cell)에 의해 둘러싸여 있는 모습이다. 췌장의 세엽세포(pancreatic acinar cell)에는 세포질내에 많은 효소원과립(zymogen granule)이 있다. 관은 주관(major duct), 소엽간관(interlobular duct), 소엽내관(intralobular duct), 사이관(intercalated duct)이 있다. 사이관이 융합되어 소엽내관이 되고 소엽내관이 융합하여 소엽간관이 된다(그림 41-1B). 사이관과 소엽내관은 납작한 세포가 한 층으로 피복되어 있다. 소엽간관과 주관은 낮은 원주상피세포로 피복되며, 두꺼운 콜라겐 층에 의해 둘러싸여 있다. 관을 구성하는 벽 안에는 점액을 분비하는 선들이 소엽성으로 집합되어 있다(그림 41-1C). 내분비 성분은 성인에서 1~2% 정도를 차지하며 주로 랑게르한스 소도(islets of Langerhans)에 있다. 소도는 전체 췌장에 분포되어 있으며, 소도에는 네 가지 종류의 세포, 즉 베타세포(소도의 60~70%, 인슐린 분비), 알파세포(소도의 15~20%, 글루카곤 분비), 델타세포(소도의 < 10%, 소마토스타틴 분비), 그리고 PP세포(pancreastic peptide 분비)가 존재한다.

2. 췌장 외분비계 종양의 병리

1) 췌장 외분비계 종양의 조직학적 분류

췌장 외분비계 종양은 췌장종양의 95% 정도를 차지하는 종양으로서 병리학적 분류는 조직학적 구조에 따라 분류한다. 정상 췌장에서 95% 정도로 가장 많은 부분을 차지하는 세엽세포에서 기원하는 종양인 세엽세포암은 매우 드물며(1%), 역으로 정상 췌장 조직의 약 2% 이내를 차지하는 췌관 상피세포에서 기원한 종양이 대부분이다[관선암종양(ductal adenocarcinoma) 약 85%; 관내 유두상 점액성 종양, 5%; 점액성 낭성 종양,

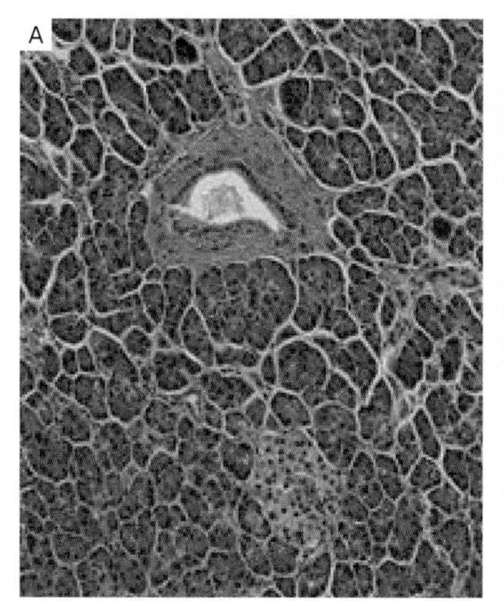

현미경소견, 저배율 소견

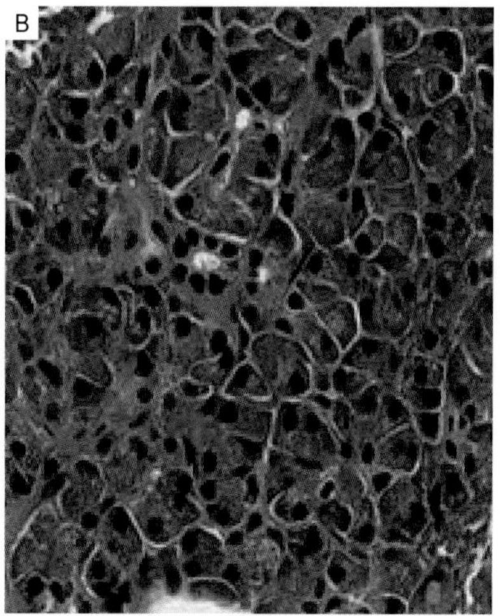

외분비 성분과 소엽내관

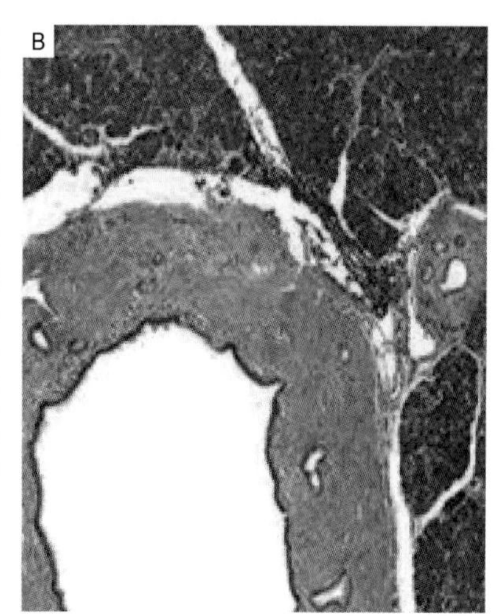

주관 및 소엽간 관

그림 41-1. **정상 췌장의 조직소견.**

2%]. 내분비 세포는 정상 췌장 조직의 3% 정도를 차지하는데, 내분비 세포에서 기원한 신경내분비종양은 약 3% 정도로 소수 발생한다.

2) 췌장 외분비계 종양의 조직기원

췌장 외분비계 종양의 대부분은 정상 췌관을 피복하는 상피세포에서 기원하는 것으로 추정되는데, 병리학적 특성이나 동물 실험을 통한 진행 과정을 분석한 결과 이 과정에는 췌장 상피내 종양(pancreatic intraepithelial neoplasm, PanIN)이라는 전암병변을 거쳐 관선암종으로 진행하는 경우와, 관내 유두상 점액성 종양 또는 점액성 낭성 종양 등의 양성 종양을 거쳐 악성 선암종으로 진행하는 두 가지의 경로가 있다고 판단된다. 각 경로에 따른 동물모델과 인체에 발생한 종양의 형태학적 특징과 유전적 변화는 그림 41-2와 같다.

3) 췌장 외분비계 종양의 병리학적 특성

전통적으로 췌장종양은 전암병변, 고형성 종양, 낭성 종양으로 나누어 분류하는데, 본 장에서는 췌장의 외분비계 종양 중에서 췌장의 전암병변인 췌장 상피내 종양과, 췌장 세엽세포에서 기원한 세엽세포암종(acinar cell carcinoma) 및 췌관을 피복하는 췌관 상피세포에서 기원한 관선암종(ductal adenocarcinoma)의 3개의 고형성 종양의 병리소견을 소개하였다. 췌장에 발생하는 흔한 종양의 임상-병리학적 특징은 아래와 같이 요약할 수 있다.

(1) 췌장 상피내 종양 (pancreatic Intraepithelial neoplasm, PanIN)

본 병변은 5 mm 내의 주로 현미경 소견으로 보이는 작은 병변으로서 점액을 함유한 입방형 또는 원주형 세포가 증식되어 있는 병변이다. 이 병변은 구성하는 상피세포의 이형성 여부에 따라 췌장 상피내 종양 1-3 (PanIN 1-3) 으로 나누고 구성 상피세포들이 편평하게 배열된 경우는 PanIN 1A, 유두상 증식을 한 경우는 PanIN 1B로 나뉘며, 중등도의 이형성이 있는 경우는 PanIN 2, 심한 이형성이 있으면 PanIN 3으로 분류한다(그림 41-3A-E). 현실적으로 췌장의 조직검사 시에 PanIN 1은 매우 흔한 병변이나 PanIN 2 및 PanIN 3는 매우 드물게 관찰되는 병변이다. PanIN 2 및 PanIN 3가

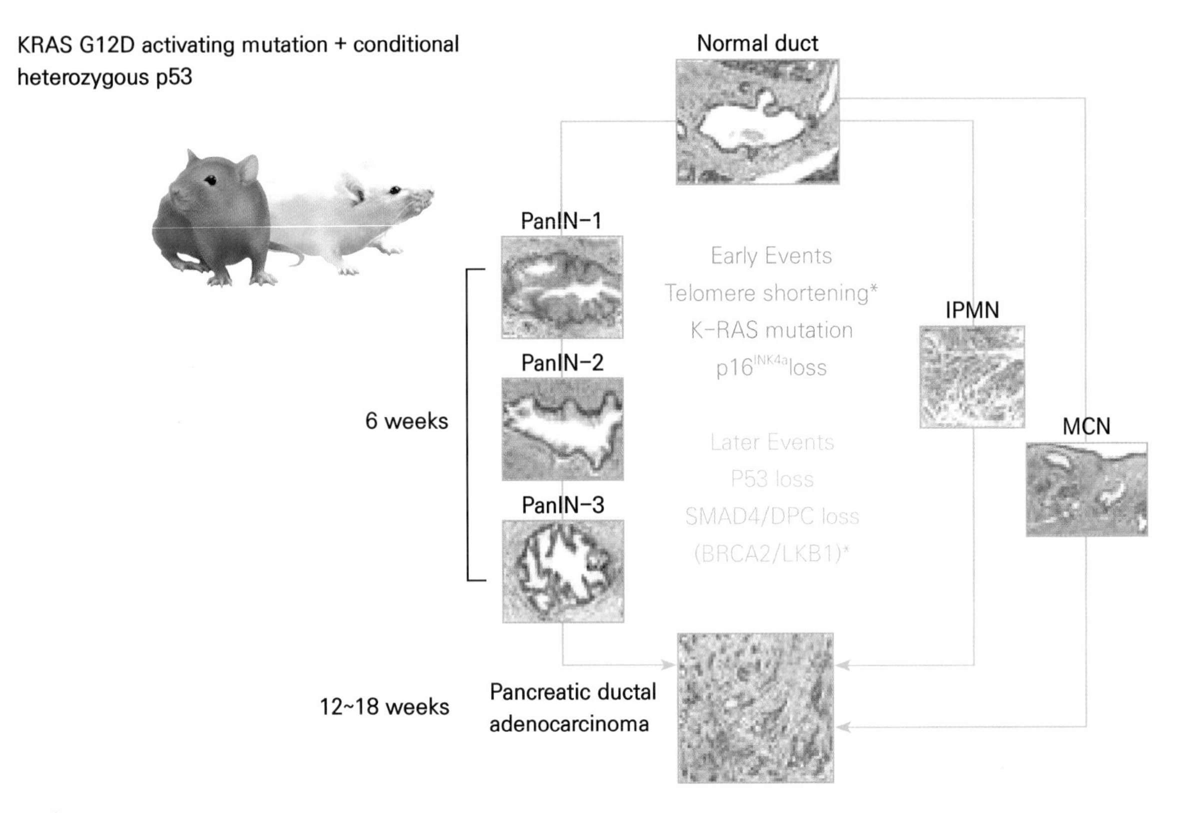

그림 41-2. **췌장선암종 발생의 조직학적 및 유전적 경로.**
동물모델과 인체에서 발생한 선암종은 두 가지 경로를 거쳐 최종적으로 췌장의 선암종이 발생되는 것으로 알려져 있다[1].

표 41-1. **췌장 종양의 임상-병리학적 특징**[2]

종양의 종류	육안 형태	특징소견
세엽세포암종	고형성	매우 드물고, 외분비 효소를 형성하며, 진행이 빠름.
관선암종	고형성	흔한 종양이며, 섬유화가 심하고, 관상 형태를 취하는 경우가 많고 진행이 매우 빠름.
췌관내 유두상 점액성종양	낭성	비교적 흔한 종양이며, 관내에서 발생하고, 점액을 형성하는 상피세포로 구성되어 있고 악성으로 진행할 수 있음.
점액성 낭성종양	낭성	여성에게 흔하며, 점액을 형성하는 원주상 세포로 구성되어 있으며 낭벽은 특징적인 난소 기질로 구성되어 있고, 악성으로 진행할 수 있음.
췌장 상피내 종양	현미경적 병변	전암병변으로서 작은 크기의 소엽내관에서 발생
신경내분비종양	고형성	균일한 종양세포로 구성되어 있으며, 신경내분비세포의 분화를 보이므로 chromogranin, synaptophysin 등의 마커에 양성을 보인다. 악성이기는 하나 덜 공격적임.
장액성 낭성종양	낭성	양성 종양이며, 중앙에 별모양의 섬유화가 있고, 구성 세포는 입방형이며 글리코겐을 함유하고 있음.
고형성 가성 유두상 종양	고형성 또는 낭성	여성에 흔히 발생하며, 약 10% 정도에서 악성을 보임.

단독으로 관찰 되는 경우에는 관선암종의 발생이 동반되었거나 향후 발생할 가능성이 높음을 의미한다[3]. 만약 관선암종 주변에 PanIN 3로 의심되는 병변이 존재한다면 암세포가 상피내로 진행한 관상피내 암성전환(intraductal cancerization, 그림 41-3F)과의 감별이 필요하다.

(2) 세엽세포암종(acinar cell carcinoma)

① 육안 소견

췌장의 관선암종보다 더 무르고, 경계가 좋으며, 다결절성으로 나타나는 수가 있다. 단면상 색조는 노란색에서 갈색까지 다양한 색을 띄고, 괴사와 낭성 변성이 보일 수도 있다(그림 41-4A).

② 현미경 소견

종양세포는 작은 세엽단위를 이루는 세엽 구조, 또는 고형 구조 등을 보이며(그림 41-4B), 췌장의 관선암종과 달리 섬유조직형성반응이 거의 없다. 종양세포의 핵은 보통 둥글고, 한 개의 뚜렷한 핵인이 있다. 세포질은 풍부하며 세포질내에 정상 세엽 세포와 같이 효소원과립(zymogen granule)이 있다. 이 효소원과립은 PAS와 D-PAS염색에서 모두 양성이다(그림 41-4C). 면역조직화학검사에서 종양세포는 trypsin, chymotrypsin 또는 lipase에 양성이고(그림 41-4D), synap-tophysin, chromogranin에는 음성이다.

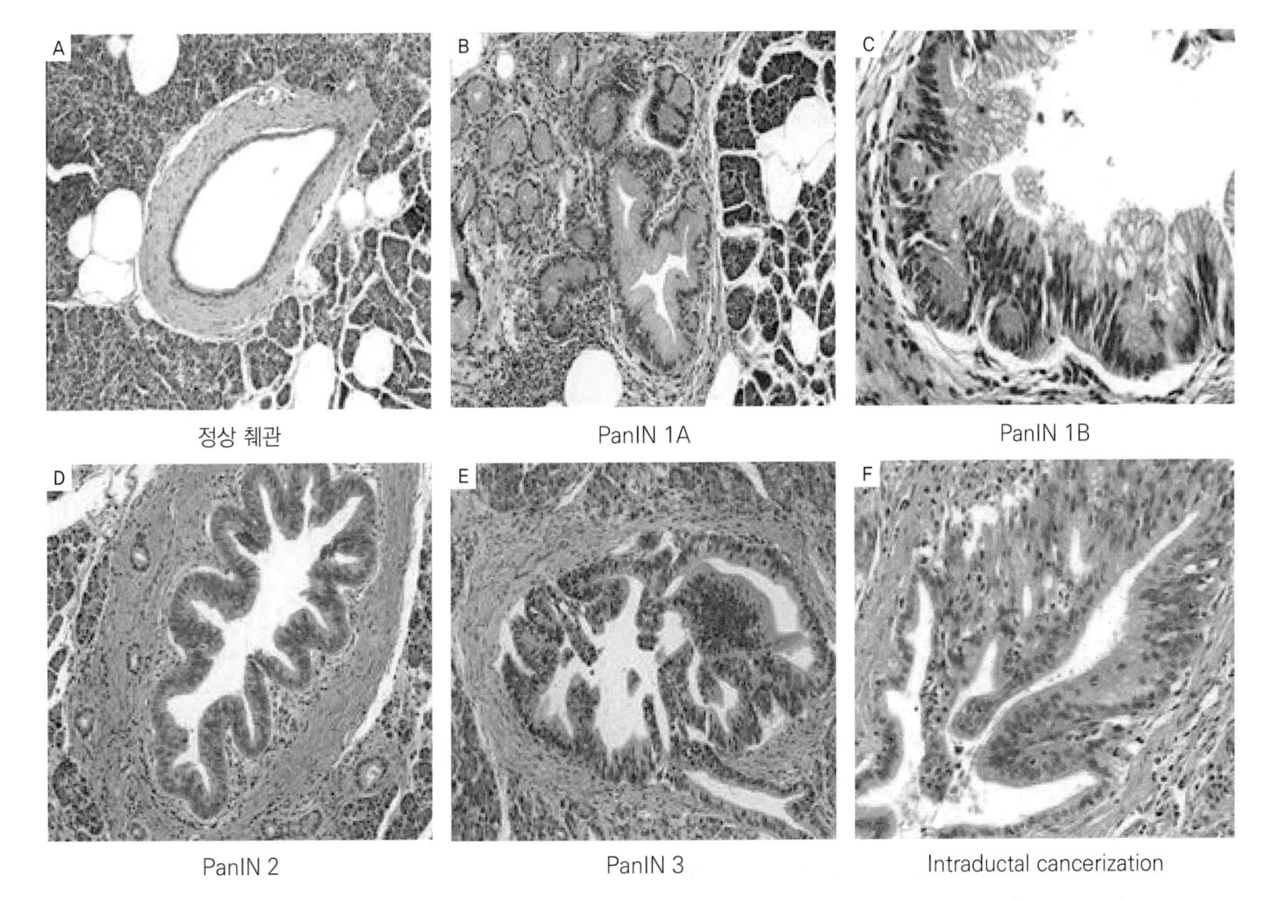

그림 41-3. **췌장 상피내 종양의 현미경소견.**
정상 췌관(A)과 PanIN 1A(B), PanIN 1B(C), PanIN 2(D), PanIN 3(E), 관상피내 암성전환(F)의 현미경적 소견.

(3) 관선암종(ductal adenocarcinoma)

① 육안 소견

경계가 좋지 않은 단단한 종괴로 절단면은 노란색이거나 회색빛이다(그림 41-5A).

② 현미경 소견

전형적인 경우에는 분화가 좋지 않은 암세포가 다양한 형태의 관상 구조를 형성 하면서 췌장 조직과 주변 조직을 파괴하면서 심한 섬유조직 형성반응과 함께 증식하는 형태를 보인다. 종양세포는 관 구조를 보이며, 산만한 배열이며(그림 41-5B), 주변 구조물을 침습하는 모습이어서 췌장 주변의 지방조직은 물론 담관, 십이지장 벽의 빈번한 침범이 관찰되고, 진행되면 주변 문맥벽과 동맥벽 등의 큰 혈관벽 침범도 동반된다. 이 경우 침윤된 암세포는 미만성으로 침범하는 경우가 대부분이어서 침범 범위를 세심하게 판별하여야 하며 경우에 따라 cytokeratin, p53 염색 등이 도움되기도 한다. 암 세포들은 종양 내부에서도 분포하는 혈관벽 및 내강에 침범이 흔하고, 특히 신경 침범이 매우 흔하게 관찰된다. 암세포의 신경 침범은 암세포의 분화가 좋은 경우에 만성췌장염에 동반된 이형성과 감별하는데 결정적인 도움을 주는 소견으로 이용할 수 있다.

관선암종은 암세포의 분화 정도에 따라 잘 분화된 형태로부터 관이나 선 형태의 분화 없이 체모양 또는 판상 형태를 취하는 미분화형 선암종에 이르기까지 형태학적으로 다양한 모습이다. 관선암종은 때로 거의 대부분 점액을 형성하는 암세포로서 내강 및 외강에 점액으로 구성되어 있는 경우나(colloid carcinoma), 암세포 사이에 섬유조직이 드물고 염증세포의 침윤이 많은 경우나(medulllary carcinoma), 편평상피 형태로 분화하는(squamous cell carcinoma 또는 adenosquamous carcinoma), 낱개의 암세포가 점액을 함유한 형태로 자라는 인환세포암(signet ring cell carcinoma), 큰 종양세포로 구성된 매우 분화가 나쁜 역형성암(anaplastic carcinoma), 선암종과 신경세포암종의 특성을 동시에 보이는 암인 혼합 관선암-신경내분비세포암(mixed ductal-endocrine carcinoma) 등의 다양한 조직학적 변형들이 있다. 경우에 따라 섬유조직 형성반응이 매우 심하고 암세포의 분화도 나쁜 경우, 미분화된 선암종인지 육종인지의 감별이 필요한데 이 경우 cytokeratin 염색이 도움이 되며, CK7 및 CK19 염색은 췌장의 원발성 선암종에서 발현되기에 대장암이 췌장으로 전이된 경우와 췌장의 원발성 선암종을 감별진단하는 데 도움이 된다.

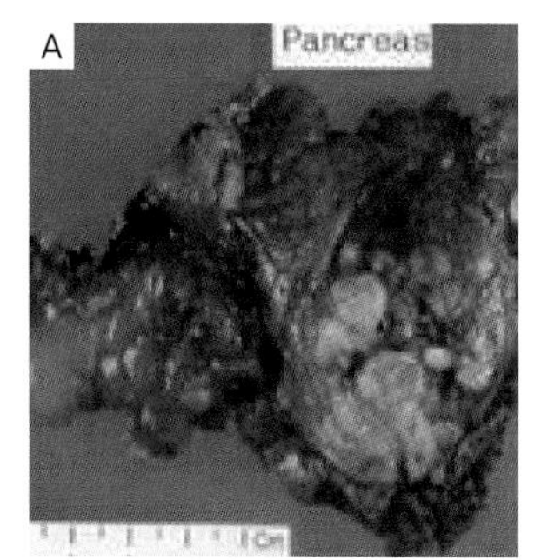

육안 소견

B
현미경 소견

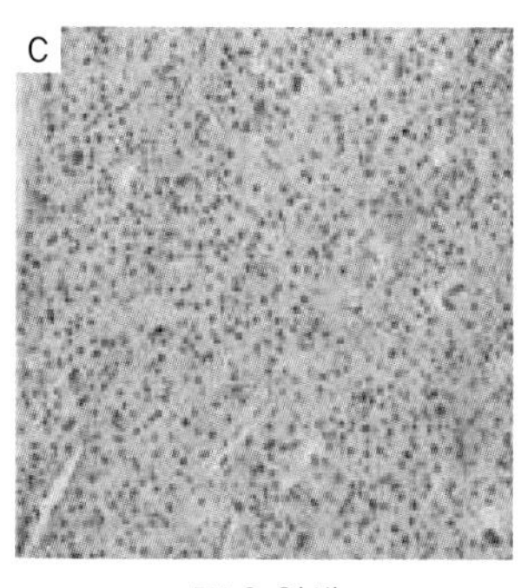

PAS 염색

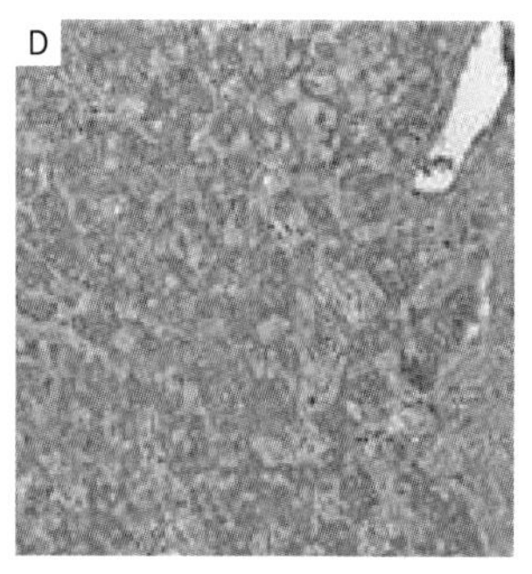

α1-antitrypsin

그림 41-4. **세엽세포암종의 병리소견.**
A. 육안 소견으로 노란색의 다결절성 종괴가 관찰된다.
B. 현미경적으로 고형성 세엽형이며, C. PAS 염색상 붉은 효소원과립이 관찰되고,
D. α1-antitrypsin에 대한 면역조직화학염색에 양성이다.

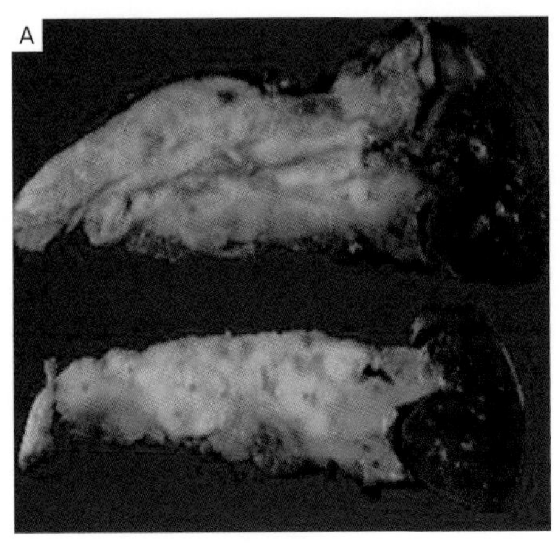

육안 소견

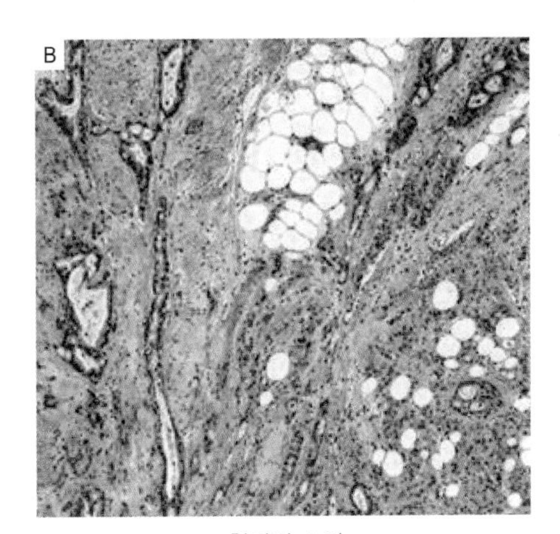

현미경 소견

그림 41-5. **췌장 관선암종의 육안 및 현미경 소견 .**

References

1. Hezel AF, Kimmelman AC, Stanger BZ, Bardeesy N, Depinho RA. Genetics and biology of pancreatic ductal adenocarcinoma. Genes Dev 2006;20(10): 1218-49.
2. Bosman FT, Carmeiro F, Hruban RH, Theise ND, International Agency for Research on C, World Health O. WHO classification of tumours of the digestive system. Lyon : International Agency for Research on Cancer; 2010.
3. Iacobuzio-Donahue CA, Velculescu VE, Wolfgang CL, Hruban RH. Genetic Basis of Pancreas Cancer Development and Progression: Insights from Whole-Exome and Whole-Genome Sequencing. Clin Cancer Res 2012;18(16):4257-65.

CHAPTER

42 췌장암의 임상 평가

Clinical assessment of pancreatic cancer

이동기

1. 임상 증상 및 소견

췌장암 초기 단계에서 췌장암을 의심할 수 있는 명확한 증상은 없다[1]. 불행히도 췌장암은 통상 진행된 상태에서 진단된다. 초기 췌장암의 증상에는 체중 감소, 등쪽 통증, 복통, 구역과 구토, 소화불량, 새로이 진단된 당뇨, 복부 팽만감(bloating), 배변 습관의 변화, 졸음증, 가려움, 어깨통증, 황달이 있을 수 있다[2,3]. 등쪽 통증(odds ratio[OR] 1.33 [95% CI 1.18-1.49]), 졸음증(OR 1.42 [1.25-1.62]), 새로이 진단된 당뇨(OR 2.46 [2.16-2.80])가 특히 주목되는 증상이다. 소화불량, 등쪽 통증, 배변 습관의 변화, 어깨 통증은 췌장암을 진단하기 6개월 전에 주로 관찰된다[2]. 특히 복통과 당뇨가 초기에 나타날 수 있는 전조 증상으로서의 가능성이 있으며[1], 췌장암 진단 전 25% 환자에서 상복부 불편감이 있다[4]. 일부 연구에서는 췌장암 환자의 38~45%에서 첫 증상으로 졸음증과 우울증이 나타날 수 있다고 보고되었다[5]. 진행된 췌장암에서는 당뇨와 암-신경 상호작용에 의한 복통이 주로 나타난다[4,6]. 1차 의료기관에서 췌장암을 의심할 수 있는 증상에 대한 메타 연구에서 황달, 체중 감소, 복통 등이 있었다[7]. 그러나 아직까지 췌장암을 조기에 진단할 수 있는 전형적인 증상은 없다.

췌장암의 증상은 췌장내 암의 발생 위치와 병기에 따라 나타난다[8,9]. 췌장암의 대부분은 췌장 머리에서 발생하여(70%) 통증 없는 폐쇄성 황달, 체중감소, 구역, 구토를 유발한다(표 42-1). 췌장의 머리부위에서 발생한 췌장암의 종괴 효과에 의해 공통 담관의 폐쇄를 유발하여 황달, 짙은 소변, 연한 대변색, 가려움증을 발생시킨다. 막연한 복부 불편감과 구역이 흔하며, 아주 드물게 십이지장을 막거나 위장관 출혈을 야기하기도 한

표 4-1. **진행성 췌장암에서의 임상증상들[6]**

증상	확률 (%)
복통(abdominal pain)	78-82
식욕부진(anorexia)	64
조기 포만감(early satiety)	62
황달(jaundice)	56-80
수면 장애(sleep disorders)	54
체중 감소(weight loss)	66-84
당뇨(diabetes)	97
등 통증(back pain)	48
구역과 체중감소(nausea and weight loss)	50-86

다. 때로는 췌장관의 폐쇄로 췌장염이 발생할 수도 있고, 당대사 이상이 초래될 수 있다. 췌장암을 진단할 당시 25%에서 당뇨가 있고 대개 40%에서 내당증을 가진다[10,11]. 체중 감소는 췌장암에 의한 영양 흡수 장애, 위장관 폐쇄 혹은 협착에 의한 구역, 구토 및 식욕저하와 관련될 수 있다[9]. 췌장암이 췌장의 몸통과 꼬리부위에서 발생할 경우 통상 등이나 측면으로 방사되는 복부 통증을 발생한다[12]. 염증세포와 면역세포가 통증 강도와 통증을 유발하는 신경초침윤(perineural invasion)과 연관되어 있다[9]. 췌장암이 발생시키는 혈전 화학물에 의해 Trousseau 증후군으로 알려진 간문맥이나 말단의 심부정맥 혈전증이 발생한다.

2. 당뇨와 췌장암

당뇨와 암의 연관 관계에 대해서는 1960년대 접어 들면서 여러 인구 기반 연구들(population based study)를 통해 제기되었다[13]. 최근 2010년 미국 당뇨학회와 미국암학회에 따르면, 제2형 당뇨는 간암, 췌장암, 대장암, 직장암, 유방암, 방광암의 위험을 높이고 전립선암의 위험을 낮춘다고 보고하였다[14,15]. 최근 50년간 여러 역학 연구들에 의해 당뇨와 췌장암의 연관성에 대해 보고되었다. 5년 이상 오랜 기간 동안 유지된 당뇨환자에서 췌장암의 위험도는 1.5~2배로 증가하고[16], 최근 진단된 당뇨환자에서는 4~7배로 위험도가 증가한다[17]. 특히 최근 진단된 당뇨 환자 중에서 1~2%에서는 3년 이내에 췌장암이 발생하였다. 메타 연구에서 당뇨 유병기간에 따른 위험도를 분석한 결과 유병기간이 길어질수록 위험도는 감소한다[18](1년 미만: 6.69(3.8~11.78), 1~4년: 1.86(1.56~2.21), 5~9년: 1.72(1.47~2.00), 10년 이상: 1.36 (1.19~1.55)). 미국에서는 자가 보고된 당뇨 환자에서 췌장암 위험도가 1.4(1.07~1.84)로 보고되었으며, 위험도가 가장 높은 시기는 당뇨 진단 후 2~8년에 1.79(1.25~2.55)로 가장 높았다. 반면 9년 이상에서는 당뇨와 췌장암의 위험도 간에 연관성은 없어 기존 연구들과 상의한 결과를 보여 추후 더 연구가 필요하다[19]. 중국에서 시행한 연구에서 당뇨가 있는 경우 췌장암 발생위험도가 남성에서는 2.973(1.73~4.21), 여성에서는 2.687(1.445~3.928)로 높았으며[20], 일본에서는 당뇨 병력이 있 는 환자에서 췌장암 발생 위험도가 1.85(1.07~3.20)으로 보고되었다[21]. 국내 연구에서 증상이 없이 새로이 당뇨를 진단받은 환자 2363명을 대상으로 시행한 연구에서 2.9%에서 췌장암이 진단되었으며 당뇨를 진단받고 1년 이내 3.0%, 1~2년에 3.6%에서 췌장암이 발생하였다[22].

췌장암과 당뇨는 양방향성과 복합성의 관계를 가진다. 즉 췌장암이 당뇨를 유발할 수 있고 이미 진단된 당뇨가 다양한 기전에 의해 췌장암을 발생하는 요인이 될 수 있다[23]. 췌장암 환자에서는 85%에서 공복혈당이 증가되어 있고 다른 암종에 비해 당뇨가 많이 발생한다[24]. 한 역학조사에 따르면 췌장암을 진단받은 환자들에서 당뇨는 47%에서 발견되고, 특히 2년 이내 당뇨가 새로이 발견된 환자는 74%로 보고된다[10]. 이는 새로이 발생하는 2형 당뇨가 췌장암에 의한 정상췌장조직의 파괴에 의한 정상 췌장조직의 손실에 따른 결과보다는 췌장암의 신생물딸림(paraneoplastic) 증상일 수 있다[24]. 췌장암 수술 후 이러한 당뇨가 호전되는 것이 한 근거가 된다[10]. 반면 50세 이상에서 당뇨를 진단받은 환자들 중 3년 이내 0.85%에서 췌장암이 발생하였는데[25], 이는 일반적인 췌장암 발생률인 0.012%보다 8배 가량 높다. 공복 혈당 수치와 췌장암 위험에 대한 메타 연구에서 공복 혈당이 0.56 mmol/L 상승할 때마다 췌장암의 위험이 14% 증가한다고 보고하였다[26]. 당뇨나 비만을 치료한 경우 췌장암의 위험도를 낮추고, 특히 metformin 치료는 항당뇨효과와 항종양효과를 통해 췌장암의 위험도를 낮추었다[17]. Metformin 투여를 받은 환자는 metformin을 투여받지 않은 환자에 비해 췌장암의 위험도가 낮았다[27]. 그러나 인슐린이나 인슐린 분비 촉진제(insulin secretagogues)를 투여 받은 환자에서는 췌장암 위험도가 증가하였다[27,28]. 이렇게 당뇨에 의한 췌장암 발생의 기전으로 제시되는 것에는 고인슐린혈증과 인슐린유사성장인자 축(insulin-like growth factor axis)에 미치는 인슐린의 효과이다[29]. 인슐린은 종양 성장을 증가시키고 세포자멸사(apoptosis)를 줄여서 초기 종양세포들이 생존하고 진행하는 것을 촉진할 수 있다. 더욱이 고혈당은 표피성장인자(epidermal growth factor) 표현을 유도하여 표피성장인자의 수용체의 상호작용에 의해 췌장암 세포 성장을 촉진할 수 있다[23].

당뇨 진단 후 평균 10개월(범위 5~29개월) 후 췌장암이 진단되어 당뇨가 발생한 시점에서는 췌장암이 절제 가능할 것으로 예상되기도 한다[30]. 따라서 췌장암의 위험도를 예측하는데 있어 공복 혈당 수치와 당뇨를 이용하여 췌장암의 고위험군을 선별하고자 하는 연구들이 수행되었다. 공복 혈당 수치의 변화와 당화혈색소의 상승이 췌장암 발생의 위험도가 증가하는 것을 시사할 수 있다[28]. 또한 당화혈색소와 더불어 나이, 신체비만지수, 신체비만지수변화, 당뇨약 및 양성자 펌프 억제제 투약 여부와 여러 혈액검사들(콜레스테롤, hemoglobin, creatinine, alkaline phosphatase)을 이용한 췌장암 위험 예측 모델을 제시하였다[31]. 이 모델에서 췌장암 예측 위험 역치를 3년 이상에서 1%로 설정하면 새로 진단된 당뇨 환자들 중의 6.2%에서 선별검사를 진행하게 되어 췌장암 발생률에 있어 민감도 44.7%, 특이도 94%, 양성 예측율 2.6%를 보였다. 증상이 없이 당뇨가 새로이 진단된 환자에서 2년 내에 CA 19-9를 측정하는 것이 췌장암을 조기 발견하는데 도움을 줄 수 있다[22]. 새로이 당뇨가 진단된 환자들 중 CA 19-9가 정상(37 IU/mL)보다 높을 경우 췌장암 발생 위험도가 5.04배 증가하였다(< 1년: 5.57, 1~2년: 4.51)[22]. 따라서 고령에서 새로이 당뇨가 발생하거나, 잘 조절되던 당뇨가 조절이 되지 않을 시에는 췌장암의 위험도가 높아질 수 있어 적극적인 검사 시행이 필요하다.

3. 혈액 검사

신체검사상 황달, 말초 임파선증, 간비대, 복수가 나타날 수 있어 이에 맞춰서 자세한 문진과 함께 신체검사를 진행해야 하며, 혈액 검사는 전체 혈구와 생화학 검사를 시행해야 한다[32]. 혈액 검사 결과는 일반적으로 비특이적이나 간기능 검사상 경미한 이상소견이나, 고혈당, 빈혈이 있을 수 있다[8]. 담도 폐쇄에 의해 비타민 K 부족에 의해 응고검사에서 항응고 검사치가 증가할 수 있다.

4. 종양표지자

현재 National Comprehensive Cancer Network (NCCN) 가이드라인에 따라 췌장암에서 임상적으로 사용을 권고하는 종양표지자는 carbohydrate antigen 19-9 (CA 19-9)가 유일하다. 미국 식품의약국(Food and Drug Administration)에서 췌장암에 공인된 종양표지자도 CA 19-9 뿐이다.

1) Carbohydrate antigen 19-9 (CA 19-9)

CA 19-9는 종양관련단백질인 mucin 1의 sialylated Lewis 항원에서 유래된 표지자이다[9,33]. 1979년에 대장암 환자에서 이용되기 시작한 단클론 항체로 처음 발견된 후 1981년 췌장암에서도 발현되는 것을 확인되어 1983년부터 상용화 되었다[34]. 비록 CA 19-9가 췌장암에서 가장 유용하고 통상적으로 적용되고 있으나, 다른 암종(다른 소화기암, 난소암) 이나 비암성 질환(간경화, 담관염)에서도 상승할 수 있어 췌장암에서의 CA 19-9의 선별검사로서의 가치에 대해서는 회의적이다[9]. 췌장암 진단의 민감도와 특이도는 대개 80%정도이나, 조기 췌장암의 진단 민감도는 매우 낮아 췌장암 조기진단 목적에 사용하는 것은 무리가 있다[35]. 무증상 환자에서

CA 19-9 선별검사에 관해 한국에서 70,940명을 대상으로 시행한 대규모 연구에서 CA 19-9가 정상(37 IU/mL) 이상 이 1.5%였으며, 췌장암은 4명이 발견되어 양성 예측도가 0.9%로 매우 낮았다[36]. 일본에서 10,162명의 무증상 환자를 대상으로 한 선별검사에서 4명(0.4%)의 췌장암이 발견되었다[37]. 이 두 대규모 선별 연구들을 통해 CA 19-9를 이용한 조기 췌장암 선별이 어렵다는 것을 알 수 있다.

소화기관암에서 sialyl Lewis 표현은 상피 E-selectin을 통해 암세포들이 상피세포에 부착되는 능력이 증가된다. 그러나 CA 19-9는 정상 담도 상피세포에서도 분비되어 양성 담도 협착, 담도 협착을 유발하는 종양, 담도염과 같은 담도 감염증, 췌장염과 같은 염증성 질환에서도 증가할 수 있다[38]. 만성 염증이나 급성 손상은 병적인 섬유화 과정에서 CA 19-9의 합성을 촉진할 수 있다. 이로 인해 만성 간염이나 비암성 폐쇄성 황달에서 상승될 수 있다. 또한 Lewis 항원 음성인 정상인에서도 상승할 수 있다. CA 19-9의 중요한 제한점은 10%에서 특이한 sialyl 항원을 형성하지 않는다는 것이다. 따라서 Lewis 항원 음성인 경우 상당히 진행된 췌장암(췌장암 환자의 약 10%)에서도 CA 19-9가 정상일 수 있다[8].

CA 19-9는 주로 항암치료에 따른 효과를 평가하고 수술 후 재발의 진단과 예후를 예측하는데 매우 유용하다. 민감도와 특이도는 70~90%와 43~91%이고, 양성예측율과 음성예측율은 72%와 81%로 보고된다[35,39-41]. 많은 연구들에서 상승된 CA 19-9는 병기별로 생존율과 재발률에 나쁜 예후를 보고하였다. 수술 후 CA 19-9수치는 수술 전 CA 19-9 수치보다 예후를 예측하는데 있어 더 정확한 것으로 여겨진다[42]. 수술 후 CA 19-9 수치가 정상으로 감소한 환자는 수술 전 CA 19-9가 정상인 환자와 비슷한 예후를 가진다. 반면 수술 후 CA 19-9가 감소하지 않는 환자의 경우에는 수술 부위 경계에 암이 남아있거나, 조기 간과 복막 전이가 일어난다[43]. 특히 수술 후 CA 19-9가 100 U/mL 이상인 경우 수술 후 6개월 이내 재발의 예측인자가 될 수 있다고 제시하였다. 수술 후 상승된 CA 19-9는 조기 재발의 의미 있는 예측인자로서(odds ratio, 11.2) 혈청 CA 19-9는 수술 후 재발을 예측할 수 있는 중요한 검사이다.

NCCN 가이드라인에서는 췌장암에서 상승된 CA 19-9, 큰 종양크기, 큰 주위 림프절비대, 과도한 체중 감소, 극심한 통증 시 신보강화학요법(neoadjuvant chemotherapy)을 고려해야 한다고 제시한다. 신보강화학요법시 CA 19-9수치에 따른 신보강화학요법 및 암 완전절제의 양성예측도는 86%로 높았다. 신보강화학요법 중 CA 19-9의 감소는 전체 생존율의 증가와 관련이 있기 때문이다. 결론적으로 CA 19-9는 선별검사로서 사용에는 제한적이며, 수술 후 재발이나 항암치료의 효과를 예측하는 인자로서 사용될 수 있다.

2) Carcinoembryonic antigen (CEA)

CEA는 세포내 결합 물질로 작용하는 당단백의 일종으로 췌장암의 예후를 위한 생물학적 표지자이다[6]. CEA는 췌장암을 감별하기 위해 임상적으로 처음 도입되어 2번째로 흔히 사용되는 혈청 종양표지자이나, NCCN 가이드라인에서는 추천되고 있지는 않다. 췌장암 감별에 있어 민감도는 44~54%, 특이도는 79~87.5%이다[44]. 민감도가 CA 19-9보다 낮으나 특이도가 비슷하여 췌장암과 양성 질환의 감별에 유용할 수 있다. 그러나 CEA 수치 상승은 대장암, 유방암, 위암과 같은 샘암종과 연관되어 있어 췌장암의 선별이나 감별에 사용하는데 한계가 있다. 또한 흡연자나 비특이적인 대장염에서도 상승되어 있을 수 있어 췌장암만을 감별하는 특이적 종양 표지자라고 할 수 없는 한계가 있다.

3) Carbohydrate antigen 125 (CA 125)

CA 125는 난소암을 포함한 다양한 암종의 표면에서 과발현되는 MUC16 유전자에 의해 발현되는 뮤신 유사 막당단백질(transmembrane glycoprotein)의 일종이다. 따라서 CA 125는 난소암에 있어 전통적인 종양표지자로 알려져 있다. 췌장암에서 CA 125의 종양표지자로서의 역할을 규명하고자 하는 연구들이 있다. 정상 빌리루빈 혈증의 췌장암에서는 CA 19-9가 CA 125보다 예측인자로서 더 우수하나 고빌리루빈 혈증의 췌장암에서는 CA 125가 예후를 예측하는데 더 우수하다고 보고되었다[45]. 이는 CA 125가 빌리루빈 상승과 연관이 없기 때문이다. 또한 CA 125가 CA 19-9에 비해 췌장암 수술 가능 여부 예측에 더 우수하다는 보고도 있다[46]. CA 125가 췌장암 전이를 예측하는데 CA 19-9보다 우수하여 CA 125가 상승된 췌장암의 경우 전이의 위험도가 높을 수 있다[47]. 그러나 CA 125의 췌장암의 진단 및 예후에 관한 연구는 제한적으로 향후 추가적인 연구가 필요하다.

4) Carbohydrate antigen 242 (CA242)

Sialylated carbohydrate 일종인 CA242는 췌장암 진단에 있어 민감도와 특이도는 60%와 76%로 보고된다[48]. CA242는 췌장암과 다른 췌담도 종양 및 양성 췌장 종양과의 감별에 유용할 수 있고, CA242 양성 췌장암 환자가 음성인 환자보다 생존율이 낮아 예후를 예측할 수 도 있다고 보고되었다[49]. 또한 수술 가능한 췌장암에서는 CA242가 낮을 경우(< 25 U/mL) 생존율이 상승하고, 수술 불가능한 췌장암에서는 CA242가 높을 경우 (> 100 U/mL) 생존율이 낮아서 예후를 예측하는 독립적인 표지자로서 가능성이 보고되었다[39,50]. 그러나 CA242는 검사를 수행할 수 있는 장비를 구축하는 것에 한계가 있어 CA 19-9만큼 임상적으로 널리 사용되지는 않는다.

5) 동시 검사

단일 혈청 종양표지자 검사는 민감도에 한계가 있어 종양표지자들의 동시 검사를 통해 민감도의 향상을 기대할 수 있다. 평행조합(parallel combination)의 경우 어느 하나라도 상승되는 경우를 양성, 연속조합(serial combination)의 경우 모두 상승된 경우를 양성으로 정의하면, 메타분석에서 이러한 동시 검사가 단일 검사에 비해 높은 민감도를 보인다[51](표 42-2). CA 19-9 + CA 242 평행 조합은 CA 19-9 + CA242 + CEA와 유사한 민감도를 가지나, 특이도에서는 높은 수치를 보인다. 반면 연속 조합은 전반적으로 민감도는 감소하면서 특이도는 증가시킨다. CA 19-9와 CEA의 동시 검사는 CA 19-9 단독 검사와 비교 시 췌장암 진단의 민감도를 37%로 감소시키지만, 특이도는 84%로 증가시킨다[35,39,41,52]. CEA와 CA242의 동시 검사는 민감도를 34%로 감소시키지만, 특이도는 92%로 증가시킨다[6]. 최근 연구에서 CA 125, CA 19-9, laminin γC (LAMC2)가 포함된 혈청 단백질 생체표지자 패널을 이용하여 췌장암 진단에서 CA 19-9보다 더 효과적인 방법이 제시되었

표 42-2. 종양표지자 동시 검사에 따른 민감도와 특이도[51]

종양표지자	민감도 (95% CI)	특이도 (95% CI)
평행 조합 (parallel combination)		
CA 19-9 + CA242	0.89 (0.80-0.95)	0.75 (0.67-0.82)
CA 19-9 + CEA	0.85 (0.75-0.92)	0.71 (0.63-0.79)
CA242 + CEA	0.76 (0.65-0.85)	0.71 (0.62-0.78)
CA 19-9 + CA242 + CEA	0.9 (0.81-0.96)	0.64 (0.56-0.72)
연속 조합 (serial combination)		
CA 19-9 + CA242	0.66 (0.59-0.73)	0.87 (0.81-0.92)
CA 19-9 + CEA	0.52 (0.45-0.6)	0.8 (0.74-0.86)
CA242 + CEA	0.58 (0.5-0.65)	0.89 (0.83-0.93)
CA 19-9 + CA242 + CEA	0.5 (0.42-0.57)	0.93 (0.88-0.97)

다[53]. 이 패널을 이용할 경우 췌장암과 양성질환 감별뿐만 아니라 췌장암 초기와 양성질환 및 만성췌장염과의 구분이 가능하였다. CA 125가 CA 19-9음성인 췌장암 환자의 약 20%에서 상승된 소견을 보이기 때문에 CA 125와 CA 19-9 동시 검사는 췌장암 진단의 민감도를 높일 수 있다[54]. 이러한 다양한 노력에도 불구하고 조기 췌장암을 진단할 수 있는 믿을 만한 종양표지자는 없는 상태로 향후 지속적인 연구 개발이 필요하다.

References

1. Li J, Li Y, Cao G, Guo K, Zhang L, Ma Q. Early manifestations of pancreatic cancer: the effect of cancer-nerve interaction. Med Hypotheses 2013;81: 180-2.
2. Keane MG, Horsfall L, Rait G, Pereira SP. A case-control study comparing the incidence of early symptoms in pancreatic and biliary tract cancer. BMJ Open 2014;4:e005720.
3. Kosmidis C, Sapalidis K, Kotidis E, Mixalopoulos N, Zarogoulidis P, Tsavlis D, et al. Pancreatic cancer from bench to bedside: molecular pathways and treatment options. Ann Transl Med 2016;4:165. doi:10.21037/atm.2016.05.11
4. Grahm AL, Andren-Sandberg A. Prospective evaluation of pain in exocrine pancreatic cancer. Digestion 1997;58:542-9.
5. Cosci F, Fava GA, Sonino N. Mood and anxiety disorders as early manifestations of medical illness: a systematic review. Psychother Psychosom 2015;84: 22-9.
6. Sharma C, Eltawil KM, Renfrew PD, Walsh MJ, Molinari M. Advances in diagnosis, treatment and palliation of pancreatic carcinoma: 1990-2010. World J Gastroenterol 2011;17:867-97.
7. Schmidt-Hansen M, Berendse S, Hamilton W. Symptoms of Pancreatic Cancer in Primary Care: A Systematic Review. Pancreas 2016;45:814-8.
8. Hidalgo M. Pancreatic cancer. N Engl J Med 2010; 362:1605-17.
9. Zhang Q, Zeng L, Chen Y, Lian G, Qian C, Chen S, et al. Pancreatic Cancer Epidemiology, Detection, and Management. Gastroenterol Res Pract 2016;2016:8962321. doi:10.1155/2016/8962321.
10. Pannala R, Leirness JB, Bamlet WR, Basu A, Petersen GM, Chari ST. Prevalence and clinical profile of pancreatic cancer-associated diabetes mellitus. Gastroenterology 2008;134:981-7.
11. Chari ST, Leibson CL, Rabe KG et al. Pancreatic cancer-associated diabetes mellitus: prevalence and temporal association with diagnosis of cancer. Gastroenterology 2008;134:95-101.
12. Goral V. Pancreatic Cancer: Pathogenesis and Diagnosis. Asian Pac J Cancer Prev 2015;16:5619-24.
13. Joslin EP, Lombard HL, Burrows RE, Manning MD. Diabetes and cancer. N Engl J Med 1959;260:486-8.
14. Giovannucci E, Harlan DM, Archer MC et al. Diabetes and cancer: a consensus report. Diabetes Care 2010;33:1674-85.
15. Coughlin SS, Calle EE, Teras LR, Petrelli J, Thun MJ. Diabetes mellitus as a predictor of cancer mortality in a large cohort of US adults. Am J Epidemiol 2004;159:1160-7.
16. Li D. Diabetes and pancreatic cancer. Mol Carcinog 2012;51:64-74.
17. Magruder JT, Elahi D, Andersen DK. Diabetes and pancreatic cancer: chicken or egg? Pancreas 2011;40: 339-51.
18. Batabyal P, Vander Hoorn S, Christophi C, Nikfarjam

M. Association of diabetes mellitus and pancreatic adenocarcinoma: a meta-analysis of 88 studies. Ann Surg Oncol 2014;21:2453-62.
19. Elena JW, Steplowski E, Yu K et al. Diabetes and risk of pancreatic cancer: a pooled analysis from the pancreatic cancer cohort consortium. Cancer Causes Control 2013;24:13-25.
20. Zhang PH, Chen ZW, Lv D et al. Increased risk of cancer in patients with type 2 diabetes mellitus: a retrospective cohort study in China. BMC Public Health 2012;12:567. doi:10.1186.
21. Inoue M, Iwasaki M, Otani T, Sasazuki S, Noda M, Tsugane S. Diabetes mellitus and the risk of cancer: results from a large-scale population-based cohort study in Japan. Arch Intern Med 2006;166:1871-7.
22. Choe JW, Kim JS, Kim HJ et al. Value of Early Check-Up of Carbohydrate Antigen 19-9 Levels for Pancreatic Cancer Screening in Asymptomatic New-Onset Diabetic Patients. Pancreas 2016;45:730-4.
23. Chaudhry ZW, Hall E, Kalyani RR, Cosgrove DP, Yeh HC. Diabetes and pancreatic cancer. Curr Probl Cancer 2013;37:287-92.
24. Aggarwal G, Kamada P, Chari ST. Prevalence of diabetes mellitus in pancreatic cancer compared to common cancers. Pancreas 2013;42:198-201.
25. Chari ST, Leibson CL, Rabe KG, Ransom J, de Andrade M, Petersen GM. Probability of pancreatic cancer following diabetes: a population-based study. Gastroenterology 2005;129:504-11.
26. Liao WC, Tu YK, Wu MS, Lin JT, Wang HP, Chien KL. Blood glucose concentration and risk of pancreatic cancer: systematic review and dose-response meta-analysis. BMJ 2015;349:g7371.
27. Li D, Yeung SC, Hassan MM, Konopleva M, Abbruzzese JL. Antidiabetic therapies affect risk of pancreatic cancer. Gastroenterology 2009;137:482-8.
28. Lu Y, Garcia Rodriguez LA, Malgerud L et al. New-onset type 2 diabetes, elevated HbA1c, anti-diabetic medications, and risk of pancreatic cancer. Br J Cancer 2015;113:1607-14.
29. Bonelli L, Aste H, Bovo P et al. Exocrine pancreatic cancer, cigarette smoking, and diabetes mellitus: a case-control study in northern Italy. Pancreas 2003; 27:143-9.
30. Pelaez-Luna M, Takahashi N, Fletcher JG, Chari ST. Resectability of presymptomatic pancreatic cancer and its relationship to onset of diabetes: a retrospective review of CT scans and fasting glucose values prior to diagnosis. Am J Gastroenterol 2007; 102:2157-63.
31. Boursi B, Finkelman B, Giantonio BJ et al. A Clinical Prediction Model to Assess Risk for Pancreatic Cancer Among Patients With New-onset Diabetes. Gastroenterology 2016; doi:10.1053/j.gastro.2016.11.046.
32. Yabar CS, Winter JM. Pancreatic Cancer: A Review. Gastroenterol Clin North Am 2016;45:429-45.
33. Magnani JL, Nilsson B, Brockhaus M et al. A monoclonal antibody-defined antigen associated with gastrointestinal cancer is a ganglioside containing sialylated lacto-N-fucopentaose II. J Biol Chem 1982;257:14365-9.
34. Koprowski H, Herlyn M, Steplewski Z, Sears HF. Specific antigen in serum of patients with colon carcinoma. Science 1981;212:53-5.
35. Goonetilleke KS, Siriwardena AK. Systematic review of carbohydrate antigen (CA 19-9) as a biochemical marker in the diagnosis of pancreatic cancer. Eur J Surg Oncol 2007;33:266-70.
36. Kim JE, Lee KT, Lee JK, Paik SW, Rhee JC, Choi KW. Clinical usefulness of carbohydrate antigen 19-9 as a screening test for pancreatic cancer in an asymptomatic population. J Gastroenterol Hepatol 2004;19:182-6.
37. Homma T, Tsuchiya R. The study of the mass screening of persons without symptoms and of the screening of outpatients with gastrointestinal complaints or icterus for pancreatic cancer in Japan,

using CA 19-9 and elastase-1 or ultrasonography. Int J Pancreatol 1991;9:119-24.

38. Swords DS, Firpo MA, Scaife CL, Mulvihill SJ. Biomarkers in pancreatic adenocarcinoma: current perspectives. Onco Targets Ther 2016;9:7459-67.
39. Ni XG, Bai XF, Mao YL et al. The clinical value of serum CEA, CA 19-9, and CA242 in the diagnosis and prognosis of pancreatic cancer. Eur J Surg Oncol 2005;31:164-9.
40. Steinberg W. The clinical utility of the CA 19-9 tumor-associated antigen. Am J Gastroenterol 1990; 85:350-5.
41. Safi F, Schlosser W, Kolb G, Beger HG. Diagnostic value of CA 19-9 in patients with pancreatic cancer and nonspecific gastrointestinal symptoms. J Gastrointest Surg 1997;1:106-12.
42. Kondo N, Murakami Y, Uemura K et al. Prognostic impact of perioperative serum CA 19-9 levels in patients with resectable pancreatic cancer. Ann Surg Oncol 2010;17:2321-9.
43. Hata S, Sakamoto Y, Yamamoto Y et al. Prognostic impact of postoperative serum CA 19-9 levels in patients with resectable pancreatic cancer. Ann Surg Oncol 2012;19:636-41.
44. Poruk KE, Gay DZ, Brown K et al. The clinical utility of CA 19-9 in pancreatic adenocarcinoma: diagnostic and prognostic updates. Curr Mol Med 2013;13:340-51.
45. Chen T, Zhang MG, Xu HX, Wang WQ, Liu L, Yu XJ. Preoperative serum CA 125 levels predict the prognosis in hyperbilirubinemia patients with resectable pancreatic ductal adenocarcinoma. Medicine (Baltimore) 2015;94:e751.
46. Luo G, Xiao Z, Long J et al. CA 125 is superior to CA 19-9 in predicting the resectability of pancreatic cancer. J Gastrointest Surg 2013;17:2092-8.
47. Liu L, Xu HX, Wang WQ et al. Serum CA 125 is a novel predictive marker for pancreatic cancer metastasis and correlates with the metastasis-associated burden. Oncotarget 2016;7:5943-56.
48. Nilsson O, Johansson C, Glimelius B, Persson B, Norgaard-Pedersen B, Andren-Sandberg A, et al. Sensitivity and specificity of CA242 in gastro-intestinal cancer. A comparison with CEA, CA50 and CA 19-9. Br J Cancer 1992;65:215-21.
49. Boeck S, Stieber P, Holdenrieder S, Wilkowski R, Heinemann V. Prognostic and therapeutic significance of carbohydrate antigen 19-9 as tumor marker in patients with pancreatic cancer. Oncology 2006;70:255-64.
50. Lundin J, Roberts PJ, Kuusela P, Haglund C. Prognostic significance of serum CA242 in pancreatic cancer. A comparison with CA 19-9. Anticancer Res 1995;15:2181-6.
51. Zhang Y, Yang J, Li H, Wu Y, Zhang H, Chen W. Tumor markers CA 19-9, CA242 and CEA in the diagnosis of pancreatic cancer: a meta-analysis. Int J Clin Exp Med 2015;8:11683-91.
52. Gattani AM, Mandeli J, Bruckner HW. Tumor markers in patients with pancreatic carcinoma. Cancer 1996;78:57-62.
53. Chan A, Prassas I, Dimitromanolakis A, Brand RE, Serra S, Diamandis EP, et al. Validation of biomarkers that complement CA19-9 in detecting early pancreatic cancer. Clin Cancer Res 2014;20:5787-95.
54. O'Brien DP, Sandanayake NS, Jenkinson C, Gentry-Maharaj A, Apostolidou S, Fourkala EO, et al. Serum CA 19-9 is significantly upregulated up to 2 years before diagnosis with pancreatic cancer: implications for early disease detection. Clin Cancer Res 2015;21:622-31.

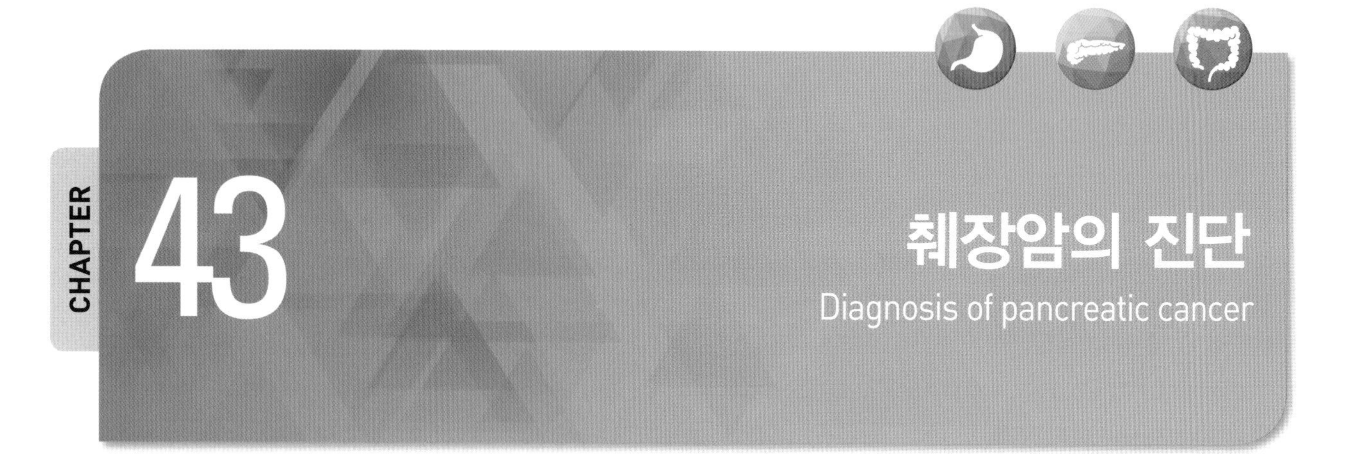

43-1 췌장암의 병기(Staging of pancreatic cancer)

박승우

서론

암의 병기 설정은 예후를 예측하고 치료 방침을 설정하는데 핵심적인 요소이다. 따라서 병기별 예후와 치료 방법의 분명한 차이를 보이도록 구분해주는 병기 진단법이 이상적이다.

1. TNM 병기(TNM staging)

TNM 병기는 원발암의 크기 및 주변으로의 진행을 평가하는 T 병기, 림프절 전이 여부를 평가하는 N 병기, 원격 전이 여부를 평가하는 M 병기로 구성 된다(그림 43-1-3).

췌장암의 AJCC 병기는 표 43-1-1과 같다. 7차 개정본에서 8차 개정본으로의 변화는 T 병기와 N 병기 카테고리에서 이루어졌다. 7판에서 T3 병기는 '복강동맥이나 상장간막동맥의 침범없이 췌장을 넘어선 침윤' 으로 정의되었으나 췌장을 넘어선 침윤의 정의가 불분명하여 일치도가 낮았기 때문에 8차 개정본에서는 침윤정도는 배제하고 췌장암종의 크기를 기준으로 변경하였다[1,2]. T3 병기는 최대 직경이 4 cm 이상인 경우에 해당한다. T4 병기는 7판과 8판 사이에 차이 없이 복강동맥 또는 상장간막동맥 침윤으로 인하여 절제가 불가능한 종양으로 정의되었다. N 병기에서는 침윤된 림프절의 개수에 따라 구분하였다. 3개 이하의 림프절 전이가 있으면 N1이고 4개 이상의 림프절 전이가 있는 N2 병기가 추가되었다[1]. 이는 림프절 침범 여부와 별개로 침윤된 림프절의 개수에 따른 예후 차이가 분명하기 때문에 8판에서 이를 반영하여 개정되었다[1].

수술 전 췌장암 병기 진단의 표준검사는 MDCT (multidetector row comuputed tomography)이다[3]. 짧은 시간 내에 고해상도의 복부 전체 단면상을 얻을 수 있을 뿐 아니라 시간적으로 조영전, 초기동맥기, 후기동맥기, 정맥기 영상을 얻을 수 있어서 혈관침윤 여부에 대한 가장 객관적인 자료를 얻어서 절제가능성을 평가하는데 유용한다[4-6]. 절제율을 결정하는 CT의 양성예측도, 민감도, 특이도는 각각 80%, 100%, 72%이다[7]. 하지만 TNM 병기의 정확한 결정은 병리 소견에 의해 이루어진다. 췌십이지장절제술 조직에서 동결절편을 이용하

표 43-1-1. **췌장암의 AJCC TNM 병기 8th eds**[1]

Definitions

Primary Tumor (T)
- TX Primary tumor cannot be assessed
- T0 No evidence of primary tumor Tis Carcinoma in situ
- T1 Maximum tumor diameter 2 cm or less
- T2 Maximum tumor diameter more than 2 cm and 4 cm or less
- T3 Maximum tumor diameter more than 4 cm
- T4 Tumor involves the celiac axis or the superior mesenteric artery (unresectable primary tumor)

Regional Lymph Nodes (N)
- NX Regional lymph nodes cannot be assessed
- N0 No regional lymph node metastasis
- N1 Metastasis in 1-3 regional lymph nodes
- N2 Metastasis in 4 or more regional lymph nodes

Distant Metastasis (M)
- M0 No distant metastases
- M1 Distant metastases

Stage Grouping

Stage 0	Tis	N0	M0
Stage IA	T1	N0	M0
Stage IB	T2	N0	M0
Stage IIA	T3	N0	M0
Stage IIB	T1-3	N1	M0
Stage III	Any T	N2	M0
	T4	Any N	M0
Stage IV	Any T	Any N	M1

여 담관절제연과 췌장절제연에 대한 병리 검사를 먼저 시행한다. 후복막절제연(상장간막동맥 기시부로부터 3~4 cm에 걸치는 연부 조직 절제연)은 영구절편을 이용하여 검사한다. 담관절제연이나 췌장절제연에 암세포 침윤이 있는 경우에는 추가적인 절제가 가능하나 후복막절제연 양성인 경우에는 추가절제가 불가능한 경우가 많다.

2. 임상병기(clinical staging)

췌장암에서는 TNM 병기와는 별개로 치료 방법의 선택을 결정하는 목적으로 임상병기를 정의하고 있다. 전통적으로 임상병기는 절제가 가능한(절제가능) 'Resectable', 원격전이 없이 국소침윤으로 절제가 불가능한(국소진행) 'Locally advanced', 원격전이가 있는(원격전이) 'Metastatic'으로 구분해 왔다. 영상 기술의 발달로 고해상도의 단면상으로 얻게 되면서 복강동맥 또는 상장간막동맥의 불분명한 침윤을 보이는 예가 많아지면서 절제가능과 국소진행의 경계에 위치한 종양(경계성절제가능)을 'Borderline resectable'로 정의하기 시작하여 4개의 카테고리로 임상병기를 구분하고 있다(표 43-1-2). 임상병기로 구분할 때 췌장암의 10~ 15%는 절제가능 또는 경계성절제가능 상태에서 발견되며, 35~40%는 국소진행, 45~55%는 원격전이 범주에 속한다.

경계성절제가능 종양에 대한 기준은 근치적절제 수술의 적응증을 정의하는 기준이 기관에 따라 다르듯이 기관마다 차이가 있으나 통상적으로 1) 종양이 상장간막동맥 둘레를 180° 이하로 접촉하고 있거나 간동맥과 접촉하고 있으나 복강동맥과는 접촉하고 있지 않을 때, 2) 상장간막정맥이나 간문맥을 침범하였으나 수술적으로 혈관을 절제하고 재건할 가능성이 있을 때, 3) 종양

표 43-1-2. **췌장암의 임상병기**

Definitions

Resectable: 근치적 목적의 외과적 절제가 가능한 상태. 췌장을 넘어서 절제 불가능한 범위까지 침윤이 없음.

Borderline resectable: 췌장 주변 장기의 침윤이 의심되어 불가능한 것은 아니나 근치적 절제 가능성이 의심되는 상태. 주로 복강동맥이나 상장간막동맥과 종양의 접촉이 있는 상태.

Locally advanced: 췌장과 주변에 국한되어 있으나 절제 가능한 범위를 넘어선 침윤으로 인하여 근치적 절제가 불가능한 상태. 주로 복강동맥이나 상장간막동맥의 분명한 침윤, 또는 간문맥이나 상장간막정맥의 광범위한 침윤이 있는 상태.

Metastatic: 원격전이가 있는 상태.

이 주변장기 즉, 결장간막, 결장, 위, 신장 또는 부신 등을 침범하였을 때로 정의하고 있다[8]. 임상병기에 따른 치료 방침은 아래와 같다.

1) 절제가능형

표준적인 치료법은 근치적 절제이며 수술 조직에 대한 병리 검사로 확진된 최종 병기에 따라 수술 후 보조요법을 추가할지 결정한다. 근치적 절제 후에도 재발률이 높기 때문에 절제가능형 종양에 대해서도 보조요법(neoadjuvant therapy) 후 수술과 수술 후 보조요법을 비교하는 임상연구가 산발적으로 진행되고 있다.

2) 국소진행형

표준적인 치료법은 복합항암화학요법이며 치료 기관의 방침에 따라 방사선요법을 병합하여 시행하거나 순차적으로 진행하는 치료법을 적용하기도 한다. 항암화학요법 또는 항암화학방사선병합요법 후 2~3개월마다 반응을 평가하며 호전 여부에 따라 절제가능성을 재

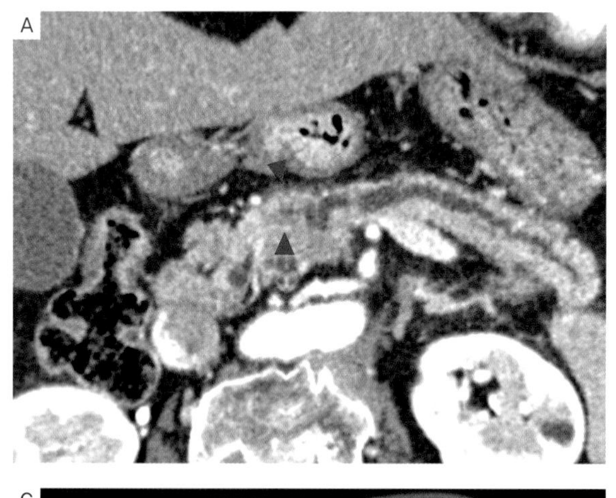

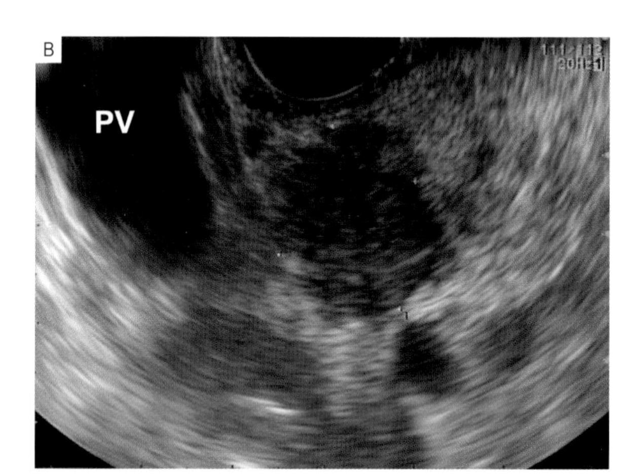

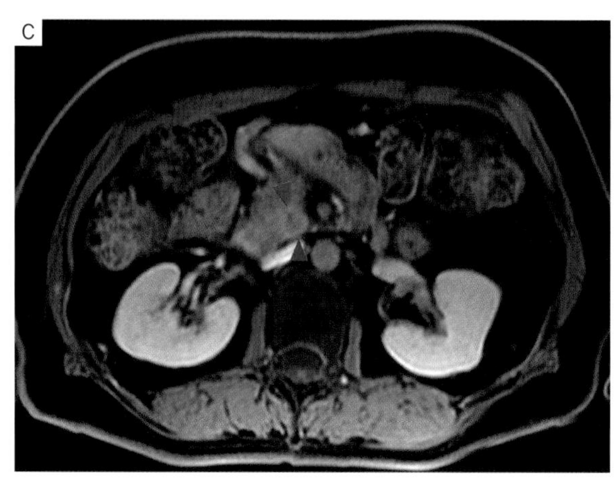

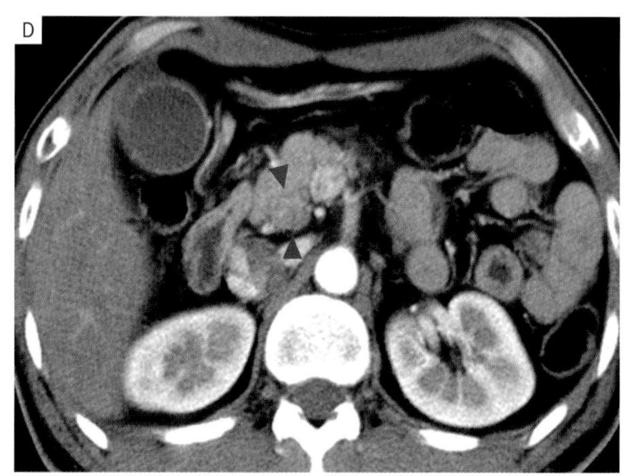

그림 43-1-1. **T1병기 췌장선암.**

A. CT 소견으로 경계가 불분명한 2 cm 이하의 작은 종양(arrowhead)이 관찰되고 췌관 폐쇄로 인한 상부 췌관 확장이 관찰됨.
B. 초음파 내시경 소견으로 1.8 cm의 크기를 가지는 저에코성 종괴가 관찰됨.
C. MRI 소견으로 혈관침윤 없이 비교적 경계가 잘 지워지고 변연의 신호가 증가되어 있는 1.3 cm 크기의 종괴가 관찰됨.
D. 췌장 두부에 혈관 침윤이 없는 1.5 cm 크기의 저밀도 종괴가 관찰됨.
PV: portal vein.

판단하여 근치적 절제를 시도한다.

3) 전이성

표준적인 치료법은 복합항암화학요법이다(그림 43-1-4).

4) 경계성절제가능형

경계성절제가능 췌장암이 임상적으로 가지는 중요성은 아직 표준적인 치료법이 결정되어 있지 않기 때문이다. 항암화학(또는 방사선 병합)요법 후에 절제를 시도하는 수술 전 보조요법(neoadjuvant therapy) 또는 일차적으로 절제를 시도한 뒤 수술 후 보조요법(adjuvant therapy)을 시행하는 치료를 선택할 수 있다[9,10]. 국제적으로 수술 전 및 수술 후 보조요법을 무작위로 비교하는 다기관 임상연구가 진행되고 있기 때문에 수년 내에 표준 요법이 결정될 전망이다.

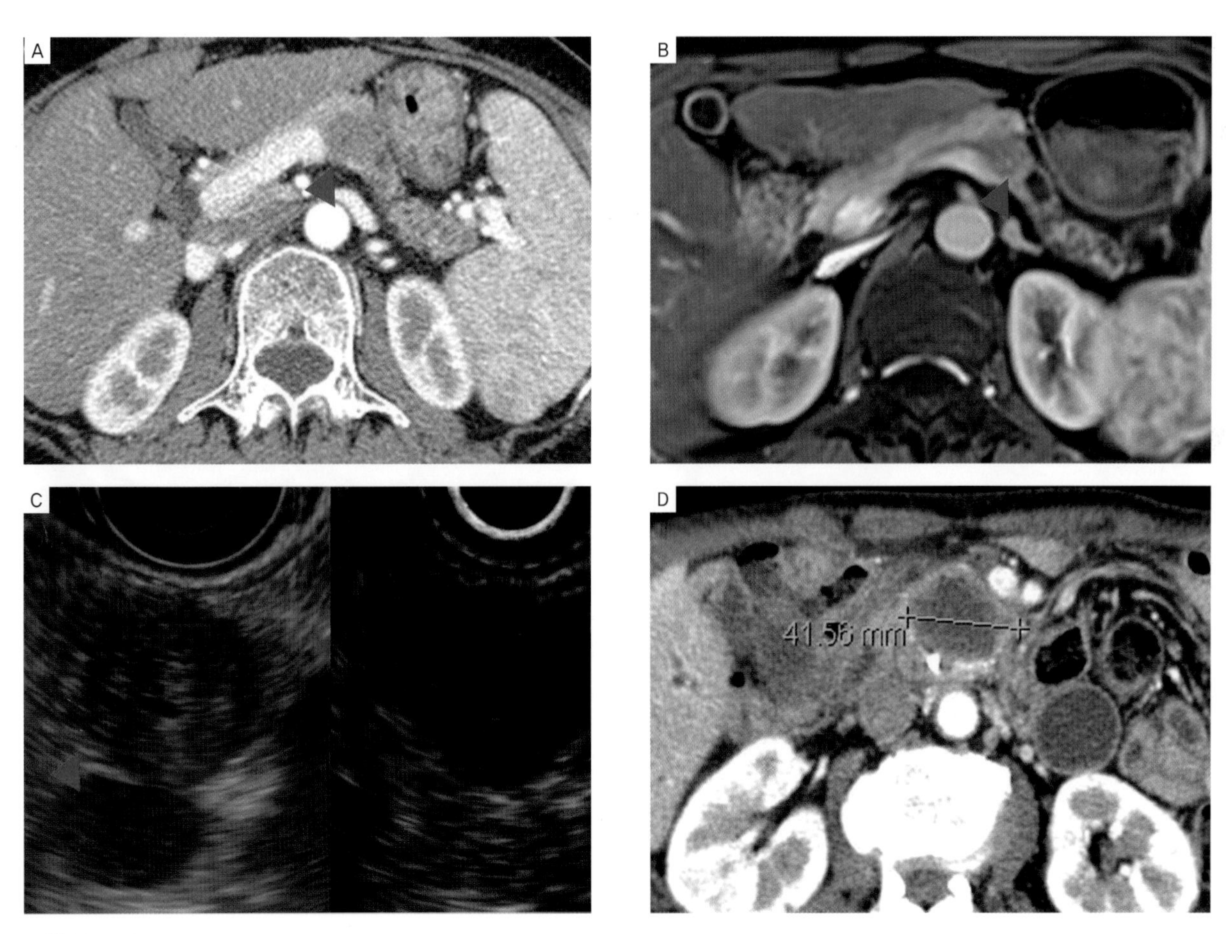

그림 43-1-2. **T2와 T3 병기 췌장선암.**

A. CT 소견으로 2.5 cm 크기의 저밀도 종괴(arrowhead)가 췌장 체부에 관찰됨.
B. A 환자의 MRI 소견으로 낮은 신호를 가지는 종괴(arrowhead)로 관찰됨.
C. 내시경초음파 소견으로 2.2 cm의 종괴임. 저에코 소견으로 보이며 조영제 주입(contrast-enhanced harmonic EUS) 후 전혀 조영증강이 되지 않고 있음(우측).
D. CT 소견으로 4.1 cm의 크기를 가지는 체부의 저밀도 종괴로 T3 병기에 해당함.

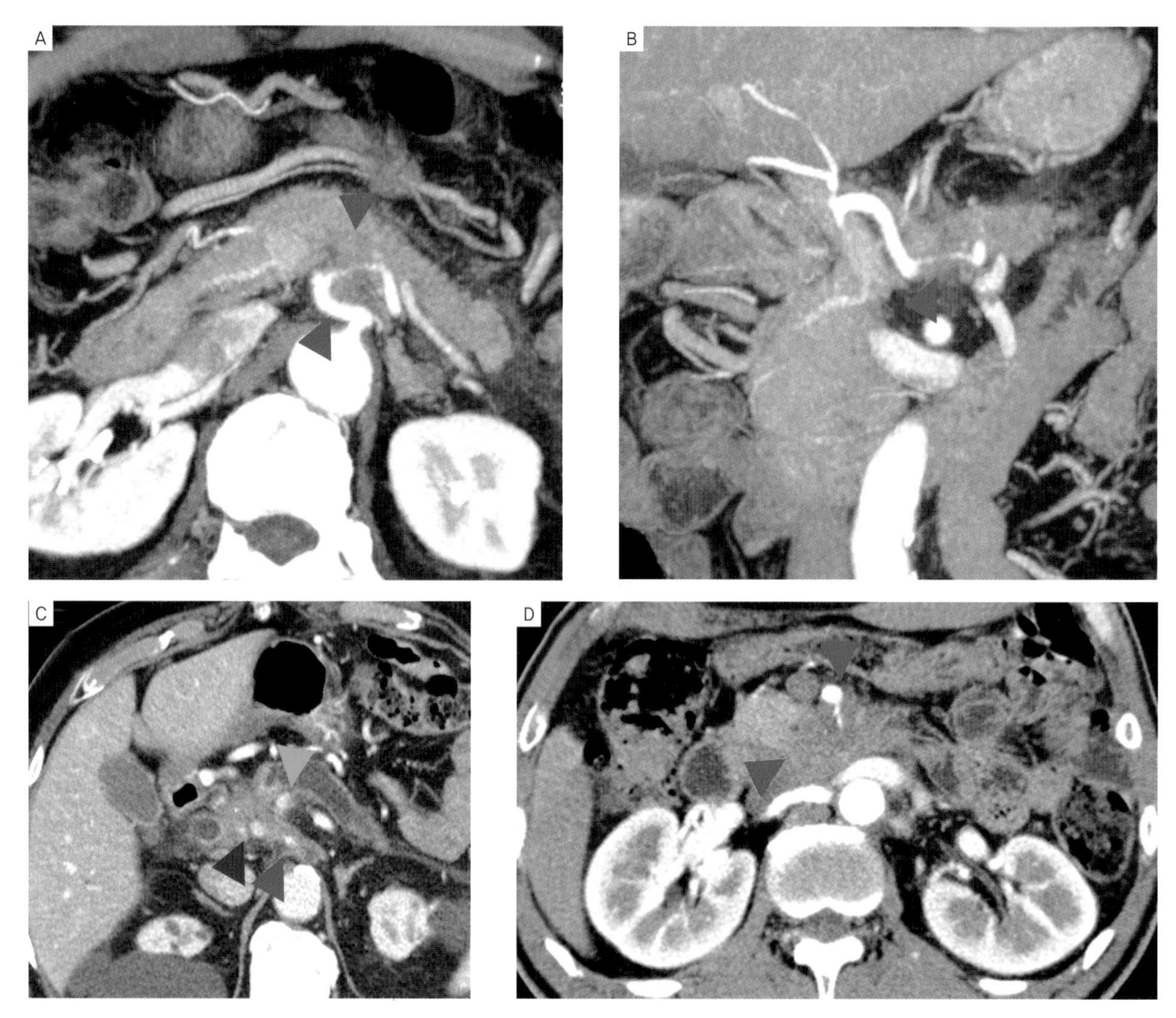

그림 43-1-3. **T4 병기 췌장선암.**

A. CT 소견. 복강동맥(blue arrowhead)을 침윤한 T4 병기암(red arrowhead). 복강동맥에서 분지한 비장동맥이 암침윤으로 인하여 좁아져 있음.
B. CT 소견(coronal section). 복강동맥을 침윤한 T4 병기 췌장선암으로 좁아진 혈관상이 보임(blue arrowhead).
C. CT 소견. 복강동맥(blue arrowhead)의 기시부부터 간동맥(purple arrowhead)과 비장동맥(green arrowhead) 분지까지 침윤한 T4 췌장선암.
D. CT 소견. 상장간막동맥(blue arrowhead)을 침윤한 T4 췌장선암(red arrowhead).

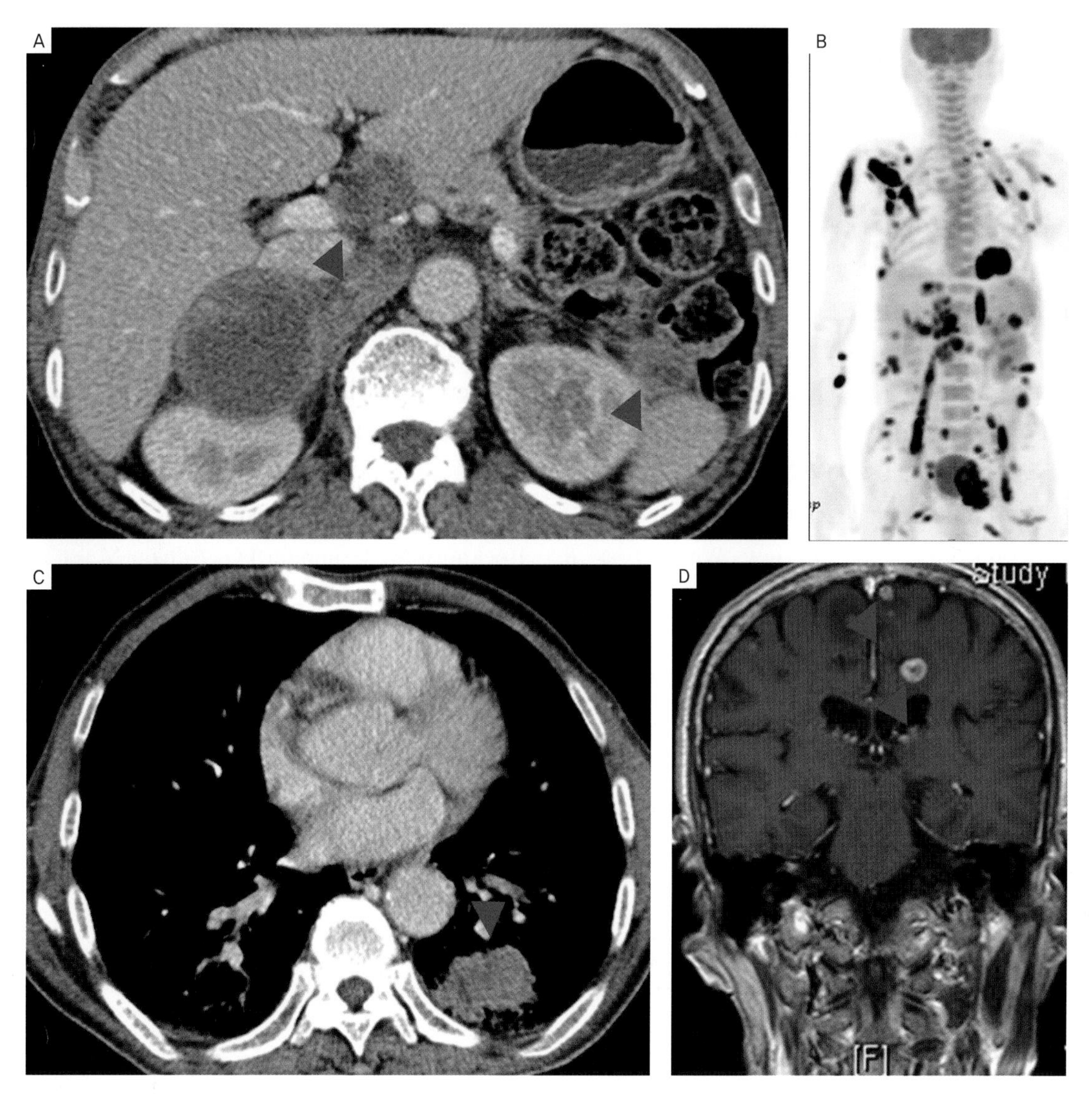

그림 43-1-4. **전이성 췌장암.**

A. 췌장 미부의 종괴(red arrowhead)와 간전이(blue arrowhead) 종괴가 관찰됨.
B. 18FDG PET-CT 영상. FDG 흡수가 증가된 병소가 전신에 관찰됨.
C. 폐전이 CT 영상(blue arrowhead).
D. 뇌전이 MRI 영상(blue arrowhead).

References

1. Allen PJ, Kuk D, Castillo F, et al. Multi-institutional validation study of the American Joint Commission on Cancer (8th edition) changes for T and N stagint in patients with pancreatic adenocarcinoma. Ann Surg 2017;265:185-91.
2. Olivia I, Bandyopadhyay S, Coban I. Peripancreatic soft tissue involvement by pancreatic ductal adenocarcinomas: incidence, patterns and significance. Modern Pathol 2009;22:318-9.
3. Lee ES, Lee JM. Imaging diagnosis of pancreatic cancer: A-state-of-the-art review. World J Gastroenterol 2014;20:7864-77.
4. Lepanto L, Arzoumanian Y, Gianfelice D et al. Helical CT with CT angiography in assessing periampullary neoplasms: identification of vascular invasion. Radiology 2002;222:347-52.
5. Zhao WY, Luo M, Sun YW et al. Computed tomography in diagnosing vascular invasion in pancratic and periampullary cancers: a systemic review and meta-analysis. Hepatobiliary Pancreat Dis Int 2009;8:457-64.
6. Manak E, Merkel S, Klein P, Papadopoulos T, Bautz WA, Baum U. Resectability of pancratic adenocarcinoma: assessment using multidetector-row computed tomography with multiplanar revormations. Adbom Imaging 2009;34:75-80.
7. Zamboni GA, Kruska JB, Vollmer CM, Baptista J, Callery MP, Raptopoulos VD. Pancreatic adenocarcinoma: value of multidetector CT angiography in preoperative evaluation. Radiology 2007;245:770-8.
8. Bockhorn M, Uzunoglu FG, Adham M, et al. Borderline resectable pancreatic cancer: a consensus statement by the internatiional study group of pancreatic surgery (ISGPS). Surgery 2014;155:977-88.
9. Hoffe S, Rao N, Shridhar R. Neoadjuvant vs adjuvant therapy for resectable pancreatic cancer: the evolving role of radiation. Semin Radiat Oncol 2014;24:113-25.
10. Hackert T, Ulrich A, Büchler MW. Borderline resectable pancreatic cancer. Cancer Letters 2016;375:231-7.

43-2 췌장암의 영상진단(Imaging diagnosis of pancreatic cancer: US, CT, MRI)

안찬식, 김명진

서론

췌장 병변이 있는 환자에 있어서 영상 검사의 역할은, 암을 진단 및 감별하고, 병기 및 절제 가능성을 결정하고, 치료 후 반응을 평가하는 데 있다. 특히 췌장암의 경우, 15~20%만이 진단 당시 수술이 가능한 상태이므로, 대부분의 환자들은 영상에 의해 병기가 결정되게 된다[1,2].

1. 복부초음파(abdominal ultrasound)

복부초음파는 복통이나 황달(jaundice)이 있는 환자에서 첫 영상 검사로 자주 시행되는데, 때로는 췌장암의 발견에까지 이르기도 한다. 복부초음파의 췌장암 진단에 대한 민감도와 특이도가 모두 75%까지 보고되기도 하지만[3], 췌장 전방에 위치한 위장 및 대장 내 가스 때문에 음창(echo window)이 확보되지 않아 실제로는 췌장 전장의 평가는 쉽지 않다(그림 43-2-1). 따라서, 실제 임상에서 복부초음파에서 췌장 병변이 의심되는 경우, CT 및 내시경초음파를 포함한 다른 영상 검사들을 본격적으로 시행하게 된다.

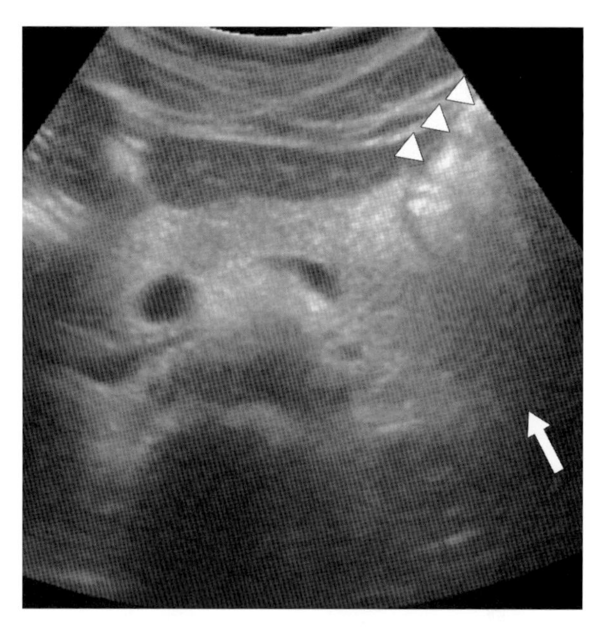

그림 43-2-1. **췌장암 가족력이 있는 34세 여자에서 시행된 복부초음파 영상.**
전반적으로 음창이 좋은 편이다. 하지만, 췌장은 후복강에 위치하며 특히 췌장 미부(화살표)는 위(화살촉들) 후방에 위치하여 있어서, 위장관 내 공기음영에 의해서 관찰이 어려운 경우가 많다.

2. 컴퓨터단층촬영(computed tomography, CT)

CT는 췌장암 평가에 있어서 가장 널리 사용되는 주된 검사이고, 가장 잘 검증된 영상검사이다. 모든 췌장 종양의 발견에 있어서의 MDCT의 진단 정확도는 86~99%로 보고되지만, 2 cm 이하의 종양에 대해서는 민감도가 77% 정도로 낮게 보고된다[4-15].

췌장 평가를 위한 CT는 조영증강(contrast-enhanced), 다중 시기(multiphasic), 얇은 절편(thin-section) 프로토콜(protocol)로 촬영된다. CT상 췌장암이 실질과 가장 잘 구분되어 보이는 시기는 조영제 주입 후 대략 40~50초 후인 췌장 시기(pancreatic phase)이다[14,16-22]. 기관에 따라서 물 등의 음성 조영제(negative contrast) 를 경구 투여하기도 하는데, 이는 위와 십이지장을 확장시켜 이러한 장기의 침범 유무 등을 더 잘 평가하기 위함이다[23].

췌장암의 침범에 의한 췌담도 확장 및 혈관 침범 평가는 곡선화된 다중평면 재형성(curved-multiplanar reformatting) 및 3차원 볼륨 렌더링(3D volume rendering) 기법을 사용하여 더 잘 평가할 수 있다[24].

췌장암은 내부에 섬유조직 및 기질 형성(desmoplastic/stromal reaction)이 활발하며 이러한 조직은 조영증강이 잘 되지 않기 때문에, 췌장암은 조영증강 후 CT 및 MRI에서 저 음영 및 저 신호 강도를 보이며, 대략 11%에서만 췌장 실질과 비슷한 음영 및 신호를 보인다[5,25,26]. 크기가 작은 췌장암의 경우에 췌장 실질과 비슷한 음영 및 신호를 보이는 경우가 많아, 작은 췌장암의 영상 진단을 더욱 어렵게 한다[15]. 이렇듯 췌장암이 작은 경우에는 2차적인 영상 소견들인 원위부의 췌관 확장, 담관 확장, 원위부 췌장 실질 위축, 췌장 주변 지방조직의 침윤(peripancreatic fat infiltration) 등이 유일한 영상 소견일 수 있으므로, 이러한 소견이 보일 경우 췌장암을 반드시 의심해야 한다[15,27,28](그림 43-2-2, 3). 췌장암에 의한 췌관 혹은 담관의 확장은, 확장의 시작이 점차적이지 않고 갑작스럽다는 특징이 있다. 특히 췌장 두

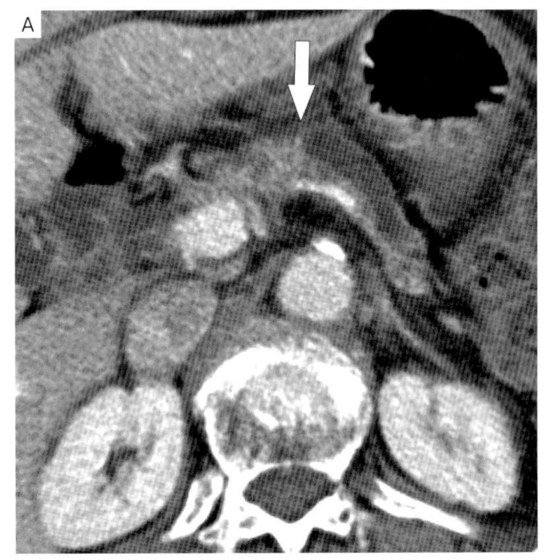

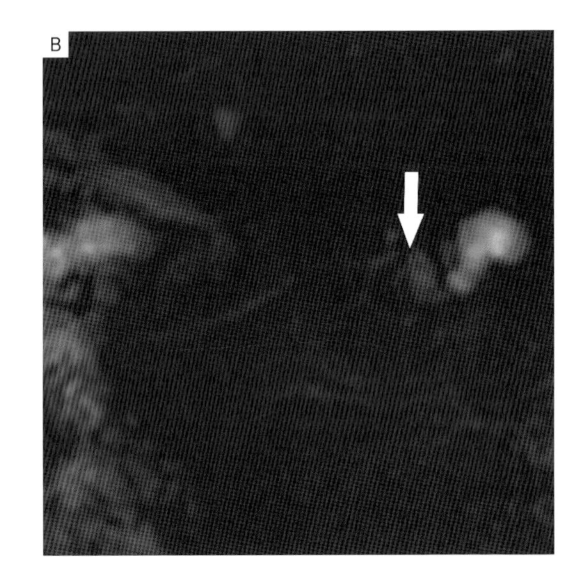

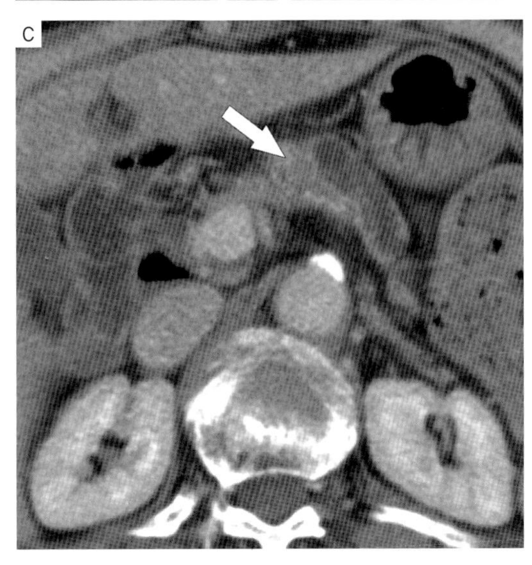

그림 43-2-2. A. B. 확장된 췌관과 정상 췌관의 경계가 매우 급격하며(화살표), 이는 작은 췌장암에 의한 췌관 폐색 가능성이 높음을 시사한다. A. 84세 여자 환자가 복통으로 촬영한 CT에서 뚜렷한 국소 병변은 보이지 않았으나, 췌장 체부에서부터 원위부 췌관의 확장 소견이 관찰되었다. B. 자기공명 쓸개이자조영술(magnetic resonance cholangio-pancreatography, MRCP)에서도 췌관 원위부의 확장이 관찰되었다.
C. 2개월 후 CT에서 확장된 췌관의 경계부위에 작은 결절이 관찰되었다(화살표). 이 결절은 수술 후 췌장암으로 확진되었다.

부에 위치한 췌장암이 총담관과 췌관을 동시에 막아 둘 다 확장시켜 나타나는 이중 췌담도 확장 소견(double duct sign)은 췌장암을 시사하는 특이적 소견으로 알려져 있다[29](그림 43-2-4).

췌장암의 병기 결정에 있어서 가장 중요한 것이 주 혈관(복강동맥, 총간동맥, 상장간막동맥, 간문맥, 상장간막정맥) 침범 여부를 판단하는 것으로, 일반적으로 주 혈관이 침범된 경우에는 근치적 절제가 불가능한 것으로 간주하기 때문이다. 암과 혈관 사이의 정상 지방층이 침윤에 의해 소실이 된 것이 혈관 침범을 시사하는 소견이다. 이러한 지방층 소실이 경계의 180도 이상 되거나 180도 미만이더라도 혈관 모양이 찌그러져 보이는 경우 혈관 침범이 있다고 보며, 180도 미만이고 혈관 모양 변형이 없는 경우에는 침범이 확실치 않지만

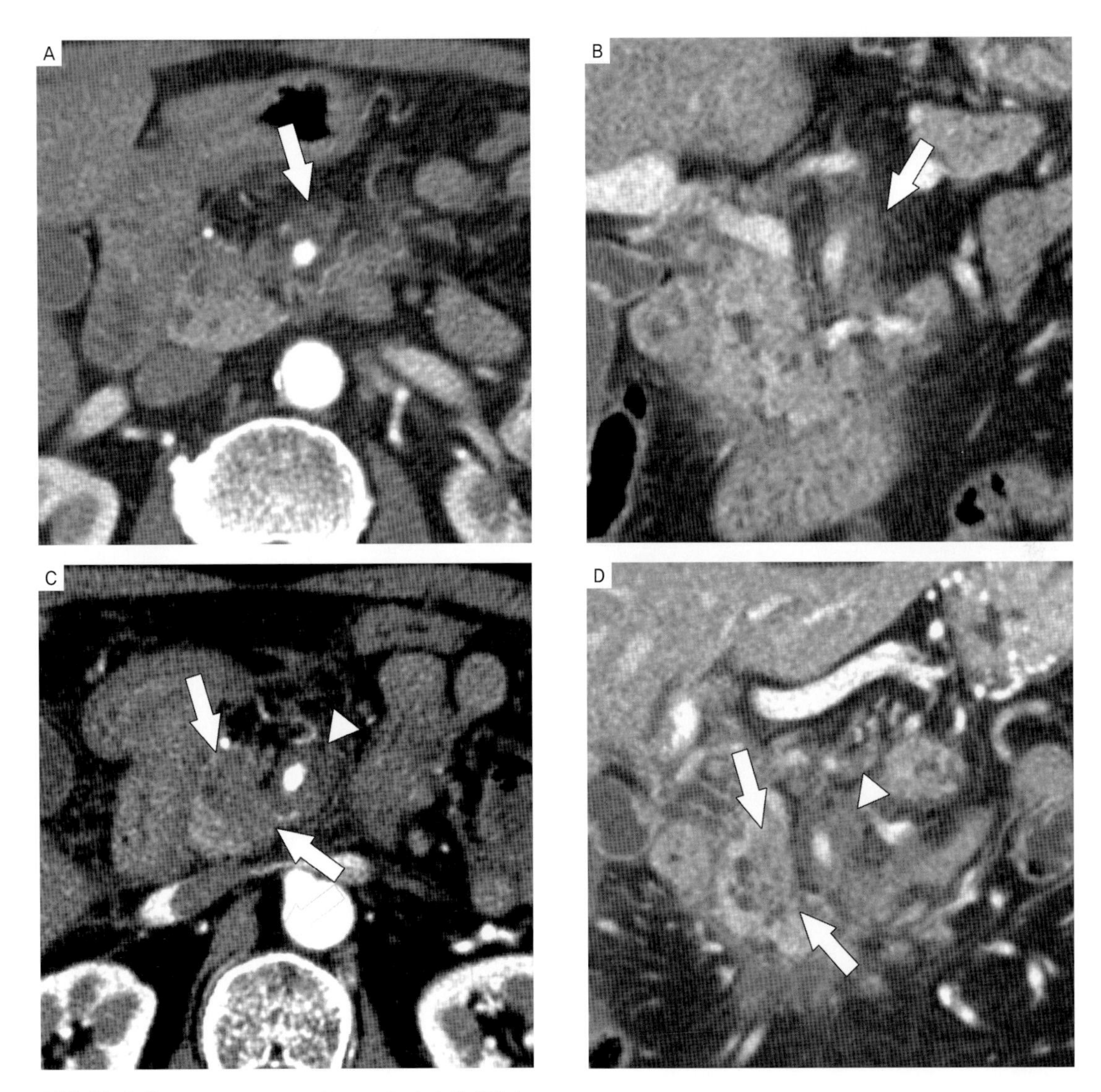

그림 43-2-3. 췌장염 과거력이 있는 64세 남자 환자이다.

A, B. 복통이 발생하여 촬영한 축단면(A) 및 관상면(B) CT 영상에서 상장간막 동맥의 연부조직침습이 관찰되며(화살표), 췌장의 뚜렷한 국소병변은 보이지 않았다.

C, D. 이후 3개월 후 축단면(C) 및 관상면(D) CT에서, 이전의 연부조직침습병변이 진행되고(화살촉), 췌장 두부에 저음영으로 보이는 병변이 관찰된다(화살표).
내시경초음파를 통한 세침흡인검사 후 췌장암으로 확진되었다.

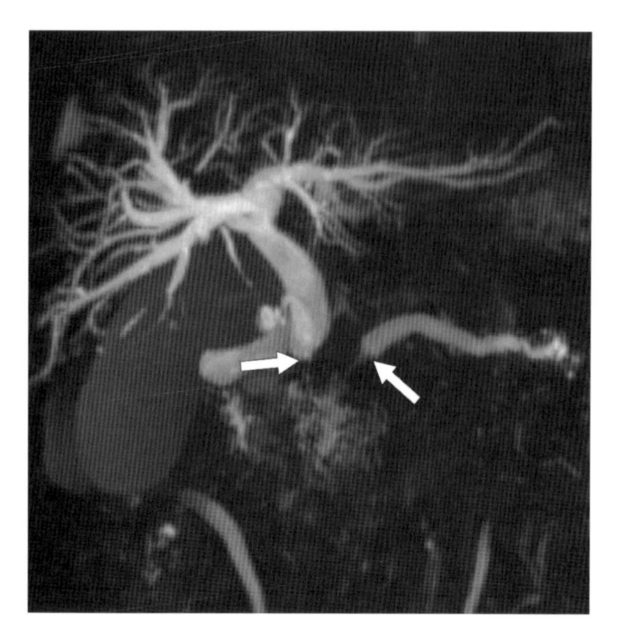

그림 43-2-4. 자기공명 담췌관조영술(magnetic resonance cholangio-pancreatography, MRCP)에서 관찰되는 이중 췌담도 확장 소견(double duct sign). 담도와 췌관이 확장되어 있으며, 확장된 부분과 그렇지 않은 부분의 경계가 점차적이지 않고 갑작스럽다(화살표). 이러한 소견들은 췌장 두부의 췌장암에 의한 담관 및 췌관 침범을 시사한다.

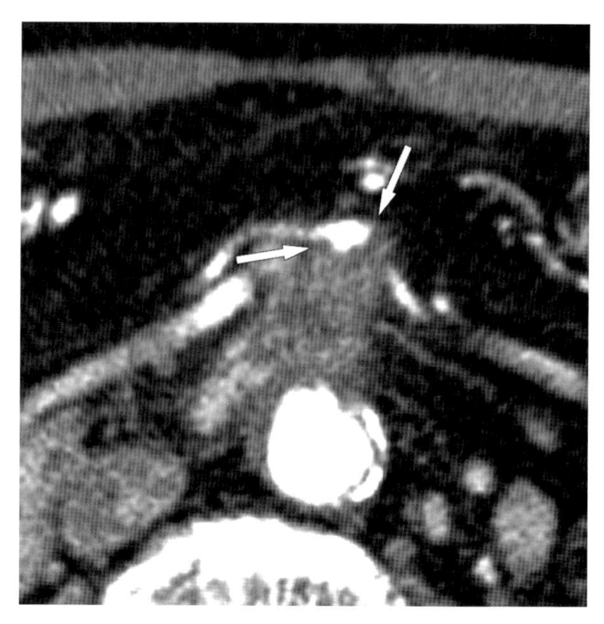

그림 43-2-6. 저음영의 췌장암이 상장간막동맥과 맞닿아 있다(화살표). 접촉 면적이 180도 이상이며, 이 경우 혈관침범이 있는 것으로 간주한다. 또한, 이 증례에서는 혈관의 모양이 병변에 의해 찌그러져 있는데, 이러한 모양의 변형이 있는 경우에는 접촉면적이 180도 미만이어도 혈관침범이 있는 것으로 간주한다.

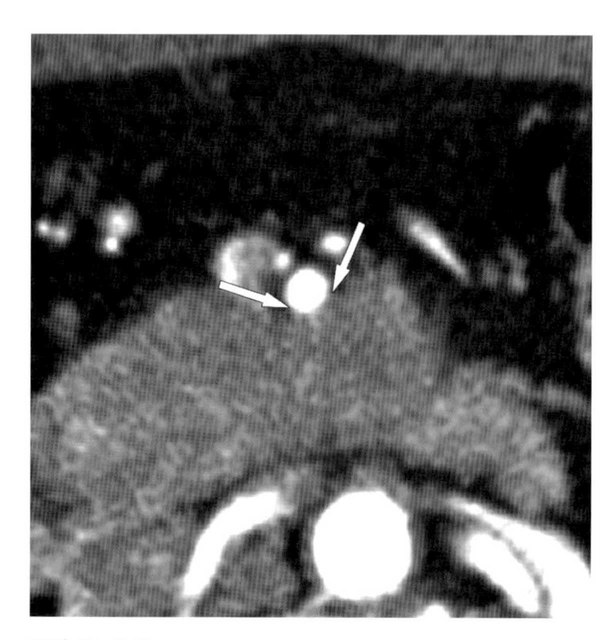

그림 43-2-5. 저음영의 췌장암이 상장간막동맥과 맞닿아 있다(화살표). 그러나 접촉 면적이 180도 미만이며, 이 경우 혈관침범 가능성은 있으나 확실하지는 않은 것으로 간주한다.

가능성은 있다고 평가한다[30-32](그림 43-2-5, 6). 췌장암의 주 혈관 침범 평가에 있어서 CT의 음성예측도는 거의 100%로 보고된다[5,33]. 그러나, 정맥 평가에 있어서 주의해야 할 점은, CT상 직접적인 혈관 침범 소견이 보이지 않는 경우에도 실제 수술장에서 혈관 침범이 발견되는 경우가 보고되기도 하므로, 췌장 두부 근처의 측부혈관들이 발달하여 있는 경우에는 정맥침범이 있을 수 있는 가능성이 높다는 점을 염두에 두어야 한다[34-36]. 항암 및 방사선 치료 후에는, 치료에 의한 섬유화 반응과 남아있는 종양 침윤이 영상으로는 정확히 감별되지 않기 때문에 혈관 침범 평가 정확도가 낮아지며, 민감도와 특이도가 각각 71%와 58% 정도로 보고된다[37,38].

영상 기법에 관계없이, 아직까지 영상으로 림프절 전이를 정확히 평가할 수 있는 방법은 없다. 왜냐하면, 초기에 미세 전이(microscopic metastasis)만 있는 경우에는 영상으로 이를 발견할 수 없어 민감도가 낮고, 림프절 전이가 없는 경우에도 반응성으로 림프절이 커질 수 있어 특이도가 낮기 때문이다. 단경 1 cm 기준을 이용하였을 때, CT의 민감도, 특이도, 음성예측도는 14%, 85%, 82%로 보고되며 정확도는 73%로 보고된다[39,40]. MRI의 정확도는 76~89% 정도로 보고된다[33,41-43,39].

3. 자기공명영상 (magnetic resonance imaging, MRI)

MRI는 췌장암 병기 결정에 있어서 CT와 비슷한 정확도를 보인다고 알려져 있다[44,45]. MRI는 CT에 비해 해상도는 낮지만 조직 대조도가 우수하여 작은 종양을 CT에 비해 더 잘 발견할 수 있다. 또한, 방사선 조사가 없다는 것도 큰 장점이다. 따라서, 조영제 알레르기가 있거나 신부전이 있어 조영증강 CT 촬영이 어려운 환자에게서 MRI는 훌륭한 대안이 될 수 있다. 단, 가격이 비싸고 일부 임플란트가 있는 경우 금기라는 단점이 있다.

췌장암은 내부에 섬유조직 및 기질 형성(desmoplastic/stromal reaction)이 활발하여 T1 강조 영상에서 신호가 낮은 반면, 췌장 실질은 고신호를 보여서 암과 정상조직 간 대조도가 높다. 이는 췌장암에만 국한되는 것은 아니며, 대부분의 췌장 종양에 해당된다. 특히 지방 신호를 억제하여 T1 강조 영상을 얻는 경우, 췌장 주변의 밝은 지방 신호가 소실되어 췌장 종양 평가가 더욱 용이하다[46]. 역동적 조영증강 영상(dynamic contrast-enhanced imaging)에서도, 췌장암이 실질보다 더 늦게 조영증강되기 때문에 발견 및 범위 평가가 가능한데, CT와 마찬가지로 조영제 투여 후 약 40~50초 후에 대조도가 가장 높다[47]. 확산강조영상(Diffusion-Weighted Imaging, DWI)이 진단에 도움이 된다는 보고들이 있는데, 양성과 악성 종양 감별에 있어서 민감도와 특이도가 각각 96.2%와 98.6%로 보고되며, 특히 간 전이 발견에 있어서 CT에 비해 우수한 진단능을 보인다는 보고가 있다[48,49]. 또한 자기공명 담췌관조영술(Magnetic Resonance Cholangio-Pancreatography, MRCP)가 췌담관 평가에도 유용할 수 있어, 고식적 MRI 영상과 함께 MRCP를 함께 시행하면 췌담관 폐색을 일으키고 있는 작은 병변을 발견할 확률을 높일 수 있다[46] (그림 43-2-2).

4. 내시경초음파(EUS)

EUS는 췌장암 진단에 있어 높은 민감도를 보이는데, 특히 2 cm보다 작은 종양 발견에 우수하다[50]. 또한 진단적 세침검사(fine needle aspiration)를 동시에 할 수 있다는 장점이 있다. EUS를 통한 조직학적 진단은 경피적 생검(percutaneous biopsy)보다 암세포의 파종(seeding metastasis) 위험이 적다고 알려져 있다[51]. 또한, 췌장암과 만성췌장염 감별에 EUS가 우수하다는 보고들이 있다[52,53]. 초음파상 췌장암은 불규칙한 경계를 갖는 저 에코 병변으로 보이고, 혈관 침범은 정상 혈관 경계가 소실되었을 때 의심할 수 있다.

이렇듯 EUS는 췌장암의 진단 및 병기 결정에 확립된 역할이 있지만, 그 진단능이 평가자 경험에 영향을 많이 받는 데다가, EUS만으로는 전이 여부를 평가할 수 없고 음창이 좋지 않은 부분의 혈관 침범 여부는 평가할 수 없다는 한계가 있어, 치료 전 CT 혹은 MRI 등의 영상 검사가 추가적으로 필요하다.

5. 양전자방출단층촬영(PET)

PET은 비록 췌장암 진단에 제1선 영상검사(first-line imaging modality)는 아니지만, 경우에 따라 중요한 보조적 역할을 수행할 수 있다. 췌장암의 발견에 있어서 민감도와 특이도가 각각 71~100%와 64~90%로 보고되기는 하지만[54,55], PET 검사만으로는 절제 가능성을 평가할 수 없다는 한계가 있다. 췌장암과 만성췌장염 감별에 있어서 도움이 된다는 연구가 있었으나, 이후 상반되는 결과들이 보고되고 있다[56]. PET의 가장 큰 장점은 원격전이 발견에 도움이 될 수 있다는 점이다[56,57]. 또한, 최근에는 PET 소견이 췌장암 환자의 예후 예측에 도움이 된다는 연구결과들이 보고되고 있다[58-63].

References

1. Wray CJ, Ahmad SA, Matthews JB, Lowy AM. Surgery for pancreatic cancer: recent controversies and current practice. Gastroenterology 2005;128:1626-41.
2. Hidalgo M. Pancreatic cancer. N Engl J Med 2010;362:1605-17.
3. Bipat S, Phoa SS, van Delden OM, et al. Ultrasonography, computed tomography and magnetic resonance imaging for diagnosis and determining resectability of pancreatic adenocarcinoma: a meta-analysis. J Comput Assist Tomogr 2005;29:438-45.
4. Procacci C, Biasiutti C, Carbognin G, et al. Spiral computed tomography assessment of resectability of pancreatic ductal adenocarcinoma: analysis of results. Dig Liver Dis 2002;34:739-47.
5. Fletcher JG, Wiersema MJ, Farrell MA, et al. Pancreatic malignancy: value of arterial, pancreatic, and hepatic phase imaging with multi-detector row CT. Radiology 2003;229:81-90.
6. Nino-Murcia M, Tamm EP, Charnsangavej C, Jeffrey RB, Jr. Multidetector-row helical CT and advanced postprocessing techniques for the evaluation of pancreatic neoplasms. Abdom Imaging 2003;28:366-77.
7. Agarwal B, Abu-Hamda E, Molke KL, Correa AM, Ho L. Endoscopic ultrasound-guided fine needle aspiration and multidetector spiral CT in the diagnosis of pancreatic cancer. Am J Gastroenterol 2004;99:844-50.
8. Brugel M, Link TM, Rummeny EJ, Lange P, Theisen J, Dobritz M. Assessment of vascular invasion in pancreatic head cancer with multislice spiral CT: value of multiplanar reconstructions. Eur Radiol 2004;14:1188-95.
9. House MG, Yeo CJ, Cameron JL, et al. Predicting resectability of periampullary cancer with three-dimensional computed tomography. J Gastrointest Surg 2004;8:280-8.
10. Maire F, Sauvanet A, Trivin F, et al. Staging of pancreatic head adenocarcinoma with spiral CT and endoscopic ultrasonography: an indirect evaluation of the usefulness of laparoscopy. Pancreatology 2004;4:436-40.
11. Smith SL, Rajan PS. Imaging of pancreatic adenocarcinoma with emphasis on multidetector CT. Clin Radiol 2004;59:26-38.
12. Imbriaco M, Megibow AJ, Ragozzino A, et al. Value of the single-phase technique in MDCT assessment of pancreatic tumors. AJR Am J Roentgenol 2005;184:1111-7.
13. Long EE, Van Dam J, Weinstein S, Jeffrey B, Desser T, Norton JA. Computed tomography, endoscopic, laparoscopic, and intra-operative sonography for assessing resectability of pancreatic cancer. Surg Oncol 2005;14:105-13.
14. Schueller G, Schima W, Schueller-Weidekamm C, et al. Multidetector CT of pancreas: effects of contrast material flow rate and individualized scan delay on enhancement of pancreas and tumor contrast. Radiology 2006;241:441-8.
15. Yoon SH, Lee JM, Cho JY, et al. Small (</= 20 mm) pancreatic adenocarcinomas: analysis of

enhancement patterns and secondary signs with multiphasic multidetector CT. Radiology 2011;259: 442-52.
16. Tublin ME, Tessler FN, Cheng SL, Peters TL, McGovern PC. Effect of injection rate of contrast medium on pancreatic and hepatic helical CT. Radiology 1999;210:97-101.
17. McNulty NJ, Francis IR, Platt JF, Cohan RH, Korobkin M, Gebremariam A. Multi--detector row helical CT of the pancreas: effect of contrast-enhanced multiphasic imaging on enhancement of the pancreas, peripancreatic vasculature, and pancreatic adenocarcinoma. Radiology 2001;220:97-102.
18. Valls C, Andia E, Sanchez A, et al. Dual-phase helical CT of pancreatic adenocarcinoma: assessment of resectability before surgery. AJR Am J Roentgenol 2002;178:821-6.
19. Tunaci M. Multidetector row CT of the pancreas. Eur J Radiol 2004;52:18-30.
20. Ichikawa T, Erturk SM, Sou H, et al. MDCT of pancreatic adenocarcinoma: optimal imaging phases and multiplanar reformatted imaging. AJR Am J Roentgenol 2006;187:1513-20.
21. Li H, Zeng MS, Zhou KR, Jin DY, Lou WH. Pancreatic adenocarcinoma: signs of vascular invasion determined by multi-detector row CT. Br J Radiol 2006;79:880-7.
22. Tamm EP, Loyer EM, Faria S, et al. Staging of pancreatic cancer with multidetector CT in the setting of preoperative chemoradiation therapy. Abdom Imaging 2006;31:568-74.
23. Winter TC, Ager JD, Nghiem HV, Hill RS, Harrison SD, Freeny PC. Upper gastrointestinal tract and abdomen: water as an orally administered contrast agent for helical CT. Radiology 1996;201:365-70.
24. Fishman EK, Horton KM, Urban BA. Multidetector CT angiography in the evaluation of pancreatic carcinoma: preliminary observations. J Comput Assist Tomogr 2000;24:849-53.
25. Kim JH, Park SH, Yu ES, et al. Visually isoattenuating pancreatic adenocarcinoma at dynamic-enhanced CT: frequency, clinical and pathologic characteristics, and diagnosis at imaging examinations. Radiology 2010;257:87-96.
26. Prokesch RW, Chow LC, Beaulieu CF, Bammer R, Jeffrey RB, Jr. Isoattenuating pancreatic adenocarcinoma at multi-detector row CT: secondary signs. Radiology 2002;224:764-8.
27. Ahn SS, Kim MJ, Choi JY, Hong HS, Chung YE, Lim JS. Indicative findings of pancreatic cancer in prediagnostic CT. Eur Radiol 2009;19:2448-55.
28. Gangi S, Fletcher JG, Nathan MA, et al. Time interval between abnormalities seen on CT and the clinical diagnosis of pancreatic cancer: retrospective review of CT scans obtained before diagnosis. AJR Am J Roentgenol 2004;182:897-903.
29. Ahualli J. The double duct sign. Radiology 2007;244:314-5.
30. Callery MP, Chang KJ, Fishman EK, Talamonti MS, William Traverso L, Linehan DC. Pretreatment assessment of resectable and borderline resectable pancreatic cancer: expert consensus statement. Ann Surg Oncol 2009;16:1727-33.
31. Smith SL, Basu A, Rae DM, Sinclair M. Preoperative staging accuracy of multidetector computed tomography in pancreatic head adenocarcinoma. Pancreas 2007;34:180-4.
32. Vargas R, Nino-Murcia M, Trueblood W, Jeffrey RB, Jr. MDCT in Pancreatic adenocarcinoma: prediction of vascular invasion and resectability using a multiphasic technique with curved planar reformations. AJR Am J Roentgenol 2004;182:419-25.
33. Li H, Zeng MS, Zhou KR, Jin DY, Lou WH. Pancreatic adenocarcinoma: the different CT criteria for peripancreatic major arterial and venous invasion. J Comput Assist Tomogr 2005;29:170-5.

34. Hommeyer SC, Freeny PC, Crabo LG. Carcinoma of the head of the pancreas: evaluation of the pancreaticoduodenal veins with dynamic CT--potential for improved accuracy in staging. Radiology 1995;196:233-8.
35. Vedantham S, Lu DS, Reber HA, Kadell B. Small peripancreatic veins: improved assessment in pancreatic cancer patients using thin-section pancreatic phase helical CT. AJR Am J Roentgenol 1998;170:377-83.
36. Yamada Y, Mori H, Kiyosue H, Matsumoto S, Hori Y, Maeda T. CT assessment of the inferior peripancreatic veins: clinical significance. AJR Am J Roentgenol 2000;174:677-84.
37. Katz MH, Fleming JB, Bhosale P, et al. Response of borderline resectable pancreatic cancer to neoadjuvant therapy is not reflected by radiographic indicators. Cancer 2012;118:5749-56.
38. Donahue TR, Isacoff WH, Hines OJ, et al. Downstaging chemotherapy and alteration in the classic computed tomography/magnetic resonance imaging signs of vascular involvement in patients with pancreaticobiliary malignant tumors: influence on patient selection for surgery. Arch Surg 2011;146:836-43.
39. Roche CJ, Hughes ML, Garvey CJ, et al. CT and pathologic assessment of prospective nodal staging in patients with ductal adenocarcinoma of the head of the pancreas. AJR Am J Roentgenol 2003;180:475-80.
40. Sai M, Mori H, Kiyonaga M, Kosen K, Yamada Y, Matsumoto S. Peripancreatic lymphatic invasion by pancreatic carcinoma: evaluation with multi-detector row CT. Abdom Imaging 2010;35:154-62.
41. Ichikawa T, Erturk SM, Motosugi U, et al. High-b value diffusion-weighted MRI for detecting pancreatic adenocarcinoma: preliminary results. AJR Am J Roentgenol 2007;188:409-14.
42. Lopez Hanninen E, Amthauer H, Hosten et al. Prospective evaluation of pancreatic tumors: accuracy of MR imaging with MR cholangiopancreatography and MR angiography. Radiology 2002;224:34-41.
43. Miller FH, Rini NJ, Keppke AL. MRI of adenocarcinoma of the pancreas. AJR Am J Roentgenol 2006;187:W365-74.
44. Lee JK, Kim AY, Kim PN, Lee MG, Ha HK. Prediction of vascular involvement and resectability by multidetector-row CT versus MR imaging with MR angiography in patients who underwent surgery for resection of pancreatic ductal adenocarcinoma. Eur J Radiol 2010;73:310-6.
45. Mehmet Erturk S, Ichikawa T, Sou H, et al. Pancreatic adenocarcinoma: MDCT versus MRI in the detection and assessment of locoregional extension. J Comput Assist Tomogr 2006;30:583-90.
46. Fayad LM, Mitchell DG. Magnetic resonance imaging of pancreatic adenocarcinoma. Int J Gastrointest Cancer 2001;30:19-25.
47. O'Neill E, Hammond N, Miller FH. MR imaging of the pancreas. Radiol Clin North Am 2014;52:757-77.
48. Muhi A, Ichikawa T, Motosugi U, et al. High-b-value diffusion-weighted MR imaging of hepatocellular lesions: estimation of grade of malignancy of hepatocellular carcinoma. J Magn Reson Imaging 2009;30:1005-11.
49. Galea N, Cantisani V, Taouli B. Liver lesion detection and characterization: role of diffusion-weighted imaging. J Magn Reson Imaging 2013;37:1260-76.
50. Wiersema MJ. Accuracy of endoscopic ultrasound in diagnosing and staging pancreatic carcinoma. Pancreatology 2001;1:625-32.
51. Micames C, Jowell PS, White R, et al. Lower frequency of peritoneal carcinomatosis in patients with pancreatic cancer diagnosed by EUS-guided FNA vs. percutaneous FNA. Gastrointest Endosc 2003;58:690-5.
52. Maluf-Filho F, Sakai P, Cunha JE, et al. Radial endoscopic ultrasound and spiral computed tomo-

graphy in the diagnosis and staging of periampullary tumors. Pancreatology 2004;4:122-8.

53. Shin HJ, Lahoti S, Sneige N. Endoscopic ultrasound-guided fine-needle aspiration in 179 cases: the M. D. Anderson Cancer Center experience. Cancer 2002; 96: 174-80.
54. Dibble EH, Karantanis D, Mercier G, Peller PJ, Kachnic LA, Subramaniam RM. PET/CT of cancer patients: part 1, pancreatic neoplasms. AJR Am J Roentgenol 2012;199:952-67.
55. Tang S, Huang G, Liu J, et al. Usefulness of 18F-FDG PET, combined FDG-PET/CT and EUS in diagnosing primary pancreatic carcinoma: a meta-analysis. Eur J Radiol 2011;78:142-50.
56. Bang S, Chung HW, Park SW, et al. The clinical usefulness of 18-fluorodeoxyglucose positron emission tomography in the differential diagnosis, staging, and response evaluation after concurrent chemoradiotherapy for pancreatic cancer. J Clin Gastroenterol 2006;40:923-9.
57. Chang JS, Choi SH, Lee Y, et al. Clinical usefulness of (1)(8)F-fluorodeoxyglucose-positron emission tomography in patients with locally advanced pancreatic cancer planned to undergo concurrent chemoradiation therapy. Int J Radiat Oncol Biol Phys 2014;90:126-33.
58. Ahn SJ, Park MS, Lee JD, Kang WJ. Correlation between 18F-fluorodeoxyglucose positron emission tomography and pathologic differentiation in pancreatic cancer. Ann Nucl Med 2014;28:430-5.
59. Choi HJ, Kang CM, Lee WJ, et al. Prognostic value of 18F-fluorodeoxyglucose positron emission tomography in patients with resectable pancreatic cancer. Yonsei Med J 2013;54:1377-83.
60. Choi HJ, Lee JW, Kang B, Song SY, Lee JD, Lee JH. Prognostic significance of volume-based FDG PET/CT parameters in patients with locally advanced pancreatic cancer treated with chemoradiation therapy. Yonsei Med J 2014;55:1498-506.
61. Lee JW, Kang CM, Choi HJ, et al. Prognostic Value of Metabolic Tumor Volume and Total Lesion Glycolysis on Preoperative ^{18}F-FDG PET/CT in Patients with Pancreatic Cancer. J Nucl Med 2014; 55:898-904.
62. Kang CM, Hwang HK, Park J, et al. Maximum Standard Uptake Value as a Clinical Biomarker for Detecting Loss of SMAD4 Expression and Early Systemic Tumor Recurrence in Resected Left-Sided Pancreatic Cancer. Medicine (Baltimore) 2016;95: e3452.
63. Kang CM, Lee SH, Hwang HK, Yun M, Lee WJ. Preoperative Volume-Based PET Parameter, MTV2.5, as a Potential Surrogate Marker for Tumor Biology and Recurrence in Resected Pancreatic Cancer. Medicine (Baltimore) 2016;95:e2595.

43-3 췌장암의 내시경 진단(Endoscopic diagnosis of pancreatic cancer: ERCP, EUS)

박승우

서론

췌장암 영상진단의 표준 검사는 multi-detector CT (MDCT)이다. 고해상도의 단면상을 짧은 시간에 얻을 수 있고 조영제 주입 후 다양한 시기에 종괴의 묘출이 탁월하여 절제가능성의 예측에도 우수하다. 내시경을 통한 췌장암의 영상진단은 보조적인 역할을 하는데 내시경역행성담췌관조영술(ERCP)과 내시경초음파(EUS)가 이용된다.

1. 내시경적 역행성 담췌관조영술 (endoscopic retrograde cholangiopancreatography, ERCP)

ERCP는 측시형내시경을 십이지장 2부에 삽입한 다음 캐뉼라를 유두 개구부에 삽관하여 조영제를 주입함으로써 췌관과 담관의 영상을 얻는 검사 방법이다. MDCT가 개발되기 이전에는 CT의 해상도가 ERCP에 미치지 못하여 ERCP로 얻은 'double duct sign'(췌관과 담관의 동시 협착과 상부관의 확장 소견, 그림 43-3-1)이 췌장암 진단의 중요 소견으로 CT의 민감도를 능가하기도 하였다. 하지만 MDCT, MR 등 영상기기의 발전에 따라 진단 목적으로 ERCP를 시행하는 경우는 드물게 되었다. ERCP는 시술 중 유두를 통하여 생검 겸자 또는 브러쉬를 삽관하여 협착된 췌관 또는 담관의 생검조직 또는 솔질세포진을 채취함으로써 조직진단이 가능하다는 장점이 있다. 하지만 이 역시 EUS를 이용한 세침흡인생검이 보다 안전하고 높은 진단율로 넓게 이용되면서 병리진단도 EUS에 자리를 내주었다. 그럼에도 불구하고 ERCP는 췌장암에서 담관의 침범으로 인하여 흔히 발생하는 협착된 담관의 배액을 위한 치료내시경 목적으로 많이 이용되고 있다.

2. 내시경초음파 (endoscopic ultrasonography, EUS)

EUS는 위 또는 십이지장을 통하여 췌장을 고해상도로 관찰하는 내시경검사법으로 CT, MRI, US, ERCP와 더불어 췌담관계 질환의 진단과 치료에 중요한 위치를 차지하고 있다. 이러한 다양한 검사법들은 어느 한 가지가 확실한 우위를 차지하는 것이 아니라 서로 보완적인 역할을 하기 때문에 췌장암의 정확한 진단을 위해서는 여러 영상진단검사를 종합하여 판단하는 것이 좋다. EUS는 췌장에 근접하여 5MHz, 6MHz, 7.5MHz, 10MHz, 12MHz로 주파수를 변경하면서 관찰하기 때문에 고해상도의 영상을 얻을 수 있다. 아울러 EUS 유도 하 세침흡인생검(EUS-FNA)을 시행할 수 있는데 도플러영상을 관찰하면서 천자를 시행하기 때문에 주요 혈관을 피하면서 안전하고 정확하게 종양조직을 채취할 수 있다. 초음파 조영제를 이용하는 조영증강 EUS (contrast-enhanced harmonic, CEH-EUS)는 종양으로의 혈류를 파악하여 감별진단에 큰 도움이 된다. EUS 유도하 담관을 천자하여 배액술을 시행하는 등 치료목적의 EUS도 가능하다.

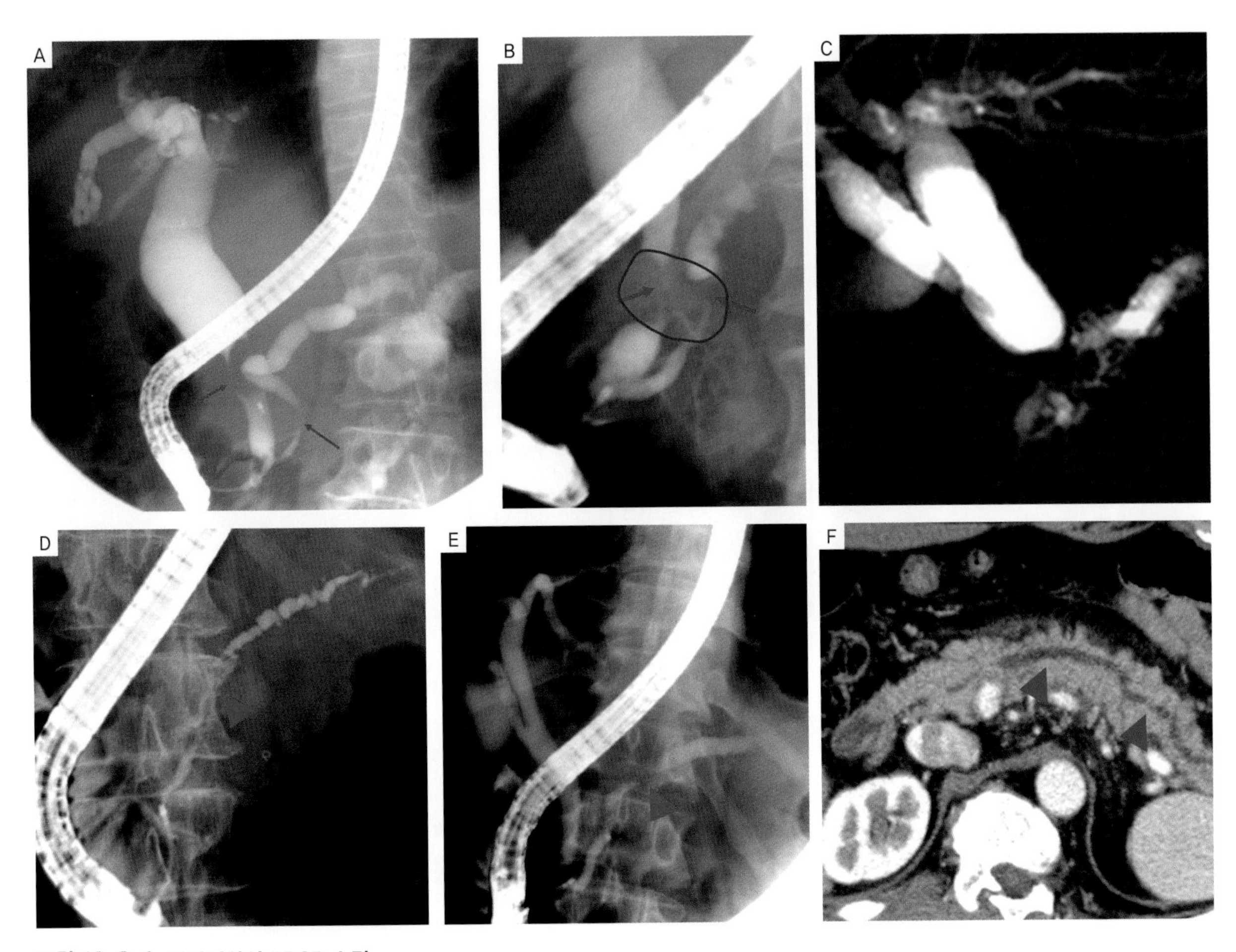

그림 43-3-1. **췌장선암의 ERCP 소견.**

A. ERCP 소견. 두부췌관의 협착과 상부 췌관의 확장, 담관협착과 상부담관의 확장 소견이 관찰됨(red arrow 협착부위). 전형적인 "double duct sign" 소견.

B, C. 동일 환자의 ERCP 및 MRCP 소견. "double duct sign"이 관찰됨. 폐쇄된 담췌관이 관찰되며 ERCP의 해상도가 우수함.

D. 자가면역성췌장염에서 보이는 췌관협착(red arrowhead). 체부췌관이 좁아져 있으나 완전히 끊어져 있지는 않고 상부 췌관의 확장은 경미하게 관찰됨.

E. 췌장체부에 발생한 췌장선암의 췌관조영상. 체부췌관이 끊어진 듯한 협착(red arrowhead)이 관찰되고 상부췌관의 확장이 보다 현저함.

F. E 환자의 CT 소견. 체부췌관의 협착과 상부 췌관의 현저한 확장(blue arrowhead)이 관찰됨.

2 cm 이하의 크기가 작은 췌장 관상선암은 EUS에서 흔히 저에코성(hypoechoic)의 경계가 불분명한 종괴로 보인다. 주변으로 침윤성 성장을 하기 때문에 변연부에서 가시처럼 퍼져나가는 에코가 흔히 관찰된다. 종양이 커지면서 혼합 에코 양상(mixed echo pattern)을 보인다. 종양의 침윤으로 인하여 췌관이 폐쇄되기 때문에 상부 췌관의 확장이 흔히 관찰되고 췌장 두부암이 담관을 침윤하여 협착이 발생하면 상부 담관의 확장 소견이 관찰된다. 관상선암에서는 췌장 주변의 림프절 종대가 흔히 발견된다.

신경내분비세포종은 관상선암과 달리 경계가 분명한 저에코성의 종괴로 흔히 관찰된다. 전이나 침윤이 없는 신경내분비세포종은 대부분 2 cm 이하의 크기를 가진다. 악성화된 신경내분비세포암은 다양한 양상을

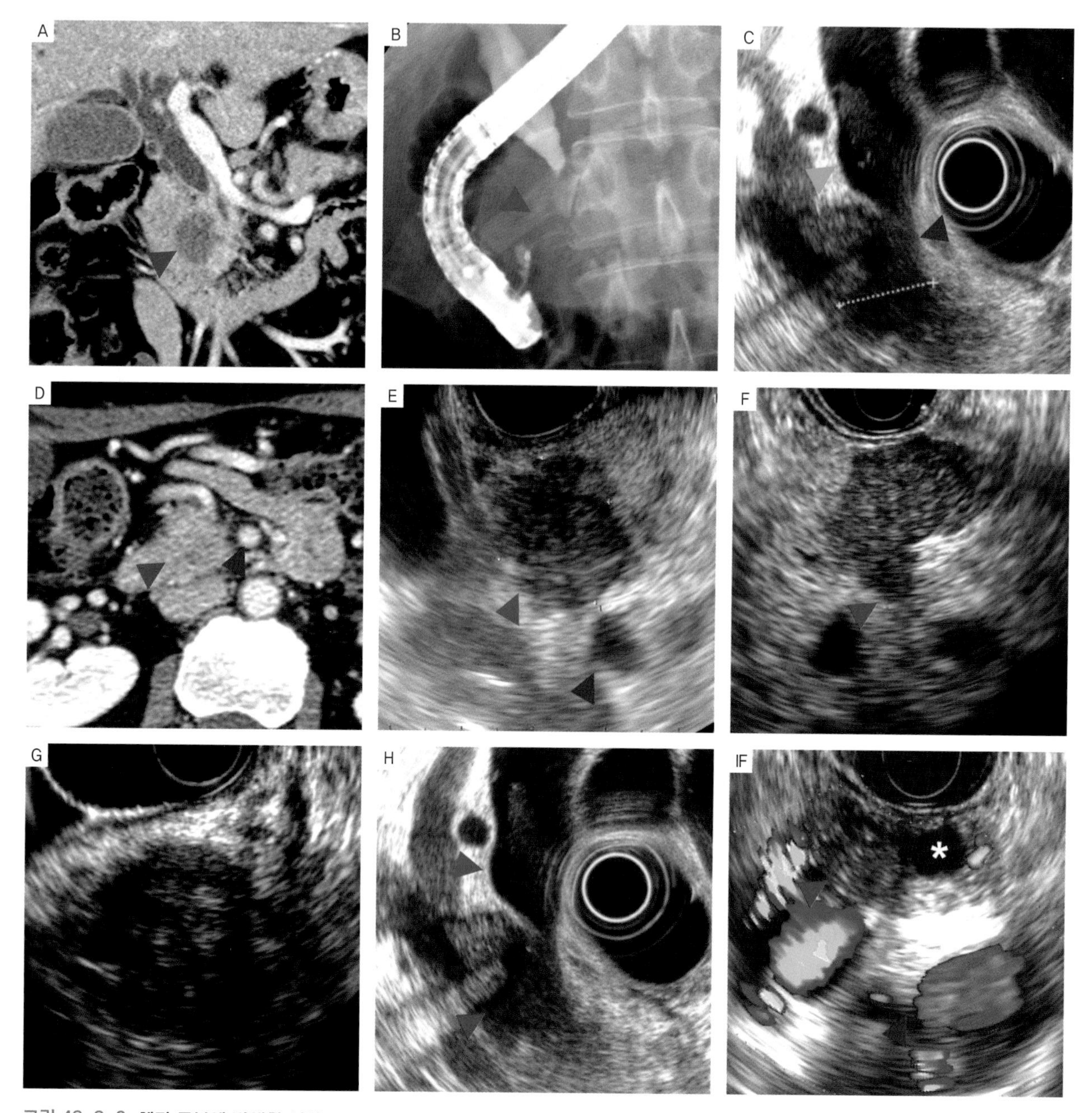

그림 43-3-2. **췌장 두부에 발생한 선암.**

A-C. 두부에 발생한 췌장선암의 CT, ERCP, EUS 소견. A. 두부의 저밀도 종괴(red arrowhead)가 담관을 침윤하여 상부 담관확장이 관찰됨. B. 심하게 협착된 담관(blue arrowhead)과 상부 담관확장이 관찰됨. C. 종괴의 담관 침윤(purple arrowhead)과 상부담관 확장(green arrowhead) 관찰됨.

D, E. 췌장두부선암의 CT와 EUS 소견. CT상 경계가 불분명한 저밀도 종괴(red arrowhead)가 EUS에서는 보다 분명하게(blue arrowhead) 관찰됨. 상장간막정맥(purple arrowhead)이 종괴 옆에서 관찰되지만 침윤은 없음. 췌장선암의 EUS 소견으로 저에코 종괴가 변연부에서 불규칙하게 주변으로 침윤하는 소견(red arrowhead)을 보임.

G. 4 cm에 이르는 췌장선암의 EUS 소견. 저에코와 고에코가 혼합된 양상을 보임.

H. 경계가 불분명한 췌장선암(red arrowhead). 상부담관의 확장(blue arrowhead)이 관찰됨.

I. 췌장종괴(red arrowhead)로 인한 췌관협착으로 상부췌관 확장(*)이 관찰됨. 우하부에 대동맥(purple arrowhead)이 관찰됨.

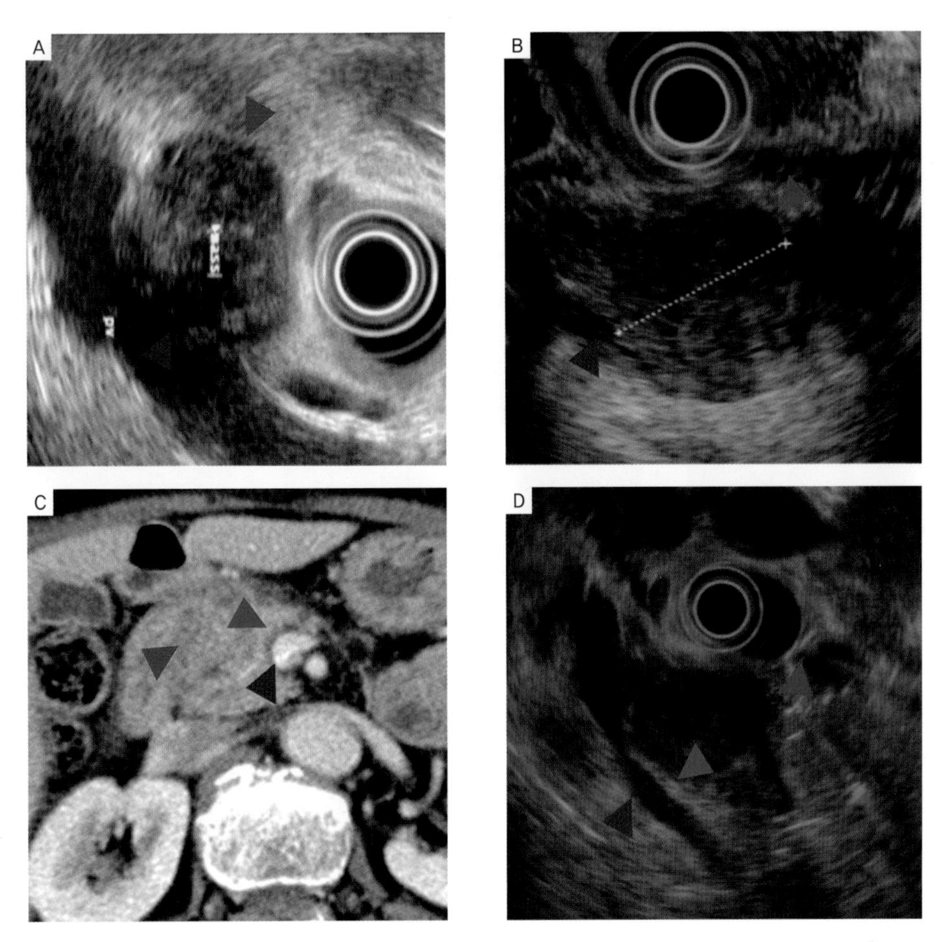

그림 43-3-3. **췌장선암의 정맥혈관 침윤상.**

A, B. 간문맥(A)과 상장장간막정맥(B)을 침윤한 췌장선암의 EUS 소견. 종괴(red arrowhead)가 직접 종괴 주변의 혈관을 침윤하고 있음(purple arrowhead).

C, D. 상장간막정맥과 접촉한 췌장선암의 CT 및 EUS 소견. "Abutting"이라 표현하며 정맥혈관과 접촉하고 있으나 직접 침윤은 없음. 상장간막정맥(purple arrowhead)과 종괴(red arrowhead) 사이에 선상의 저밀도 경계가 CT에서 선상의 고에코 경계가 EUS에서 관찰됨(blue arrowhead).

보이는데 관상선암과 마찬가지로 주변으로의 침윤성 성장, 담관협착, 전이성 림프절 종대 등의 소견을 보일 수 있다.

CEH-EUS는 미세한 공기방울을 함유하는 조영증강제를 혈관으로 주입한 뒤에 췌장 종괴상을 실시간 관찰하는 검사법이다. Levovist®가 1세대 조영제로 쓰였고 2세대 조영제에는 Sonovue®나 Sonazoid®가 있다. 관상선암, 신경내분비세포종, 염증성 종괴 모두 2 cm 전후의 크기인 경우에 저에코성 종괴로 관찰되어 감별이 어려운 경우가 많다. 신경내분비세포종이나 염증성 종괴가 조영제에 의해 조영증강이 되는데 반하여 췌장 관상선암은 저혈류성 종괴이기 때문에 조영증강 EUS에서 증강이 되지 않는 '저증강(hypoenhanced)' 종괴로 관찰된다. 특히 신경내분비세포종은 주변 정상조직보다 과증강(hyperenhanced)되는 종괴로 흔히 관찰되며 이는 관상선암과 감별되는 중요한 소견이다. 하지만 분화가 안 좋은 신경내분비세포암은 관상선암과 유사하게 혼합 에코 양상을 보이고 전형적인 조영증강을 보이지 않을 수 있기 때문에 감별이 어렵다. 과증강 소견은 98%의 특이도로 췌장선암을 배제할 수 있는 소견이며[1],

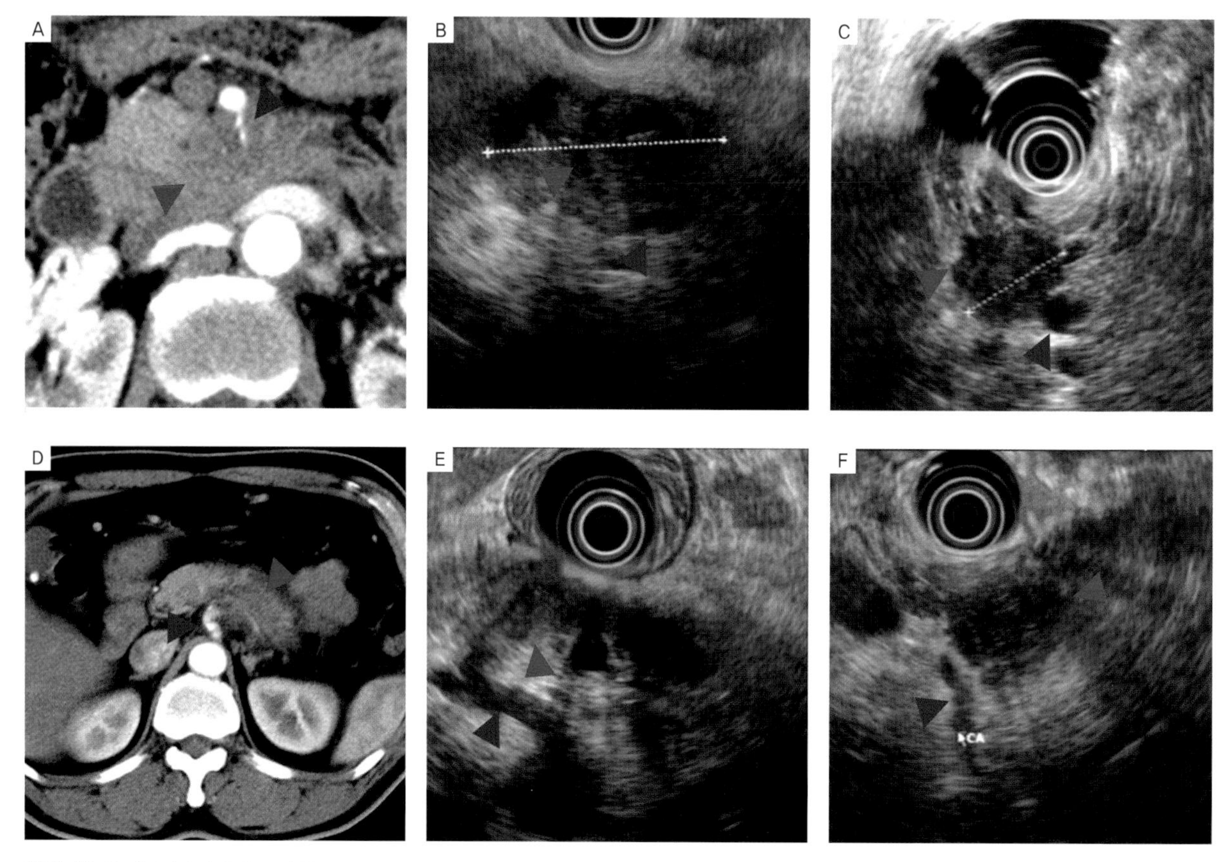

그림 43-3-4. **췌장선암의 동맥혈관 침윤상.**
종괴는 red arrowhead, 혈관은 purple arrowhead.
A-C. 상장간막동맥 침윤상. A. CT 소견으로 상장간막 동맥을 둘러싸는 경계가 불분명한 종괴가 관찰됨. B. EUS 소견. 상장간막 동맥을 침윤하여 혈관상이 찌그러져 있음.
C. EUS 소견. 상장간막동맥과 접촉하고 있는 종괴상.
D-F. 복강동맥 침윤상. D. CT 소견으로 비장동맥을 에워싸면서 복강동맥을 침윤하고 있음. E. D 환자의 EUS 소견. F. 복강동맥 침윤으로 혈관이 좁아져 있음.

대부분의 임상 연구에서 CEH-EUS는 췌장선암의 진단에 대한 유용성을 보였다[2-5]. 메타분석상 CEH-EUS에서의 민감도는 94%, 특이도는 89%로 뛰어나다[6].

췌장 종양을 발견하여 진단하는 EUS의 민감도는 90% 이상으로 매우 높으며 이는 CT의 민감도를 능가한다[7]. 특히 2 cm 이상의 크기를 가지는 췌장 종양은 99%에서 EUS로 발견이 가능하다[8,9]. 음성 예측도 또한 매우 높아서 췌장 종양이 의심되는 환자에서 EUS로 발견되지 않으면 높은 정확도로 종양의 가능성을 배제할 수 있다[10,11]. 염증성, 낭성 병변과 고형성 종양을 감별하는 데에도 CT보다 정확하다. 낭성 병변의 감별에는 탁월하지만 염증성 병변과 종양을 감별하는 정확도는 75%로 다소 낮다[12-15].

EUS의 탁월한 진단 능력에도 불구하고 췌장암 진단의 표준검사가 CT인 이유는 TNM 병기 진단에 따른 절제 가능성 예측이 전체적으로 CT에 미치지 못하기 때문이다. T병기 진단의 정확도는 CT나 MRI보다 다소 우수한데 CT, MRI에서 흔히 발생하는 과병기

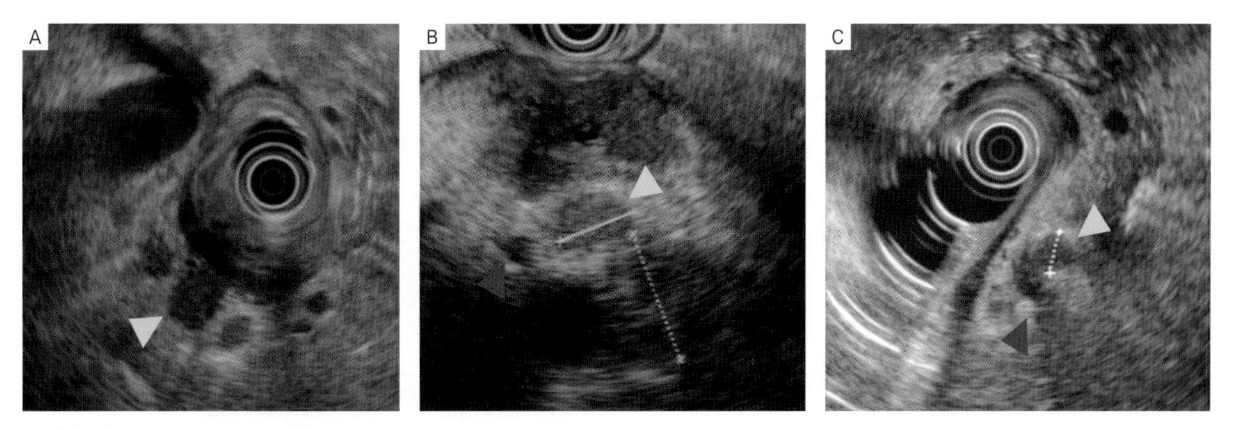

그림 43-3-5. **췌장선암의 림프절 전이.**
종대된 림프절(yellow arrowhead).
A. 췌장 주변 림프절 종대.
B. 상장간막동맥(purple arrowhead) 주위 림프절 종대.
C. 복강동맥(purple arrowhead) 주위 림프절 종대. 1 cm 이상의 크기로 구형의 저에코로 관찰되면 림프절 전이로 판단.

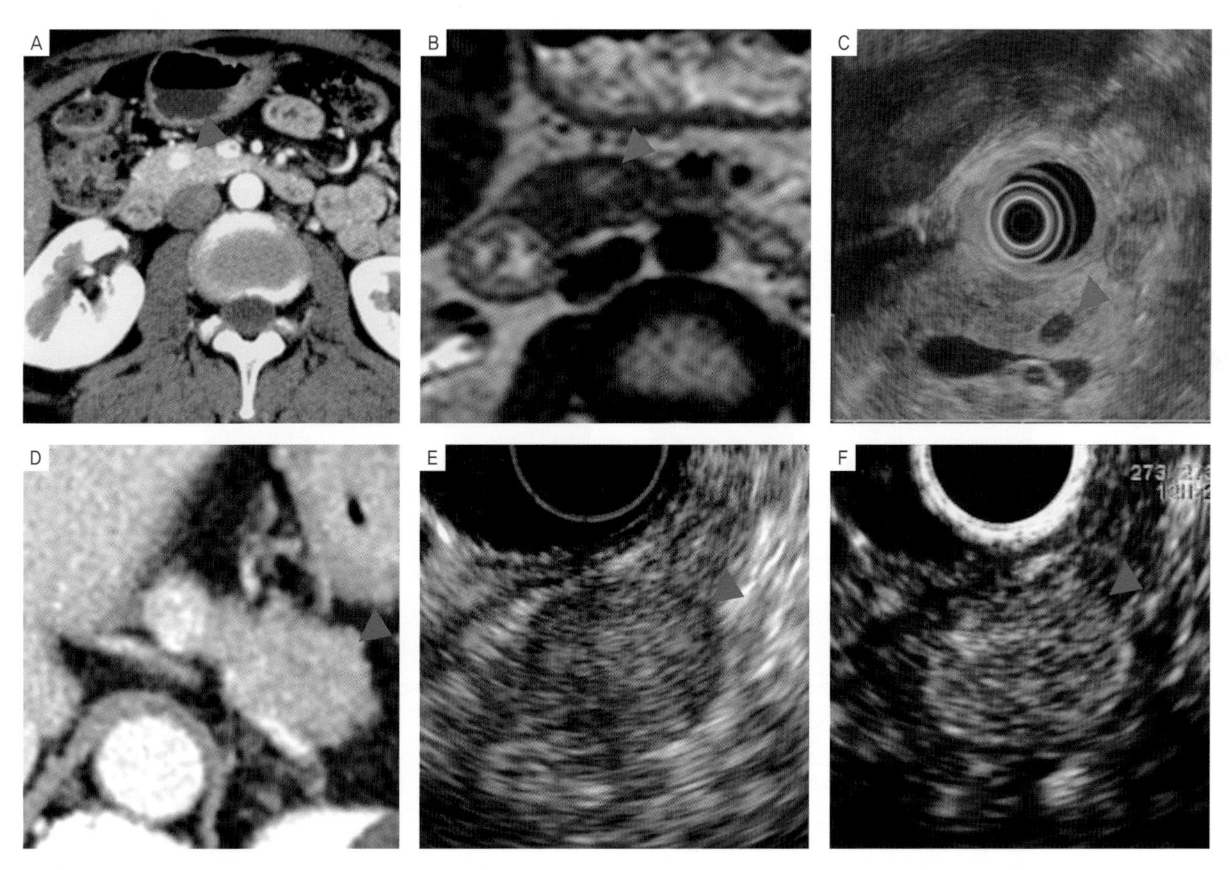

그림 43-3-6. **신경내분비세포종의 영상소견.**
A-C. 췌장 두부의 작은 신경내분비세포종(red arrowhead). A. CT 소견으로 동맥기에 조영증강되는 경계가 분명한 종괴가 관찰됨. B. MRI 소견으로 조영증강되는 고밀도 종괴가 관찰됨. C. EUS 소견으로 경계가 분명한 타원형의 저에코 종괴가 관찰됨.
D-F. 신경내분비세포종(blue arrowhead)의 조영증강 EUS. D. CT 소견상 경계가 불분명한 종괴과 관찰됨. E. EUS 소견으로 경계가 분명한 구형의 저에코 종괴가 관찰. F. 조영증강 EUS상 주변 췌장 대비 과증강되는 종괴가 관찰됨.

(overstaging) 진단이 적기 때문이다[16-19]. 혈관침윤의 진단에 있어서 내시경초음파의 탐촉자에 가까운 위치에 있는 간문맥이나 상장간막정맥 침윤의 진단은 95%로 매우 정확하나 다소 먼 위치에 있는 복강동맥(50%)이나 상장간막동맥(17%) 침윤 진단의 정확도는 떨어진다[20,21]. 절제가 불가능한 T4 병기의 기준이 복강동맥과 상장간막동맥 침윤 여부이기 때문에 이들 혈관의 침윤 여부는 CT 진단에 주로 의존한다. N 병기 진단의 정확도는 64~82%로 CT와 유사한 수준이다[22-25]. 림프절 전이 진단의 정확도는 전이성 림프절의 진단기준에 따라 다소의 차이가 있는데 일반적으로는 경계가 잘 지워지며 1 cm 이상의 저에코 구형 림프절을 전이로 판단한다.

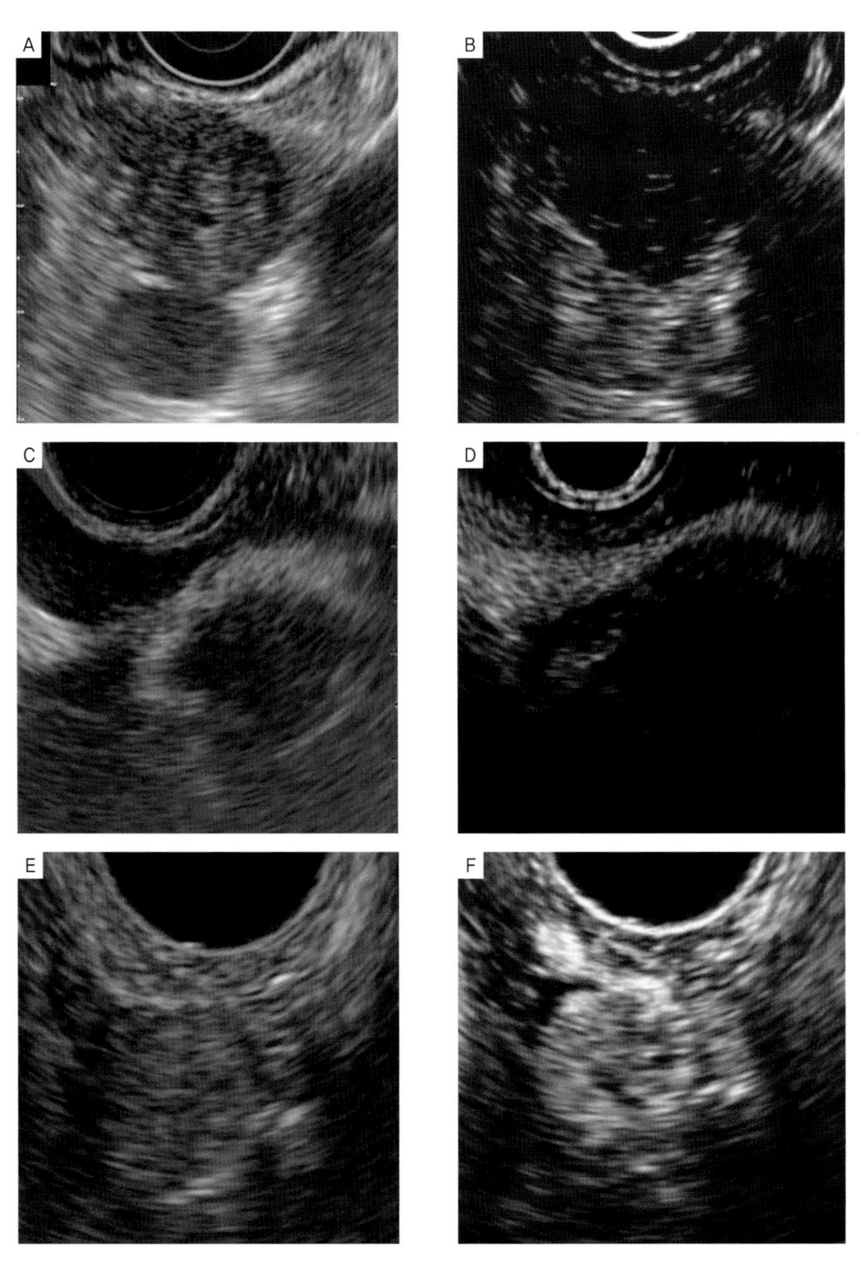

그림 43-3-7. **췌장선암과 신경내분비세포종의 조영증강 EUS 비교.**
좌열은 조영증강 전, 우열은 조영증강 후 영상.
A-D. 췌장선암의 조영증강 EUS. 조영증강의 거의 되지 않는 소견을 보임.
E, F. 신경내분비세포종의 조영증강 EUS. 과증강되는 종괴 소견.

References

1. Seicean A, Badea R, Stan-Iuga R, Mocan T, Gulei I, Pascu O. Quantitative contrast-enhanced harmonic endoscopic ultrasonography for the discrimination of solid pancreatic masses. Ultraschall Med 2010;31: 571-6.
2. Sakamoto H, Kitano M, Suetomi Y, Maekawa K, Takayama Y, Kudo M. Utility of contrast-enhanced endoscopic ultrasonography for diagnosis of small pancreatic carcinomas. Ultrasound Med Biol 2008; 34:525-2.
3. Dietrich CF, Ignee A, Braden B, Barreiros AP, Ott M, Hocke M. Improved differentiation of pancreatic tumors using contrast-enhanced endoscopic ultrasound. Clin Gastroenterol Hepatol 2008;6:590-7.
4. Fukusawa M, Tanako S, Kadokura M, Ei Takahashi, Tadashi Sato, Nobuyuki Enomoto. Quantitative perfusion analysisof contrast-enhanced harmonic endoscopic ultranosography in solid lesions of the pancreas. Gastrointest Endosc 2012;75(Suppl 4): AB132.
5. Fusaroli P, Spada A, Mancino MG, Caletti G. Contrast harmonic echo-endoscopic ultrasound improves accuracy in diagnosis of solid pancreatic masses. Clin Gastroenterol Hepatol 2010;8:629-34.
6. Gong TT, Hu DM, Zhu Q. Contrast-enhanced EUS for differential diagnosis of pancreatic mass lesions: a meta-analysis. Gastrointest Endosc 2012; 76: 301-9.
7. Rösch T, Lorenz R, Braig C, Feuerbach S, Siewert JR, Schusdziarra V, et al. Endoscopic ultrasound in pancreatic tumor diagnosis. Gastrointest Endosc 1991;37:347-52.
8. Gress F, Savides T, Cummings O, et al. Radial scanning and linear array endosonography for staging pancreatic cancer: a prospective randomized comparision. Gastrointest Endosc 1997;45:138-142.
9. Owens DJ, Savides TJ. Endoscopic ultrasound staging and novel therapeutics for pancreatic cancer. Surg Oncol Clin N Am 2010;19:255-66.
10. Săftoiu A, Vilmann P. Role of endoscopic ultrasound in the diagnosis and staging of pancreatic cancer. J Clin Ultrasound 2009;37:1-17.
11. Klapman JB, Chang KJ, Lee JG, Nguyen P. Negative predictive value of endoscopic ultrasound in a large series of patients with a clinical suspicion of pancreatic cancer. Am J Gastroenterol 2005;100: 2658-61.
12. Harewood GC, Wiersema MJ. Endosonography-guided fine needle aspiration biopsy in the evaluation of pancreatic masses. Am J Gastroenterol 2002;97: 1386-91.
13. Iglesias-Garcia J, Larino-Noia J, Abdulkader I, Forteza J, Dominguez-Munoz JE. Quantitative endoscopic ultrasound elastography: an accurate method for the differentiation of solid pancreatic masses. Gastroenterology 2010;139:1172-80.
14. Byrne MF, Jowell PS. Gastrointestinal Imaging: endoscopic ultrasound. Gastroenterology 2002;122: 1631-48.
15. Wallace MB, Hawes RH, Durkalski V, et al. The reliability of EUS for the diagnosis of chronic pancreatitis: interobserver agreement among experienced endosonographers. Gastrointest Endosc 2001;53:294-9.
16. Kaufman AR, Sivak MV Jr. Endoscopic ultranoso-graphy in the differential diagnosis of pancreatic disease. Gastrointest Endos 1989;35:214-9.
17. DeWitt J, Devereaux B, Chriswell M, et al. Comparison of endoscopic ultrasonography and multidetector computed tomography for detecting and staging pancreatic cancer. Ann Intern Med 2004; 141:753-63.
18. Napoleon B, Alvarez-Sanchez MV, Gincoul R, et al. Contrast-enhanced harmonic endoscopic ultrasound in solid lesions of the pancreas: results of a pilot

study. Endoscopy 2010;42:564-70.
19. Mantel N, Haenszel W. Statistical aspects of the analysis of data from retrospective studies of disease. J Natl Cancer Inst 1959;22:719-78.
20. Der Simonian R, Laird N. Meta-analysis in clinical trials. Control Clin Trials 1986;7:177-88.
21. Aslanian H, Salem R, Lee J, Andersen D, Robert M, Topazian M. EUS diagnosis of vascular invasion in pancreatic cancer: surgical and histologic correlates. Am J Gastroenterol 2005;100:1381-5.
22. Puli SR, Singh S, Hagedorn CH, Reddy J, Olyaee M. Diagnostic accuracy of EUS for vascular invasion in pancreatic and periampullary cancers: a meta-analysis and systematic review. Gastrointest Endosc 2007;65:788-97.
23. Soriano A, Castells A, Ayuso C, et al. Preoperative staging and tumor resectability assessment of pancreatic cancer: prospective study comparing endoscopic ultrasonography, helical computed tomography, magnetic resonance imaging, and angiography. Am J Gastroenterol 2004;99:492-501.
24. Arabul M, Karakus F, Alper E, et al. Comparison of multidetector CT and endoscopic ultrasonography in malignant pancreatic mass lesions. Hepatogastroenterology 2012;59:1599-603.
25. Yasuda K, Mukai H, Nakajima M, Kawai K. Staging of pancreatic carcinoma by endoscopic ultrasonography. Endoscopy 1993;25:151-5.
26. Ramsay D, Marshall M, Song S, et al. Identification and staging of pancreatic tumours using computed tomography, endoscopic ultrasound and mangafodipir trisodium-enhanced magnetic resonance imaging. Australas Radiol 2004;48:154-61.

43-4 췌장암에서 양전자방출단층촬영(PET/CT imaging of pancreatic cancer)

윤미진

췌장에 생기는 악성 종양은 예후가 매우 나쁘고 진행된 경우 치료에 있어 선택의 여지가 적다. 조기 발견을 위해 다중시기 CT나 MRI가 주요한 영상 방법이나 2 cm 미만의 작은 병변의 경우 발견이 어려울 수 있다[1,2]. F-18 fluorodeoxyglucose (FDG), positron emission tomography/computed tomography (PET/CT)의 경우 췌장암 진단에 있어 약 85~94%의 예민도와 74~94% 정도의 특이도를 가지는데 종양의 크기가 진단율에 매우 중요하다. Stage II 이상의 경우 90% 이상이 발견되나 stage I의 경우 약 50% 정도 발견된다[3,4](그림 43-4-1). 혈당 또한 췌장암 발견에 중요한 요소인데 혈당이 130 mg/dl 미만인 경우 발견율이 86% 정도이나 130 mg/dl 이상인 경우 42%까지 감소할 수 있다[5](그림 43-4-2). 따라서 췌장암의 FDG PET/CT 영상을 위해서는 가능한 낮은 혈당을 유지하는 것이 반드시 필요하다.

FDG PET/CT는 진단 시 병기 설정뿐 아니라 표준섭취계수(standardized uptake value, SUV), metabolic tumor volume, 그리고 total lesion glycolysis 측정을 통해 원발 종양의 악성도를 수치화하여 치료 반응성을 평가하거나 수술 후 재발, 생존기간 등 예후를 예측하는데 중요한 역할을 한다[6-8]. 이러한 종양 대사의 정량적 정보는 해부학적 크기와는 독립적으로 종양의 생물학적 특성을 반영하는 지표라는 점에서 의의가 크다. 췌장암에서는 FDG 섭취가 높고 FDG 섭취를 보이는 용적이 클수록 수술 후 재발도 높고 전체적으로 생존율이 낮다[9,10]. 근치적 수술 후 6개월 내에 조기 재발하는 경

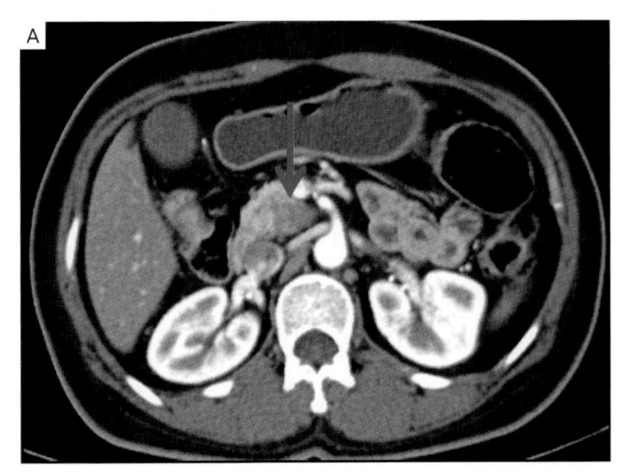

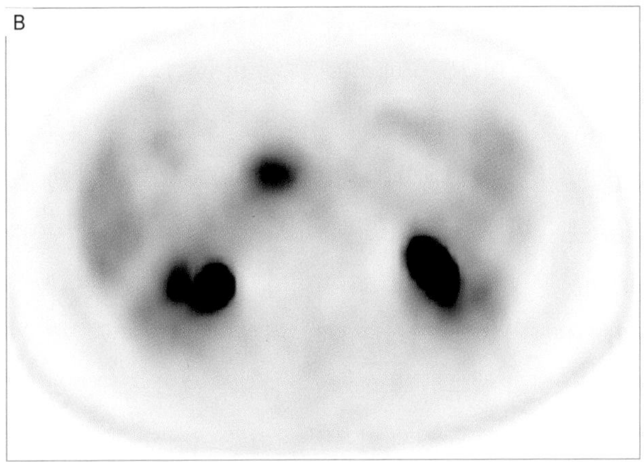

그림 43-4-1. **A patient with ductal adenocarcinoma in the uncinated process of the pancreas.**
Axial contrast enhanced CT at arterial phase (A) shows a low density mass in the uncinated process of the pancreas showing intense ^{18}F-FDG uptake on PET/CT (B).

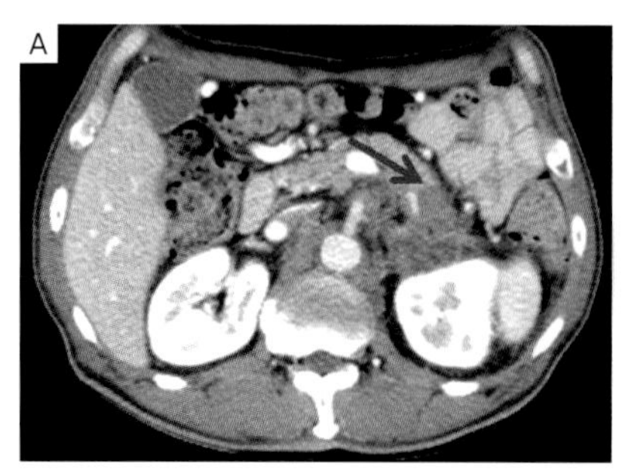

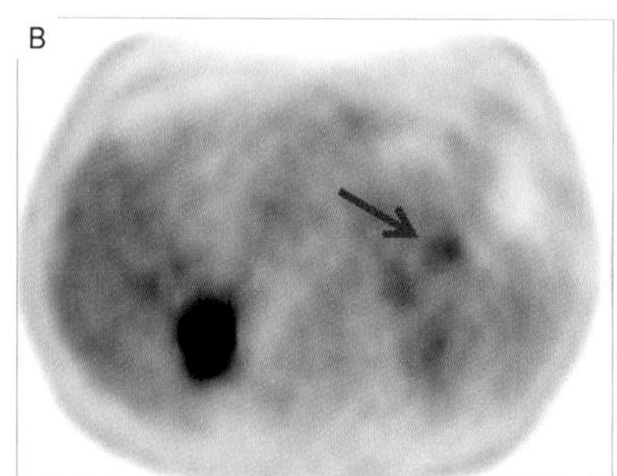

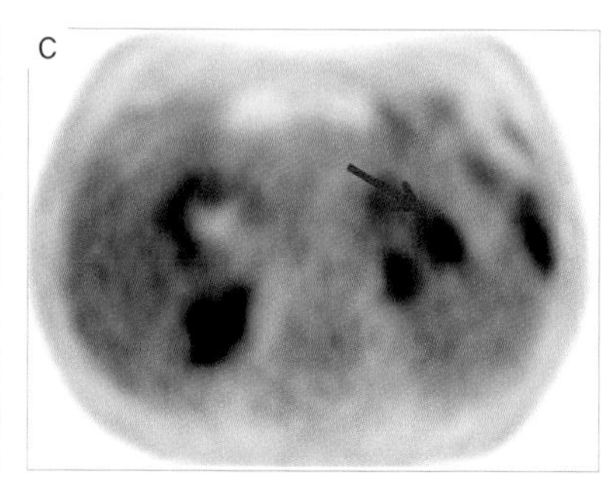

그림 43-4-2. **A patient with poorly differentiated ductal adenocarcinoma who was diabetic on metformin.**
A. Contrast-enhanced CT shows a low-density lesion in the distal pancreas.
B. Axial PET/CT with a serum glucose level of 148 mg/dl reveals a focus of mild 18F-FDG uptake that corresponds to the lesions on CT.
C. FDG uptake in the lesions increasedsignificantly on repeat PET/CT, with a serum glucose level of 74 mg/dl.

우를 예측하는 것은 매우 어려운데 FDG PET/CT에서 췌장암의 SUV를 측정하여 이러한 조기 재발을 예측하는 독립적인 예후인자임이 보고되어 있다[6]. 진단 시 췌장암의 SUV를 이용한 예후 모델을 만들고 치료 방침에 어떠한 영향을 줄 수 있는 지에 대한 연구가 좀 더 필요하다.

진단 후 절제 가능성을 결정하는 요소 중 국소 종양 침범 정도의 평가는 CT (computed tomography)나 MRI (magnetic resonance imaging) 등 고해상도의 영상이 필수적이다. CT의 경우 절제 가능성을 평가하는 데 있어 예민도 95~100%, 특이도 72~100%의 높은 진단성능을 보인다[11]. 이에 비해 FDG PET/CT는 낮은 해상도로 인해 절제 가능성을 평가하는 데에는 큰 역할이 없을 수 있으나 CT나 MRI에 비해 림프절 전이를 발견하는 데 있어 도움이 될 수 있다[12,11]. CT나 MRI가 주로 림프절의 크기에 의존하여 침범 여부를 평가하는 데 비해, FDG PET은 암의 포도당 대사 정도를 이용하여 림프절 전이 여부를 평가한다. 따라서, 크기는 작으나 FDG 섭취가 높은 경우 림프절 전이를 의심할 수 있고, 크기는 크나 FDG 섭취가 낮은 경우 반응성 림프절의 가능성이 높다.

FDG PET/CT는 전신 영상으로 원격전이를 발견하는 데 도움이 되는데 장기에 따라 전이 발견의 유용성이 다르다. 1 cm 이상의 간전이를 발견하는 데 도움이 될 수 있으나 이보다 작은 경우는 MRI가 더 유용하다[13]. 간전이를 잘 평가하기 위해서는 전신 촬영 이후 적어도 30분 경과하여 간을 중심으로 영상 촬영시간을 최대한 길게 하는 것이 중요하다.복막전이의 경우 종종 수술 전 영상으로 발견하지 못하는 경우에는 불필요한 개복을 하게 되는 중요한 원인 중 하나이다. 복막 전이의 경우 CT가 가장 유용하고 FDG PET/CT는 CT 보다 특이도가 높은 장점이 있다[14,15]. 폐전이를 발견하는 데는 CT가 가장 우수하며 뼈전이를 발견하는 데는 CT나 MRI에 비해 FDG PET/CT가 더 유용하다[3].

초치료 후 재발은 보통 2년 내에 일어나는 데 CT나 MRI는 치료와 관련된 조직학적 변화 때문에 재발암 진단이 어려울 수 있으나 FDG PET/CT는 이러한 변화에 영향을 덜 받아 재발암 발견에 더 유용하다[16,17,6,18]. FDG PET/CT는 항암치료나 방사선 치료 후 조직학적 반응 정도를 예측하거나 치료 후 환자 생존을 예측하는 데도 도움이 된다[19,20,21]. 항암 또는 방사선 치료 후 수술을 할 환자를 선택하는 데도 역할을 할 수 있다[19].

FDG PET/CT의 장점 중 하나는 종양의 악성 여부를 모르는 경우나 조직검사 결과가 양성이나 영상에서 악성이 의심되는 경우 감별진단에 도움이 될 수 있다는 점이다. 특히 췌장의 낭성 종양의 악성 여부를 평가하는데 있어 CT 보다 유용하여 CT의 정확도가 약 80%인 것에 비해 90% 이상의 정확도가 보고되어 있다[22]. 그러나 FDG 섭취가 낮은악성 종양이나 염증성 질환에 의한 증가된 FDG 섭취로 인해 감별진단이 어려운 경우도 있어 임상 소견, CT, MRI, 내시경 소견 또는 세침 검사 소견 등을 종합적으로 판단하는 것이 필요하다.

췌장의 신경내분비 종양을 평가하기 위해 기존에는 In-111 octreotide scan이 이용되었으나 현재는 다양한 PET/CT용 방사성의약품이 주로 사용된다. 이중 분화가 좋은 신경내분비 종양을 평가하는 데는 Ga-68 DOTATOC과 같은 Ga-68으로 표지된소마토스태딘 수용체 리간드가 쓰인다[23](그림 43-4-3). 종양이 7 mm 이하이거나 insulinoma의 경우에는 잘 보이지 않을 수 있고 염증이 있는 부위는 항상 위양성이 있을 수 있음을 감안하여야 한다. 췌장의 uncinated process는 정상적인 섭취를 보이는 부분이다. 분화가 나쁜 경우는 FDG PET/CT가 종양 발견 예민도가 높고 insulinoma나 congenital hyperinsulinism에는 F-18 dihydroxyphenylalanine (DOPA) PET/CT가 유용하다.

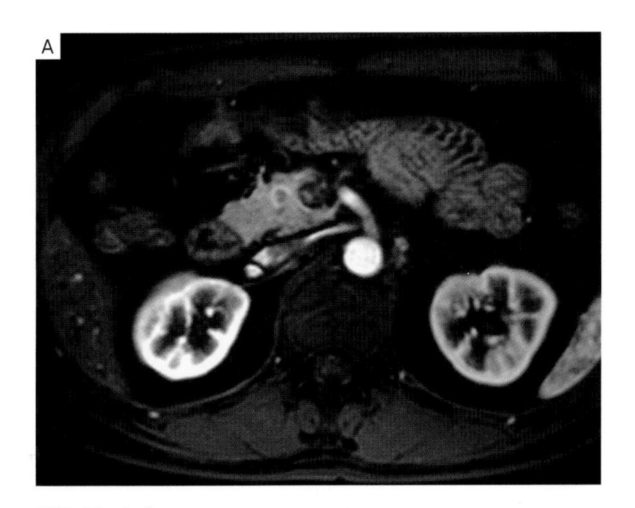

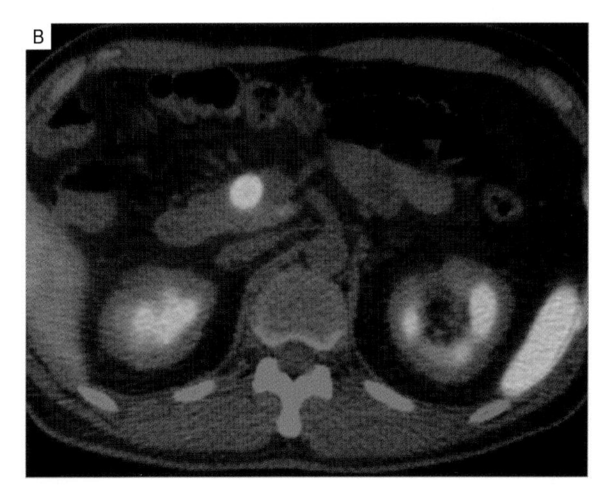

그림 43-4-3. **A patient with well differentiated neuroendocrine tumor.**
A. Contrast-enhanced MRI shows a small nodule in the head of the pancreas.
B. Axial PET/CT demonstrates a focal nodule of intense Ga-68 DOTATOC uptake in the nodule noted on MRI.

References

1. Tempero MA, Arnoletti JP, Behrman SW, et al. Pancreatic Adenocarcinoma, version 2.2012: featured updates to the NCCN Guidelines. J Natl Compr Canc Netw 2012;10:703-13.
2. Strobel O, Buchler MW. Pancreatic cancer: FDG-PET is not useful in early pancreatic cancer diagnosis. Nat Rev Gastroenterol Hepatol 2013;10:203-5.
3. Matsumoto I, Shirakawa S, Shinzeki M, et al. 18-Fluorodeoxyglucose positron emission tomography does not aid in diagnosis of pancreatic ductal adenocarcinoma. Clin Gastroenterol Hepatol 2013; 11:712-8.
4. Okano K, Kakinoki K, Akamoto S, et al. 18F-fluorodeoxyglucose positron emission tomography in the diagnosis of small pancreatic cancer. World J Gastroenterol 2011;17:231-5.
5. Diederichs CG, Staib L, Glatting G, Beger HG, Reske SN. FDG PET: elevated plasma glucose reduces both uptake and detection rate of pancreatic malignancies. J Nucl Med 1998;39:1030-3.
6. Okamoto K, Koyama I, Miyazawa M, et al. Preoperative 18[F]-fluorodeoxyglucose positron emission tomography/computed tomography predicts early recurrence after pancreatic cancer resection. Int J Clin Oncol 2011;16:39-44.
7. Kang CM, Hwang HK, Park J, et al. Maximum Standard Uptake Value as a Clinical Biomarker for Detecting Loss of SMAD4 Expression and Early Systemic Tumor Recurrence in Resected Left-Sided Pancreatic Cancer. Medicine (Baltimore) 2016;95: e3452.
8. Chong JU, Hwang HK, Lee JH, Yun M, Kang CM, Lee WJ. Clinically determined type of 18F-fluoro-2-deoxyglucose uptake as an alternative prognostic marker in resectable pancreatic cancer. PLoS One 2017;12:e0172606.
9. Wang Z, Chen JQ, Liu JL, Qin XG, Huang Y. FDG-PET in diagnosis, staging and prognosis of pancreatic carcinoma: a meta-analysis. World J Gastroenterol 2013;19:4808-17.
10. Kang CM, Lee SH, Hwang HK, Yun M, Lee WJ. Preoperative Volume-Based PET Parameter, MTV2.5, as a Potential Surrogate Marker for Tumor Biology and Recurrence in Resected Pancreatic Cancer. Medicine (Baltimore) 2016;95:e2595.
11. Sahani DV, Bonaffini PA, Catalano OA, Guimaraes AR, Blake MA. State-of-the-art PET/CT of the pancreas: current role and emerging indications. Radiographics 2012;32:1133-58; discussion 58-60.
12. Soriano A, Castells A, Ayuso C, et al. Preoperative staging and tumor resectability assessment of pancreatic cancer: prospective study comparing endoscopic ultrasonography, helical computed tomography, magnetic resonance imaging, and angiography. Am J Gastroenterol 2004;99:492-501.
13. Sahani DV, Kalva SP, Fischman AJ, et al. Detection of liver metastases from adenocarcinoma of the colon and pancreas: comparison of mangafodipir trisodium-enhanced liver MRI and whole-body FDG PET. AJR Am J Roentgenol 2005;185:239-46.
14. Liu RC, Traverso LW. Diagnostic laparoscopy improves staging of pancreatic cancer deemed locally unresectable by computed tomography. Surg Endosc 2005;19:638-42.
15. Lim JS, Kim MJ, Yun MJ, et al. Comparison of CT and 18F-FDG pet for detecting peritoneal metastasis on the preoperative evaluation for gastric carcinoma. Korean J Radiol 2006;7:249-56.
16. Ruf J, Lopez Hanninen E, Oettle H, et al. Detection of recurrent pancreatic cancer: comparison of FDG-PET with CT/MRI. Pancreatology 2005;5:266-72.
17. Sperti C, Pasquali C, Bissoli S, Chierichetti F, Liessi

G, Pedrazzoli S. Tumor relapse after pancreatic cancer resection is detected earlier by 18-FDG PET than by CT. J Gastrointest Surg 2010;14:131-40.
18. Asagi A, Ohta K, Nasu J, et al. Utility of contrast-enhanced FDG-PET/CT in the clinical management of pancreatic cancer: impact on diagnosis, staging, evaluation of treatment response, and detection of recurrence. Pancreas 2013;42:11-9.
19. Choi M, Heilbrun LK, Venkatramanamoorthy R, Lawhorn-Crews JM, Zalupski MM, Shields AF. Using 18F-fluorodeoxyglucose positron emission tomography to monitor clinical outcomes in patients treated with neoadjuvant chemo-radiotherapy for locally advanced pancreatic cancer. Am J Clin Oncol 2010;33:257-61.
20. Topkan E, Parlak C, Kotek A, Yapar AF, Pehlivan B. Predictive value of metabolic 18FDG-PET response on outcomes in patients with locally advanced pancreatic carcinoma treated with definitive concurrent chemoradiotherapy. BMC Gastroenterol 2011;11:123.
21. Kittaka H, Takahashi H, Ohigashi H, et al. Role of (18)F-fluorodeoxyglucose positron emission tomography/computed tomography in predicting the pathologic response to preoperative chemoradiation therapy in patients with resectable T3 pancreatic cancer. World J Surg 2013;37:169-78.
22. De Gaetano AM, Rufini V, Castaldi P, et al. Clinical applications of (18)F-FDG PET in the management of hepatobiliary and pancreatic tumors. Abdom Imaging 2012;37:983-1003.
23. Baumann T, Rottenburger C, Nicolas G, Wild D. Gastroenteropancreatic neuroendocrine tumours (GEP-NET) - Imaging and staging. Best Pract Res Clin Endocrinol Metab 2016;30:45-57.

43-5 췌장암의 조직진단(Tissue diagnosis of pancreatic cancer)

박승우

서론

암 종괴의 조직학적 확진은 분명한 진단의 근거를 마련하고 예후 예측은 물론 치료 전략을 세우는데 필수적이다. 더불어 불확실한 진단으로 인한 의료 분쟁의 소지를 예방하는데 중요하다. 다만, 모든 경우에 치료 전 조직 진단이 되어야 하는 것은 아니다. 초기의 암으로 절제가 가능하고 영상 및 혈액학적 검사에서 조직 진단을 신뢰할 만한 수준으로 예측할 수 있다면 수술 전 굳이 조직학적 확진을 반드시 해야 하는 것은 아니다. 수술로 절제된 조직의 병리 검사로 수술 후 조직 진단이 가능할 뿐 아니라, 조직검사에 따르는 합병증의 위험을 배제할 수 있기 때문이다.

반면에 수술을 통한 절제가 불가능하여 방사선 요법 또는 항암치료를 계획하는 경우에는 조직학적 확진이 반드시 이루어져야 한다. 첫째는, 세포 유형에 따라 예후는 물론 치료 방침과 항암제가 달라질 수 있기 때문이다. 신경내분비세포암은 혈류가 풍부하여 영상검사에서 동맥기에 조영증강되는 양상으로 췌장관상선암과 감별진단이 가능한 경우가 많지만 분화가 불량한 경우에는 영상소견으로 감별이 되지 않는 경우도 있다. 고형상유두상종양, 선방세포암, 림프종 등이 췌장에 발생하는 드문 종양으로 췌장관상선암과 감별진단되어야 한다. 둘째는, 영상소견에서 암성 종괴와 유사한 형태를 보일 수 있는 양성 질환으로 국소 췌장염이나 경화성장간막염(sclerosing mesenteritis) 등이 있기 때문이다. 국소 췌장염은 CT, MR, EUS 등의 영상 소견을 종합하여도 감별이 어려운 경우가 있으며 경화성장간막염도 마찬가지이다. 셋째는 독성이 있는 항암요법에 대한 근거를 확보함으로써 오진으로 인한 의료분쟁의 소지를 미연에 예방하는 측면에서도 필수적이다.

1. 췌장암의 조직진단법은 다음과 같다.

(1) 복부초음파를 이용한 세침흡인생검/Tru-cut 생검
(2) CT 유도하 세침흡인생검
(3) 복강경을 이용한 생검
(4) ERCP를 이용한 경유두생검
(5) 내시경초음파유도하 세침흡인생검

1) 복부초음파 및 전산화단층 촬영(US 및 CT)

복부초음파를 이용한 생검은 복부초음파영상기기를 이용하여 병변을 확인한 다음 탐촉자에 부착된 유도관을 통하여 생검을 위한 세침이나 Tru-cut 생검침을 삽입하여 조직을 채취하는 방법이다. 시술자의 숙련도에 따라 검사 결과의 민감도에 큰 차이를 보일 수 있다. CT 유도하 생검은 기술적으로 가능한 방법이나 복부초음파 또는 EUS 유도하 생검이 흔히 이용되면서 자주 사용되는 방법은 아니다. 복부초음파 또는 CT 유도하 췌장 생검 진단의 민감도는 62~90%이며 특이도는 100%에 이른다[1-5].

2) 복강경(peritoneoscopy)

복강경을 이용한 생검은 전신마취하에 수술실에서 외과의가 시행하는 생검이다. 이러한 방법은 영상 소견에서 경계형 절제가능 종양(borderline-resectable pancreatic cancer)인 경우, 췌장의 국소병변은 절제가 능하나 간전이 또는 복막전이가 의심되는 경우에 개복술은 절제가능성을 먼저 조사할 목적으로 복강경을 시행할 때 유용하다. 복강경 소견상 절제가 불가능하다고 판단되면 조직생검을 시행하고 수술을 마친다. EUS나 경복부 초음파 등 타 검사로 병변으로의 접근이 어렵거나 반복적인 생검에도 암세포가 확인되지 않았지만 임상적으로 췌장암 가능성이 크다고 판단되는 경우에도 복강경을 통한 생검을 시행하기도 한다.

3) 내시경적 역행성 담췌관 조영술(ERCP)

ERCP를 이용한 경유두 생검은 ERCP 시술 중에 생검겸자를 유두를 통하여 깊게 삽관한 다음 종양이 있는 췌관 또는 담관에서 생검을 시행하는 방법이다(그림 43-5-1). 종양으로 인한 협착이 있는 췌관에서 직접 생검을 하는 것이 좋으나 협착부위까지 삽입이 어려운 경

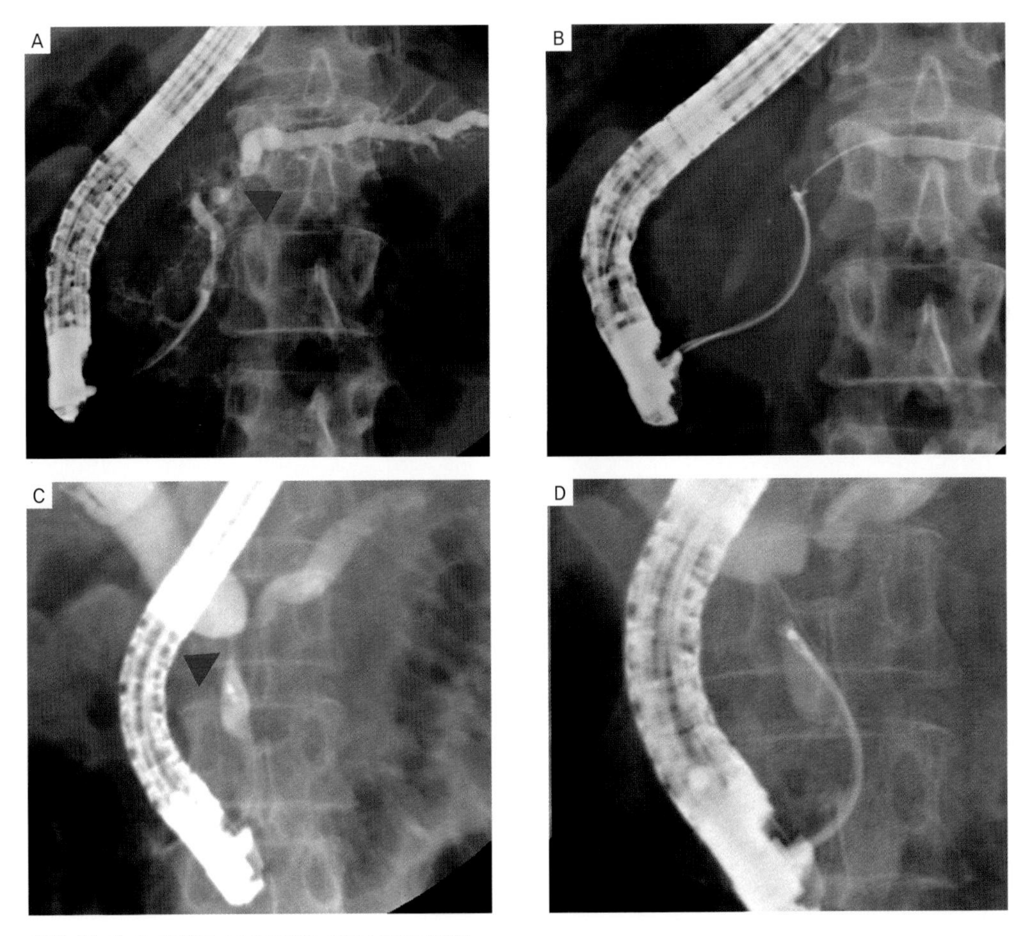

그림 43-5-1. **췌장암 조직진단을 위한 경유두생검.**
A, B. 경유두 췌관생검. 췌관 조영 후 협착부(red arrowhead)까지 생검겸자를 삽입(B)하여 조직을 채취.
C, D. 암침윤으로 인한 담관협착에서 경유두 담관생검.

우가 종종 있다. 협착부위를 통과하여 유도 철사를 삽입할 수 있으면 철사를 따라서 솔을 삽입하여 솔질 세포진을 얻을 수도 있으며 췌관에서 췌액을 채취하여 세포진 검사를 할 수도 있다. 췌관을 따라 조직을 채취하는 시술은 침습적인 검사법에 해당하며 시술자의 숙련도에 따라 진단율에 차이가 있다. ERCP를 이용한 경유두생검 진단의 민감도는 49~66%에 이르며 시술에 따른 췌장염 합병증은 6%에서 발생한다[6,7]. 침윤으로 인하여 담관협착이 있는 경우에는 협착부위 담관을 생검할 수 있으나 외부에서 침윤된 협착이기 때문에 생검조직에서 종양세포가 확인되는 비율이 높지 않다.

4) 내시경초음파(endoscopic ultrasonography)

내시경초음파유도하 세침흡인생검(EUS-FNA)은 현재 가장 널리 이용되는 췌장암의 조직진단 술기이다(그림 43-5-2). 선형배열 EUS (Linear Array EUS) 기기를 이용하여 종양을 포착한 다음 겸자공으로 생검침을 삽입하여 종양을 천자한 뒤 앞뒤로 생검침을 반복적으로 움직이면서 음압을 이용하여 조직을 채취한다(그림 43-5-3). 도플러를 이용하여 혈류를 실시간 관찰할 수 있기 때문에 천자 하는 경로에 놓인 혈관을 파악할 수 있어 이를 피하여 천자함으로써 시술에 따른 출혈 합병증을 예방할 수 있다. 채취되는 조직의 양에 따라 2-3회 반복하여 천자하여 충분한 시료를 확보해야 한다. 세포 병리 전문가가 함께 시술에 참여하여 채취된 세포를 관찰하면 진단의 민감도 증가에 유리하다 (표 43-5-1). 그렇지 못한 경우에는 충분한 시료를 얻을 수 있도록 세심하게 채취된 조직을 관찰하여 덩어리를 확인해야 한다.

시술에 따른 합병증에는 출혈, 췌장염, 천공, 농양 등이 있으나 숙련된 시술자에 의한 시술은 합병증의 위험을 줄이면서 높은 진단 정확도를 얻을 수 있다. 가장 흔한 합병증은 급성췌장염으로 0.3~2%에서 발생한다[8-10]. 출혈 합병증은 1.0~4.4%에서 발생하는데 위장관 내강

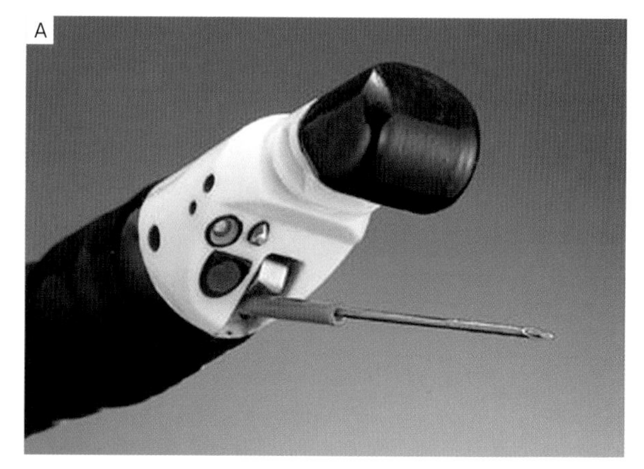
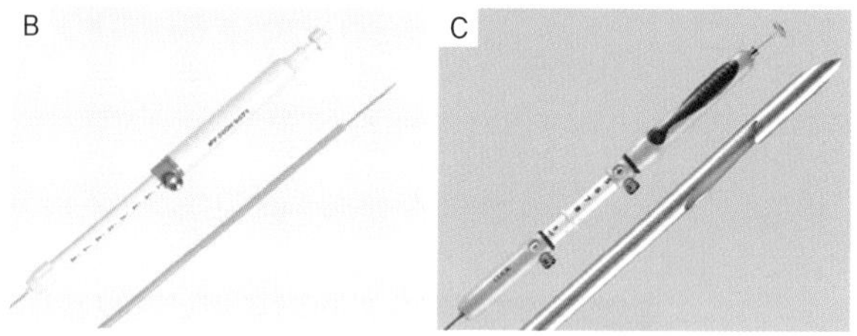

그림 43-5-2. **세침흡인용 직선형-EUS (A) 및 생검용 세침(B,C).**

또는 복강쪽 모두 발생할 수 있다[11,12]. 출혈은 저절로 지혈이 되는 경우가 많아서 대부분 보존적 치료로 조절된다. 천공은 가장 심각한 합병증인데 삽입 과정의 손상으로 0.1% 안팎으로 식도에 발생하거나 천자와 관련하여 0.1~0.9%에서 십이지장에 발생할 수 있다[13-15]. 감염은 매우 드물고 2% 안팎으로 일시적인 세균혈증이 발생할 수 있으나 임상적인 문제는 극히 드물어서 예방적 항생제의 사용은 불필요하다[16]. 내시경초음파 유도하 생검 시 천자로 인하여 발생할 수 있는 종양파급은 매우 드물기는 하지만 시술자와 환자 모두 가장 우려하는 합병증이다[17]. 매우 드물다 하더라도 종양의 파급에 따른 심각성을 고려하여 시술 시 가급적 수술적 절제범위에 포함되는 부위에서 천자를 하도록 주의해야 하며, 절제가능하고 영상 검사에서 악성가능성이 높은 경우에는 굳이 수술 전 생검을 하지 않아도 된다.

조직 진단의 정확도는 민감도 90%, 특이도 95%, 양성예측도 100%, 음성예측도 33~85%, 정확도 90% 안팎의 결과를 보인다[18-22](표 43-5-2). 만성췌장염에서 종괴

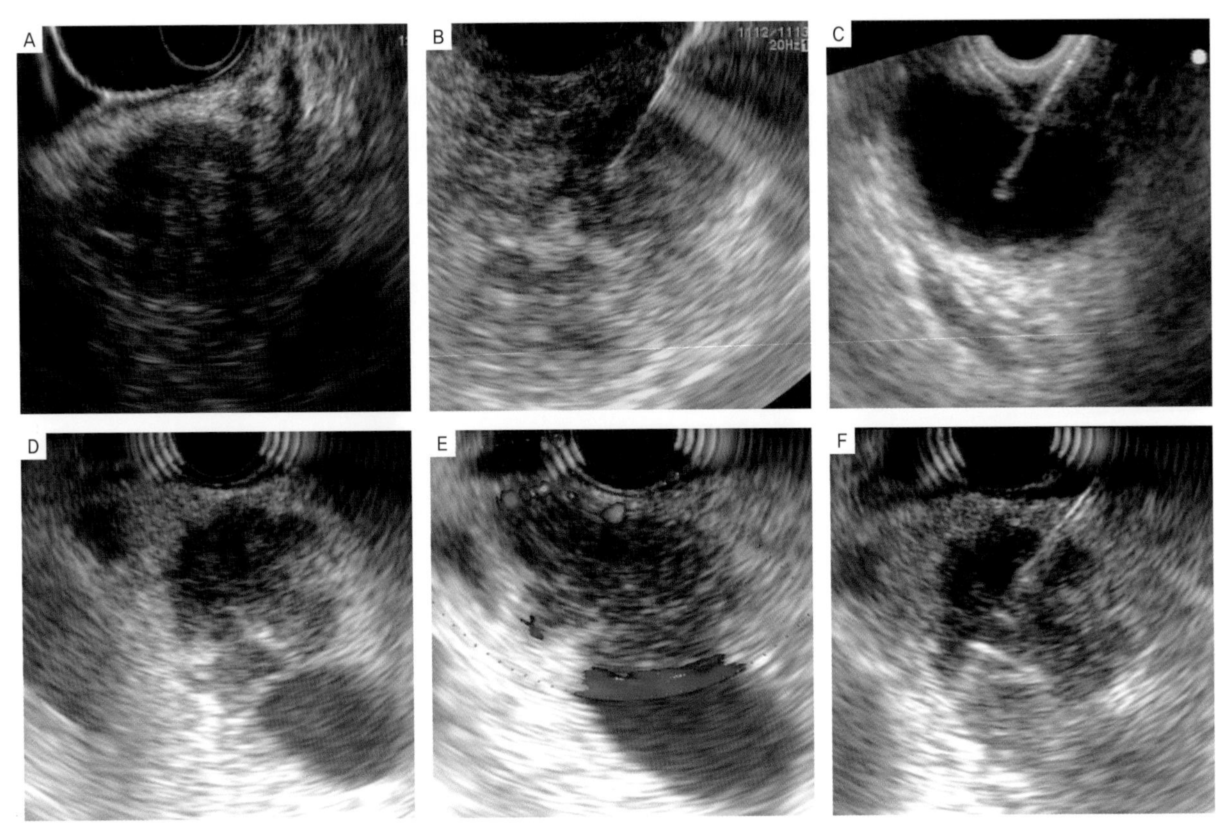

그림 43-5-3. **EUS 유도하 세침흡인생검.**
A, B. 고형성 종괴에 대한 세침흡인 생검. C. 낭종에 대한 세침흡인.
D-F. EUS-FNA. 종양 포착(D), 혈관 확인(E) 후 천자(F).

표 43-5-1. **내시경초음파 유도하 세침흡인생검의 안전성과 정확도를 높이는 요령**

시술 전
- 충분한 진정으로 환자의 움직임을 최소화
- 혈소판 수는 50,000 이상
- INR은 1.5 이하
- 아스피린을 제외한 항혈소판제와 항혈전제는 5일간 중단

시술 시
- 천자로 세침이 통과하는 가상의 경로를 그려서 정확한 천자가 이루어질 수 있는 위치를 파악
- 도플러영상으로 혈관상을 분명하게 확인한 뒤에 피하여 천자
- 출혈의 우려 시에는 22 또는 25 게이지 세침을 이용
- H&E 조직 병리를 어디 위한 목적으로는 19 게이지 세침을 이용
- 흡인공을 이용하여 공기를 흡인함으로써 탐촉자와 장관 사이의 공기를 최소화
- 천자 후 세침을 앞뒤로 움직일 때에는 경로를 조금씩 변경하여 여러 곳에서 조직이 확실하게 흡인되도록 조작

시술 후
- 정확한 검체의 처리
- 세포 병리 전문자의 동반 검사 권장

표 43-5-2. **검사에 따른 췌장암 진단의 민감도와 특이도**

Modality	Sensitivity	Specificity
CA 19-9	70-92	68-92
CT	77-97	56-89
US	89	99
US or CT-guided FNA	62-90	98-100
ERCP	49-66	96
EUS-FNA	75-98	71-100
EUS-FNB	85-95	86-100

가 형성된 경우에는 민감도가 75% 안팎으로 다소 낮아진다[23]. 무작위 비교연구에서 내시경초음파 유도하 생검은 경복부 초음파나 CT 유도하 생검보다 분명한 우위를 보이기 때문에 최근에는 췌장암 조직진단의 표준적인 술기로 인정되고 있다[24-28].

초음파, CT, MRI 등에서 발견된 췌장종괴에 대한 조직 진단이 필요한 경우는 근치적 절제가 불가능하거나 절제가능성이 불분명하여 수술 이외의 다른 치료법을 고려하는 경우이다. 절제 가능성이 높은 종괴는 조직진단을 배제하고 근치적 절제술을 시행하는 것이 시술에 따른 합병증이나 암세포의 파급을 피할 목적으로 바람직하다(그림 43-5-4).

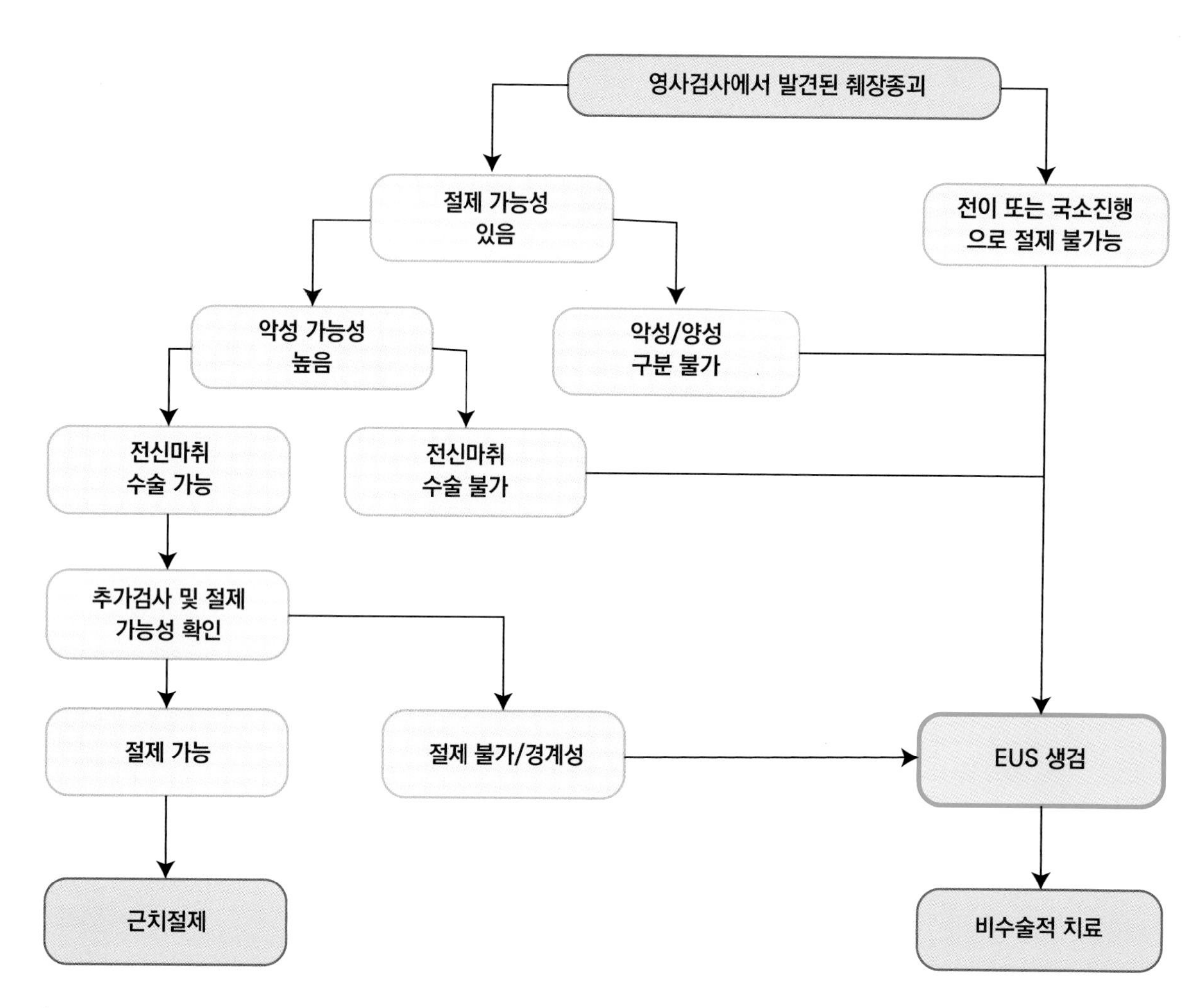

그림 43-5-4. 영상 검사에서 발견된 췌장 종괴에 대한 접근과 생검.

References

1. Del Maschio A, Vanzulli A, Sironi S, et al. Pancreatic cancer versus chronic pancreatitis:diagnosis with CA 19-9 assessment, US, CT, and CT-guided fine-needle biopsy. Radiology 1991;178:95-9.
2. Johnson DE, Pendurthi TK, Balshem Am, et al. Implications of fine-needle aspiration in patients with resectable pancreatic cancer. Am Surg 1997;63:175-9.
3. Erturk Sm, Mortele KJ, Tuncali K, Saltzman JR, Lao R, Silverman SG. Fine-needle aspiration biopsy of solid pancreatic masses: comparison of CT and endoscopic sonography guidance. Am J Roentgenol 2006;187:1531-5.
4. Horwhat JD, Paulson EK, McGrath K, et al. A randomized comparison of EUS-guided FNA versus CT or US-guided FNA for the evaluation of pancreatic mass lesions. Gastrointest Endosc. 2006;63:966-75.
5. Volmer KE, Vollmer RT, Jowell PS, Nelson RC, Xie HB. Pancreatic FNA in 1000 cases: a comparison of imaging modalities. Gastrointest Endosc 2005; 61:854-61.
6. Uchida N, Kamada H, Tsutsui K, et al. Utility of pancreatic duct brushing for diagnosis of pancreatic carcinoma. J Gastroenterol 2007;42:657-62.
7. Yamaguchi T, Shirai Y, Nakamura N, et al. Usefulness of brush cytology combined with pancreatic juice cytology in the diagnosis of pancreatic cancer: significance of pancreatic juice cytology after brushing. Pancreas 2012;41:1225-9.
8. Katanuma A, Maguchi H, Yane K, et al. Factors predictive of adverse events associated with endoscopic ultrasound-guided fine needle aspiration of pancreatic solid lesions. Dig Dis Sci 2013;58: 2093-9.
9. Gress F, Michael H, Gelrud D, et al. EUS-guided fine-needle aspiration of the pancreas: evaluation of pancreatitis as a complication. Gastrointest Endosc 2002;56:864-7.
10. Eloubeidi MA, Gress FG, Savides TJ, et al. Acute pancreatitis after EUS-guided FNA of solid pancreatic masses: a pooled analysis from EUS centers in the United States. Gastrointest Endosc 2004;60:385-9.
11. Park SW, Chung MJ, Lee SH, et al. Prospective Study for Comparison of Endoscopic Ultrasound-Guided Tissue Acquisition Using 25- and 22-Gauge Core Biopsy Needles in Solid Pancreatic Masses. PLoS One 2016;11:e0154401.
12. Jani BS, Rzouq F, Saligram S, et al. Endoscopic Ultrasound-Guided Fine-Needle Aspiration of Pancreatic Lesions: A Systematic Review of Technical and Procedural Variables. N Am J Med Sci 2016;8:1-11.
13. Acosta RD, Abraham NS, Chandrasekhara V, et al. The management of antithrombotic agents for patients undergoing GI endoscopy. Gastrointest Endosc 2016;83:3-16.
14. Das A, Sivak MV, Chak A. Cervical esophageal perforation during EUS: a national survey. Gastrointest Endosc 2001;53:599-602.
15. Mortensen MB, Fristrup C, Holm FS, et al. Prospective evaluation of patient tolerability, satisfaction with patient information, and complications in endoscopic ultrasonography. Endoscopy 2005;37: 146-53.
16. Hirota WK, Petersen K, Baron TH, et al. Guidelines for antibiotic prophylaxis for GI endoscopy. Gastrointest Endosc 2003;58:475-82.
17. Fujii LL, Levy MJ. Basic techniques in endoscopic ultrasoundguided fine needle aspiration for solid lesions: Adverse events and avoiding them. Endosc Ultrasound 2014;3:35-45.
18. Puli SR, Bechtold ML, Buxbaum JL, Eloubeidi MA. How good is endoscopic ultrasound-guided fine-needle aspiration in diagnosing the correct etiology

for a solid pancreatic mass?: A meta-analysis and systematic review. Pancreas 2013;42:20-6.

19. Hartwig W, Schneider L, Diener MK, Bergmann F, Büchler, MW, Werner J. Preoperative tissue diagnosis for tumours of the pancreas. Br J Surg 2009;96:5-20.
20. Hewitt MJ, McPhail MJ, Possamai L, Dhar A, Vlavianos P, Monahan KJ. EUS-guided FNA for diagnosis of solid pancreatic neoplasms: a meta-analysis. Gastrointest Endosc 2012;75:319-31.
21. Harewood GC, Wiersema MJ. Endosonography-guided fine needle aspiration biopsy in the evaluation of pancreatic masses. Am J Gastroenterol 2002;97: 1386-91.
22. Ardengh JC, Lopes CV, de Lima LF, et al. Diagnosis of pancreatic tumors by endoscopic ultrasound-guided fine-needle aspiration. World J Gastroenterol 2007;13:3112-6.
23. Varadarajulu S, Tamhane A, Eloubeidi MA. Yield of EUS-guided FNA of pancreatic masses in the presence or the absence of chronic pancreatitis. Gastrointest Endosc 2005;62:728-36.
24. DelMaschio A, Vanzulli A, Sironi S, et al. Pancreatic cancer versus chronic pancreatitis: diagnosis with CA 19-9 assessment, US, CT, and CT-guided fine-needle biopsy. Radiology 1991;178:95-9.
25. Johnson DE, Pendurthi TK, Balshem AM, et al. Implications of fine-needle aspiration in patients with resectable pancreatic cancer. Am Surg 1997;63:675-9.
26. Erturk SM, Mortelé KJ, Tuncali K, Saltzman JR, Lao R, Silverman SG. Fine-needle aspiration biopsy of solid pancreatic masses: comparison of CT and endoscopic sonography guidance. Am J Roentgenol 2006;187:1531-5.
27. Horwhat JD, Paulson EK, McGrath K, et al. A randomized comparison of EUS-guided FNA versus CT or US-guided FNA for the evaluation of pancreatic mass lesions. Gastrointest Endosc 2006; 63:966-75.
28. Volmar KE, Vollmer RT, Jowell PS, Nelson RC, Xie HB. Pancreatic FNA in 1000 cases: a comparison of imaging modalities. Gastrointest Endosc 2005;61: 854-61.

CHAPTER 44

췌장암의 치료

Treatment of pancreatic cancer

44-1 췌장암의 외과적 치료(Surgical treatment of pancreatic cancer)

박준성, 윤동섭

서론

췌장암은 우리나라에서 발생한 전체 암 중 10%를 차지하고 있으며 암으로 인한 사망률에서 7.1%를 차지하고 있어 다른 암에 비하여 발생 빈도가 그리 높지는 않으나 일단 발병되면 사망률이 매우 높은 암이다[1]. 췌장암에 대한 치료 방법은 그동안 많이 발전해왔으나 5년 생존율은 10% 미만으로 지난 10여 년 동안 큰 변화가 없는 원인으로는 췌장암 발견 당시 수술적 절제가 가능한 환자의 비율이 적고 대부분의 환자에서 근치적 절제술 후에도 재발이 많기 때문이다. 췌장암은 발생 위치에 따라 수술 방법이 달라지는데 췌두부나 경부, 구상돌기에서 발생한 경우에는 췌십이지장 절제술 혹은 유문보존 췌십이지장 절제술을 췌미부에 발생한 경우에는 췌미부절제술을 시행한다[2].

1. 수술 전 진단 방법

1) 복부 초음파 검사

소화기 증상이나 통증, 황달이 있는 경우 초음파 검사로 선별검사를 시행할 수 있다. 담도 확장의 유무, 담석의 유무를 확인 하고, 췌장의 병변 유무를 확인할 수 있으나 췌장암 침윤의 범위 등을 자세히 알기는 어렵다.

2) 복부 CT

췌장 종괴가 의심될 경우 종영증강 CT를 시행하는 것이 중요하다. 췌장암 의심 시 조영증강 CT를 촬영하여 췌장 종양 존재 유무, 주요 혈관 침윤 여부, 주위 조직 침윤 유무 및 주변 림프절 전이와 간전이 유무를 판단한다. 특히, 주요 혈관의 침윤 유무는 수술의 범위 또는 수술 전 항암치료 여부를 결정하기 때문에 그 진단이 중요하며 CT가 발달되기 이전에는 침습적 혈관조영술을 시행하였으나 최근에는 대부분 CT가 대체하고 있다.

3) 내시경역행담췌관조영검사(ERCP) 및 내시경초음파(EUS)

ERCP는 황달 및 고빌리루빈혈증을 보이는 환자에서

수술 전 담도 배액관을 삽입과 췌액 세포 검사를 시행할 수 있으며 췌관의 협착, 폐쇄 등을 진단할 수 있다.

내시경초음파검사는 췌장암 진단에 있어 최근에 많이 사용되는 영상 진단 검사방법으로 팽대부 주위의 다른 질환과 감별이 쉽고, 췌장암의 주변 장기, 림프절, 혈관 등의 관계를 통해 근치적 수술 가능성 평가, 양성 염증성 질환이나 기타 종양과의 감별을 위한 세침 흡인술 등을 시행할 수 있다[3].

4) 자기공명영상(MRI)

주변 조직과 주변 혈관의 침윤 정도는 CT가 더 정확하게 진단하지만, 췌장 병변의 감별진단 및 간전이 등은 MRI가 CT보다 정확하다. 현재는 CT와 상호 보완적인 역할을 하며 췌장암의 수술 전 병기 진단의 정확성을 올리는데 많은 도움을 준다.

5) 양전자방출단층촬영(PET)

PET은 암 세포의 구조적 변화보다 대사 변화에 따른 활성도의 차이에 따라 진단을 시행하는 것으로 췌장암 진단에 높은 예민도를 가지고 있다. 하지만 양성 염증성 질환 등에서도 활성을 보이는 경우가 많아 감별진단이 어려운 경우가 많다. 하지만, 타 영상 검사와 상호 보완적인 역할을 하며 진단의 정확도를 올릴 수 있다.

2. 수술 적응증

완치의 기회를 가져 올 수 있는 유일한 치료법이 근치적 절제(R0)이기 때문에 수술 전에 반드시 근치적 절제가 가능한지 판단하는 것이 가장 중요하다. 원격전이가 있거나 복강동맥 또는 상장간막동맥 침윤이 있는 종양으로 8판 UICC/AJCC 병기로 III, IV기(T4 이상)인 경우, 대동맥 주위 림프절 전이가 있거나 상장간막 정맥 침윤의 정도가 심할 때 근치적 절제술이 불가능하다. 영상학적으로 조영증강 CT에서 혈관 침윤 정도에 따라 근치적 절제가 가능한 췌장암(resectable pancreatic cancer)과 기술적/육안적으로 종양의 절제가 가능할 것으로 판단되나 현미경적 절제연 양성(R1)이 될 확률이 높아 종양학적 측면에서 근치적 절제 가능성이 낮은 경우 경계성 절제가능 췌장암(borderline resectable pancreas cancer)을 구별한다. 기관마다 경계성 절제가능 췌장암 진단기준이 다르나 아래의 기준을 대체로 이용하고 있다(표 44-1-1). 많은 기관에서 NCCN 정의를 많이 사용하고 있으며 NCCN 기준에 의하면 1) 상장간막 정맥 및 문맥은 종양이 혈관에 근접하거나 둘러싸고 있어도 혈관 재건이 가능한 경우, 2) 상장간막 동맥은 종양이 혈관의 180도 이하로 둘러싸고 있는 경우, 3) 복강 동맥은 침범하지 않는 경우를 경계성 절제 가능 췌장암으로 정의한다(그림 44-1-1).

3. 수술 방법

병변의 위치에 따라 크게 췌장 두부나 구상돌기에 있을 경우에는 췌십이지장 절제술(pancreaticoduodenectomy, 또는 pylorus preserving pancreaticoduodenectomy), 체부나 미부에 있을 경우 행해지는 원위부 췌장 절제술(distal pancreatectomy)과 두 부분을 모두 절제하는 췌전절제술(total pancreatectomy)로 나눌 수 있다.

1) 췌십이지장 절제술 및 유문보존 췌십이지장 절제술

췌두부암에서 이뤄지는 근치적 목적의 유일한 술식은 췌두부십이지장 절제술과 1978년 Traverso와 Longmire가 소개한 십이지장의 2~3 cm를 보존하는 유문보존 췌두부십이지장 절제술이 있다. 췌십이지장 절

표 44-1-1. **경계성 절제가능 췌장암 진단기준**

	NCCN criteria[4,5]	MD Anderson cancer center criteria[6]	Alliance[7]
상장간막정맥(SMV) 및 문맥(PV)	종양이 인접하거나 둘러싸고 있으나 혈관협착을 동반하지 않음. 짧은 구간 협착을 동반하나 혈관재건 가능	짧은 구간 협착을 동반하나 혈관 재건이 가능	종양혈관간격(tumor vessel interface)이 혈관 벽 둘레의 180° 이상을 차지할 때 , 그리고/또는 재건 가능한 협착정도
상장간막동맥(SMA)	종양 접촉 각도 < 180°	종양 접촉 각도 < 180°	종양혈관간격(tumor vessel interface)이 혈관 벽 둘레의 180° 미만을 차지할 때
위십이지장동맥(GDA) 및 간동맥(HA)	종양이 둘러싸고 있으나 복강동맥은 침범하지 않음	간동맥의 짧은 구간에 종양이 인접하거나 둘러싸고 있음	종양과 혈관벽 사이에 재건 가능한 짧은 간격이 존재시
복강동맥(celiac axis)	침범하지 않음	종양 접촉 각도 < 180°	혈관 벽 둘레의 180° 미만으로 종양혈관간격(tumor vessel interface)이 차지할 때

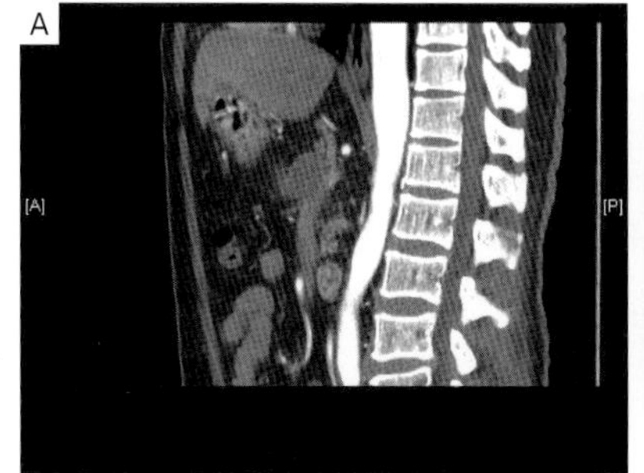

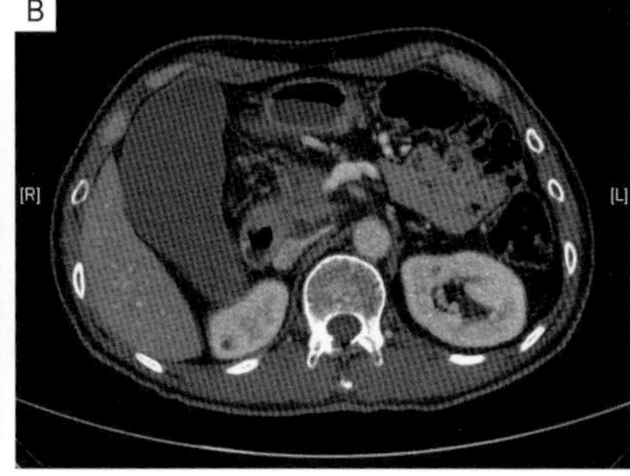

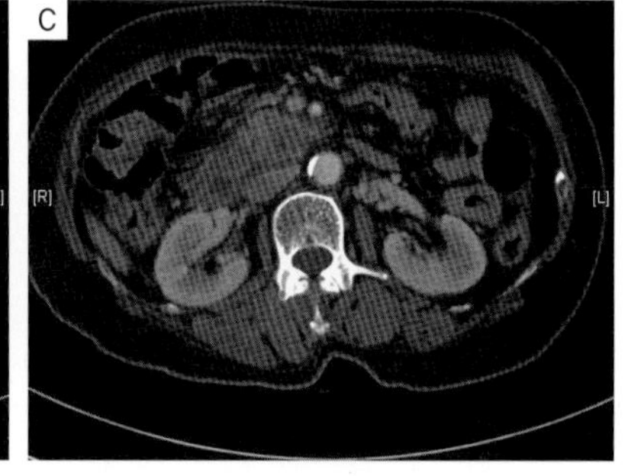

그림 44-1-1. **절제 가능 경계성 췌장암의 영상학적 병기.**
A. SMV was short segment venous occlusion.
B. Pancreatic cancer infiltrate short segment of portal vein.
C; Pancreatic cancer was suspicious abutment of SMA.

제술과 유문보존 췌십이지장 절제술을 비교하는 전향적 연구에서 수술 시간, 수술 중 출혈량, 수술 후 합병증 및 장기 생존율에 있어서 두 수술간의 차이가 없다고 보고되고 있다[9-11]. 하지만, 유문보존 췌십이지장 절제술이 위절제 후 증후군과 변연부 궤양의 발생 빈도가 감소하고 수술 후 영양 상태가 호전되는 등 여러 가지 장점들이 알려져 있어 최근에는 많은 기관에서 표준 술식으로 시행되고 있다. 유문보존 췌십이지장 절제술에서 위배출지연이 좀 더 많은 것으로 보고되고 있지만 본 저자들의 경험에서는 췌십이지장 절제술과 비교하여 큰 차이가 없다[12].

췌두부암의 경우 상장간막 동/정맥과 문맥에 침윤하는 경우가 많아 혈관의 합병절제가 이뤄지기도 한다. 복강동맥, 상장간막동맥의 합병절제는 생존율 향상 없이 높은 수술 후 합병증 및 사망률이 보고되어 현재는 많이 시행되지 않지만, 문맥/상장간막정맥 절제는 초기에 비하여 수술 후 합병증이 많이 줄어듦에 따라 현재 많은 기관에서 합병 절제를 시행한다. 종양과 정맥이 접촉되어 있는 경우 수술 시 박리를 진행하고 박리가 되지 않을 시 범위에 따라 이식편을 대거나 측면 절제를 시행하여 합병 절제를 시행하기도 한다. 하지만 정맥 침윤이 의심되어 정맥 합병 절제를 하였다 할지라도 조직학적으로 확인된 정맥침윤이 있는 경우가 그렇지 않은 경우보다 예후가 불량한 것으로 보고된다[13,14].

2) 림프절 절제 범위

췌두부암 수술 시 림프절 절제의 범위에 대해서는 아직까지 논란이 있다. 구상돌기의 경우 상장간막동맥(SMA)에서 분리하는 과정에서 SMA 오른쪽 벽의 골격을 남길 때 가장 좋은 절단면(margin)을 얻을 수 있다. 림프절 절제의 범위는 췌두 전후 림프절(13번, 17번), 원위 간십이지장인대의 모든 림프절(12번), 총간동맥(8번), 상장간막동정맥(14번)림프절, 복강동맥 림프절(9번), 대동맥 주위 림프절(16번)이 포함된다[15]. 하지만 최근에 위의 림프절을 모두 절제하는 확대 술식과 표준 술식을 비교하는 많은 전향적 연구에서 두 수술 간에 환자들의 장기 생존율에 차이가 없음을 보고하여 저자들은 표준 술식을 시행하고 있다[16-19](그림 44-1-2). 췌장암은 췌장주위신경총으로 침습하는 경우가 많아 췌두부신경총과 SMA주위 신경총의 완전한 제거가 중요하지만 적극적인 신경총 절제 시 혈관 손상의 가능성이 높으며 수술 후 심한 설사를 일으키게 된다.

3) 원위부 췌장절제술

췌두부암에 비하여 췌미부암은 비특이적인 증상(복통, 체중감소, 오심 및 구토)으로 인하여 진단 당시에 이미 췌장 주위 및 주요 혈관 주위 등으로 국소 침윤이 있거나 원격전이가 있어 수술 적응이 되는 경우는 매우 적다. 복막전이, 간전이 및 복부대동맥 주위 림프절 전이가 없고 상장간막동맥, 복부대동맥에 뚜렷한 침윤이 없는 경우 비장을 포함한 원위췌장절제술을 시행한다. 주위 장기로의 침윤이 있는 종양의 경우에는 췌체미부,

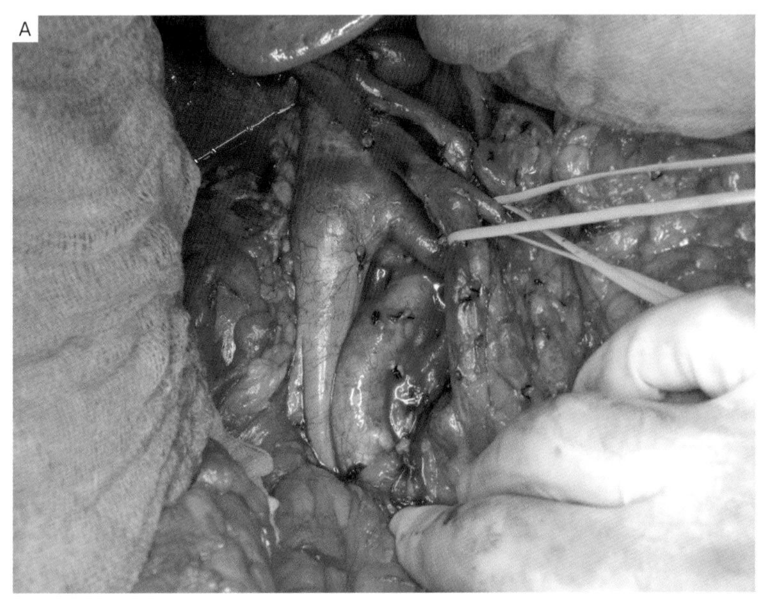

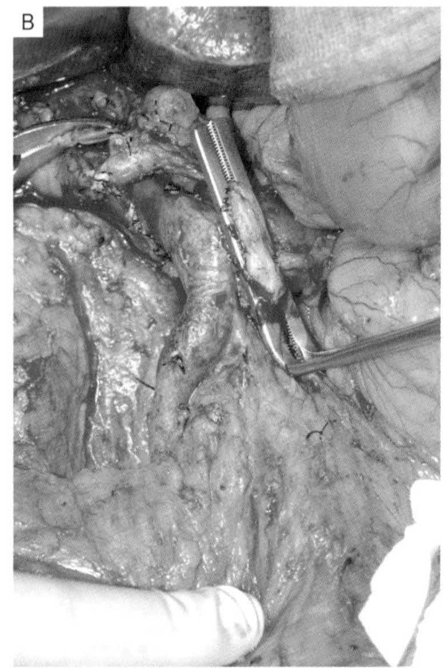

그림 44-1-2. **확대 림프절 절제 및 표준 림프절 절제.**
A. 확대 림프절 절제(extended lymph node dissection).
B. 표준 림프절 절제(standard lymph node dissection).

비장, 부신, 범위에 따라 위장, 결장, 신장 등의 타 장기를 일괄(en bloc) 절제한다.

비장동정맥은 기시부 또는 합류부에서 절단하여 제거한다. 상장간막동맥 침윤은 수술의 적응증이 되지 않지만, 비장동맥이 기시하는 부위의 복강동맥 침윤이 있는 경우에는 함께 절제를 고려하기도 한다. 총간동맥(common hepatic artery)이나 복강동맥을 침범한 경우에 이를 합병절제하는 Appleby 수술 또는 DP-CAR (distal pancreatectomy with en bloc celiac axis resection)를 시행한다. 이 수술의 적응증은 복강동맥 근부에서 총간동맥을 위십이지장동맥 분지부 직전에 결찰절리 가능한 경우와 술중 총간동맥 차단 시 고유간동맥의 박동이 촉지되는 경우이다. 일반적으로 시행되는 수술이 아니지만 수술 후 장기 생존례도 보고되어 일부 환자에서 동맥 합병절제를 고려할 수 도 있다[20,21].

림프절 절제는 췌두부암 수술과 같이 표준화된 절제범위가 없지만 대부분 기관에서 비장 및 췌체미부 상하의 림프절을 기본적으로 절제하고 종양이 근접되어 있지 않는 한 총간동맥 주위 신경총은 보존한다. 최근에는 췌체부암 및 췌미부암에 적용되어온 전통적인 원위췌절제술을 시행할 경우 췌후면 절제연 음성(margin negative) 확보 및 림프절을 완전 절제하기 어려운 점이 있어 췌장 경부를 우선 절제한 후 우측에서 좌측으로 주변 연부 조직 및 림프절을 포함하여 일괄 절제하는 radical antegrade modular pancreatosplenectomy (RAMPS)라는 수술법을 하기도 한다[22](그림 44-1-3).

RAMPS는 췌장을 절제한 후 복강 동맥 및 상장간막동맥 주변 조직을 절제하고 대동맥까지 노출하여 주변 조직을 일괄 절제하는 수술법으로 부신과 Gerota 근막의 앞쪽으로 수술하는 anterior RAMPS와 부신과 Gerota근막의 뒤쪽으로 절제하는 Posterior RAMPS로 구분한다. Strasberg SM 등[23]에 의하면 중앙 생존기간은 21개월, 5년 생존율은 26%를 보고하여 과거의 전통적인 원위췌절제술보다 우수한 성적을 발표하였지만 표준화된 술식으로 인정받기 위해서는 장기간 추적 검사가 필요하다.

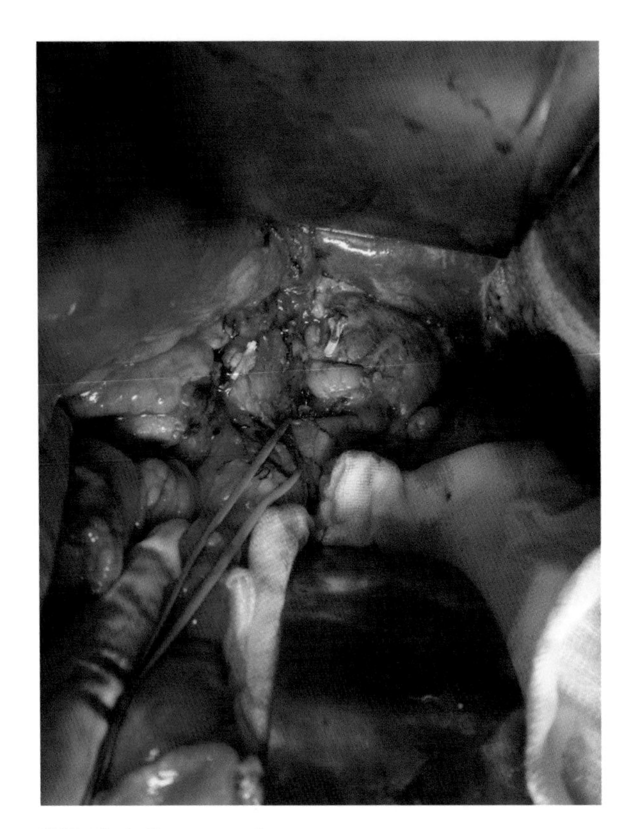

그림 44-1-3. **RAMPS (radical antegrade modular pancreatosplenectomy) 수술.**

4) 췌전절제술

췌장 전체에 걸쳐 종양이 존재하거나 췌두부 절제 후 수술 중 시행한 췌장 절단면 검사 시 암세포의 증거가 있는 경우 췌전절제술을 고려한다. 과거에는 췌두부암에서도 다발성 췌장암의 가능성과 췌십이지장 절제술 시 가장 큰 합병증인 췌장루 누출 등을 방지할 수 있다고 주장하기도 하였지만 췌장암의 다발성에 관하여는 아직도 논란이 있으며 수술 후 10~20%에서는 조절하기 힘든 당뇨병이 발생하여 현재에는 일반적으로 시행되지 않는다.

4. 최소 침습 수술

최소 침습 수술 술기의 발전으로 췌장암의 치료에도 복강경과 로봇 수술이 시도되고 있다. 수술 후 빠른 회복과 짧은 재원기간으로 인해 보조적 항암화학요법을 지속해야 하는 췌장암 환자들에게 고려되고 있는 사항이다. 그러나 췌장암에 대한 최소침습수술 후 환자의 장기 생존율에 대한 보고가 아직까지 없어 많은 기관에서 시행이 되지는 않고 있다.

5. 예후 및 수술 후 보조항암치료

췌장암은 매우 공격적인 종양학적 특성과 조기진단의 진단의 어려움으로 매우 낮은 절제율을 보이고 있으나, 최근 평균 20~25%의 절제율이 보고되고 있으며 수술 사망률은 최근 5% 미만으로 보고되어 많은 성적의 향상을 보이고 있다[24,25]. 하지만 수술 후 환자 생존율은 보고에 따라 5% 미만의 5년 생존율에서 최근 10%, 중앙 생존기간은 18개월로 보고하여 아직까지 다른 암에 비하여 매우 낮은 생존율을 보이고 있다. 췌장암 수술 후 예후를 결정하는 예후인자로 중요한 것은 췌장암 병기의 구성 요소인 종양의 크기, 림프절 전이, 근치적 절제여부 등이 있으며 그 중 가장 중요한 것은 R0절제이다. 하지만 대부분의 췌장암에서 후복막측 동맥 주위의 절제연에 암 침윤이 있는 경우가 많아 절제연 확보에는 한계가 있다.

췌장암 절제 후 보조항암치료에 대하여 많은 임상연구가 있었다. 그 중 ESPAC-1(European Study Group for pancreatic cancer)연구에서는 수술 후 5-FU와 leucovorin 투여가 수술 후 보조항암치료를 하지 않은 군에 비하여 중앙 생존기간(각각 20.1개월, 15.5개월: P = 0.009)을 향상시킨 것으로 보고하였다[26]. 이후 CONKO-001연구에서는 수술 후 gemcitabine 단독 보조항암치료군이 전체적인 생존율에서는 차이가 없지만 무종양생존기간(disease free survival)이 13.4개월로서 아무 치료하지 않는 대조군의 6.9개월보다 우수하고 중앙 생존기간도 각각 22.1개월과 20.2개월로 수술 후 gemcitabine 단독 보조항암치료군이 우월하였다[27]. 현재까지 gemcitabine을 이용한 수술 후 보조항암치료를 하는 것이 환자의 수술 후 예후를 향상시키는 데 중요하지만 아직까지 장기 생존을 위한 표준화된 치료방침은 없는 상황이다.

References

1. 주요 암 발생현황 National cancer information center 2013.
2. 김선회 서경석. 간담췌외과학. 3th ed: 의학문화사; 2013
3. Bhutani MS, Koduru P, Joshi V, et al. The role of endoscopic ultrasound in pancreatic cancer screening. Endosc Ultrasound 2016;5:8-16.
4. Callery MP, Chang KJ, Fishman EK, Talamonti MS, William Traverso L, Linehan DC. Pretreatment assessment of resectable and borderline resectable pancreatic cancer: expert consensus statement. Ann Surg Oncol 2009;16:1727-33.
5. National comprehensive cancer network practice guidelines in oncology for pancreatic adenocarcinoma 2013.
6. Varadhachary GR, Tamm EP, Abbruzzese JL, et al. Borderline resectable pancreatic cancer: definitions, management, and role of preoperative therapy. Ann Surg Oncol 2006;13:1035-46.
7. Katz MH, Marsh R, Herman JM, et al. Borderline resectable pancreatic cancer: need for standardization and methods for optimal clinical trial design. Ann Surg Oncol 2013;20:2787-95.
8. Kakar S PT, Allen PJ, et al. Exocrine Pancreas. Pancreatic adenocarcinoma. In: Amin MB, editor. AJCC Cancer Staging Manual 2016.
9. Tran KT, Smeenk HG, van Eijck CH, et al. Pylorus preserving pancreaticoduodenectomy versus standard Whipple procedure: a prospective, randomized, multicenter analysis of 170 patients with pancreatic and periampullary tumors. Ann Surg 2004;240:738-45.
10. Lin PW, Shan YS, Lin YJ, Hung CJ. Pancreaticoduodenectomy for pancreatic head cancer: PPPD versus Whipple procedure. Hepatogastroenterology 2005;52:1601-4.
11. Seiler CA, Wagner M, Bachmann T, et al. Randomized clinical trial of pylorus-preserving duodenopancreatectomy versus classical Whipple resection-long term results. Br J Surg 2005;92:547-56.
12. Park JS, Hwang HK, Kim JK, et al. Clinical validation and risk factors for delayed gastric emptying based on the International Study Group of Pancreatic Surgery (ISGPS) Classification. Surgery 2009;146:882-7.
13. Tezel E, Kaneko T, Takeda S, Inoue S, Nagasaka T, Nakao A. Intraportal endovascular ultrasound for portal vein resection in pancreatic carcinoma. Hepatogastroenterology 2005;52:237-42.
14. Nakao A, Harada A, Nonami T, Kaneko T, Inoue S, Takagi H. Clinical-Significance of Portal Invasion by Pancreatic Head Carcinoma. Surgery 1995;117:50-5.
15. Kayahara M, Nagakawa T, Kobayashi H, et al. Lymphatic flow in carcinoma of the head of the pancreas. Cancer 1992;70:2061-6.
16. Farnell MB, Pearson RK, Sarr MG, et al. A prospective randomized trial comparing standard pancreatoduodenectomy with pancreatoduodenectomy with extended lymphadenectomy in resectable pancreatic head adenocarcinoma. Surgery 2005;138: 618-28; discussion 628-30.
17. Jang JY, Kang MJ, Heo JS, et al. A prospective randomized controlled study comparing outcomes of standard resection and extended resection, including dissection of the nerve plexus and various lymph nodes, in patients with pancreatic head cancer. Ann Surg 2014;259:656-64.
18. Pedrazzoli S, DiCarlo V, Dionigi R, et al. Standard versus extended lymphadenectomy associated with pancreatoduodenectomy in the surgical treatment of adenocarcinoma of the head of the pancreas: a multicenter, prospective, randomized study. Lymphadenectomy Study Group. Ann Surg 1998;

228:508-17.

19. Yeo CJ, Cameron JL, Lillemoe KD, et al. Pancreaticoduodenectomy with or without distal gastrectomy and extended retroperitoneal lymphadenectomy for periampullary adenocarcinoma, part 2 - Randomized controlled trial evaluating survival, morbidity, and mortality. Ann Surg 2002;236:355-68.
20. 김영훈. 췌장외과 (요점과 맹점). 바이오메디북. 2004.
21. Mollberg N, Rahbari NN, Koch M, et al. Arterial resection during pancreatectomy for pancreatic cancer: a systematic review and meta-analysis. Ann Surg 2011;254:882-93.
22. Strasberg SM, Drebin JA, Linehan D. Radical antegrade modular pancreatosplenectomy. Surgery 2003;133:521-7.
23. Strasberg SM, Linehan DC, Hawkins WG. Radical antegrade modular pancreatosplenectomy procedure for adenocarcinoma of the body and tail of the pancreas: ability to obtain negative tangential margins. J Am Coll Surg 2007;204:244-9.
24. Sohn TA, Yeo CJ, Cameron JL, et al. Resected adenocarcinoma of the pancreas-616 patients: results, outcomes, and prognostic indicators. J Gastrointest Surg 2000;4:567-79.
25. Breslin TM, Hess KR, Harbison DB, et al. Neoadjuvant chemoradiotherapy for adenocarcinoma of the pancreas: treatment variables and survival duration. Ann Surg Oncol 2001;8:123-32.
26. Neoptolemos JP, Stocken DD, Friess H, et al. A randomized trial of chemoradiotherapy and chemotherapy after resection of pancreatic cancer. N Engl J Med 2004;350:1200-10.
27. Oettle H, Post S, Neuhaus P, et al. Adjuvant chemotherapy with gemcitabine vs observation in patients undergoing curative-intent resection of pancreatic cancer: a randomized controlled trial. JAMA 2007;297:267-77.

44-2 췌장암의 항암약물치료(Chemotherapy of pancreatic cancer)

방승민

서론

췌장암은 조기 진단을 위한 영상학적 검사법이나 생물학적 표지자가 없고, 타 장기 악성 종양에 비해 진행 초기부터 근치적 절제 수술이 불가능한 경우가 많다. 또한 수술 후 추적 관찰 중 상대적으로 높은 재발률을 보이므로 항암약물을 이용한 내과적 치료가 매우 중요하다. 본 장에는 췌장암의 항암치료에 대해 알아 보고자 한다

1. 수술 후 보조항암치료 (postoperative adjuvant chemotherapy)

현재까지 근치적 절제 수술을 받은 췌장암 환자에 대한 방사선 치료의 효과는 아직까지 논란이 있는 반면, 수술 후 항암치료로 재발의 억제 효과 및 생존기간의 연장 효과가 있는 것으로 인정되고 있다[1,2]. 실제로 2004년 발표된 ESPAC-1 다기관 공동 연구를 통해 수술 후 항암치료의 효과가 입증되었다[3]. ESPAC-1 연구는 췌장암으로 진단받고 수술적 치료를 시행한 환자 289명을 수술 후 5-FU, leucovorin 항암화학요법군, 고전적인 분할 방사선요법군, 두 가지 치료를 병행한 군(방사선치료 후 항암화학요법) 및 수술 후 보존적 치료만을 시행한 군으로 나누어 진행된 2×2 factorial 연구로 시작하여 이후 261명의 환자를 추가하여 항암방사선화학요법과 보존적치료 및 항암화학요법과 보존적치료의 효과를 비교하였다. 47개월의 중앙 추적 관찰 후 항암화학요법을 시행한 군이 항암화학요법을 시행하지 않은 군에 비해 유의하게 높은 중앙생존기간을 나타내었고(20.1개월 vs. 15.5개월; hazard ratio, 0.71; 95% CI, 0.55~0.92; p = 0.09), 2년 및 5년 생존율에서도 유의한 차이를 나타내었다(표 44-2-1). 이후 현재까지의 연구들은 수술 후 항암치료에 있어 어떤 약물이 보다 효과적인가에 대해 초점을 맞추어 수행되고 있다.

표 44-2-1. **ESPAC-1 연구 결과 요약**

	Survival						
	PFS*		Median			%	
Group	Months	P	Months	HR	P	2-year	5-year
CRT†	10.7	0.04	15.9	1.28	0.05	29	10
No CRT	15.2		17.9			41	20
CT‡	15.3	0.02	20.1	0.71	0.009	40	21
No CT	9.4		14.7			30	8

* Progression free survival, †Chemoradiotherapy, ‡ Chemotherapy

먼저 CONKO-001 제3상 임상연구를 통해 gemcitabine 단독요법이 보존적 치료만 시행하는 것에 비해 유의미하게 무병 생존기간(disease free survival)과 중앙 생존기간 연장 효과를 보임을 확인하였다[4,5]. 이후 유럽국가를 중심으로 한 ESPAC-3 공동 연구에서는 수술 후 항암요법으로써 gemcitabine 단독요법과 5-FU/leucovorin 병용요법 간의 유의미한 차이를 확인하지는 못하였다[6]. 이상의 연구를 토대로 현재 유럽과 미국을 중심으로 한 치료 가이드라인에서는 수술 후 항암요법으로 두 가지 요법을 모두 사용할 수 있는 것으로 권고하고 있다[1,2]. 이에 반해 일본에서는 자국에서 개발된 S-1의 수술 후 항암치료제로서의 효과를 gemcitabine 단독치료와 비교한 3상 임상연구에서 S-1 단독치료가 gemcitabine 단독치료에 비해 열등하지 않으며, 2년 생존율에는 우월한 효과를 보였다고 보고하였다[7]. 그러나 S-1의 임상 효과는 일본인만을 대상으로 한 제한점이 있어 보다 다양한 인종을 대상으로 하는 연구를 통해 검증할 필요가 있다.

2. 국소 진행성 또는 전이성 췌장암의 항암치료(chemotherapy for locally advanced or metastatic pancreatic cancer)

1) 일차 항암치료(first line chemotherapy)

1997년 Burris 등[8]이 gemcitabine 단독요법이 기존의 5-FU 기반의 전신 항암치료보다 진행성 췌장암 환자의 생존율을 증가시키고, 삶의 질을 개선시키는 효과가 우월함을 보고한 이래 현재까지도 전 세계적으로 gemcitabine 단독요법은 진행성 췌장암의 치료에 있어 우선적으로 선택되어 왔다. 이후 gemcitabine 기반의 많은 임상 연구들이 지난 20여년간 시도되었으나, 대부분의 연구들은 gemcitabine 단독요법에 대한 gemcitabine 기반 병용요법의 임상적 우월성을 입증하는데 실패하였다[9-16]. 그러나 2010년 이후 임상적으로 주목할 만한 연구 결과가 발표되어, 진행성 췌장암의 전신항암화학요법에 대한 새로운 반전의 계기가 마련되었다[17-19](표 44-2-2).

(1) Gemcitabine 단독요법

국소 진행성 및 전이성 췌장암의 치료에 있어 gemcitabine의 출현은 췌장암의 항암치료제 또는 병용요법의 개발에 매우 중요한 기반을 마련해 주었다. Burris 등[8]이 126명의 국소 진행성 또는 전이성 췌장암 환자들을 대상으로 5-FU 단독치료군과 gemcitabine 단독치료군으로 무작위 배정을 통한 3상 임상연구를 시행하였으며, 본 연구를 통해 통계적으로 유의미한 생존기간 연장 효과를 확인하였고(5.6개월 vs. 4.4개월, p = 0.0025), 특히 통증 경감 효과, 일상 생활 수행 능력 향상, 체중 변화의 3가지로 구성된 "clinical benefit response"가 유의미하게 호전됨을 확인하였다. 현재도 상대적으로 전신상태가 불량한 환자들에게서는 우선적으로 고려해 볼 수 있는 항암요법이다.

(2) Gemcitabine/Erlotinib 병용요법

Erlotinib은 상피 성장인자 수용체(epidermal growth factor receptor, EGFR)의 티로신 키나아제의 활성화를 억제하는 표적 항암치료제이다. 5개의 아형 수용체가 알려진 경막 수용체인 EGFR은 리간드와 결합을 통해 세포질내 수용체의 인산화를 통해 MAPK, PI3K-Akt 및 STAT 신호체계가 활성화되어 세포의 증식 및 사멸 억제 현상을 유발한다. Erlotinib은 EGFR의 세포질내 수용체의 ATP 결합 부위에 ATP와 경쟁적으로 결합하여 티로신 키나아제 활성을 억제한다. 2007년 Moore 등[20]은 569명의 진행성 췌장암 환자들의 초치료로서 gemcitabine/erlotinib 병용요법이 gemcitabine 단독요법에 비해 통계학적으로 유의미한 생존기간의 연장 효과를 보인다는 것을 보고하였다. 그러나 실제 중앙 생

표 44-2-2. **진행성 췌장암에 대한 주요 항암요법의 치료 성적**

Authors	Clinical trial	Overall Survival		Progression Free Survival		Overall Response Rate
		month	HR (p-value)	month	HR (p-value)	
Conroy et al.[17]	FOLFIRINOX	11.1	0.73 (p < 0.001)	6.4	0.47 (p < 0.001)	31.6%
	Gemcitabine	6.8		3.3		9.4%
Von Hoff et al.[19]	Abraxane/Gemcitabine	8.5	0.72 (p < 0.001)	5.5	0.69 (p < 0.001)	23%
	Gemcitabine	6.7		3.7		7%
Ueno et al.[18]	S-1	9.7	0.96* (p < 0.01) 0.88† (p = .15)	3.8	1.09* (p = .02) 0.66† (p < 0.01)	21%
	S-1/Gemcitabine	10.1		5.7		29.3%
	Gemcitabine	8.8		4.1		13.3%

* Hazard ratio for noninferiority, † Hazard ratio for superiority

존기간의 연장 효과가 0.4개월에 불과하여(6.3개월 vs. 5.9개월, p = 0.038), 후술하는 요법들의 출현과 더불어 진행성 췌장암에서 우선적으로 고려되지는 않고 있다.

(3) FOLFIRINOX 병용요법

2010년 Conroy 등[17]이 5-FU를 기반으로 하는 4제 병용요법(5-FU, leucovirn, irinotecan, oxalipatin, FOLFIRINOX)과 gemcitabine 단독요법에 대한 3상 연구의 우수한 결과를 보고하였다. 이들은 진행성 췌장암 환자들의 초치료로서 FOLFIRINOX 투약군의 생존기간이 11.1개월로 gemcitabine 단독군의 6.8개월에 비해 월등히 우월함을 보고하였다. 이와 같이 고무적인 치료효과를 바탕으로 하여 최근에는 초치료뿐 아니라 다양한 임상 상황에서 FOLFIRINOX의 임상적 유용성을 입증하려는 연구들이 활발하게 진행 중이다. 그러나 본 연구는 비교적 전신 상태가 양호한 환자들만을 연구 대상으로 하였으며, 치료 성적이 우수함과 동시에 4제 요법으로 인한 혈액학적 독성과 말초 신경염등의 비혈액학적 독성이 유의하게 높게 발생하는 문제점 있다. 이로 인해 실제 임상에서는 상대적으로 젊고, 전신 상태가 양호한 환자들에게 초치료 요법으로 우선 사용을 고려해야 한다.

(4) Gemcitabine/albumin bound paclitaxel 병용요법

두 번째로 2013년에 Von Hoff 등[19]이 총 861명의 환자들을 대상으로 albumin-bound paclitaxel (nab-paclitaxel)과 gemcitabine의 병용요법과 gemcitabine 단독치료의 임상 효과를 비교하기 위한 3상 연구결과를 발표하였다. 이들의 연구에 의하면 albumin-bound paclitaxel/gemcitabine 병용투여군의 중앙 생존기간이 gemcitabine 단독투약군에 비해 월등히 길었으며(8.5개월 vs 3.7개월, Harzard ratio 0.72, p = 0.000015), 종양 반응률 또한 탁월한 효과를 나타내었다. 또한 FOLFIRINOX 연구에 비해 상대적으로 다양한 상태의 환자들이 연구 대상으로 포함되었다.

(5) S-1 단독요법

세 번째는 2013년 Ueno 등[18]이 총 834명의 국소 진행성 또는 전이성 병변을 가진 진행성 췌장암 환자를 대상으로 S-1 단독요법, gemcitabine/S-1 병용요법 및 gemictabine 단독요법의 임상 효과를 비교한 3상 연구이다[18]. 본 연구에서는 S-1 단독요법, gemcitabine/S-1 병용요법 및 gemcitabine 단독요법의 중앙 생존기간은 각각 9.7, 10.1 및 8.8개월이었다. 세부 투약군 간 생존기간 비교 분석에 의하면 S-1 단독요법군과 gemcitabine/S-1 군의 중앙 생존기간은 gemcitabine 단독투약군에 비해 우월한 효과가 있음을 입증하는 데는 실패하였으나, S-1 단독투약군과 gemcitabine 단독투약군 간의 생존기간의 차이가 없었다. 이는 S-1 제제 경구투약의 간편성과 매주 gemcitabine 정맥내 투약에 따른 불편함을 감안하였을 때 임상적 편리성 측면에서 우월한 점을 가지고 있다고 할 수 있겠다.

2) 일차 항암치료 실패 후 구제 항암치료 (salvage chemotherapy after failure of primary chemotherapy)

Gemicitabine/Nab-paclitaxel 병용요법과 FOLFIRINOX 병용요법 등이 진행성 췌장암의 일차 항암치료의 효과를 개선하였으나, 여전히 일차 항암치료에 대한 종양 반응률은 30% 내외이며, 치료에 따른 종양의 진행을 억제하는 기간은 6개월 정도이다. 즉, 일차 항암치료를 받는 환자의 거의 대부분은 결국 질병의 악화를 경험하게 되며, 이들에 대한 구제 항암치료요법이 절대적으로 필요함을 의미한다. 그러나 일차 치료에 실패한 진행성 췌장암에 대한 구제 항암치료의 효과에 대한 연구는 아직까지 그 결과가 부족하다. 우선 이차 이상의 항암치료를 시행받는 진행성 췌장암 환자는 일차 항암치료를 받은 환자의 약 50%인 것이며, 특히 Sinn 등[21]이 독일 CONKO-003 제3상 임상연구 데이터에 대한 후향적 분석에 따르면 2차 항암치료를 시작하는 시기의 Karnofsky performance score가 높고, 혈청 CA 19-9가 낮으며, 일차 항암치료의 기간이 4개월 이상인 환자들은 2차 항암치료를 통한 생존기간의 연장 효과를 기대할 수 있다. 그러나 현재 2차 항암치료요법으로 우선 선택될 수 있는 표준 요법은 없는 상태이다[22-27]. 이는 일차 항암치료 약제들이 지속적으로 발전하고 있으며, 이들의 변화에 따라 2차 약제로 선택되어지는 약물의 종류가 다양하기 때문이다. 최근에는 nanoliposomal irinotecan 및 Janus kinase inhibitor를 기반으로 하는 2차 항암치료 요법에 대한 임상 연구가 진행 중이다. 특히 5-FU/folinic acid와 nanaliposomal irinotecan을 병용하였을 때 5-FU/folinic acid만으로 치료받은 군에 비해 생존기간이 연장되는 효과를 보고하여, gemcitabine 기반의 일차 항암치료에 실패하였을 때 2차 치료로 고려해 볼 수 있겠다[28].

References

1. Ducreux M, Sa Cunha SA, Caramella C, et al. Cancer of the pancreas: ESMO clinical practice guidelines for diagnosis, treatment and follow-up. Ann Oncol 2015;26(Suppl. 5):v56-68.
2. National Comprehensive Cancer Network. Practice guidelines in oncology for pancreatic adenocarcinoma. Version 2. 2015. http://www.nccn.org.
3. Neoptolemos JP, Stocken DD, Friess H, et al. A randomized trial of chemoradiotherapy and chemotherapy after resection of pancreatic cancer. N Eng J Med 2004; 350:1200 - 10.
4. Oettle H, Post S, Neuhaus P, et al. Adjuvant chemotherapy with gemcitabine vs observation in patients undergoing curative-intent resection of pancreatic cancer: a randomized controlled trial. JAMA 2007; 297:267 - 77.
5. Oettle H, Neuhaus P, Hochhaus A, et al. Adjuvant chemotherapy with gemcitabine and long-term outcomes among patients with resected pancreatic cancer: the CONKO-001 randomized trial. JAMA 2013;310:1473 - 81.
6. Neoptolemos JP, Stocken DD, Bassi C, et al. Adjuvant chemotherapy with fluorouracil plus folinic acid vs gemcitabine following pancreatic cancer resection: a randomised controlled trial. JAMA 2010; 304:1073 - 81.
7. Maeda A, Boku N, Fukutomi A, et al. Randomized phase III trial of adjuvant chemotherapy with gemcitabine versus S-1 in patients with resected pancreatic cancer: Japan Adjuvant Study Group of Pancreatic Cancer (JASPAC-01). Jpn J Clin Oncol. 2008;38:227 - 9
8. Burris HA, Moore MJ, Andersen J, et al. Improvements in survival and clinical benefit with gemcitabine as first-line therapy for patients with advanced pancreas cancer: a randomized trial. J Clin Oncol 1997;15:2403 - 13.
9. Bang S, Jeon TJ, Kim MH, et al. Phase II study of cisplatin combined with weekly gemcitabine in the treatment of patients with metastatic pancreatic carcinoma. Pancreatology 2006;6:635-41.
10. Chung HW, Bang SM, Park SW, et al. A prospective randomized study of gemcitabine with doxifluridine versus paclitaxel with doxifluridine in concurrent chemoradiotherapy for locally advanced pancreatic cancer. Int J Radiat Oncol Biol Phys 2004;60:1494-501.
11. Chung JW, Jang HW, Chung MJ, et al. Folfox4 as a rescue chemotherapy for gemcitabine-refractory pancreatic cancer. Hepatogastroenterology 2013;60:363-7.
12. Hong SP, Park JY, Jeon TJ, et al. Weekly full-dose gemcitabine and single-dose cisplatin with concurrent radiotherapy in patients with locally advanced pancreatic cancer. Br J Cancer 2008;98:881-7.
13. Kim H, Park JH, Shin SJ, et al. Fixed dose rate infusion of gemcitabine with oral doxifluridine and leucovorin for advanced unresectable pancreatic cancer: a phase II study. Chemotherapy 2008;54:54-62.
14. Kim HM, Bang S, Park JY, et al. Phase II trial of S-1 and concurrent radiotherapy in patients with locally advanced pancreatic cancer. Cancer Chemother Pharmacol 2009;63:535-41.
15. Kim YJ, Bang S, Park JY, et al. Phase II study of 5-fluorouracil and paclitaxel in patients with gemcitabine-refractory pancreatic cancer. Cancer Chemother Pharmacol 2009;63:529-33.
16. Park S, Chung MJ, Park JY, et al. Phase II Trial of Erlotinib Plus Gemcitabine Chemotherapy in Korean Patients with Advanced Pancreatic Cancer and Prognostic Factors for Chemotherapeutic Response. Gut Liver 2013;7:611-5.
17. Conroy T, Desseigne F, Ychou M, et al.

FOLFIRINOX versus gemcitabine for metastatic pancreatic cancer. N Engl J Med 2011;364:1817-25.
18. Ueno H, Ioka T, Ikeda M, et al. Randomized phase III study of gemcitabine plus S-1, S-1 alone, or gemcitabine alone in patients with locally advanced and metastatic pancreatic cancer in Japan and Taiwan: GEST study. J Clin Oncol 2013;31:1640-8.
19. Von Hoff DD, Ervin T, Arena FP, et al. Increased survival in pancreatic cancer with nab-paclitaxel plus gemcitabine. N Engl J Med 2013;369:1691-703.
20. Moore MJ, Goldstein D, Hamm J, et al. Erlotinib plus gemcitabine compared with gemcitabine alone in patients with advanced pancreatic cancer: a phase III trial of the National Cancer Institute of Canada Clinical Trials Group. J Clin Oncol 2007;25:1960 - 6.
21. Sinn M, Dälken L, Striefler JK, et al. Second-Line Treatment in Pancreatic Cancer Patients: Who Profits?--Results From the CONKO Study Group. Pancreas. 2016;45:601-5.
22. Kozuch P, Grossbard ML, Barzdins A, et al. Irinotecan combined with gemcitabine, 5-fluorouracil, leucovorin, and cisplatin (GFLIP) is an effective and non cross resistant treatment for chemotherapy refractory metastatic pancreatic cancer. Oncologist 2001;6:488-95/.
23. Reni M, Cereda S, Mazza E, et al. PEFG (cisplatin, epirubicin, 5-fluorouracil, gemcitabine) regimen as second-line therapy in patients with progressive or recurrent pancreatic cancer after gemcitabine-containing chemotherapy. Am J Clin Oncol 2008; 31:145-50.
24. Demols A, Peeters M, Polus M, et al. Gemcitabine and oxaliplatin (GEMOX) in gemcitabine refractory advanced pancreatic adenocarcinoma: a phase II study. Br J Cancer 2006;94:481-5.
25. Morizane C, Okusaka T, Ueno H, et al. Phase I/II study of gemcitabine as a fixed dose rate infion and S1 combination therapy (FGS) in gemcitabine-refractory advanced pancreatic cancer. Cancer Chemother Pharmacol 2012;69:957-64.
26. Chung JW, Jang HW, Chung MJ, et al. Folfox4 as a rescue chemotherapy for gemcitabine-refrectory pancreatic cancer. Hepatogastroenterology 2013; 60:363-7.
27. Kim YJ, Bang S, Park JY, et al. Phase II study of 5-fluorouracil and paclitaxel in patients with gemcitabine refractory pancreatic cancer. Cancer Chemother Pharmacol 2009;63:529-33.
28. Wang-Gillam A, Li CP, Bodoky G, et al. Nanoliposomal irinotecan with fluorouracil and folinic acid in metastatic pancreatic cancer after previous gemcitabine-based therapy (NAPOLI-1): a global, randomised, open-label, phase 3 trial. Lancet. 2016;387:545-57.

44-3 췌장암의 방사선치료(Radiation therapy of pancreatic cancer)

최진현, 성진실

서론

췌장암의 예후는 지극히 불량하여 적극적인 치료를 한다고 해도 5년 생존율이 5% 미만이다. 췌장암 환자는 4개의 카테고리-절제가능, 경계성, 국소진행, 전이-로 나눌 수 있다. 수술적 절제만이 완치요법이지만, 15~20% 정도에서 수술이 가능하고 이러한 환자들도 5년 생존율이 20% 정도에 그친다. 생존율을 높이기 위해 절제가 가능한 환자와 절제가 불가능한 환자 모두에서 항암치료와 방사선치료가 시행되고 있다. 비록 다양한 무작위 임상연구에서 서로 상충되는 결과를 보고하긴 했지만, 북미 지역에서는 보조요법으로서 항암방사선치료가 여전히 고려되고 있다. 수술 전 항암방사선 치료를 통해 절제 불가능한 췌장암에서 종양의 크기 감소를 통해 절제가 가능하도록 할 수 있는지가 연구되어 왔다. 그 결과 경계성 환자의 약 30%에서 수술 전 치료 후 절제가 가능하였고, 이로써 생존율을 향상시킬 수 있었다. 수술 전 치료의 장점과 고무적인 결과에도 불구하고 현재까지 수술 전과 수술 후 보조요법을 비교한 무작위 임상시험 데이터는 없는 실정이다. 국소 진행성 췌장암에서 적절한 치료 전략으로 2~4개월간 gemcitabine 기반의 유도 항암치료 후 치료 반응평가를 통해 반응이 있는 환자들에게 추가적인 5-FU 혹은 gemcitabine 기반 동시적 항암방사선치료를 하게 되는데, 이는 항암방사선치료로 가장 이득을 얻을 수 있는 환자의 선별을 가능케 한다. 방사선치료 기술의 발달로 종양에 대한 방사선량의 증가가 가능해졌고, 독성의 증가 없이 방사선치료와 항암치료의 병합으로 국소영역 제어율이 향상되었다. 따라서 이번 장에서는 췌장암에서 수술 전/수술 후 보조요법과 근치적 요법에서 단독 혹은 병합치료를 포함한 방사선치료의 역할에 관한 중요한 연구 결과들에 대해 기술하고자 한다.

1. 보조적 방사선치료(adjuvant radiotherapy)

췌장암 환자 치료의 진보적인 발전에도 불구하고 근치적 절제술을 받은 환자의 5년 생존율은 10~20%에 불과하다[1]. 게다가 국소 재발률은 50~86%, 원격전이율은 40~90%에 달한다[2-7]. 이러한 결과는 효과적인 보조요법이 필요함을 시사하고 있다. 높은 원격전이율은 항암치료를, 높은 국소 재발률은 방사선치료를 선호하는 근거를 제공한다[8]. 그러나 현재까지 다양한 무작위 임상연구에서 상충되는 결과들을 보이고 있어(표 44-3-1) 절제 가능한 췌장암에서 보조적 방사선치료의 명확한 역할은 확립되지 않았다.

1) 무작위 임상연구(randomized trials)

초기 무작위 임상연구로서 GITSG (Gastro-Intestinal Tumor Study Group)는 중간 분석 결과에서 수술적 절제 후 항암방사선치료가 생존율을 향상시킨다고 보고하였다. R0 절제된 43명의 환자를 항암방사선치료군과 관찰군으로 무작위 배정하여, 치료받지 않은 22명의 환자와 치료받은 환자 21명을 비교 분석하였다. 방사선치

표 44-3-1. **보조적 방사선치료에 대한 무작위 임상연구**

임상연구	치료군	환자수	중앙 생존 기간(달)	생존율(%)
GITSG[9,10]	항암방사선치료	21	21	14 (5년)
	관찰	22	10.9	4 (5년)
	항암방사선치료 (추가적 연구)	30	18	46 (2년)
EORTC[2]	항암방사선치료	110	24.5	51 (2년)
	관찰	108	19	41 (2년)
ESPAC-1 (pooled data)[12]	항암방사선치료	175	15.5	-
	항암방사선치료(-)	178	16.1	-
	항암치료	238	19.7	-
	항암치료(-)	235	14	-
ESPAC-1 (2×2 디자인)[14]	관찰	69	16.9	11 (5년)
	항암치료	75	21.6	29 (5년)
	항암방사선치료	73	13.9	7 (5년)
	항암방사선치료 + 항암치료	72	19.9	13 (5년)

료는 40 Gy를 20분획으로 치료하였고, 20 Gy 조사 후 2주간 쉬는 방식으로 기간분리(spilit course) 치료하였다. 방사선치료 기간 중에 5-FU(5-fluorouracil)를 볼루스로 투여하고(500 mg/m^2),방사선치료 후 2년간 매주 동일하게 투여하였다. 항암방사선치료군의 중앙 생존기간은 20개월로 11개월을 보인 관찰군에 비해 현저히 높은 것으로 나타났다. 2년, 5년 생존율은 항암방사선치료군에서 42%와 14%인 반면, 관찰군에서 15%와 4%였다[9]. 중간분석에서 생존 이득을 확인한 후 추가로 30명을 동일한 항암방사선 요법으로 치료한 결과도 유사한 생존율을 보여, 중앙 생존기간은 18개월이었고 2년 생존율은 46%였다[10]. 생존율이 현저하게 향상되었기 때문에 보조적 항암방사선치료는 특히 북미 지역에서 표준치료가 되었다. 그러나 GITSG 연구는 여러 제한점으로 인해 비판을 받았다. 이 연구는 등재율이 낮고 두 그룹 간의 생존율의 차이가 크게 나타났기 때문에 조기 종결되었다. 8년간 43명만이 연구에 등록이 되었다. 40 Gy라는 낮은 방사선량과 AP:PA(anteroposterior-posteroanterior) 영역으로 2차원 방사선치료를 시행함으로써 췌장 전부분과 복강(celiac), 췌비장(pancreaticosplenic), 췌장주위(peripancreatic), 후복부(retroperitoneal) 영역 림프절을 포함하였기 때문에 최신 방사선치료를 시행하는 현시점에 적용하기는 힘들다. 또한 이 연구는 보조적 항암방사선치료 사용의 효과를 평가한 것이고, 항암치료에 방사선을 추가하여 얻는 효과에 대해서는 조사하지 않았다.

반면, EORTC (European Organization of Research and Treatment) 연구에서는 수술적 절제 후에 항암방사선치료를 추가하는 것이 전체 생존율에 영향을 미치지 않는 것으로 보고하였다. 췌장 두부 혹은 팽대부 주위 환자 218명이 수술적 절제 후 항암방사선치료군과 관찰군으로 무작위 배정되었다. 방사선은 GITSG 연구에서와 같이 40 Gy를 기간분리 요법으로 조사하였고, 항암제의 경우 GITSG 연구와 다르게 동시적으로 연속성 5-FU(25 mg/kg)를 투여하되 유지요법은 시행하지 않았다. 췌장암 두부 환자만을 분석했을때는 생존율이 향상되는 경향을 보였는데($p = 0.099$), 81명 환자의 중앙 생존기간은 항암방사선치료군이 17.1개월, 관찰군에서는 12.6개월이었다. 그러나 전체적으로 보조적 항암방사선치료가 통계학적인 유의성은 보이지 않았다. 중앙 생존기간이 관찰군의 경우 19.0개월, 항암방사선치료군은 24.5개월이었고($p = 0.208$), 2년 생존율은 각각 41%와 51%였다[2]. 11.7년이라는 긴 추적기간 동안 EORTC 연구는 보조적 항암방사선치료군이 관찰군에 비해 효과가 없음을 좀 더 명확히 하였다[11]. 그러나 이 연구에서 보조적 항암방사선치료의 효용성을 밝히지 못한 몇 가지 요소가 있는데, 첫 번째로는 연구에 포함된 환자군의 이질성(heterogeneity)을 들 수 있다. 이 연구는 췌장암과 팽대부주위암 환자 모두를 포함하고 있는데, 팽대부주위암이 췌장암보다 훨씬 더 좋은 예후를 보이는 것으로 알려져 있다. 이 연구에서 췌장암 환자만을 포함한 분석결과에서는 보조 항암방사선치료가 향상된 생존율을 보여 주었다. 그리고 항암방사선치료군의 20% 환자가 수술 후 합병증 혹은 환자 거부로 예정된 프로토콜을 따르지 못했다. 또한 이 연구에서는 나쁜 예후에 영향을 미치는 수술 절제연 양성환자 25%와 림프절 양성 47%을 포함하였다. 방사선치료 관점에서 볼때, GITSG 연구에서와 같이 낮은 방사선량으로 기간분리 치료하여 최적의 치료를 제공하지 못했다. 항암치료 역시 유지요법이 생략되었고, 적은 환자수를 포함하였다. GITSG 연구와 다르게 EORTC 연구 결과가 생존율의 향상을 보이지 못한 것은 방사선치료 때문이라기보다는 항암유지 요법이 빠진 것이 원인이라고 생각되었고, 그 결과 유럽에서는 수술적으로 절제한 췌장암 환자에서 보조적 항암요법이 표준 치료로 간주 되었다[12,13].

ESPAC-1(The European Study Group for Pancreatic Cancer-1)은 4개의 그룹으로 나누어 항암방사선치료와 항암치료의 역할을 평가한 무작위 비교 연구이다. 285명의 환자들이 수술적 절제 후에 1) 관찰군(n = 69), 2) 보조적 단독 항암치료군(n = 74), 3) 보조적 동시 항암방사선치료군(n = 70), 혹은 4) 동시 항암방사선치료 후 항암유지 치료군(n = 72)으로 등록되었다. 또한 임상의가 환자들을 1) 관찰군과 2주간 20 Gy 방사선과 5-FU(500 mg/m^2) 치료 후 2주 지나 반복하는 항암방사선치료군(n = 68) 혹은 2) 관찰군과 항암치료군(n = 188)으로 선택하여 무작위 배정할 수 있도록 하였다. 2×2 그룹과 2개의 옵션 연구들의 데이터를 모아 분석을 시행하였다. 항암방사선요법은 GITSG와 EORTC 연구와 유사하였지만 총방사선량은 40 Gy 혹은 60 Gy를 사용하였다. 수술 절제연 양성도 허용되어 18% 양성 환자가 이 연구에 포함되었다. 전체적으로 보조적 항암방사선치료의 이득은 없었다. 중앙 생존기간은 175명의 항암방사선치료군이 15.5개월이었고 항암방사선 비치료군 178명의 경우 16.1개월이었다. 보조적 항암치료는 생존율 향상에 기여하였다[12]. 2×2 디자인으로 무작위 배정한 환자 289명만을 포함하여 중간 보고한 결과에 따르면 관찰군, 항암치료 단독군, 항암방사선치료군, 항암방사선치료 후 항암치료군의 중앙 생존기간은 각각 16.9개월, 21.6개월, 13.9개월, 19.9개월이었다.

항암치료를 받은 환자와 그렇지 않은 환자들을 그룹별로 분석해 봤을때, 항암치료 시행군의 5년 생존율은 21%인 반면 비시행군은 8%였다(p = 0.009). 방사선치료를 시행받은 환자들과 그렇지 않은 환자들간의 그룹분석에서는 방사선치료 시행군이 비시행군보다 생존율이 감소되었다(p = 0.05). 이러한 결과를 근거로 저자들은 보조적 항암치료는 생존율에 이득이 있지만 항암방사선치료는 오히려 해롭다는 결론을 내렸다[14]. 그러나 ESPAC-1 연구는 여러가지 문제점들로 인해 강력히 비판을 받아왔다. 임상의사가 무작위 배정 그룹을 선택할 수 있었다는 점은 이 연구 디자인이 잠재적으로 등재 과정에서 표본 편중(selection bias)을 가진다는 것이다[15]. GITSG와 EORTC 연구처럼 이 연구에서도 방사선치료는 저선량 기간분리 치료와 같은 과거방식을 이용해 최적의 방사선치료기법이 적용되지 못했다. 또한 방사선치료 계획에 관한 질관리(quality assurance)의 부재, 방사선치료 영역 크기와 방사선치료 기법이 특성화되지 못했다. 이 연구는 질환이 컨트롤되지 않는 환자, 과거 치료 받은 환자뿐만 아니라 치료에 순응을 보이지 않는 환자를 상당수 포함하였다. 62% 환자만이 항암방사선치료 전 과정을 시행받았고, 항암치료군의 42%가 예정된 치료를 마쳤다는 점은 이 연구의 분석과 결론의 타당성에 의구심을 갖게 한다. 이런 모든 요소들이 항암방사선치료군의 결과에 부정적인 영향을 끼쳤을 것으로 생각된다.

Gemcitabine의 개발은 췌장암의 치료에 있어 중요한 진보로 간주될 수 있다. 보조적 항암치료가 잠재적 이득을 보인 데이터를 기반으로 CONKO-1 연구가 시작되었고, 수술 단독군과 수술과 6주기의 gemcitabine 기반 항암치료(1,000 mg/m^2) 병행군을 평가하였다. 368명의 환자가 등재되었고, 수술적 절제 후 gemcitabine으로 치료받은 환자가 그렇지 않은 환자보다 통계학적으로 유의하게 높은 무병 생존율을 보였다(13.4개월 vs. 6.9개월)[16]. 방사선치료의 역할을 설명하기 위해 CONKO-1 연구의 gemcitabine 치료군과 방사선치료를 포함한 연구인 RTOG (Radiation Therapy Oncology Group) 97-04의 gemcitabine 치료군을 서로 비교하였다. 두 연구 간의 차이를 고려해 볼 때 이러한 비교가 통계학적으로는 유효하지 않아 항암치료에 방사선치료를 추가하는 것이 이득이 있느냐에 대한 결론은 도출할 수 없다[8]. 두 연구 간 가장 큰 차이점은 CONKO-1 연구가 정상치보다 2.5배 이하의 CA(carbohydrate antigen) 19-9 수치를 보인 환자를 포함한 반면 RTOG 97-04 연구는 상한치를 제한하지 않았다는 것이다. 385명의 환자를 CA 19-9 수치에 따라 계층화 해보면(< 180 IU/mL vs. ≥ 180 IU/mL, ≤ 90 IU/mL vs. > 90 IU/mL), CA 19-9 수치가 < 180 IU/mL 인 환자들이 훨씬 좋은 생존율을 보였다[17]. CA 19-9가 ≤ 90 IU/mL인 200명의 환자를 분석한 결과 중앙 생존기간은 CONKO-1 연구의 gemcitabine 치료군과 유사하였다. CONKO-1 연구에 비해 RTOG 97-04 연구가 방사선치료를 시행하고 수술 절제연 양성인 환자를 많이 포함하였지만, 국소 재발률은 두 연구의 gemcitabine 치료군에서 비슷하게 나타났다.

보조적인 치료로서 gemcitabine이 5-FU보다 전체 생존율에 있어 우수한지를 평가하기 위해 3상 무작위 비교 연구인 ESPAC-3는 2000년에서 2007년 사이 1,088명을 등록하고 최소 2년간 추적 관찰을 시행하였다. 환자들은 6주기의 5-FU(425 mg/m^{2}와 폴린산(folinic acid, 20 mg/m^2)을 투여받거나(n = 551) gemcitabine(1,000 mg/m^2) 치료를 받았다(n = 537). 34.2개월간 추적 관찰 후 두 그룹간의 무진행 생존율이나 삶의 질 평가 점수 차이는 보이지 않았다. 그러나 5-FU를 시행받은 14% 환자에서 치료와 관련된 97건의 심각한 부작용이 관찰된 반면, gemcitabine을 시행받은 7.5% 환자에서 52건의 부작용이 발생했다(P < 0.001). 독성에서 좀 더 유리한 점을 고려하여 유럽에서는 보조적인 치료로서 gemcitabine 이 표준적인 것으로 간주되었다[8].

유럽과 달리 미국에서는 절제 가능한 췌장암에서 향후 보조적인 치료로서 항암방사선치료에 초점을 맞춰왔다. RTOG 9704는 보조적인 치료로 5-FU와 비교해 gemcitabine의 효용성을 평가하고자 하였고, 두 항암제 이후 모두 항암방사선치료를 시행하였다. 항암방사선은 50.4 Gy의 방사선과 연속성 5-FU 항암제를 사용하였다. 단변량 분석에서 두 그룹 간 전체 생존율 차이는 보이지 않았다. 췌장 두부암 환자(n = 388)를 분석한 결과에서는, 중앙 생존기간과 5년 생존율이 gemcitabine 치료군에서 20.5개월과 22%였고 5-FU 치료군에서 17.1개월과 18%였다. 또한 다변량 분석시췌장 두부암에서 gemcitabine 치료군은 전체 생존율이 향상되는 경향을 보였다(p = 0.08). 국소 재발은 기존에 발표되었던 다른 연구들에서 보다 절반 정도로 감소하였으나 원격 재발률은 70% 이상으로 여전히 높게 나타났다[19,20].

현재 진행 중인 EORTC/RTOG 0848 3상 연구는 gemcitabine 치료 종결 후 EGFR (epidermal growth factor receptor)인 erlotinib과 항암방사선의 병합치료가 전체 생존율에 영향을 끼치는지를 평가하고 있다. 수술적 절제를 한 췌장 두부암 환자들은 gemcitabine 단독 혹은 gemcitabine과 5주기의 erlotinib 병합 치료군으로 무작위 배정된다. 전신치료가 완료된 이후에도 질병의 진행이 없을 경우 환자들은 다시 기존에 시행받았던 항암치료를 추가로 받는 그룹, 비치료 그룹 혹은 50.4 Gy의 방사선을 capecitabine 또는 5-FU와 동시에 시행 받은 그룹으로 무작위 배정된다. 이 연구는 보조적인 치료로 항암방사선치료의 역할을 좀 더 명확히 할 뿐만 아니라 높은 원격전이율이라는 이슈를 극복하기 위해 고안되었다.

2) 비무작위 임상연구(non-randomized trials)

Johns Hopkins 병원과 Mayo clinic에서 시행한 비무작위 임상연구에서도 췌장암에서 보조적 항암방사선치료로 생존 이득을 보일 수 있다고 발표하였다. JohnsHopkins 병원에서 시행한 전향적 연구에서, 수술적 절제 후 5-FU 기반의 항암방사선치료를 받은 616명의 환자들은 중앙 생존기간이 21.2개월로 비치료군의 14.4개월보다 향상된 성적을 보였다($p < 0.001$). 2년 생존율(43.9% vs. 31.9%)과 5년 생존율(20.1% vs. 15.4%)도 비치료군보다 높았다[21]. Mayo clinic에서도 1975년에서 2005년 사이 수술 후 절제연 음성인 환자 472명의 결과를 보고하였다. 466명의 생존 환자 중, 보조적 항암방사선치료를 받은 환자의 중앙 생존기간은 25.2개월이었고 치료를 받지 않은 환자의 중앙 생존기간은 19.2개월이었다($p = 0.001$). 2년 생존율과 5년 생존율은 각각 50% vs. 39%, 28% vs. 17%였다. 보조적 치료를 받은 환자들이 림프절 양성과 높은 조직학적 등급 같은 나쁜 예후 인자들을 좀 더 가지고 있음에도 불구하고($p = 0.001$), 보조적 항암방사선치료는 중앙, 2년, 5년 생존율을 수술적 절제 단독으로 시행한 것에 비해 의미있게 향상시켰다[22]. 두 연구 모두 50.4 Gy 방사선량을 적용하였다. 두 기관으로부터 약 1,300명의 환자를 추가적으로 분석한 결과 항암방사선치료를 받은 환자들의 전체 생존율이 수술만을 시행받은 환자들에 비해 높았다. 중앙 생존기간은 21.1개월 vs. 15.5개월, 2년과 5년 생존율은 44.7% vs. 34.6%, 22.3% vs. 16.1%였다($p < 0.001$)[23].

무작위 연구들과는 달리 단일 기관의 경험적 보고는 절제한 췌장암의 보조적 치료가 효과가 있다는 근거를 제공하였다. 그러나 방사선치료 동안 11~26% 환자가 원격전이를 경험하는 점을 볼 때[24,25] 복합적인 치료가 필요하고, 따라서 보조적으로 항암치료를 시작하고 이후 진행이 없는 환자를 대상으로 방사선치료를 시행하는 것이 적절한 방법으로 고려될 수 있다.

2. 선행 방사선치료(neoadjuvant radiotherapy)

췌장암에서의 선행요법은 보조요법에 비해 몇몇 이론적인 장점을 지니고 있다. 1) 췌장암의 경우 절제가 불가능한 경우가 많고 따라서 전체적으로 나쁜 예후를 보이게 된다. 선행요법은 경계성, 절제 불가능한 케이스에서 병기를 낮춰 절제율을 높임과 동시에 절제연 양성과 임파절 전이를 감소시킨다[26]. 2) 췌장암은 재발률이 높은 전신 질환으로 근치적 절제술을 받은 환자의 80~85%가 재발을 경험하게 된다[13,14]. 조기에 항암방사선치료를 시행함으로써 원격전이를 막고 생존율을 향상시킬 수 있다. 3) 선행요법을 받는 동안 상당수의 환자에서 원격전이가 발생하는데, 결국 불필요한 수술적 치료를 피할 수 있다[8]. 4) 수술 후 보다는 수술 전 췌장암 부위에 산소화가 풍부한 조직이 많기 때문에 방사선치료가 좀 더 효율적이다. 또한 수술로 인한 장 변위(displacement)를 방지할 수 있어서 위장관 독성의 증가없이 방사선치료를 시행할 수 있다[27,28]. 그러나 절제 가능한 췌장암에서 선행요법에 관한 대규모 무작위 임상연구가 없으며 몇몇 단일 기관에서 생존율을 향상시키고자 선행 요법을 시행하고 있다(표 44-3-2).

1) 선행 항암방사선치료 시행 연구들(selected studies of neoadjuvant chemoradiation therapy)

MD Anderson 센터 발표에 따르면, 1990년에서 1999년 사이 132명의 환자가 45~50.4 Gy, 28분획 혹은 30 Gy, 10분획 방사선을 항암치료(5-FU, paclitaxel, gemcitabine)와 동시에 시행받았다. 중앙 생존기간은 21개월로 매우 우수하였고, 절제가 가능한 췌장암 환자에서 항암방사선치료와 췌십이지장절제술(pancreaticoduodenectomy)의 병합치료 시 생존기간이 극대화된다는 기존의 연구결과들을 뒷받침하였다[29].

Mount Sinai 병원은 선행요법과 수술적 절제를 우선적으로 시행하는 방법을 비교하는 전향적 임상결과를 보고하였다[30]. 절제가 가능한 91명의 환자가 수술 전 항암방사선치료 없이 우선적으로 수술을 시행받았다. 절제가 불가능한 68명의 환자들은 기간분리 방사선조사와 5-FU, streptozotocin, cisplatin을 동시에 시행받고 이후 수술이 가능할 경우 수술적 절제를 받았다. 이 중 30명의 환자(29.4%)가 수술을 받았고, 20명의 환자에서 병기가 감소되었다. 선행요법을 받은 환자들의 중앙 생존기간과 3년 생존율은 23.6개월과 21%인 반면 바로 수술을 받은 환자들의 경우 14개월과 14%였다($p = 0.006$).

Duke 대학에서는 1994년부터 국소성 췌장암 환자 180명을 선행 항암방사선치료 하였다[27]. 환자들은 총선량 50.4 Gy의 방사선과 5-FU 기반 항암치료를 동시에 시행받았고 이후 원격전이가 없는 환자들은 수술적 절제를 받았다. 약 20%의 환자에서 항암방사선치료 기간 중에 원격전이가 확인되어 불필요한 수술로 인한 이환(morbidity)을 피할 수 있었다. 진단 당시 병기 시행한 CT에서 국소 진행성 종양이던 환자의 약 20%는 항암방사선치료 후 절제가 가능해졌다. 성공적으로 수술적 절제를 받은 환자는 5년 생존율이 36%, 중앙 생존기간이 23개월로 좋은 예후를 보였다.

선행요법으로서의 gemcitabine 사용을 평가하기 위해 MD Anderson 센터에서는 두 가지의 치료 전략을 테스트 하였다. 첫 번째 연구에서 환자는 2주간 총선량 30 Gy, 10분획 방사선치료를 7주기의 gemcitabine(400 mg/m^2)과 동시에 시행받았다. 항암방사선치료를 받은 86명의 환자 중 73명(85%)이 수술을 받았고, 이중 89%에서 수술 절제연이 음성이었다. 수술 받은 환자의 5년 생존율은 36%로 전체 환자의 27% 보다 높았다. 수술을 받은 환자의 중앙 생존기간은 34개월, 수술받지 않은 환자는 7개월이었다($p < 0.001$)[31]. 두 번째 연구에서는 췌장암이 원격전이가 잘 일어난다는 점을 고려하여 항암방사선치료전 선행 항암요법을 시도하였다. 90명의 환자들이 2주기의 cisplatin(30 mg/m^2)과 gemcitabine

표 44-3-2. **선행 항암방사선치료 시행 연구들**

임상연구	환자수	항암치료	방사선치료	절제율(%)	중앙 생존기간(달)
MD Anderson Cancer Center[29]	132	5-FU, Palitaxel, Gemcitabine	45-50.4 Gy or 30 Gy	100	21
Mount Sinai Hospital[30]	68	5-FU, Streptozotocin, Cisplatin	기간분리	29.4	23.6
Duke University Medical Center[27]	180	5-FU	50.4 Gy	20	23(수술치료군)
MD Anderson Cancer Center[31,32]					
항암방사선치료	86	Gemcitabine	30 Gy	85	34(수술치료군)
항암-항암방사선치료	90	Cisplatin/Gemcitabine-Gemcitabine	30 Gy	69	31(수술치료군)
Meta-analysis[35]	4,394	Gemcitabine, 5-FU, MMC, Platinum compounds	24-63 Gy	33	20.5(수술치료군)

5-FU: 5-fluorouracil; MMC: mitomycin-C.

(400 mg/m²)을 시행받은 후 gemcitabine(4주간 매주, 400 mg/m²)과 방사선치료(30 Gy, 2주간)를 동시에 시행받았다. 79명(88%)이 항암-항암방사선치료를 완료하였다. 항암-항암방사선치료를 완료한 환자 79명 중 62명(78%)이 수술을 시행받았고, 52명(66%)은 성공적으로 절제되었다. 즉, 66% 환자에서 수술 절제연이 음성이었다. 전체 환자의 중앙 생존기간은 17.4개월이었다. 수술적 절제를 시행한 환자의 중앙 생존기간은 31개월로 수술받지 않은 환자의 10.5개월보다 양호하였다($p < 0.001$). 그러나 항암방사선치료 전 유도 항암치료를 추가로 시행하는 것이 생존율을 향상시키지 않았다[32].

절제 가능한 췌장암 환자 53명에 관한 초기 2상 연구에서는 50.4 Gy의 방사선과 mitomycin, 5-FU를 선행요법 치료 시 사용했다[33]. 12명의 환자(23%)가 수술을 시행 받지 못했는데, 주로 원격전이 때문이었다. 전체 환자와 수술을 받은 24명 환자의 중앙 생존기간은 각각 9.7개월과 15.7개월이었다. MD Anderson 센터의 결과보다 낮은 생존율을 보인 것은 gemitabine이 아닌 5-FU 기반의 항암치료를 시행했기 때문인 것으로 생각된다.

SEER (Surveillance, Epidemiology, and End Results) 데이터베이스에 기인한 후향적 분석에서, 췌장암 치료에 있어 선행 방사선치료를 시행하는 것이 수술 단독 또는 수술 및 보조 방사선치료 보다 생존기간을 향상시켰다. 이 분석은 총 3,885명의 케이스를 포함하였다. 이 중 70명(2%)이 선행 방사선치료를 받았고, 1478명(38%)이 보조 방사선치료, 2337명(60%)이 수술 단독으로 치료받았다. 선행 방사선치료를 받은 환자의 중간 생존기간은 23개월, 받지 않은 환자는 12개월이었다. 보조 방사선치료를 받은 환자는 17개월이었다. 이 연구에서는 항암치료의 역할은 규명하지 않았다[34].

선행요법의 결과를 보여주기 위해 111개 연구, 총 4,394명 환자에 대한 메타분석이 시행되었다. 연구에서 사용된 총 방사선량은 24~63 Gy였고, gemitabine, 5-FU, mitomycin C, platinum compound로 구성된 항암제가 이용되었다. 선행요법 후에 절제 불가능한 종양의 3분의 1이 절제가 가능해졌고, 처음에 절제 불가능했으나 절제가 가능한 것으로 전환된 경우의 생존기간은 처음부터 절제가 가능한 환자와 비슷하였다. 선행요법 후 수술을 시행받은 환자의 중앙 생존기간은 20.5개월, 초기에 절제가 가능한 환자의 중앙 생존기간은 23.3개월이었다[35].

선행요법에 관한 고무적인 결과에도 불구하고 절제 가능한 췌장암에서 일반적으로 사용 할 근거를 제시할 수 있는 전향적 무작위 3상 연구는 없다.

2) 경계성 절제가능 종양 (borderline resectable disease)

경계성 종양을 가진 환자가 결국엔 수술적 절제를 시행받는 점을 고려할 때, 국소적 절제 불가능한 종양을 절제 가능한 종양으로 전환시킬 수 있는 선행치료 사용이 강력한 근거를 지닌다. 기존에 발표된 연구들의 결과에 따르면 약 30% 환자가 선행요법 후에 절제가 가능한 것으로 전환된다[35]. 경계성 종양에 대한 정의가 여전히 논쟁 중이지만 이러한 환자들에게서 항암치료 단독보다는 항암방사선치료가 강력히 고려되어야 한다(표 44-3-3)[36-41]. 경계성 종양 환자들을 조사한 MD Anderson 센터의 후향적 연구에서, 항암방사선치료를 받은 160명 환자 중 41%가 췌장절제술을 받았고 이중 94%가 절제연이 음성이었다[42]. 이 연구는 선행 치료가 R0 절제와 N0뿐만 아니라 높은 국소 제어율에 기여한다는 근거를 제공한다.

3. 근치적 방사선치료(definitive radiotherapy)

수술적 절제만이 췌장암에서 완치가 가능한 방법이고 경계성 종양 환자는 선행요법 후 진행성이 아닐 경우 수술적 치료의 효과를 볼 수 있다[43]. 반면 다음과 같

표 44-3-3. **경계성 종양에서 선행 치료 시행 연구들**

저자	환자수	항암치료	방사선치료	% (완전절제/전체 절제 환자수)
Kang CM et al.[36]	32	Gemcitabine	50.4 Gy	87.5 (28/32)
Christians KK et al.[37]	18	FOLFIRINOX	50.4 Gy	100 (12/12)
Boone BA et al.[38]	12	FOLFIRINOX		85.7 (6/7)
Paniccia A et al.[39]	18	FOLFIRINOX	30 Gy	100 (17/17)
Rose JB et al.[40]	64	Gemcitabine + Docetaxel		87 (27/31)
Lee JL et al.[41]	18	Gemcitabine	60 Gy	81.8 (9/11)

FOLFIRINOX, 5-fluorouracil, oxaliplatin, irinotecan, leucovorin

은 특성을 가진경우 일반적으로 절제불가능/국소 진행성이라 간주한다. 1) 절제 영역밖의 림프절이 종양과 관련되어 있을때, 2) 상장간막동맥(superior mesentery artery) 둘레의 반이상을 감싸고 있을때, 3) 복강동맥(celiac axis) 둘레의 반이상을 감싸거나 접해 있을때, 4) 상장간막정맥 또는 간문맥이 대체할 수 있는 적절한 혈관 없이 막혀 있을 때, 5) 동맥을 침입 혹은 감싸고 있을 경우 등이다. 이러한 환자들은 중앙 생존기간이 8~12개월로 예후가 불량하다[44]. 국소적으로 진행성/절제 불가능한 환자의 치료 방법으로는 항암치료 단독, 항암치료와 방사선치료 병합치료가 있고, 방사선조사의 경우 세기조절 방사선치료(intensity-modulated radiotherapy)와 정위적 방사선치료(stereotactic body radiation therapy)를 포함한다. 상충되는 결과로 국소 진행성 환자의 적절한 치료에 대해서 의견 일치는 거의 이뤄지지 않았다(표 44-3-4). 또한 절제 불가능한, 국소영역 진행성 췌장암에서 방사선치료의 역할 역시 불명확 하다. 방사선치료를 추가하면 국소 진행을 늦추고 통증이나 담도 혹은 장폐색 같은 증상을 완화시킬 수 있다. 반면에 미세 전이성 원격전이의 경향이 높기 때문에 국소적 진행성 암은 주로 항암치료를 받으며, 대증적 치료에 비해 삶의 질과 생존율을 향상 시킨다. 또한 항암치료와 방사선치료를 같이 했을 때 장기 생존했다는 보고도 있다. 그러나 국소 진행성 췌장암의 적절한 치료를 위해 밝혀야 할 몇 가지 이슈가 남아 있다: 1) 적절한 전신적 치료 약제가 무엇인지, 2) 방사선치료가 항암치료에 추가 되어야 하는지, 3) 방사선치료가 언제, 어떻게 조사되어야 하는지 등을 결정해야 한다.

1) 항암방사선치료와 방사선치료 단독 비교 연구(trials comparing chemoradiation to radiotherapy alone)

GITSG에 의한 초기 무작위 연구는 방사선치료에 5-FU를 추가하는 것이 생존율을 향상시킨다는 것을 증명하였다. 조직학적으로 국소 절제불가능한 선암으로 확진된 194명의 환자들이 60 Gy 방사선치료 단독 혹은 40 Gy 방사선과 5-FU 병합 혹은 60 Gy 방사선과 5-FU 병합치료군으로 무작위 배정되었다. 항암방사선 병합치료는 방사선치료 단독에 비해 중앙 생존기간이 10.4개월 대 6.3개월로 훨씬 우수하였다. 그러나 높은 방사선량(60 Gy)은 생존율을 향상시키지 못했다[45]. 두 병합치료군의 1년 생존율은 40%인 반면 방사선치료 단독군은 10%였다. 이 연구는 국소 진행성 췌장암에서 방사선치료가 항암치료와 동시에 시행되어야 한다는 일반적인 컨센서스를 확립하였다. 방사선치료 단독군은 생

표 44-3-4. **근치적 치료에 대한 무작위 임상연구**

임상연구	환자수	치료	중앙생존기간(달)	1년 생존율 (%)
항암방사선치료 versus 방사선치료 단독				
GITSG[45]	194	60 Gy +5-FU	10.1	40
		40 Gy + 5-FU	10.6	40
		60 Gy	5.7	10
ECOG[46]	114	59.4 Gy + 5-FU/ MMC	8.4	-
		59.4 Gy	7.1	-
항암방사선치료 versus 항암치료 단독				
GITSG[48]	43	54 Gy + 5-FU→SMF	10.5	41
		SMF	8	19
ECOG[49]	91	40 Gy + 5-FU	8.3	28
		5-FU	8.2	28
FFCD/SFRO[50]	119	60 Gy + 5-FU/ Cisplatin→Gemcitabine	8.6	32
		Gemcitabine	13	53
ECOG52	71	50.4Gy + Gemcitabine	11	50
	71	Gemcitabine	9.2	32

5-FU: 5-fluorouracil; MMC: mitomycin-C; SMF: streptozotocin, mitomycin-C, 5-fluorouracil.

존율이 현저히 떨어진 관계로 조기 종결되었다. 그러나 이 연구는 기간 분리 방사선치료와 오래된 방사선치료 기법을 사용하였다.

항암방사선치료의 고무적인 결과를 보인 연구들과 반대로 ECOG 8282 연구는 항암방사선치료가 생존율에 이점이 있다는 것을 보여주지 못했다. 114명의 환자들이 분획량 1.8 Gy로 59.4 Gy까지 방사선치료 단독으로 받거나 5-FU(1,000 mg/m^2)와 mitomycin-C(10 mg/m^2)를 추가하여 받는 군으로 무작위 배정되었다. 병합치료군과 방사선치료 단독군 사이에 무질병 생존율과 전체 생존율 차이는 없었다. 전체 생존의 중앙값은 항암방사선치료군에서 8.4개월인데 반해 방사선치료 단독군에서 7.1개월이었다. 주로 혈액학적으로 높은 독성이 항암방사선치료군에서 나타났다[46]. 저자들은 항암과 방사선치료 병합치료가 생존율의 향상 없이 독성을 증가시킨다고 결론내렸다. 하지만 이 연구에서 여러 요소들이 생존율의 이점을 얻지 못한 것에 기여를 한 것으로 생각된다. 국소 진행성 질환을 증명하기 위해서는 개복술(laparotomy)가 필요하고, 항암치료는 상대적으로 효과를 보이지 못했다. 이 연구는 항암치료와 방사선치료가 단독치료보다 우수한지에 대해 상충적인 증거를 제공하였다. 그러나 5-FU보다 gemcitabine의 우수성을 고려해볼 때, 방사선치료의 추가가 국소 진행성 환자의 예후를 향상시키지 못할 수도 있다. 794명을 포함한 11개의 연구의 메타분석에서는 항암방사선치료가 방사선치료 단독에 비해 생존율을 향상시킴을 증명하였다. 그러나 항암방사선치료 후 항암치료는 항암치료 단독에 비해 생존율을 향상시키지는 못했다[47].

2) 항암방사선치료와 항암치료 단독 비교 연구 (trials comparing chemoradiation to chemotherapy alone)

4개의 무작위 임상연구가 항암방사선치료를 항암치료 단독과 비교하였다. 모든 연구에서 방사선치료기간 중에 항암치료가 시행되었고, 항암방사선치료 후에 항암치료를 유지하였다. 1988년에 GITSG는 streptozotocin, mitomycin-C, 5-FU의 항암치료를 5-FU와 방사선의 병합치료와 비교하였다. 43명의 환자가 이 두 그룹 간에 무작위 배정되어 항암방사선치료군이 항암치료 단독군보다 중앙 생존기간이 향상됨을 증명하였다[48](10 vs. 8개월, $p < 0.02$). GITSG 연구와 반대로 40 Gy 방사선과 5-FU (600 mg/m^2) 병합치료군과 5-FU (600 mg/m^2) 단독치료군을 비교한 ECOG 연구에서는 중앙 생존기간의 차이를 보이지 않았다[49](8.3 vs. 8.2개월). 사실 ECOG 연구는 수술적 절제 후에 잔여 병변이 남았거나 재발 환자를 등재하는 등 불량한 예후 인자를 포함하였다. 또한 ECOG 연구는 현재 gemcitabine 보

다 덜 효과적인 5-FU를, 20 Gy를 2주간 휴식 후 시행하는 기간 분리 방사선치료 기법을 사용하였다.

이것은 항암 효과를 내기엔 불충분한 것으로 생각된다. 따라서 이러한 연구들이 적은 수의 환자와 오래된 기술을 사용하였기 때문에 방사선치료를 항암치료에 추가하는 것이 이점이 있는가에 대한 명확한 결론은 도출하기 힘들다. 여러 후속 무작위 임상연구에서 항암방사선치료와 항암치료 단독을 비교하였다. 위에서 언급한 초기 ECOG 연구와 FFCD/SFRO (Federation Francophone de Cancerologie Digestive and Societe Francaise de Radiotherapie Oncologique) 연구는 항암방사선치료가 생존율을 향상시킴을 증명하지 못했다.

FFCD/SFRO 연구는 119명의 환자들을 60 Gy 방사선과 5-FU, cisplatin 및 gemcitabine 유지 치료로 구성된 항암방사선치료군 혹은 gemcitabine 단독치료군으로 무작위 배정하였다. 중간 분석에서 방사선치료를 받는 환자들의 예후가 불량하여 이 연구는 일찍 종료되었다. 생존기간이 항암방사선치료군이 8.6개월로 gemcitabine 단독치료군의 13개월보다 낮았다[50]. 그러나 ECOG 연구에 사용된 방사선치료가 기간 분리 방사선기법을 이용한 최적의 치료가 아니었기 때문에 결과 해석을 함에 있어 주의를 기울일 필요가 있다. FFCD/SFRO 연구의 경우 비정상적으로 고선량 방사선치료(60 Gy)와 5-FU, cisplatin 같은 공격적이고 비표준적인 항암치료제를 사용했기 때문에 독성이 높아 방사선치료의 효과가 차폐되었다. NCCN (National Cancer Care Network) 가이드라인에서 제시한 표준 치료가 50.4 Gy의 방사선과 5-FU 단일제제 항암치료인 것을 고려해 볼 때[51], 이러한 요소들이 치료 결과에 부정적인 효과를 초래했을 수도있다.

ECOG E4201 3상 연구는 gemcitabine 기반의 항암치료와 최신 방사선치료 기법을 사용하였다. 37명의 환자가 gemcitabine 단독(1,000 mg/m^2)으로 치료받았고, 34명의 환자는 gemcitabine(600 mg/m^2)과 50.4 Gy의 방사선을 동시에 시행받았다. 요약하자면, gemcitabine 기반 항암치료에 방사선을 추가한 것이 전체 생존기간을 의미있게 향상시켰고(11개월 vs. 9.2개월, p=0.034), 2년 생존율은 12% 대 4%였다. 항암방사선치료군 환자들에서 4, 5등급의 독성이 더 많이 발생하였지만 삶의 질 척도는 통계학적으로 차이가 없었다[52]. 비록 낮은 등재율로 연구가 조기 종결되었지만 이 연구의 결과는 국소 진행성 질환에서 gemcitabine 기반 항암치료와 병합한 방사선치료의 역할을 지지하고 있다.

3) 유도 항암치료 후 동시적 항암방사선치료 (induction chemotherapy followed by concurrent chemoradiation)

국소 진행성 췌장암 환자에서 미세 전이성 원격 질환이 많이 발생하기 때문에, 전이로 진행될 만한 환자를 찾아내기 위해 유도 항암치료를 사용하는 것이 제안되었다. 국소 진행성 췌장암 환자 181명에 대한 GERCOR (Groupe Cooperateur Multidisciplinaire en Oncologie) 후향적 분석에서, 환자들은 최소한 3주기의 gemcitabine 기반 유도 항암치료 후 항암방사선치료를 하거나 항암치료를 지속하였다[53]. 53명의 환자(29.3%)가 3개월 유도 항암치료 후에 전이 병변이 생겨 항암방사선치료를 치료하기에 적합하지 않게 되었다. 전이 병변이 발생하지 않은 나머지 환자들 중 56%가 55 Gy의 방사선과 항암치료를 받았고, 44%가 항암치료를 유지하였다. 유도 항암치료 후 항암방사선 병합치료를 받았을 때 중앙 무진행 생존기간이 10.8개월 대 7.4개월로(p = 0.005), 중앙 생존기간이 15개월 대 11.7개월(p = 0.0009)로 향상되었다. 이러한 결과는 유도 항암치료 후 항암방사선치료가 국소 진행성 질환 환자의 생존율을 의미 있게 향상시킨다는 것과 잠재적으로 전이병변을 가진 30%의 환자를 선별할 수 있다는 것을 시사한다.

MD Anderson 센터에서는 절제 불가능한 국소 진행성 췌암환자에서 항암방사선치료와 항암방사선치료 전 유도 항암치료 간 결과 차이가 있는지 323명을 후향적으로 분석하였다[54]. 대부분의 환자들이 30 Gy의 방사선과 gemcitabine 또는 5-FU 항암치료를 동시에 시행받았다. 247명의 환자가 초기 치료로서 항암방사선을 시행받은 반면, 76명의 환자는 2.5개월의 gemcitabine 기반의 유도 항암치료 후 항암방사선을 시행받았다. 중앙 생존기간 및 무진행 생존기간은 항암방사선치료군에서 8.5개월과 4.2개월이었고, 유도 항암치료 후 항암방사선치료군에서는 11.9개월과 6.4개월이었다($p < 0.001$). 국소 및 원격 진행까지의 기간이 유도 항암치료 받은 환자에서 향상되었다. 두 그룹 간 재발 양상에서는 의미 있는 차이를 보이지 않았다. 초기 재발 부위가 약 25% 환자에서 국소영역이었고, 3분의 1 환자에서는 원격전이였다. 이러한 결과는 유도 항암치료로 인해 빠르게 원격 진행하는 환자를 배제하고 항암방사선치료부터 최대한 이득을 얻을 수 있는 환자를 선별할 수 있다는 것을 의미한다.

여러 2상 연구에서 유도 항암치료 후 동시적 항암방사선치료가 생존기간을 연장시킨다는 것을 보고하였다[55-58]. 이러한 결과는 일정 기간의 유도 항암치료가 항암방사선치료로 국소영역 제어를 향상시킬 것으로 예상되는 환자를 선별하는 데 효과적이면서 이러한 환자들에게 최적의 결과를 보장한다는 점을 시사하는 것이다.

최근 보고된 LAP07 3상 무작위 임상 연구에서는 국소 진행성 췌장암에서 4개월 gemcitabine 유도 치료 후 항암방사선치료의 역할과 erlotinib의 효용성을 평가하고자 하였다[59]. 2008년부터 2011년 사이 총 499명의 환자가 등록되었고 이중 223명은 gemcitabine 단독(1,000 mg/m^2)으로, 219명은 gemcitabine(1,000 mg/m^2)과 erlotinib(100 mg/d) 치료를 받았다. 4개월간의 gemcitabine 치료 후 다시 136명의 환자는 항암치료 단독군으로, 133명의 환자는 항암방사선치료군으로 배정되었다. 36.3개월의 추적기간 후 시행한 중간 분석결과 중앙 생존기간이 항암치료군의 경우 16.5개월, 항암방사선치료군은 15.2개월로 두 그룹 간 의미 있는 차이는 보이지 않았으나($p = 0.83$), 항암방사선치료군에서 국소 진행율이 감소되었고(32% vs. 46%, $p = 0.03$) 3-4등급의 독성 증가는 없었다. 또한 유도 치료로서 gemcitabine에 erlotinib을 추가하는 것이 생존율에 차이가 없음을 보고하였다.

4. 방사선치료의 발전
(advances in radiotherapy)

기존에 발표된 대부분의 연구들에서는 췌장 및 주위 영역 림프절에 일정한 여유(margin)를 포함한 넓은 방사선 영역을 전-후방 기법을 이용하여 치료하는 전통적 방사선치료기법이 사용되었다. 넓은 방사선 영역을 사용하는 것은 소화기계 독성의 발생이 증가하게 되는데, 특히 항암치료와 동시에 시행될 때는 더더욱 그러하다. 현재 3차원 CT 기반 치료 계획이 전세계적으로 사용되고 있다.

3차원 입체 방사선치료(3-dimensional confor-mal radiotherapy, 3D-CRT)는 다발성 환자 맞춤형 방사선 영역을 사용함으로써 타깃은 최적으로 포함하면서 중요 정상 장기에 들어가는 방사선은 최소화한다. 세기조절 방사선치료(intensity-modulated radiotherapy, IMRT)는 좀 더 진보된 방사선치료 기법으로 3차원 입체 방사선치료보다 타깃을 좀 더 입체적으로 포함하고 정상 장기에는 최소 선량만을 허용한다(그림 44-3-1). 세기조절 방사선치료로 종양 국소 제어를 향상시킬 수 있는 방사선량 증가가 가능하게 되었다.

1) 세기조절 방사선치료를 이용한

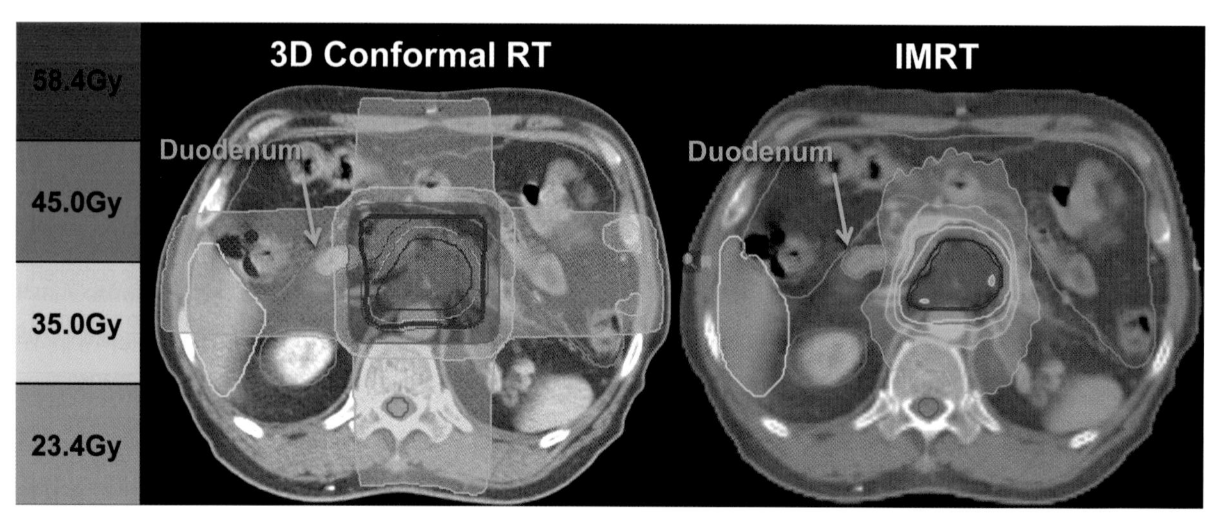

그림 44-3-1. **방사선량 분포 비교.**
세기조절 방사선치료(intensity-modulated radiation therapy, IMRT)는 3차원 입체 방사선치료(3-dimensional conformal radiotherapy, 3D-CRT)에 비해 타깃에 대한 방사선 분포가 좀 더 입체적이고 주위 정상 조직, 특히 십이지장(duodenum)에 들어가는 방사선량을 최소화한다.

방사선량 증가(dose escalation with IMRT)

췌장암의 경우 전신 치료가 강조되는 상황이지만 국소 종양 제어 역시 매우 중요하다. 세기조절 방사선치료에서 각각의 방사선영역 내의 선량 분포는 균일하지 않는데, 이것은 정상 조직에 들어가는 방사선량을 최소화하도록 고안되었다. 그 결과, 넓은 영역에 45 Gy에서 50 Gy를, 반면 국소 종양부위에는 54 Gy에서 60 Gy 정도의 선량 증가가 가능하게 되었다(그림 44-3-2). 이것은 국소 제어 뿐만 아니라 전체적인 결과를 향상시키기 위해 필요한 것이다. 일일 고선량을 이용한 방사선량의 증가는 예방적 림프절 조사를 빼고 좁은 영역의 방사선치료를 하는 것이 가능하고, 세기조절 방사선치료의 상복부 적용에 대한 과거 연구 보고서에 정당성을 두고 있다. Murphy 등[60]은 계획용 표적 체적(planning target volume, PTV)을 육안적 종양 체적(gross tumor volume, GTV)에 1 cm 여유를 두는 것으로 제한했다. Gemcitabine의 최대량 사용과 더불어 육안적 종양 체적만을 포함하는 입체적 방사선치료의 적용은 독성을 감소시킨 반면 주변부(marginal) 재발을 야기시키지는 않았다. 후향적 분석 보고에 따르면, 46명의 환자들이 RTOG 97-04 연구와 유사하게 5-FU 기반 항암방사선치료를 받았다. 이 연구에서 세기조절 방사선치료를 받은 환자들의 급성 소화기계 독성은 모든 환자들이 3차원 입체조형 치료를 받은 RTOG 97-04의 결과와 비교했다. 세기조절 방사선치료는 항암방사선치료를 받은 환자들의 급성 3-4등급 독성의 감소와 관련이 있었다. 향상된 치료 순응도는 환자들의 삶의 질뿐만 아니라 질환의 완치를 높일 수 있는 방사선량의 증가와 항암치료의 극대화를 가능케 한다[61]. Ben-Josef 등[62]에 의한 1/2상 연구는 50에서 60Gy 정도의 고선량 방사선치료가 안전하게 시행될 수 있음을 증명하였는데, 중앙, 2년 생존율이 각각 14.8개월과 30%였다. 연세대학교에서는 세기조절 방사선치료를 이용한 고선량 방사선치료(중앙값, 58.4 Gy; 범위, 50.8~59.9 Gy)와 최대량의 항암치료를 동시적으로 시행받은 39명의 환자들의 임

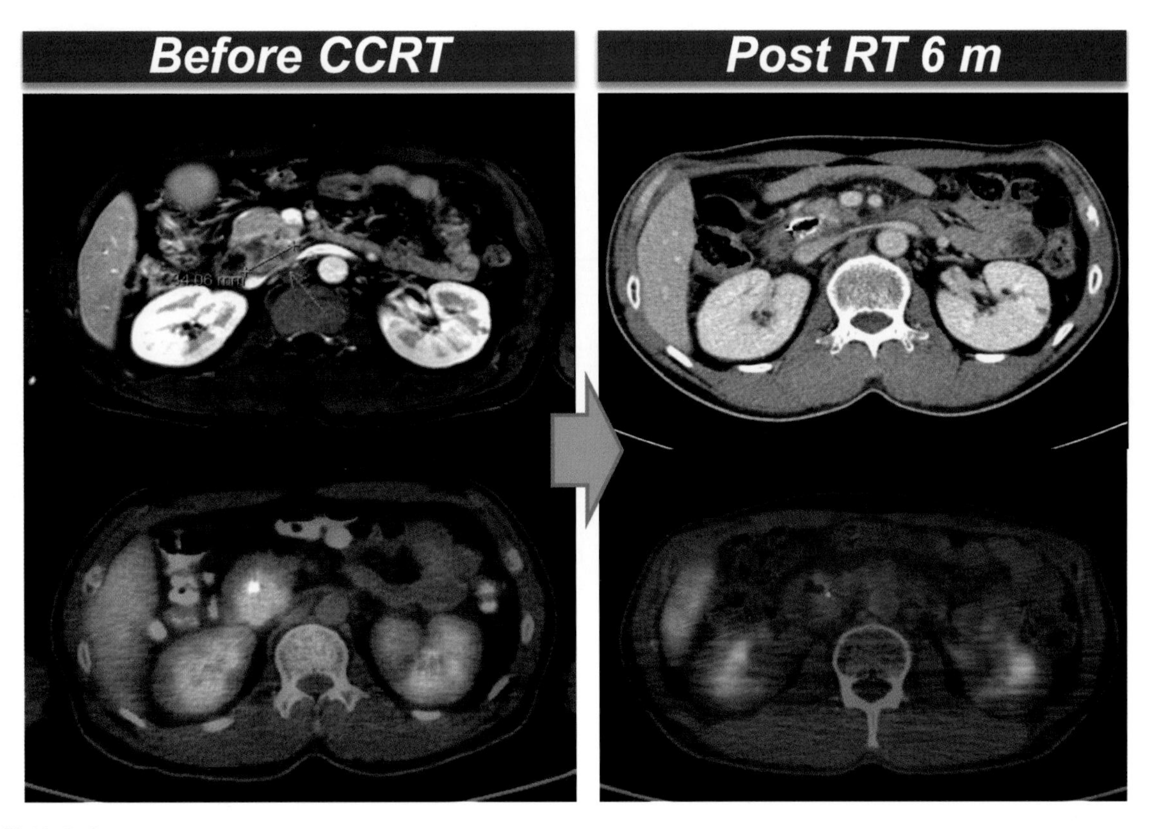

그림 44-3-2. **42세 절제 불가능한 췌장암 환자 케이스.**
약 4 cm 크기의 종양이 좌측 신정맥과 십이지장을 직접적으로 침범하고 있고, 췌두부에 강한 FDG 섭취가 관찰되어 종양과 일치한다. 세기조절 방사선치료를 이용한 총 방사선량 45.72 Gy(분획당 2.54 Gy)와 gemcitabine 기반 동시적 항암방사선치료(CCRT) 시행 후 영상학적, 대사적 종양 반응은 추적 6개월 검사에서 모두 완전 관해를 보였다.

상적 경험을 보고하였다. 환자들의 무국소진행 생존기간이 의미 있게 향상되었고, 1년과 2년 생존율은 각각 82.1%와 77.3%였다. 종양 내 전체 반응률은 방사선치료 1달 후 36%, 3달 후 52%였다. 국소 진행성 췌장암에서 절제가능한 병변으로의 전환율은 20%였다[63]. 그러나 소장, 특히 십이지장의 경우 췌장에 근접해서 위치하기 때문에 방사선치료 영역에서 완전히 배제될 수 없어 진보적인 방사선치료 기술이라 하더라도 여전히 선량한도 장기로 남아있다. 3등급 이상의 만성 소화기계 독성률은 5등급의 소화기 출혈 환자 1명을 포함하여 두드러지게 높았다[63].

2) 정위체부 방사선치료 (SBRT as a precise targeting technology)

췌장암에서 고정밀 타기팅과 선량 증가를 가능케 하는 또 다른 방사선기술은 정위체부방사선치료(stereotactic body radiation therapy, SBRT)로서, 육안적종양체적만을 포함한 작은 영역에 1~5회의 고선량을 조사하는 기술이다. SBRT를 이용한 허용 가능한 선량 증가는 생존기간을 향상시킬 수 있다. 여러 기관에서 국소진행 췌장암에서 SBRT를 이용한 경험들을 보고하였지만[64-69], 생존율의 이득이 있음을 증명하는 데는 실패하였고, 심지어 몇몇 연구에서는 상당한 독성이 있는 것으로 보고하였다. Stanford 대학에서는 gemcitabine 기반의 항암 약제와 25 Gy 단회 방사선치료를 받은 77명의 환자의 결과를 보고하였다[68]. 국소 제어율은 아주 뛰어나, 무국소진행률이 6개월과 12개월에 각각 91%와 84%였다. 7명의 환자(9%)가 3등급 이상의 만성 독성을 경험하였다. 저자들은 췌장암에서 SBRT가 효과적이긴 하지만 독성의 위험이 있다고 결론내렸다. 유사하게 단일 기관에서 총 24~36 Gy를 총 3회 SBRT 시행한 후 6개월간 gemcitabine 치료받은 36명 환자들의 결과를 보고하였다. 방사선량은 종양과 위, 십이지장의 위치 관계에 따라 결정하였다. 치료결과는 국소 제어율이 78%, 중앙 생존기간이 14.3개월로 탁월하였다[69]. 그러나 SBRT로 인해 9명(25%)의 2등급, 5명(14%)의 3등급 독성이 발생했다. 추가치료(boost)로서의 SBRT의 역할을 밝히기 위해 Stanford 대학에서는 45 Gy 세기조절 방사선치료와 5-FU 동시 항암치료 후 원발종양에 25 Gy의 단회 SBRT를 추가하는 전향적 연구에 19명의 환자를 등록하였다. 전신 전이가 빠르게 발생하여 전체 생존율의 향상은 없었지만 94%의 높은 국소 제어율을 보였다. 3등급 독성은 12.5%였다[65]. 이러한 연구 결과들은 결국 SBRT에서 부작용을 좀 더 낮추는 노력과 최적의 분할선량을 결정할 수 있는 전향적 연구가 필요하다는 점을 시사하고 있다.

3) 임상결과의 예측 (prediction of clinical outcomes)

CA 19-9 수치는 예후를 평가하고 치료 결과를 모니터링하는데 유용한 것으로 입증이 되었고, 여러 연구들에서 혈청 CA 19-9 수치 감소가 영상학적 반응과 관련이 있다고 발표하였다[70,71].

최근 ^{18}F-FDG-PET(^{18}F-fluorodeoxyglucosepositronemissiontomography)가 영상학적으로 숨겨진 원격전이를 발견할 뿐만 아니라 방사선치료의 반응을 예측하는데 있어 주목을 받고 있다[72,73]. 단일 기관에서 항암방사선치료가 예정되어 있던 388명의 환자를 분석하였다. 치료 전 SUV (standard uptake uptake) 값이 < 3.5이거나/혹은 SUV 감소가 $\geq 60\%$인 환자가 그렇지 않은 환자보다 전체 생존율과 무진행 생존율이 의미 있게 높았다[74]. 이러한 연구 결과들은 방사선치료에 대한 예측 표지자로서 대사 반응의 역할을 제공하지만, 방사선치료 계획에 FDG-PET를 활용하는 것이 이점이 있는지를 평가하는 추가적인 연구가 필요하다.

References

1. Willett CG, Lewandrowski K, Warshaw AL, Efird J, Compton CC. Resection margins in carcinoma of the head of the pancreas. Implications for radiation therapy. Ann Surg 1993;217:144-8.
2. Klinkenbijl JH, Jeekel J, Sahmoud T, et al. Adjuvant radiotherapy and 5-fluorouracil after curative resection of cancer of the pancreas and periampullary region: phase III trial of the EORTC gastrointestinal tract cancer cooperative group. Ann Surg 1999;230:776-82; discussion 82-4.
3. Griffin JF, Smalley SR, Jewell W, et al. Patterns of failure after curative resection of pancreatic carcinoma. Cancer 1990;66:56-61.
4. Kayahara M, Nagakawa T, Ueno K, Ohta T, Takeda T, Miyazaki I. An evaluation of radical resection for pancreatic cancer based on the mode of recurrence as determined by autopsy and diagnostic imaging. Cancer 1993;72:2118-23.
5. Ozaki H. Improvement of pancreatic cancer treatment from the Japanese experience in the 1980s. Int J Pancreatol 1992;12:5-9.
6. Westerdahl J, Andren-Sandberg A, Ihse I. Recurrence of exocrine pancreatic cancer--local or hepatic? Hepatogastroenterology 1993;40:384-7.
7. Whittington R, Bryer MP, Haller DG, Solin LJ, Rosato EF. Adjuvant therapy of resected adenocarcinoma of the pancreas. Int J Radiat Oncol Biol Phys 1991;21:1137-43.
8. Hazard L. The role of radiation therapy in pancreas cancer. Gastrointest Cancer Res 2009;3:20-8.
9. Kalser MH, Ellenberg SS. Pancreatic cancer. Adjuvant combined radiation and chemotherapy following curative resection. Arch Surg 1985;120: 899-903.
10. Further evidence of effective adjuvant combined radiation and chemotherapy following curative resection of pancreatic cancer. Gastrointestinal Tumor Study Group. Cancer 1987;59:2006-10.
11. Smeenk HG, van Eijck CH, Hop WC, et al. Long-term survival and metastatic pattern of pancreatic and periampullary cancer after adjuvant chemoradiation or observation: long-term results of EORTC trial 40891. Ann Surg 2007;246:734-40.
12. Neoptolemos JP, Dunn JA, Stocken DD, et al. Adjuvant chemoradiotherapy and chemotherapy in resectable pancreatic cancer: a randomised controlled trial. Lancet 2001;358:1576-85.
13. Oettle H, Post S, Neuhaus P, et al. Adjuvant chemotherapy with gemcitabine vs observation in patients undergoing curative-intent resection of pancreatic cancer: a randomized controlled trial. JAMA 2007;297:267-77.
14. Neoptolemos JP, Stocken DD, Friess H, et al. A randomized trial of chemoradiotherapy and chemotherapy after resection of pancreatic cancer. N Engl J Med 2004;350:1200-10.
15. Abrams RA, Lillemoe KD, Piantadosi S. Continuing controversy over adjuvant therapy of pancreatic cancer. Lancet 2001;358:1565-6.
16. Oettle H, Post S, Neuhaus P, et al. Adjuvant chemotherapy with gemcitabine vs observation in patients undergoing curative-intent resection of pancreatic cancer - A Randomized controlled trial. JAMA 2007;297:267-77.
17. Berger AC, Garcia M, Hoffman JP, et al. Postresection CA 19-9 Predicts Overall Survival in Patients With Pancreatic Cancer Treated With Adjuvant Chemoradiation: A Prospective Validation by RTOG 9704. J Clin Oncol 2008;26:5918-22.
18. Neoptolemos JP, Stocken DD, Bassi C, et al. Adjuvant Chemotherapy With Fluorouracil Plus Folinic Acid vs Gemcitabine Following Pancreatic Cancer Resection A Randomized Controlled Trial. JAMA 2010;304:1073-81.

19. Regine WF, Winter KA, Abrams R, et al. Fluorouracil-based Chemoradiation with Either Gemcitabine or Fluorouracil Chemotherapy after Resection of Pancreatic Adenocarcinoma: 5-Year Analysis of the US Intergroup/RTOG 9704 Phase III Trial. Ann Surg Oncol 2011;18:1319-26.
20. Regine WF. Five-year Results of the Phase III Intergroup Trial (RTOG 97-04) of Adjuvant Pre- and Postchemoradiation (CRT) 5-FU vs. Gemcitabine (G) For Resected Pancreatic Adenocarcinoma: Implications for Future International Trial Design. Int J Rad Oncol Biol Phys 2009;75:S55-S6.
21. Herman JM, Swartz MJ, Hsu CC, et al. Analysis of fluorouracil-based adjuvant chemotherapy and radiation after pancreaticoduodenectomy for ductal adenocarcinoma of the pancreas: Results of a large, prospectively collected database at the Johns Hopkins hospital. J Clin Oncol 2008;26:3503-10.
22. Corsini MM, Miller RC, Haddock MG, et al. Adjuvant radiotherapy and chemotherapy for pancreatic carcinoma: The Mayo Clinic experience (1975-2005). J Clin Oncol 2008;26:3511-6.
23. Hsu CC, Herman JM, Corsini MM, et al. Adjuvant Chemoradiation for Pancreatic Adenocarcinoma: The Johns Hopkins Hospital-Mayo Clinic Collaborative Study. Ann Surg Oncol 2010;17:981-90.
24. Wayne JD, Abdalla EK, Wolff RA, Crane CH, Pisters PWT, Evans DB. Localized adenocarcinoma of the pancreas: The rationale for preoperative chemoradiation. Oncologist 2002;7:34-45.
25. Magnin V, Moutardier V, Giovannini MH, et al. Neoadjuvant preoperative chemoradiation in patients with pancreatic cancer. Int J Rad Oncol Biol Phys 2003;55:1300-4.
26. Wang F, Kumar P. The role of radiotherapy in management of pancreatic cancer. J Gastrointest Oncol 2011;2:157-67.
27. White RR, Tyler DS. Neoadjuvant therapy for pancreatic cancer: the Duke experience. Surg Oncol Clin N Am 2004;13:675-84, ix-x.
28. Cheng TY, Sheth K, White RR, et al. Effect of neoadjuvant chemoradiation on operative mortality and morbidity for pancreaticoduodenectomy. Ann Surg Oncol 2006;13:66-74.
29. Breslin TM, Hess KR, Harbison DB, et al. Neoadjuvant chemoradiotherapy for adenocarcinoma of the pancreas: Treatment variables and survival duration. Ann Surg Oncol 2001;8:123-32.
30. Snady H, Bruckner H, Cooperman A, Paradiso J, Kiefer L. Survival advantage of combined chemoradiotherapy compared with resection as the initial treatment of patients with regional pancreatic carcinoma. An outcomes trial. Cancer 2000;89:314-27.
31. Evans DB, Varadhachary GR, Crane CH, et al. Preoperative gemcitabine-based chemoradiation for patients with resectable adenocarcinoma of the pancreatic head. J Clin Oncol 2008;26:3496-502.
32. Varadhachary GR, Wolff RA, Crane CH, et al. Preoperative gemcitabine and cisplatin followed by gemcitabine-based chemoradiation for resectable adenocarcinoma of the pancreatic head. J Clin Oncol 2008;26:3487-95.
33. Hoffman JP, Lipsitz S, Pisansky T, Weese JL, Solin L, Benson AB. Phase II trial of preoperative radiation therapy and chemotherapy for patients with localized, resectable adenocarcinoma of the pancreas: An eastern cooperative oncology group study. J Clin Oncol 1998;16:317-23.
34. Stessin AM, Meyer JE, Sherr DL. Neoadjuvant Radiation Is Associated with Improved Survival in Patients with Resectable Pancreatic Cancer: An Analysis of Data from the Surveillance, Epidemiology, and End Results (Seer) Registry. Int J Rad Oncol Biol Phys 2008;72:1128-33.
35. Gillen S, Schuster T, Meyer Zum Buschenfelde C, Friess H, Kleeff J. Preoperative/neoadjuvant therapy in pancreatic cancer: a systematic review and meta-

analysis of response and resection percentages. PLoS Med 2010;7:e1000267.

36. Kang CM, Chung YE, Park JY, et al. Potential contribution of preoperative neoadjuvant concurrent chemoradiation therapy on margin-negative resection in borderline resectable pancreatic cancer. J Gastrointest Surg 2012;16:509-17.
37. Christians KK, Tsai S, Mahmoud A, et al. Neoadjuvant FOLFIRINOX for borderline resectable pancreas cancer: a new treatment paradigm? Oncologist 2014;19:266-74.
38. Boone BA, Steve J, Krasinskas AM, et al. Outcomes with FOLFIRINOX for borderline resectable and locally unresectable pancreatic cancer. J Surg Oncol 2013;108:236-41.
39. Paniccia A, Edil BH, Schulick RD, et al. Neoadjuvant FOLFIRINOX application in borderline resectable pancreatic adenocarcinoma: a retrospective cohort study. Medicine (Baltimore) 2014;93:e198.
40. Rose JB, Rocha FG, Alseidi A, et al. Extended neoadjuvant chemotherapy for borderline resectable pancreatic cancer demonstrates promising postoperative outcomes and survival. Ann Surg Oncol 2014;21:1530-7.
41. Lee JL, Kim SC, Kim JH, et al. Prospective efficacy and safety study of neoadjuvant gemcitabine with capecitabine combination chemotherapy for borderline-resectable or unresectable locally advanced pancreatic adenocarcinoma. Surgery 2012;152:851-62.
42. Katz MH, Pisters PW, Evans DB, et al. Borderline resectable pancreatic cancer: the importance of this emerging stage of disease. J Am Coll Surg 2008;206:833-46; discussion 46-8.
43. Katz MHG, Pisters PWT, Evans DB, et al. Borderline resectable pancreatic cancer: The importance of this emerging stage of disease. J Am Coll Surg 2008;206:833-48.
44. Johung K, Saif MW, Chang BW. Treatment of Locally Advanced Pancreatic Cancer: The Role of Radiation Therapy. Int J Rad Oncol Biol Phys 2012;82:508-18.
45. Moertel CG, Frytak S, Hahn RG, et al. Therapy of locally unresectable pancreatic carcinoma: a randomized comparison of high dose (6000 rads) radiation alone, moderate dose radiation (4000 rads + 5-fluorouracil), and high dose radiation + 5-fluorouracil: The Gastrointestinal Tumor Study Group. Cancer 1981;48:1705-10.
46. Cohen SJ, Dobelbower R, Jr., Lipsitz S, et al. A randomized phase III study of radiotherapy alone or with 5-fluorouracil and mitomycin-C in patients with locally advanced adenocarcinoma of the pancreas: Eastern Cooperative Oncology Group study E8282. Int J Radiat Oncol Biol Phys 2005;62:1345-50.
47. Sultana A, Tudur Smith C, Cunningham D, et al. Systematic review, including meta-analyses, on the management of locally advanced pancreatic cancer using radiation/combined modality therapy. Br J Cancer 2007;96:1183-90.
48. Treatment of locally unresectable carcinoma of the pancreas: comparison of combined-modality therapy (chemotherapy plus radiotherapy) to chemotherapy alone. Gastrointestinal Tumor Study Group. J Natl Cancer Inst 1988;80:751-5.
49. Klaassen DJ, MacIntyre JM, Catton GE, Engstrom PF, Moertel CG. Treatment of locally unresectable cancer of the stomach and pancreas: a randomized comparison of 5-fluorouracil alone with radiation plus concurrent and maintenance 5-fluorouracil--an Eastern Cooperative Oncology Group study. J Clin Oncol 1985;3:373-8.
50. Chauffert B, Mornex F, Bonnetain F, et al. Phase III trial comparing intensive induction chemoradiotherapy (60 Gy, infusional 5-FU and intermittent cisplatin) followed by maintenance gemcitabine with gemcitabine alone for locally advanced unresectable pancreatic cancer. Definitive

results of the 2000-01 FFCD/SFRO study. Ann Oncol 2008;19:1592-9.
51. Tempero MA, Malafa MP, Behrman SW, et al. Pancreatic adenocarcinoma, version 2.2014: featured updates to the NCCN guidelines. J Natl Compr Canc Netw 2014;12:1083-93.
52. Loehrer PJ, Sr., Feng Y, Cardenes H, et al. Gemcitabine alone versus gemcitabine plus radiotherapy in patients with locally advanced pancreatic cancer: an Eastern Cooperative Oncology Group trial. J Clin Oncol 2011;29:4105-12.
53. Huguet F, Andre T, Hammel P, et al. Impact of chemoradiotherapy after disease control with chemotherapy in locally advanced pancreatic adenocarcinoma in GERCOR phase II and III studies. Journal of Clinical Oncology 2007;25:326-31.
54. Krishnan S, Rana V, Janjan NA, et al. Induction chemotherapy selects patients with locally advanced, unresectable pancreatic cancer for optimal benefit from consolidative chemoradiation therapy. Cancer 2007;110:47-55.
55. Schneider BJ, Ben-Josef E, McGinn CJ, et al. Capecitabine and radiation therapy preceded and followed by combination chemotherapy in advanced pancreatic cancer. Int J Radiat Oncol Biol Phys 2005;63:1325-30.
56. Mishra G, Butler J, Ho C, et al. Phase II trial of induction gemcitabine/CPT-11 followed by a twice-weekly infusion of gemcitabine and concurrent external beam radiation for the treatment of locally advanced pancreatic cancer. Am J Clin Oncol 2005;28:345-50.
57. Ko AH, Quivey JM, Venook AP, et al. A phase II study of fixed-dose rate gemcitabine plus low-dose cisplatin followed by consolidative chemoradiation for locally advanced pancreatic cancer. Int J Radiat Oncol Biol Phys 2007;68:809-16.
58. Moureau-Zabotto L, Phelip JM, Afchain P, et al. Concomitant administration of weekly oxaliplatin, fluorouracil continuous infusion, and radiotherapy after 2 months of gemcitabine and oxaliplatin induction in patients with locally advanced pancreatic cancer: a Groupe Coordinateur Multidisciplinaire en Oncologie phase II study. J Clin Oncol 2008;26:1080-5.
59. Hammel P, Huguet F, van Laethem JL, et al. Effect of Chemoradiotherapy vs Chemotherapy on Survival in Patients With Locally Advanced Pancreatic Cancer Controlled After 4 Months of Gemcitabine With or Without Erlotinib The LAP07 Randomized Clinical Trial. JAMA 2016;315:1844-53.
60. Murphy JD, Adusumilli S, Griffith KA, et al. Full-dose gemcitabine and concurrent radiotherapy for unresectable pancreatic cancer. Int J Radiat Oncol Biol Phys 2007;68:801-8.
61. Yovino S, Poppe M, Jabbour S, et al. Intensity-modulated radiation therapy significantly improves acute gastrointestinal toxicity in pancreatic and ampullary cancers. Int J Radiat Oncol Biol Phys 2011;79:158-62.
62. Ben-Josef E, Schipper M, Francis IR, et al. A phase I/II trial of intensity modulated radiation (IMRT) dose escalation with concurrent fixed-dose rate gemcitabine (FDR-G) in patients with unresectable pancreatic cancer. Int J Radiat Oncol Biol Phys 2012;84:1166-71.
63. Chang JS, Wang ML, Koom WS, et al. High-dose helical tomotherapy with concurrent full-dose chemotherapy for locally advanced pancreatic cancer. Int J Radiat Oncol Biol Phys 2012;83:1448-54.
64. Koong AC, Le QT, Ho A, et al. Phase I study of stereotactic radiosurgery in patients with locally advanced pancreatic cancer. Int J Radiat Oncol Biol Phys 2004;58:1017-21.
65. Koong AC, Christofferson E, Le QT, et al. Phase II study to assess the efficacy of conventionally fractionated radiotherapy followed by a stereotactic

radiosurgery boost in patients with locally advanced pancreatic cancer. Int J Radiat Oncol Biol Phys 2005; 63:320-3.
66. Hoyer M, Roed H, Sengelov L, et al. Phase-II study on stereotactic radiotherapy of locally advanced pancreatic carcinoma. Radiother Oncol 2005;76:48-53.
67. Schellenberg D, Goodman KA, Lee F, et al. Gemcitabine chemotherapy and single-fraction stereotactic body radiotherapy for locally advanced pancreatic cancer. Int J Radiat Oncol Biol Phys 2008; 72:678-86.
68. Chang DT, Schellenberg D, Shen J, et al. Stereotactic radiotherapy for unresectable adenocarcinoma of the pancreas. Cancer 2009;115:665-72.
69. Mahadevan A, Jain S, Goldstein M, et al. Stereotactic body radiotherapy and gemcitabine for locally advanced pancreatic cancer. Int J Radiat Oncol Biol Phys 2010;78:735-42.
70. Micke O, Bruns F, Kurowski R, et al. Predictive value of carbohydrate antigen 19-9 in pancreatic cancer treated with radiochemotherapy. Int J Radiat Oncol Biol Phys 2003;57:90-7.
71. Koom WS, Seong J, Kim YB, Pyun HO, Song SY. Ca 19-9 as a Predictor for Response and Survival in Advanced Pancreatic Cancer Patients Treated with Chemoradiotherapy. Int J Radiat Oncol Biol Phys 2009;73:1148-54.
72. Rose DM, Delbeke D, Beauchamp RD, et al. 18Fluorodeoxyglucose-positron emission tomography in the management of patients with suspected pancreatic cancer. Ann Surg 1999;229:729-37; discussion 37-8.
73. Sheikhbahaei S, Wray R, Young B, et al. 18F-FDG-PET/CT therapy assessment of locally advanced pancreatic adenocarcinoma: impact on management and utilization of quantitative parameters for patient survival prediction. Nucl Med Commun 2016; 37:231-8.
74. Chang JS, Choi SH, Lee Y, et al. Clinical usefulness of ^{18}F-fluorodeoxyglucose-positron emission tomography in patients with locally advanced pancreatic cancer planned to undergo concurrent chemoradiation therapy. Int J Radiat Oncol Biol Phys 2014;90:126-33.

44-4 췌장암의 호르몬 및 면역치료 (Hormone therapy and immunotherapy of pancreatic cancer)

방승민

1. 호르몬 치료(hormone therapy)

췌장암의 성장에는 상피 성장인자(EGF), 인슐린 유사 성장인자(IGF) 등의 성장인자(growth factors) 및 콜레시스토키닌, 소마토스타틴과 같은 다양한 호르몬들이 역할을 하는 것으로 알려져 있다. 따라서 췌장암의 치료를 위해 관련 호르몬의 작용을 직접적으로 억제하거나 호르몬 수용체를 억제함으로써 췌장암의 성장을 억제하고자 하는 연구가 활발하게 진행되고 있다.

현재까지는 췌장암 치료에 있어 주로 보조적인 역할을 하고 있으나, 세포주와 췌장암 동물 모델 등에서 수행된 여러 연구를 통해 항호르몬제와 호르몬 수용체 억제제의 항종양 효과가 일부 밝혀진 바 있으며, 성장인자에 대한 표적 치료제 등은 이미 임상 적용 단계에 있다.

1) Epidermal growth factor receptor (EGFR)

Epidermal growth factor receptor (EGFR)은 세포막당단백질(transmembrane glycoprotein) 수용체로 세포의 증식 및 사멸 억제에 관여하여 세포주기조절(cell cycle regulation)에 중요한 역할을 담당하는 tyrosine kinase 수용체이다. 췌장암 환자의 약 90% 이상에서 EGFR의 과발현이 보고되고 있으며, EGFR tyrosine kinase domain을 표적으로 하는 치료제의 개발 및 임상시험이 꾸준히 이루어져 왔다.

Erlotinib은 EGFR 표적 치료제 중 임상에서 유일하게 효과가 인정된 약물로, EGFR 의 ATP binding site에 ATP와 경쟁적으로 결합하여 tyrosine kinase의 활성을 억제하는 경구제제이다. Moore 등이 2007년에 보고한, 569명의 국소 진행성 또는 전이성 췌장암 환자들을 대상으로 수행한 3상 연구에 의하면 gemcitabine과 erlotinib 을 병용하였을 때 gemcitabine 단독 사용에 비해 통계학적으로 유의한 생존기간 연장 효과를 보였다(6.24개월 vs. 5.91개월; p = 0.038). 특히 grade 2 이상의 피부발진이 생긴 환자의 경우 중앙 생존기간이 10.5개월로 확인되어, 특정 환자군을 선별하여 치료하였을 경우 더 큰 효과를 기대할 수 있다.

Cetuximab은 EGFR에 리간드가 결합하는 것을 막아 하부 신호전달체계를 억제하여 anti-apoptotic 단백질의 발현을 감소시키고, vascular endothelial growth factor (VEGF) 및 fibroblast growth factor (FGF)의 분비를 감소시켜 종양 미세 환경을 조절하고 암세포 성장 억제 및 세포사멸을 유도하는 단일클론항체(monoclonal antibody)이다. 전이성 췌장암 환자에서 cetuximab과 gemcitabine 의 병합요법에 대한 연구가 수행되었으나, erlotinib과는 달리 병합하였을 때 유의한 생존기간의 연장은 확인되지 않았다. 또한 EGFR을 표적으로 하는 단일클론항체인 panitumab, human epidermal growth factor receptor 2 (HER2)를 표적으로 하는 단일클론항체인 trastzumab, EGFR/HER2 tyrosine kinase ATP 결합에 경쟁적인 억제작용을 하는 lapatinib 역시 유의한 생존기간의 연장을 보여주지 못했다. 최근에는 humanized monoclonal antibody 인 nimotozumab, EGFR 과 HER2 tyrosine kinase를 동시에 억제하는

afatinib 에 대한 임상시험이 이루어지고 있어 결과가 주목된다.

EGFR 표적치료의 경우, 신호전달체계 하방의 KRAS mutation이 다수 관찰되므로, KRAS mutation 여부 및 EGFR 의 copy number 등을 통해 EGFR 표적치료제의 반응성을 예측하려는 연구가 이루어져 왔으나, 현재까지 치료 반응 예측에 성공하지 못하였으므로, 추가적인 연구를 통해 치료 반응 예측인자를 확인하는 것이 중요한 과제로 남아있다.

2) Vascular endothelial growth factor (VEGF)

Vascular endothelial growth factor (VEGF)는 혈관내피세포의 증식을 촉진하며, 악성종양의 성장과 전이에 필수적인 신생혈관형성(neoangiogenesis)에 관여한다. VEGF는 전이성 대장암에서 활발히 사용되고 있는 표적치료 대상으로, 췌장암의 경우에도 VEGF 수용체의 과발현과 예후와의 연관성이 확인되어 VEGF 를 표적으로 하는 표적치료제의 효과가 기대되었다.

Bevacizumab은 VEGFR1과 VEGFR2에 결합하는 재조합 단일클론항체(recombinant monoclonal antibody)로, 긍정적인 2상 연구 결과를 토대로 gemcitabine 과의 병합요법에 대한 3상 연구를 진행하였으나 유의미한 생존기간의 연장은 관찰되지 않았으며, gemcitabine과 erlotinib의 병합치료에 bevacizumab을 추가한 AVITA 3상 연구에서도 생존기간의 연장이 확인되지 않았다. 이밖에도, VEGFR 1, 2, 3뿐만 아니라 혈소판유래성장인자수용체(platelet derived growth factor receptor, PDGFR), c-kit을 억제하는 다중 tyrosine kinase 억제제인 axitinib이나 sorafenib, aflibercept 또한 췌장암에서 유의한 생존율 향상을 보여주지 못했다. 최근에는 전이성 췌장암 환자들을 대상으로 anti-angiogenic property를 가지는 TL-118 경구제제와 gemcitabine을 병합하는 병합요법에 대한 2상 연구가 이루어지고 있다.

다양한 VEGF 표적치료제들이 췌장암에서 효과적이지 못한 이유는 췌장암 주변 기질(stroma)의 저혈관성이 원인으로 추정되고 있으며, 이러한 제한점을 극복하기 위해 기존 항암화학요법에 추가하여 다양한 기질반응을 조절하는 분자 표적치료제를 병용하는 연구가 필요한 실정이다.

3) Insulin-like growth factor-1 receptor (IGFR)

Insulin-like growth factor-1 receptor (IGFR)에 리간드가 결합하게 되면, EGFR 수용체와 마찬가지로 PI3K/AKT pathway 를 포함한 하방의 신호전달체계를 활성화시켜 세포증식과 생존에 영향을 미치게 된다. KRAS mutation이 동반된 췌장암에서도 IGFR의 억제는 KRAS를 거치지 않는 다른 신호전달체계를 억제할 수 있으므로, 세포사멸 및 항암제 저항성 극복에 효과적인 표적이 될 수 있어 주목받고 있다.

IGFR을 표적으로 하는 단일클론항체인 cixutumumab (IMC-A12)은 gemcitabine/erlotinib과 함께 사용한 2상 연구에서 실망스러운 연구결과를 보였으나, 다른 단일클론항체인 AMG-479 (ganitumab)와 MK-0646 (dalotuzumab)이 현재 임상시험 중에 있어 결과가 기대되고 있다. 특히 AMG-479의 경우 mitogen-activated extracellular kinases (MEK) inhibitor와의 병합요법에 대한 2상 연구가 진행 중에 있다.

4) 콜레시스토키닌(cholecystokinin, CCK)

콜레시스토키닌은 췌장암 발병에 영향을 미치는 것으로 여겨지는 중요한 장내 호르몬으로 췌장 소화 효소의 분비와 정상 췌장의 성장을 촉진하는 것으로 알려져 있다. 췌장암 세포와 종양에서는 이 수용체가 암세포에 의해 과다 발현 될 수 있으며, 수용체에 의한 자극이 종양의 성장을 촉진하기 때문에 콜레시스토키닌의 역할이 정상 조직에서 보다 더 중요하다. 또한, 췌장암 세포주에서 콜레시스토키닌 및 가스트린에 대한 내인성 경향이 발생하는 것으로 보고되었으며, 이들의 작용은 자기 수용 기작에 의해 더 많은 수용체의 합성과 성장을 자극하는 것으로 알려졌다.

초기에 콜레시스토키닌의 발암 기전은 췌장 미세환경의 염증과의 상호작용에 의한 것이라고 생각되었으나, 초기의 췌장 상피 세포 종양(PanIN) 및 췌장 성상세포(satellite cell)에서 콜레시스토키닌 수용체가 최근 발견됨에 따라 콜레시스토키닌의 작용은 종양에 의한 결과가 아니라 종양의 조기 발생을 촉진하는 것이라는 주장이 제기되었다. 또한 소마토스타틴 수용체 길항제 사용 시 K-Ras로 조작된 마우스에서 섬유화의 역전을 보여주는 연구는 콜레시스토키닌이 췌장암을 둘러싼 섬유조직형성 미세환경(desmoplastic microenvironment)에 관여함을 시사한다.

현재까지는 높은 식이 지방 또는 만성 췌장 염증과 관련된 상승 된 CCK 혈중 농도가 정상 CCK 수용체에 작용하여 암을 유발하는 형질 전환 세포의 증식 및 활성화를 유도하는지는 명확히 알려져 있지 않다. 그러나 CCK 수용체 길항제를 화학 요법의 보조제로 사용하거나 만성 또는 유전성 췌장염과 같은 위험인자를 가진 대상에서 예방 요법을 사용하는 임상 시험에 대한 고려가 되어야 한다.

5) 소마토스타틴(somatostatin)

소마토스타틴은 췌장 섬세포와 구강 점막에 위치한 D 세포에 의해 생성되는 테트라데카펩타이드(tetradecapeptide)로 호르몬의 비정상적인 분비를 억제하는 기능을 하기 때문에 신경내분비 종양(인슐린 분비 종양, 가스트린 분비 종양 등)의 치료를 위해 종양학에서 이미 주목을 받아 왔다.

췌장암에 대한 항종양제제로서 소마토스타틴을 사용하는 이론적 근거는 가스트린, 시크레틴 및 콜레시스토키닌의 분비를 억제하는 기능에 기반을 두고 있으며, 특히 콜레시스토키닌은 앞서 서술하였듯이 췌장 종양의 성장에 작용한다고 알려져 있다. 초기 연구에서 소마토스타틴의 임상적 사용은 짧은 혈장 반감기 및 낮은 선택성 작용 때문에 거의 이용 불가능한 것으로 보였으나, 최근 약동학 및 약력학적 특성이 개선된 소마토스타틴 유사체가 개발되어 임상적용의 가능성이 높아지고 있다. 일부 장기 혈장 반감기를 가진 소마토스타틴 합성 유사체는 동물 모델 및 췌장 종양 세포주에서 항종양 효과를 보인 것으로 보고되었다.

최근 소마토스타틴 수용체 2(somatostatin receptor 2, SSTR2)를 통한 신호전달 체계가 췌장암의 발현과 전이와 관련되어 있음을 보이는 실험 연구 결과가 보고되었으며, 이는 소마토스타틴 수용체가 췌장암의 새로운 약리학적 치료 목표가 될 가능성이 있음을 시사한다. 향후 이에 대한 임상 연구가 고려되어야 할 것으로 보인다.

2. 면역치료 (immunotherapy in pancreatic cancer)

면역치료는 인체의 질병에 대한 방어 시스템인 면역기전을 통해 암세포를 제거하고자 하는 치료 방법으로, 세포독성 항암화학요법에 의한 부작용을 최대한 줄이면서 암세포를 제거할 수 있다는 장점이 있다. 면역요법은 환자 스스로 항체와 림프구를 생산하는 능동면역과 다른 사람이나 동물의 신체내에서 이미 만들어진 면역반응 성분을 투여받는 수동면역으로 나눌 수 있으며, 사용되는 제제가 개체에 특이성을 지니는지 여부에 따라 특이적 면역요법과 비특이적 면역요법으로 나눌 수 있다. 현재 암 치료에 사용되는 면역치료의 주요 유형은 단일클론항체(monoclonal antibody), 면역관문 억제제(immune check-point inhibitor), 항암백신(cancer vaccine) 및 기타 비특이적 면역요법이 있으며 췌장암을 대상으로 한 면역치료법도 활발하게 연구되고 있다.

1) 단일클론항체

단일클론항체는 종양세포에 발현되는 특정 항원을 표적으로 하는 분자이다. 많은 종류의 단일클론항체가 현재 면역치료에 사용되기 위해 연구되고 있으며, 그 중 일부는 체내 면역 반응을 활성화시킨다는 보고도 있다.

Yttrium-90 clivatuzumab tetraxetan은 췌장암에서 발현되는 항원 MUC1에 대한 단일클론항체인 clivatuzumab과 킬레이트제인 tetra-azacyclodecanetetraacetic acid, 방사성동위원소인 yittrium Y90으로 구성된 방사성 면역 접합체(radioimmunoconjugate)로서, 1상 시험에서 양호한 안전성이 확인되어 현재 췌장암 환자들을 대상으로 3상 시험 중에 있다(NCT 01956812). MVT-5873 (HuMab-5B1)은 췌장암 환자에서 과발현되어 있으며, 암세포의 생존과 전이에 중요한 역할을 담당하는 CA 19-9의 sialyl Lewis A (sLea) 동위원소를 표적으로 하는 단일클론항체로, 췌장암 환자를 대상으로 한 1상 시험이 진행되고 있다(NCT02672917). 이 밖에도, 혈중 IGF-1 농도가 높은 전이성 췌장암 환자를 대상으로 MM-141과 gemcitabine, nab-paclitaxel 병합요법에 대한 2상 연구가 시행되고 있으며, 췌장암을 포함한 여러 암세포에서 발현하는 TROP-2 항원을 표적으로 하는 IMMU-132 에 대한 1, 2상 연구도 진행되고 있다.

2) 면역관문 억제제

인체 면역체계의 가장 중요한 부분은 자가 정상세포와 외부에서 유입된 이상세포를 구분하고, 정상세포에 대한 손상 없이 이상세포만을 선택적으로 공격할 수 있는 능력이다. 이와 같은 면역반응은 면역관문(immune checkpoint)이라고 지칭되는 면역세포의 특정 분자가 활성화 혹은 비활성화되면서 시작된다. 자가 정상세포와는 달리 면역계에서 항원으로 인지되는 암세포는, 체내 면역 체계에 의한 공격을 피하고자 면역관문을 회피하거나 무력화시키는 방법을 사용하는데, 따라서 이러한 면역관문을 목표로 하는 약물은 암을 치료하는 데 많은 가능성을 가지고 있어 개발이 활발하게 이루어 지고 있다.

PD-1은 T 림프구 표면에 발현되어있는 단백질로, 정상세포의 PD-L1과 결합하였을 때 T 림프구가 이를 공격하지 못하도록 하는 "off-switch"의 역할을 하고 있다. 일부 암세포의 경우 다량의 PD-L1이 발현되어 있어, T 림프구로부터의 공격을 차단하는 방식으로 면역반응을 회피하게 되는데, T 림프구의 PD-1과 암세포의 PD-L1 사이의 결합을 차단하는 약제들이 면역관문 억제제로 개발되고 있다. 흑색종, 비소세포폐암 등에서 유용성이 확인되고 있으며, 지미 카터 전 미국대통령의 흑색종 치료에 사용되어 일약 유명해진 Penbrolizumab이나 Nivolumab은 대표적인 PD-1 antibody로 현재 췌장암에서도 다양한 임상시험이 진행되고 있다. 또한 PD-L1 antibody인 atezolizumab의 경우에도 전이성 췌장암을 포함한 고형암의 치료와 관련된 임상시험이 진행 중에 있어 향후 그 결과가 기대된다.

CTLA-4는 T 림프구 표면에 있는 다른 단백질로, 역시 면역계를 억제하는 off-switch의 역할을 한다. 이를 표적으로 한 면역치료제 또한 활발히 연구 중이며, 췌장암 환자들에서 CTLA-4 antibody인 tremelimumab, ipilimumab의 단독사용 또는 PD-1/PD-L1 antibody와의 병용요법에 대한 임상연구가 이루어지고 있다.

3) 항암백신(tumor vaccines)

항암 백신은 바이러스를 표적으로 하는 일반적인 백신과는 달리 질병의 예방을 목적으로 한 것이 아닌, 면역 체계를 활성화 시켜 질병을 치료하기 위한 목적으로 사용된다. 동종 종양 백신(allogenic tumor vaccine)은 특정 환자의 종양 세포에서 생성된 항원을 다른 환자에게 투여하는 것으로, 백신을 투여받은 환자의 체내에서 종양특이항원이 발현되고 이를 표적으로 하는 면역체계의 활성화를 이끌어내 종양을 치료하고자 하는 목적을 가진 치료제이다. 현재 유일하게 FDA 승인을 받은 항암백신은 호르몬 저항성 전립선암에 대한 치료제인 sipuleucel-T이며, 췌장암에 대해 연구되고 있는 항암백신으로는 Listeria monocytogenes을 이용한 약독화 생백신인 CRS-207이 있고, 현재 GVAX와의 병용에 대한 2상 시험이 진행 중에 있다.

References

1. Perilli D, Mansi D, Savarino V, Celle G. Hormonal Therapy of Pancreatic Carcinoma : Rationale and Perspectives. Int J Pancreatology 1993;13:159-68.
2. Moore MJ, Goldstein D, Hamm J, et al. National Cancer Institute of Canada Clinical Trials Group. Erlotinib plus gemcitabine compared with gemcitabine alone in patients with advanced pancreatic cancer: a phase III trial of the National Cancer Institute of Canada Clinical Trials Group. J Clin Oncol 2007;25:1960-6.
3. Lemoine NR, Hughes CM, Barton CM, et al. The epidermal growth factor receptor in human pancreatic cancer. J Pathol 1992;166:7-12.
4. Costello E, Greenhalf W, Neoptolemos JP. New biomarkers and targets in pancreatic cancer and their application to treatment. Nat Rev Gastroenterol Hepatol 2012;9:435-44.
5. Philip PA, Benedetti J, Corless CL, et al. Phase III study comparing gemcitabine plus cetuximab versus gemcitabine in patients with advanced pancreatic adenocarcinoma: Southwest Oncology Group-directed intergroup trial S0205. J Clin Oncol 2010;28:3605-10.
6. Karayiannakis AJ, Bolanaki H, Syrigos KN, et al. Serum vascular endothelial growth factor levels in pancreatic cancer patients correlate with advanced and metastatic disease and poor prognosis. Cancer Lett 2003;194:119-24.
7. Kindler HL, Friberg G, Singh DA, et al. Phase II trial of bevacizumab plus gemcitabine in patients with advanced pancreatic cancer. J Clin Oncol 2005; 23:8033-40.
8. Van Cutsem E, Vervenne WL, Bennouna J, et al. Phase III trial of bevacizumab in combination with gemcitabine and erlotinib in patients with metastatic pancreatic cancer. J Clin Oncol 2009;27:2231-7.
9. Goetsch L, Gonzalez A, Leger O, et al. A recombinant humanized anti-insulin-like growth factor receptor type I antibody (h7C10) enhances the antitumor activity of vinorelbine and anti-epidermal growth factor receptor therapy against human cancer xenografts. Int J Cancer 2005;113:316-28.
10. Camirand A, Zakikhani M, Young F, Pollak M. Inhibition of insulin-like growth factor-1 receptor signaling enhances growth-inhibitory and proapoptotic effects of gefitinib (Iressa) in human breast cancer cells. Breast Cancer Res 2005; 7:R570-R9.
11. Philip PA, Goldman BH, Ramanathan RK, et al. Phase I randomized phase II trial of gemcitabine, erlotinib, and cixutumumab versus gemcitabine plus erlotinib as first-line treatment in patients with

metastatic pancreatic cancer (SWOG-0727). J Clin Oncol 2012;30(Suppl 4):abstr 198. Oncotarget 2015;6:no 37.

12. Smith JP, Solomon TE. Cholecysto-kinin and pancreatic cancer: the chicken or the egg? Am J Physiol Gastrointest Liver Physiol. 2014;306:G91–G101,
13. Criddle DN, Booth DM, Mukherjee R, et al. Cholecystokinin-58 and cholecystokinin- 8 exhibit similar actions on calcium signaling, zymogen secretion, and cell fate in murine pancreatic acinar cells. Am J Physiol Gastrointest Liver Physiol 297: G1085–G1092, 2009.
14. Galindo J, Jones N, Powell GL, Hollingsworth SJ, Shankley N. Advanced qRT-PCR technology allows detection of the cholecystokinin 1 receptor (CCK1R) expression in human pancreas. Pancreas 2005; 31: 325– 31.
15. Matters GL, McGovern C, Harms JF, et al. Role of endogenous cholecystokinin on growth of human pancreatic cancer. Int J Oncol 2011;38: 593–601.
16. Joranda R, Biswasa S, Wakefielda DL, et al. Molecular signatures of mu opioid receptor and somatostatin receptor 2 in pancreatic cancer. Mol Biol Cell 2016:27;3659-72
17. Shahbaz M, Ruliang F, Xu Z, et al. mRNA expression of somatostatin receptor subtypes SSTR-2, SSTR-3, and SSTR-5 and its significance in pancreatic cancer. World J Surg Oncol 2015;13:46.
18. Kailey B, van de Bunt M, Cheley S, et al. SSTR2 is the functionally dominant somatostatin receptor in human pancreatic beta- and alpha-cells. Am J Physiol Endocrinol Metab 2012;303, E1107–E16.
19. Kharmate G, Rajput PS, Lin YC, Kumar U. Inhibition of tumor promot¬ing signals by activation of SSTR2 and opioid receptors in human breast cancer cells. Cancer Cell Int 2013;13:93.
20. Akinleye A, Iragavarapu C, Furqan M, Cang S, Liu D. Novel agents for advanced pancreatic cancer. Oncotarget 2015;6:39521-37.
21. Hanlon L, Avila JL, Demarest RM, et al. Notch1 functions as a tumor suppressor in a model of K-ras-induced pancreatic ductal adenocarcinoma. Cancer Res 2010;70:4280-86.
22. Teague A, Lim K, Wang-Gillam A. Advanced pancreatic adenocarcinoma: a review of current treatment strategies and developing therapies. Ther Adv Med Oncol 2015;7:68–84
23. Wong K, Qian Z, Le Y. The Role of Precision Medicine in Pancreatic Cancer: Challenges for Targeted Therapy, Immune Modulating Treatment, Early Detection, and Less Invasive Operations Cancer Transl Med 2016;2:41–7
24. Pardoll DM. The blockade of immune checkpoints in cancer immunotherapy. Nat Rev Cancer 2012; 12:252-64.
25. Michl P, Gress TM. Current concepts and novel targets in advanced pancreatic cancer. Gut 2013; 62:317-26.

44-5 췌장암의 보존적 치료(Supportive care: biliary drainage, pain and nutrition)

방승민

서론

췌장암은 예후가 매우 나쁘고 치사율이 높은 암종으로, 우리나라 통계자료에 의하면 2012년 한해동안 약 4,800명의 환자가 췌장암으로 인해 사망하였다. 약 80%의 췌장암 환자들은 수술이 불가능한 상태에서 진단되는데, 수술이 불가능한 진행성 췌장암 환자들은 대부분 완화 목적의 전신 항암화학요법을 시행받게 된다. 이러한 진행성 췌장암 환자들의 치료에 있어 지지적 치료는 환자의 증상 및 고통을 경감시키고, 치료 관련 부작용을 최소화 할 수 있는 중요한 도구이다[1]. 따라서 종양 환자를 치료하는 의사는 지지적 치료의 중요성에 대해 인식하고 지지적 치료의 대상이 되는 증상과 이를 경감시키는 구체적인 방법에 대해 숙지하여야 할 것이다[2-4]. 본 장에서는 진행성 췌장암 환자들이 겪는 여러 가지 증상들(담도폐색, 통증, 식욕부전)에 대해 살펴보고, 증상을 경감시키고 환자의 전신상태를 호전시킬 수 있는 지지적 치료 요법의 다양한 방법에 대해 고찰해보고자 한다.

1. 담도폐색 및 담도배액술

췌장암 환자의 약 90%는 치료를 받는 중 담도폐색에 의한 폐쇄성 황달(obstructive jaundice)을 경험한다. 췌장 두부에 원발병소를 가진 환자들의 경우 대개 진단 당시나 치료 초기에 황달을 경험하게 되며, 췌장 체부나 미부의 암종을 가진 환자들의 경우 원발병소의 크기 증가 또는 간전이, 임파선 전이 등으로 인해 담도가 폐색되었을 때 황달을 경험하게 된다. 담도폐색을 해결하기 위한 여러 가지 방법 중 환자에게 알맞은 최적의 방법을 찾기 위해서는 환자의 나이, 기대여명 및 전신 상태 등의 다양한 요소가 고려되어야 한다. 진행성 췌장암 환자의 경우, 원발병소의 수술이 불가능하고 전신상태가 불량한 경우가 많아 주로 비수술적 담도배액술이 선호된다[9].

비수술적 담도배액술은 크게 경피경간 담도배액술(percutaneous transhepatic biliary drainage, PTBD)과 내시경적 담도배액술(endoscopic biliary drainage, EBD)로 나눌 수 있고, 내시경적 담도배액술은 주로 내시경적 역행성 담췌관조영술(endoscopic retrograde cholangiopancreatography, ERCP)을 통해 이루어지며, 최근에는 선형 초음파 내시경의 발전에 따라 내시경초음파 유도하 담관배액술도 활발하게 시행되고 있다.

1) ERCP를 통한 담도배액술

ERCP를 통한 내시경적 역행성 담도배액술(endoscopic retrograde biliary drainage, ERBD)은 보다 덜 침습적이고, 환자에게 편하며 내부 배액으로 생리적인 장-간 순환을 유지하여 내독소혈증 감소, 면역기능 이상의 정상화, 체액 및 전해질의 손실방지가 가능하다는 장점이 있으나, 시술과 관련된 부작용인 상행담도염, 췌장염, 십이지장 천공, 출혈 등의 단점이 있다. 따라서 ERCP를 통한 담도배액술은 반드시 숙련된 시술자에 의해 이루져야 한다(그림 44-5-1).

ERCP를 통한 담도배액술을 위해 사용되는 배액관(스텐트, stent)은 재료에 따라 플라스틱 스텐트와 금속 스텐트로 나눌 수 있으며, 각각의 재질과 재형에 따라 임상적 특징이 조금씩 다르다. 플라스틱 배액관은 스텐트 양 끝부분만 개통되어 있는 직선형과 선단부 측면에 작은 배액공들이 존재하는 single/double pigtail형이 있다.

직선형 플라스틱 배액관의 경우 십이지장 유두부를 통해 장관으로 원위부 이탈이 발생할 경우 드물게는 스텐트로 인한 장 천공이 유발될 수 있다. 이러한 문제점은 특히 담관의 협착이 상대적으로 느슨한 경우에 발생할 수 있으며, 이를 피하기 위해서는 직선형보다는 pigtail형태의 배액관을 삽입하는 것이 좋다. 그러나 플라스틱 스텐트는 평균 스텐트 개존 기간이 3개월 가량으로 짧다. 이로 인해 반복적인 시술이 필요하다는 단점을 가지고 있다. 이러한 단점을 보완하기 위해 최근에는 금속 재질의 stent가 널리 보급되어 사용되고 있다. 금속형 스텐트는 stainless steel, nitinol 등의 소재를 이용하고, 원통형의 원재료를 절삭 가공하여 제작하는 방식과 직경 1~2 mm 정도의 철사형태로 사출한 소재를 그물망 형태로 엮어서 제작하는 방식이 있다. 또한 스텐트에 polyurethane, silicon 등의 피막을 씌운 피막형과 비피막형으로 분류할 수 있다.

금속 스텐트는 플라스틱 스텐트에 비해 넓은 직경을 가지며, 이로 인해 스텐트 개존율이 길다는 장점이 있다. 연구 결과마다 차이는 있으나 대부분의 연구에서 플라스틱 스텐트보다 직경이 큰 금속 스텐트에서 5~10개월로 우수한 장기 개존율을 보여주었다[10-12]. 또한 피막형 스텐트는 비피막형 스텐트의 단점인 스텐트 그물망내 종양 증식(tumor ingrowth)으로 인한 패쇄를 예방할 수 있을 것으로 기대되었으나, 상대적으로 스텐트의 이탈이 빈번하다는 단점이 있다. 최근에는 약물 방출형 피막을 씌운 약물 방출 스텐트(drug eluting stent)들이 개발되고 있고 pilot 연구 결과들이 보고되고 있어 향후 결과가 주목된다. 스텐트 관련 합병증은 약 5%에서 발

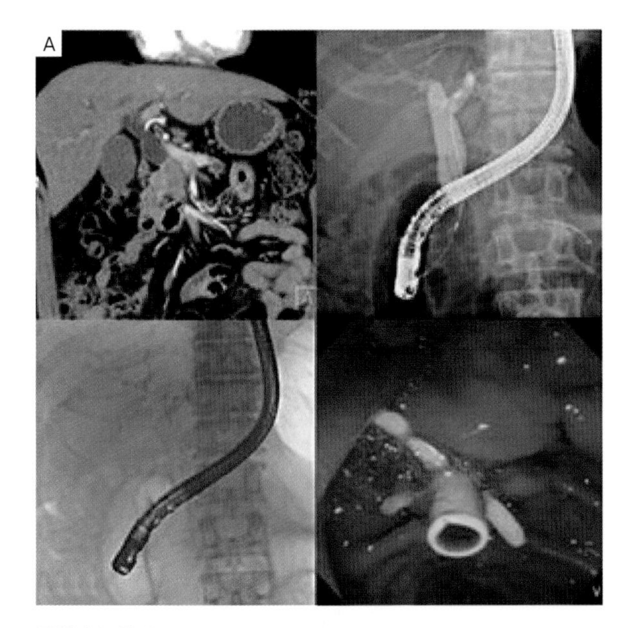

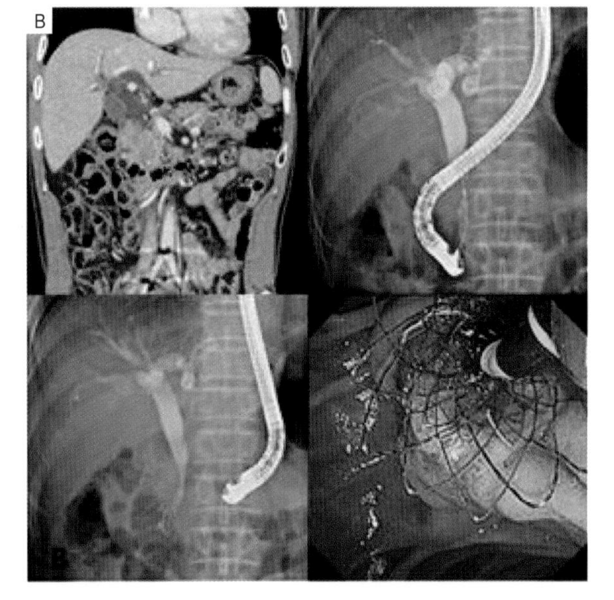

그림 44-5-1. **ERCP 담도배액술.**
A. 플라스틱 배액관 삽입술, B. 비피막형 금속 배액관 삽입술.

생하는데, 초기 합병증에는 담도염, 췌장염, 출혈, 천공, 조기 위치 이동(proximal or distal migration) 등이 있고, 후기 합병증은 스텐트의 기능장애(clogging, stent obstruction: tumor ingrowth or overgrowth)를 비롯하여 담낭염, 십이지장 천공, 궤양 등의 합병증이 있을 수 있다. 합병증의 종류는 사용된 스텐트의 종류와는 무관하며, 위치 이동(migration)은 비피막형 금속 스텐트의 1%, 피막형 금속 스텐트의 20%, 플라스틱 스텐트 및 부분 피막형 스텐트의 5% 정도에서 일어난다고 알려져 있다.

실제 담도 폐쇄를 가진 환자들의 치료에 있어 ERCP를 통한 배액관 삽입술을 시행할때 어떤 종류의 담도 배액관을 선택하느냐 하는 점은 아직 확실한 가이드라인이 정해진 것은 없으나, 악성 종양으로 인한 담도 협착의 경우 금속 스텐트 삽입을 우선 고려할 수 있으며, 양성 협착 또는 근치적 절제 수술이 예정된 악성 종양의 경우는 스텐트 비용을 고려하여 플라스틱 배액관을 이용한 배액술을 우선 고려할 수 있다.

2) 내시경초음파 유도하 담도 조영 및 배액술

담도의 양, 악성 폐쇄는 내시경적 역행성 담췌관 조영술(ERCP)을 통한 담도 조영 및 배액관 삽입을 통한 배액술이 우선 고려되어야 한다. 내시경초음파 유도하 담도 조영 및 배액술은 ERCP를 통한 담도 조영 및 배액술이 어려운 경우에 우선적으로 고려해볼 수 있다. 현재 ERCP를 통한 담도배액술이 실패한 경우는 경피 경간 담도배액술(percutaneous transhepatic biliary drainage, PTBD)가 우선적인 대안으로 널리 시행되고 있다. 그러나 PTBD는 배액관이 체외로 유치되어 환자의 삶의 질 저하를 초래하고, 십이지장내로 담즙 배출이 되지 못하여 소화와 영양 흡수 측면에서는 생리적이지 못하다는 단점이 있다. 내시경초음파 유도하 담도 조영 및 배액술은 접근 위치에 따라 1) 간내 담도 접근법(intrahepatic bile duct approach)와 2) 간외 담도 접근법(extrahepatic bile duct approach)로 분류한다.

(1) 간내 담도 접근법 (intrahepatic bile duct approach)

내시경초음파를 통한 간내 담관의 접근은 주로 간 좌엽을 통해 이루어진다. 이는 내시경초음파 선단부가 위장내 분문부 소만부 근처에 위치하면 간 좌엽의 초음파 영상 묘출이 용이하기 때문이다. 내시경초음파를 통해 확장된 간 좌엽내 담관을 확인하고, 담관주변의 혈관을 피해 천자용 바늘을 이용하여 확장된 간내 담도를 천자한다. 이후 음압 주사기를 이용하여 담즙이 흡인되는 것을 확인한 뒤, 조영제를 주입하여 담관을 조영한다. 조영된 담관을 확인한뒤 천자용 바늘 내부로 유도철선을 삽입하여 간내 담도로 진입시킨다. 이후 담도내 삽입된 유도철선이 폐쇄된 담도병변을 넘어 십이지장 유두 또는 담관-장관 문합부 출구를 통해 장관내에 유치가 가능한 경우와 폐쇄된 병변의 유도철선 관통이 어려운 경우에 따라 1) transpapillary or trans-anastomotic retrograde drainage, 2) transmural drainage (hepaticogastrostomy)를 선택적으로 시술할 수 있다.

(2) 간외 담도 접근법 (extrahepatic bile duct approach)

내시경초음파를 이용하여 간외 담도를 통한 담도 조영 및 배액술은 천자하는 장관의 위치가 십이지장과 간외 담도라는 것 외 간내 담도 접근법과 시술의 차이는 없다. 즉, 간외 담도 접근법도 1) transpapillary or trans-anastomotic retrograde drainage, 2) transpapillary or trans-anastomotic antegrade drainage 및 3) transmural drainage (choledochoduo-denostomy)로 나눌 수 있다. 각각의 시술방법은 내시경초음파 선단부에 위치하여 확장된 간외 담도를 확보하고 적절한 천자부위를 선

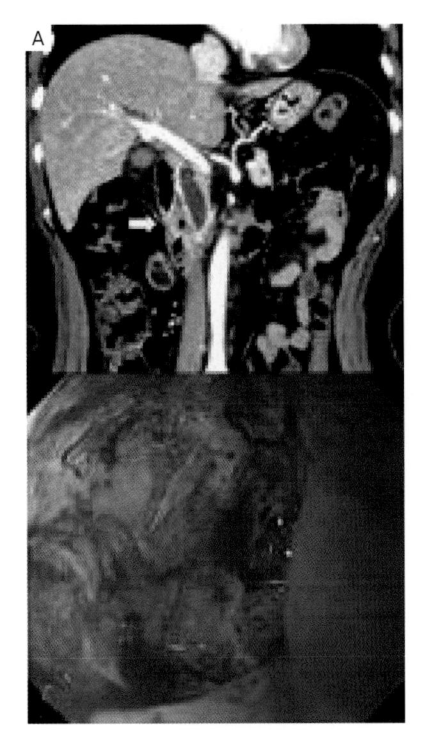

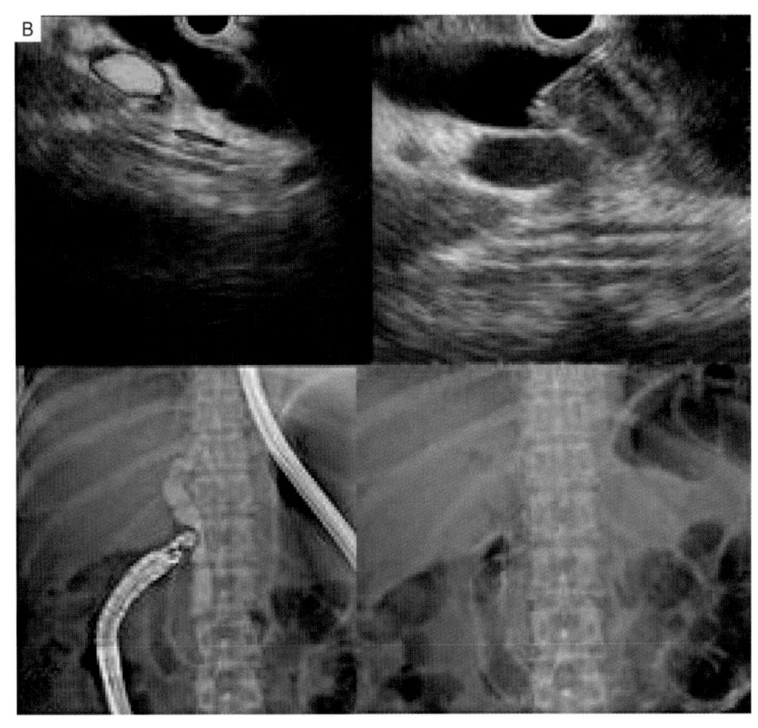

그림 44-5-2. **십이지장 암으로 인해 십이지장 폐쇄가 동반된 환자에서 초음파내시경 유도하 choledochoduodenostomy 시술.**
A. 십이지장 폐쇄와 원위부총담관 폐쇄가 동반된 환자 CT, 내시경 사진.
B. 초음파내시경 유도하 choledochoduodenostomy.

택하는 것만 차이가 있을 뿐 이후 시술법은 간내 담도 접근법과 유사하다(그림 44-5-2).

3) 경피경간 담도배액술

내시경적 배액술과 비교하였을 때, 경피경간 담도 배액술(percutaneous transhepatic biliary drainage, PTBD)의 장점은 ERBD로 도달하기 어려운 근위부 담도폐쇄의 경우에 시술이 가능하다는 점과 간내담도(intrahepatic bile duct)가 종양으로 인해 분리되어 있을 시에 분지 별로 여러 도관의 삽입이 가능하다는 점을 들 수 있다(그림 44-5-3). 또한 내시경적 배액술에 비해 담도염 가능성이 상대적으로 적다는 점도 장점이다. 하지만, 시술 후 체외로 배액관을 거치해야 하므로 환자가 불편하고 시술의 침습성이 강해 출혈, 담즙 누출 및 복막염, 삽입부 동통, 도관폐쇄 및 이탈로 인한 담도염 등의 합병증이 있으며 외부배액으로 인한 체액 및 전해질 손실 등의 단점이 있다. 따라서, PTBD 시행 후 황달이 어느 정도 해결되면, 환자의 불편감을 감소시키고 생리적인 장-간 순환을 유지할 수 있도록, 스텐트를 경피적으로 삽입하여 내부 배액(internal drainage)을 유도하기도 한다.

악성질환에 의한 폐쇄성 황달이 해결되지 않는 경우, 담즙정체에 의한 제반 증상(황달, 가려움 등)과 함께 패혈증에 이를 수 있는 심각한 감염을 유발하므로, 환자의 전신상태 및 기대여명을 고려하여 최선의 방법을 선택한 후 조기에 담도배액술을 시행하여야 한다. 이를 통해 환자의 간기능을 회복시키고, 영양상태 및 전신상태를 호전시켜 적절한 항암화학요법을 지속하게 된다면, 환자의 삶의 질과 기대여명의 향상을 가져올 수 있을 것이다.

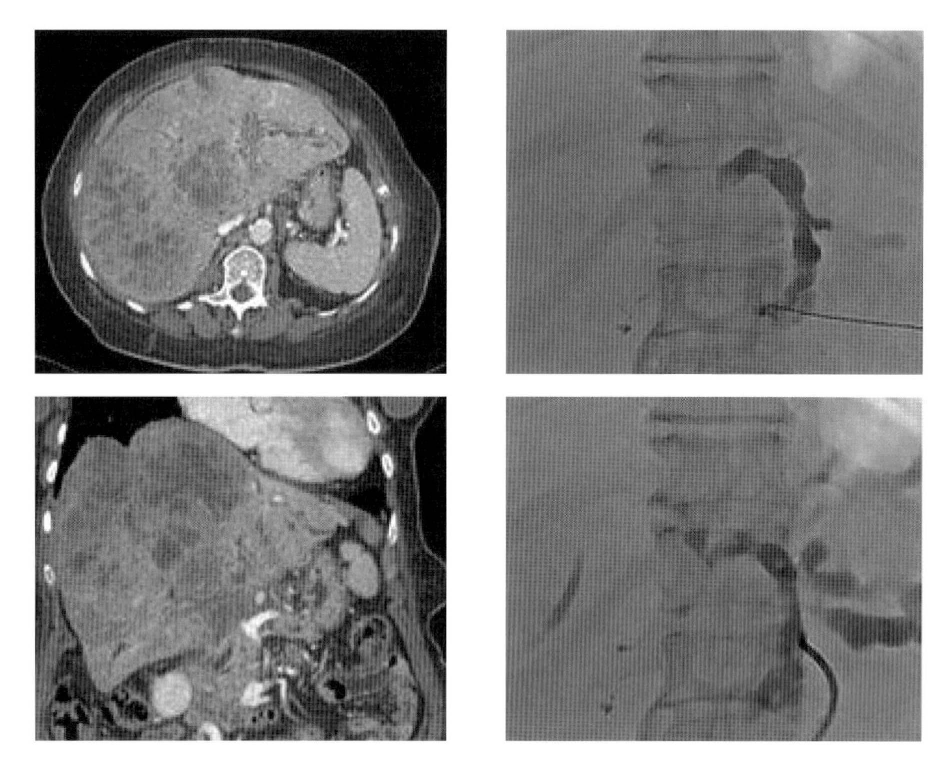

그림 44-5-3. **진행성 간내담도암으로 인한 담도 폐쇄에 대한 PTBD 배액관 삽입술.**

2. 통증의 관리

췌장암 환자에게 있어 통증은 매우 흔한 증상이며, 심각한 통증을 동반하는 경우가 많다. 암환자에서의 통증은 혈압, 맥박수, 호흡수, 체온의 4가지 활력증후에 이어 5번째 활력증후로 평가되어 관리되어야 한다고 강조될 만큼 중요한 신체징후이며, 조절되지 않는 통증은 환자와 가족 구성원들의 우울(depression), 불안(anxiety)과 연관되는 경우가 많아 적절한 관리가 요구된다[13,17]. 췌장암 환자에서 암성 통증은 주로 원발암종이 췌장 주변의 신경(절)을 침범하거나 압박하면서 발생하는 복부나 배부의 통증으로 나타나며, 주변 위장관이나 담관을 침범, 폐색하여 발생하는 산통(colicky pain)의 양상으로 나타나기도 한다. 하지만, 마약중독이나 부작용에 대한 막연한 두려움, 통증관리에 대한 지식부족, 부적절한 통증평가 및 약물 사용에 따른 보험문제 등의 원인으로 인하여 적절한 통증관리가 이루어지지 않고 있는 것이 현실이다. 암환자의 통증관리는 단순한 통증감소 차원을 넘어 환자가 신체기능을 회복하여 인간으로서 존엄성을 유지하고, 일상생활을 영위하도록 할 수 있다는 점에서 매우 중요하므로, 암성통증을 조절하기 위한 적극적인 노력이 요구된다.

1) 약물요법

약물요법은 암성통증 조절의 핵심으로, 암성통증의 80~90%는 약물요법으로 조절이 가능하다.22 약물요법을 시행할 때는 암환자 개개인에 적합한 진통제의 종류 및 용량과 투여방법을 선택하는 것이 중요하다. World Health Organization (WHO)에서 권고한 암성통증 관리지침인 3단계 진통제 사다리에서는 통증의 강도에 따라 1단계 약한 통증에는 비마약성 진통제, 2단계 중간 통증에는 약한 마약성 진통제, 3단계 강한 통증에는 강한 마약성 진통제의 단계별 사용을 권고하였으나[15] 최근에는 마약성 진통제를 모든 단계의 통증에 적극적으로 사용할 수 있는 것을 권고하고 있다[16,19]. 약물치료 시에는 환자에게 적합한 진통제를 가능한 경구투여하되 일정 시간 간격으로 규칙적으로 투여하여 혈중농도를 일정하게 유지하면서 급작스럽게 발생하는 돌발통증에 대해서는 속효성 진통제를 즉시 사용할 수 있도록 하는 것이 중요하다. 또한 진통제를 투여한 후 통증조절이 잘 되고 있는지 관찰하여 효과를 평가하고, 통증조절이 부족하면 용량을 늘리거나 약제를 변경하고, 진통제를 사용할 때 부작용을 예방하고 최소화하기 위한 약물을 함께 사용하는 것도 중요하다. 이를 위해서는 환자와 가족에게 적절한 통증교육 및 복약지도를 시행하고, 약물 치료 외에도 스스로 통증을 조절할 수 있는 마사지, 심호흡과 이완요법, 상상요법, 기분전환, 음악치료, 미술치료와 같은 비약물적 방법들을 함께 사용하도록 격려해야 한다.

(1) 비마약성 진통제

비마약성 진통제는 acetaminophen과 비스테로이드 소염제(non-steroidal anti-inflammatory drug, NSAID)로 구분되는데, 암성통증의 1단계에서 사용되는 진통제이며 모든 단계 진통제의 보조제로도 사용된다. 비마약성 진통제 에는 많은 종류가 있지만 진통효과에는 큰 차이가 없고 부작용에서만 차이를 보이므로, 각 환자의 상태를 고려하여 부작용이 적은 약제를 선택하도록 한다. 60세 이상의 고령이거나, 항응고제 또는 스테로이드 제제를 사용중인 경우, 위장관 출혈의 기왕력이 있는 경우 NSAID 사용에 따른 위장관 출혈의 가능성이 높아지므로 주의하여야 하며, 간질환 과거력이 있거나 간전이가 있는 환자의 경우 acetaminophen의 용량에 유의하여야 한다. NSAID와 비교해서 acetaminophen은 소염 작용 및 혈소판 억제작용이 없으므로[20] 출혈 경향이 있는 경우에는 acetaminophen이나 cyclooxygenase-2 선택 억제제인 celecoxib를 사용하며, 염증을 동반한 통증이나 관절통, 피부전이 및 뼈전이 통증이 있는 경우에는 소염작용이 없는 acetaminophen보다는 NSAID를 고려한다. 약물의 투여경로는 경구투여를 원칙으로 하지만 구역, 구토 등으로 경구투여가 곤란한 경우 좌약 및 경피적 패치를 사용하고, 빠른 진통효과가 필요할 때 근주 또는 정주요법을 사용한다. 사용이 결정된 약제는 진통효과를 확인해가며 최대 투여용량까지 증량하는데, NSAID는 천정효과(ceiling effect) 때문에 최대 투여량 이상으로 증량하더라도 진통작용은 증가하지 않고 부작용만 증가하게 된다. NSAID의 진통효과와 안전성은 약물마다 차이가 없기 때문에[21] 최대 투여량에서 통증이 조절되지 않는다면 다른 NSAID로 전환하지 않고 바로 마약성 진통제의 사용을 고려해야 하며, 여러 종류의 NSAID를 병용하는 것은 부작용만 증가시키므로 피하는 것이 좋다.

(2) 마약성 진통제

마약성 진통제는 역가에 따라 약한 마약성 진통제와 강한 마약성 진통제로, 아편 수용체에 대한 친화도에 따라 작용제, 작용길항제로 분류한다. 마약성 진통제 중 morphine 같은 작용제는 천정효과가 없기 때문에 용량에 비례하는 진통효과를 기대할 수 있다.

약한 마약성 진통제에는 codeine, dihydro-codeine, tramadol 등이 있고, 강한 마약성 진통제에는 morphine, oxycodone, hydromorphone, hydrocodone, fentanyl 등이 있는데 암성통증 환자에서 일차 선택 약으로 경구용 morphine이 사용되고 있다. 경구 마약성 진통제를 사용할 때는 서방형과 속효성 제형을 고려한 처방이 필요한데, 속효성 제형은 용량 적정(dose-titration) 및 돌발 통증(breakthrough pain)의 조절 목적으로 사용되며, 서방형 제형은 유지 용량에 사용한다.

약한 통증의 조절은 비마약성 진통제나 약한 마약성

진통제로 시작하고, 중등도 이상의 통증은 약한 마약성 진통제나 강한 마약성 진통제로 조절을 시작한다. 마약성 진통제를 사용한 적이 없거나 소량 혹은 불규칙하게 사용한 opioid-naive patient의 경우는 속효성 경구용 morphine 5~15 mg 또는 주사용 morphine 1~5 mg을 사용하여 용량 적정을 시작하며, 기존에 규칙적으로 마약성 진통제를 사용하던 opioid-tolerant patient의 경우 사용하고 있던 하루 용량의 10~20%를 경구 혹은 주사 투여한 후 반복적으로 통증을 재평가하며 용량을 적정한다. 이들 환자에서 통증이 0~3점으로 감소하면 2~3시간 후 재평가하고, 4~6점으로 감소하면 같은 용량을 반복 투여하며, 7~10점으로 통증이 변하지 않거나 심해지면 용량을 2배로 늘려 투약한 후 재평가한다. 2~3회의 연속된 치료에도 불구하고 통증점수가 7~10점으로 변화가 없거나 증가되면 신경병증 통증 등 다른 원인에도 주의를 기울이고 필요하다면 진통 보조제의 투약이나 신경차단 등 다른 치료법을 고려하여야 한다[16]. 용량 적정이 끝나면 필요한 하루 총 용량을 계산한 후 일정시간 간격으로 분할하여 투여하는데, 하루 용량에 맞춘 서방형 morphine제제를 12 시간 간격으로 투여하고, 돌발성 통증에는 하루 용량의 10~20%에 해당되는 속효성 morphine 제제를 필요한 경우 사용할 수 있도록(PRN) 처방한다. 돌발성 통증 치료를 위해 하루 2~3회 이상의 추가 용량이 사용된다면 유지용량을 증량하는 것이 합당하다.

마약성 진통제의 주사투여는 경구제제나 좌약의 사용이 불가능하거나 환자가 심하게 쇠약한 경우, 소화관의 morphine 흡수가 불안정한 경우 사용한다. 주사투여를 하는 경우 경구 용량의 3배 정도의 효과를 얻으나 상대적인 효능은 환자마다 다양하게 나타날 수 있다. 경구투여에서 주사제로 바꾸는 경우라면 동등진통용량을 경구 용량의 1/3로 정하여 투여를 시작하고 필요시 용량을 조절하는 것이 좋다. 정맥 또는 피하주사는 경구요법에 비해 효과 발현시간이 빠르고 안정된 효과를 얻을 수 있다는 장점이 있으나, 근육주사는 환자에게 통증을 유발하고 흡수가 불확실하기 때문에 피하는 것이 좋다. 피부로 투여되는 fentanyl 패치는 72시간 동안 fentanyl이 공급되도록 되어있는데 혈중 농도의 상승에는 오랜 시간이 걸려 신속한 통증 조절은 어렵지만, 효과가 서서히 나타나고 서서히 없어진다는 장점이 있다. Fentanyl 패치는 환자의 전신상태가 쇠약하거나 잘 먹지 못할 경우, 마약성 진통제 사용을 잘 견뎌내지 못하는 경우 사용한다. 최대용량은 300 mcg/hr이며 그 이상의 용량을 투여해야 할 때에는 경구나 피하 투여방법이 추천된다. 25 mcg/hr의 fentanyl 패치는 60 mg의 경구용 morphine과 효력이 같으며 fentanyl 정맥 주사 용량과 fentanyl 패치 용량은 동등하게 계산한다[23]. 피하로 투여하는 fentanyl패치를 제외하고 는 마약성 진통제의 최대 추천용량은 없다.

마약성 진통제는 수용체의 친화도에 따라 작용특성이 다르게 나타나므로 여러 가지 약제를 혼합하여 사용하는 것은 바람직하지 못하다. 따라서 한 가지 마약성 진통제에 대하여 부작용이 나타나거나 진통효과가 감소하면 다른 종류의 약제로 교체하는 것이 중요하다[19]. 교체용량은 동등진통용량표를 이용하여 결정하는데, 새 약제의 초회 용량은 불완전한 교차내성을 고려하여 동등진통용량의 50~75%로 하며, 전에 사용하던 진통제로 통증 조절이 불충분하였던 경우에는 새 약제의 초회 용량을 동등진통용량의 75~100%로 한다.

마약성 진통제의 사용은 환자마다 다른 여러 가지 부작용을 유발할 수 있는데 이에 적절히 대처하지 못하면 치료의 효과가 떨어지게 된다[24]. 마약성 진통제는 장관의 연동운동을 억제하고 항문 괄약근의 긴장을 증가시켜 변비를 초래하는데 이 변비에는 내성이 생기지 않으므로 예방적인 대변 완하제를 투여한다. 자극성 완화제에는 castor oil, sennosides, bisacodyl, dulcolax 등이 있고 삼투압성 완화제에는 lactulose, magnesium sulfate가 있다. 또한 치료 시작 초기나 증량 시에 진정이나 졸림이 나타날 수 있는데 변비와는 달리 빠른 시일 내에 내성이 생겨 곧 적응된다[39]. 그러나 증세가 심한 경우에는 진통제를 바꾸거나 methylphenidate, dextroamphetamine, caffeine 등을 투여한다. 마약성 진통제 투여 시작 초기 또는 증량 시에 나타나는 구역, 구토는 내성이 생기기 쉽고, 통상 1~2주 정도 지나면 없어질 수 있는데 심한 경우에는 약제를 바꾸거나 항구토제인 metoclopramide, chlorpromazine, haloperidol, scopolamine 등을 사용한다. 드물지만 치료 용량에서 피하혈관이 확장되거나 히스타민 분비에 의한 피부 가려움증이 생기는데, 히스타민 수용체 길항제나 소량의 naloxone으로 치료할 수 있다. 장기간 마약성 진통제를 사용한 경우에는 내성이 생겨 호흡억제가 잘 나타나지 않고 암성통증 자체가 호흡 억제를 길항하고 있기 때문에 호흡 억제가 나타나는 경우가 드물지만, 통증이 갑자기 없어지거나 급속하게 마약성 진통제를 정맥 주사하는 경우 호흡 억제가 나타날 수 있으므로 주의해야 한다[24]. 호흡 억제가 발생하면 마약성 진통제의 사용을 중지하고 Naloxone을 사용하여 호흡 억제를 반전시키도록 한다. 이외에도 입 마름 증상이 흔히 나타나며 발한, 어지러움, 간대성 근경련, 불쾌감, 도취감, 수면장애, 성기능장애 등이 드물게 발생할 수 있다. 마약성 진통제의 사용으로 발생하는 부작용은 환자가 견딜 수 있도록 조절하는 것이 원칙이나 견딜 수 없는 심한 부작용이 나타나면 약제를 변경하거나 신경 차단이나 방사선치료 등 다른 진통방법을 고려하여야 한다.

(3) 진통 보조제 및 기타 보조 약물

마약성 진통제에 의한 치료 효과가 낮은 신경병증 통증이나 뼈통증의 조절에 있어 항우울제, 항경련제 등의 병용이 도움이 되는 경우가 있다. 췌장암의 항암요법 중 말초신경병증을 유발하는 약제들이 있으므로, 이러한 진통 보조제를 적절히 사용하는 것이 환자의 통증경감에 도움을 줄 수 있다[40].

항우울제는 마약성 진통제의 효과를 상승시키며, 화끈거리는 지속성 신경병증 통증 및 우울증이 있는 수면장애에 유용하다[25]. 다만, 항우울제를 사용하는 경우 항콜린성 부작용과 부정맥의 발생에 주의하여야 한다. 우울증이 있는 지속성 신경병증 통증에는 삼환계 항우울제인 amitriptyline, imipramine, nortriptyline을 1차 투여약으로 사용하며, 선택적 세로토닌 재흡수 억제제인 paroxetine, 세로토닌과 노에피네프린 재흡수 억제제인 venlafaxine, duloxetine 등이 삼환계 항우울제에 비해 부작용이 비교적 적은 것으로 알려져 있다. 항경련제는 말초신경장애에 따른 발작적 급성통증이나 암에 의한 신경손상에 의한 신경병증 통증에 효과적인 것으로 알려져 있다[25]. 우울증상이 없는 신경병증 통증에는 gabapentin, pregabaline을 1차 투여약으로 먼저 사용하며 2차 투여약으로 항우 울제를 사용하는데 1, 2차 투여약의 효과가 없을 경우 carbamazepine, lamotrigine, topiramate 등 다른 항경련제 의 사용을 고려한다[18].

뼈전이 등으로 발생하는 뼈통증의 경우 NSAID, 방사선 치료, 스테로이드, bisphosphonate, calcitonin 등을 사용 한다. 스테로이드는 급성 및 만성 암성통증에 사용되며 종양 및 신경 주위의 부종을 감소시키므로 전이성 뼈통증에 효과적이고 식욕증진 효과와 더불어 환자의 정서적 안정감을 제공한다. Bisphosphonate계 약물은 골 흡수를 방해하여 뼈전이에 의한 통증을 조절하며, 골절을 예방하고, 뼈전이에 따른 고칼슘혈증을 조절하는데 스테로이드나 NSAID만큼 효과적인 것으로 보고되고 있다[41]. Calcitonin은 bisphosphonate계 약물과 유사한 작용을 하는데 고칼슘혈증과 뼈전이에 의한 통증을 조절하고, 골절을 예방하며 만성신경병증 통 증에도 효과가 있다. Calcitonin은 안면홍조, 구역, 구토, 설사를 유발할 수 있으며 사용 전 skin test가 필요하다[14].

Ketamine은 morphine으로 조절되지 않는 암성신경병증 통증에 사용하는데, 악몽, 환각, 섬망, 혈압상승, 맥박 증가, 안구진탕, 구역, 구토 등의 부작용이 발생할 수 있고 침 과다분비로 scopolamine의 사용이 필요할 수도 있으므로 사용에 유의하여야 한다[26].

2) 복강신경총 박리술 (celiac plexus neurolysis, CPN)

조절되지 않는 췌장암 환자의 통증을 조절하기 위해, 약물 치료 이외의 치료가 이루어지기도 하는데[8], 복강신경총 박리술(celiac plexus neurolysis, CPN)이 대표적인 치료법이다. CPN은 복강내 장기로부터의 통증을 전달하는 구심성 신경인 복강신경총에 화학물질을 주입함으로써 내장신경절제술을 시행하는 것으로, 환자의 통증을 줄여줄 뿐 아니라 마약성 진통제의 사용량과 부작용을 줄일 수 있는 효과적인 통증 조절 방법이다[5-7]. CPN은 1914년 Kappies 등에 의해서 처음 소개되었으며, 그 동안 시술에 의한 부작용을 최소화하면서 통증을 경감하고, 바늘을 정확한 위치에 삽입하기 위한 많은 시도와 노력이 있어왔는데, 수술적 복강신경총 박리술, 컴퓨터단층촬영술 (CT) 혹은 X-선 투시(fluoroscopy) 유도하 경피적 복강신경총 박리술이 시행되었으며, 최근 초음파내시경 장비와 기술의 발전으로, 초음파내시경 유도하 복강신경총 박리술(EUS-guided CPN) 이 널리 시행되고 있다. EUS-guided CPN의 절차를 살펴보면, 먼저 선형주사 방식의 초음파내시경을 통해 복강동맥(celiac axis)과 그 주변의 신경절(ganglion)을 관찰하고, 초음파내시경 유도하에 생리 식염수를 담은 초음파 흡인침을 목표한 지점에 위치시킨다. 이후 약 2 mL의 생리식염수를 주입한 후 흡인해 보아서 피가 나오지 않으면 0.25% preservation-free bupivacaine 10 mL 및 알코올 10 mL을 목표지점에 주입한다. 만성췌장염 환자의 경우 알코올 대신 corticosteroid suspension(40~80 mg의 triamcinolone suspension)을 주입하기도 하며, 마지막으로 3 mL의 생리식염수를 주입 한 다음 흡인침을 제거한다. 최근에는 EUS로 celiac ganglion 을 관찰하는 것이 가능해져서 직접 ganglion 내로 약물을 주입하는 celiac ganglia neurolysis (CGN)을 시행할 수 있게 되었다. 이러한 EUS-guided CPN의 경우 치료 효과는 매우 우수한 것으로 알려져 있다. Wiersema 등의 연구에 의하면, 12주 이상 관찰할 수 있었던 25명의 췌장 암 환자를 대상으로 EUS-guided CPN을 시행하였을 때 약 88%의 환자에서 평균 10주 동안의 동통의 감소를 보였으며 major complication은 발생하지 않았다고 한다. 하지만 불행하게도 그 효과의 지속시간이 영구적이지 못해 환자에 따라 다양한 기간(3~6개월) 후 통증이 재발할 수 있다는 단점이 있다[42]. CPN 의 부작용으로는 국소적 통증, 설사, 기립성 저혈압 및 하반신 마비가 있다.

3. 식욕부전과 영양지원

암 환자에서 식욕부전과 악액질(cachexia)은 흔히 나타나는 부작용으로, 심한 악액질로 인해 영양부전 상태가 지속되고 체중 및 근육량이 감소하면 환자가 더 이상 항암화학치료를 견디지 못하게 되며, 심한 스트레스와 함께 치료효과 저하와 삶의 질 감소를 경험하게 된다[33-34]. 악액질은 소화기계 고형암 및 폐암에서 특히 많이 발생한다고 알려져 있으며, 80% 이상의 췌장암 환자들이 임상 경과 중 악액질을 경험한다고 한다[27]. 체중감소, 식욕부전 및 피로감은 진행성 암환자들에서 흔히 볼 수 있는 증상으로 지나치기 쉬우나, 식욕상실, 조기 팽만감 및 입맛의 변화와 같이 음식 섭취와 연관된 증상들은 악액질의 초기에 나타나는 중요한 경고 증상이므로 유의하여야 한다. 평소 체중보다 5% 이상의 체중감소가 있을 경우 악액질로의 진행 가능성을 시사하며, 15% 이상의 체중감소는 악액질 상태가 임박했음을 의미한다[28].

일반적인 체중감소와는 달리, 암환자에서의 악액질은 통증 등에 의한 식욕부전과 함께 종양세포에서 분비되는 사이토카인(cytokines)에 의해 유발되는데, TNF alpha, interleukin(IL)-1B, IL-6, interferon-gamma 등의 사이토카인들이 중추 및 말초 조직에서 작용하여 세포의 대사와 단백질 합성에 영향을 미쳐 골격근 소실과 체중감소를 유발하게 된다[29]. 또한 췌장암 환자들에서의 체중감소, 악액질은 종양세포에 의한 작용뿐만이 아니라, 원발암종에 의한 소화관 폐색이나 췌장 분비능저하로 인한 흡수부전 등이 복합적으로 작용한 결과이므로 치료 시에는 이를 항시 유의하여야 한다[27-28].

1) 영양요법

단순한 영양결핍과는 달리, 췌장암 환자에서의 악액질은 음식 섭취량의 증가만으로는 잘 회복되지 않으나, 수분이나 칼로리의 섭취량이 부족하다면 적절한 칼로리 및 수분 공급을 시행하는 것이 환자에게 도움이 된다. 환자에게 영양을 공급할 때는, 가능한 경구투여를 하는 것을 원칙으로 해야 하는데, 경정맥영양 등 비경구적 투여(parenteral nutrition)에 비해 경구투여를 할 경우에 감염, 혈전, 대사이상 등의 부작용이 적기 때문이다. 또한 영양 공급과 동시에 환자의 교정 가능한 이상소견(장운동 감소, 오심, 구토, 변비 등)을 적절히 치료하는 것이 바람직하며, 췌장 분비능 감소를 보조하는 것 또한 영양 요법의 효과를 높이는 데 중요하다.

일반적인 수분, 칼로리 섭취 외에, Omega-3로 알려져 있는 alpha-linolenic acid (ALA), eicosa-pentaenoic acid (EPA)[32], docosahexaenoic acid (DHA) 등의 지방산을 많이 함유한 생선 기름의 투여가 환자에게 도움이 된다는 연구들이 있다[30-32,35-36]. 이러한 N-3 polyunsaturated fatty acid 들은 악액질의 발생 및 진행에 중요한 역할을 하는 IL-1, IL-6, 종양 괴사인자(TNF) 등과 같은 각종 염증성 사이토카인의 생성을 억제하는 것으로 관찰되었고, 이중 EPA는 tumor derived lipid mobilizing factor에 의해 유발되는 adenylate cyclase 활성도와 지방 분해의 자극을 억제한다는 사실이 실험에서 확인되었다. 하지만 최근 시행된 대규모 이중 맹검 연구에서 효과가 명확하게 입증되지 않아 사용에 유의를 요한다.

2) 약물요법

악액질을 보이는 췌장암 환자에서 약물요법은 주로 식욕의 증진, 우울증과 불안장애의 호전과 췌장 외분비 능저하로 인한 흡수장애의 치료를 위해 시행한다.

고용량의 프로게스테론인 megesterol acetate, medroxyprogesteron의 투여는 약 70%의 환자에서 식욕의 호전을 가져오고, 20%에서는 체중 증가를 유도하는 효과가 있다고 밝혀져 현재 진행암 환자의 식욕 촉진제로 많이 사용되고 있다[37]. Megesterol acetate (Megace®)은 하루 400~800 mg(10~20 ml) 의 용량으로 투여하며, 보통 투여 후 1주 이내에 식욕의 호전을 보이는 것으로 알려져 있다. 하지만, 체중의 증가에 이르기까지 대개 수 주의 시간이 소요되며, 근육량의 증가효과는 크지 않다는 단점이 있다. 또한 장기간 그리고 고용량 사용 시 심부정맥 혈전증(deep vein thrombosis)의 위험도가 높아지므로 주의가 필요한데, 췌장암의 경우 혈전증의 위험도가 높다고 알려져 있으므로 장기간 투여 시 특히 주의가 필요하다.

췌장암 환자의 약 71%에서 우울증이 동반되어 있고, 약 48%의 환자에서 불안 장애가 동반되어 있다는 보고가 있다. 우울증 및 불안장애는 대개 식욕저하와 관련이 있으므로, 항우울제 치료가 식욕을 촉진시키고 영양상태를 개선시키는 데 도움이 될 수 있다. 과거에는 amitriptyline과 같은 삼환계 항 우울제를 많이 사용하였으나 최근에는 fluoxetine, paroxetine, sertaline 같은 selective serotonin reuptake inhibitor (SSRI), mirtazapine, olanzapine 등의 약물이 부작용이 적고 식욕 촉진 및 구역 해소에 효과가 좋다는 보고가 있다.

췌장암 환자에서 췌장 외분비능 부전에 의한 흡수장애 또한 악액질을 일으킬 수 있는 중요한 원인인데[38], 지방변이 있거나 체중감소 등 영양의 결핍이 있는 환자라면 췌장효소제의 투여가 도움이 되며, microencapsulated enteric-coated sphere 제제(Norzyme)가 효과적이다. Norzyme은 25,000 USP 단위의 lipase가 함유되어 있어 지방 소화에 도움을 주며, 용량은 만성췌장염 환자의 치료에 준하여 치료하되 개인별로 적절한 용량을 조정하는 것이 좋다.

이밖에도 사이토카인의 작용을 억제시키기 위해 NSAID나 부신피질스테로이드(corticosteroid)의 사용을 시도할 수 있으나 위험-이익을 잘 따져 신중히 투여해야겠으며, ghrelin receptor agonist인 Anamorelin 등의 신약 개발 소식에도 관심을 기울일 만 하다.

References

1. Brescia FJ, Portenoy RK, Ryan M, Krasnoff L, Gray G. Pain, opioid use, and survival in hospitalized patients with advanced cancer. J Clin Oncol 1992; 10:149-55.
2. Levin DN, Cleeland CS, Dar R. Public attitudes toward cancer pain. Cancer 1985;56:2337-9
3. Morrison LJ, Morrison RS. Palliative Care and Pain Management. Med Clin North Am 2006; 90:983-1004.
4. McDonnell FJ, Sloan JW, Hamann SR. Advances in Cancer Pain Management. Curr Oncol Rep 2000; 2:351-7.
5. Staats PS, Hekmat H, Sauter P, Lillemoe K. The effects of alcohol, celiac plexus block, pain, and mood on longevity in patients with unresectable pancreatic cancer: a double-blind, randomized, placebo-controlled study. Pain Med 2001;2:28-34.
6. Lillemoe KD, Cameron JL, Kaufman HS, Yeo CJ, Pitt HA, Sauter PK. Chemical splanchnicectomy in patients with unresectable pancreatic cancer. A prospective randomized trial. Ann Surg 1993; 217:447-55.
7. Strong VE, Dalal KM, Malhotra VT, et al. Initial report of laparoscopic celiac plexus block for pain relief in patients with unresectable pancreatic cancer. J Am Coll Surg 2006;203:129-31.
8. Seamans DP, Wong GY, Wilson JL. Interventional Pain therapy for intractable abdominal cancer pain. J Clin Oncol 2000;18:1598-600.
9. Speer AG, Cotton PB, Russell RC, et al. Randomized trial of endoscopic versus percutaneous stent insertion in malignant obstructive jaundice. Lancet 1987;2:57-62.
10. Haringsma J, Huibregtse K. Biliary stenting with a prototype expandable Teflon endoprosthesis. Endoscopy 1998;30:718-20.
11. Katsinelos P, Paikos D, Kountouras J, et al. Tannenbaum and metal stents in the palliative treatment of malignant distal bile duct obstruction: a comparative study of patency and cost effectiveness. Surg Endosc 2006;20:1587-593.
12. Moss AC, Morris E, Mac Mathuna P. Palliative biliary stents for obstructing pancreatic carcinoma. Cochrane Database Syst Rev 2006;2:CD004200
13. Levy M. Pharmacologic treatment of cancer pain. N Engl J Med 1996;335:1124.
14. Ministry of Health & Welfare. Cancer pain management guideline. 5th ed. Seoul: Ministry of Health & Welfare; 2012.
15. Azevedo Sao Leao Ferreira K, Kimura M, Jacobsen

Teixeira M. The WHO analgesic ladder for cancer pain control, twenty years of use. How much pain relief does one get from using it? Support Care Cancer 2006;14:1086-93.
16. National Comprehensive Cancer Network. NCCN clinical practice guideline in oncology: adult cancer pain. Vol. 1. Fort Washington: National Comprehensive Cancer Network; 2012.
17. American Pain Society Quality of Care Committee. Quality improvement guidelines for the treatment of acute pain and cancer pain. JAMA 1995;274:1874-80.
18. Portenoy RK. Treatment of cancer pain. Lancet 2011;377:2236-47.
19. Ripamonti CI, Bandieri E, Roila F; ESMO Guidelines Working Group. Management of cancer pain: ESMO Clinical Practice Guidelines. Ann Oncol 2011;22(Suppl 6):vi69 -vi77.
20. Stockler M, Vardy J, Pillai A, Warr D. Acetaminophen (paracetamol) improves pain and well-being in people with advanced cancer already receiving a strong opioid regimen: a randomized, double-blind, placebo-controlled cross-over trial. J Clin Oncol 2004;22:3389-94.
21. McNicol E, Strassels SA, Goudas L, Lau J, Carr DB. NSAIDS or paracetamol, alone or combined with opioids, for cancer pain. Cochrane Database Syst Rev 2005;(1):CD005180.
22. Bruera E, Kim HN. Cancer pain. JAMA 2003;290: 2476-9.
23. Kornick CA, Santiago-Palma J, Khojainova N, Primavera LH, Payne R, Manfredi PL. A safe and effective method for converting cancer patients from intravenous to transdermal fentanyl. Cancer 2001;92:3056-61.
24. McNicol E, Horowicz-Mehler N, Fisk RA, Bennett K, GialeliGoudas M, Chew PW, Lau J, Carr D; Americal Pain Society. Management of opioid side effects in cancer-related and chronic noncancer pain: a systematic review. J Pain 2003;4:231- 56.
25. Saarto T, Wiffen PJ. Antidepressants for neuropathic pain: a Cochrane review. J Neurol Neurosurg Psychiatry 2010;81:1372-73.
26. Slatkin NE, Rhiner M. Ketamine in the treatment of refractory cancer pain: case report, rationale, and methodology. J Support Oncol 2003;1:287-93.
27. Nelson KA. Modern management of the cancer anorexia-cachexia syndrome. Curr Oncol Rep 2000; 2:362-8.
28. Jatoi A Jr, Loprinzi CL. Current management of cancer associated anorexia and weight loss. Oncology (Williston Park) 2001;15:497-502.
29. Uomo G, Gallucci F, Rabitti PG. Anorexiacachexia syndrome in pancreatic cancer: recent development in research and management. JOP. J Pancreas (Online) 2006;7:157-62.
30. Harle L, Brown T, Laheru D, Dobs AS. Omega-3 fatty acids for the treatment of cancer cachexia: issues in designing clinical trials of dietary supplements. J Altern Complement Med 2005;11:1039-46.
31. Jatoi A. Omega 3 fatty acid supplements for cancer associated weight loss. Nutr Clin Pract 2005; 20:394-9.
32. Fearon KC, Barber MD, Moses AG, et al. Double blind, placebo-controlled, ranndomized study of eicosapentaenoic acid diester in patients with cancer cachexia. J Clin Oncol 2006;24:3401-07.
33. DeWys WD, Begg C, Lavin PT, Band PR, et al: Prognostic effect of weight loss prior to chemotherapy in cancer patients. Eastern Cooperative Oncology Group. Am J Med 1980;69: 491-7.
34. Wigmore SJ, Plester CE, Richardson RA, et al: Changes in nutritional status associated with unresectable pancreatic cancer. Br J Cancer 1997;75: 106-9.
35. Barber MD, Ross JA, Voss AC, et al. The effects of an oral nutritional supplement enriched with fish oil on weight-loss in patients with pancreatic cancer. Br J Cancer 1999;81:80-6.
36. Bruera E, Strasser F, Palmer JL, et al. Effect of fish

oil on appetite and other symptoms in patients with advanced cancer and anorexia/cachexia: a double blind placebo controlled study. J Clin Oncol 2003; 21:129- 34.

37. Maltoni M, Nanni O, Scarpi E, et al. High-dose progestins for the treatment of cancer anorexia-cachexia syndrome: a systematic review of randomised clinical trials. Ann Oncol 2001;12:289-300.
38. DiMagno EP, Malageleda JR, Go VL. The relationships between pancreatic ductal obstruction and pancreatic secretion in man. Mayo Clin Proc 1979; 54:157-62.
39. Stone P, Minton O. European Palliative Care Research collaborative pain guidelines. Central side-effects management: what is the evidence to support best practice in the management of sedation, cognitive impairment and myoclonus? Palliat Med 2011;25:431-41.
40. Tassinari D, Drudi F, Carloni F, Possenti C, Santelmo C, Castellani C. Neuropathic pain in oncology. Novel evidence for clinical practice. Recent Prog Med 2011;102:220-7.
41. Vasudev NS, Brown JE. Medical management of metastatic bone disease. Curr Opin Support Palliat Care 2010;4:189-94.
42. Wiersema MJ, Wiersema LM. Endosonography-guided celiac plexus neurolysis. Gastrointest Endosc 1996;44(6):656-62.

CHAPTER 45

췌장암의 향후 전망

Future perspective of pancreatic cancer

조인래, 송시영

서론

국가암정보센터(National Cancer Information Center)의 통계자료에 의하면 췌장암은 우리나라에서 8번째로 호발하는 암종이며, 암 연관 사망의 5번째 원인(7.1%)를 차지하는 질환이다. 췌장암은 절반 이상이 전이 상태에서 발견되어 1년 생존율은 27%, 5년 생존율은 7.1%이다. 간암, 폐암 환자를 포함한 전체 암환자의 생존율이 점차 향상되는 추세를 보이는 것과 달리, 췌장암의 5년 생존율의 변화 추이는 정체를 보이고 있다. 특히 췌장암의 90% 이상을 차지하는 관상선암으로 국한하면 5년 생존율이 5% 이하에서 향상을 보이지 않고 있다. 높은 사망률과 더불어 선진화될수록 발생이 증가하고 있어 2020년 이후에는 암사망의 가장 큰 원인이 되리라 전망되기도 한다.

췌장암 환자의 예후를 개선하기 위해서는 획기적인 조기진단 기술과 치료제의 개발이 필수적이다. 본 장에서는 췌장암 치료의 현재와 그 한계를 돌아보고, 췌장암 치료가 나아갈 방향에 대해 고찰해 보고자 한다.

1. 진단

효과적인 조기진단법의 부재로 인하여 진단 시 50%는 원격전이를 수반하고 30~50%는 주변혈관으로 진행된 국소 진행이 발견되어 근치 절제가 불가능한 경우가 80~90%에 이른다. CA 19-9을 포함한 종양표지자는 조기진단에 도움이 되지 않으며, US, CT, MR 등 영상진단도 조기진단 효과가 없다.

조기에 체액에서 탐지가 가능한 바이오마커를 유전체, 단백체, RNA 등 다중 오믹스 연구를 통하여 발굴하려는 노력이 진행되고 있다. 가시적인 성과를 위해서는 T1/2 병기에 탐지가 가능한 마커가 개발되어야 하는데 머지 않은 시기에 새로운 마커가 발견될 가능성이 높다. 췌장선암의 진단적 분류 측면에서는 분화도 또는 세포유형에 따른 분류에서 진일보하여 분자유전학적 특성에 기반하는 아형이 제시되고 있다[1]. 이는 소위 squamous, pancreatic progenitor, immunogenic, aberrantly differentiated endocrine exocrine (ADEX) subtype 등 4가지의 아형으로 구분하는 방법으로 분자유전학적 아형에 따라 치료제에 대한 반응의 차이가 있어 치료법을 달리하는 맞춤형 치료법의 근간을 제시한다.

2. 치료

췌장암의 전통적인 치료법에는 수술적 절제, 방사선치료, 국소 ablation 치료, 및 항암요법이 포함된다. 불행히도 20% 미만의 환자만 절제가 가능한 상태에서 발견된다. 췌장에 국한되어 있고 림프절 전이가 없는 경우에 한하여 근치적 절제로 18~24%의 5년 생존을 기대할 수 있다. 하지만 근치적 절제를 한 경우에도 80%에서 재발이 발생하여 결국 90% 이상의 환자는 항암약물요법의 대상이 된다. 5-FU를 포함하는 세포독성 화학요법에서 1990년대에 gemcitabine이 췌장암 항암요법의 기본이 된 이후 20년 넘게 이용되어 왔다[2]. 타세바(Tarceva©, Erlotinib)와 같은 표적치료제도 개발되었으나 생존기간의 미미한 향상만 보이고 있다[3]. 최근에 개발한 albumin-bound paclitaxel (NAB-paclitaxel, Abraxane©)이 표준항암요법에 이용되면서 췌장암에 대한 반응률이 가장 높은 FOLFIRINOX 요법과 Gemcitabine/NAB-Paclitaxel 병합요법이 NCCN (National Comprehensive Cancer Network)에서 제시하는 표준요법으로 이용되고 있다[4-6].

문제는 이러한 복합화학요법의 반응률이 타 암종에 비하여 낮을 뿐 아니라 심각한 세포독성에 따르는 부작용이 무시하지 못할 수준이며, 반응을 보이는 경우에는 수 개월 내에 내성이 발생하여 반응지속기간이 짧기 때문에 수명연장효과가 2~3개월로 짧다는 점이다.

3. 발전 전망

1) 조기 진단

조기 진단을 위한 다양한 연구가 시행되고 있으나 아직 뚜렷한 성과를 보이는 조기진단법은 없는 실정이다. 조기진단 마커 발굴을 위해 genome, proteome, transcriptome, epigenome 및 metabolomics 의 분석을 모두 포괄하는 multiomics 연구들이 활발히 진행중이다. 정상조직에 비해 췌장암 조직에서 과발현된 miRNA, mRNA, gene, metabolite들을 확인 및 분석하고, 이 결과들을 종합하며 췌장암 조기진단에 도움을 줄 수 있는 multi-marker를 발굴하려는 시도들이 이루어지고 있는 것이다. 아직 in vivo에 적용할 수 있는 단계까지 실용화 된 마커들은 드물지만, 부단한 노력과 시도를 통하여 머지 않는 장래에 췌장암에서 실질적으로 유용한 조기진단법이 개발될 가능성도 낮지 않다.

한편으로는 고위험군을 대상으로 효율적인 선별검사를 시행하는 전략은 실용적인 접근법이다. 췌장암의 고위험군은 (1) 역학적 고위험군과 (2) 유전적 고위험군으로 나눌 수 있으며, 대표적인 역학적 고위험군으로 만성췌장염과 당뇨를 들 수 있다. 1년 이내에 새로 진단된 당뇨병 환자, 고령에서 갑자기 발병한 당뇨병 환자에서 췌장암 발병의 위험이 높아 선별검사 대상으로 고려할 수 있다. 유전성 췌장염, 가족성 암/췌장암 증후군 등을 포함하는 유전적 고위험군 환자에 대한 선별검사는 아직 국내에서는 활성화되어 있지 않지만, 미국과 유럽에서는 췌장암의 유전적 고위험군에 대해 일찍부터 주목하여 나라별 또는 기관별로 췌장암 유전성 고위험군 등록사업을 통해 코호트 등록 사업을 시행하고 있다. 유전적 고위험군에 대해서는 비교적 젊은 나이부터 췌장암에 대한 선별검사를 시행하고 있으며, 이는 현재 진단의 감수성과 특이도가 가장 좋은 초음파내시경 검사를 근간으로 하여 연구기관에 따라 MRI를 병행하여 선별검사를 진행하고 있다. 하지만 이러한 조기진단 프로그램은 아직까지 가지적인 조기진단율의 향상을 보이지는 못하고 있다[7,8]. 현재의 진단기술이 췌장암의 전암병변인 PanIN 단계의 종양이나 1 cm 미만의 조기암에 대한 민감도가 우수하지 못한데 기인한다고 여겨지며 선별검사의 가시적인 효과를 보기 위해서는 보다 우수한 민감도를 보이는 바이오마커 또는 영상검사법의 발전이 선결요건이다. 그럼에도 불구하고 국내에서는 췌장암의 체계적인 등록사업이나 선별검사는 시도조차 되지 않고 있으므로, 같은 목적을 지닌 연구 집단에 의한 사업의 착수를 기대해 본다.

2) 국소치료법

방사선치료 기술은 주변 정상 조직은 보존하면서 암 조직에 보다 고선량을 주사하는 전략은 세기조절 방사선치료법(intensity modified radiation therapy, IMRT)[9], 정위체부방사선치료법(stereotaxic body radiation therapy, SBRT)[10-14] 등의 기술을 발전시켰고 이러한 초정밀치료법의 발전 추세는 지속될 전망이다.

고강도집속초음파(High intensity focused ultrasound, HIFU)는 아직 개발의 초창기에 있는 국소치료법으로 다발성의 교차하는 초음파빔을 종양에 집중시켜 고에너지를 투여함으로써 효과를 얻는다. 초음파 또는 MRI를 이용하여 실시간 영상을 보면서 종양을 타깃팅한다. 현재에는 고식적요법으로 원발병소 또는 전이병소에 대한 국소 ablation을 유발함으로써 통증완화에 주로 이용되지만 향후 기술의 발달에 따라 정밀도가 향상되게 되면 췌장암 치료의 유용성이 기대되는 기술이다[15].

비가역적전기천공술(irreversible electropor-ation, IRE)은 짧게 반복되는 비열성 전기에너지 펄스를 이용하여 암세포를 파괴하는 기술이다. 경피적 또는 수술적으로 전기침을 병변에 삽입한 다음 수분 동안 전기에너지 펄스를 전달한다. 주변의 혈관, 신경, 관 등 정상조직의 손상은 최소화하면서 선택적으로 종양을 파괴하는 장점을 지닌다[16]. 아직 발전하고 있는 기술이며 전세계적으로 임상시험이 진행되고 있는 바, 안전성이 우수하여 향후 췌장암에서의 적용 가능성이 높은 국소 치료법이다.

중입자 치료는, 양성자(proton) 또는 탄소 이온과 같은 대전된 입자(charged particle)를 이용하여 종양을 치료하는 새로운 치료법이다[17-18]. 고도의 암선택성이 장점인데 'Bragg Peak효과'를 이용하여 미리 설정한 특정 깊이의 암 부위에 70~80%의 방사선량을 집중적으로 전달하기 때문에 기존 X-선을 이용한 방사선 치료보다 선택성이 뛰어나며 방사선 치료에 따른 부작용을 최소화 시킬 수 있다.

최근 췌장암에 대한 중입자치료와 관련된 여러 연구 결과들이 발표되고 있으며, 중입자 치료를 통해 종양 조절(tumor control rate) 향상 및 방사선 치료 독성 감소의 효과를 획득할 수 있음을 보고하고 있다. 몇몇 소규모의 연구들에서 탄소 이온을 사용한 중입자치료에서 보다 주목할만한 효과를 나타내는 경우가 있었는데, 저산소상태의 췌장 종양에서 높은 LET radiation을 나타내는 탄소 이온이 더 큰 치료효과를 나타내기 때문일 것이라는 가설을 뒷받침하는 결과라고 하겠다. 절제 가능 췌장암 환자 22명을 대상으로 수술 전 중입자치료를 시행하였을 때 1년 국소 종양 제어율 100%, 수술 후 2년 생존율 36% 로 보고되었고, 31명의 국소 진행성 췌장암 환자에게 시행한 결과 1년 국소 종양 제어율 81%, 1년 생존율 44% 를 보고하였다[19-21]. 중입자 치료는 초기 투자비용이 막대하지만 최첨단 방사선 요법으로 전이가 없는 췌장암 환자에서 뚜렷한 효과를 보일 잠재력이 크기 때문에 국내에 도입을 진행하는 병원이 늘어날 것으로 전망한다.

3) 전신치료법

궁극적으로 90% 이상의 환자가 대상이 되는 전신치료법의 발전은 췌장암 환자의 예후 향상에 필수적이다. 세포독성 항암제의 개발은 FOLFORI-NOX와 Gemcitabine/NAB-paclitaxel 두 가지의 표준적인 병합화학요법을 낳았다. 췌장암은 분자생물학적 특성상 유전적 다양성과 이질성이 높은 암종이다. 전사체를 이용한 유전체 분석상, 췌장암에서 평균 63개의 유전자 변화가 발견되며, 세포사멸, DNA 손상 조절, 세포주기, Kras 신호, 침윤 조절 등 12개의 핵심적인 신호경로의 다양한 변화가 확인되며, 핵신신호의 변화는 다양한 유전자의 변화에 의하여 발생한다[22]. 이를 고려할 때, 특정 단백 또는 신호를 타깃하는 표적치료제와 새로운 세포독성 항암제의 개발이 지속되겠지만, 한 개의 단백 또는 신호 차단만으로 췌장암에 탁월한 항암효과를 보이는 약물이 개발되기는 어려운 측면이 있기 때문에 가까운 장래에 획기적인 항암제가 개발되기는 어려운 실정이다. 이 보다는 여러 표적 약물을 병합하거나 기존의 병합약물요법에 추가하는 프로토콜에 의한 임상연구를 통하여 치료효과를 극대화할 수 있는 치료법의 개발이 당분간 주된 발전 방향이 될 것으로 판단된다.

패러다임의 변화를 가져올 만한 치료법의 개발은 면역치료에서 기대해 봄직하다. 면역치료는 인체의 질병에 대한 방어 시스템인 면역기전을 통해 암세포를 제거하고자 하는 치료 방법으로, 세포독성 항암화학요법에 의한 부작용을 최대한 줄이면서 암세포를 제거할 수 있다는 장점이 있다. 면역요법은 작용 기전에 따라 특이능동면역치료(specific active immunotherapy), 특이수동면역치료(specific passive immunotherapy), 비특이차용면역치료(nonspecific adoptive immunotherapy), 비특이면역조절치료(nonspecific immune regulation)로 구분한다. 특이능동면역치료에는 암백신이 포함되고, 특이수동면역치료에는 anti-EGFR, anti-VEGF, PD-1/PD-L1 blocker 같은 단클론항체가 주로 포함된다. 비특이차용면역치료에는 면역세포나 사이토카인 주입을 통한 면역력 전달이 포함되며, 비특이면역조절에는 면역력을 강화하는 약물이 포함된다.

PD-1/PD-L1 억제제가 임상시험에서 흑색종에 탁월한 효과를 보였고, CAR-T (chimeric antigen receptor modified T cell) 세포치료제가 B세포 백혈병과 림프종에 우수한 효과를 보여 FDA 승인을 받게 되면서 면역치료에 대한 관심이 고조되고 장미 빛 전망을 제시하였다. 하지만 고형성 종양에서는 아직까지 뚜렷한 효과를 보이지 못하고 있는데 대표적인 예가 췌장암이다. 췌장암은 고형성 종양이면서 특징적으로 과다한 섬유화가 초래되기 때문에 암세포에 대한 면역세포의 접근성이 제한을 받는다[23,24]. 췌장암세포가 지니는 면역회피능력, 세포사멸에 대한 저항성과 더불어 섬유화에 의한 접근성 제한 등의 원인으로 인하여 다양한 면역치료가 췌장암에서 단독 또는 복합요법으로 임상시험이 진행되었으나 아직은 획기적인 결과를 낳지는 못하고 있다[25]. 그럼에도 불구하고 새로운 면역치료제의 개발은 활발하게 진행되고 있다. 또한, 기존의 복합화학요법과 병합하거나 둘 이상의 면역치료제를 병합함으로써 췌장암에서의 효과를 극대화하는 최선의 치료지침을 찾으려는 노력이 경주되고 있으며 이러한 시도는 앞으로도 계속될 전망이다.

결론

췌장암의 분자생물학 연구를 통한 기전 규명과 새로운 타깃 발굴 및 이에 대한 표적치료제의 개발, 고도의 특이성을 지닌 암특이 항원(tumor associated antigen)의 발굴, 고형성 종양에 효과를 보이는 면역치료제의 개발, 췌장암의 섬유화에 의한 접근성 제한을 극복하기 위한 방안, 다양한 치료법을 이용한 최적의 병합요법 개발 등이 췌장암 극복을 위하여 활발하게 연구되고 있다. 머지 않은 장래에 뚜렷한 효과를 보이는 췌장암 치료제가 발굴될 가능성이 높으며 기존의 치료 패러다임 변환을 초래하는 치료법의 개발이 난치성 췌장암을 극복하는 궁극의 목적지에 이르는 첫 관문이 되리라 판단한다.

References

1. Bailey P, Chang DK, Nones K, et al. Genomic analyses identify molecular subtypes of pancreatic cancer. Nature 2016;531:47-52.
2. Burris HA 3rd, Moore MJ, Andersen J, et al. Improvements in survival and clinical benefit with gemcitabine as first-line therapy for patients with advanced pancreas cancer: a randomized trial. J Clin Oncol 1997;15:2403-13.
3. Moore MJ, Goldstein D, Hamm J, et al. National Cancer Institute of Canada Clinical Trials Group. Erlotinib plus gemcitabine compared with gemcitabine alone in patients with advanced pancreatic cancer: a phase III trial of the National Cancer Institute of Canada Clinical Trials Group. J Clin Oncol 2007;25:1960-6.
4. Conroy T, Desseigne F, Ychou M, et al. Groupe Tumeurs Digestives of Unicancer; PRODIGE Intergroup. FOLFIRINOX versus gemcitabine for metastatic pancreatic cancer. N Engl J Med 2011; 364:1817-25.
5. Teague A, Lim K, Wang-Gillam A. Advanced pancreatic adenocarcinoma: a review of current treatment strategies and developing therapies. Ther Adv Med Oncol 2015;7:68–84
6. Von Hoff DD, Ramanathan RK, Borad MJ, et al. Gemcitabine plus nab-paclitaxel is an active regimen in patients with advanced pancreatic cancer: a phase I/II trial. J Clin Oncol 2011;29:4548-54.
7. Poruk KE, Firpo MA, Adler DG, Mulvihill SJ. Screening for pancreatic cancer: why, how, and who? Ann Surg. 2013; 257:17–26.
8. Bartsch DK, Gress TM, Langer P. Familial pancreatic cancer-current knowledge. Nat Rev Gastroenterol Hepatol. 2012; 9:445–53.
9. Yovino S, Poppe M, Jabbour S, et al. Intensity-modulated radiation therapy significantly improves acute gastrointestinal toxicity in pancreatic and ampullary cancers. Int J Radiat Oncol Biol Phys 2011;79:158-62.
10. Koong AC, Le QT, Ho A, et al. Phase I study of stereotactic radiosurgery in patients with locally advanced pancreatic cancer. Int J Radiat Oncol Biol Phys 2004;58:1017-21.
11. Koong AC, Christofferson E, Le QT, et al. Phase II study to assess the efficacy of conventionally fractionated radiotherapy followed by a stereotactic radiosurgery boost in patients with locally advanced pancreatic cancer. Int J Radiat Oncol Biol Phys 2005; 63:320-3.
12. Hoyer M, Roed H, Sengelov L, et al. Phase-II study on stereotactic radiotherapy of locally advanced pancreatic carcinoma. Radiother Oncol 2005;76:48-53.
13. Schellenberg D, Goodman KA, Lee F, et al. Gemcitabine chemotherapy and single-fraction stereotactic body radiotherapy for locally advanced pancreatic cancer. Int J Radiat Oncol Biol Phys 2008; 72:678-86.
14. Chang DT, Schellenberg D, Shen J, et al. Stereotactic radiotherapy for unresectable adenocarcinoma of the pancreas. Cancer 2009;115:665-72.
15. Khokhlova TD, Hwang JH. HIFU for palliative treatment of pancreatic cancer. Adv Exp Med Biol 2016;880:83-95.
16. Martin RCG, McFarland K, Ellis S, Velanovich V. Irreversible electroporation in locally advanced pancreatic cancer: potential improved overall survival. Ann Sugr Oncol 2013;20:S443-9
17. Loeffler JS, Durante M. Charged particle therapy-optimization, challenges and future directions.Nat Rev Clin Oncol. 2013;10:411-24.
18. Nichols RC Jr. Particle therapy for pancreatic cancer. Transl Cancer Res 2015;4(6):634-40.
19. Okada T, Kamada T, Tsuji H, et al. Carbon ion

radiotherapy: clinical experiences at National Institute of Radiological Science (NIRS). J Radiat Res 2010;51:355-64.

20. Shinoto M, Yamada S, Yasuda S, et al. Phase 1 trial of preoperative, short-course carbon-ion radiotherapy for patients with resectable pancreatic cancer. Cancer 2013;119:45-51.
21. Combs SE, Habermehl D, Kieser M, et al. Phase I study evaluating the treatment of patients with locally advanced pancreatic cancer with carbon ion radiotherapy: the PHOENIX-01 trial. BMC Cancer 2013;13:419.
22. Jones S, Zhang X, Parsons W, Lin JCH, Leary RJ, Angenendt P, et al. Core signaling pathways in human pancreatic cancers revealed by global genomic analyses. Science 2008;321:1801-6.
23. Feng M, Xiong G, Cao Z, et al. PD-1/PD-L1 and immunotherapy for pancreatic cancer. Cancer Letters 2017;407:57-65.
24. Seo YD, Pillarisetty VG. T-cell programing in pancreatic adenocarcinoma: a review. Cancer Gene Ther 2017;24:106-13.
25. DeSelm CJ, Tano ZE, Varghese AM, Adusumilli PS. CAR T-cell therapy for pancreatic cancer. J Surg Oncol 2017;116:63-74.

췌장의 신경내분비 종양

NEUROENDOCRINE TUMORS OF THE PANCREAS

CHAPTER

46 췌장 신경내분비 종양의 분류 및 역학

Classification and epidemiology of neuroendocrine tumors of the pancreas

박정엽

서론

췌장 섬세포 종양(pancreatic islet cell tumor)으로도 알려진 췌장 신경내분비 종양(pancreatic neuroendocrine tumor)은 췌장에서 발생하는 드문 종양이다. 이 중 기능성 췌장 신경내분비 종양은 인슐린, 가스트린, 글루카곤 및 혈관 활성 장내 펩타이드(vasoactive intestinal peptide, VIP) 등의 다양한 호르몬을 분비하여 여러 임상 증후군을 유발할 수 있으며, 호르몬을 분비 하지 않는 비기능성 종양의 비율도 약 50~75%로 알려져 있다. 본 장에서는 췌장 신경내분비 종양의 분류 및 역학에 대하여 기술하고자 한다.

1. 분류

과거 20년 동안 여러 신경내분비 종양의 분류 기준이 제안되었으며 가장 최근에는 2004년도와 2010년도(표 46-1)에 WHO 분류법이 제시된 바 있다. 신경내분비 종양은 특이하게 다른 암과 달리 모양을 바탕으로 하는 분류법은 임상 양상을 반영하지 못하기 때문에 사용하지 않는다[1].

2004년도 WHO 분류 기준에 따르면 종양의 크기가 2 cm 미만이면서 혈관이나 주위 조직으로의 침윤이 없고 10개의 고배율 시야에서 유사분열(mitoses)이 2개 미만인 경우에는 양성 종양으로 종양의 크기가 2 cm 이상이거나 유사분열이 10개의 고배율 시야에서 2~10개 또는 혈관이나 신경 침윤이 있는 췌장에 국한된 종양을 불확실한 행태(uncertain behavior)를 가진 종양, 그 이상은 악성 종양으로 분류하였다[1].

현재 사용 중인 2010년도에 만들어진 WHO 분류는 종양의 분화도와 유사분열(mitoses) 정도에 따라서만 분류를 하였다. 1등급은 유사분열이 10개의 고배율 시야에서 0~1개이면서 Ki index가 0~2%인 경우, 2등급은 2~20개이면서 3~20%인 경우, 3등급은 21개 이상 또는 21% 이상인 경우로 분류하였다(표 46-1). 1과 2등급은 고분화 종양(well differentiated tumor) 그리고 3등급은 저분화 종양(poorly differentiated tumor)으로 분화도를 구분하였다. 때로는 유사분열 정도와 Ki index가 일치하지 않는 경우가 있으며 이런 경우 좋지 않은 예후를 가지는 경우가 많아 더 높은 등급으로 분류한다[2-4]. 국내 연구에 따르면 2010년 WHO 기준에 따른 분류상 전체 췌장내분비 종양 중 1등급은 64.1%, 2등급은 24.2%, 3등급은 11.7%을 차지했다[5].

표 46-1. **2010년 WHO 분류**

분화도	등급	Mitoses/10 high power field	Ki index
고분화	1등급	< 2	0-2%
	2등급	2-20	3-20%
저분화	3등급	> 20	> 20%

췌장 신경내분비 종양은 연관된 임상 증상에 따라서 기능성 그리고 비기능성으로 구분되기도 하며 기능성 종양은 다시 분비하는 호르몬의 종류에 따라서 인슐린종, 가스트린종, VIPomas (vasoactive intestinal peptide), 글루카곤종, 소마토스타틴종 등으로 구분한다. 기능성 종양은 특정 호르몬의 과도한 분비로 증상을 유발하여 진단되는 경우가 많고 비기능성 종양은 주로 건강검진이나 질량효과(mass effect)에 의한 증상으로 진단된다[6,7]. 하지만 기능 유무에 따른 분류는 예후에 영향을 미치지 않고 WHO 분류만이 유일한 예후 인자임이 증명된 바 있다[8]. 일본 통계에 따르면 췌장 신경내분비 종양 중 비기능성 종양이 65.5%, 인슐린종이 20.9%, 가스트린종이 8.2%를 차지해서 췌장내분비 종양은 비기능성 종양이 많고 기능성 종양 중에서는 인슐린종이 많은 것이 보고되었다[9].

2. 역학

췌장에서 발생하는 신경내분비 종양은 서양의 보고에 따르면 전체 내분비 종양 중에서는 약 9%이며 췌장에서 발생하는 전체 종양 중에는 1~10%를 차지한다[4]. 2012년에 보고된 국내 보고도 크게 다르지 않아 췌장내분비 종양은 전체 내분비 종양 중 8.7%를 차지했다[11]. 췌장 신경내분비 종양은 10만 명당 1명 미만으로 발생하는 드문 종양이지만 최근 발병률이 증가하는 양상을 보인다. 캐나다에서는 1994년대에는 10만 명당 0.1명이 보고되었으나 2009년에는 0.5명으로 보고되었다[12]. 일본의 발병률은 2005년도에는 10만 명당 1.01에서 2010년도에는 1.27명으로 약간 증가하는 양상을 보이고 있다. 이는 주로 다른 이유로 시행된 횡단면 영상 및 내시경 검사에서 우연히 발견된 무증상 질환의 진단율 증가와 관련이 있는 것으로 보인다[13]. 또한, 사체 부검 시 진단되지 않았던 신경내분비 종양이 발견되는 경우가 0.5~1.5%에 이른다는 결과가 있어 실제 유병률이 보고된 것보다 더 높을 수도 있다. 이처럼 발병률은 증가하고 있지만 동시에 원격전이가 있는 경우는 감소하고 있어 더 많은 내분비종양의 조기 진단이 발병률의 증가로 이어지는 것으로 추정된다[13].

어떤 연령대에서도 발병할 수 있지만, 대부분 40~60대에 진단된다. 대부분의 췌장 신경내분비 종양은 산발적이지만 유전성 내분비 증후군과 연관될 수 있다. 관련 유전성 췌장 신경내분비 종양 증후군은 multiple endocrine neoplasia (MEN) 제1형(MEN-1 유전자 변이), Von-Hippel-Lindau (VHL) 증후군(VHL 유전자 변이), neurofibromatosis 1형(NF-1 유전자 변이), 다발성 경화증(multiple sclerosis) (TSC1, 2 유전자 변이) 등이 있다(표 46-2). MEN 제1형 환자의 약 80~100%, VHL 증후군 환자의 약 20%, NF-1 유전자 변이 환자의 약 10%는 일생 동안 췌장내분비 종양이 발병할 수 있다[14]. 예후 판단 시, 유전적 증후군이 있는 환자에서 발병한 췌장 신경내분비 종양은 산발적으로 발생한 경우에 비해 상대적으로 양호한 경과를 보이는 경향이 있다는 점을

표 46-2. **유전성 췌장 신경내분비 종양 증후군**

증후군	빈도	유전자 위치	췌장내분비 종양의 빈도
Multiple Endocrine Neoplasia type 1	1-10/100,000	11q13	80-100%
Von Hippel-Lindau disease	2-3/100,000	3p25	10-17%
Neurofibromatosis 1	1/4-5,000	17q11.2	0-10%
Tuberous sclerosis	1/10,000	9q34	흔하지 않음

고려해야 한다. 유전적 증후군 외에 알려진 다른 위험 인자로는 흡연, 당뇨병, 만성췌장염의 과거 병력 등이 있다[14,15].

References

1. DeLellis RA, Lloyd RV, Heitz PU, Eng C. Pathology and Genetics. Tumours of Endocrine Organs; IARC Press: Lyon, France, 2004.
2. Bosman FT, Carneiro F, Hruban RH, Theise ND. WHO Classification of Tumours of the Digestive System, 4th ed.; International Agency for Research on Cancer (IARC): Lyon, France, 2010.
3. Basturk O, Yang Z, Tang LH, et al. The high-grade (WHO G3) pancreatic neuroendocrine tumor category is morphologically and biologically heterogenous and includes both well differentiated and poorly differentiated neoplasms. Am J Surg Pathol 2015;39:683-90.
4. Ilett EE, Langer SW, Olsen IH, Federspiel B, Kjær A, Knigge U. Neuroendocrine Carcinomas of the Gastroenteropancreatic System: A Comprehensive Review. Diagnostics 2015;5:119-76.
5. Cho JH, Ryu JK, Song SY, et al. Prognostic Validity of the American Joint Committee on Cancer and the European Neuroendocrine Tumors Staging Classifications for Pancreatic Neuroendocrine Tumors: A Retrospective Nationwide Multicenter Study in South Korea. Pancreas 2016;45:941-46.
6. Jensen RT, Norton JA. Endocrine neoplasms of the pancreas. In: Yamada T, ed. Textbook of Gastroenterology. Vol 2. 2nd ed. Philadelphia, PA: JB Lippincott; 2003:2108-46.
7. Hochwald SN, Conlon KC, Brennan MF. Nonfunctioning pancreatic islet cell tumors. In: Doherty GM, ed. Surgical Endocrinology. Philadelphia, PA: Lippincott Williams & Wilkins; 2001:361-73.
8. Wang SE1, Su CH, Kuo YJ, et al. Comparison of functional and nonfunctional neuroendocrine tumors in the pancreas and peripancreatic region. Pancreas. 2011;40(2):253-9.
9. Ito T, Lee L, Hijioka M, et al. The up-to-date review of epidemiological pancreatic neuroendocrine tumors in Japan. J Hepatobiliary Pancreat Sci 2015;22:574–7.
10. Jensen RT, Berna MJ, Bingham DB, et al. Inherited pancreatic endocrine tumor syndromes: advances in molecular pathogenesis, diagnosis, management, and controversies. Cancer 2008;113:1807-43.
11. Gastrointestinal Pathology Study Group of Korean Society of Pathologists, Cho MY, Kim JM, et al. Current Trends of the Incidence and Pathological Diagnosis of Gastroenteropancreatic Neuroendocrine Tumors (GEP-NETs) in Korea 2000-2009: Multicenter Study. Cancer Res Treat 2012;44:157-65.
12. Hallet J, Law CH, Cukier M, Saskin R, Liu N, Singh S. Exploring the rising incidence of neuroendocrine tumors: a population-based analysis of epidemiology, metastatic presentation, and outcomes. Cancer 2015;121:589-97.
13. Ito T, Igarashi H, Nakamura K et al. Epidemiological trends of pancreatic and gastrointestinal neuroendocrine tumors in Japan: a nationwide survey analysis. J Gastroenterol 2015;50:58–64.
14. Metz DC, Jensen RT. Gastrointestinal neuroendocrine tumors: pancreatic endocrine tumors. Gastroenterology 2008;135:1469-92.
15. Leoncini E, Carioli G, La Vecchia C, Boccia S, Rindi G. Risk factors for neuroendocrine neoplasms: a systematic review and meta-analysis. Ann Oncol 2016;27:68-81.

CHAPTER 47

췌장 신경내분비 종양의 병리

Pathology of neuroendocrine tumors of the pancreas

조미연

1. 병리분류 및 동의어

신경분비과립이나 시냅스 소포 등의 신경내분비세포 분화를 보이는 종양세포로 구성된 소화기계의 종양을 통칭하여 신경내분비 종양이라 한다. 췌장에 발생한 경우 과거에는 섬세포 종양(islet cell tumor) 또는 내분비세포 종양/암종(endocrine tumor/carcinoma)으로 알려졌지만, 세계보건기구(WHO)는 2010년에 종양세포의 분화를 근거로 "신경내분비 종양"이라는 명칭이 적절하다는 주장과 함께 조직학적 분화정도 및 세포증식능(등급)에 따라 세분하는 분류체계를 제시하였다[1].

표 47-1. **신경내분비 종양의 분류* 및 등급 기준**

진단	기준	분화
NET G1	유사분열 수 < 2/10HPF, Ki-67 LI < 3%	고분화
NET G2	유사분열 수 2-20/10HPF, Ki-67 LI 3-20%	고분화
NET G3	유사분열 수 > 20/10HPF, Ki-67 LI > 20%	고분화
NEC	유사분열 수 > 20/10HPF, Ki-67 LI > 20%	저분화

*2017년 재개정

G: Grade; NET: neuroendocrine tumor; NEC: neuroendocrine carcinoma; HPF: high power field(고배율시야), 40~50개 시야를 관찰한 후 환산; LI: Labeling index, 종양세포 500~2,000개를 검사하여 백분율로 환산.

과거에는 조직학적 분화에 따라 분화가 좋은 고분화 종양과 분화가 나쁜 저분화 암종으로 구분하고, 신경내분비 암종과 함께 샘 암종 또는 세엽세포 암종이 혼재되면 혼합샘신경내분비 암종 또는 혼합세엽세포신경내분비 암종이라고 분류하였으나, 2010년에 개정된 WHO 분류에서는 세포증식능력에 따라 1등급(G1), 2등급(G2), 3등급(G3)으로 구분하였다. 고분화 종양은 대부분 세포증식이 낮은 G1 또는 G2 등급을 보이는 반면, 저분화 암종은 모두 세포증식이 높은 G3 암종으로 분화와 등급 간에 대체로 연관성이 있지만 G3 암종 중 부분 또는 전체적으로 고분화 종양과 유사한 소견을 보이는 경우가 드물게 있다[2]. 그러므로 2017년에 WHO는 표 47-1에 제시된 것과 같이 분류를 재개정하였다[3].

신경내분비 종양을 구성하는 세포가 분비한 호르몬으로 인해 임상증상이 동반되면 기능성 종양이라 하고, 임상증상이 동반되지 않으면 비기능성 종양이라고 하는데 비기능성 종양이 훨씬 흔하다. 종양조직에서 호르몬이 발견 되거나 혈중 호르몬 수치가 높더라도 임상증상을 동반하지 않으면 기능성 종양으로 분류하지 않으며[3] 기능성 종양은 종양세포가 분비하는 호르몬에 따라 인슐린종, 가스트린종(Zollinger-Ellison syndrome,

ZES), VIP종, 글루카곤종, 소마토스타틴종, GRH종, 카르시노이드종 등이 보고되어 있다[4]. 이와 같이 기능성 종양의 경우 임상증상에 따른 진단명과 병리분류에 따른 용어가 달라서 혼선이 생길 수 있는데, 임상증상에 따른 진단명은 종양의 생물학적 특성, 즉 악성도를 반영하지 못하므로 치료 방침과 예후 예측을 위해서는 기능성에 무관하게 조직학적 분화 및 등급에 기초한 WHO 분류와 병기를 평가해야 한다.

그림 47-1에 제시한 바와 같이, 신경내분비 종양의 병리분류에서는 기능성 여부는 고려하지 않고 분화와 세포증식정도에 따른 등급(G)을 평가하여, 신경내분비 종양(neuroendocrine tumor, NET G1, G2 또는 G3)과 신경내분비 암종(neuroendocrine carcinoma, NEC, G3)으로 구분한다. 등급은 종양세포 중에서 유사분열 수를 세거나 Ki-67에 대한 면역조직화학염색을 시행한 후 양성세포의 표지지수(labeling index)로 판정한다. 국제적 진단지침에 따르면 유사분열 수를 셀 때에는 일반현미경 사용 시 적어도 40~50개의 고배율시야를 관찰한 후 환산하여 */10HPF로 표기하고, Ki-67 표지지수는 500~2,000개의 종양세포를 검사하여 양성세포의 백분율로 표기한다. 각 등급의 기준은 표 47-1에 제시하였다[3]. 유사분열 수와 Ki-67 표지지수 모두 세포의 증식능력을 측정하는 방법이므로 둘 중 하나만 평가해도 되지 않을까 생각할 수 있지만 유사분열의 경우 관찰자간 오차가 있고, 두 검사결과가 일치한 예보다 불일치한 예에서 예후가 나쁘다는 보고가 있으므로 두 검사를 모두 시행하는 것을 권장한다[5]. 두 검사의 결과가 불일치한 경우에는 둘 중 높은 결과 값으로 최종 등급을 정한다. G1과 G2 신경내분비 종양은 모두 고분화 종양으로 비교적 예후가 좋지만 등급에 따라 생존율에 유의한 차이가 있으므로 구분이 필요하다[6].

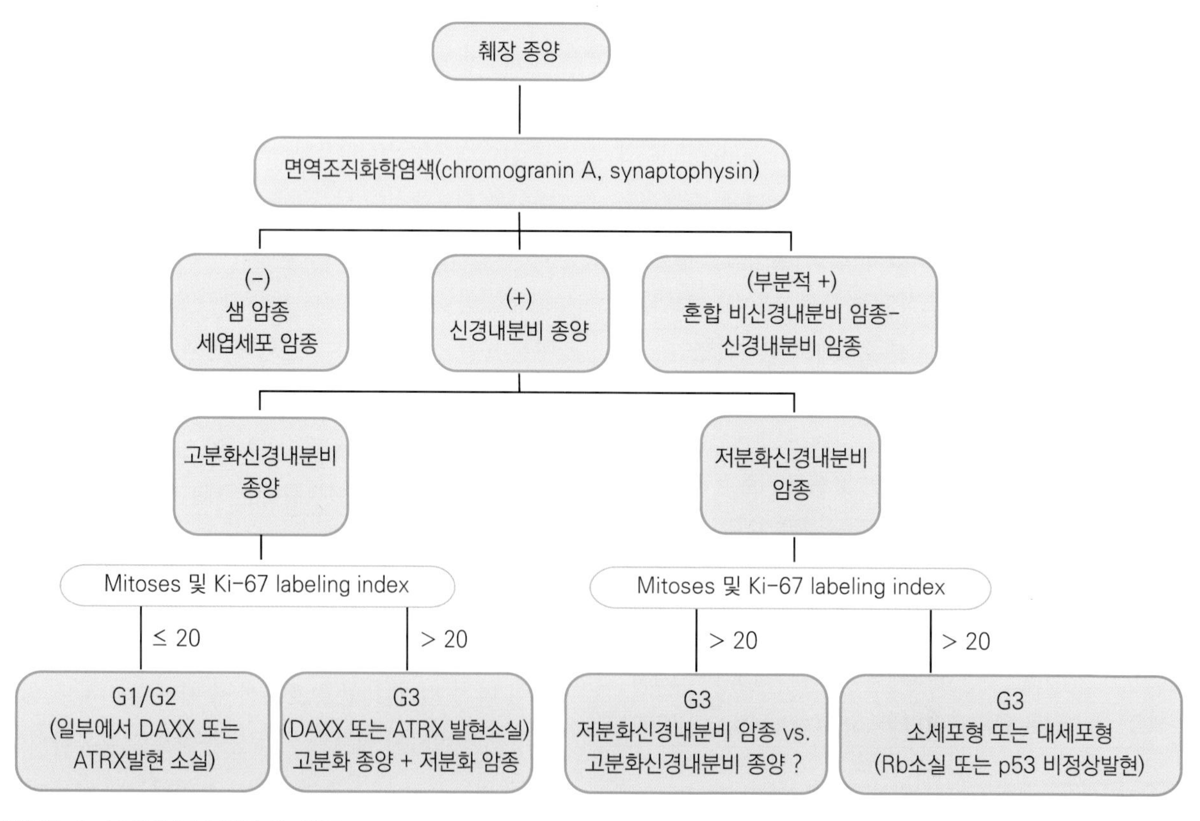

그림 47-1. **신경내분비 종양의 병리분류.**

2. 병리소견

1) 세침흡인 세포검사

수술 전 진단을 위하여 내시경초음파를 이용하여 세포를 채취하는 세침흡인 세포검사가 많이 이용되며 진단에 도움이 된다. 이 검사는 위 또는 십이지장 점막을 통과하여 종양세포를 얻기 때문에 세포도말 슬라이드에 위장관 점막세포가 함께 출현할 수 있어서 점액분비 종양과의 감별에 주의해야 한다(그림 47-2A). 고분화 신경내분비 종양의 경우 비교적 세포밀도가 높고 종양세포들은 개개로 흩어지거나 느슨하게 응집하기도 하며 거짓로제트를 형성한다(그림 47-2B). 종양세포의 핵은 동그랗고 비교적 균일한 크기이며 한 세포내에 핵이 두 개 보일 수도 있다. 세포질이 풍부한데 핵이 한쪽으로 치우쳐 있어서 형질세포와 유사한 모습을 보이므로 췌장에 발생하는 다른 종양들 즉, 형질세포종, 고형낭성종양, 세엽세포암종 등과 감별해야 하며 신경내분비 분화를 확인하기 위한 면역조직화학염색이 진단에 도움이 된다. 유사분열이 흔하고 괴사가 뚜렷하면 등급이 높을 가능성을 시사하지만 정확한 등급을 평가하려면 2,000개 이상의 세포가 필요하므로 평가에 부적절한 경우가 대부분이다. 저분화 암종의 경우는 악성 종양임을 진단하는 것은 어렵지 않으나 췌장에 발생하는 다른 분화 나쁜 암종과의 감별이 필요할 수 있고, 이때 셀 블록(cell block)을 제작하여 면역조직화학염색을 하면 도움이 된다.

2) 육안소견

대부분 단발성으로 발생하지만 드물게 유전질환과 연관이 있는 경우 다발성으로 발생한다[7]. 기능성 종양은 호르몬에 의한 임상 증상으로 비기능성 종양에 비해 조기에 발견되어 크기가 작으며 특히 인슐린종은 대부분 크기가 1 cm 미만으로 작고 양호한 경과를 보인다. 기능성 여부에 상관없이 신경내분비 종양은 비교적 물렁한 고형 종괴를 형성하며 피막이 없지만 대부분 주변 조직과 뚜렷하게 구분되는데(그림 47-3A), 크기가 커지

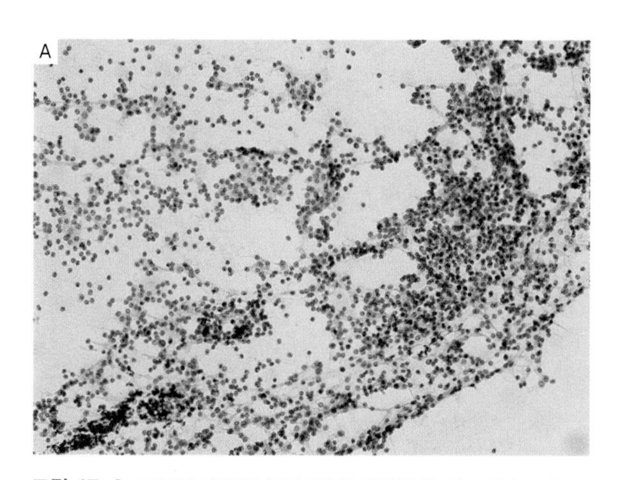

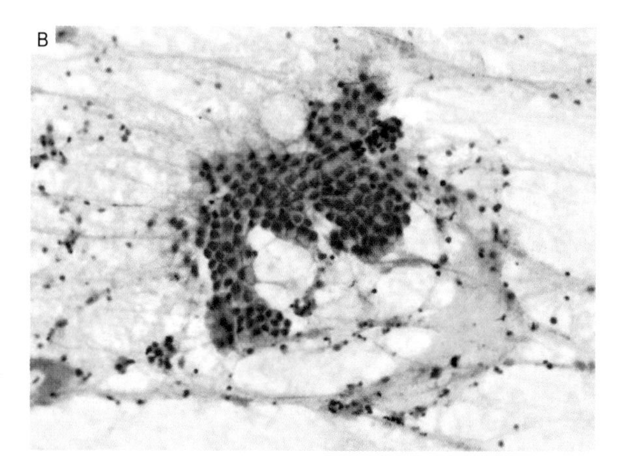

그림 47-2. **고분화신경내분비 종양의 세침흡인 세포검사소견.**
A. 세포밀도가 높고 개개로 흩어지거나 느슨하게 결집하는 종양세포가 관찰된다. 종양세포는 비교적 균일한 크기이고 세포질이 풍부하며 형질세포와 유사하게 동그란 핵이 한쪽으로 치우쳐 있다.
B. 세포질에 점액이 풍부한 원주상피가 단단하게 결집한 상피세포집락은 위 또는 장점막에서 오염된 것이므로 판독 시 주의해야 한다(papanicolaou's stains).

면 주변조직으로 침윤성장을 하여 경계가 불분명해 진다(그림 47-3B). 출혈, 괴사, 섬유화를 동반하기도 하고 드물게 낭성 종괴로 나타나기도 한다[7](그림 47-3C).

3) 현미경소견

고분화 종양(G1 및 G2)과 저분화 암종(G3)은 통상적인 현미경 검사로 구분한다. 고분화 종양은 세포질이 풍부하고 둥근 핵을 갖는 균일한 크기의 종양 세포들이 작은 혈관에 둘러싸여 세포 군집으로 보이는데 기둥, 섬 또는 소포모양 등의 특이한 배열을 한다(그림 47-4A-C). 종양세포 주변 기질의 양이 다양하며 섬유화가 많이 동반될수록 종양이 단단해 진다. 괴사는 국소적으로 있거나 없고, 드물게 종양세포의 변형으로 투명세포, 공포세포, 호산과립세포, 막대모양세포 모양이나 불규칙하고 큰 핵을 보일 수 있다. 특히 핵이 매우 크고 불규칙한 경우, 저분화 암종과 구분이 어려울 수 있지만 유사분열이 드물고, Ki-67 표지지수도 20% 이하로 낮아서 G3 암종과 구분이 가능하며 '다형태 신경내분비 종양'이라고 한다[8]. 기능성 여부에 따라 조직학적 소견에 차이를 보이지는 않지만 예외적으로 인슐린종은 기질에 아밀로이드 침착이 있는 특징이 있다. 고분화 종양에 비해 저분화 암종은 핵/세포질 비율이 높고, 과다염색되는 핵을 가지고 있어 종양세포가 밀집된 판상 배열을 하며 괴사와 유사분열이 흔하게 관찰된다(그림 47-5A-C). 조직학적으로 종양세포의 크기에 따라 소세포형(그림 47-5A)과 대세포형(그림 47-5B)으로 구분되며 대세포형이 좀 더 흔하다고 알려져 있다[7]. 소세포형은 폐의 소세포 암종과 유사하게 세포질이 거의 없고, 핵소체가 불분명하며 핵이 눌리는 현상(nuclear modling)이 나타나지만 대세포형은 세포질이 비교적 풍부한 다각형의 세포가 기둥, 섬 또는 소포모양의 특이 배열을 하며, 핵 모양이 불규칙하고 뚜렷한 핵소체를 가지고 있다. 그러나 세포형의 구분이 어려운 예도 많이 있다. 오히려 G3 암종이지만 고분화 종양의 소견을 보이거나(그림 47-5C), G1/G2 고분화 종양을 절제한 환자에서 발생한 고분화 종양은 저분화 암종과 비교하여 분자병리학적 특징 및 예후가 유의하게 다르다는 것이 보고되어 구분할 필요가 있다[2]. 고분화 종양이 시간이 경과하면서 저분화암으로 진행하는지, 저등급에서 고등급으로 진행하는지는 아직 확실하지 않지만 분자병리학적으로 다르고 예후에도 차이가 있기 때문이다. G3 고분화 종양의 분자병리학적 특징은 면역조직화학염색에서 기술한다.

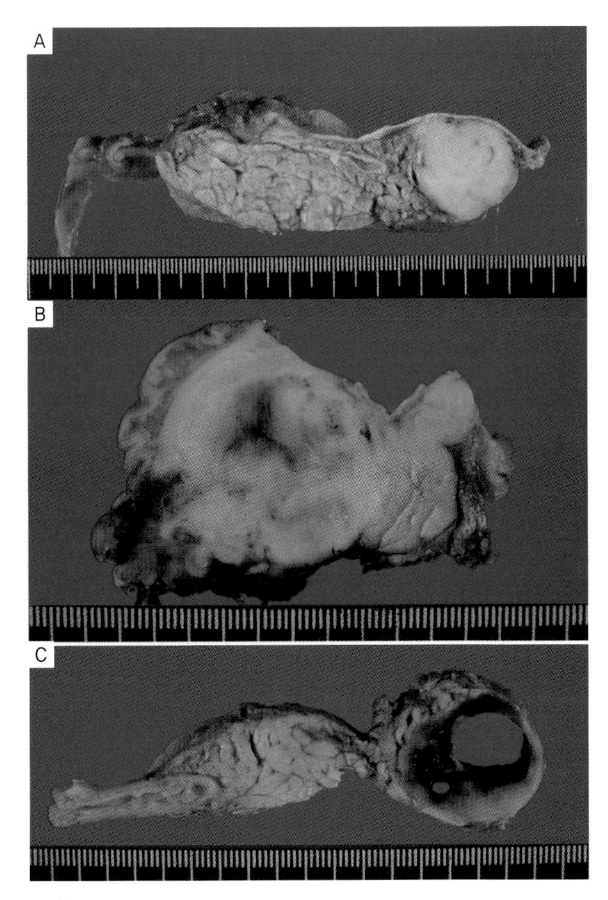

그림 47-3. **육안소견.**
A. 피막은 없지만 경계가 뚜렷한 고형형성 종괴를 형성한다.
B. 주변 조직으로 침윤성 성장을 하며,
C. 드물게 낭성 변화를 보일 수 있다.

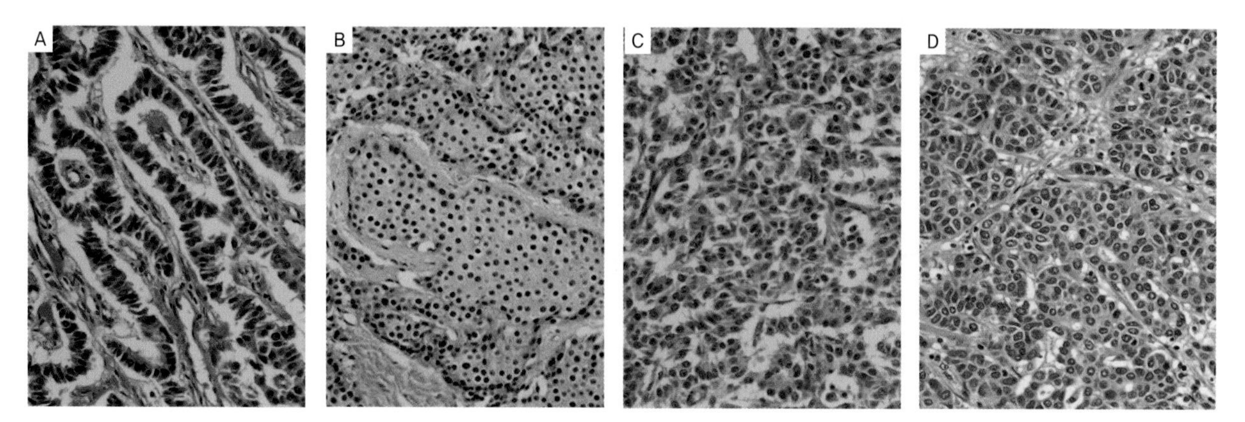

그림 47-4. 고분화 종양의 현미경소견.
세포질이 풍부하며 비교적 작고 균일한 크기의 종양세포로 구성되어 있으며 유사분열은 드물다(G1/G2).
A. 기둥 모양.
B. 섬 모양.
C. 소포 모양 등의 특이한 배열을 한다.
D. 고분화종양과 유사한 소견이지만 세포분열이 흔하여 G3에 해당하는 예가 드물게 있다.
(Hematoxylin-eosin 염색, 배율 ×400).

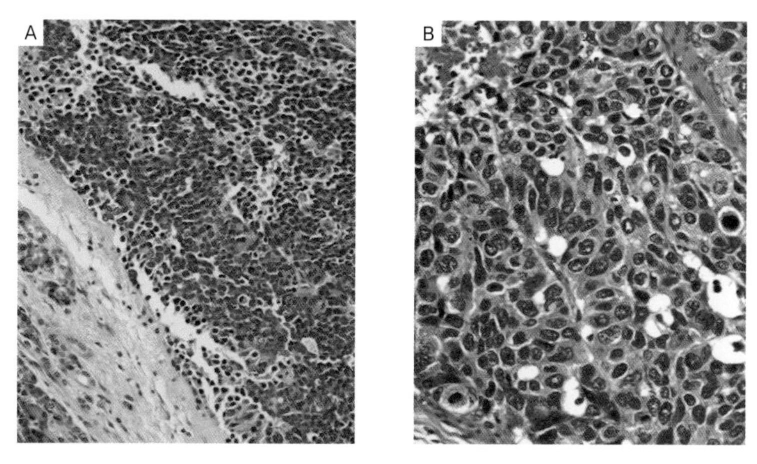

그림 47-5. 저분화암의 현미경소견.
세포밀집도가 매우 높고 핵/세포질 비율이 높으며 괴사와 유사분열이 흔하다(G3).
A. 소세포형은 세포질이 거의 없는 작은 종양세포가 밀집되어 핵이 눌리는 모양을 보인다.
B. 그러나 대세포형은 세포질이 풍부한 다각형의 종양세포로 핵 모양이 불규칙하다.
(Hematoxylin-eosin 염색, 배율 ×400).

4) 면역조직화학염색

고분화 종양으로 세포모양과 배열이 특이하므로 절제된 조직의 헤마톡실린-에오신 염색에서 다른 종양과 구분이 가능한 경우가 대부분이지만 저분화 암종이나 세포검사 등 종양의 일부만으로 진단할 경우 세포분화를 확인하기 위하여 특수검사가 필요할 수 있다. 신경내분비 종양의 분화는 세포질에 신경분비과립인 치밀소포 또는 시냅스 소포 등의 특이구조를 이용하여 다양한 면역조직화학염색을 사용할 수 있다. 서로 보완적인 성질을 가지고 있으므로 한 가지 염색을 단독으로 사용하기 보다는 패널로 사용하는 것이 권장되고

chromogranin A와 synaptophysin이 가장 유용한 검사로 이용된다. 그러나 분화에 따라 발현에 차이가 있으므로 판독 시 주의해야 한다[6]. Cytokeratin 19 발현이 있으면 예후가 나쁘다고 보고되었으나[9] 아직 필수염색항목에 포함되지는 않았다. 최근 G1/G2 고분화 종양의 반수 이상에서 DAXX와 ATRX 단백발현의 소실이 관찰되며 이 소견은 염색체 불안정 및 예후와 유의한 연관이 있다고 보고되었다[10]. 또한 Ki-67 표지지수가 20%보다 커서 G3로 분류된 신경내분비 종양이 분화에 따라 고분화 종양과 저분화 암종으로 구분되며 분자병리학적으로 차이가 있다는 점에 관심이 높아지고 있다. 즉, 고분화 종양 소견을 보이거나 과거에 고분화 종양이 있었던 예는 DAXX 또는 ATRX 발현의 소실을 보이는 반면, 저분화 암종은 Rb 단백발현 소실 또는 비정상적인 p53 단백발현을 보이는 특징이 있고 예후도 더 나쁘기 때문에 G3 암종을 분화에 따라 세분하는 새로운 분류가 제시된 것이다[3].

3. 병리진단보고서

신경내분비 종양의 치료방침을 결정하고 예후를 예측하기 위해 병리소견이 매우 중요하며 수술로 절제된 검체에 대한 병리진단보고서에는 아래와 같은 항목이 포함되어야 한다[6].

- 종양의 위치
- 크기 및 개수: 여러 개인 경우, 각각 기입
- 조직학적 분화: 고분화 / 저분화
- 등급: 유사분열 및 Ki-67 표지지수(G1/G2/G3)
- 침범정도: 췌장에 국한/주변장기 또는 큰 혈관 침범
- 절제연에 종괴 침범여부
- 림프관, 혈관, 신경침범여부
- 림프절 전이 유무
- 면역조직화학염색: chromogranin A, synaptophysin, DAXX, ATRX(필요한 경우)
- 동반질환(유전질환) 또는 임상소견(기능성): (가능한 경우)

References

1. Klimstra DS, Arnold R, Capella C, Hruban RH, Kloppel G. Neuroendocrine neoplasms of the pancreas. In:Bosman FT, Carneiro F, Hruban RH, Theise ND eds. WHO classification of tumors of the digestive system. p322-326, Lyon, International Agency for Research on Cancer (IARC), 2010.
2. Tang LH, Basturk O, Sue JJ, Klimstra DS. A practical approach to the classification of WHO grade 3 (G3) well-differentiated neuroendocrine tumor (WD-NET) and poorly differentiated neuroendocrine carcinoma (PD-NEC) of the pancreas. Am J Surg Pathol 2016; 40:1192-202.
3. Bergsland EK, Woltering EA, Rindi G, et al. Neuroendocrine tumors of the pancreas. In:American joint committee on cancer 8th ed. p407-419, Springer, 2017. Modlin IM, Lye KD, Kidd A. A 5-decade analysis of 13715 carcinoid tumors. Cancer 2003;97:934-59.
4. Falconi M, Eriksson B, Kaltas G et al. ENETS consensus guidelines update for the management of patients with functional pancreatic neuroendocrine tumors and non-functional pancreatic neuroendocrine tumors. Neuroendocrinology 2016;103:153-71.
5. Van Velthuysen M-LF, Groen EJ, vsn der Noort V, van de Pol A, Tesselaar MET, Korse CM. Grading of neuroendocrine neoplasms: Mitoses and Ki-67 are both essential. Neuroendocrinology 2014;100:221-7.
6. Cho M-Y, Sohn JH, Jin SY et al. Proposal for a standardized pathology report of gastroentero-pancreatic neuroendocrine tumors: Prognostic significance of pathological parameters. Korean J Pathol 2013;47:227-37.
7. Kim JY, Hong SM. Recent updates on neuroendocrine tumors from the gastrointestinal and pancreatobiliary tracts. Arch Pathol Lab Med 2016;140:437-48.
8. Zee SY, Hochwald SN, Conlon KC, Brennan MF, Klimstra DS. Pleomorphic pancreatic endocrine neoplasms: a variant commonly confused with adenocarcinoma. Am J Surg Pathol 2005;29:1194-200.
9. Jain R, Fischer S, Serra S, Chetty R. The use of cytokeratin 19 (CK19) immunohistochemistry in lesions of the pancreas, gastrointestinal tract, and liver. Appl Immunohistochem Mol Morphol 2010; 18:9-15
10. Marinoni I, Kurrer AS, Vassella E, et al. Loss of DAXX and ATRX are associated with chromosome instability and reduced survival of patients with pancreatic neuroendocrine tumors. Gasteroenterology 2014;146:453-60.

CHAPTER 48

췌장 신경내분비 종양의 진단

Diagnosis of neuroendocrine tumors of the pancreas

48-1 췌장 신경내분비 종양의 진단: 병기(Staging)

정주원

1. 췌장 신경내분비 종양의 병기(staging)

췌장 신경내분비 종양의 병기(stage)는 2006년 유럽 신경내분비학회(European Neuroendocrine Tumor Society, ENETS, 표 48-1-1)[1]와 2010년 미국 공동암위원회(American Joint Committee on Cancer, AJCC, 표 48-1-2)[2]에서 발표한 TNM시스템을 이용한다. 원발 종양(T), 림프절 전이(N), 그리고 원격전이(M) 여부로 구분하고, 병리학적 분화도에 따라 Grade를 나눈다. 두 시스템은 병기를 구분하는데 약간의 차이가 있으나, 여러 비교 연구에서 두 시스템 모두 전체 생존기간(overall survival)과 재발 없는 생존기간(relapse free survival)을 비교적 정확하게 예측하는 것으로 보고되고 있다[3-5].

2011년 Strosberg 등[3]이 425명의 췌장 신경내분비 종양 환자를 대상으로 AJCC 병기와 ENET 병기의 생존율을 비교하였는데, AJCC 기준으로 stage I, II, III and IV의 5년 생존율은 각각 92%, 84%, 81% 그리고 57%($p < 0.001$)이며, ENET 기준으로는 100%, 88%, 85% 그리고 57%($p < 0.001$)로 두 병기 분류 방법 모두 생존율을 잘 반영하였다. 그러나 2012년 Rindi 등[4]이 1,072명의 췌장 신경내분비 종양 환자를 대상으로 한 대규모 다국적 연구에서는 ENET 기준으로 stage I에 비해 stage II의 사망률은 16.23배($p = 0.007$), stage III의 사망률은 51.81배($p < 0.001$), stage IV의 사망률은 160배($p < 0.001$)로 사망률과 병기 간의 높은 상관관계를 보였으나, AJCC 기준으로 분류하면 stage II 9.57배($p < 0.001$), stage III 9.32배($p = 0.94$), stage IV 30.84배($p < 0.001$)로 병기와 사망률 간의 변별력이 다소 떨어졌다. 국소 췌장 신경내분비 종양 환자의 수술 후 5년 뒤 재발 없는 생존율에 대한 예측력 연구에서, AJCC 기준으로 stage I은 78%, stage II은 53% 그리고 stage III은 33%($p < 0.01$)이었고, ENET 기준으로 stage I 100%, stage II 70%, 그리고 stage III 53% ($p < 0.18$)로, 재발에 대한 예측률도 비교적 높은 상관관계를 보임을 알 수 있다[5].

다른 종양과 다르게 신경내분비 종양의 생존율을 예측하는데 TNM병기 시스템 외에도 병리학적 분화도가 큰 영향을 미친다. Pape 등[6]의 연구에 따르면, 위장관 및 췌장 신경내분비 종양 환자는 stage II 에 비해

표 48-1-1. **췌장 신경내분비 종양의 European Neuroendocrine Tumor Society (ENETS, 2006) 병기체계**[15]

Stage	Primary tumor (T)	Regional lymph node (N)	Distant metastasis (M)
Stage I	T1 Tumor limited to the pancreas and size < 2 cm	N0 No regional lymph node metastasis	M0 No distant metastasis
Stage IIa	T2 Tumor limited to the pancreas and size 2-4 cm		
Stage IIb	T3 Tumor limited to the pancreas and size > 4 cm or invading duodenum or bile duct		
Stage IIIa	T4 Tumor invading adjacent organs (stomach, spleen, colon, adrenal gland) or the wall of large vessels (celiac axis or superior mesenteric artery)		
Stage IIIb	Any T	N1 Regional lymph node metastasis	
Stage IV	Any T	Any N	M1 Distant metastasis

M: distant metastasis; N: lymph node involvement; T: primary tumor.
Tx. Primary tumor cannot be assessed
T0. No evidence of primary tumor
For any T, add (m) for multiple tumors
Nx. Regional lymph node cannot be assessed
Mx. Distant metastasis cannot be assessed

표 48-1-2. **췌장 신경내분비 종양의 American Joint Committee on Cancer (AJCC 7th , 2010) 병기체계**[16]

Stage	Primary tumor (T)	Regional lymph node (N)	Distant metastasis (M)
Stage 0	Tis Carcinoma in situ*	N0 No regional lymph node metastasis	M0 No distant metastasis
Stage Ia	T1 Tumor limited to the pancreas, 2 cm or less in greatest dimension		
Stage Ib	T2 Tumor limited to the pancreas, more than 2 cm in greatest dimension		
Stage IIa	T3 Tumor extends beyond the pancreas but without involvement of the celiac axis or the superior mesenteric artery		
Stage IIb	T1, T2, or T3	N1 Regional lymph node metastasis	
Stage III	T4 Tumor involves celiac axis or the superior mesenteric artery (unresectable primary tumor)	Any N	
Stage IV	Any T		M1 Distant metastasis

M: distant metastasis; N: lymph node involvement; T: primary tumor; Tis: carcinoma in situ.
Tx. Primary tumor cannot be assessed.
T0. No evidence of primary tumor
Nx. Regional lymph node cannot be assessed
Mx. Distant metastasis cannot be assessed
cTNM is clinical classification, pTNM is the pathologic classification
*This also includes the "PanIn III" classification.

stage III의 사망 위험률은 3배, stage IV는 9배로 증가하나, 조직학적 분화도는 grade I에 비해 grade 2는 약 4배, grade 30배로 사망 위험이 높아지는 것으로 보고되고 있다. 따라서, 북미신경내분비 종양학회(The North American Neuroendocrine Tumor Society, NANETS)에서는 TNM 병기 외에 병리학적 분화도를 함께 표기하도록 권장하고 있다[7].

References

1. Rindi G, Kloppel G, Alhman H, et al. TNM staging of foregut (neuro)endocrine tumors: a consensus proposal including a grading system. Virchows Arch 2006;449:395-401.
2. Edge SB, Byrd DR, Compton CC, Fritz AG, Greene FL, Trotti A, editors. American Joint Committe on Cancer Staging Manual (7th ed). New York, NY: Springer; 2010.
3. Strosberg JR, Cheema A, Weber J, Han G, Coppola D, Kvols LK. Prognostic validity of a novel American Joint Committee on Cancer Staging Classification for pancreatic neuroendocrine tumors. J Clin Oncol 2011;29:3044-9.
4. Rindi G, Falconi M, Klersy C, et al. TNM staging of neoplasms of the endocrine pancreas: results from a large international cohort study. J Natl Cancer Inst 2012;104:764-77.
5. Strosberg JR, Cheema A, Weber JM, et al. Relapse-free survival in patients with nonmetastatic, surgically resected pancreatic neuroendocrine tumors: an analysis of the AJCC and ENETS staging classifications. Ann Surg 2012;256:321-5.
6. Pape UF, Jann H, Muller-Nordhorn J, et al. Prognostic relevance of a novel TNM classification system for upper gastroenteropancreatic neuroendocrine tumors. Cancer 2008;113:256-65.
7. Kulke MH, Anthony LB, Bushnell DL, et al. NANETS treatment guidelines: well-differentiated neuroendocrine tumors of the stomach and pancreas. Pancreas 2010;39:735-52.

48-2 췌장 신경내분비 종양의 진단: 혈청학적 검사(Serologic test)

정주원

1. 췌장 신경내분비 종양의 혈청학적 검사

췌장의 신경내분비 종양은 기능성과 비기능성으로 나뉘지만, 혈청학적 검사와 임상 증상이 반드시 관련이 있는 것은 아니므로, 증상이 없는 비기능성 신경내분비 종양에서도 특징적인 혈청 단백이나 호르몬 수치가 증가할 수 있다. 미국 국가종합암네트워크(The National Comprehensive Cancer Network, NCCN) 권고안에 따르면, 췌장 신경내분비 종양에서 췌장 폴리펩타이드(pancreatic polypeptide)와 Chromogranin A에 대한 검사를 시행하고, 기능성 신경내분비 종양이 의심될 경우 관련된 호르몬, 즉 인슐린종에서는 인슐린, proinsulin, c-peptide, VIPoma에서는 혈청 VIP, 글루카곤종에서는 글루카곤, 가스트린종에서는 기초 가스트린검사를 시행하도록 권고하고 있다[8]. 유럽 신경내분비학회(ENET)에서는 모든 췌장 신경내분비 종양에서 Chromogranin A를 기본적인 종양표지자로 지정하였으며, 췌장폴리펩티드는 진단률을 높일 수 있는 보조 검사로 권장하고 있다[9]. NCCN과 마찬가지로 기능성 신경내분비 종양에서는 각각의 특징적인 호르몬 검사를 권장한다[9].

1) 비기능성 췌장 신경내분비 종양

(1) Chromogranin (CgA)

Chromogranin-A (CgA)는 모든 종류의 췌장 신경내분비 종양에서 가장 높은 빈도로 증가하는 생화학 표지자이다[10-13]. CgA는 정상적으로 신경내분비 세포의 분비 소포(dense-core secretory vesicle) 내에 함유된 수용성의 분비성 당단백(soluble secretory glycoprotein)이며, 소화기계 신경내분비 종양의 약 60~80%에서 혈청 수치가 증가한다[10,11,14-16]. 전이성 신경내분비 종양의 약 60~100%에서 혈청 CgA의 증가가 관찰되는데, 국소 신경내분비 종양에서는 28~50%에서만 그 수치가 증가되어 있어 혈청 CgA는 종양크기에 비례한다고 추정된다[10,16-19]. CgA 혈청 수치는 예후를 예측하는 요인으로도 활용될 수 있는데, 200 U/L 이상 증가된 경우 중앙 생존율이 2.1년으로 200 U/L 미만의 7년에 비해 의미 있게 감소한다[20]. 종양 적출술 후 혈청 수치의 변화는 수술의 효과를 판정하거나, 재발 및 악화를 추적하는데도 유용하게 이용된다[21,22]. 그러나, 신부전증[23,24] 혹은 만성 위축성 위염이나 양성자펌프억제제(proton pump inhibitor)에 의한 장크롬친화성세포(enterochromaffin-like cell) 과증식[25-27]으로도 CgA 분비가 증가할 수 있어 진단에 주의가 필요하다(표 48-2-1).

(2) 5-HIAA 및 Serotonin

체내의 90% 이상의 세로토닌은 소화관 내에서 만들어지며 monoamine oxidase (MAO)에 의해 폐와 간에서 5-hydroxyindole acetic acid (5-HIAA)로 분해되어 소변으로 배출된다. 세로토닌은 음식을 섭취하는 행위, 특정 영양분 그리고 박테리아에 의해 창자크롬친화세포(enterochromaffin cell, EC cell)에서 분비되며, 위 장관 운동을 조절하는 신경에 작용하며[29], 카르시노이드 증후군(carcinoid syndrome) 환자의 설사, 기관지 천식,

표 48-2-1. Chromogranin A의 상승 원인

	Gastrointestinal disorders	Non-gastrointestinal disorders
Neoplastic disease	Gastrointestinal/pancreatic neuroendocrine tumors Colon cancer Hepatocellular carcinoma Pancreatic adenocarcinoma	**Endocrine disease** Pheochromocytoma Pituitary tumors Medullary thyroid carcinoma
		Small cell lung cancer Neuroblastoma Paraganglioma
		Breast cancer Ovarian cancer Prostate cancer
Non-neoplastic disease	Chronic atrophic gastritis Chronic hepatitis Liver cirrhosis Inflammatory bowel disease Irritable bowel syndrome Pancreatitis	**Cardiovascular disease** Acute coronary syndrome Cardiac insufficiency/failure Essential hypertension
		Endocrine disease Hyperthyroidism Hyperparathyroidism
		Renal insufficiency/failure
		Inflammatory disease Chronic obstructive pulmonary disease Chronic bronchitis Systemic rheumatoid arthritis Systemic inflammatory response syndrome
		Drug Proton pump inhibitors Histamine-2 receptor antagonists

Modified from Simron Singh and Calvin Law[28].

심장 섬유화 등의 증상을 유발하는 원인이 된다[30].

과거에는 24시간 소변에서 세로토닌의 대사 산물인 5-HIAA를 검출하는 것이 카르시노이드 종양(carcinoid tumor)을 진단하는 가장 중용하고 유용한 검사 방법이었다. 그러나 검체를 수집하는 과정이 매우 번거롭고, 트립토판(tryptophane)이 풍부한 치즈, 바나나, 키위, 호두, 아보카도, 파인애플, 건자두 등의 음식이나 와인, 카페인, paracetamol, methysergide, levodopa, 아스피린, 5-aminosalicylic acid, naproxen, 아세트아미노펜(acetaminophen), 이소니아지드(Isoniazid) 등의 약제를 복용하면 위양성을 보이는 단점이 있다[12,31,32]. 최근에는 진단 기술의 발전으로 5-HIAA의 혈청 검사가 가능하여 좀 더 손쉽게 검사할 수 있게 되었지만[33], 중장에서 기원한 신경내분비 종양(midgut neuroendocrine tumor: 소장, 충수돌기, 상행 결장)의 대부분(96%)이 상승되어 있는 반면에, 전장(foregut)에서 기원한 췌장의 신경내분비 종양에서는 약 43%에서만 증가되어 있어[34] 상대적으로 진단적 가치가 떨어진다. 혈액 내에 대부분

의 세로토닌이 혈소판에 저장되고 과포화된 세로토닌은 혈액내에서 혈소판과 결합되지 않은 형태로 존재하므로, 혈소판에 포화된 세로토닌을 측정하는 현재의 검출 방법은 종양의 크기를 반영하지 못하는 단점이 있다[34].

(3) 췌장 폴리펩타이드(pancreatic polypeptide)

췌장 폴리펩타이드는 정상 췌장 도세포(islet cell)에서 분비되며, 비기능성 신경내분비 종양 진단에 이용되는 비특이적 생화학 표지자이다. 단독으로 사용할 때는 췌장 신경내분비 종양 진단의 민감도가 약 63%에 불과하지만[14,35] CgA와 함께 사용하였을 때는 민감도가 93%까지 증가한다[14]. 대부분의 전이성 신경내분비 종양에서 종양 크기와 예후를 잘 반영하므로, 진단 및 추적 검사로 이용된다[36-38].

(4) Pancreastatin

Pancreastatin은 CgA의 분해 산물 중의 하나로 인슐린과 글루카곤의 분비를 억제하는 기능을 하는 펩티드(peptide)이다[39,40]. 세포의 당 섭취를 감소시키는 역할을 하며, 위장관 신경내분비 종양 환자의 약 80%에서 증가되어 있다[41]. CgA와는 다르게 양성자펌프억제제나 소마토스타틴(somatostatin) 사용에 영향을 받지 않고[42], 분석방법이 까다로운 CgA에 비해 분석이 표준화(assay standardization)되어 있어, 신경내분비 종양의 진단뿐만 아니라 치료 후 종양 크기의 감소 그리고 질병 악화를 추적하는데 유용하다[43]. 혈청 수치가 500 pmol/L 이상 증가하면 매우 불량한 경과를 예측할 수 있으며, 간전이 여부도 잘 반영한다[44]. 수술 전 pancreastatin이 높거나 수술 후 증가될 경우 무진행 생존기간(progression free survival) 과 전체 생존기간(overall survival)이 짧아져[45], 임상적으로 예후를 판단하는데 유용하게 이용할 수 있다.

(5) 뉴런특이에놀라아제 (neuron-specific enolase, NSE)

NSE는 모든 신경세포와 신경내분비세포에 존재하며, 소세포폐암(small cell carcinoma) 및 신경모세포종(neuroblastoma) 등에서 종양표지자로 사용되고 있다[46]. 췌장의 신경내분비 종양의 83~100%에서 증가되어 있어 높은 민감도 (80~100%)를 보이지만 특이도가 32.9%로 낮아[19,47] 단독으로 사용하기보다는 CgA와 함께 사용하여 진단률을 높일 수 있다[24]. NSE 혈청 수치는 종양의 크기나 치료 반응도를 반영하지 않으나 조직학적 분화도를 반영하여, NSE가 높은 경우 저분화성(poorly differentiation) 신경내분비 종양일 가능성이 높다[18]. 양성자펌프억제제를 복용하는 사람에서 혈청 NSE가 증가할 수 있고, 용혈성 빈혈(hemolytic anemia), 심부전, 말기 신부전 환자에서도 증가할 수 있다. 그 외 간질, 뇌염, 뇌졸증 등의 뇌 손상에서 위양성이 나올 수 있으므로 환자의 병력 및 약물 복용력을 확인하여야 한다[48].

2) 기능성 신경내분비 종양

췌장의 기능성 신경내분비 종양은 과도한 호르몬 분비로 인해 증상이 나타난다. 따라서, 비기능성 신경내분비 종양에서 사용되는 생화학 표지자 외에, 기능성 신경내분비 종양의 종류별로 특정 호르몬의 혈청 수치 증가가 진단에 이용된다.

(1) 가스트린(gastrin)

전체 가스트린종(gastrinoma) 환자의 약 99~100% 이상에서 가스트린 수치가 증가[50-52]되어 있어 가스트린종이 의심되는 환자에서는 금식 시 가스트린 수치를 우선 검사한다. 그러나 혈청 가스트린은 양성자펌프억제제를 사용하는 경우, 악성 빈혈(pernicious anemia)을 동반한 만성 위축성 위염, 위날문막힘(gastric outlet

표 48-2-2. Biochemical tests used for pancreatic neuroendocrine tumors

Peptide/Amine	Tumor/Incidence	Diagnostic value	Other causes of elevation
Non-functional NET			
Chromogranin A	pNET 60~100%	> 34.7 U/L Sensitivity 67.9% Specificity 85.7%[47]	Proton pump inhibitor Somatostatin analogue Renal insufficiency, Liver cirrhosis, Heart failure, Chronic atrophic gastritis with pernicious anemia, Parkinsonism, Pregnancy,
Urine 5-HIAA	pNET 30%	> 10.0 mg/L (24h) Sensitivity 35.1% Specificity 100%[47]	Tryptophan-rich foods* Drug†
Serotonin	pNET 43%	> 5.4 nmol/10^9 platelets Sensitivity 74% Specificity 91% Positive predictive value 63% Negative predictive value 95%[49]	Lithium, MAO inhibitors, Morphine, Methyldopa, Rserpine
Pancreastatin	pNET 63%	> 500 pmol/L Indicator of poor prognosis[44]	Renal insufficiency, Drugs affecting insulin levels
Neuron-specific enolase	pNET 83~100%	> 12.5 μg/L Sensitivity 32.9% Specificity 100%[47]	Small cell lung cancer, Neuroblastoma, Medullary thyroid cancer, Pheochromocytoma
Pancreatic polypeptide		> 42 pmol/L Sensitivity 63%[14]	Renal dysfunction, PP cell hyperplasia, Nesidioblastosis Diabetes
Functional NET			
Gastrin	Gastrinoma 98% (Zollinger-Ellison syndrome)	1. 혈청 가스트린 > 1,000 pg/ml + 위산과다증(위내 PH < 2) 2. 혈청 가스트린 < 1,000 pg/ml 90% + 기초위산분비량 상승(> 15 mEq/h) + 금식시 혈청 가스트린 증가(> 200 pg/ml)	Proton pump inhibitor Chronic atrophic gastritis with pernicious anemia, Diabetic gastroparesis, Gastric outlet obstruction, Short bowel syndrome, Retained antrum, H.pylori infection
Insulin	Insulinoma 98%	저혈당 상태에서 proinsulin과 insulin의 역설적 상승	Exogenous recombinant insulin
VIP	VIPoma	> 500 pg/ml (3 L/d 이상의 수양성 설사)	Recent radioisotope
Glucagon	Glucagonoma	> 500 pg/ml	Diabetes, Burn, Trauma, Liver cirrhosis, Pancreatitis, Renal insufficiency, Cushing syndrome, bacteremia
Somatostatin	Pancreatic somatostatinoma > 90%	Somatostatin-like-immunoreactivity (SLI) > 1,000 pg/ml	Small cell lung cancer, Bronchogenic carcinoma, Pheochromocytoma, Medullary thyroid cancer

pNET: pancreatic neuroendocrine tumor.

* Tryptophan-rich foods: banana, avocado, pineapple, prune, walnut, wine.

† Drug: acetanilde, phenacetin, glyceryl guaiacolate(코프시럽), methocarbamol, paracetamol, reserpine, cisplatin, mephalan, fluorouracil, methysergide, levodopa, aspirin, 5-aminosalicylic acid (5-ASA), naproxen, caffeine[12,31].

syndrome), 위 부분 절제술 후 남은 전정부(retained gastric antrum), 헬리코박터 감염증, 단장 증후군(short bowel syndrome), 만성 신부전(chronic renal failure) 그리고 당뇨병성 위마비(diabetic gastroparesis) 등에서 증가할 수 있다[50,53,54]. 따라서, 확진을 위해서는 위산분비 상승으로 인한 위 내 PH 저하(< 2)가 있을 때 혈청 가스트린 수치가 200 pg/mL 이상으로 증가되어 있는 것이 확인되어야 한다[53]. 위산억제제 사용력, 위 부분절제수술이나 미주신경 절제 수술력이 없는 환자에서 기초위산분비량은 15 mEq/h 이상이어야 진단이 가능하다[55]. 과거에는 세크레틴(secretin) 정맥 주사 후 혈청 가스트린이 역설적으로 증가하는 것을[56] 진단에 이용하였으나, 최근에는 세크레틴 이용에 제한이 있어 진단에 잘 사용하지 않는다. 소화성 궤양이 동반된 가스트린종 환자는 일반적인 소화성 궤양 환자에 비해 H. pylori 감염률이 낮기 때문에(23% vs. > 90%), H. pylori 감염이 없는 환자에서 소화성 궤양이 재발하는 경우 가스트린종을 의심해봐야 한다[57]. 양성자펌프억제제를 사용하면 가스트린 수치가 매우 상승되고 CgA 분비가 증가되나, 위산 분비가 억제된다는 점에서 가스트린종과 감별할 수 있다.

(2) 인슐린

약 98% 이상의 인슐린종(insulinoma) 환자에서 금식 후 저혈당 증상과 비정상적인 인슐린의 증가가 발생한다[58]. 인슐린종은 저혈당의 증상(발한, 빈맥, 진전, 전신 무력감 등)이 있고 50 mg/dL 이하의 저혈당이 확인된 후 당을 섭취했을 때 증상이 호전되는 whipple triad가 있을 때 의심할 수 있다. 그러나 이는 매우 비특이적인 증상으로 인슐린종 환자의 약 43%에서만 나타난다[59]. 확진을 위한 전통적인 진단 방법은 72시간 금식 검사이며[60], 금식 후에 저혈당의 증상이 있을 때까지 매 2~4시간마다 혈당, 인슐린과 c-peptide, proinsulin 등을 검사한다[31,36]. 혈당이 40 mg/dL (2.2 mM) 이하로 떨어진 뒤에도 혈청 인슐린이 6 μU/ml (43 pmol/L) 이상 부적절하게 상승하고 c-peptide가 200 pmol/L 이상 상승된 경우 진단이 가능하다[60-62]. 인슐린종 환자의 1/3에서는 12시간 금식 후에 증상이 나타나며 24시간 내에는 80%, 48시간 내에는 90% 그리고 72시간 내에는 100% 증상이 나타난다[60]. 외부 인슐린에 의한 저혈당은 혈청 인슐린 증가와 함께 c-peptide가 감소하나, 인슐린종에서는 200 pmol/L 이상 증가한다[36]. 췌장 신경내분비 종양에서 저혈당이 동반된 경우 인슐린에 비해 프로인슐린(proinsulin)이 5 pmol/L 이상 증가한 경우도 보고되고 있다[63]. 전이성 인슐린종을 추적 관찰할 경우에는 혈청 인슐린 수치보다는 CgA와 pancreastatin을 이용하는 것이 유용하다[36]. β세포 과증식증(β cell hyperplasia), 과도한 인슐린 투여나 경구 혈당강하제 복용, 인슐린 혹은 인슐린 수용체에 대한 자가면역항체 등 감별에 유의해야 한다[61,62,64].

인슐린종을 진단하기 위해서는 다음의 6가지 기준을 충족시켜야 한다[65].

① 혈당 ≤ 40 mg/dL (2.2 mmol/L)
② insulin ≥ 6 μU/ml (≥ 36 pmol/L)
③ C-peptide ≥ 200 pmol/L
④ proinsulin ≥ 5 pmol/L
⑤ β-hydroxybutyrate ≤ 2.7 mmol/L
⑥ Sulfonylurea나 그 대사체가 혈액이나 소변에서 불검출

(3) VIP

중증의 수양성 설사(> 1250 cc/d), 저칼륨혈증 및 혈청 VIP 증가(> 500 pg/mL)가 있을 때 VIPoma를 진단할 수 있다. 중증의 수양성 설사는 반복적으로 발생하며, 약 20%에서 VIP에 의한 얼굴 홍조, 그리고 약 80%에서 위산감소증이 동반된다[66]. VIP와 pancreatic polypeptide를 포함한 종양 표지자가 VIPoma진단에 이용되지만, 전이성 VIPoma의 예후와 치료 반응을 예

측하는 데는 CgA와 pancreastatin이 더 유용하다[37,38].

(4) 글루카곤(glucagon)

글루카곤종(glucagonoma)의 4가지 증상(치매, 설사, 심부정맥혈전증, 우울증; 4D) 등이 있는 환자에서 혈청 글루카곤이 500 pg/ml 이상 증가할 경우, 글루카곤종을 진단할 수 있다[50,58]. 정상적으로 금식 시에 글루카곤 수치는 150 pg/ml 이하이며, 화상 및 외상, 간경화, 신부전증, 쿠싱증후군 및 균혈증에서 글루카곤 수치가 증가할 수 있으나, 글루카곤종에서는 pancreatic polypeptide와 인슐린이 동시에 상승하여 감별할 수 있다[50,58]. 글루카곤 수치는 질병의 경과를 반영하지 못하므로, 전이성 글루카곤종에서는 CgA와 pancreatostatin을 추적 검사하는 것이 필요하다[67].

(5) 소마토스타틴(somatostatin)

소마토스타틴 증후군(당뇨병, 담낭 질환, 설사, 체중 감소 및 기름변)은 대부분(98%)의 십이지장 소마토스타틴종 환자에서는 나타나지 않고, 췌장 소마토스타틴종 환자에서 주로(> 90%) 동반된다[68]. 췌장에 종양이 있고 소마토스타틴종(somatostatinoma)이 의심되는 증상이 있는 환자에서 somatostatin-like-immunoreactivity (SLI) 의 증가(> 1,000 pg/mL)가 확인되면 진단을 내릴 수 있다[58,69]. 그러나 혈청 소마토스타틴은 소세포폐암이나 기관지원성 암종(bronchogenic carcinoma)에서도 증가될 수 있고, 크롬친화세포종(pheochromocytoma)에서도 약 25%에서 증가되어 있다[50]. 혈액 내 소마토스타틴 수치는 종양의 크기를 반영하지 못하며, 전이성 소마토스타틴종에서 예후와 치료반응을 확인하기 위해서 췌장 폴리펩타이드, CgA 그리고 pancreatostatin으로 추적 관찰하는 것이 도움된다[67].

(6) GRF (growth hormone-releasing factor)

췌장 GRFoma에서도 GRF가 분비되며, > 300 pg/ml 이상이면 진단이 가능하다[50]. Thyroid-stimulating hormone이나 당 공급(glucose load) 후에 역설적으로 GRF가 상승하면 진단할 수 있다[19].

References

8. Kulke MH, Shah MH, Benson AB, 3rd, et al. Neuroendocrine tumors, version 1.2015. J Natl Compr Canc Netw 2015;13:78-108.
9. Falconi M, Bartsch DK, Eriksson B, et al. ENETS Consensus Guidelines for the management of patients with digestive neuroendocrine neoplasms of the digestive system: well-differentiated pancreatic non-functioning tumors. Neuroendocrinology 2012;95:120-34.
10. Modlin IM, Gustafsson BI, Moss SF, Pavel M, Tsolakis AV, Kidd M. Chromogranin A-biological function and clinical utility in neuro endocrine tumor disease. Ann Surg Oncol 2010;17:2427-43.
11. Peracchi M, Conte D, Gebbia C, et al. Plasma chromogranin A in patients with sporadic gastro-entero-pancreatic neuroendocrine tumors or multiple endocrine neoplasia type 1. Eur J Endocrinol 2003;148:39-43.
12. O'Toole D, Grossman A, Gross D, et al. ENETS Consensus Guidelines for the Standards of Care in Neuroendocrine Tumors: biochemical markers. Neuroendocrinology 2009;90:194-202.
13. O'Connor DT, Deftos LJ. Secretion of chromogranin A by peptide-producing endocrine neoplasms. N

Engl J Med 1986;314:1145-51.
14. Panzuto F, Severi C, Cannizzaro R, et al. Utility of combined use of plasma levels of chromogranin A and pancreatic polypeptide in the diagnosis of gastrointestinal and pancreatic endocrine tumors. J Endocrinol Invest 2004;27:6-11.
15. Wang YH, Yang QC, Lin Y, Xue L, Chen MH, Chen J. Chromogranin A as a marker for diagnosis, treatment, and survival in patients with gastroenteropancreatic neuroendocrine neoplasm. Medicine (Baltimore) 2014;93:e247.
16. Nikou GC, Marinou K, Thomakos P, et al. Chromogranin a levels in diagnosis, treatment and follow-up of 42 patients with non-functioning pancreatic endocrine tumours. Pancreatology 2008; 8:510-9.
17. Campana D, Nori F, Piscitelli L, et al. Chromogranin A: is it a useful marker of neuroendocrine tumors? J Clin Oncol 2007;25:1967-73.
18. Baudin E, Gigliotti A, Ducreux M, et al. Neuron-specific enolase and chromogranin A as markers of neuroendocrine tumours. Br J Cancer 1998;78:1102-7.
19. Anderson CW, Bennett JJ. Clinical Presentation and Diagnosis of Pancreatic Neuroendocrine Tumors. Surg Oncol Clin N Am 2016;25:363-74.
20. Arnold R, Wilke A, Rinke A, et al. Plasma chromogranin A as marker for survival in patients with metastatic endocrine gastroenteropancreatic tumors. Clin Gastroenterol Hepatol 2008;6:820-7.
21. Jensen EH, Kvols L, McLoughlin JM, et al. Biomarkers predict outcomes following cytoreductive surgery for hepatic metastases from functional carcinoid tumors. Ann Surg Oncol 2007;14:780-5.
22. Welin S, Stridsberg M, Cunningham J, et al. Elevated plasma chromogranin A is the first indication of recurrence in radically operated midgut carcinoid tumors. Neuroendocrinology 2009;89:302-7.
23. Baudin E, Bidart JM, Bachelot A, et al. Impact of chromogranin A measurement in the work-up of neuroendocrine tumors. Ann Oncol 2001;12 Suppl 2:S79-82.
24. Nobels FR, Kwekkeboom DJ, Coopmans W, et al. Chromogranin A as serum marker for neuroendocrine neoplasia: comparison with neuron-specific enolase and the alpha-subunit of glycoprotein hormones. J Clin Endocrinol Metab 1997;82:2622-28.
25. Pregun I, Herszenyi L, Juhasz M, et al. Effect of proton-pump inhibitor therapy on serum chromogranin a level. Digestion 2011;84:22-8.
26. Korse CM, Muller M, Taal BG. Discontinuation of proton pump inhibitors during assessment of chromogranin A levels in patients with neuroendocrine tumours. Br J Cancer 2011;105:1173-5.
27. Granberg D, Stridsberg M, Seensalu R, et al. Plasma chromogranin A in patients with multiple endocrine neoplasia type 1. J Clin Endocrinol Metab 1999; 84:2712-7.
28. Singh S, Law C. Chromogranin A: a sensitive biomarker for the detection and post-treatment monitoring of gastroenteropancreatic neuroendocrine tumors. Expert Rev Gastroenterol Hepatol 2012;6: 313-34.
29. Gershon MD. Review article: roles played by 5-hydroxytryptamine in the physiology of the bowel. Aliment Pharmacol Ther 1999;13 Suppl 2:15-30.
30. O'Dorisio TM, Redfern JS. Somatostatin and somatostatin-like peptides: clinical research and clinical applications. In: Mazzaferri EL, Bar RS, Kreisberg RA, editors. Advances in endocrinology and metabolism, vol. 1. Chicago: Mosby YearBook; 1990. p. 174–230.
31. Massironi S, Sciola V, Peracchi M, Ciafardini C, Spampatti MP, Conte D. Neuroendocrine tumors of the gastro-entero-pancreatic system. World J Gastroenterol 2008;14:5377-84.
32. Maxwell JE, O'Dorisio TM, Howe JR. Biochemical Diagnosis and Preoperative Imaging of Gastroentero-pancreatic Neuroendocrine Tumors. Surg Oncol Clin

N Am 2016;25:171-94.

33. Allen KR, Degg TJ, Anthoney DA, Fitzroy-Smith D. Monitoring the treatment of carcinoid disease using blood serotonin and plasma 5-hydroxyindoleacetic acid: three case examples. Ann Clin Biochem 2007; 44:300-7.
34. Kema IP, de Vries EG, Slooff MJ, Biesma B, Muskiet FA. Serotonin, catecholamines, histamine, and their metabolites in urine, platelets, and tumor tissue of patients with carcinoid tumors. Clin Chem 1994;40:86-95.
35. Eriksson B, Oberg K, Stridsberg M. Tumor markers in neuroendocrine tumors. Digestion 2000;62(Suppl 1):33-38.
36. Vinik AI, Silva MP, Woltering EA, Go VL, Warner R, Caplin M. Biochemical testing for neuroendocrine tumors. Pancreas 2009;38:876-89.
37. O'Dorisio, TM, Vinik, AI. Pancreatic polypeptide and mixed peptide-producing tumors of the gastrointestinal tract. in: S Cohen, RD Soloway (Eds.) Contemporary Issues in Gastroenterology. Churchill-Livingstone, New York; 1985:117–128.
38. Vinik, AI, Strodel, WE, O'Dorisio, TM. Endocrine tumors of the gastroenteropancreatic axis. in: RJ Santen, A Manni (Eds.) Diagnosis and Management of Boston, Endocrine-Related Tumors. Martinus Nijhoff, ; 1984:305–345.
39. Tatemoto K, Efendic S, Mutt V, Makk G, Feistner GJ, Barchas JD. Pancreastatin, a novel pancreatic peptide that inhibits insulin secretion. Nature 1986;324:476-8.
40. Ishizuka J, Asada I, Poston GJ, et al. Effect of pancreastatin on pancreatic endocrine and exocrine secretion. Pancreas 1989;4:277-81.
41. Calhoun K, Toth-Fejel S, Cheek J, Pommier R. Serum peptide profiles in patients with carcinoid tumors. Am J Surg 2003;186:28-31.
42. Raines D, Chester M, Diebold AE, et al. A prospective evaluation of the effect of chronic proton pump inhibitor use on plasma biomarker levels in humans. Pancreas 2012;41:508-11.
43. O'Dorisio TM, Krutzik SR, Woltering EA, et al. Development of a highly sensitive and specific carboxy-terminal human pancreastatin assay to monitor neuroendocrine tumor behavior. Pancreas 2010;39:611-6.
44. Vinik AI, Woltering EA, Warner RR, et al. NANETS consensus guidelines for the diagnosis of neuroendocrine tumor. Pancreas 2010;39:713-34.
45. Sherman SK, Maxwell JE, O'Dorisio MS, O'Dorisio TM, Howe JR. Pancreastatin predicts survival in neuroendocrine tumors. Ann Surg Oncol 2014;21: 2971-80.
46. Gerbitz KD, Summer J, Schumacher I, Arnold H, Kraft A, Mross K. Enolase isoenzymes as tumour markers. J Clin Chem Clin Biochem 1986;24:1009-16.
47. Bajetta E, Ferrari L, Martinetti A, et al. Chromogranin A, neuron specific enolase, carcinoembryonic antigen, and hydroxyindole acetic acid evaluation in patients with neuroendocrine tumors. Cancer 1999; 86:858-65.
48. Cooper EH. Neuron-specific enolase. Int J Biol Markers 1994;9:205-10.
49. Meijer WG, Kema IP, Volmer M, Willemse PH, de Vries EG. Discriminating capacity of indole markers in the diagnosis of carcinoid tumors. Clin Chem 2000;46:1588-96.
50. Metz DC, Jensen RT. Gastrointestinal neuroendocrine tumors: pancreatic endocrine tumors. Gastroenterology 2008;135:1469-92.
51. Berna MJ, Hoffmann KM, Long SH, et al. Serum gastrin in Zollinger-Ellison syndrome: II. Prospective study of gastrin provocative testing in 293 patients from the National Institutes of Health and comparison with 537 cases from the literature. evaluation of diagnostic criteria, proposal of new criteria, and correlations with clinical and tumoral

features. Medicine (Baltimore) 2006;85:331-64.
52. Gibril F, Jensen RT. Zollinger-Ellison syndrome revisited: diagnosis, biologic markers, associated inherited disorders, and acid hypersecretion. Curr Gastroenterol Rep 2004;6:454-63.
53. Jensen RT, Niederle B, Mitry E, et al. Gastrinoma (duodenal and pancreatic). Neuroendocrinology 2006;84:173-82.
54. Arnold R. Diagnosis and differential diagnosis of hypergastrinemia. Wien Klin Wochenschr 2007;119:564-9.
55. Roy PK, Venzon DJ, Feigenbaum KM, et al. Gastric secretion in Zollinger-Ellison syndrome. Correlation with clinical expression, tumor extent and role in diagnosis-a prospective NIH study of 235 patients and a review of 984 cases in the literature. Medicine (Baltimore) 2001;80:189-222.
56. Wang SC, Parekh JR, Zuraek MB, et al. Identification of unknown primary tumors in patients with neuroendocrine liver metastases. Arch Surg 2010; 145:276-80.
57. Weber HC, Venzon DJ, Jensen RT, Metz DC. Studies on the interrelation between Zollinger-Ellison syndrome, Helicobacter pylori, and proton pump inhibitor therapy. Gastroenterology 1997;112:84-91.
58. Ito T, Igarashi H, Jensen RT. Pancreatic neuroendocrine tumors: clinical features, diagnosis and medical treatment: advances. Best Pract Res Clin Gastroenterol 2012;26:737-53.
59. Soga J, Yakuwa Y, Osaka M. Insulinoma/hypoglycemic syndrome: a statistical evaluation of 1085 reported cases of a Japanese series. J Exp Clin Cancer Res 1998;17:379-88.
60. Grant CS. Insulinoma. Best Pract Res Clin Gastroenterol 2005;19:783-98.
61. Boden G. Glucagonomas and insulinomas. Gastroenterol Clin North Am 1989;18:831-45.
62. Comi RJ GP, Doppman JL. Insulinoma. In: Go VLW, Lebenthal E, DiMagno EP, et al. (eds). The Pancreas: Biology,Pathobiology, and Disease, 2nd edn. New York: Raven Press 1993:979.
63. Piovesan A, Pia A, Visconti G, et al. Proinsulin-secreting neuroendocrine tumor of the pancreas. J Endocrinol Invest 2003;26:758-61.
64. Guettier JM, Gorden P. Hypoglycemia. Endocrinol Metab Clin North Am 2006;35:753-66, viii-ix.
65. Jensen RT, Cadiot G, Brandi ML, et al. ENETS Consensus Guidelines for the management of patients with digestive neuroendocrine neoplasms: functional pancreatic endocrine tumor syndromes. Neuroendocrinology 2012;95:98-119.
66. O'Dorisio TM, Mekljian HS. VIPoma syndrome. In: Cohen S, Soloway RD, editors. Contemporary issues in gastroenterology. Edinburgh (United Kingdom): Churchill Livingston; 1984. p. 101–16.
67. Vinik AI WE, O'Dorisio TM. Neuroendocrine tumors: a comprehensive guide to diagnosis and management. 5th edition. Inglewood (CA): Inter Science Institute 2012.
68. Nesi G, Marcucci T, Rubio CA, Brandi ML, Tonelli F. Somatostatinoma: clinico-pathological features of three cases and literature reviewed. J Gastroenterol Hepatol 2008;23:521-6.
69. Jensen RT. Endocrine neoplasms of the pancreas. In: Yamada T, Alpers DH, Kalloo AN, Kaplowitz N, Owyang C, editors. Textbook of gastroenterology. Oxford, England: Wiley-Blackwell; 2009;1875-920.

48-3 췌장 신경내분비 종양의 진단: 영상진단(Imaging diagnosis)

백송이, 김명진

서론

췌장의 신경내분비 종양은 세계보건기구(WHO) 분류에 의하면 고분화 신경내분비 종양(well-differentiated neuroendocrine tumor)과 저분화 신경내분비 암(poorly-differentiated neuroendocrine carcinoma)으로 나뉜다. 또 기능에 따라, 기능성과 비기능성 종양으로 나눌 수 있다. 기능성 신경내분비 종양은 호르몬을 분비하여 임상증상이 나타나서 크기가 작을 때 발견되지만 비기능성 신경내분비 종양은 커지거나 주변 장기에 침범하거나 전이가 생긴 후에 임상적으로 발현될 수 있고, 영상 검사에서 우연히 발견되기도 한다[1].

1. 일반적인 영상 소견

영상 검사는 기능성 신경내분비 종양의 위치를 찾는데, 그리고 비기능성 종양을 진단하고 수술을 계획하는데 쓰인다. 수술적 치료는 병변의 위치, 개수와 병변이 어디로 퍼져 있는지에 따라서 결정된다. 영상 소견은 보통 종양의 크기에 따라서 달라진다. 우연히 발견된 신경내분비 종양은 약 50%에서 불확실하거나 악성을 보이며, 3 cm 이상의 고형종양, 복합양상을 보이는 낭성 변화, 석회화 등이 양성이 아닌 경우에 흔하고, 혈관 침범, 췌관 확장, 림프절 증대 등이 있는 경우 악성과 재발의 가능성이 높다[2]. 영상검사에서 경계가 분명한 고혈관성 종양으로 보이는데, 이는 모세혈관 망상조직이 풍부함을 나타낸다. 종양의 크기가 커짐에 따라 낭성 변화, 석회화, 괴사 등이 생기고 이 경우에는 예후가 나쁘며, 국소 침범, 혈관 침범과 전이 등이 증가한다[1]. 신경내분비 종양은 선암에 비해 석회화가 많고(신경내분비 종양 20%, 선암 2%), 혈관 포위나 췌관 폐쇄가 적고, 혈관이 풍부하므로 중앙 괴사나 낭성 변성이 적다[3].

1) 초음파 소견

기능성 신경내분비 종양은 크기가 작은 경우가 많아 초음파 검사에서 20~80% 정도에서 발견되며[4,5] 주로 경계가 분명한 원형 혹은 난원형의 저에코 병변으로 보인다. 수술 중 초음파 검사는 작은 종양의 발견에 유용한데, 민감도가 75~100%이며, 이중시기 얇은 절편 MDCT와 내시경초음파검사를 함께 시행하면 100%에서 정확히 진단할 수 있다는 보고가 있다[6,7]. 조영증강 초음파에서는 균일하거나 비균질한 조영증강 패턴을 보인다. 초음파에서 림프절 종대나 간 전이를 같이 발견하는 경우는 악성 종양을 시사한다. 간 병변은 보통 고에코성 병변으로 보이나, 저에코 병변이나 과녁 모양으로 보일 수 있다[1].

2) 컴퓨터단층촬영 소견 (computed Tomography, CT)

CT에서 신경내분비 종양은 경계가 좋은 고형 병변으로 보이며, 크기가 큰 경우 주변 조직을 미는 양상을 보인다. 동맥기나 정맥기 영상에서 조영증강이 잘된다.

작은 병변 일수록 균일한 조영증강을 보이며, 큰 병변은 낭성 변화나 괴사, 섬유화 또는 석회화의 유무에 따라 다양한 조영증강 양상을 보일 수 있다[5]. 주로 낭성 변화를 보이는 신경내분비 종양은 조영증강이 잘 되는 테두리를 보여서 다른 낭성종양과의 감별에 도움이 된다[8](그림 48-3-1). 동맥기와 정맥기 영상을 비교하면 동맥기에서 종양이 더 뚜렷하게 보이고, 발견 민감도가 더 높다는 보고들이 있다[6,7,9,10]. 늦은 동맥기 영상의 병변의 발견에 가장 높은 민감도를 보인다는 보고도 있지만, 이런 조영증강 영상들은 상호 보완적이다[7].

림프절과 간 전이나 있는 경우에도 이 병변들은 조영증강이 잘 되어서 동맥기 영상에서 뚜렷이 보인다. 간 전이 병변들은 주로 과녁 모양의 조영증강 패턴을 보인다(그림 48-3-2). CT에서 다면상 재구성 영상(multiplanar reformation image)은 주변 동맥들과의 관계를 보는데 유용하다. 표준화된 CT 검사 프로토콜은 각 기관마다 차이가 있으나, 조영제를 주고 나서 20~25초 후에 얻은 동맥기 영상과 55~70초 후에 있는 정맥기 영상을 포함한 CT 프로토콜이 가장 많이 쓰인다. 조영제 주입 후 35~40초 후에 얻는 췌장 실질기 영상을 동맥기 영상 대신 쓰는 경우도 많다[11].

3) 자기공명영상 소견 (magnetic resonance imaging, MRI)

신경내분비 종양을 발견하는데 있어 MRI의 민감도는 CT와 비슷하다[12]. 정상 췌장 조직은 T1 강조 영상에서 높은 신호 강도를 보인다. 신경내분비 종양은 T1 강조 영상에서 상대적으로 낮은 신호 강도를 보이며, 구형이나 타원형의 경계가 좋은 병변으로 보인다. 대부분의 신경내분비 종양은 T2 강조 영상에서 정상 췌장 조직보다 밝은 신호 강도를 보인다. 일부 콜라젠을 포함하는 신경내분비 종양은 조금 낮은 신호 강도로 보일 수 있다. 조영증강 검사에서 조영증강 패턴은 CT와 동일하다. 간 전이 병변은 지방 억제 T2 강조 영상에서 높은 신호 강도로 잘 보이며 CT와 마찬가지로 과녁 모양의 조영증강 패턴을 보인다[13](그림 48-3-2).

전형적인 MRI 이미징 프로토콜은 지방 억제를 하거나 안 한 T1, T2 강조 영상과 지방 억제한 조영증강 T1 강조 영상을 포함한다. 확산 강조 영상(diffusion restriction image) 역시 많이 쓰인다. 조영제의 종류(gadoxetic acid and dimeglumine gadobenate, Primovist®)에 따라 간 실질 특수 영상을 추가로 얻을 수 있고 이때는 간

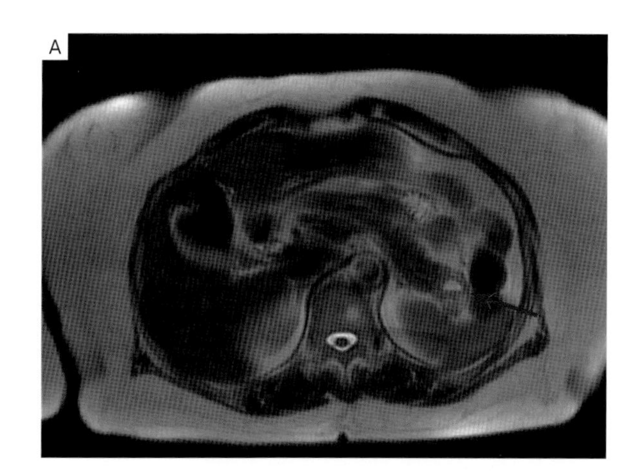

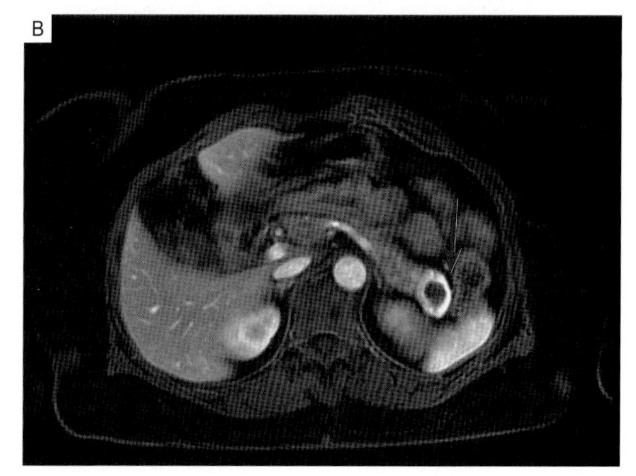

그림 48-3-1. **69세 여자 환자로 급성 맹장염으로 시행한 CT에서 우연히 발견된 췌장 미부의병변으로 MRI를 시행하였다.**
A. 낭성 변화와 액체-액체층(fluid-fluid level) 동반한 병변이 T2 강조 영상에서 보임.
B. 두꺼운 테두리가 조영증강이 잘됨.

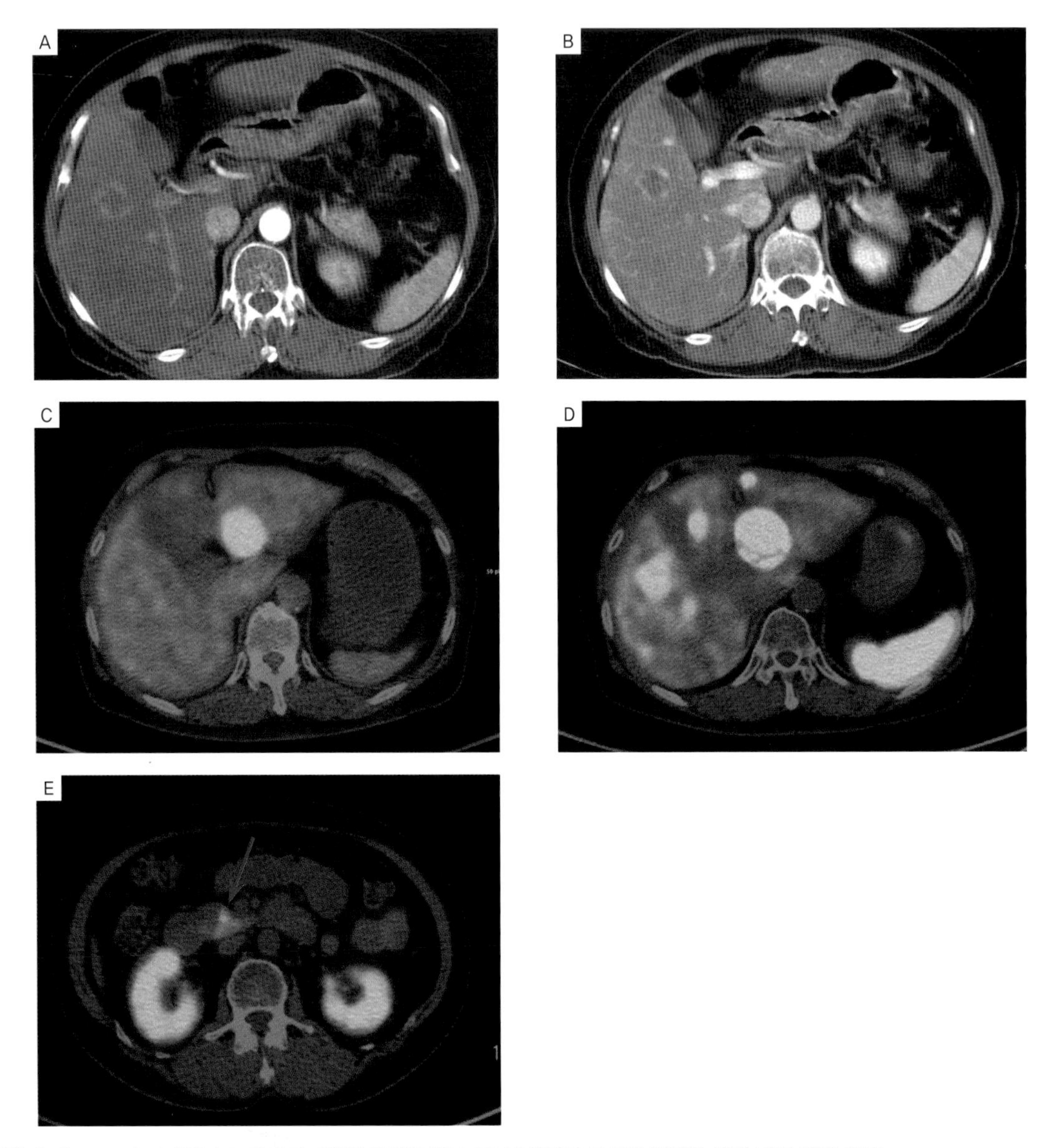

그림 48-3-2. **62세 여자환자로 건강 검진에서 시행한 복부 CT 검사에서 우연히 발견된 여러 개의 간내 종괴.**

A. 동맥기 영상에서 과녁 모양으로 조영증강이 되는 병변이 간 우엽에서 보인다.
B. 정맥기 영상에서도 테두리가 조영증강이 잘되는 과녁 모양의 병변이다.
C. FDG-양전자 방출 단층촬영(PET)에서는 CT에서 보이는 병변들 중 일부만 강한신호를 보였다.
D. PET DOTA-tyrosine-3-octreotide (DOTA-TOC)에서는 FDG-PET에서 낮은 신호강도를 보인 병변들이 강한 신호 강도를 보였다. 간에서 조직검사를 한 결과, 내분비종양(grade 2)으로 확진되었다. 간에서 원발성으로 생기는 내분비종양은 아주 드물기 때문에 원발병소가 될 수 있는 병변을 찾으려고 했으나 CT와 MRI에서는 보이지 않았다.
E. PET DOTA-tyrosine-3-octreotide (DOTA-TOC)에서 췌장 두부 아래쪽과 십이지장의 경계에서 높은 신호강도를 보이는 병변이 있어 이 종괴가 원발병소임을 확인할 수 있었다.

전이 병변이 낮은 신호 강도로 보인다.

4) 핵의학 검사

핵의학 검사는 기능성 신경내분비 종양의 위치를 파악하는데 도움이 된다. 그러나 핵의학 검사에서 종양이 보이려면 종양은 반드시 분화가 잘 되어 somatostatin receptor를 가지고 있어야 한다. Type 2 somatostatin receptor가 가장 흔한 것으로 알려져 있다. 가장 많이 쓰이는 검사는 somatostatin-receptor scintigraphy with indium-diethylenetriaminepentaacetic acid-octreotide 111 (111In-octreotide)이다. 이 검사의 민감도는 80% 정도로 알려져 있다. 가스트린종에서 민감도가 더 높으며 인슐린종에서는 50~70%의 조금 낮은 민감도를 보인다[14]. 양전자 방출 단층촬영(PET)은 111In-octreotide 검사에 비해서 종양의 위치를 좀 더 잘 보여주지만, 미분화종양에서 주로 FDG uptake를 보인다. 최근에는 다른 유용한 핵의학 검사들이 많이 쓰인다. DOTA-tyrosine-3-octreotide (DOTA-TOC): somatostatin receptor subtype 2, DOTA-1-NaI-octreotide (DOTA-NOC): subtypes 2, 3, and 5를 이용한 PET 검사는 신경내분비 종양에 특이적이다. 하지만 이 검사들은 somatostatin receptor를 발현하는 신경내분비 종양에 제한적이다[14].

2. 기능성 신경내분비 종양

1) 인슐린종

인슐린종은 가장 흔한 기능성 신경내분비 종양으로 60%를 차지한다[15]. 인슐린종의 크기는 대부분 1~2 cm 정도이다. MDCT와 MRI에서 전형적으로 균질하고, 과혈관성 병변으로 보이고, 크기가 2 cm 이상의 종양은 드물지만 낭성 변화나 괴사가 있을 수 있고, 이런 경우 비균질하게 조영된다[3]. MRI T2 강조 영상에서 고신호 강도, 조영증강 영상에서 종양 주변부나 전체가 조영증강된다(그림 48-3-3).

2) 가스트린종

두 번째로 흔한 기능성 신경내분비 종양으로 빈도는 30% 정도이다. MEN 1형 환자에서 가장 흔히 생겨서 전체 가스트린종의 20~25%에서 발생한다. 60% 정도 에서 악성이다[1]. 대부분 가스트린종 삼각형(gastrinoma triangle)에서 생기며, 상부는 총담관과 담낭관의 접합점, 하부는 십이지장의 두 번째와 세 번째 부위의 경계, 내측은 췌장의 경부와 체부의 경계이다. 가스트린종은 췌장보다 십이지장에서 더 흔히 생기며 산발적인 병변의 80%, MET 1형과 연관된 병변의 90%가 십이지장에서 발생한다[16]. 췌장의 가스트린종은 평균 크기가 3~4 cm이고, 대부분 두부에서 생긴다[17]. CT와 MRI 영상에서 대부분 균질하게 혹은 고리 모양으로 조영된다. 십이지장의 가스트린종은 크기가 1 cm 미만이고, 다발성이며 MEN 1형 환자에서 생긴다. 이때에는 내시경초음파나

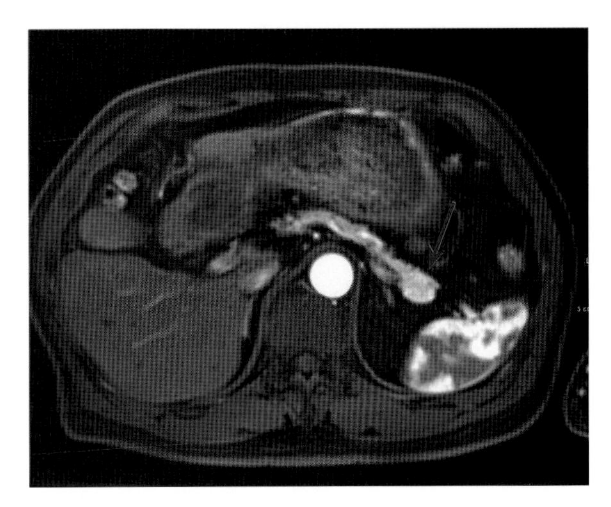

그림 48-3-3. 70세 남자 환자로 저혈당 증상이 있어 시행한 MRI 검사상 균질한 조영증강을 보이는 2 cm 병변이 췌장미부에서 발견되었다. 수술로 인슐린종이 확인되었다.

DOTA-tyrosine-3-octreotide (DOTA-TOC), DOTA-1-NaI-octreotide (DOTA-NOC)을 이용한 PET 검사가 작은 병변을 찾는데 유용하다[1].

3) 글루카곤종

세 번째로 흔한 기능성 신경내분비 종양으로 매우 드물어서 2,000만 명 중 한 명에서 생긴다. 대부분이 악성이며, 주로 췌장 체부와 미부에서 생기고 진단이 지연되면 5~6 cm까지 커진다. CT와 MRI 영상에서 균질하거나 저음영 부위가 있어 비균질하게 조영증강된다. 80%는 5 cm 이상으로 악성이며 50~60%에서 발견 당시 간 전이가 있다[1].

4) 그 밖의 기능성 신경내분비 종양

혈관활성장관펩타이드, 소마토스타틴, 부신피질자극호르몬, 세로토닌, 부갑상선호르몬, 성장호르몬, 칼시토닌을 분비하는 종양들이 있는데 매우 드물다.

혈관활성장관펩타이드 종양(vipoma)은 주로 췌장의 미부에 생기며 발견 시 5 cm 넘는 경우들이 많다. 작은 병변들은 균질한 조영증강을 보이며, 큰 변변에서는 낭성 변화와 석회화가 보일 수 있다[18]. 소마토스타틴 분비종양(somatostatinoma)는 주로 췌장이나 십이지장의 유두 주변부에서 생긴다. 십이지장의 소마토스타틴 분비종양은 종종 neurofibromatosis type 1과 관련이 있다. 췌장의 두부에서 큰 크기로 많이 발견되며 영상 양상은 다른 신경내분비 종양과 비슷하다[19].

3. 비기능성 신경내분비 종양

비기능성 신경내분비 종양은 기능성 종양보다 발생 빈도가 높다. 산발적으로 발생하며, 35%에서는 우연히 발견된다[20]. 비기능성 종양의 평균 크기는 5~6 cm이며 기능성 종양보다 크고, 낭성 변성이나 괴사된 부위가 있어 영상에서 비균질하게 보이며 단일 병변이다. 석회화가 보일 수 있고, 췌장 전반에 걸쳐 동등한 분포를 보인다. 진단 당시에 전이 빈도는 60~80%로 보고되었다.

4. 저분화 신경내분비 암

드물게 발생하며, 모든 신경내분비 종양에서 2~3% 정도를 차지한다. 저분화 신경내분비 암이 발견되는 경우에는 췌장이나 십이지장 유두부에서 전이되거나 직접적인 전파가 된 것이 아닌지 고려해봐야 한다. 대부분이 췌장의 두부에서 발생하고, 주변 장기로의 침범이나 전이가 흔하다. 111In-octreotide 검사는 도움이 안되고, FDG-PET이 좀더 유용하다. 영상보고가 많지 않은데, 대부분의 경우에서 림프절과 간 전이가 있었으며, 불분명한 경계를 보이고, 비균질한 조영증강 양상을 보였다(그림 48-3-4). 췌장의 선암과 비슷한 영상 소견을 보인다[21].

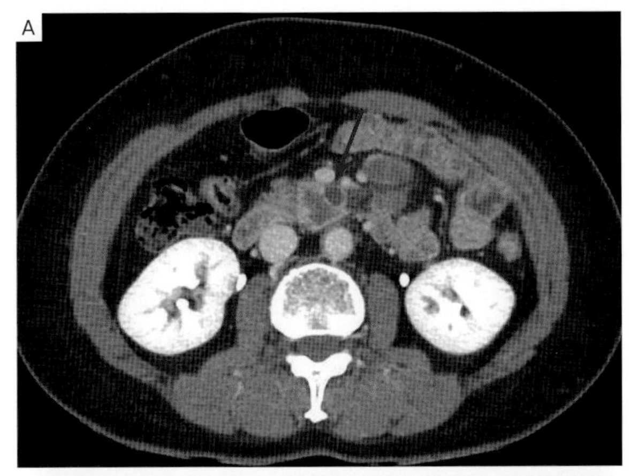

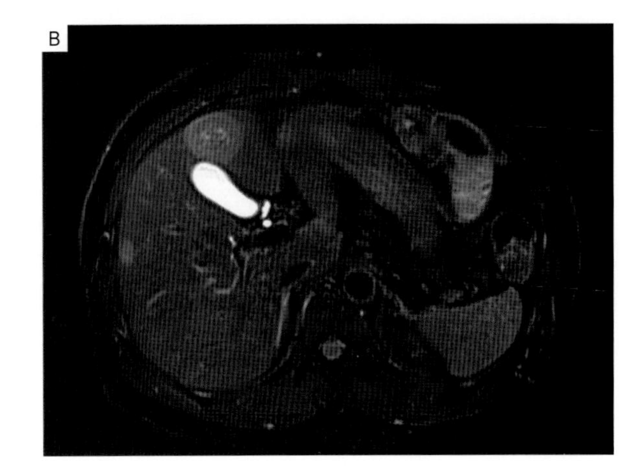

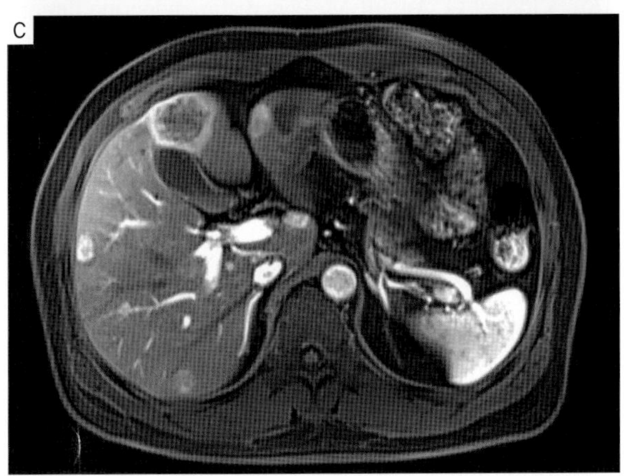

그림 48-3-4. **52세 여자 환자로 복통으로 응급실에 내원하여 시행한 복부 CT 검사상 췌장의 두부에서 병변 발견.**
A. 낭성변화를 동반하여 비균질하고, 췌장 실질보다 조영증강이 안되는 병변이 보임. 주변 지방으로 침습하는 소견이 보이며, 커져 있는 주변 림프절들이 보임.
B. 시행한 MRI에서 간내에 내부에 낭성 변화를 보이는 과녁 모양의 병변들이 다수 보임.
C. 조영증강 영상에서 두꺼운 테두리가 높은 신호 강도를 보임.

References

1. Lewis RB, Lattin Jr M, Grant E, Paal E. Pancreatic Endocrine Tumors: Radiologic-Clinicopathologic Correlation 1. Radiographics 2010;30:1445-64.
2. Gallotti A, Johnston RP, Bonaffini PA, et al. Incidental neuroendocrine tumors of the pancreas: MDCT findings and features of malignancy. Am J Roentgenol 2013;200:355-62.
3. Balci NC, Semelka RC. Radiologic features of cystic, endocrine and other pancreatic neoplasms. Eur J Radiol 2001;38:113-9.
4. Pitre J, Soubrane O, Palazzo L, Chapuis Y. Endoscopic ultrasonography for the preoperative localization of insulinomas. Pancreas 1996;13:55-60.
5. Buetow PC, Miller DL, Parrino TV, Buck JL. Islet cell tumors of the pancreas: clinical, radiologic, and pathologic correlation in diagnosis and localization.

Radiographics 1997;17:453-72.
6. Gouya H, Vignaux O, Augui J, et al. CT, endoscopic sonography, and a combined protocol for preoperative evaluation of pancreatic insulinomas. Am J Roentgenol 2003;181:987-92.
7. Fidler JL, Fletcher JG, Reading C, et al. Preoperative detection of pancreatic insulinomas on multiphasic helical CT. Am J Roentgenol 2003;181:775-80.
8. Ligneau B, Lombard-Bohas C, Partensky C, et al. Cystic endocrine tumors of the pancreas: clinical, radiologic, and histopathologic features in 13 cases. Am J Surg Path 2001;25:752-60.
9. Stafford-Johnson DB, Francis IR, Eckhauser FE, Knol JA, Chang AE. Dual-phase helical CT of nonfunctioning islet cell tumors. J Comput Assist Tomogr 1998;22:335-9.
10. King A, Ko G, Yeung V, Chow C, Griffith J, Cockram C. Dual phase spiral CT in the detection of small insulinomas of the pancreas. Br J Radiol 1998;71:20-3.
11. Al-Hawary MM, Francis IR, Chari ST, et al. Pancreatic ductal adenocarcinoma radiology reporting template: consensus statement of the Society of Abdominal Radiology and the American Pancreatic Association. Radiology 2014;270:248-60.
12. Ichikawa T, Peterson MS, Federle MP, et al. Islet Cell Tumor of the Pancreas: Biphasic CT versus MR Imaging in Tumor Detection 1. Radiology 2000;216:163-71.
13. Semelka RC, Custodio CM, Balci NC, Woosley JT. Neuroendocrine tumors of the pancreas: spectrum of appearances on MRI. J Magn Reson Imaging 2000;11:141-8.
14. Rufini V, Calcagni ML, Baum RP. Imaging of neuroendocrine tumors. Seminars in nuclear medicine; 2006: Elsevier. p. 228-47.
15. Kaneko OF, Lee DM, Wong J, et al. Performance of multidetector computed tomographic angiography in determining surgical resectability of pancreatic head adenocarcinoma. J Comput Assist Tomogr 2010;34:732-8.
16. Klöppel G, Anlauf M. Pancreatic endocrine tumors. AJSP: Reviews & Reports 2006;11:256-67.
17. Horton KM, Hruban RH, Yeo C, Fishman EK. Multi–detector row CT of pancreatic islet cell tumors 1. Radiographics 2006;26:453-64.
18. Ghaferi AA, Chojnacki KA, Long WD, Cameron JL, Yeo CJ. Pancreatic VIPomas: subject review and one institutional experience. J Gastrointest Surg 2008;12:382-93.
19. Soga J, Yakuwa Y. Somatostatinoma/inhibitory syndrome: a statistical evaluation of 173 reported cases as compared to other pancreatic endocrinomas. J Exp Clin cancer Res 1999;18(1):13-22.
20. Gullo L, Migliori M, Falconi M, et al. Nonfunctioning pancreatic endocrine tumors: a multicenter clinical study. Am J Gastroenterol 2003;98:2435-9.
21. Ichikawa T, Federle M, Ohba S, et al. Atypical exocrine and endocrine pancreatic tumors (anaplastic, small cell, and giant cell types): CT and pathologic features in 14 patients. Abdom Imaging 2000;25:409-19.

CHAPTER

49 췌장 신경내분비 종양의 치료
Treatment of neuroendocrine tumors of the pancreas

49-1 췌장 신경내분비 종양의 외과적 치료
(Surgical treatment of neuroendocrine tumors of the pancreas)

이우정

서론

췌장 신경내분비 종양의 수술적 치료원칙은 크게 1) 특이 펩티드에 의한 증상의 조절, 2) 종양의 악성화에 대한 치료로 볼 수 있다. 수술의 방법은 병변의 위치 및 크기, 악성도의 여부, 그리고 다발성 신경내분비 종양에 속하는지 여부에 따라 달라질 수 있다.

췌장 신경내분비 종양이 양성으로 판단될 경우 가능한 정상조직을 남기고 병변을 절제하는 췌장보존수술을 우선적으로 시도한다. 단순 종양 적출술은 가장 최소한의 보존적 수술로, 단순 종양 적출술이 용이하지 않을 경우 해부학적 절제술을 시행한다. 종양이 췌미부에 위치한 경우 비장보존 원위췌장 절제술을 실시할 수 있고 체간에 위치한 경우 췌중간부 절제를 시행하여 정상 췌장을 많이 보존할 수 있다. 췌두부병변의 경우 가능하다면 단순종양 절제술이 권유되나 크기가 큰 경우 유문부 보존 췌두부 절제술 또는 십이지장보존 췌두부 절제술 등이 시행된다. 그러나 크기가 크고 악성도의 위험이 높다고 판단된다면 림프절곽청을 비롯한 근치적인 절제가 필요하다[1,2].

최근에는 복강경 및 로봇을 이용한 최소 침습적 췌절제술이 시행되어 좋은 결과들이 보고되고 있다[3,4]. 특히, 최소 침습적 단순종양 적출술이나 원위부 절제술은 기존 개복술에 비하여 입원기간이 짧고 회복이 빠른 장점을 보이고 있다[5].

1. 비기능성 췌장 신경내분비 종양

비기능성 췌장 신경내분비 종양은 문헌에 따라 빈도에 차이는 있으나 전체 췌장 신경내분비 종양 중 15~65%로 보고되며[6], 근래에 들어 검진의 증가로 그 빈도가 늘어나는 추세이다. 최근 발표된 국내 다기관 연구결과에 따르면 국내 췌장 신경내분비 종양 중 75%가 비기능성 췌장 신경내분비 종양이었다[7].

비기능성 췌장 신경내분비 종양은 그 성장이 비교적 완만하기 때문에 일반적인 췌장 외분비 종양보다 적극적으로 외과적 절제를 필요로 한다. 또한 수술 시 종양의 크기가 클지라도 췌장 외분비 종양시에 보이는 종양

침투보다는 단순한 인접효과가 많으므로 보다 적극적으로 절제를 진행해야 한다. 실제로 근치적 절제 시 5년 생존율은 90%로 보고되고 있으나, 불완전 절제 시 50% 정도로 감소하는 양상을 보인다[8]. 수술은 병변의 위치에 따라 췌두부 절제술이나 원위부 절제술을 실시한다.

현재까지는 수술적 치료가 원칙적으로 받아들여지고 있으나, 최근 들어 우연히 발견된 작은 크기의 비기능성 췌장 신경내분비 종양의 빈도가 증가하면서 선별적인 기준에 따라 수술적 절제를 진행해야 한다는 주장도 제기되고 있다. 일반적으로 2 cm 이상의 비기능성 췌장 신경내분비 종양의 경우 전이의 가능성이 가능성이 높아 수술적 절제가 필요하다고 받아들여지지만[9], 우연히 발견된 작은 비기능성 췌장 신경내분비 종양의 수술적 치료의 효과에 대해서는 아직 명확하게 밝혀지지 않았다. 일부 연구에서는 비기능성 췌장 신경내분비 종양을 3년 이상 추적관찰을 하였을 때에도 종양의 크기가 유의미하게 증가하지 않았고 병기의 진행이 없었다는 결과도 보여주었다[10]. 하지만 추적관찰의 기준 및 방법에 대해서는 아직 명확한 가이드라인이 없는 상황이다.

2. 기능성 췌장 신경내분비 종양의 수술적 치료

1) 인슐린종

현재까지는 수술적 절제만이 완치를 기대할 수 있는 유일한 방법이다. 90% 가량의 인슐린종이 양성이며, 단발성 병변이기 때문에 단순 종양 절제술을 첫 번째 수술방법으로 고려하지만[11], 췌장관 손상등이 우려된다면 무리하게 단순 종양 절제술을 시도하지 않는다. 피낭에 잘 싸인 양상의 단독 병변, 3 cm 미만, 췌장관과 2 mm 이상 떨어져 있을 때 단순 종양 절제술을 시행하며[12], 그렇지 않은 경우 해부학적 절제술을 시행한다. 단순 종양 절제술 시행 시 남는 췌장 조직 부분은 췌루를 방지하기 위해 가능한 결찰한다[13].

정확한 병변의 위치 확인이 중요하기 때문에 수술 전 검사로 병변의 위치를 확인하며, 대부분의 경우 수술 중 초음파를 시행하는 추세이다[14]. 수술 중 초음파를 통하여 병변의 확인 및 주위 췌장관과의 관계를 확인하여 최종적으로 수술방법을 결정하는데 도움을 얻고 있다.

수술 전 기간 동안 심각한 저혈당에 빠지지 않도록 적절한 당의 공급이 중요하다. 베타세포를 줄여줄 목적으로 Diazoxide을 사용하는 경우도 있다. 수술 중에도 주기적으로 혈당을 측정하여 일정 혈당을 유지해야 하며 수술 후 일시적인 고혈당이 발생할 수도 있다.

수술 후 예후는 양성종양의 완전 절제 시 정상인과 비슷한 평균 수명을 보인다[15,16]. 수술 후 악성의 경우는 드물어 전체 인슐린종의 5~10%를 차지하지만[17], 악성의 진단에 조직학적 악성도는 도움이 되지 않으며[18], 수술 당시의 침윤도 및 타 장기 전이여부가 기준이 되므로 수술 시 세심한 관찰이 필요하다.

2) 가스트린종

산발적인 경우와 다발성 신경내분비 종양인 경우에 따라 치료 방법이 달라진다.

(1) 산발성 종양

산발적인 가스트린종인 경우 적극적인 수술이 권유된다. 종양의 완전 절제가 가장 중요한 예후인자이지만 많은 경우 다발성이므로 완전 절제가 어려운 경우가 많아 가능한 제한적 절제를 시행한다. 단순 종양 절제술은 피낭에 잘 싸인 작은 크기의 가스트린종이 췌장에 국소적으로 존재할 때 고려할 수 있으나, 그렇지 않은 경우 해부학적 절제술을 시행한다.

가스트린종의 90% 가량은 가스트린종 삼각지라고 불리는 영역에 분포하고 있는데 이는 총담관과 담낭관의 접점, 십이지장 2부와 3부의 경계점, 그리고 췌장의 경부와 체부의 경계점을 꼭지점으로하는 가상의 구역이다[19]. 수술 중 초음파 및 촉진으로 종양의 위치를 확인하며, 종양이 십이지장에 존재하는 경우도 30% 가량[20] 되기 때문에 수술 중 내시경 사용이 십이지장 병변의 유무 및 위치 확인에 도움이 된다[21]. 하지만 일부에서는 가스트린종 삼각지에서 종양의 위치 확인이 되지 않는 경우도 있으며, 이런 경우 횡격막부터 골반까지 전체 복부를 탐색하여 종양을 찾아야 한다(그림 49-1-1).

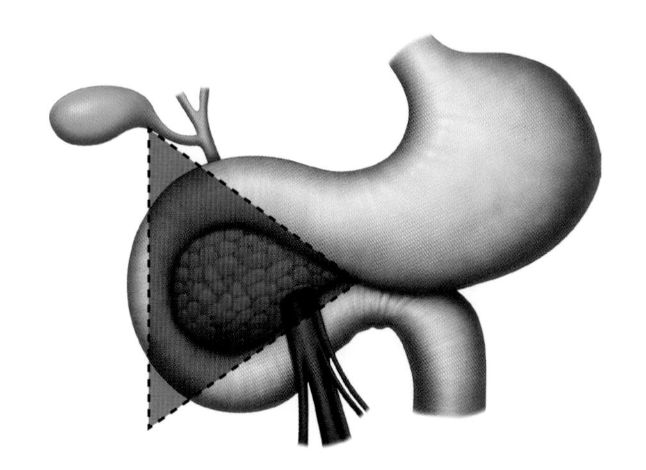

그림 49-1-1. **가스트린종 삼각지의 위치.**

(2) 다발성 신경내분비 종양

대부분 십이지장과 췌장에 다발성으로 분포하며 신경내분비 세포 과형성증과 동반되므로 수술의 적응증이 되지 않는 경우가 많다[22]. 국소 절제 시 많은 경우 십이지장에서 재발하기 때문에 첫 수술 당시 십이지장 동반 절제를 고려하기도 한다[23]. 어떠한 경우이든 개복술 전에 부갑상선 절제술을 먼저 시행해야 합병증을 예방할 수 있다.

가스트린종의 예후는 산발성인 경우 10년 생존율이 90% 전후로 보고되고 있으나 다발성 신경내분비 종양인 경우 예후가 좋지 않은 것으로 알려져 있다.

3) VIP종

대부분의 경우 악성을 띠므로 단순 종양 절제술은 권고되지 않으며 해부학적 절제를 시행한다. 수술적 절제 후 5년 생존율은 68%로 보고되고 있다[24].

4) 글루카곤종

다른 췌장 신경내분비 종양과 유사하게 해부학적 절제를 시행한다. 수술적 절제 후 5년 생존율은 85% 정도로 보고되고 있다[25].

5) 소마토스타틴종

대부분이 악성이며 진단 당시 림프절 전이나 간전이가 동반되는 경우가 흔하다. 가능하다면 수술적 절제가 원칙이나 수술 후 5년 생존율은 30~60%로 보고되고 있다[26].

3. 원격전이된 췌장 신경내분비 종양

비록 전이된 종양이 불량한 예후 인자 중 하나이고 수술적 치료로 완치 가능성이 낮은 것은 맞지만, 수술적 절제의 효과에 대한 연구는 지속적으로 되어 왔다[27]. 대부분의 췌장 신경내분비 종양의 원격전이 장소는 간으로 알려져 있는데, 적극적인 감축수술로 1) 기능성 신경내분비 종양인 경우 이에 따른 증상을 완화시킬 수 있으며, 2) 간 침윤에 따른 이차적인 간부전을 예방할 수 있기 때문에 적극적인 수술을 주장하는 사람들도 있다[28]. 실제로 췌장의 신경내분비 종양은 외분비 종양과 달리 간전이가 있다 하더라도 보고에 따라서는 5년 생존율이 50% 가까이 되기도 하며[29], 간 전이 등의 원격전이가 있는 경우에도 가능한 원발병소를 제거해주는 것이 환자의 생존 연장에 도움이 되는 경우가 많다. 하지만 아직까지는 명확하게 정립된 가이드라인은 없는 상황이다[30].

References

1. Jung JP, Kim SC, Kim TH, et al. Islet cell tumors of the pancreas. J Korean Surg Soc 2000;58:840-50.
2. Kim BK, Kang CM, Kim JY, et al. Surgical experiences of neuroendocrine neoplasms of the pancreas: comparative study of functioning vs. non-functioning neoplasms. Korean J Hepato-Biliary-Pancreatic Surg 2007;11:31-6.
3. Fernandez-Cruz L, Saenz A, Astudillo E, et al. Outcome of laparoscopic pancreatic surgery: endocrine and nonendocrine tumors. World J Surg 2002;26:1057-65.
4. Shi Y, Peng C, Shen B, et al. Pancreatic enucleation using the da Vinci robotic surgical system: a report of 26 cases. Int J Med Robot 2016;12:751-7.
5. Kang CM, Lee KG, Pyo JY, et al. Laparoscopic enucleation of a nonfunctioning neuroendocrine tumor of the pancreas. Yonsei Med J 2008;49:864-8.
6. Phan GQ, Yeo CJ, Hruban RH, et al. Surgical experience with pancreatic and peripancreatic neuroendocrine tumors: Review of 125 patients. J Gastrointest Surg 1998;2:473-82.
7. Cho JH, Ryu JK, Song SY, et al. Prognostic Validity of the American Joint Committee on Cancer and the European Neuroendocrine Tumors Staging Classifications for Pancreatic Neuroendocrine Tumors: A Retrospective Nationwide Multicenter Study in South Korea. Pancreas 2016;45:941-6.
8. Kang CM, Kim KS, Choi JS, et al. Experiences with nonfunctioning neuroendocrine neoplasms of the pancreas. Dig Surg 2005;22:453-8.
9. Kuo JH, Lee JA, Chabot JA. Nonfunctional pancreatic neuroendocrine tumors. Surg Clin North Am 2014;94:689-708.
10. Lee LC, Grant CS, Salomao DR, et al. Small, nonfunctioning, asymptomatic pancreatic neuroendocrine tumors (PNETs): role for nonoperative management. Surgery 2012;152:965-74.
11. Boden G. Glucagonomas and insulinomas. Gastroenterol Clin North Am 1989;18:831-45.
12. Park BJ, Alexander HR, Libutti SK, et al. Operative management of islet-cell tumors arising in the head of the pancreas. Surgery 1998;124:1056-1061; discussion 1061-2.
13. Sa Cunha A, Beau C, Rault A, et al. Laparoscopic versus open approach for solitary insulinoma. Surg Endosc 2007;21:103-8.
14. Norton JA, Shawker TH, Doppman JL, et al. Localization and surgical treatment of occult insulinomas. Ann Surg 1990;212:615-20.
15. Service FJ, McMahon MM, O'Brien PC, et al. Functioning insulinoma--incidence, recurrence, and long-term survival of patients: a 60-year study. Mayo Clin Proc 1991;66:711-9.
16. Lee SH, Kang CM, Kim JY, et al. Single institutional experiences of insulinoma. J Korean Surg Soc 2007;72:128-32.
17. Kang CM, Park SH, Kim KS, et al. Surgical experiences of functioning neuroendocrine neoplasm of the pancreas. Yonsei Med J 2006;47:833-9.
18. Jonkers YM, Claessen SM, Perren A, et al. Chromosomal instability predicts metastatic disease in patients with insulinomas. Endocr Relat Cancer 2005;12:435-47.
19. Mansour JC, Chen H. Pancreatic endocrine tumors. J Surg Res 2004;120:139-61.
20. Ectors N. Pancreatic endocrine tumors: diagnostic pitfalls. Hepatogastroenterology 1998;46:679-90.
21. Imamura M. Establishment of a new strategy for gastrinomas based on the basic research on endocrine tumors. Formosan J Surg 1999;32:197-201.
22. Solcia E, Sessa F, Rindi G, et al. Pancreatic endocrine tumors: Non-functioning tumors and tumors with uncommon function. Y Dayal, editor. CRC Press, Florida. 1991, 105-132. Endocrine pathology of the

gut and pancreas. 1991: 105.
23. Gibril F, Schumann M, Pace A, et al. Multiple endocrine neoplasia type 1 and Zollinger-Ellison syndrome: a prospective study of 107 cases and comparison with 1009 cases from the literature. Medicine (Baltimore). 2004;83:43-83.
24. Soga J, Yakuwa Y. Vipoma/diarrheogenic syndrome: a statistical evaluation of 241 reported cases. J Exp Clin Cancer Res 1998;17:389-400.
25. Holst J. Glucagon-producing tumors. Hormone Producing Tumors of the Gastrointestinal Tract. S. Cohen, editor. Churchill Livingstone, New York. 1985:57-84.
26. Delcore R, Friesen SR. Gastrointestinal neuroendocrine tumors. J Am Coll Surg 1994;178:187-211.
27. Bertani E, Fazio N, Botteri E, et al. Resection of the primary pancreatic neuroendocrine tumor in patients with unresectable liver metastases: possible indications for a multimodal approach. Surgery 2014;155:607-14.
28. Niederhuber JE, Fojo T. Treatment of metastatic disease in patients with neuroendocrine tumors. Surg Oncol Clin N Am 2006;15:511-33, viii.
29. Shin Y, Ha SY, Hyeon J, et al. Gastroentero-pancreatic Neuroendocrine Tumors with Liver Metastases in Korea: A Clinicopathological Analysis of 72 Cases in a Single Institute. Cancer Res Treat 2015;47:738746.
30. Gurusamy KS, Pamecha V, Sharma D, et al. Palliative cytoreductive surgery versus other palliative treatments in patients with unresectable liver metastases from gastro-entero-pancreatic neuroendocrine tumours. Cochrane Database Syst Rev 2009:Cd007118.

49-2 췌장 신경내분비 종양의 항암약물 치료(Chemotherapy of neuroendocrine tumors of the pancreas)

조중현, 송시영

1. 세포 독성 화학 요법(cytotoxic chemotherapy)

췌장 신경내분비 종양은 항암치료에 대해 비교적 민감한 것으로 여겨지고 있지만, 표준화된 화학요법은 없으며 종양의 유형 및 분화 상태에 따라 다양한 항암제 감수성을 보인다[1]. 저분화된(G3) 췌장 신경내분비 종양은 고분화된(G1/G2) 췌장 신경내분비 종양과 비교할 때 항암제 감수성이 우수하다[2]. 고분화 된 췌장 신경내분비 종양은 천천히 증식하지만 일반적으로 대부분의 화학요법 제제에 내성을 보이며 그 반응률은 8%에서 45%까지 다양하게 보고되고 있다[3,4].

일차 항암 화학요법은 전통적으로 platinum 계통 항암제와 etoposide 치료이며, 치료 반응률은 31%에서 67%까지 다양하다[5,6]. 증식 속도가 낮은 환자(Ki-67 < 55%)의 화학 요법에 대한 반응률은 15%로, 증식률이 높은 환자(Ki-67 > 55%)의 42%에 비해 낮았지만, 전반적인 생존율은 14개월 대 10개월로 더 길었다. Strosberg 등[7]의 연구에 따르면, 30명의 환자를 대상으로 경구용 알킬화제인 temozolomide와 capecitabine을 병용투여 하였을 때, 환자의 70%에서 방사선학적으로 좋은 치료 반응을 보였다. 이에 temozolomide와 capecitabine 병용요법의 치료 효과가 기대를 모으고 있으며, temozolomide의 효과는 O6-methylguanine-DNA methyltransferase (MGMT)의 상태와 관련이 있으므로 종양 세포에서 MGMT의 발현이 낮으면 temozolomide에 대한 감수성이 증가할 것으로 예상되고 있다.

2. Somatostatin 유사체 (somatostatin analogs, SSAs)

Somatostatin 유사체는 호르몬 분비에 의한 증상이 있는 기능성 췌장 신경내분비 종양 환자에게 효과적이다[8]. 또한 somatostatin 유사체에는 세포 증식 억제 효과(cytostatic effects)가 있어 대부분의 케이스에서 종양 퇴행없이 전이 병변을 안정화시키는 효과가 있는 것으로 보고되었다. 현재 임상에서 사용 가능한 somatostatin 유사체는 octreotide와 lanreotide가 있으며, Phase III 임상연구 CLAINET trial과 PROMID trial에서 모두 우수한 무진행 생존기간을 보고하였다[9]. Somatostatin 유사체는 오랫동안 의료용 신경내분비 종양 치료의 가장 중요한 약물이었을 뿐 아니라, 새로운 표적 치료제와의 병용치료에도 가장 많이 사용되고 있어 그 치료효과가 앞으로 더 향상될 것으로 기대되고 있다.

3. 펩타이드-세포 수용체 방사선 동위원소 치료(peptide receptor radiotherapy, PRRT)

펩타이드-세포 수용체 방사선 동위원소 치료(PRRT)는 베타 방사선을 방출하는 방사성 핵종과 결합된 작은 펩타이드를 사용하는 분자 표적 치료의 한 형태로, 전이된 신경내분비 종양의 전신적 치료를 위한 새로운 핵의학 치료법이다[10,11]. PRRT는 somatostatin 수용체 양성 종양에 대해서만 시행할 수 있는데, octreotide와 같은 somatostatin 유사체가 종양과 접촉하게 되면 수용체가 약물을 흡수하는 기전을 이용하기 때문이다. 이때 somatostatin 유사 약물에 방사선 핵종을 화학적으로 결합하여 투여하게 되면 종양 세포내에 핵종이 흡수되고, 핵종으로부터 방출된 베타선이 종양 세포를 공격하게 된다. 현재 사용되는 가장 효과적인 방사성 핵종은 Lutetium-177과 Yttrium-90이다. 유럽의 일부 의료 센터는 1990년대 중반 이후 PRRT를 해왔으며, 2013년에 Lutetium-177 DOTATATE를 사용한 PRRT에 대한 임상 시험 NETTER-1 trial이 미국에서 수행되었다[12]. NETTER-1 trial 결과, LAR octreotide로 치료한 환자와 비교하여 Lutetium-177 DOTATATE를 투여한 신경내분비 종양 환자의 무진행 생존기간이 유의하게 향상되었다.

일반적으로 PRRT는 내약성이 좋으며 급성 부작용이 경미한 편이다. 치료 반응률은 15~35%로 보고되고 있으며, 무진행 생존기간과 전체 생존기간 측면에서 PRRT는 기존 치료법에 비해 장점을 보인다[13]. PRRT의 효능을 향상시키기 위하여 PRRT를 방사선 증감제와 병용하거나 Yttrium-90과 Lutetium-177를 병용 치료제로 조합하는 등의 연구가 이루어지고 있다.

4. 표적 치료제(targeted therapy)

최근 췌장 신경내분비 종양을 유발하는 분자 메커니즘에 대한 이해에 상당한 진전이 있었으며, 이로 인해 전신 항암치료에 있어 큰 발전이 이루어졌다. 포유 동물의 라파마이신 표적(mammalian target of rapamycin, mTOR)은 세포 성장을 조절하는 세린/쓰레오닌 키나아제(serine/threonine kinase)로, 포스파티딜 이노시톨-3 키나아제(phosphatidylinositol-3 kinase, PI3K)/단백질 키나아제 B(protein kinase B, AKT)와는 다른 경로를 통해 신호를 전달하는 데 중요한 역할을 한다. 또한, 인슐린 유사 성장인자-1(insulin-like growth factor-1, IGF1) 및 혈관 내피 성장인자(vascular endothelial growth factor, VEGF)와 같은 다수의 성장 인자의 효과는 mTOR를 통해 매개된다.

mTOR 경로 및 그 하부 경로를 활성화하는 유전자 코딩상의 여러 돌연변이가 췌장 신경내분비 종양에서 발견되었다. Phosphatase와 tensin homolog (PTEN)과 tuberous sclerosis 2 (TSC2)와 같은 유전자의 돌연 변이 및 VEGF 경로의 활성화가 췌장 신경내분비 종양에 존재하는 것으로 밝혀졌다. 이러한 신호 전달 경로에 작용하는 다양한 표적 치료제가 새로운 치료 옵션으로 등장하였다. 가장 많이 사용되는 약물은 everolimus(경구 mTOR 억제제), sunitinib(경구 다표적 타이로신 키나아제 억제제) 및 bevacizumab(VEGF에 대한 인간화 단일 클론항체) 등이며, 모두 임상 시험을 통해 그 효능이 입증되었다.

RADIANT-3 trial은 국제, 다기관, 무작위 이중 맹검 3상 임상 시험으로, 진행성 저등급(low-grade) 또는 중등급(intermediate-grade) 췌장 신경내분비 종양 환자 410명을 대상으로 매일 everolimus 10 mg(207명) 또는 위약(203명)을 투여하고 비교하였다[14]. 추적 관찰 기간의 중앙값은 17개월이었다. 무진행 생존기간의 중간값은 everolimus 투약군에서 11.0개월이었고 위약 투약군에서 4.6개월이었다($p < 0.001$). 진행성 질환으로 나쁜 예후가 예상되었던 환자들에게 everolimus를 투여한 경우 질병 진행(progress) 에 대한 상대 위험도가 위약군에 비해 65% 감소하였다($p < 0.001$). Everolimus 투약군 중 34%는 18개월까지 무진행 상태였고, 위약군에서는 9%가 18개월까지 무진행 상태로 보고되었다. 약물 관련 부작용은 주로 everolimus 그룹에서 보고되었으며 주로 1등급 또는 2등급(G1/2) 구내염, 발진, 설사, 피로 및 감염 등의 부작용이었다. 몇 년 후 발표된 전체 생존기간에 대한 데이터에 따르면, everolimus를 투약한 진행성 췌장 신경내분비 종양 환자의 전체 생존기간의 중간값은 44개월이었으며, 이는 기존 연구들에서 보

고되어 왔던 중간 생존기간 27개월에 비해 크게 향상된 결과였다.

Sunitinib의 췌장 신경내분비 종양에 대한 치료 효과를 평가하기 위해 진행성 고분화 췌장 신경내분비 종양 환자를 대상으로 국제 무작위, 이중 맹검, 위약 대조 제3상 임상 시험이 수행되었다[15]. 171명의 환자가 등록되어 1:1 비율로 보조 치료 그룹과 sunitinib 치료 그룹에 무작위 배정되었다. 이 연구의 1차 평가 기준은 무진행 생존기간이었고, Sunitinib 투여군 무진행 생존기간은 11.4개월로, 위약군의 5.5개월에 비해 의미 있는 향상을 보였다($p < 0.001$). 부작용은 sunitinib군에서 더 자주 발생하는 것으로 보고되었지만 대부분 1등급과 2등급의 설사, 메스꺼움, 무력증, 구토 및 피로 증상이었다.

2016년 9월, Roviello 등[16]이 진행성 췌장 신경내분비 종양의 치료에서 표적 치료법의 임상 효능에 관한 메타분석 결과를 발표하였다. 이 보고서에는 1,908명의 환자가 포함되었으며, 이 중 1,012명이 대상 치료군에, 896명이 대조군에 해당되었다. 분석 결과, 표적치료제 치료군이 대조군에 비해 무진행 생존기간이 유의하게 증가한 것으로 나타났다($p = 0.003$). 또한 전체 생존기간 및 치료 반응률이 향상되었다(각각 $p = 0.03$ 및 $p < 0.00001$).

그러나, 췌장 신경내분비 종양이 초기에는 표적 치료에 잘 반응함에도 불구하고, 표적치료에 대한 내성이 발생할 수 있으며 이 경우 병용요법이 권장되고 있다. Everolimus에 대한 내성은 IGF1-IGF1R 경로 및 AKT를 통한 mTOR의 재활성화에 기초한다는 가설이 있으며, 두 메커니즘 모두가 octreotide에 의해 억제되는 것으로 보고되었으므로 everolimus와 somatostatin 유사체의 조합은 근거가 있는 것으로 생각되었다. Bajetta 등은 everolimus-octreotide LAR 복합제를 시험하는 Phase II 다기관 연구를 발표했으며, 진행성 췌장 신경내분비 종양의 치료에 효과적이며 부작용도 용인할 만하다고 결론지었다[17].

다른 접근법은 mTOR 및 VEGF 경로의 이중 억제이다. 그들의 동시 또는 순차 봉쇄는 내성을 극복하기 위한 방안이 될 수 있다. Hobday 등은 single arm Phase II 연구를 통해 mTOR 억제제인 temsirolimus와 항VEGF-A 단일클론항체인 bevacizumab의 동시 투여를 시도하였다[18]. 고분화 또는 중등도 분화된 진행성 췌장 신경내분비 종양 환자가 대상이 되었으며, temsirolimus 25 mg을 1주일에 1회 정맥 주사하고 bevacizumab 10 mg/kg을 2주에 1회 정맥 주사하였다. 총 58명의 환자가 등록되었으며 그중 56명의 환자가 반응을 평가받았다. 반응률은 41%(56명의 환자 중 23명)였으며 처음 연구자가 설정한 상대 위험도 20%의 목표를 초과 달성한 결과였다. 6개월 무진행 생존율은 79%(56명 중 44명)이었다. 무진행 생존기간의 중간값은 13.2개월이었으며 전체 생존기간의 중간값은 34개월이었다. 고혈압(21%), 피로(16%), 림프구 감소증(14%), 고혈당증(14%)이 3~4등급의 치료 관련 이상 반응으로 가장 많이 관찰되었다. 이러한 결과는 temsirolimus와 bevacizumab의 조합이 췌장 신경내분비 종양의 전신 항암치료에 중요한 추가 요소가 될 수 있음을 시사한다.

새로운 타깃 치료제는 환자를 위한 새로운 치료 옵션을 제공할 뿐만 아니라 췌장 신경내분비 종양에 대한 생물학적 이해의 지평을 넓히고 있다. 앞으로 새로운 물질이 테스트되고 새로운 경로에 대한 연구가 이루어질수록, 최적의 순차 치료 전략을 계획하는 것이 더욱 중요해질 것으로 보인다. 또한 표적 치료에 대한 반응과 표적 치료 자체의 성질을 예측하기 위한 바이오 마커의 발굴을 위한 노력이 계속되고 있다. 이런 노력들의 결과로 가까운 미래에는 췌장 신경내분비 종양 환자들에 대한 개인 맞춤형 치료가 가능해질 것으로 기대된다.

References

1. Kulke MH. Sequencing and combining systemic therapies for pancreatic neuroendocrine tumors. J Clin Oncol 2015;33:1534-8.
2. Raymond E, Garcia-Carbonero R, Wiedenmann B, Grande E, Pavel M. Systemic therapeutic strategies for GEP-NETS: What can we expect in the future? Cancer Metastasis Rev 2014;33:367-72.
3. Sorbye H, Welin S, Langer SW, et al. Predictive and prognostic factors for treatment and survival in 305 patients with advanced gastrointestinal neuroendocrine carcinoma (WHO G3): The NORDIC NEC study. Ann Oncol 2013;24:152-60.
4. Strosberg JR. Systemic treatment of gastroentero-pancreatic neuroendocrine tumors (GEP-NETS): Current approaches and future options. Endocr Pract 2014;20:167-75.
5. Chan JA, Kulke MH. New treatment options for patients with advanced neuroendocrine tumors. Curr Treat Options Oncol 2011;12:136-48.
6. Moertel CG, Kvols LK, O'Connell MJ, Rubin J. Treatment of neuroendocrine carcinomas with combined etoposide and cisplatin. Evidence of major therapeutic activity in the anaplastic variants of these neoplasms. Cancer 1991;68:227-32.
7. Strosberg JR, Fine RL, Choi J, et al. First-line chemotherapy with capecitabine and temozolomide in patients with metastatic pancreatic endocrine carcinomas. Cancer 2011;117:268-75.
8. Yang F, Jin C, Fu D, Lanreotide in metastatic enteropancreatic neurodocrine tumors. N Engl J Med 2014;371:1556.
9. Rinke A, Müller HH, Schade-Brittinger C, et al. Placebo-controlled, double-blind, prospective, randomized study on the effect of octreotide LAR in the control of tumor growth in patients with metastatic neuroendocrine midgut tumors: A report from the PROMID Study Group. J Clin Oncol 2009;27:4656-63.
10. Kwekkeboom DJ, de Herder WW, Kam BL, et al. Treatment with the radiolabeleed somatostatin analog [1771 Lu-DOTA 0, Tyr3] octreotate: toxicity, efficacy, and survival. K Clin Oncol 2008;26:2124-30.
11. Maxwell JE, Sherman SK, Howe JR. Translational diagnostics and therapeutics in pancreatic neuroendocrine tumors. Clin Cancer Res 2016;22:5022-9.
12. NETTER-1 phase I I I in pat ients with midgut neuroendocrine tumors treated with 177Lu-DOTATATE: Efficacy and safety results. Clin Adv Hematol Oncol 2016;14:8-9.
13. Otte A. Neuroendocrine tumors: Peptide receptors radionuclide therapy (PRRT). Hell J Nucl Med 2015;19:182.
14. Yao JC, Pavel M, Lombard-Bohas C, et al. Everolimus for the treatment of advanced pancreatic neuroendocrine tumors: Overall survival and circulating biomarkers from the randomized, phase III RADIANT-3 study. J Clin Oncol 2016;34:3906-13.
15. Raymon E, Dahan L, Raoul JL, et al. Sunitinib malate for the treatment of pancreatic neuroendocrine tumors. N Engl J med 2011;364:501-13.
16. Roviello G, Zanotti L, Venturini S, et al. Role of targeted agents in neuroendocrine tumors: Results from a meta-analysis. Cancer Biol Ther 2016;17:883-8.
17. Bajetta E, Catena L, Fazio N, et al. Everolimus in combination with octreotide long-acting repeatable in a first-line setting for patients with neuroendocrine tumors: an ITMO group study. Cancer 2014;120:2457-63.
18. Hobday TJ, Qin R, Reidy-Langunes D, et al. Multicenter Phase II Trial of Temsirolimus and Bevacizumab in Pancreatic Neuroendocrine Tumors. J Clin Oncol 2015;33:1551-6.

췌장의 낭성종양

CYSTIC TUMORS OF THE PANCREAS

CHAPTER 50

췌장 낭성종양의 분류 및 역학

Classification and epidemiology of cystic tumors of the pancreas

정주원

서론

고령 인구가 증가하고 복부 영상 기술이 발전하여 검사 횟수가 증가하면서 췌장 낭종의 진단이 많아지고 있다[1]. 복부 전산화 단층촬영 혹은 복부 자기공명영상 등을 시행한 환자의 약 2.4~19.6%에서 췌장 낭종이 보고되고 있으며[2-5], 이들의 대부분은 증상이 없이 우연히 발견된다[6]. 췌장 낭종은 종류가 다양하고 대부분은 비종양성 양성 질환이지만, 일부 종양성 병변은 악성 종양으로 진행할 위험성이 높으며 췌장 낭종이 있는 환자는 일반인에 비해 악성 종양의 위험도가 10~22배 높다는 보고가 있다[7,8]. 악성 위험도는 췌장 낭종의 종류, 크기, 변화 양상 등에 따라 다르며, 악성도에 따라 수술적 치료의 필요 여부 혹은 긴밀한 추적 관찰이 필요한 낭종과 그렇지 않은 낭종으로 나누게 된다.

췌장 낭종은 낭종의 형성 과정과 상피 세포 구분에 따라 비상피성 낭종, 상피성 종양성 낭종, 상피성 비종양성 낭종 등으로 구분할 수 있으며[9](표 50-1), 매우 드물게 췌장선암 등이 낭종의 형태로 발견되기도 한다[10]. 비상피성 췌장 낭종은 림프관종, 췌장염에 의한 가성낭종(pseudocyst)과 기생충 감염에 의한 낭종(hydatid cyst)이 있다. 상피성 비종양성 낭종은 증상이 없거나 치료가 필요하지 않으며, 그 종류는 매우 다양하여 진성 낭종, 잔류 낭종, 림프상피성 낭종 등이 있다. 상피성 종양성 낭종은 2010년 세계보건기구(WHO)의 병리 조직 분류에 따라 장액 낭성종양(serous cystic neoplasm), 점액 낭성종양(mucinous cystic neoplasm), 췌관내 유두상 점액종양(intraductal papillary mucinous neoplasm), 그리고 고형 가유두상 종양(solid pseudopapillary neoplasm)으로 나눌 수 있다[28](표 50-2). 본 장에서는 상피성 종양성 낭종의 분류와 특징에 대해 논의하기로 하겠다.

2. 췌장의 종류

1) 장액 낭성종양(serous cystic neoplasm, SCN)

대부분의 장액 낭성종양은 췌장의 중심선방세포(centroacinar cell)에서 기원한 글리코겐이 풍부한 세포로 구성된 양성 종양이다. 수술적 절제를 한 췌장 낭성종양의 약 16~23%를 차지하며[11,12], 크기는 2.6~10.8 cm으로 다양하며[13-16], 췌장의 어느 위치에서나 발생할 수 있고 주로 60세가 넘은 여성에서 진단된다[14-16]. 약 20~61%에서는 증상이 없이 우연히 발견되지만[17], 주로 비 특이적인 복통(27%)이나 복부 팽만감을 호소하고, 만져지는 종괴나 황달, 드물게는 당뇨가 발생하여 진단되기도 한다[14,15,18].

크기가 작은 수많은 미세낭으로 구성되어 포도송이 혹은 벌집 모양을 하고 있으나[13], 단일 거대낭이나 소수의 대낭성(oligocystic serous cystadenoma)인 경우 점액 낭성종양(mucinous cystic neoplasm)이나 가성낭종(pseudocyst)로 오인될 수도 있다[19-21].

장액 낭성종양은 추적 관찰을 했을 때, 매년 약 0.28~0.29 cm의 속도로 크기가 증가하며[16,18], 7년 후에는 더 빠르게 크기가 증가한다는(0.6 cm/yr) 연구가 있다[18]. 따라서, 진단 후 시간이 지나고 고령이 될수록 더 주의 깊게 추적 관찰을 해야 한다.

2) 점액 낭성종양 (mucinous cyst neoplasm, MCN)

점액 낭성종양은 거의 대부분(98%) 여성에서 40세 이후에 발견되며, 평균 크기는 6~10 cm이며[22-24] 췌장의 몸통이나 꼬리에서 발생된다[23]. 수술적 절제를 한 췌장 낭성종양의 약 11~23%가 점액 낭성종양이다[11,12]. 췌관내 유두상 점액종양과 비슷하게 다양한 세포 이형성을 보이며 점액이 가득 찬 낭액이지만, 난소형 간질(ovarian-type subepithelial stroma)의 특징을 보이고[25] 췌관과 낭종 간의 연결이 없다는 차이점이 있다[26].

많은 수의 환자들이 진단 당시 동반 증상이 있었으

표 50-1. 췌장 낭성종양의 분류(classification of cystic neoplasms of the pancreas)

Epithelial non- neoplastic	Epithelial neoplastic
True cyst (benign epithelial cyst)	Serous cystic adenoma (microcystic, oligocystic/macrocystic) and Serous cystadenocarcinoma
Retention cyst	VHL associated serous cystic adenoma
Mucinous non-neoplastic cyst	Solid serous adenoma
Lymphoepithelial cyst	Mucinous cystic neoplasm (MCN) and MCN-associated carcinoma
Accessory-splenic epidermoid cyst	Intraductal papillary-mucinous neoplasm (IPMN) and IPMN-associated carcinoma
Congenital cyst	Solid pseudopapillary neoplasm
Endometrial cyst	Pancreatic ductal adenocarcinoma with cystic degeneration
Squamoid cyst of pancreatic duct (SCOP)	Acinar cystadenoma and cystadenocarcinoma
Enteric duplication cyst	Intraductal papillary variant of acinar cell carcinoma
Enterogenous cyst	Intraductal tubulopapillary neoplasm
	Cystic pancreatic endocrine neoplasm (CPEN)
	Cystic teratoma (dermoid cyst)
	Cystic harmartoma
	Cystic pancreatoblastoma
	Cystic metastatic epithelial neoplasm
Non-epithelial non-neoplastic	**Non-epithelial neoplastic**
Pancreatitis-associated pseudocyst	Benign non-epithelial neoplasm (ex. Lymphangioma)
Parasitic cyst (hydatid cyst)	Malignant non-epithelial neoplasm (ex. Sarcoma, cystic GIST)

Kosmahl. Et al[9,11] 및 M. Del Chiaro et al[12]에서 인용.

표 50-2. **췌장 낭성종양의 WHO 분류(2010)**[28]

	Benign lesion	Premalignant lesion	Malignant lesion
Serous cystic neoplasm	Serous cystadenoma (Microcystic/ Macrocystic)		Serous cystadenocarcinoma
Mucinous cystic neoplasm (MCN)		MCN with low- or intermediate-grade dysplasia	MCN with an associated invasive carcinoma
		MCN with high-grade dysplasia	
Intraductal papillary mucinous neoplasm (IPMN)		IPMN with low- or intermediate-grade dysplasia	IPMN with an associated invasive carcinoma
		IPMN with high-grade dysplasia	
Solid pseudopapillary neoplasm (SPN)		SPN with borderline malignant potential	Solid pseudopapillary carcinoma

며[23](48.6%), 비특이적인 복통이 가장 흔하나(23.3%), 피로감, 체중 감소, 복부 종괴 그리고 췌장염이 드물게 동반되기도 한다[22,23].

악성 종양으로 진행할 가능성이 높기 때문에 위험 요인들이 동반되면 수술적 치료가 필요하다[22,27,28].

3) 췌관내 유두상 점액종양 (intraductal papillary mucinous neoplasm, IPMN)

췌관내 유두상 점액종양은 점액을 분비하는 유두 모양의 종양이 췌관내로 자라나며 다양한 세포 이형성을 보여 악성 변형을 할 수 있다[29]. 점액 분비로 인해 주췌관 혹은 분지췌관의 낭성 확장을 특징으로 하며, dysplasia-carcinoma sequence에 따라 악성화될 수 있다[30-32]. 발생 빈도에 있어 성별의 차이는 거의 없으나[29,33], 아시아에서는 남성에서 발생 빈도가 약 3:1로 더 높다고 보고되고 있다[34]. 진단되는 환자의 연령은 다양하나 평균 진단 나이는 60대 중반으로 고령에서 흔하다[33,35].

진단 당시 약 81%에서 동반 증상이 있으며[29] 주된 증상은 복통(35~79%)이다[29,33]. 췌관내 점액으로 인해 약 13~26%에서 췌장염 발생이 발생하나 증상이 심하지 않고 재발하는 경우가 많고, 그 외에 황달(14~18%)이나 체중 감소(32~43%) 등이 동반될 수 있다[29,33,35].

침범한 췌관의 범위에 따라 주췌관형(main duct type)과 부췌관형(branch duct type) 그리고 혼합형(combined type)으로 구분할 수 있다.

(1) 주췌관형 췌관내 유두상 점액종양 (main duct type IPMN)

주췌관형 췌관내 유두상 점액종양은 주췌관내강이 끈적한 점액으로 채워져 확장되어 있으며, 내시경 육안 소견에서 유두부로 흘러나오는 점액을 확인할 수 있다. 점성이 높은 점액이 과도하게 분비하거나 췌장 두부나 체부에 종양이 자라 췌관 폐쇄를 유발하여 주췌관이 확장된다. 수술적 절제를 시행한 췌관내 유두상 점액종양의 약 54~69%는 주췌관형(혼합형 포함)이며[29,33,36], 수술하지 않은 경우를 포함하면 약 40% 정도로 보고되고 있다[37]. 주췌관형 췌관내 유두상 점액종양은 약 2/3에서 췌장 두부에서 발생하나[36], 분절성(segmental) 주췌관 확장의 경우 대부분 췌장의 체부나 미부를 침범한다. 점성이 높은 점액이나 벽결절(mural nodule)에 의한 주췌관 폐쇄는 수년에 걸쳐 만성췌장염을 유발할 수 있다[38]. 주췌관이 1 cm 이상 확장되어 있거나 벽결절이 동반될 경우 악성 종양의 가능성이 높아진다[30]. 수술적 절제를 한 주췌관형 췌관내 유두상 점액종양의 약 43%에서 침습성(invasive)을 보이고, 61% 이상에서 악성(malignancy)을 보이므로, 주췌관형과 혼합형 췌관내 유두상 점액종양은 수술적 절제가 치료 원칙이다[30].

(2) 분지췌관형 췌관내 유두상종양 (branch duct type IPMN)

분지췌관형 췌관내 유두상 점액종양은 포도송이 모양으로 한 개 혹은 여러 개의 낭을 형성하며 크기는 다양하고 주췌관 확장은 동반하지 않는다. 단일 낭종을 형성한 경우는 가성낭종, 단순 낭종 혹은 장액 낭성종양과 영상학적으로 구분이 어려운 경우가 많다[38]. 낭종은 끈적한 점액으로 차 있고, 낭종 내 유두 모양으로 돌출된 병변이 관찰되는 경우도 있다. 주로 췌장의 근위부에 위치하나(52%) 췌장 전반에 다발성(37%)으로 관찰될 수 있다[36]. 주췌관형에 비해 좀 더 빈도가 높으며[30,33], 수술적 절제한 췌장 낭성종양의 약 40.9%에서 분지췌관형 췌관내 유두상 점액종양이 보고되는데, 수술을 하지 않은 경우가 많아 실제 빈도는 더 많을 것으로 추정된다[36,39]. Fukuoka guideline에 따르면, 벽결절이 있고, 주췌관이 10 mm 이상 확장되거나 낭종에 의해 황달이 동반되는 경우는 악성의 위험도가 매우 높아(high risk stigmata) 즉각적인 수술적 절제를 권장한다[30]. 그러나 낭종의 크기가 3 cm 이상이거나 낭종벽이 두껍고 조영증강 되거나, 주췌관 확장이 6~9 mm, 조영증강되지 않는 벽결절, 췌장 미부의 위축을 동반한 주췌관의 협착 그리고 주변 림프절 비대는 악성화 가능성이 우려되는 요소(worrisome features)라고 정의하여 주의 깊은 추적 관찰을 요한다[30]. 수술적 절제를 하지 않은 분지췌관형 췌관내 유두상 점액종양의 자연 경과에 대한 연구는 다수 보고가 되고 있다. Hiroyuki Irie 등[40]이 보고한 연구에 따르면, 35명의 분지췌관형 췌관내 유두상 점액종양 환자에 대해 MRCP로 1년 이상 추적 관찰하였을 때 약 20%에서는 크기가 증가하나 11%에서는 오히려 크기가 감소하였다. 벽결절이 없는 분지췌관형 췌관내 유두상 점액종양은 6년간의 추적 관찰에서도 대부분(84.1%) 크기 변화가 없었다[41]. 그러나 11%에서 낭종의 크기가 증가하였고, 5%에서 벽결절이 새로이 발견되었으며, 수술을 한 4명 중 1명은 상피내암(carcinoma in situ)이 진단되어 이들에게도 주의 깊은 추적 관찰이 필요하다[41]. 10 mm 이하의 벽결절이 있는 분지췌관형 췌관내 유두상 점액종양에서는 1년 뒤 약 23%에서 벽결절의 크기 증가가 있었으나 이는 침습암종이나 선종 발생과 무관하여[42], 10 mm 이하의 크기가 작은 벽결절은 수술하지 않고 경과 관찰을 할 수 있다.

2010년 WHO 분류에 따라 저도 혹은 중등도 이형성 췌관내 유두상 점액종양(IPMN with low- or intermediate-grade dysplasia), 고도 이형성 췌관내 유두상 점액종양(IPMN with high-grade dysplasia), 침습성 암종(IPMN with an associated invasive carcinoma)으로 구분한다[28].

(3) 혼합형 췌관내 유두상 점액종양 (combined type IPMN)

주췌관형 췌관내 유두상 점액종양과 분지췌관형 췌관내 유두상 점액종양이 혼재된 경우를 일컫는다[31,32,43]. 분지췌관형 췌관내 유두상 점액종양이 진행하여 주췌관을 침범하거나, 주췌관형 췌관내 유두상 점액종양이 분지췌관을 침범한 결과로 발생할 수 있다. 혼합형 췌관내 유두상 점액종양은 주췌관내에 다양한 단계의 세포 이형성을 보이는 원주형 상피세포가 유두 모양으로 자라며 과도한 점액 분비를 한다[30,38]. 치료 원칙은 주췌관형 췌관내 유두상 점액종양에 따른다.

(4) 고형 가성유두상종양 (solid psuedopapillary neoplasm, SPN)

고형 가성유두상종양은 주로 40세 미만의 젊은 여성에서 발생하는 극히 드문 종양으로[44], 수술적 절제 후 췌장 낭성종양의 약 3.4%를 차지한다[11]. 평균 크기는 4.5~9.5 cm[44-46]이며, 주로 췌장의 몸통이나 꼬리에서 발생[44,46]하며 종양 내부는 고형 물질과 내출혈의 낭종이 혼재되어 있고 종종 석회화가 동반된다[47,48]. 약 10~20%에서 악성 가능성이 있어 수술적 절제가 권장된다[37]. 대부분의 환자들은 복통(84%)을 호소하고, 그 외에 오심 및 구토(19%), 췌장염(10%) 그리고 체중 감소(10%)가 동반되며 황달 증상은 매우 드물다[44,48]. 고형 가성유두상종양은 그 빈도가 매우 낮아 정확한 예후가 밝혀져 있지 않다. 하지만 세포 이형성이 낮다면 예후가 매우 좋은 것으로 알려져 있다[45,46,49]. Butte 등[44]의 보고에 따르면 45명의 환자에서 국소 진행 혹은 타 장기 전이로 수술이 불가능한 환자는 7명이었고, 2명은 재발하거나 간 전이가 진행되었다.

(5) 낭성 췌장 신경내분비종양 (cystic pancreatic endocrine neoplasms, CPEN)

고형 췌장 신경내분비종양의 매우 드문 변형으로 수술적 절제를 시행한 췌장 낭성종양의 약 7%에서 관찰되며[11], 전체 췌장 신경내분비종양의 약 12~17%를 차지한다[50]. 고형 췌장 신경내분비종양에 비해서는 크기가 크지만(4.9 cm vs. 2.4 cm)[51], 다른 췌장 낭성종양에 비해서는 크기가 작다[50](2.1 cm vs. 3.0 cm). 남녀 발생 성비는 비슷하며, 췌장의 체부와 미부 위치하는 경우가 조금 더 흔하다[50,51]. 침습성 암의 위험성이 있어 수술적 치료가 권장되고 있다[39].

낭성 췌장 신경내분비종양의 약 32~73%의 환자에서 증상이 동반된다[50,51]. 가장 흔한 증상은 복통과 배부 통증이며(57%) 체중 감소, 빈혈, 전신 무력감 혹은 췌장염은 매우 드물다[50,51]. 고형 췌장 신경내분비종양에 비해 비기능성의 비율은 높고(50% vs. 80%) 제1형 다발성 내분비 종양(MEN-1)과 더 높은 빈도로 연관되어 관찰되며, 기능성 신경내분비종양일 경우 약 2/3은 인슐린종이다[51]. 침습성을 띠지만 점액성 낭종과 마찬가지로 비교적 예후가 양호하여 낭성 췌장 신경내분비종양의 경우 5년 생존율은 87%를 넘는다[50,51](표 50-3).

표 50-3. **췌장 낭성종양의 성별 분포 및 임상양상**[5,37,52-54]

	Serous cystic neoplasm	Mucinous cystic neoplasm	Main-duct intraductal papillary mucinous neoplasm	Branch-duct intraductal papillary mucinous neoplasm	Solid pseudopapillary neoplasm
Age of presentation	60-70	40-60	60-70	60-70	20-30
Sex distribution	F (75%) > M	F (95%) > M	F ≤ M	F ≥ M	F (> 80%) > M
Average size of cyst	3~5 cm	> 4 cm	< 3 cm	< 3 cm	> 4 cm
Clinical presentation	우연히 발견, 복통 혹은 만져지는 종괴	우연히 발견, 복통 혹은 만져지는 종괴	우연히 발견, 췌장염, 소화불량, 당뇨병	우연히 발견, 췌장염, 복통, 소화불량, 당뇨병	증상 동반(84~87%), 복통 혹은 종괴 (mass effect), 구역/구토(19%), 체중 감소 (10%), 췌장염(10%)
Location	췌장 모든 부위	췌장 체부/미부(95%) 단일 병변	주췌관	췌장 두부, 다발성(21-41%)	췌장 모든 부위
Typical imaging characteristics	소낭성(microcystic), 얇은 격벽, 벌집 모양(honeycomb appearance), 중심부에 햇살(sunburst) 혹은 별형(stellate) 반흔 및 석회화 대낭성(macro-or oligo-cystic,10%)	단방성(unilocular), 대낭성(mcarocystic, 격벽(septated cyst), 두꺼운 격벽, 벽의 석회화(peripheral calcifications)	주췌관의 확장, 췌관내 충만 결손, 췌관실질의 위축, 확장된 유두부와 점액 배액	분지관의 확장 격막이 있는 단일 낭성 병변 또는 포도송이 모양의 여러 작은 낭들	고형 및 낭성 종괴, 주변부의 석회화
Typical aspirate characteristic	묽고 맑음. 간혹 혈액이 섞일 수 있음.	점도가 높고, 맑음	점도가 높음	묽거나 점도가 높음	Bloody
Typical cytology findings	글리코겐 다함유 입방형 장액 세포, 헤모시데린 함유 대식세포 (> 50%)	점액을 분비하는 원주형 세포, 다양한 세포 비정형(atypia), 난소형 간질	점액을 분비하는 원주형 세포, 다양한 세포 비정형	점액을 분비하는 원주형 세포, 다양한 세포 비정형	가지 치는 유두상 점액성 간질
Carcinoembryonic antigen (CEA) level	CEA < 5 ng/mL, Amylase < 250 U/L	CEA > 192 ng/mL (정확도 79%)	CEA > 200 ng/mL in approximately 75% of lesions	CEA > 200 ng/mL in approximately 75% of lesions	Insufficient data
Relative malignant potential	매우 낮음(거의 0%)	10-17%	38-68%	12-47%	8-20%
Treatment	경과 관찰, 증상이 있거나 빠르게 크기가 증가하면 수술적 절제	수술적 절제	수술적 절제	긴밀한 추적 관찰, 악성이 의심되면 수술적 절제	수술적 절제

References

1. Chung JW, Chung MJ, Park JY, et al. Clinicopathologic features and outcomes of pancreatic cysts during a 12-year period. Pancreas 2013;42:230-8.
2. Zhang XM, Mitchell DG, Dohke M, Holland GA, Parker L. Pancreatic cysts: depiction on single-shot fast spin-echo MR images. Radiology 2002;223:547-53.
3. Laffan TA, Horton KM, Klein AP, et al. Prevalence of unsuspected pancreatic cysts on MDCT. AJR Am J Roentgenol 2008;191:802-7.
4. de Jong K, Nio CY, Hermans JJ, et al. High prevalence of pancreatic cysts detected by screening magnetic resonance imaging examinations. Clin Gastroenterol Hepatol 2010;8:806-11.
5. de Jong K, Bruno MJ, Fockens P. Epidemiology, diagnosis, and management of cystic lesions of the pancreas. Gastroenterol Res Pract 2012;2012:147465.
6. Spinelli KS, Fromwiller TE, Daniel RA, et al. Cystic pancreatic neoplasms: observe or operate. Ann Surg 2004;239:651-657; discussion 657-59.
7. Matsubara S, Tada M, Akahane M, et al. Incidental pancreatic cysts found by magnetic resonance imaging and their relationship with pancreatic cancer. Pancreas 2012;41:1241-46.
8. Tada M, Kawabe T, Arizumi M, et al. Pancreatic cancer in patients with pancreatic cystic lesions: a prospective study in 197 patients. Clin Gastroenterol Hepatol 2006;4:1265-70.
9. Kosmahl M, Pauser U, Peters K, et al. Cystic neoplasms of the pancreas and tumor-like lesions with cystic features: a review of 418 cases and a classification proposal. Virchows Arch 2004;445:168-78.
10. Kim DK, Cho JH, Lee SH, et al. Two Cases of Pancreatic Ductal Adenocarcinoma, Manifested as Solid Pseudopapillary Tumor and Intraductal Papillary Mucinous Neoplasm. Korean J Gastroenterol 2008;51:142-6.
11. Valsangkar NP, Morales-Oyarvide V, Thayer SP, et al. 851 resected cystic tumors of the pancreas: a 33-year experience at the Massachusetts General Hospital. Surgery 2012;152:S4-12.
12. Gaujoux S, Brennan MF, Gonen M, et al. Cystic lesions of the pancreas: changes in the presentation and management of 1,424 patients at a single institution over a 15-year time period. J Am Coll Surg 2011;212:590-600.
13. Compagno J, Oertel JE. Microcystic adenomas of the pancreas (glycogen-rich cystadenomas): a clinicopathologic study of 34 cases. Am J Clin Pathol 1978;69:289-98.
14. Jais B, Rebours V, Malleo G, et al. Serous cystic neoplasm of the pancreas: a multinational study of 2622 patients under the auspices of the International Association of Pancreatology and European Pancreatic Club (European Study Group on Cystic Tumors of the Pancreas). Gut 2016;65:305-12.
15. Kimura W, Moriya T, Hirai I, et al. Multicenter study of serous cystic neoplasm of the Japan pancreas society. Pancreas 2012;41:380-7.
16. Fukasawa M, Maguchi H, Takahashi K, et al. Clinical features and natural history of serous cystic neoplasm of the pancreas. Pancreatology 2010;10:695-701.
17. Lundstedt C, Dawiskiba S. Serous and mucinous cystadenoma/cystadenocarcinoma of the pancreas. Abdom Imaging 2000;25:201-6.
18. Malleo G, Bassi C, Rossini R, et al. Growth pattern of serous cystic neoplasms of the pancreas: observational study with long-term magnetic resonance surveillance and recommendations for treatment. Gut 2012;61:746-51.
19. Brugge WR, Lauwers GY, Sahani D, Fernandez-del Castillo C, Warshaw AL. Cystic neoplasms of the

pancreas. N Engl J Med 2004;351:1218-26.
20. Lewandrowski K, Warshaw A, Compton C. Macrocystic serous cystadenoma of the pancreas: a morphologic variant differing from microcystic adenoma. Hum Pathol 1992;23:871-5.
21. Gouhiri M, Soyer P, Barbagelatta M, Rymer R. Macrocystic serous cystadenoma of the pancreas: CT and endosonographic features. Abdom Imaging 1999;24:72-4.
22. Park JW, Jang JY, Kang MJ, Kwon W, Chang YR, Kim SW. Mucinous cystic neoplasm of the pancreas: is surgical resection recommended for all surgically fit patients? Pancreatology 2014;14:131-6.
23. Yamao K, Yanagisawa A, Takahashi K, et al. Clinicopathological features and prognosis of mucinous cystic neoplasm with ovarian-type stroma: a multi-institutional study of the Japan pancreas society. Pancreas 2011;40:67-71.
24. Buetow PC, Rao P, Thompson LD. From the Archives of the AFIP. Mucinous cystic neoplasms of the pancreas: radiologic-pathologic correlation. Radiographics 1998;18:433-49.
25. Bosman FT CF, Hruban RH, Theise ND. WHO classification of tumors of the digestive system. 4th ed. Lyon:IARC Press 2010.
26. Ketwaroo GA, Mortele KJ, Sawhney MS. Pancreatic Cystic Neoplasms: An Update. Gastroenterol Clin North Am 2016;45:67-81.
27. Crippa S, Salvia R, Warshaw AL, et al. Mucinous cystic neoplasm of the pancreas is not an aggressive entity: lessons from 163 resected patients. Ann Surg 2008;247:571-9.
28. Jang KT, Park SM, Basturk O, et al. Clinicopathologic characteristics of 29 invasive carcinomas arising in 178 pancreatic mucinous cystic neoplasms with ovarian-type stroma: implications for management and prognosis. Am J Surg Pathol 2015; 39:179-87.
29. D'Angelica M, Brennan MF, Suriawinata AA, Klimstra D, Conlon KC. Intraductal papillary mucinous neoplasms of the pancreas: an analysis of clinicopathologic features and outcome. Ann Surg 2004;239:400-8.
30. Tanaka M, Fernandez-del Castillo C, Adsay V, et al. International consensus guidelines 2012 for the management of IPMN and MCN of the pancreas. Pancreatology 2012;12:183-97.
31. Hwang DW, Jang JY, Lee SE, Lim CS, Lee KU, Kim SW. Clinicopathologic analysis of surgically proven intraductal papillary mucinous neoplasms of the pancreas in SNUH: a 15-year experience at a single academic institution. Langenbecks Arch Surg 2012; 397:93-102.
32. Brat DJ, Lillemoe KD, Yeo CJ, Warfield PB, Hruban RH. Progression of pancreatic intraductal neoplasias to infiltrating adenocarcinoma of the pancreas. Am J Surg Pathol 1998;22:163-9.
33. Sohn TA, Yeo CJ, Cameron JL, et al. Intraductal papillary mucinous neoplasms of the pancreas: an updated experience. Ann Surg 2004;239:788-97.
34. Ingkakul T, Warshaw AL, Fernandez-Del Castillo C. Epidemiology of intraductal papillary mucinous neoplasms of the pancreas: sex differences between 3 geographic regions. Pancreas 2011;40:779-80.
35. Marchegiani G, Mino-Kenudson M, Sahora K, et al. IPMN involving the main pancreatic duct: biology, epidemiology, and long-term outcomes following resection. Ann Surg 2015;261:976-83.
36. Crippa S, Fernandez-Del Castillo C, Salvia R, et al. Mucin-producing neoplasms of the pancreas: an analysis of distinguishing clinical and epidemiologic characteristics. Clin Gastroenterol Hepatol 2010;8: 213-9.
37. Greer JB, Ferrone CR. Spectrum and Classification of Cystic Neoplasms of the Pancreas. Surg Oncol Clin N Am 2016;25:339-50.
38. Jeurnink SM, Vleggaar FP, Siersema PD. Overview of the clinical problem: facts and current issues of

mucinous cystic neoplasms of the pancreas. Dig Liver Dis 2008;40:837-46.
39. Farrell JJ, Fernandez-del Castillo C. Pancreatic cystic neoplasms: management and unanswered questions. Gastroenterology 2013;144:1303-15.
40. Irie H, Yoshimitsu K, Aibe H, et al. Natural history of pancreatic intraductal papillary mucinous tumor of branch duct type: follow-up study by magnetic resonance cholangiopancreatography. J Comput Assist Tomogr 2004;28:117-22.
41. Tanno S, Nakano Y, Nishikawa T, et al. Natural history of branch duct intraductal papillary-mucinous neoplasms of the pancreas without mural nodules: long-term follow-up results. Gut 2008;57:339-43.
42. Kobayashi G, Fujita N, Maguchi H, et al. Natural history of branch duct intraductal papillary mucinous neoplasm with mural nodules: a Japan Pancreas Society multicenter study. Pancreas 2014;43:532-8.
43. Castelli F, Bosetti D, Negrelli R, et al. Multifocal branch-duct intraductal papillary mucinous neoplasms (IPMNs) of the pancreas: magnetic resonance (MR) imaging pattern and evolution over time. Radiol Med 2013;118:917-29.
44. Butte JM, Brennan MF, Gonen M, et al. Solid pseudopapillary tumors of the pancreas. Clinical features, surgical outcomes, and long-term survival in 45 consecutive patients from a single center. J Gastrointest Surg 2011;15:350-7.
45. Yang F, Jin C, Long J, et al. Solid pseudopapillary tumor of the pancreas: a case series of 26 consecutive patients. Am J Surg 2009;198:210-5.
46. Goh BK, Tan YM, Cheow PC, et al. Solid pseudopapillary neoplasms of the pancreas: an updated experience. J Surg Oncol 2007;95:640-4.
47. Mergener K, Detweiler SE, Traverso LW. Solid pseudopapillary tumor of the pancreas: diagnosis by EUS-guided fine-needle aspiration. Endoscopy 2003;35:1083-4.
48. Reddy S, Cameron JL, Scudiere J, et al. Surgical management of solid-pseudopapillary neoplasms of the pancreas (Franz or Hamoudi tumors): a large single-institutional series. J Am Coll Surg 2009;208:950-7; discussion 957-9.
49. Sunkara S, Williams TR, Myers DT, Kryvenko ON. Solid pseudopapillary tumours of the pancreas: spectrum of imaging findings with histopathological correlation. Br J Radiol 2012;85:e1140-4.
50. Gaujoux S, Tang L, Klimstra D, et al. The outcome of resected cystic pancreatic endocrine neoplasms: a case-matched analysis. Surgery 2012;151:518-25.
51. Bordeianou L, Vagefi PA, Sahani D, et al. Cystic pancreatic endocrine neoplasms: a distinct tumor type? J Am Coll Surg 2008;206:1154-8.
52. Khalid A, Brugge W. ACG practice guidelines for the diagnosis and management of neoplastic pancreatic cysts. Am J Gastroenterol 2007;102:2339-49.
53. Stark A, Donahue TR, Reber HA, Hines OJ. Pancreatic Cyst Disease: A Review. JAMA 2016;315:1882-93.
54. Brugge WR. Diagnosis and management of cystic lesions of the pancreas. J Gastrointest Oncol 2015;6:375-88.

CHAPTER 51

췌장 낭성종양의 병리

Pathology of cystic tumors of the pancreas

김혜령, 박영년

서론

췌장에서 발생하는 낭성 병변은 대부분 가성낭(pseudocyst)을 포함한 비종양성 낭종이며, 종양성 낭종은 5~15%으로 상대적으로 드물다. 췌장의 낭성종양에는 췌관내 유두상 점액종양(intraductal papillary mucinous neoplasm, IPMN), 점액성 낭성종양(mucinous cystic neoplasm), 장액성 낭샘종(serous cystadenoma) 및 고형가유두상종양(solid pseudopapillary neoplasm)이 있으며, 최근 췌관내관 유두 종양(intraductal tubulopapillary neoplasm, ITPN)이 보고되었다[1].

1. 췌관내 유두상 점액종양 (intraductal papillary mucinous neoplasm)

췌관내 유두상 점액종양(intraductal papillary mucinous neoplasm, IPMN)은 주췌관과 췌관 분지에서 발생하는 관상피세포 기원의 종양이다. 육안적으로는 주로 췌관내에 국한되어 있고, 유두상 형태로 성장하며 점액 생성으로 인하여 이차적인 낭성 변화가 동반되어 있다. 현미경으로 관찰한 세포학적 및 구조적 형성이상의 정도에 따라 저등도(IPMN with low-grade dysplasia), 중등도(IPMN with intermediate-grade dysplasia), 고등도(IPMN with high-grade dysplasia) 췌관내 유두상 점액종양 및 췌관내 유두상 점액종양에 동반된 침윤성 암종(IPMN with an associated invasive carcinoma)으로 분류할 수 있다.

1) 육안 소견

췌관내 유두상 점액종양의 발생 위치에 따라 주췌관형과 분지췌관형으로 구분하며(그림 51-1), 주췌관과 분지췌관에 걸쳐서 발생하는 혼합형(combined type)도 흔히 발생한다.

주췌관형 췌관내 유두상 점액종양은 유두상의 형태를 보이고, 확장된 주췌관의 내강은 다량의 점액으로 차있다. 주로 췌장 두부의 주췌관에 발생하는데 췌관을 따라 췌장 미부까지 광범위하게 증식할 수도 있다. 과다한 점액 분비로 인하여 파터팽대부(ampulla of Vater) 입구에서 점액이 흘러나오는 경우도 있다. 췌관이 종괴로 인하여 막혀 있어서 주변 췌장 실질에는 만성 폐색성 췌장염의 소견이 흔히 동반된다.

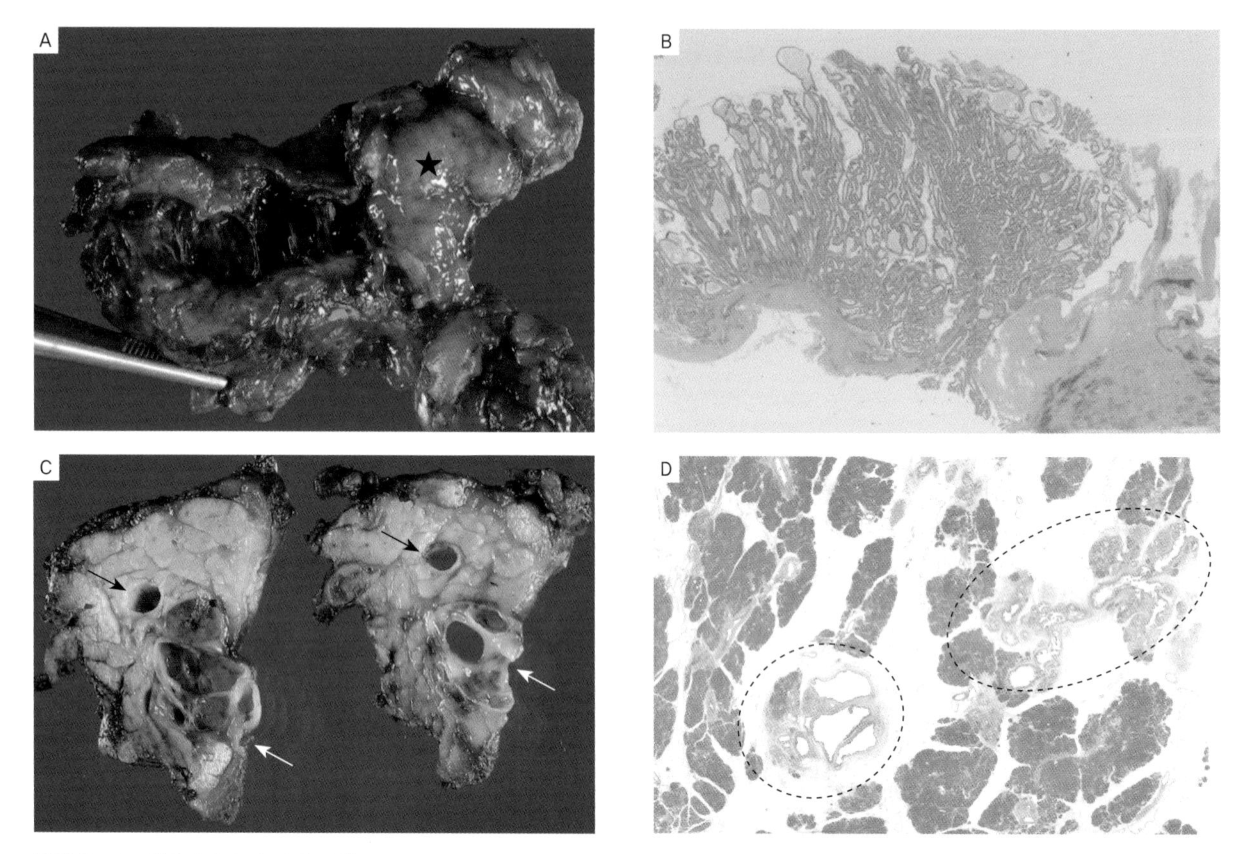

그림 51-1. 췌관내 유두상 점액종양(intraductal papillary mucinous tumor)의 육안 및 현미경 소견.
A, B. 주췌관형 췌관내 유두상 점액종양. A. 주췌관이 확장되어 있고, 내강을 채우는 종괴가 관찰된다(별표). B. 확장된 췌관 주변 췌장 실질은 위축되어 있다. 종괴의 유두상 구조가 저배율에서도 관찰된다(×10).
C, D. 분지췌관형 췌관내 유두상 점액종양. C. 육안 소견상 포도송이 모양의 다방성 낭성 종괴(흰색 화살표)가 관찰되며 주췌관(검은 화살표)과의 연결성은 없다. D. 현미경 저배율 소견상 작은 췌관 분지들의 내강이 확장되어 있으며(점선), 그 내부로 작은 유두상으로 증식하는 종양이 관찰된다(×10, 그림 51-2의 고배율 소견 참조).

분지췌관형의 췌관내 유두상 점액종양은 갈고리돌기에서 가장 흔히 발생하며, 크기는 1~10 cm으로 다양하다. 단방성의 낭성 병변 또는 포도송이 모양의 다방성 낭성 종괴를 형성하며, 낭성 종괴의 내부는 점액으로 차 있다. 종양의 내강에서 부분적으로 유두상 증식을 보이거나, 매끈한 내강을 보인다. 대부분 육안적으로 주췌관이나 주변 췌장 실질의 변화는 거의 없다.

2) 현미경 소견

췌관내 유두상 점액종양은 점액을 분비하는 기둥모양의 종양상피세포들이 유두상 구조를 형성하며, 중심부에 섬유혈관조직을 갖고 있는 것이 특징적이다. 국소적으로 관찰되는 경우도 있으나 40% 정도에서는 다발성으로 또는 미만성으로 발생한다. 흔히 작은 췌관 분지들을 따라 증식하므로 현미경으로 검색하면 육안 소견에서 관찰되는 종괴의 범위보다 종양이 더 광범위하게 증식된 경우가 많다. 종양을 구성하는 세포는 점액성 낭성종양과 형태학적으로 유사하나, 췌관내 유두상 점액종양에서는 점액성 낭성종양의 특징적인 소견인 난소기질이 없다는 것이 중요한 감별점이다.

췌관내 유두상 점액종양은 형성이상의 정도에 따라

저등도, 중등도 및 고등도로 분류한다(그림 51-2). 저등도 췌관내 유두상 점액종양의 경우 종양세포들이 단층으로 배열되어 있으며 핵의 크기와 모양은 비교적 균일하다. 중등도에서는 종양세포들이 밀집되고 중층화되며, 종양세포의 핵은 과염색성의 증가된 크기를 보인다. 고등도 췌관내 유두상 점액종양은 심한 세포학적 및 구조적 형성이상을 보이는데, 체모양(cribriform) 및 불규칙적인 유두상 구조를 보이고, 종양세포는 과염색성의 다형성 핵을 보이며, 유사분열도 흔히 관찰된다. 이전 분류의 상피내암은 새로운 분류에서는 고등도 췌관내 유두상 점액종양에 포함된다.

췌관내 유두상 점액종양에서 침윤성 암종(IPMN with an associated invasive carcinoma)이 발생될 수 있으며, 그 발생 빈도는 약 30%으로 보고되어 있다[1] (그림 51-3). 대부분 고등도 주췌관형 췌관내 유두상 점액종양과 동반되어 침윤성 암종이 발생한다. 침윤 부위는 현미경으로만 확인할 수 있을 정도로 매우 국소적으로 관찰되는 경우도 있기 때문에 병변 전체에 대한 면밀한 현미경 검색이 중요하다. 침윤성 암종은 췌장관 샘암종 또는 점액암종의 형태를 보인다.

췌관내 유두상 점액종양은 종양세포의 분화 방향에 따라 췌담관형(pancreaticobiliary type), 장형(intestinal type), 위형(gastric type) 및 호산과립세포형(oncocytic type)으로 세분하여 아형을 나눌 수 있다(그림 51-4).

위형 췌관내 유두상 점액종양은 분지췌관형 췌관내 유두상 점액종양의 가장 흔한 형태학적 아형이다. 종양세포들은 위의 소와상피세포(foveolar epithelium)와 비슷한 형태를 보인다. 종양세포는 풍부한 점액을 함유하고 있는 기둥모양으로 핵은 기저부에 위치하고 있고, 간혹 술잔모양 세포들이 혼재되어 있는 경우도 있다. 대체로 위형 췌관내 유두상 점액종양은 저등도 또는 중등도 형성이상을 보인다.

장형 췌관내 유두상 점액종양은 주췌관형 췌관내 유두상 점액종양의 가장 흔한 아형이다. 종양세포들은 길

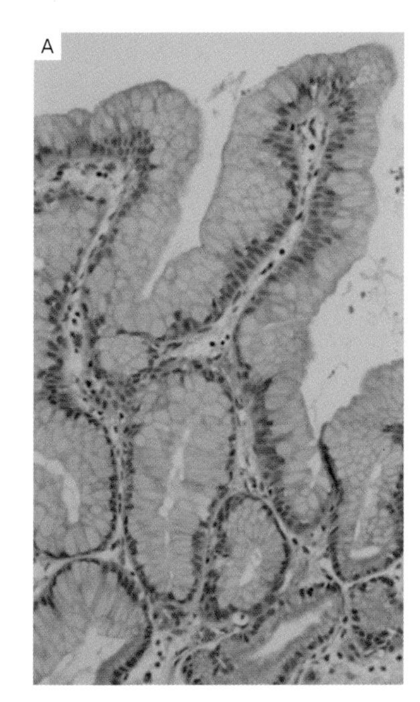

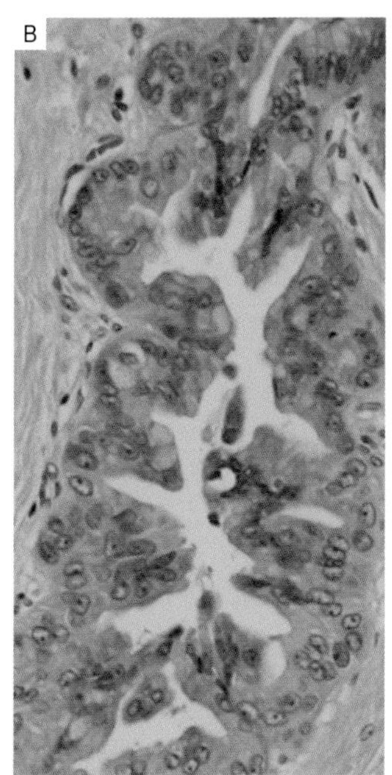

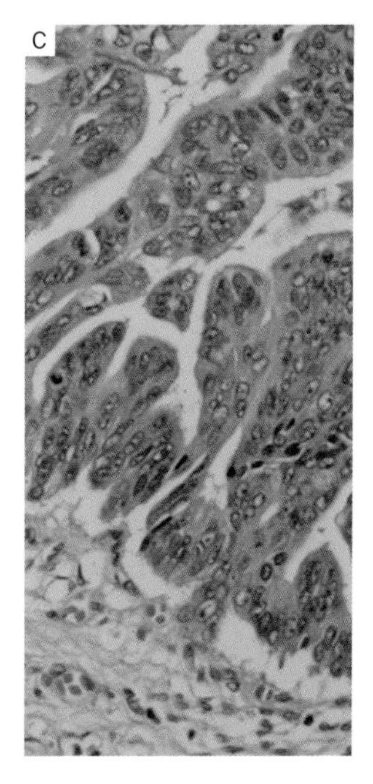

그림 51-2. **췌관내 유두상 점액종양(intraductal papillary mucinous tumor)의 현미경 소견.**
형성이상의 정도에 따라 저등도(A), 중등도(B) 및 고등도(C) 췌관내 유두상 점액종양으로 구분한다.

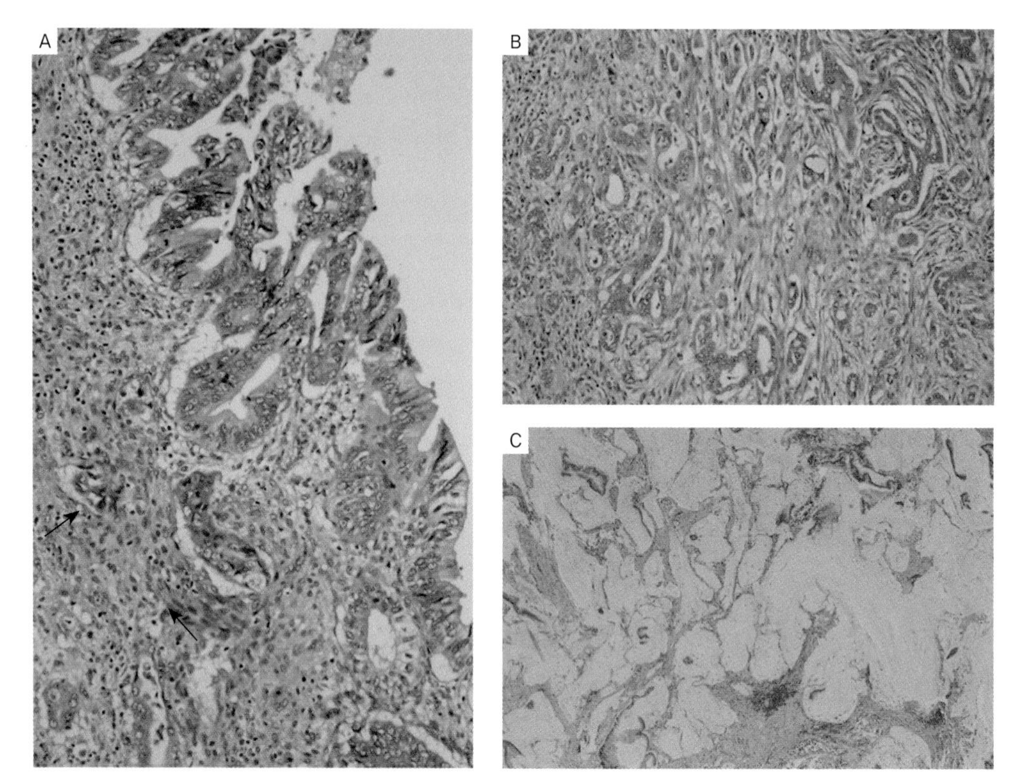

그림 51-3. **췌관내 유두상 점액종양에 동반된 침윤성 암종**
(intraductal papillary mucinous tumor with an associated invasive carcinoma).
A. 췌관 주변 기질을 침범하는 암세포 군집이 관찰된다(화살표).
B. 침윤성 암종은 대부분 췌장관샘 암종 또는
C. 점액 암종의 형태로 발생한다.

쭉한 핵과 호염기성 세포질을 가지고 있으며, 점액은 세포의 꼭지부분에서 관찰된다. 종양세포들이 증식하여 중첩되어 빽빽하게 배열하며, 대장에서 발생하는 융모선종(villous adenoma)과 매우 유사한 형태를 보인다. 중등도 또는 고등도 형성이상을 보이는 경우가 많다.

췌담관형 췌관내 유두상 점액종양은 비교적 드물며, 종양세포들은 입방형으로 원형의 과염색성 핵을 가지고 있으며, 핵인이 뚜렷하고, 점액 함량은 비교적 적다. 대부분 주췌관에 위치하며 고등도 세포학적 형성이상을 흔히 보인다.

호산과립세포형 췌관내 유두상 점액종양은 점액이 거의 관찰되지 않으므로, 관내호산과립세포형 유두종양(intraductal oncocytic papillary neoplasm, IOPN)으로 불리기도 한다. 본 아형은 대부분 주췌관에서 발생하고, 장경 5~6 cm의 큰 종괴를 형성하는 경우가 대부분이다. 유두상 구조를 형성하나 다른 아형에 비하여 구조가 복잡하며 종양세포들이 두 층 이상으로 두껍게 증식되어 있다. 종양 세포들은 입방형 또는 기둥형이며 풍부한 호산성 과립성 세포질을 가지고 있는 것이 특징이다. 핵은 대체로 둥글고 크며, 핵인이 비교적 선명하게 보인다. 대부분 고등도 형성이상을 보인다.

췌관내 유두상 점액종양에서 침윤성 암종이 발생하는 경우, 점액암종은 대부분 장형 췌관내 유두상 점액종양과 동반되어 발생하고, 관샘암종의 경우에는 췌담관형 또는 장형 췌관내 유두상 점액종양과 동반되어 발생한다[2]. 호산과립세포형 췌관내 유두상 점액종양에서도 암이 동반될 수 있는데, 이런 경우에는 관샘암종과 유사하나 암세포들이 호산성 과립세포의 형태를 보인다.

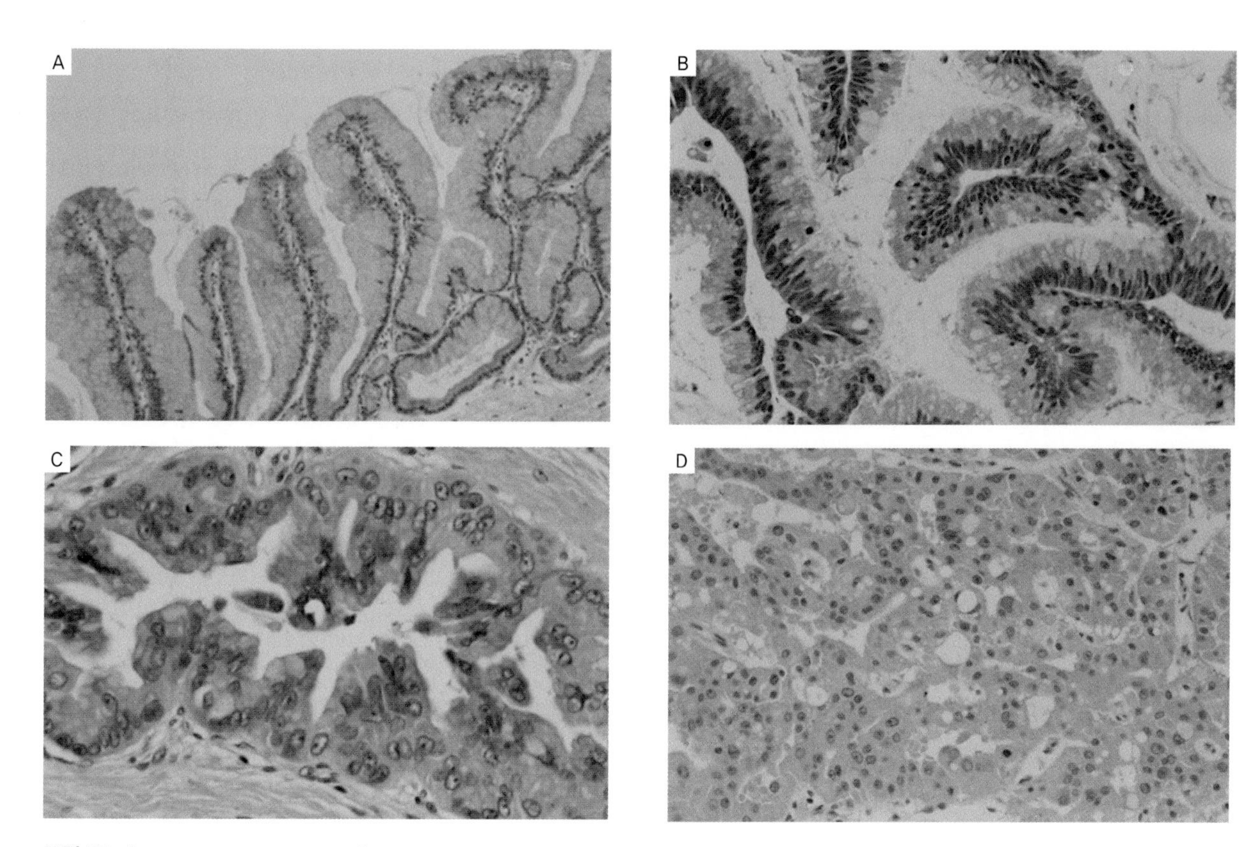

그림 51-4. **췌관내 유두상 점액종양(intraductal papillary mucinous tumor)의 현미경 소견.**
형태학적 소견에 따라 위형(A), 장형(B), 췌담관형(C) 및 호산과립세포형(D)으로 구분한다.

3) 면역조직화학적 소견

췌관내 유두상 점액종양은 대부분 cytokeratin (CK) 7, 19, CA 19-9 및 CEA를 발현한다. MUC 점액 당단백질의 발현 상태에서 따라 췌관내 유두상 점액종양의 아형을 분류하는데 도움이 된다(표 51-1). 위형 췌관내 유두상 점액종양은 MUC5AC를 발현하나 MUC1과 MUC2를 발현하지 않고, 반면 장형 췌관내 유두상 점액종양은 MUC2, CDX2 및 MUC5AC를 발현하며, MUC1은 발현하지 않는다. 췌담관형 췌관내 유두상 점액종양은 MUC1과 MUC5AC를 발현하고 MUC2의 발현은 보이지 않는다. 호산과립세포형 췌관내 유두상 점액종양은 MUC6와 MUC5AC를 발현하고, MUC2는 발현하지 않는다.

췌관내 유두상 점액종양에서는 고등도 췌장 상피내종양(pancreatic intraepithelial neoplasia, PanIN)과는 달리 SMAD4의 발현이 유지되어 있다. 저등도에서 고등도 췌관내 유두상 점액종양으로 진행될수록 p53 및 Ki-67의 발현이 증가하고, CDKN2A/p16의 발현이 소실된다.

4) 분자병리 소견

췌관내 유두상 점액종양에서는 췌장관 샘암종과 마찬가지로 KRAS, CDKN2A/P16, TP53 및 SMAD4 유전자의 돌연변이가 대표적인 변화이다[3]. 췌관내 유두상 점액종양의 30~80%에서 KRAS 암유전자의 12번 코돈에서 점돌연변이가 관찰되며, 초기 병변인 저등도 췌관

표 51-1. **췌관내 유두상 점액종양 (intraductal papillary mucinous tumor)의 조직학적 아형에 따른 MUC 점액 당단백질 및 CDX2에 대한 면역조직 화학적 소견**

	MUC1	MUC2	MUC5AC	MUC6	CDX2
장형	-	+	+	-	+
췌담관형	+	-	+	+/-	-
위형	-	-	+	-	-
호산과립세포형	+/-	-	+/-	+	-

내 유두상 점액종양에서도 관찰된다는 점에서 췌장관 샘암종의 전구병변인 췌장 상피내종양(PanIN)과 유사하다. 이러한 KRAS 돌연변이는 형성이상이 고등도로 심해질수록 빈도가 높아진다. PIK3CA 유전자의 돌연변이가 약 10%에서 보고되었으며 BRAF 유전자 돌연변이도 소수에서 보고되었다.

암억제유전자 CDKN2A, TP53 및 SMAD4의 대립유전자 소실이 약 40%에서 보고되었다. CDKN2A의 촉진유전자의 메틸화로 인한 CDKN2A/p16의 발현 소실이 흔히 관찰되며, CDKN2A 유전자의 돌연변이는 드물다. TP53 유전자 돌연변이는 고등도 췌관내 유두상 점액종양에서 관찰되나, 저등도 병변에서는 보고되지 않았다. SMAD4의 대립유전자 소실이 자주 관찰되나 SMAD4 유전자의 돌연변이는 드물고, 대부분의 비침습성 췌관내 유두상 점액종양에서 SMAD4 단백의 발현이 유지되어 있다.

2. 췌관내관 유두 종양 (intraductal tubulopapillary neoplasm, ITPN)

췌관내관 유두 종양(intraductal tubulopa-pillary neoplasm, ITPN)은 비교적 최근에 보고된 아형으로, 췌관내 유두상 점액종양(IPMN)과의 차이점으로는, 1) 육안적으로나 현미경 소견상 점액 분비의 소견이 뚜렷하지 않다는 것과 2) 형태학적으로 고형성 증식을 하여, 유두상 증식보다는 주로 관상 또는 체모양 증식을 한다는 점이다[1,4]. 대부분 주췌관에서 발생하며 췌관내강이 종괴로 인하여 확장되어 있다. 현미경 소견상 종양세포들이 빽빽하게 증식하여, 관모양 또는 체모양을 형성하며 확장된 췌관의 내강을 채우고 있고, 간혹 유두상 증식도 혼재되어 있다. 종양 내부에 괴사가 자주 관찰된다. 종양세포들은 대부분 고등도 형성이상을 보이며 유사분열도 자주 관찰된다. 약 40%에서는 침윤성 암종이 동반되어 있다.

면역조직 화학소견상 종양세포가 대부분 CK7 및 CK19을 발현하여 췌관 상피세포 기원으로 생각된다. CEA와 CA19-9의 발현은 국소적으로 관찰되며, SMAD4의 발현은 유지되어 있다. MUC 점액 당단백질의 발현은 MUC1과 MUC6가 각각 90% 및 60%에서 발현되며, MUC5AC과 MUC2의 발현은 없다.

3. 점액성 낭성종양 (mucinous cystic neoplasm)

점액성 낭성종양(mucinous cystic neoplasm)은 기둥모양의 점액을 함유한 상피세포로 피복되어 있으며, 그 아래로 난소 기질과 유사한 치밀한 기질이 관찰되는 것이 특징이다[5]. 췌관내 유두상 점액종양과는 달리 췌관과의 연결성이 없다.

종양상피세포의 형성이상의 정도에 따라 저등도(mucinous cystic neoplasm with low-grade dysplasia), 중등도(mucinous cystic neoplasm with intermediate-grade dysplasia) 및 고등도(mucinous cystic neoplasm with high-grade dysplasia)로 분류하며, 종양세포들이 낭벽의 주변 기질로 침범한 경우에는 점액성 낭성종양에 동반된 침윤성 암종(mucinous cystic neoplasm with an associated invasive carcinoma)으로 진단한다[6].

1) 육안 소견

점액성 낭성종양은 피막으로 둘러싸인 경계가 분명한 구형의 낭성 종괴를 형성하고, 대부분 췌장 체부나 미부에서 발생하며, 췌관과의 연결은 관찰되지 않는다(그림 51-5A). 크기는 2~35 cm으로 다양하게 보고되어 있으며, 단방성 또는 다방성으로 관찰된다[6]. 낭성종양의 내부는 점액성 액체로 가득차 있으나 출혈이나 괴사성 물질이 관찰될 수 있고 점도가 떨어진 경우에는 장액성 액체로 보일 수도 있다. 낭성종괴의 내벽은 대부분 매끈하나, 고형성 증식이 관찰되는 경우는 악성화가 의심되므로 이 부위에 대한 면밀한 병리학적 검사가 필요하다.

2) 현미경 소견

점액성 낭성종양은 점액을 분비하는 기둥모양의 종양세포로 피복되어 있으며, 낭벽에는 난소 기질과 유사하게 보이는 치밀한 기질이 관찰되는 것이 특징이다(그림 51-5B, C). 종양세포의 세포학적 및 구조적 형성이상의 정도에 따라 저등도, 중등도 및 고등도로 분류한다. 저등도 점액성 낭성종양을 구성하는 종양세포는 세포학적 및 구조적 형성이상을 거의 보이지 않는다. 낭 내벽을 피복하는 종양세포는 점액질이 풍부한 단층의 기둥모양으로 핵은 기저부에 위치하고 크기와 모양이 균일하며, 유사분열은 관찰되지 않는다. 중등도 점액성 낭성종양에서는 종양세포들의 증식으로 인해 세포들이 밀집되어 유두상 구조를 형성하며, 종양세포 핵의 크기가 증가하고 유사분열이 간혹 관찰된다. 고등도 점액성 낭성종양을 구성하는 종양세포들은 세포학적 및 구조적 형성이상이 심한 경우로, 핵의 크기가 다양하고, 유사분열이 흔히 관찰되고, 불규칙한 유두상 증식을 보이는 경우가 많다.

점액성 낭성종양에서 종양세포가 악성화되어 기질을 침범하며 증식하는 경우에는 점액성 낭성종양에 동반된 침윤성 암종으로 분류한다(그림 51-5D). 이런 경우에 육안적으로 확인 가능한 고형성 종괴를 형성하는 경우도 있으나, 기질 침범하는 병변의 크기가 작아서 매우 국소적으로만 존재하는 경우에는 육안 소견상 뚜렷히 보이지 않을 수 있기 때문에 이러한 부위를 간과하지 않도록 병변을 충분히 채취하여 면밀하게 현미경으로 검색하는 것이 매우 중요하다. 기질을 침범하는 종양세포들은 일반적인 관샘암종의 형태학적 소견을 보이는 경우가 대부분이나, 드물게 샘편평암종(adenosquamous carcinoma)과 같은 다른 조직학적 유형의 암종이 동반되기도 한다.

점액성 낭성종양의 낭벽을 구성하는 기질은 원형 또는 타원형의 핵을 갖고 있는 짧은 방추형 세포들이 밀집되어 있는 소견으로 난소 기질의 형태와 매우 유사하다. 이러한 난소형 기질은 점액성 낭성종양을 진단하는데 있어서 중요한 소견이다. 출혈이나 괴사 등의 이차적 변성으로 인하여 종양 상피세포들이 소실된 경우에도 난소형 기질이 관찰되는 경우에 점액성 낭성종양을 진단하는데 도움을 받을 수 있으며, 췌관내 유두상 점액종양과의 감별에도 도움이 된다[6]. 점액성 낭성종양과 주췌관과의 직접적인 연결은 관찰되지 않으며, 종괴로 인하여 췌관이 좁아지는 경우는 근위부에 만성췌장염 및 췌장 실질의 위축이 동반되기도 한다.

3) 면역조직화학적 소견

점액성 낭성종양의 종양세포들은 상피세포 기원으로 epithelial membrane antigen (EMA), CEA, CK 7, 8, 18 및 19, MUC5AC, DUPAN-2와 CA19-9를 발현한다. 간혹 MUC2를 발현하는 술잔모양 세포(goblet cell)가 관찰되기도 한다. 점액성 낭성종양에서는 SMAD4의 발현이 대체로 유지되어 있으나, 침윤성 암종이 동반된 경우에 SMAD4 발현을 소실하는 경우가 있다. 난소형 기질 세

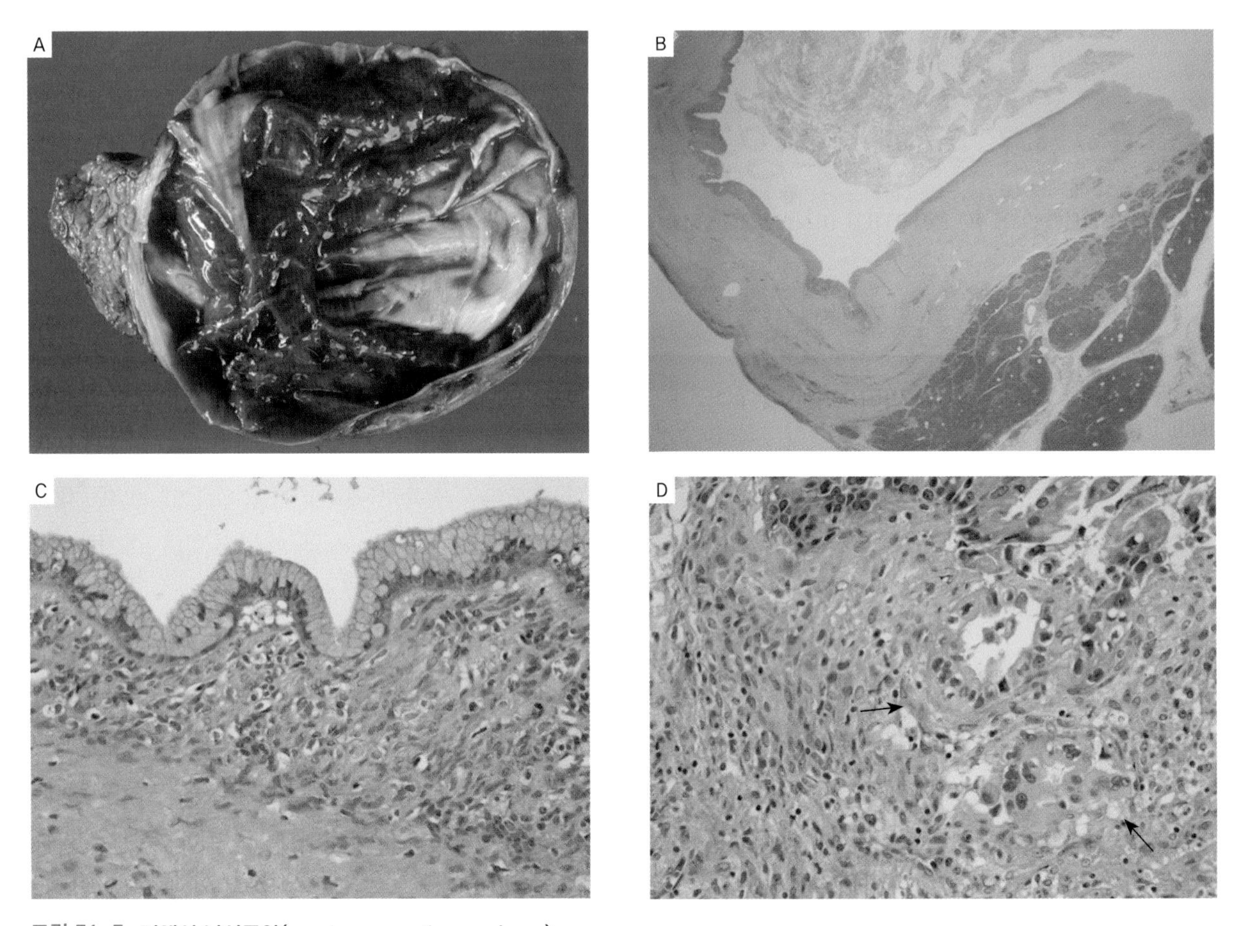

그림 51-5. **점액성 낭성종양(mucinous cystic neoplasm).**

A-C. 저등도 점액성 낭성종양의 육안 및 현미경 소견. A. 육안 소견상 단방성 낭종이 관찰되며, 낭벽은 비교적 매끈하고, 내부에는 점액성 물질이 있다. B. 저배율 현미경 관찰 소견상 섬유성 피막으로 둘러싸여 있는 단방성 낭종이다(×10). C. 고배율 소견상 낭벽을 피복하는 상피세포들은 단층의 점액을 분비하는 기둥모양의 세포들로 형성이상의 정도는 미약하다. 낭벽에서는 난소 기질과 유사한 형태의 기질이 관찰된다(×200).

D. 점액성 낭성종양에 동반된 침윤성 암종의 현미경 소견. 기질을 침범하는 종양세포 군집에 관찰된다(화살표, ×200)

포들은 프로게스테론 수용체와 에스트로겐 수용체를 각각 60~90% 및 30%에서 발현하므로 면역조직화학염색으로 확인할 수 있다.

4) 분자병리 소견

점액성 낭성종양에서 KRAS 유전자 돌연변이가 가장 흔히(80%) 발생하며 저등급 병변에서부터 관찰된다. 고등도 점액성 낭성종양과 및 침윤성 암이 동반된 경우에 TP53, SMAD4 및 CDKN2A/P16 유전자의 돌연변이가 관찰되며, 이러한 점은 췌관 선암이나 췌관내 유두상 점액종양의 유전자 변화와 유사하다. 그러나 췌관내 유두상 점액종양과는 달리 GNAS 유전자 변이는 관찰되지 않으며, RNF43 유전자의 비활성화 돌연변이는 발생하나 췌관내 유두상 점액종양에 비해 그 빈도가 비교적 낮다(40%)[7,8].

4. 장액성 낭샘종(serous cystadenoma)

장액성 낭샘종(serous cystadenoma)은 췌장 종양

의 1~2%를 차지하는 드문 양성 종양이다[9]. 특징적으로 당원을 함유하는 입방형 세포로 피복되어 있는 작은 낭성 구조물을 형성하며, 내부는 장액성 액체로 차있다. 형태학적 특징에 따라 소낭성 장액성 낭샘종(microcystic serous cystadenoma), 대낭성 장액성 낭샘종(macrocystic serous cysta-denoma, serous oligocystic adenoma), 또는 고형성 장액성 종양(solid serous neoplasm)으로 분류한다. 이 중 소낭성 장액성 낭샘종이 가장 흔하다.

1) 육안 소견

소낭성 장액성 낭샘종은 경계가 분명하고 크기는 장경 1~25 cm으로 다양하다. 단면상 2~10 mm 크기의 수많은 작은 낭성 구조물로 구성되어 있어 스폰지와 유사한 형태를 보이며, 내부는 장액성 액체로 차 있다(그림 51-6A). 장액성 낭샘종의 내부에 별 모양의 섬유성 반흔이 관찰되는 경우가 많다. 대낭성 장액성 낭샘종의 경우 낭의 크기가 대부분 1 cm 이상으로 크며 섬유성 반흔은 비교적 드물다. 장액성 낭샘종은 주췌관과의 연결은 없고, 주췌관은 대부분 정상 소견으로 확장되어 있지 않다. 대부분 단발성으로 발생하나, von Hippel-Lindau 증후군과 동반되어 발생하는 경우에는 다발성으로 췌장 전체에 걸쳐 관찰된다.

2) 현미경 소견

장액성 낭샘종을 구성하는 작은 낭성 구조들은 단층의 입방형 또는 납작한 상피세포들로 피복되어 있다(그림 51-6B, C). 종양 세포들은 당원을 함유하고 있어 대부분 투명한 세포질을 보이나 간혹 호산성의 과립형 세포질을 보이는 경우도 있다. 종양 세포 핵은 세포의 중앙 또는 약간 기저부 쪽에 위치하고 있으며, 둥글거나 타원형이며, 크기가 비교적 균등하고, 핵인은 잘 보이지 않는다. 세포학적 형성이상이나 유사분열은 거의 관찰되지 않는다. 종양의 낭성 구조물 사이는 단단한 섬유조직으로 구성되어 있다. 면역조직화학적 소견상 종양 세포들은 EMA와 CK 7, 8, 18 및 19를 발현하여 이들이 상피세포 기원임을 알 수 있다.

장액성낭샘암종(serous cystadenocarcinoma)는 매우 드문 종양으로, 소수의 증례만이 보고되어 있다[10]. 장액성낭샘암종을 구성하는 종양세포도 현미경 소견은 양성 장액성 낭샘종과 유사하기 때문에 형태학적 소견만으로 진단하기는 어려우며, 원격전이가 있을 때에만 확실한 진단이 가능한 경우가 많다.

5. 고형 가유두상종양 (solid pseudopapillary neoplasm)

고형 가유두상종양(solid pseudopapillary neoplasm)은 저등급 악성 종양으로써 고형성 및 가유두상(pseudopapillary) 구조를 형성하는 종양세포들의 증식이 특징이며, 출혈과 괴사를 흔히 동반한다[11]. 고형 가유두상종양의 발생빈도는 전세계적으로 전체 외분비 췌장 종양의 1~3%이며, 췌장의 낭성종양 중 약 5%를 차지하는 드문 종양으로 알려져 있으나[12], 국내에서는 전체 췌장 낭성종양 중 15.2~18.3%를 차지하는 것으로 보고되어 우리나라에서는 드물지 않은 종양임을 시사한다[13,14].

1) 육안 소견

고형 가유두상종양은 대부분 단발성으로 발생하며, 육안적으로는 주변 췌장실질과의 경계가 비교적 분명한 구형 또는 분엽성의 종괴를 형성하며, 크기는 0.8~25 cm으로 다양하다[12](그림 51-7A). 췌장의 두부보다는 체부나 미부에서 더 흔히 발생한다[15,16]. 종양은 크기가 비교적 작은 경우는 고형성의 회백색 단면을 보이는 경

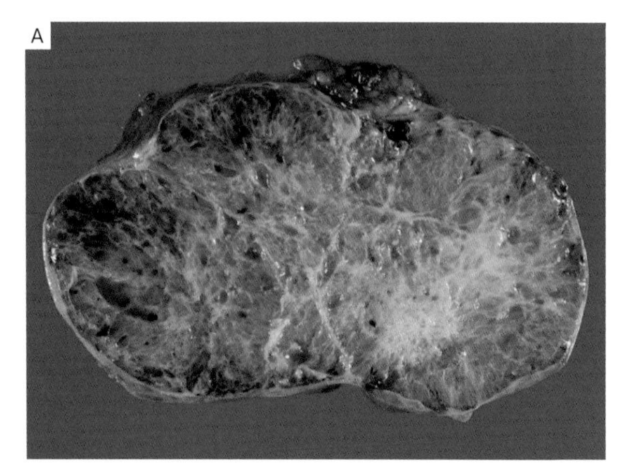

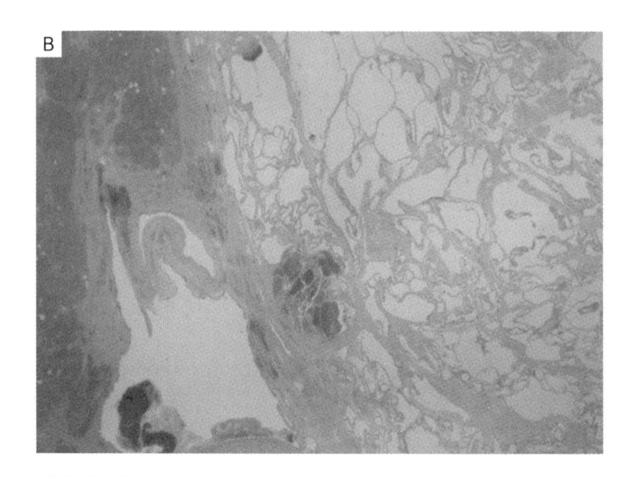

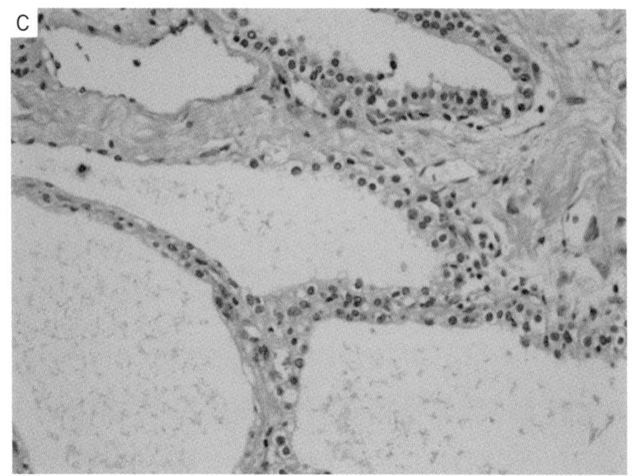

그림 51-6. **장액성낭샘종(serous cystadenoma)의 육안 및 현미경 소견.**
A. 육안 소견상 종괴의 단면은 수많은 작은 낭성 구조물로 구성되어 있으며, 내부는 장액성 액체로 차 있다.
B. 현미경 저배율 소견상 종양은 작은 낭성 구조물들로 구성되어 있으며(×10),
C. 낭벽은 단층의 투명한 입방형 상피 세포들로 피복되어 있다(×200).

우가 많으나, 크기가 커지면 암갈색의 광범위한 출혈과 괴사를 자주 보인다. 부분적으로 낭성 변화를 동반하는 경우도 있으며, 낭벽에서 석회화가 간혹 관찰된다.

2) 현미경 소견

고형 가유두상종양의 종양세포는 세포 간의 결집력이 약해서 다수의 모세혈관들 주변으로 종양세포가 매달려 있는 듯한 모습과 그 사이로 종양세포들이 낱개로 흩어져 있는 가유두상(거짓 유두상) 구조를 형성한다. 이러한 소견은 섬유혈관조직을 중심으로 종양세포가 증식하는 유두상(papillary) 구조와는 다르다[11,12] (그림 51-7B). 종양세포들은 비교적 균일한 모양으로 호산성의 비교적 풍부한 세포질을 가지고 있으며, 일부에서는 액포(vacuole)가 관찰된다. 세포질 내에 periodic acid-Schiff (PAS)에 염색되는 미세한 호산성 과립을 보이기도 한다. 종양세포의 핵은 원형 또는 타원형이며 모양과 크기가 비교적 일정하며, 핵소체는 뚜렷하지 않다. 약 7~13%에서 핵의 크기가 커지고 비정형성을 보인다는 보고가 있는데, 이러한 소견은 고등도 악성을 시사하기 보다는 퇴행성 변화로 여겨진다[17]. 유사분열은 드물며, 이차적인 변화로 출혈 및 괴사가 관찰되며, 종양 내부에 대식세포의 침윤과 콜레스테롤 결정체들도 흔히 볼 수 있다.

주변 췌장과 경계가 명확해 보이는 육안적인 소견과는 달리 현미경 소견 상으로는 종양세포들이 주변 췌장 실질로 부분적으로 침윤성 성장을 하는 모습을 보이며 (그림 51-7C), 종괴의 변연부에 신경다발이나 혈관 침

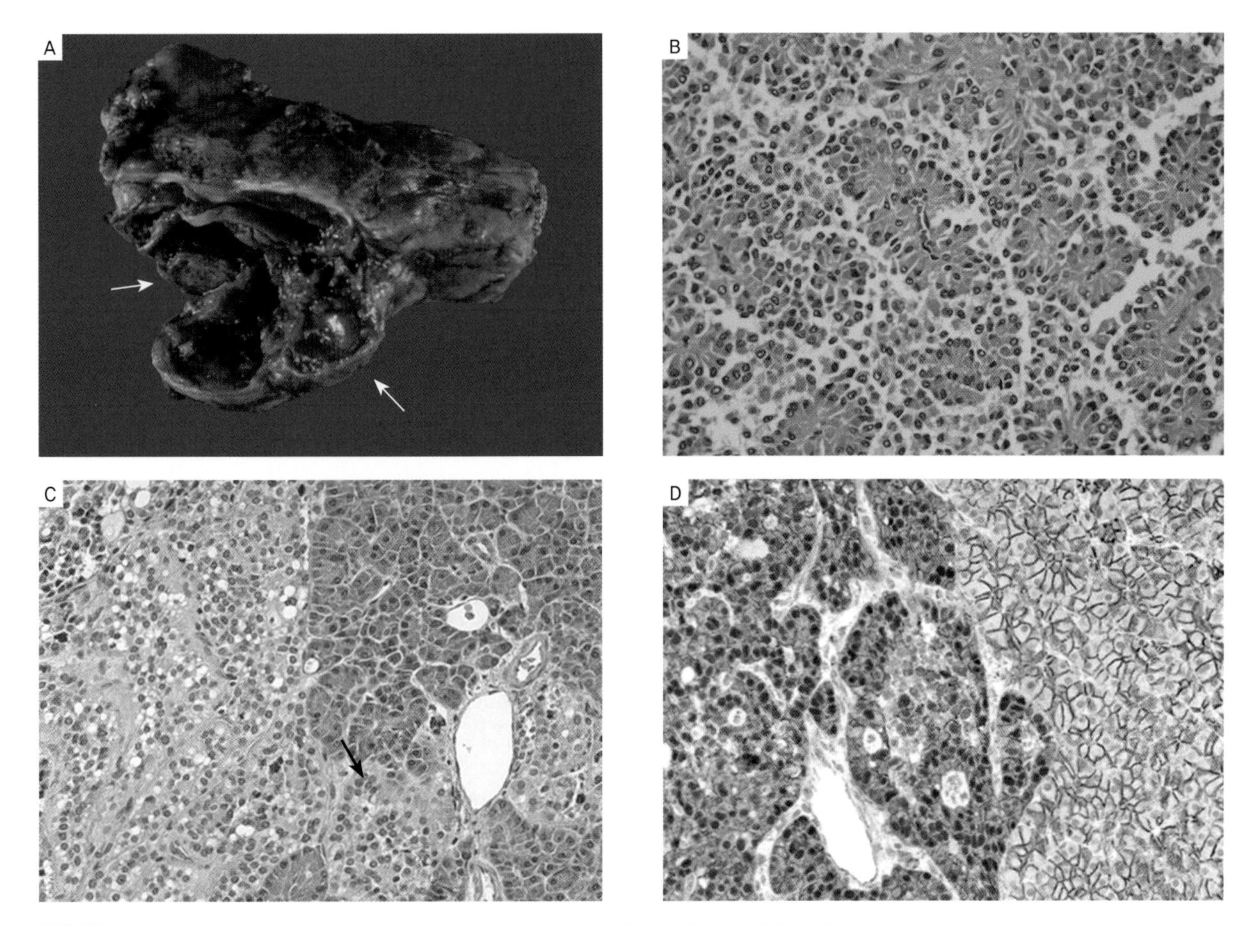

그림 51-7. **고형 가유두상종양(solid pseudopapillary neoplasm)의 육안 및 현미경 소견.**
A. 육안 소견상 낭성 변화를 동반한 분엽성의 종괴(화살표)가 관찰되며 내부에 괴사 및 출혈이 관찰된다.
B. 현미경 소견상 모세혈관 주변으로 종양세포들이 매달려 있으며, 그 사이에는 종양세포들이 서로 떨어져서 낱개로 흩어져 있는 모습으로, 종양세포들은 비교적 동일한 형태를 보인다(×200).
C. 종괴의 경계부위의 현미경 관찰소견으로 종양이 부분적으로 주변 췌장 실질로 침윤하고 있다(화살표)(×100).
D. 베타카테닌에 대한 면역조직화학염색소견으로 특징적으로 종양 세포들의 핵 또는 세포질에서 베타카테닌 단백질이 발현된다(사진의 좌측). 반면 주변 정상 췌장 선방세포에서는 베타카테닌 단백질이 세포막에서 발현된다(사진의 우측)(베타카테닌 면역염색, ×200).

범도 관찰될 수 있다.

3) 면역조직화학적 소견

고형 가유두상종양의 특징적인 면역조직화학적 소견으로는 베타카테닌과 CD10의 발현이 있다. 거의 모든 고형 가유두상종양에서 베타카테닌 단백질이 핵 또는 세포질에서 발현되며, 이는 CTNNB1 유전자의 돌연변이를 반영한다(그림 51-7D). E-cadherin의 정상적인 세포막 발현도 소실되는 것이 특징이다[18]. 이 외에 알파-1-항트립신, 알파-1-카이모트립신, 뉴런특이에놀라아제(neuron specific enolase), 비멘틴(vimentin), 프로게스테론 수용체, CD56 등을 발현할 수 있으며, 크로모그라닌 A나 E-cadherin의 발현은 관찰되지 않는다. 신경내분비 종양과의 감별진단 시에 베타카테닌, CD10 및 크로모그라닌 A에 대한 면역조직화학검사를 시행하면 도움을 받을 수 있는데, 신경내분비 종양의 경우 베타카테닌 단백이 세포막에 발현되며, CD10 음성 및 크로모그라닌 A 양성 소견을 보이는 반면, 고형 가유두상종양의 경우에는 베타카테닌 단백이 핵에 발현되고, CD10 양성 및 크로모그라닌 A 음성 소견을 보인다.

4) 분자병리 소견

고형 가유두상종양의 대부분에서 CTNNB1 유전자의 3번 엑손의 돌연변이가 관찰되어 Wnt/beta-catenin 유전자 경로의 이상을 시사한다[7]. 그 외에 Hedgehog 및 안드로겐 수용체 신호전달 경로가 활성화 되어 있고, 상피-중간엽 이행 관련 유전자의 발현 증가가 보고되었다[19]. 췌장관 샘암종에서 흔히 관찰되는 KRAS, CDKN2A/p16, TP53, SMAD4 등 유전자의 변화는 고형 가유두상종양에서는 발견되지 않는다[8].

References

1. Adsay NV, Fukushima N, Furukawa T, et al. Intraductal neoplasms of the pancreas. In: Bosman FT, Carneiro F, Hruban RH, Theise ND, (ed.). WHO classification of tumours of the digestive system. 4th ed. Lyon: IARC, 2010, p. 304-13.
2. Kim J, Jang KT, Park SM, et al. Prognostic relevance of pathologic subtypes and minimal invasion in intraductal papillary mucinous neoplasms of the pancreas. Tumour Biol 2011; 32: 535-42.
3. Wu J, Matthaei H, Maitra A, et al. Recurrent GNAS mutations define an unexpected pathway for pancreatic cyst development. Sci Transl Med 2011; 3: 92ra66.
4. Yamaguchi H, Shimizu M, Ban S, et al. Intraductal tubulopapillary neoplasms of the pancreas distinct from pancreatic intraepithelial neoplasia and intraductal papillary mucinous neoplasms. Am J Surg Pathol 2009; 33: 1164-72.
5. Hruban RH, Pitman MB, Klimstra DS. Mucinous cystic neoplasms. In: Hruban RH, Pitman MB, Klimstra DS, (ed.). Tumor of the pancreas. Washington, DC: American Registry of Pathology, 2007, p. 51-74.
6. Zamboni G, Fukushima N, Hruban RH, Kloppel, G. Mucinous cystic neoplasms of the pancreas. In: Bosman FT, Carneiro, F., Carneiro F, Hruban RH, Theise ND, (ed.). WHO classification of tumours of the digestive system. 4th ed. Lyon: IARC, 2010, p. 300-3.
7. Wood LD and Hruban RH. Genomic landscapes of pancreatic neoplasia. J Pathol Transl Med 2015; 49: 13-22.
8. Wu J, Jiao Y, Dal Molin M, et al. Whole-exome sequencing of neoplastic cysts of the pancreas reveals recurrent mutations in components of ubiquitin-dependent pathways. Proc Natl Acad Sci U S A 2011; 108: 21188-93.
9. Terris B, Fukushima N, Hruban RH. Serous neoplasms of the pancreas. In: Bosman FT, Carneiro F, Hruban RH, Theise ND, (ed.). WHO classification of tumours of the digestive system. 4th ed. Lyon: IARC, 2010, p. 296-9.
10. King JC, Ng TT, White SC, Cortina G, Reber HA and Hines OJ. Pancreatic serous cystadenocarcinoma: a case report and review of the literature. J Gastrointest Surg 2009; 13: 1864-8.
11. Hruban RH, Pitman MB, Klimstra DS. Solid-pseudopapillary neoplasms. In: Hruban RH, Pitman

MB, Klimstra DS. (ed.). Tumor of the pancreas. Washington, DC: American Registry of Pathology, 2007, p. 231-50.
12. Kloppel G, Hruban RH, Klimstra DS, et al. Solid-pseudopapillary neoplasms of the pancreas. In: Bosman FT, Carneiro F, Hruban RH, Theise ND, (ed.). WHO classification of tumours of the digestive system. 4th ed. Lyon: IARC, 2010, p. 327-30.
13. Yoon WJ, Lee JK, Lee KH, Ryu JK, Kim YT and Yoon YB. Cystic neoplasms of the exocrine pancreas: an update of a nationwide survey in Korea. Pancreas 2008; 37: 254-8.
14. 윤원재, 윤용범, 이광혁 등. 한국에서의 췌장의 낭성종양. 대한내과학회지 2006; 70: 261-7.
15. Kang CM, Choi SH, Kim SC, Lee WJ, Choi DW and Kim SW. Predicting recurrence of pancreatic solid pseudopapillary tumors after surgical resection: a multicenter analysis in Korea. Ann Surg 2014; 260: 348-55.
16. Kim CW, Han DJ, Kim J, Kim YH, Park JB and Kim SC. Solid pseudopapillary tumor of the pancreas: can malignancy be predicted? Surgery 2011; 149: 625-34.
17. Kim SA, Kim MS, Kim SC, Choi J, Yu E and Hong SM. Pleomorphic solid pseudopapillary neoplasm of the pancreas: degenerative change rather than high-grade malignant potential. Hum Pathol 2014; 45: 166-74.
18. Kim MJ, Jang SJ and Yu E. Loss of E-cadherin and cytoplasmic-nuclear expression of beta-catenin are the most useful immunoprofiles in the diagnosis of solid-pseudopapillary neoplasm of the pancreas. Hum Pathol 2008; 39: 251-8.
19. Park M, Kim M, Hwang D, et al. Characterization of gene expression and activated signaling pathways in solid-pseudopapillary neoplasm of pancreas. Mod Pathol 2014; 27: 580-93.

CHAPTER 52

췌장 낭성종양의 진단

Diagnosis of cystic tumors of the pancreas

52-1 췌장 낭성종양의 영상학적 진단(Imaging diagnosis of cystic tumors of the pancreas)

최진영

서론

췌장의 낭성 병변은 영상 검사에서 흔히 관찰되는 질환이다. 췌장의 낭성 병변은 나이에 따라 증가하는 경향을 보이며 유병률은 15% 정도로 알려져 있다. 췌장에서 가장 흔한 낭성 병변은 가성낭종으로 췌장 낭성 병변의 약 75~85%를 차지한다. 췌장의 낭성종양은 췌장 종양의 약 10~15%이다[1,2]. 췌장의 낭성종양은 양성부터 악성화 가능성이 있거나 뚜렷한 악성병변까지 다양한 악성도를 가지므로 정확한 진단이 치료방침 결정에 매우 중요하다. 췌장의 낭성종양들은 형태학적으로 특징적인 소견들을 가지고 있으나 일부 겹치는 소견이 있으므로 진단에 주의해야 한다.

컴퓨터 단층촬영은 췌장 진단에 있어서 가장 먼저 사용되는 영상 기법이고 병변의 발견과 특성화에 우수하다. 컴퓨터 단층촬영에서 병변이 발견되면 자기공명영상 또는 내시경초음파를 통해 더 자세한 특성화가 가능하다. 자기공명영상은 높은 연부조직 대조도를 가져 낭성 병변 여부와 특징을 진단하는데 유용한 검사법이다. 내시경초음파는 높은 공간 분해능을 가지므로 격막이나 벽 결절 등의 내부 구조를 정확히 평가하는데 유리하다[3]. 췌장의 대표적 낭성종양에는 장액낭샘종, 점액성 낭성종양, 관내 유두상 점액상 종양, 고형 가유두상 종양의 일부 등이 있다(표 52-1-1).

1. 장액낭샘종(serous cystadenoma)

장액낭샘종은 평균 나이 60~65세경의 여자에서 호발한다. 대개 영상검사에서 우연히 발견되지만 폰 히펠린다우병(von Hippel-Lindau)과 동반되어 다발성으로 나타날 수 있다. 대부분은 무증상이나 크기가 큰 경우 복통이나 복부 불편감, 또는 황달을 유발하는 경우도 있다. 이 종양은 경계가 명확하며 크기는 1~13 cm(평균 5 cm)정도이다. 췌장의 어디에나 생길 수 있으나 두부에 좀 더 흔하게 발생한다. 전형적인 장액낭샘종은 매우 많은 작은 낭이 모여 있는 형태로 이루어져 있다. 형태학적으로는 구성되어 있는 낭의 크기에 따라 크게 세 가지 종류로 나눌 수 있는데, 2 cm 이하의 다양한 크기

표 52-1-1. **췌장 낭성종양의 영상소견**

	장액낭샘종	점액성 낭성종양	관내 유두상 점액성 종양	고형 가유두상종양
호발연령	60-65세	40-50세	60-70세	20-30세
성별	남 < 여	남 < 여	남 = 여	남 < 여
호발부위	두부	체부 또는 미부	없음	없음
췌관과 연결	없음	없음	있음	없음
병리적 특징	- 글리코겐이 풍부한 상피세포와 다양한 정도의 섬유성 격막으로 구성	난소형 기질	- 이형성, 상피내 암종, 침윤성 암까지 다양함 - 주췌관형, 분지췌관형, 혼합형으로 구분	- 섬유성 피막을 가진 고형성 또는 낭성종양 - 내부에 출혈이 흔함
특징적 영상소견	- 다형성: 분엽상의 다낭성 종괴, 과혈관성 - 벌집모양: 미세낭이 뭉쳐짐 - 중심부 반흔	- 단방성으로 내부에 격막을 가짐 - 주변부에 석회화	- 주췌관형: 주췌관 전체 또는 일부의 확장 - 분지췌관형: 포도송이모양, 원형, 난형, 곤봉 모양으로 췌관과 연결됨	- 두꺼운 피막 - 내부에 출혈과 낭성 변화
악성을 시사하는 소견	악성은 매우 드묾	두꺼운 벽이나 격막, 벽내 석회화, 낭성병변 내부의 고형조직	주췌관의 직경이 10 mm 이상 확장, 내부 결절, 고형성분, 벽 비후, 주변 구조 침윤	혈관, 주변 장기 침윤, 간 전이

의 작은 낭으로 이루어진 다형성 형태(polycystic type), 무수히 많은 작은 낭으로 구성되어 있는 벌집모양 형태(honeycomb type), 그리고 2 cm 이상의 큰 낭을 다수 포함하고 있는 과소낭형 형태(oligocystic type)이다. 이 중에서 다형성(polycystic type)이 가장 흔하고 (70%), 벌집모양(honeycomb type)이 20% 정도를 차지하며 과소낭형(oligocytstic type)은 10% 이하이다[4]. 각각의 낭은 글리코겐이 풍부한 상피로 이루어지고 섬유성 격막으로 나뉘어져 있으며 상피하에는 모세혈관이 풍부하게 분포하고 있어 과혈관성으로 보일 수 있다 (그림 52-1-1). 섬유성 격막들은 중심부에서 합쳐져 반흔을 형성하기도 하며 이 반흔에는 석회화가 동반이 되기도 한다[5]. 장액낭샘종은 컴퓨터 단층촬영에서 전형적으로 분엽상의 다낭성 종괴로 보인다. 과혈관성으로 인해 고형종양으로 오인되는 경우도 있다. 개별 낭의 크기는 대개 2 cm 이하이고 여러 개의 낭으로 구성된다(6개 이상). 약 20~25%에서는 전형적인 별모양의 석회화 (stellate calcification)가 중심부 반흔에 보일 수 있다[6].

자기공명영상은 컴퓨터 단층촬영과 비교하여 조직 대조도가 좋아 장액낭샘종을 구성하는 개개의 낭을 더 명확하게 관찰할 수 있다. 자기공명영상에서의 장액낭샘종은 원형의 경계가 잘 지워지는 종괴이고 작은 낭이 뭉쳐져 보이며 췌관과의 연결은 없다. 각 낭은 T2강조영상에서 물과 같은 고신호강도를 보이고 그 사이로 얇은 격막이 지연기에 조영증강될 수 있다. 드물게 낭의 내부에 자발성 출혈이 있을 수 있는데 이 경우 T1강조영상에서 고신호강도로 보인다. 병변이 자라고 섬유성 조직이 퇴축되면서 중심부에 반흔이 생기며 내부에 석회화가 보일 수 있다. 중심부 반흔은 T1강조영상에서 저신호 강도이고 지연기 조영증강영상에서 다양한 정도의 조영증강을 보인다. 석회화는 자기공명영상보다는 컴퓨터 단층촬영에서 더 잘 구별된다[4,6].

비교적 드문 형태로 과소낭형(oligocystic type)과 고형성(solid type) 장액낭샘종이 있다. 과소낭형은 낭의 크기가 크고 개수가 적으며(6개 이하) 점액성 낭종과 유사하게 보일 수 있다. 감별점으로는 점액성 낭종은

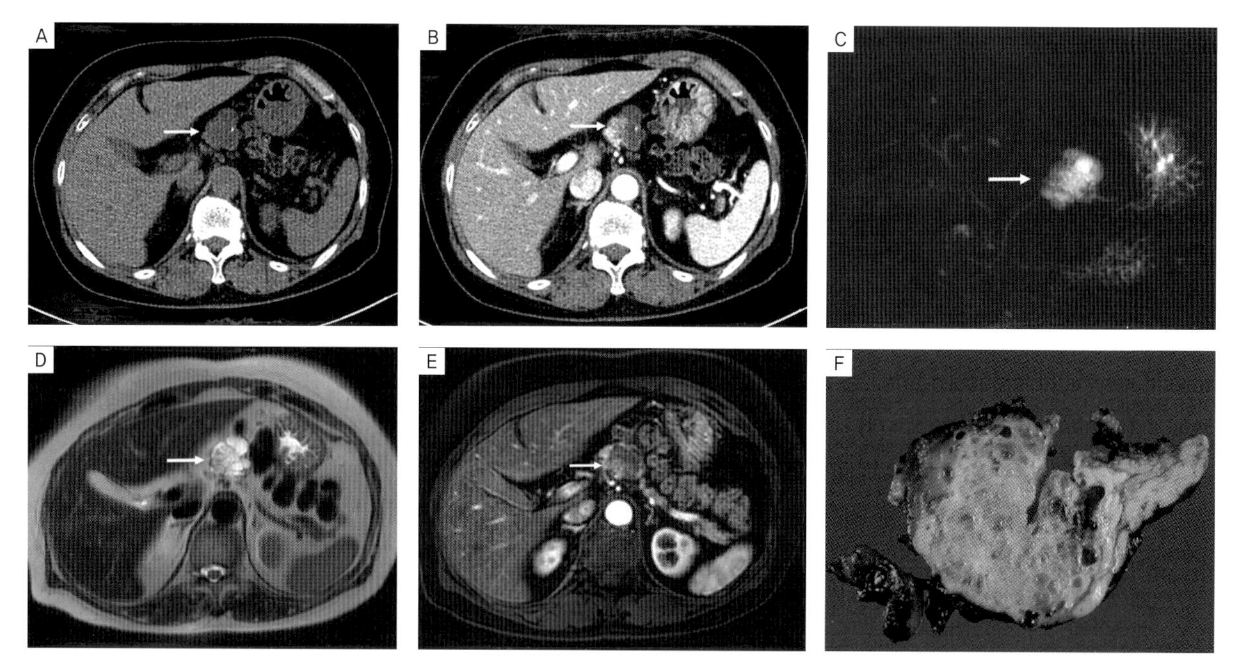

그림 52-1-1. **장액낭샘종을 가진 40세 여자.**
A. 조영증강 전 컴퓨터 단층촬영에서 췌장 체부에 저음영의 종괴가 있다(화살표). 내부에 석회화가 보인다.
B. 횡단면 조영증강 영상에서 종괴의 일부는 강한 조영증강이 있어 고형종괴와 유사하게 보이고(화살표), 일부는 낭성 변화가 있다.
C. 자기공명담췌관촬영술에서 췌장 체부에 분엽상 낭성 종괴가 보이고(화살표) 췌관은 확장되지 않았다.
D. T2강조영상에서 엽상(lobulated) 종괴는 물과 유사하게 고신호강도를 보인다(화살표).
E. 조영증강 자기공명영상의 문맥기에 고형성과 낭성 종괴가 혼합된 것처럼 보인다(화살표).
F. 절제술 후 병리조직에서 벌집형태의 작은 낭으로 구성된 종괴가 보인다.

외연이 매끈한데 반해 과소낭형은 분엽상(lobulated)을 보이는 차이점이 있다. 고형성 장액성 낭선종은 매우 드물고 실제로 현미경적으로는 매우 작은 장액성 낭으로 구성되어 있으나 영상으로는 고형 종양처럼 보이는 경우이다[7]. 관내 유두상 점액성 종양도 다낭성 병변으로 장액낭샘종과 유사하나 췌관과의 연결이 있다는 차이점이 있다[4,8].

2. 점액 낭성종양(mucinous cystic neoplasm)

점액 낭성종양은 췌장 낭성종양의 약 10%를 차지하는데 대부분 여자에서 발생(95% 이상)하고 40~50세에 호발한다. 증상이 없는 경우가 많으나 종괴 효과에 의해 복통이나 팽만감 등이 있을 수 있고 췌장염의 과거력이 있어 가성낭종으로 오인되기도 한다. 크기는 평균 6~10 cm 정도이나 다른 낭성종양과 비교하여 크기가 크고 35 cm까지 보고되고 있다. 일반적으로 관내 유두상 점액성 종양과 달리 주췌관과의 연결이 없다. 특징적으로 췌장의 체부나 미부에 호발한다(약 95%). 병리적으로는 점액을 형성하는 원주상피로 둘러싸인 두꺼운 벽을 가진다. 담관의 낭선종과 유사하게 상피하에 난소형 기질(ovarian stroma)을 가지고 있는 것이 특징이다. 병리적으로 양성인 점액 낭선종부터 악성인 점액 낭선암까지 다양한 범위를 포함한다. 악성의 가능성이 있으므로 수술적 치료를 고려해야 하는 질환이다. 난소성 기질이 있는 점액성 낭종(mucinous cystadenoma)에 침윤성 점액낭샘종의 부분이 있으면 점액 낭선 암종(mucinous cystadenocarcinoma)이라고 한다. 대체로 점액성 낭종에 비해 호발 연령이 늦은데 이는 양성 점액낭샘종에서 악성으로의 진행을 시사한다고 볼 수 있다[2,5].

점액 낭성종양은 컴퓨터 단층촬영에서 원형 또는 난형의 낭성 종괴로 단방형(unilocular)이거나 내부에 격막을 가질 수 있다. 약 25%에서 석회화가 있는데 주변부에 계란 껍질 모양을 보이거나 격막내에 위치한다. 내부의 내용물은 불균일하게 보일 수 있다. 자기공명영상에서도 단방성 또는 약간의 격막을 가진 낭성 병변으로 보인다. 낭종의 벽은 대개 두껍고 지연기 조영증강을 보인다. 내부의 액체는 단순 낭종과 유사하게 T1강조영상에서 저신호강도, T2강조영상에서 균일하거나 불균일한 고신호강도이다(그림 52-1-2). T1신호강도가 올라가는 경우도 있으나 흔하지 않다. 악성을 시사하는 소견으로는 두꺼운 벽이나 격막, 벽내에 석회화, 낭성 병변 내부의 고형 조직 등이 있다. 점액 낭선 암종은 크고 복잡한 낭성 병변으로 보이는데 양성 병변과는 낭 내부에 조영증강되는 연부조직 유무로 구별할 수 있다[5,6].

감별을 요하는 가장 중요한 질환은 가성낭종이다. 가성낭종은 대개 시간에 따라 모양이 변화하고 췌장 주변부의 염증성 변화를 동반하며 췌관과의 연결이 특징이다. 그러나, 점액 낭성종양에서도 이와 유사하게 보이는 경우가 있어 감별이 어려운 경우가 많다. 영상진단만으로 점액 낭성종양과 다른 질환을 감별하기 어려운 경우 내시경초음파를 통한 미세흡인 세침 검사를 시행해서 내부의 성분과 종양표지자를 확인하면 도움이 될 수 있다[9,10].

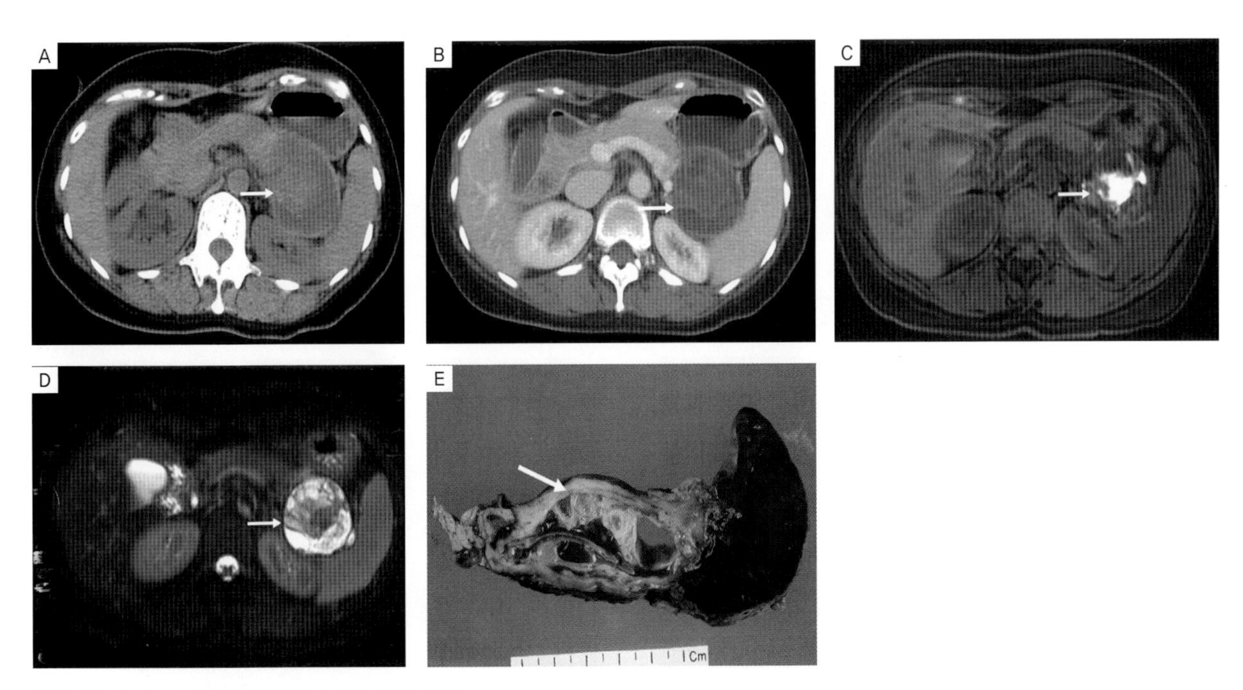

그림 52-1-2. **점액 낭성종양을 가진 40세 여자.**
A. 조영증강 전 컴퓨터 단층촬영에서 췌장 미부에 낭성 종괴가 있고 내부에 출혈에 의한 고음영이 보인다(화살표).
B. 조영증강 영상에서 외연이 매끈한 낭성 종괴가 보이고 내부에는 격막이 있으며 음영의 차이를 보이는 부분이 있다(화살표).
C. 조영증강 전 T1강조영상에서 종괴의 내부에 출혈에 의한 고신호강도를 보이는 부분이 있다(화살표).
D. T2강조영상에서 경계가 매끈한 낭성 종괴가 보이고 내부에 격막이 있으며 출혈에 의한 저신호강도가 보인다(화살표).
E. 수술 후 병리조직에서 점액 낭성종양으로 확인되었다(화살표).

3. 췌관내 유두상 점액성 종양 (intraductal papillary mucinous neoplasm, IPMN)

췌관내 유두상 점액성 종양은 췌장의 관내 상피가 유두상으로 돌출되어 있고 점액성으로 변화하는 것이 특징이다. 이 종양은 성별에 따른 발생 빈도에 차이가 없으며 60~70대에 호발한다[11]. 임상적으로 복통, 체중감소, 황달이 있거나 점액 또는 종양에 의해 췌관이 막혀 반복적인 췌장염의 병력이 있는 경우도 있다. 췌관내 유두상 점액성 종양은 육안적으로 종양이 발생한 위치에 따라 주췌관형(main ductal type), 분지췌관형(branched duct type), 그리고 두 형태가 같이 존재하는 혼합형(mixed type)으로 나눌 수 있다[5,12]. 종양의 위치가 예후에 중요한데 주췌관에 생긴 췌관내 유두상 점액성 종양은 악성인 경우가 60~70%로 많지만 분지에 발생한 경우는 24% 정도만 악성이다. 이 질환은 다발성으로 오는 경우가 흔하고 5~10%에서는 전체 췌장에 발생한다[2,13]. 췌관내 유두상 점액성 종양은 병리적으로 이형성, 상피내 암종, 침윤성 암까지 다양한 스펙트럼을 보인다.

컴퓨터 단층촬영에서 주췌관이 5 mm 이상으로 늘어난 경우 주췌관형 췌관내 유두상 점액성 종양을 의심할 수 있는데 췌장 실질은 얇아져 보인다. 췌관의 근위부(췌장 미부)에 위치한 경우 원위부 췌관이 점액에 의해 늘어날 수 있다. 내부에 고형성 결절이 보이면 악성의

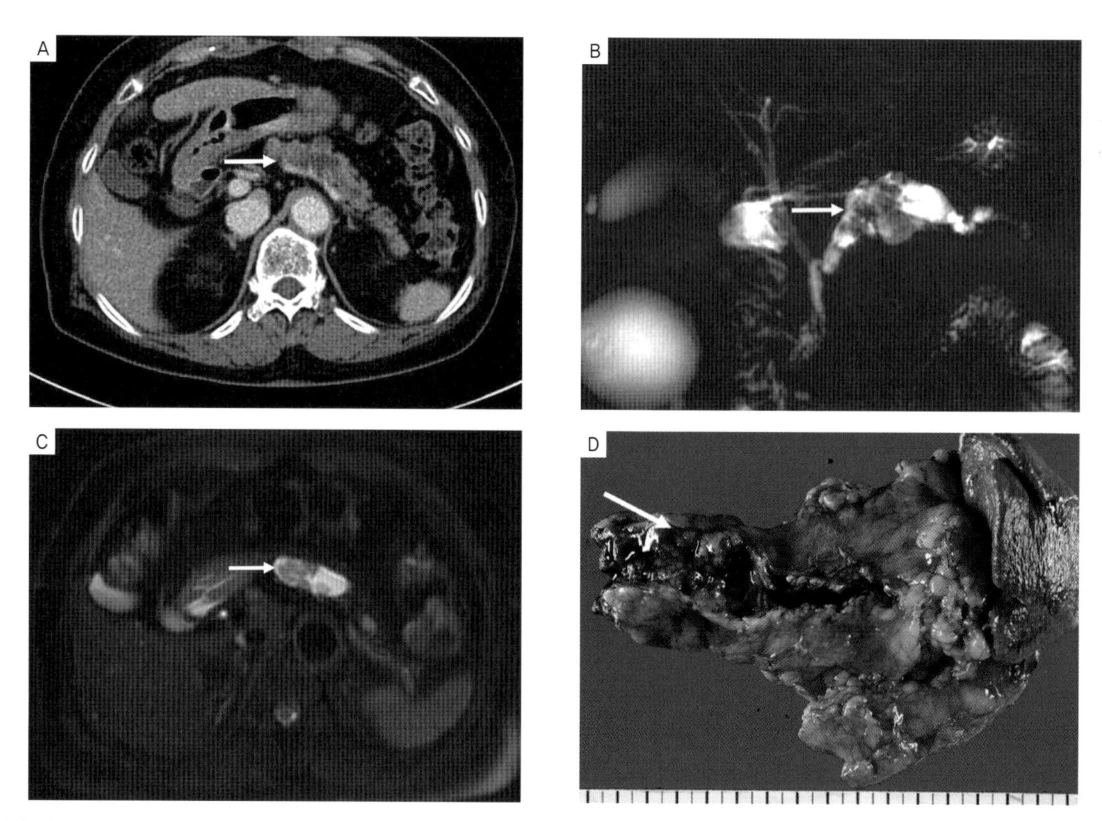

그림 52-1-3. **췌관내 유두상 점액성 종양을 가진 72세 여자.**
A. 조영증강 컴퓨터 단층촬영에서 췌장의 주췌관이 늘어나 있고 내부에 고형성 병변이 보인다(화살표).
B. 자기공명담췌관 촬영술에서 늘어난 주췌관내에 불규칙한 종괴가 보인다(화살표).
C, D. 조영증강 자기공명영상과 T2강조영상에서 췌관내의 고형조직이 보인다(화살표).

가능성이 높은데 이는 점액으로 차 있는 늘어난 관내로 돌출된 고음영의 결절로 보인다. 점액성 물질에 의해 바터 팽대부가 튀어나와 보이는 경우도 있다. 분지췌관형은 낭성 종괴 형태인데 포도송이모양, 원형, 난형, 곤봉 모양 등이 혼재된 다양한 형태로 보이는 경우가 많다[6]. 자기공명영상은 췌관내 유두상 점액성 종양의 특성화를 위한 가장 좋은 영상기법으로 컴퓨터 단층촬영에 비해 췌관과의 연결 유무를 평가하는데 유리하다[14]. 췌관내 유두상 점액성 종양의 위치와 형태에 따라 모양이 결정되는데 주췌관에 발생한 경우 주췌관 전체 또는 일부의 확장이 주된 소견이다. 악성의 가능성이 높은 영상소견으로는 주췌관의 직경이 10 mm 이상 확장, 내부 결절이 있는 경우, 고형성분이 있거나 벽 비후, 주변 구조에 침윤이 있는 경우이다[15](그림 52-1-3). 주췌관이 전반적으로 늘어나는 경우는 진행된 만성췌장염에서도 볼 수 있으나 이 경우는 만성 섬유화에 의해 T1신호의 감소나 지연기 조영증강이 나타날 수 있다[16]. 분지췌관에 발생하는 경우 T2강조영상에서 주로 췌장 두부에 낭성 종괴로 보인다. 분지췌관에 발생하는 경우 점액성 낭선종과 유사하게 보일 수 있으나 관내유두상점액낭샘종은 췌관과의 연결이 있다. 분지췌관에 발생하는 췌관내 점액상 종양은 크기가 3 cm 이하거나, 두꺼운 낭성 벽이 없거나, 주췌관이 5~9 mm, 조영증강되는 벽내 결절이 없는 경우 추적검사를 한다[15].

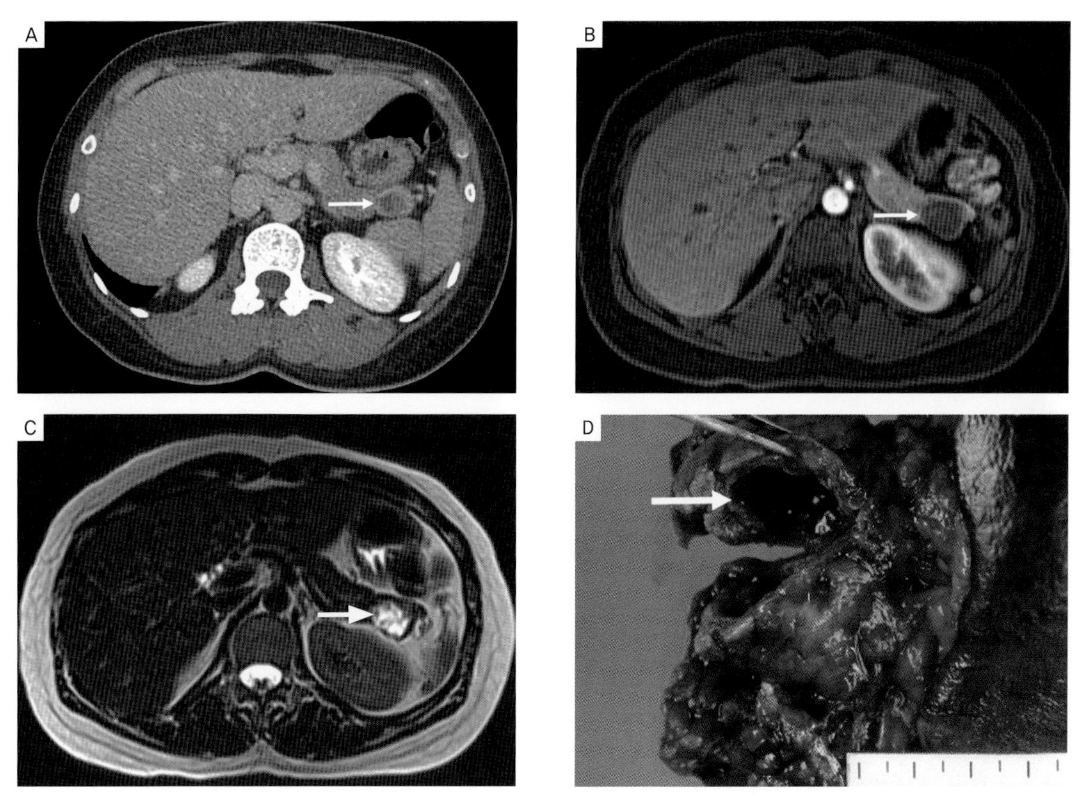

그림 52-1-4. **고형 가성유두상종양을 가진 34세 여자.**

A. 조영증강 컴퓨터 단층촬영에서 췌장 미부에 고형성 종괴가 있고 내부에 저음영이 보인다(화살표).
B. 조영증강 T1강조영상에서 종괴의 대부분은 조영증강을 보이지 않는 낭성부분이다(화살표).
C. T2강조영상에서 물과 유사한 고신호강도를 보이는 낭성 종괴가 보인다(화살표).
D. 췌장절제술 후 조직검사에서 낭성 변화를 보이는 고형 가유두상종양으로 확인되었다(화살표).

4. 고형 가성유두상종양 (solid pseudopapillary tumor, SPT)

고형 가유두상종양은 드문 종양으로 외분비 췌장 종양의 1~2% 정도를 차지한다. 특징적으로 대부분 30세 이하의 젊은 여자에서 발생한다(남:여 = 1:10, 평균 25세). 대부분 증상이 없으나 종양의 크기가 증가하면서 만져지거나 모호한 복통을 호소하는 경우도 있다. 육안적으로 3~17 cm의 큰 종양이며(평균 8 cm) 경계가 잘 지워지고 피막을 형성한다. 췌장내에 특정 호발부위는 없다. 내부는 고형성부터 고형성/낭성 혼합, 두꺼운 벽을 가진 낭성 병변까지 다양하며 일반적으로 병변 내부의 낭성 부분은 병변에서 흔하게 일어나는 출혈성/괴사성 변화에 의한 것이다[5]. 중요한 영상소견인 종양내 출혈은 종양 내부의 혈관망의 손상에 의해 낭성 변화가 생기면서 발생하는 것으로 생각된다. 이 종양은 낮은 등급의 악성화 가능성이 있고 수술적 절제를 하면 매우 예후가 좋다. 또한 전이가 있더라도 절제를 하면 생존율을 향상시킬 수 있다[17,18].

컴퓨터 단층촬영에서는 일반적으로 경계가 잘 지워지고 피막으로 둘러싸인 고형성 또는 고형성/낭성종양으로 보인다(그림 52-1-4). 고형성 부분은 대체로 주변부에 흔하고 중심부에는 출혈과 낭성 변화가 보인다. 가장 중요한 영상소견은 종양을 둘러싸는 섬유성 피막

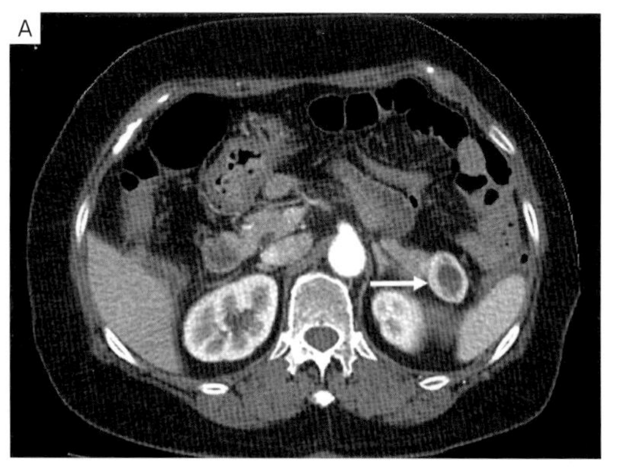

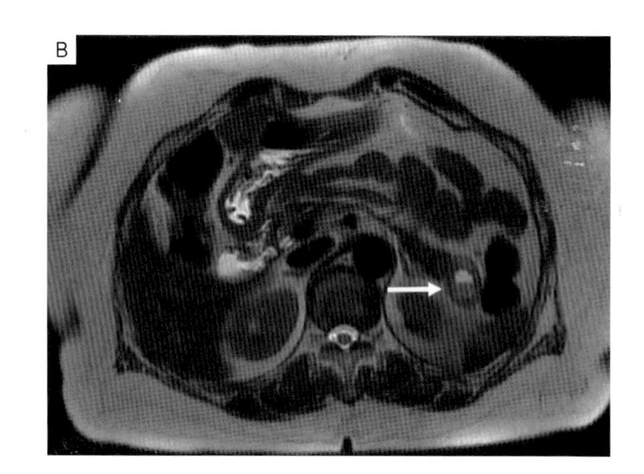

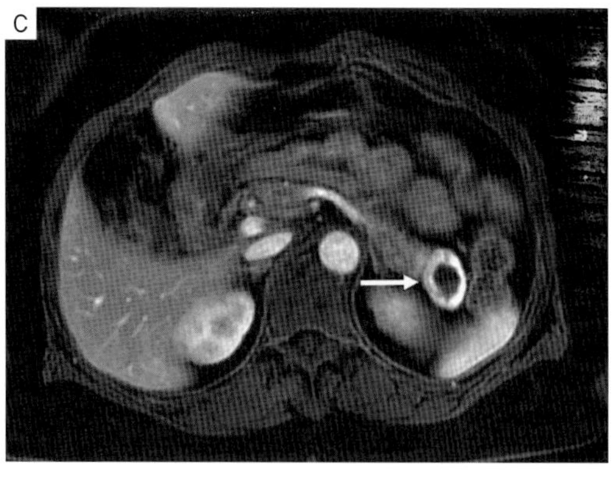

그림 52-1-5. **신경내분비 종양을 가진 68세 여자.**
A. 조영증강 컴퓨터 단층촬영에서 췌장 미부에 강한 조영증강을 보이는 고형성 종괴가 있고 내부에 낭성 변화가 있다(화살표).
B. T2강조영상에서 낭성 병변의 내부에 액체-액체층(fluid-fluid level)가 보인다(화살표).
C. 조영증강 자기공명영상에서 종괴는 외부에 조영증강되는 고형성 부분과 내부에 조영증강되지 않는 낭성 부분으로 구성된다(화살표).

이다. 종양의 주변부에 석회화를 동반하는 경우도 있고 종양 대부분이 석회화를 보이는 경우도 있다[6].

자기공명영상에서도 경계가 잘 지워지는 고형성 또는 고형성/낭성 종괴로 보인다. 낭성 성분은 T2강조영상에서 물과 유사한 고신호강도를 가지며 고형성분은 중등도의 신호강도를 보인다. 고형 종양 부분은 점진적으로 조영증강되므로 동맥기에 조영증강을 보이는 신경내분비 종양과 구분하는데 도움이 된다. 출혈도 종양의 퇴화에 의해 발생하는 흔한 소견으로 T1강조영상에서 고신호강도로 나타난다[6,19].

감별진단으로는 신경내분비 종양과 점액 낭선 암종이 있다. 신경내분비 종양은 전형적으로 동맥기에 조영증강이 잘되는 병변이지만 고형 가유두상종양은 지연기 조영증강을 보인다. 또한, 임상적으로는 발생 연령과 성별을 통해 어느 정도 감별이 가능하다[20](그림 52-1-5). 점액 낭선 암종도 형태학적으로 유사하지만 호발 연령에 차이가 있다. 이 세 가지 질환들은 영상소견이 유사하지만 호발 연령에 차이가 있고 모두 수술적 절제가 필요한 질환들이다[5].

References

1. Kim YH, Saini S, Sahani D, Hahn PF, Mueller PR, Auh YH. Imaging diagnosis of cystic pancreatic lesions: pseudocyst versus nonpseudocyst. Radiographics 2005;25(3):671-85.
2. Farrell JJ. Prevalence, Diagnosis and Management of Pancreatic Cystic Neoplasms: Current Status and Future Directions. Gut and liver. 2015;9(5):571-89.
3. Sahani DV, Kadavigere R, Saokar A, Fernandez-del Castillo C, Brugge WR, Hahn PF. Cystic pancreatic lesions: a simple imaging-based classification system for guiding management. Radiographics 2005;25(6):1471-84.
4. Choi JY, Kim MJ, Lee JY, et al. Typical and atypical manifestations of serous cystadenoma of the pancreas: imaging findings with pathologic correlation. Am J Roentgenol 2009;193(1):136-42.
5. Kalb B, Sarmiento JM, Kooby DA, Adsay NV, Martin DR. MR imaging of cystic lesions of the pancreas. Radiographics 2009;29(6):1749-65.
6. Sidden CR, Mortele KJ. Cystic tumors of the pancreas: ultrasound, computed tomography, and magnetic resonance imaging features. Semin Ultrasound CT MR. 2007;28(5):339-56.
7. Takeshita K, Kutomi K, Takada K, et al. Unusual imaging appearances of pancreatic serous cystadenoma: correlation with surgery and pathologic analysis. Abdom Imaging 2005;30(5):610-5.
8. Kim HJ, Lee DH, Ko YT, Lim JW, Kim HC, Kim KW. CT of serous cystadenoma of the pancreas and mimicking masses. AJR Am J Roentgenol 2008;190(2):406-12.
9. Lewandrowski KB, Southern JF, Pins MR, Compton CC, Warshaw AL. Cyst fluid analysis in the differential diagnosis of pancreatic cysts. A comparison of pseudocysts, serous cystadenomas, mucinous cystic neoplasms, and mucinous cystadenocarcinoma. Ann Surg 1993;217(1):41-7.
10. Linder JD, Geenen JE, Catalano MF. Cyst fluid analysis obtained by EUS-guided FNA in the evaluation of discrete cystic neoplasms of the pancreas: a prospective single-center experience. Gastrointest Endosc. 2006;64(5):697-702.
11. Werner J, Fritz S, Buchler MW. Intraductal

papillary mucinous neoplasms of the pancreas--a surgical disease. Nat Rev Gastroenterol Hepatol 2012;9(5):253-9.
12. Lim JH, Lee G, Oh YL. Radiologic spectrum of intraductal papillary mucinous tumor of the pancreas. Radiographics 2001;21(2):323-37; discussion 37-40.
13. Schmidt CM, White PB, Waters JA, et al. Intraductal papillary mucinous neoplasms: predictors of malignant and invasive pathology. Ann Surg 2007;246(4):644-51; discussion 51-4.
14. Waters JA, Schmidt CM, Pinchot JW, et al. CT vs MRCP: optimal classification of IPMN type and extent. J Gastrointest Surg 2008;12(1):101-9.
15. Tanaka M, Fernandez-del Castillo C, Adsay V, et al. International consensus guidelines 2012 for the management of IPMN and MCN of the pancreas. Pancreatology 2012;12(3):183-97.
16. Zhang XM, Shi H, Parker L, Dohke M, Holland GA, Mitchell DG. Suspected early or mild chronic pancreatitis: enhancement patterns on gadolinium chelate dynamic MRI. JMRI 2003;17(1):86-94.
17. Vollmer CM, Jr., Dixon E, Grant DR. Management of a solid pseudopapillary tumor of the pancreas with liver metastases. HPB 2003;5(4):264-7.
18. Wang WB, Zhang TP, Sun MQ, Peng Z, Chen G, Zhao YP. Solid pseudopapillary tumor of the pancreas with liver metastasis: Clinical features and management. Eur J Surg Oncol 2014;40(11):1572-7.
19. Choi JY, Kim MJ, Kim JH, et al. Solid pseudo-papillary tumor of the pancreas: typical and atypical manifestations. AJR 2006;187(2):W178-86.
20. Low G, Panu A, Millo N, Leen E. Multimodality imaging of neoplastic and nonneoplastic solid lesions of the pancreas. Radiographics 2011;31(4):993-1015.

52-2 췌장 낭성종양의 내시경 진단: ERCP 및 EUS
(Endoscopic diagnosis of cystic tumors of the pancreas: ERCP and EUS)

박승우

서론

복벽을 통과해서 관찰하는 복부초음파검사는 복벽의 지방, 결장 내의 공기, 시술자의 숙련도 등에 따른 차이로 인하여 모든 췌장을 세밀하게 탐색하기는 어렵다. 내시경 역행성 담췌관 조영술(ERCP)와 내시경초음파(EUS)는 췌장 낭성종양의 감별진단에 중요한 역할을 한다(표 52-2-1). 낭성종양으로 관찰되는 췌장 병변에는 장액성 낭선종(serous cystadenoma, SCA), 점액성 낭선종(mucinous cystadenoma, MCA), 췌관내 유두상 점액종양(intraductal papillary mucinous neoplasm, IPMN), 고형성 유두상 상피종(solid and papillary epithelial neoplasm, SPEN), 가성낭종(pseudocyst) 등이 포함된다.

1. 내시경 역행성 담췌관 조영술(endoscopic retrograde cholangiopancreatography, ERCP)

ERCP는 몇 가지 측면에서 췌장 낭성종양의 진단에 유용하다. 첫째는 십이지장유두를 정면에서 직접 관찰하여 배출되는 점액 또는 벌어진 개구부를 관찰할 수 있는데 이는 췌관내 유두상 점액종양을 진단할 수 있는 소견이다. 둘째, 췌관으로 조영제를 주입하여 췌관의 확장, 췌관내 점액 또는 종괴상, 췌관과 낭종의 연결상을 확인할 수 있는데 이 역시 췌관내 유두상 점액종양을 진단할 수 있는 소견이다. 셋째, 겸자공을 통하여 세경초음파를 직접 췌관내로 삽관하여 결절, 점액, 낭종을 관찰하여 주췌관을 침범한 종양의 범위를 결정하는데 유용하다. 점액성 또는 장액성 낭선종은 췌관과 연결이 없다. 이러한 ERCP의 유용성에도 불구하고 조영제 주입에 따르는 췌장염의 합병증으로 인하여 췌장 낭성종양의 진단 목적으로 흔히 이용되지는 않으며 췌관내 유두상 점액종양이 의심되는 경우에 확진을 위하여 시행하는 경우가 많다.

2. 내시경초음파(endoscopic ultrasound, EUS)

EUS의 개발은 췌장 낭성종양의 진단에 대한 획기적인 전기를 마련하였다. 모든 췌장을 세밀하게 관찰할 수 있어서 mm 단위의 낭종까지 발견이 가능한 수준이다. CT 등 단면 영상을 얻는 영상 검사법이 검진 목적으로 활발하게 이용되면서 우연히 발견되는 췌장 낭종이 증가하여 유병률이 3%에 이르고 있으며[1], 아울러 발견되는 낭종의 크기도 점차 작아지는 경향을 보이고 있어 고해상도의 정밀한 영상을 얻을 수 있는 EUS의 역할이 점차 커지고 있다[2-4].

1) EUS의 진단적 유용성

췌장 낭종이 발견되었을 때 일차적으로 권장되는 영상검사는 MRI이다. MRI로 담관과 췌장 영상을 동시에 얻을 수 있고 낭종 내부의 격벽, 결절, 주췌관 확장 및 교통여부를 확인하는데 유용하다. MRI에서 얻은 정보에 기반하여 점액성 낭종에 대한 진단의 정확도는 79~82%에 이르며[5-8], 악성 변화에 대한 정확도는 73~79%에 이른다[9].

하지만 EUS는 고유의 장점에 기반하여 진단적 가치가 높은 검사법이다. EUS가 가지는 장점은, 첫째, 비침습적이면서도 고해상도의 낭종상을 얻을 수 있고, 둘째, 세밀한 관찰을 통하여 낭종벽 결절(mural nodule)의 유무, 낭종과 췌관의 연결을 확인할 수 있으며, 셋째, 낭종액을 흡인하여 분석함으로써 보다 정확한 감별진단을 가능하게 하며, 넷째, 필요에 따라 낭종액을 흡인한 뒤 약물을 주입하여 경화요법을 함께 시행할 수도

표 52-2-1. **췌장 낭성 병변의 특성**

Characteristic	Pseudocyst	SCA	MCN	MD-IPMN	BD-IPMN	SPEN
Male:Female	1:1	1:4	female predominance	2:1	2:1	1:4
Age (yr)	40-70	60-80	30-50	60-80	60-80	20-30
Location	Any	Any	Body, tail (90%)	Any (head and uncinate 50%)	Any (head and uncinate 50%)	Body, tail (60%)
Imaging features	Unilocular, thick or thin walled	Multilocular, lobulated. Typically microcystic appearance. Central scar	Unilocular, smooth and encapsulated. Septation and peripheral calcifications possible	Diffuse or focal main duct dilation. Fish-mouth papilla with visible mucus	Dilated side branches. Lobular with septations. "Bunch of grapes" appearance	Unilocular, encapsulated with solid and cystic structure. Hemorrhagic components
Communication with main duct	Variable	None	None	Yes	Yes	None
Cytology	Cyst contents. Serous, chocolate color due to bleeding or pus when infected	Cuboidal cells. Glycogen (+), PAS (+) and hemosiderin-laiden macrophages	Columnar cells. Atypia varies. Mucin (+)	Columnar cells. Atypia varies. Mucin (+)	Columnar cells. Atypia varies. Mucin (+)	Branching papillae and fibrovascular stroma. Vimentin (+), chromogranin (-) and keratin (-)
Amylase (U/L)	> 250	< 250	< 250	> 250	> 250	N/A
CEA (ng/mL)	< 5N/A	< 5	> 192	> 192	> 192	N/A
KRAS mutation	None	None	Yes	Yes	Yes	N/A
Malignant potential	None	Very rare	Yes(6-27%)	Yes(40-70%)	Yes(15-20%)	Yes(2-15%)
Morphological predictors of malignancy	None	None	> 6cm, solid component, peripheral nodules or calcifications	Main duct > 8 mm, solid component, nodules	> 3 cm, solid component, nodules, main duct > 1 cm, and suspicious/malignant cytology	None

SCA: serous cystadenoma; MCN: mucinous cystic neoplasm; MD-IPMN: main duct intraductal papillary mucinous neoplasm; BD-IPMN: branch duct intraductal papillary mucinous neoplasm; SPEN: solid pseudopapillary neoplasm.

있다는 점이다.

EUS검사를 시행하는 주목적은 악성변화를 시사하는 소견의 발견, 수술의 적응이 되는 점액성 낭종의 진단을 통하여 치료 방침을 결정하는데 있다(표 52-2-2). 악성도를 시사하는 소견은 폐쇄성 황달을 동반한 췌장 두부의 낭성 병변, 조영증강이 되는 고형성 병변 및 주췌관의 1 cm 이상 확장 소견이다[10].

우연히 발견된 무증상 췌장 낭종은 1 cm 이하로 크기가 작은 경우에는 통상적으로 추적 검사를 통하여 크기나 모양 변화를 관찰하게 되고 1 cm 이상의 낭종은 처음 발견 시 EUS 검사를 시행하여 결절 유무를 확인한 뒤 변화를 추적한다. 분명한 크기 변화를 보이는 낭종이나 3 cm 이상의 낭종은 EUS 유도하 낭종액 세침흡인 검사를 고려한다. 2012년 IAP (International Association of Pancreatology) 지침에는 3 cm 이상, 두껍고 조영증강이 되는 낭종벽, 조영증강이 되지 않는 결절, 주췌관이 5~9 mm, 주췌관 직경의 급격한 변화와 상부 췌장의 위축, 림프절 종대 등의 소견이 있을 때 EUS 검사를 권장하고 있다[11]. 세포진과 낭액에 대한 분석으로 점액성 낭종의 88%를 감별할 수 있다[12]. 점액성 낭종인 경우에는 MCN과 IPMN를 감별하는 것이 어려울 때가 많다.

2) 췌장 낭종의 EUS 소견

전형적인 장액성 낭선종(SCA)은 수많은 미세낭으로 구성된 종괴로 관찰되는데 소위 "벌집모양"이라 표현한다(그림 52-2-1A-C). 여러 개의 작은 낭으로 구성된 낭종의 형태를 보이기도 하며 낭종 중앙부에 "central scar"가 관찰되면 SCA로 진단할 수 있다(그림 52-2-1G, H). 낭을 구성하는 격벽은 얇고 결절이나 종괴상은 관찰되지 않는다. 일부에서는 한두 개의 적은 낭으로 이루어진 경우도 있는 oligocystic SCA를 형성하기도 하

표 52-2-2. **점액성 또는 악성 낭종을 시사하는 내시경초음파 소견**

EUS feature	Type of cyst	Risk of malignancy
Size	-	> 3 cm
Shape	Smooth unilocular: pseudocyst or MCN Lobular, multilocular: SCA or BD-IPMN	-
Number of cysts	Multiple: BD-IPMN, SCA	-
Calcifications	Central scar:pathognomonic for SCA Peripheral calcification: pseudocyst, SPEN, MCN	Peripheral calcification in MCN
Cyst wall	Thick pseudocyst, cystic neuroendocrine, MCN, SPEn	Thick
Nodule	-	Presence
Sold mass	-	Presence
Debris	Pseudocyst	-
Pancreatic duct diameter	Dilated > 5 mm: MD-IPMN or mixed IPMN	Dilated > 8~10 mm
Communication with pancreatic duct	PIMN, pseudocyst	-

EUS: Endoscopic ultrasound; MCN: Mucinous cystic neoplasm; SCA: Serous cystadenoma; BD-IPMN: Branch duct intraductal papillary mucinous neoplasm; MD-IPMN: Main duct intraductal papillary mucinous neoplasm; SPEN: Solid pseudopapillary neoplasm; IPMN: Intraductal papillary mucinous neoplasm.

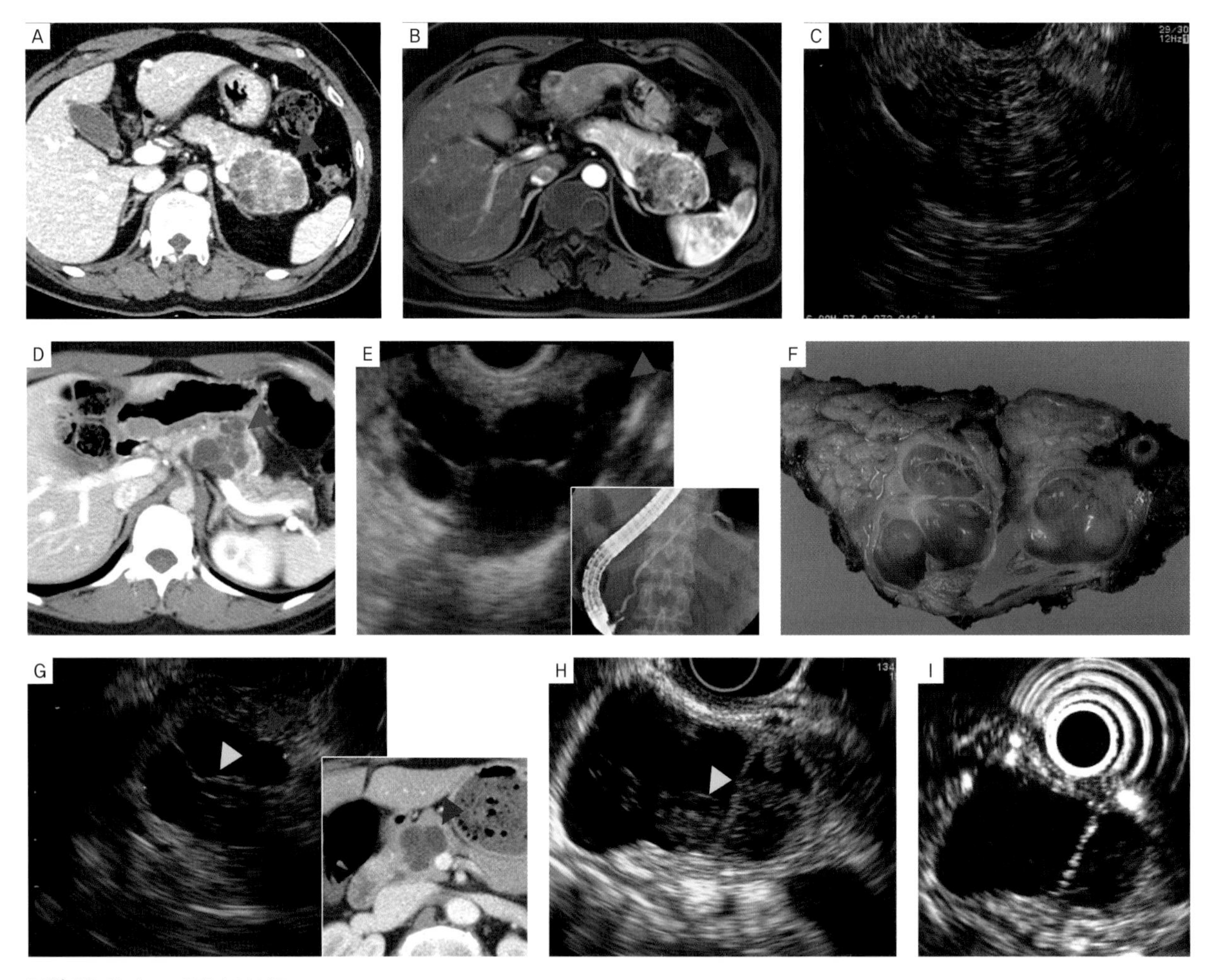

그림 52-2-1. **장액성 낭선종.**

A–C. 췌장 미부에 발생한 장액성 낭선종(red arrowhead). A, B. CT와 MRI 소견상 경계가 분명하고 조영증강이 되는 고형성 종괴로 관찰. C. EUS 소견으로 수많은 낭으로 구성되어 "honeycomb" 모양을 보임.

D–F. 췌장체부에 발생한 장액성 낭선종(blue arrowhead). D, E. 다수의 낭으로 구성된 낭종 소견. ERCP상 췌관의 변화는 없음. F. 수술 후 고정한 육안조직으로 다수의 낭이 잘 관찰됨.

G–I. 췌장 두부에 발생한 장액성 낭선종(purple arrowhead). G. 낭종 중앙부에 격벽이 밀집한 "central scar"(yellow arrowhead)가 관찰됨. CT상 상장간막정맥 우측에 위치한 낭성종양이 잘 관찰됨. H. 낭벽에서 자란 듯한 soft tissue 에코(yellow arrowhead)가 보이나 이는 슬러지와 감별해야 하는 소견임. I. 조영증강 EUS에서 soft tissue는 조영증강이 없어 슬러지로 판단됨.

는데 이러한 경우에 MCN이나 IPMN과 감별이 어렵다.

여자에 절대적으로 호발하는 점액성 낭선종(MCN)은 췌장 체부나 미부에 흔히 발생한다(그림 52-2-2). 보통 하나의 낭으로 구성되는 경우가 많은데 때에 따라서 격벽이 관찰되기도 한다. 낭종벽은 SCA보다 다소 두터운 것이 보통이며(그림 52-2-2A~C) 석회화가 관찰되기도 한다. 악성화할 수 있기 때문에 의심스러운 병변을 세심하게 관찰하는 것이 중요하다. 비대칭적으로 두꺼운 낭종벽, 낭벽에서 돌출한 결절이나 종괴, 석회화 병변은 악성화를 시사하는 소견이다(그림 52-2-2E~H).

IPMN은 남성에서 더욱 호발하는데 MCN과 달리 췌장 두부에서 흔히 발생한다. EUS 또는 ERCP 시술 시

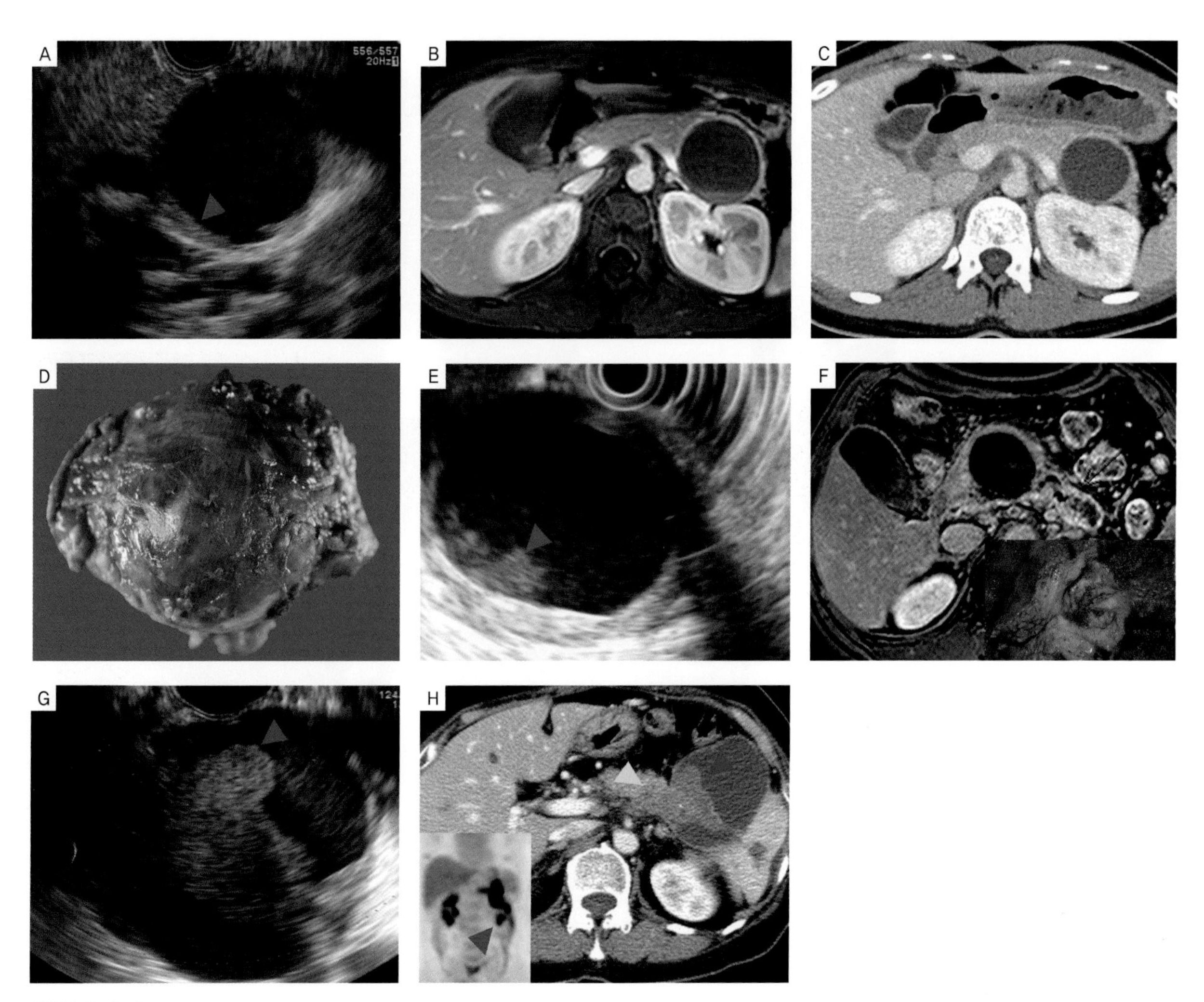

그림 52-2-2. **점액성 낭선종.**

A-D. 췌장미부에 발생한 점액성낭선종. EUS, MRI, CT 소견상 낭벽이 다소 두껍고 조영증강이 되고 있음. EUS에서 후벽의 비후가 다소 두드러짐(red arrowhead). D. 수술로 절제된 종양.

E, F. 췌장체부에 발생한 점액성 낭선종의 EUS, MR, 수술조직. E. 후벽에 부착하여 낭종 내부로 자라는 고형성 결절(blue arrowhead)이 관찰됨.

G, H. 췌장미부에 발생한 점액성 낭선암. 낭종 내부로 자라는 종괴(purple arrowhead)가 관찰됨. CT상 종괴는 췌장으로 침윤하는 소견(yellow arrowhead)을 보임. 18FDG-PET상 FDG 흡수가 증가된 병소(red arrowhead)가 관찰됨. 병리검사로 낭선암으로 진단.

십이지장 유두부의 관찰이 가능한데 유두 개구부가 느슨하게 벌어져 있으면서 개구부로 배출되는 끈적끈적한 점액을 관찰하면 IPMN으로 진단이 가능하다(그림 52-2-3B). 주췌관형의 IPMN은 미만성 또는 국소성의 주췌관 확장 소견을 보인다(그림 52-2-3A~C). 분지췌관형의 IPMN은 포도상으로 군집되어 있는 낭종의 모양을 보이는 경우가 흔하며(그림 52-2-3E-G) 한 개의 낭으로 구성된 경우도 적지 않다. IPMN은 악성화될 수 있기 때문에 이를 시사하는 낭종벽의 비후, 낭벽에 부착한 결절이나 종괴상을 세심하게 관찰해야 한다(그림 52-2-3J-L). 분지췌관형의 경우도 세심하게 관찰하면 췌관과 연결여부를 확인할 수 있으며 분명한 연결상이 보

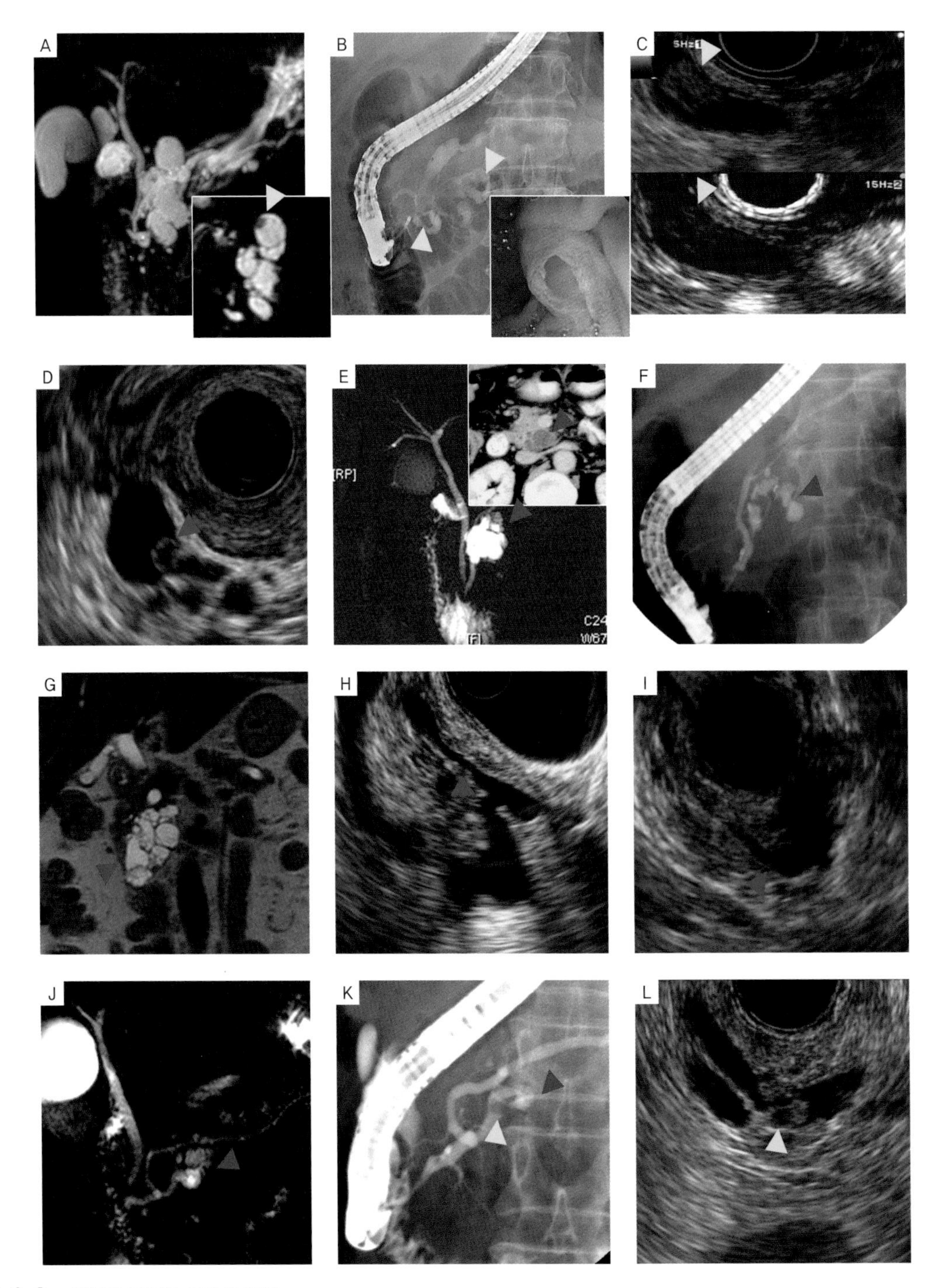

그림 52-2-3. **췌관내 유두상 점액성 종양.**

A-C. 주췌관과 분지췌관이 침범된 혼합형 IPMN의 MR, ERCP, EUS 소견. 결절상(yellow arrowhead)이 관찰됨. A. MRCP상 포도상으로 군집한 낭종이 두부에 관찰되고 주췌관의 확장이 보임. 저밀도의 결절이 보임. B. ERP상 결절상이 관찰되고 십이지장 유두로 배출되는 점액으로 인하여 개구부가 현저하게 확장된 소견을 보임. C. EUS상 관내 결절이 보이고 조영제후 증강되어 종양성 결절로 판단됨.

D. 점액 소구(mucin globule, blue arrowhead). 분비된 점액이 결절로 오인되기 쉬움.
점액 소구는 내부는 저에코, 변연부는 고에코의 특징을 지님.

E, F. 분지췌관형 IPMN (red arrowhead). ERP상 췌관과 낭종의 교통은 분지췌관형 IPMN 진단의 중요 소견임.

G-I. 췌관과 교통이 확인된 분지췌관형 IPMN (red arrowhead).

H, I. EUS 영상에서 주췌관과 연결부위(blue arrowhead)가 분명하게 확인되고 있음.

J-L. 분지췌관형 IPMN (red arrowhead). ERP상 결절(yellow arrowhead)이 의심되고 EUS에서 분명한 결절로 보임.

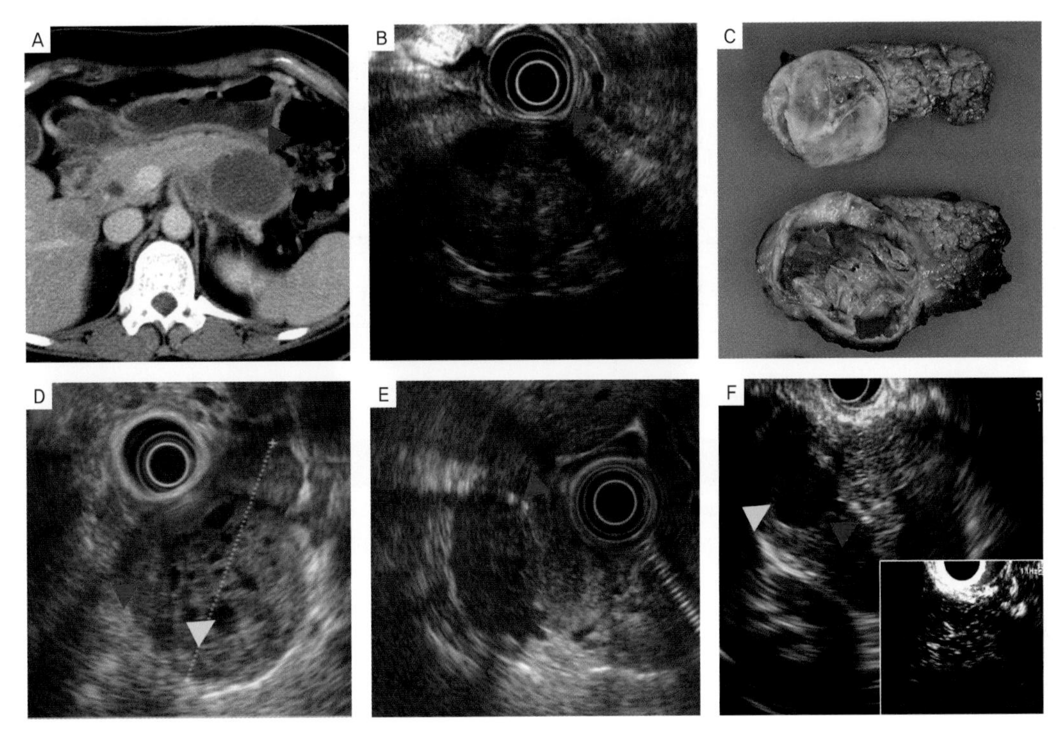

그림 52-2-4. **고형성 유두상 상피종양의 다양한 영상.**
A-C. 췌장 체부의 SPEN (red arrowhead). A. CT에서 저밀도의 낭종처럼 보이나, B. EUS상 낭성부와 고형부가 혼합된 에코를 보임. C. 수술 절제조직.
D. 전형적인 SPEN의 EUS상. 낭성부(yellow arrowhead)와 고형부(red arrowhead)가 혼재되어 있음.
E. 변연부에 석회화(red arrowhead)를 동반한 SPEN.
F. SPEN. D에서 보다 낭성 변성을 보이는 낭성부(yellow arrowhead)가 크게 관찰됨. 우하귀의 조영증강 EUS에서 췌장선암과 달리 고형부의 조영증강이 관찰됨.

이면 MCN과 확실하게 구분되는 소견으로 볼 수 있다(그림 52-2-3H-I).

악성화할 수 있는 MCN과 IPMN의 경우 악성화를 시사하는 소견을 발견하는 것이 중요하다. EUS 검사의 민감도는 격벽의 확인(77.8%), 결절(58.3%), 주췌관 확장(85.7%), 췌관과 낭종의 교통 확인(88.9%) 등 MRI와 비슷하다[13]. 결절이 관찰되는 경우에 점액과의 감별이 중요한데, 점액은 중앙부의 에코가 낮으면서 변연부의 에코가 증대된 소견을 흔히 보이는 반면에 결절은 중등도 또는 다소 증가한 에코가 균등하게 관찰되는 것이 보통이다. 결절에 대한 EUS의 민감도는 75%, 특이도는 83%로 CT나 MRI보다 우수하다[14].

SPEN은 괴사에 따른 낭성변화를 흔히 수반하기 때문에 낭종성 병변이 보일 때 항상 감별해야 하는 질환이다. 한 개의 낭성 종괴로 구성되어 있으며 괴사와 출혈로 인하여 에코상이 균일하지 않은 것이 보통이다(그림 52-2-4B, D). 낭을 둘러싸는 고형성 외벽은 괴사가 없는 부분으로 두껍게 관찰이 된다. 종종 외벽을 따라 석회화를 수반하는데(그림 52-2-4E) 이는 MCN과 감별해야 하는 소견이다.

3) EUS 유도하 세침흡인(EUS-FNA)

췌장 낭성종양이 발견되면 악성화할 수는 있는 점액성 종양과 그렇지 않은 장액성 종양을 감별하는 것이 중요하다. 에코상만으로 확실하게 감별이 되지 않는 경우가 많기 때문에, 실시간 관찰과 아울러 낭종액 또는 종괴를 안전하게 흡인하여 세포진 및 낭액 검사를 할 수 있다는 점은 EUS만이 가지는 장점이다[15]. 22 또는 25게이지를 이용하며 한 번의 천자로 충분한 양의 낭액을 흡인할 수 있다. 흡인된 낭액으로 점도를 평가하는 "string sign" 검사는 점액성 낭종을 확인할 수 있는 손쉬운 검사법이다. 엄지와 검지 사이에 낭액을 묻힌 다음 벌려서 3.5 mm 이상 끈적하게 유지가 되면 점액성으로 판단한다[16]. 흡인된 낭액으로부터 종양표지자, amylase, lipase 수치, 세포진 검사 및 Kras 변이 여부를 진단할 수 있으며 검사 결과에 따른 진단의 정확도는 표 15-2-3과 같다.

표 52-2-3. **흡인액 검사소견에 따른 민감도와 특이도**

Cystic fluid marker	Type of cyst	Sensitivity(%)	Specificity(%)
CEA < 5 ng/mL	SCA, pseudocyst, neuroendocrine tumor	54	94
CEA > 192 ng/mL	MCN, IPMN	73	84
CEA > 800 ng/mL	MCN, IPMN	98	48
Amylase < 250 U/L	Exclude pseudocyst	44	98
Kras mutation + LOH	Malignant cyst	37	96
Kras mutation	MCN, IPMN	54	100

References

1. Laffan TA, Horton KM, Klein AP, et al. Prevalence of unsuspected pancreatic cysts on MDCT. AJR Am J Roentgenol 2008;191:802-7.
2. Chung JW, Chung MJ, Park JY, et al. Clinicopathologic features and outcomes of pancreatic cysts during a 12-year period. Pancreas 2013;42:230-8.
3. Morris-Stiff G, Falk GA, Chalikonda S, Walsh RM. Natural history of asymptomatic pancreatic cystic neoplasms. HPB 2013;15:175-81.
4. Kadiyala V, Lee LS. Endosonography in the diagnosis and managemet of pancreatic cysts. World J Gastrointest Endosc. 2015;7:213-23.
5. Berland LL, Silverman SG, Gore RM, et al. Managing incidental findings on abdominal CT: white paper of the ACR incidental findings committee. J Am Coll Radiol 2010;7:754-73.
6. Waters JA, Schmidt CM, Pinchot JW, et al. CT vs MRCP: optimal classification of IPMN type and extent. J Gastrointest Surg 2008;12:101-9.
7. Macari M, Finn ME, Bennett GL, et al. Differentiating pancreatic cystic neoplasms from pancreatic pseudocysts at MR imaging: value of perceived internal debris. Radiology 2009;251:77-84.
8. Sainani NI, Saokar A, Deshpande V, Fernández-del Castillo C, Hahn P, Sahani DV. Comparative performance of MDCT and MRI with MR cholangiopancreatography in characterizing small pancreatic cysts. AJR Am J Roentgenol 2009;193:722-31.
9. Kim YC, Choi JY, Chung YE, et al. Comparison of MRI and endoscopic ultrasound in the characterization of pancreatic cystic lesions. AJR Am J Roentgenol 2010;195:947-52.
10. Tanaka M, Fernández-del Castillo C, et al. International consensus guidelines 2012 for the management of IPMN and MCN of the pancreas. Pancreatology 2012;12:183-197.
11. Tanaka M, Fernández-del Castillo C, Adsay V, et al. International consensus guidelines 2012 for the management of IPMN and MCN of the pancreas. Pancreatology 2012;12:183-197.
12. Chebib I, Yaeger K, Mino-Kenudson M, Pitman MB. The role of cytopathology and cyst fluid analysis in the preoperative diagnosis and management of pancreatic cysts > 3 cm. Cancer Cytopathol 2014;122:804-809.
13. Kim YC, Choi JY, Chung YE, et al. Comparison of MRI and endoscopic ultrasound in the characterization of pancreatic cystic lesions. AJR Am J Roentgenol 2010;195:947-52.
14. Zhong N, Zhang L, Takahashi N, et al. Histologic and imaging features of mural nodules in mucinous pancreatic cysts. Clin Gastroenterol Hepatol 2012;10:192-8.
15. Lee LS, Saltzman JR, Bounds BC, Poneros JM, Brugge WR, Thompson CC. EUS-guided fine needle aspiration of pancreatic cysts: a retrospective analysis of complications and their predictors. Clin Gastroenterol Hepatol 2005;3:231-6.
16. Maker AV, Lee LS, Raut CP, Clancy TE, Swanson RS. Cytology from pancreatic cysts has marginal utility in surgical decisionmaking. Ann Surg Oncol 2008;15:3187-92.

52-3 췌관내 유두상 점액종양의 PET-CT (PET-CT of intraductal papillary mucinous neoplasms of the pancreas)

윤미진

췌관내 유두상 점액종양(IPMN)은 췌관 상피에서 발생하는 종양으로 main duct type, brain duct type, or mixed type으로 나뉜다. 해부학적 형태의 분류가 중요한 이유는 위치에 따라 악성일 확률이 달라지기 때문인데 branch duct type이 high grade dysplasia나 악성이 확률이 약 25%인데 비해 main duct type의 경우 약 70%에 달한다[1]. 악성 가능성을 평가하는 것은 수술 여부를 판단하는 것뿐 아니라 수술 범위를 결정하는 데도 중요하다[2]. 고위험성 IPMN의 경우 조기 발견 및 수술이 가장 좋은 치료이다[3]. 그러나 고위험성 종양의 감별이 용이치 않아 수술로 제거된 종양의 약 50%까지 예후가 좋은 양성 종양으로 보고되어 있다. 따라서 악성 위험도를 평가하는 것이 가장 중요한데 다중시기 CT나 MRI의 경우 56~85% 정도의 진단율을 갖는다[4]. 특히 MRI는 CT에 비해 연부조직 대조도가 좋아 3 cm 이하의 IPMN의 악성 위험도를 평가하는 데 매우 유용하다[5]. FDG PET/CT는 악성도 평가에 CT나 MRI 보다 높은 예민도와 특이도를 보인다[6-8](그림 52-3-1, 2).

International Consensus Guidelines (ICG)에 의하면 수술을 요하는 IPMN과 추적관찰을 요하는 IPMN을 감별하는 기준은 영상 소견과 임상 양상에 기준을 두고 있다[3]. ICG는 폐쇄성 황달이 있거나 종양에 조영증강되는 결절 부분이 있거나 main pancreatic duct가 1 cm 이상 늘어난 경우 악성 가능성이 높은 IPMN으로 수술을 권하고 있고 임상적으로 췌장염 있거나, 종양이 3 cm 이상, 종양 벽이 두껍거나 조영증강되는 경우, main

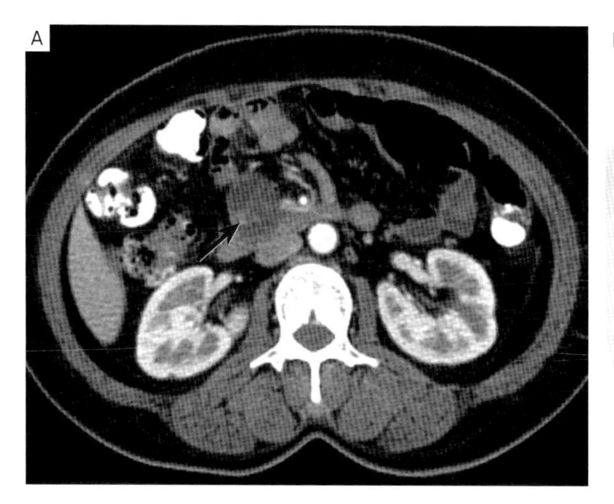

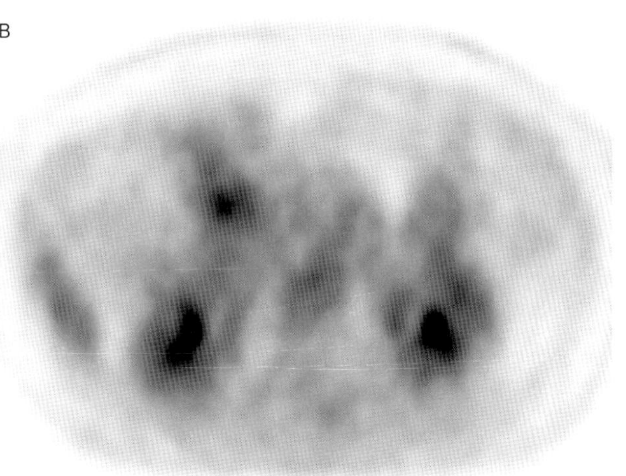

그림 52-3-1. **Invasive intraductal papillary mucinous carcinoma.**
Contrast-enhanced CT (A) and PET/CT (B) show a cystic mass with enhancing mural nodules showing increased 18F-FDG uptake, which is highly suggestive of invasive IPMN.

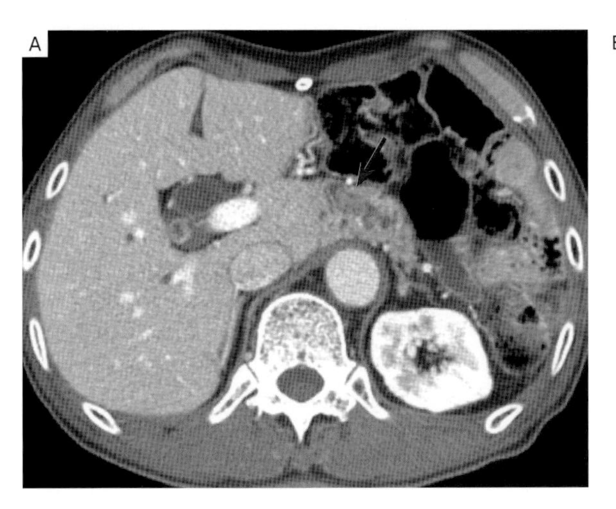

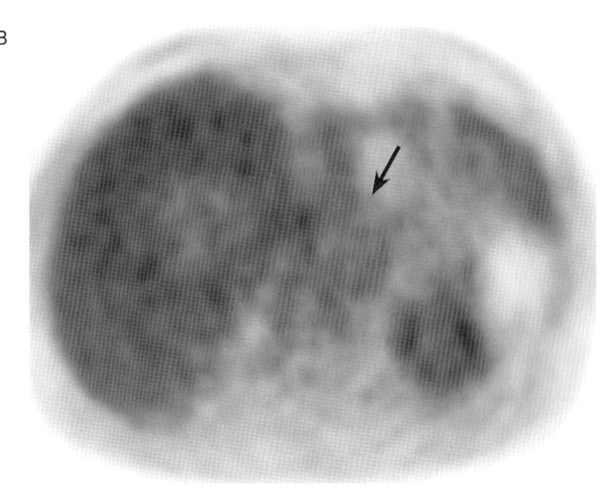

그림 52-3-2. **IPMN, main duct type with moderate grade dysplasia.**
Contrast-enhanced CT(A) and PET/CT(B) show an enhancing nodule in the dilated main pancreatic duct in the body with no remarkable 18F-FDG uptake, which is consistent with benign IPMN.

duct가 5~9 mm, 조영증강이 되지 않는 mural nodule, 또는 췌관이 갑작스럽게 좁아지며 원위부로 위축이 있는 경우에는 내시경초음파를 시행하여 수술여부를 결정한다. 이러한 방법은 양성으로 평가된 경우 조직에서 악성이 나온 환자가 없다는 점에서 안전한 기준으로 평가되나 악성으로 평가된 환자의 약 85%까지 조직학적 소견에서 양성이 나와 불필요한 수술을 하게 되는 것이 문제이다[9-11]. 최근 보고에 의하면 ICG 기준의 예민도, 특이도, 양성 예측률, 음성 예측률은 각각 93.2%, 22.2%, 59.4%, 72.7%, 61.2%으로 SUV 2.5 이상을 악성으로 평가하는 FDG PET의 83.3%, 100%, 100%, 84.6%, 91.3%에 비해 비특이적이고 양성 예측률이 낮다[2]. 즉 ICG에 의해 고위험도에 해당하는 환자라도 FDG PET 소견이 음성이면 보다 보수적인 수술을 고려해 볼 수 있음을 시사한다. ICG 기준과 FDG PET 소견의 조합이 수술 여부 또는 추적 관찰 결정 여부에 미치는 영향에 대해서는 좀 더 연구가 필요하다.

References

1. Cooper CL, O'Toole SA, Kench J. Classification, morphology and molecular pathology of premalignant lesions of the pancreas. Pathology 2013;45(3):286-304.
2. Pedrazzoli S, Sperti C, Pasquali C, et al. Comparison of International Consensus Guidelines versus 18-FDG PET in detecting malignancy of intraductal papillary mucinous neoplasms of the pancreas. Ann Surg 2011; 254(6):971-6.
3. Tanaka M, Fernandez-del, Castillo C, et al. International consensus guidelines 2012 for the management of IPMN and MCN of the pancreas. Pancreatology 2012, 12(3):183-97.
4. Sahani DV, Kambadakone A, Macari M, Takahashi et al. Diagnosis and management of cystic pancreatic lesions. AJR 2013;200(2):343-54.
5. Sainani NI, Saokar A, Deshpande V, et al. Comparative performance of MDCT and MRI with MR cholangiopancreatography in characterizing small pancreatic cysts. AJR 2009;193(3):722-31.
6. Sperti C, Bissoli S, Pasquali C, et al. 18-fluorodeoxyglucose positron emission tomography enhances computed tomography diagnosis of malignant intraductal papillary mucinous neoplasms of the pancreas. Ann Surg 2007;246(6):932-7; discussion 937-9.
7. Hong HS, Yun M, Cho A, et al. The utility of F-18 FDG PET/CT in the evaluation of pancreatic intraductal papillary mucinous neoplasm. Clin Nucl Med 2010; 35(10):776-9.
8. Tomimaru Y, Takeda Y, Tatsumi M, et al. Utility of 2-[18F] fluoro-2-deoxy-D-glucose positron emission tomography in differential diagnosis of benign and malignant intraductal papillary-mucinous neoplasm of the pancreas. Oncol Rep 2010;24(3):613-20.
9. Pelaez-Luna M, Chari ST, Smyrk TC, et al. Do consensus indications for resection in branch duct intraductal papillary mucinous neoplasm predict malignancy? A study of 147 patients. Am J Gastroenterol 2007; 102(8):1759-64.
10. Rodriguez JR, Salvia R, Crippa S, et al. Branch-duct intraductal papillary mucinous neoplasms: observations in 145 patients who underwent resection. Gastroenterology 2007;133(1):72-9; quiz 309-10.
11. Tang RS, Weinberg B, Dawson DW, et al. Evaluation of the guidelines for management of pancreatic branch-duct intraductal papillary mucinous neoplasm. Clin Gastroenterol Hepatol 2008;6(7):815-9; quiz 719.

CHAPTER 53

췌장 낭성종양의 치료

Treatment of cystic tumors of the pancreas

53-1 췌장 낭성종양의 내시경적 치료(Endoscopic treatment of cystic tumors of the pancreas)

정문재

서론

최근 영상 검사의 발전에 따라 우연하게 발견되는 췌장 낭성종양 환자가 급증하면서 췌장 낭성종양에 대한 새로운 치료 전략이 요구되고 있다. 전산화 단층촬영(computed tomography, CT)과 자기공명영상(magnetic resonance imaging, MRI)을 통한 정기적인 영상학적 추적 검사는 상당한 환자에게 경제적 부담, 악성 종양이 발생할 수 있다는 심리적 부담감을 줄 수 있을 뿐만 아니라 CT 검사와 관련하여 방사선 노출에 대한 부담까지 고려하지 않을 수 없다. 반면에, 근치적인 수술은 추가적인 추적 검사의 필요 없이 완치를 기대할 수 있지만, 췌장 절제술을 시행할 경우 20~40%의 상당한 이환율과 2%의 사망률에 해당하는 위험을 동반할 수 있다[1,2]. 따라서 전암 병변인 췌장 낭성종양의 효과적이면서도 안전한 치료법을 개발할 필요성이 대두되었다. 췌장 낭성종양의 임상학적인 특징에 대한 이해도가 증가되고, 이전과 비교하여 더 정확한 감별진단이 가능해짐에 따라 적극적인 수술적 절제를 고려하자는 과거의 침습적인 접근 방법으로부터 영상학적 진단법을 통한 추적 검사 또는 최소 침습적인 치료 방식을 고려하자는 방향으로 일반적인 치료 원칙이 변화하는 추세이다[3]. 최근 이러한 최소 침습적인 치료 방식으로서 초음파 내시경 유도하 세침 주입술(endoscopic ultrasound guided fine needle infusion, EUS-FNI)이 유망한 치료법으로 부각되고 있다[4]. 경피적 주입술과 비교할 때 초음파 내시경 유도하 주입슬을 통해 췌장 낭성종양과 함께 주변 조직을 실시간 영상으로 관찰하면서 병변 내로 약물을 안전하고 정확하게 전달하는 것이 가능해졌다[5]. 초음파 내시경 유도하 에탄올 주입시술은 악성화 위험으로 장기 추적 관찰이 필요한 췌장 낭성종양 환자에서 합병증 발생 위험이 높은 수술의 안전한 대안으로 연구되고 있다. 이번 장에서는 초음파 내시경 유도하 주입술을 포함하여 췌장 낭성종양에 대한 새로운 내시경적 치료법에 대해 기술하고자 한다.

1. 적응증과 금기증

불필요한 시술을 피하고 치료 효능을 극대화하기 위해 내시경적 치료를 통해 도움을 받을 수 있는 환자군을 신중하게 선택하는 것이 매우 중요하다다. 췌장 낭성종양의 내시경적 치료 여부를 결정하기 위해 악성화 위험이 높은 병변과 그렇지 않은 병변을 구별하는 진단의 정확도가 매우 중요하다. 진단의 정확도를 담보할 수 없는 경우 치료가 필요하지 않은 환자를 대상으로 시술을 시행하거나, 반대로 악성화 위험이 높은 환자를 불완전하게 치료하는 우를 범할 수 있다. 현재까지 췌장 낭성종양 병변에 있어 초음파 내시경 유도하 세침흡인검사(fine needle aspiration, FNA) 세포진 검사가 가장 정확한 진단 방법으로 받아들여지고 있다[6]. 우연하게 발견된 췌장 낭성종양은 완전한 양성 병변으로부터 전암 병변에 이르기까지 병리학적으로 다양하게 분류될 수 있다. 최근 전문가 합의에 의한 지침이 발표되었지만, 아직까지 췌장 낭성종양 환자 중 내시경적 치료의 적응증에 대한 권고안을 제시하기 위한 증거가 부족하여, 어떤 환자에서 내시경적 치료가 유용하며 시술과 관련된 부작용을 최소화 할 수 있는지에 대한 연구가 필요한 실정이다[7,8]. 대체로 현재까지 받아들여지고 있는 췌장 낭성종양의 내시경적 치료의 적응증은 다음과 같다[9,10]. 첫째, 영상학적 검사만으로 낭성종양의 감별진단이 가능하지 않아 추가적인 세침흡인검사가 필요한 경우, 둘째, 추적 검사 동안 낭성종양의 크기가 증가하는 경우, 셋째, 수술을 거부하는 환자나 수술의 위험성이 커 수술이 불가능한 환자이다. 낭성종양의 크기와 관련하여 췌장 낭성종양의 내시경적 치료 시행 여부는 악성 위험도와 시술 성공률이라는 두 가지 요소에 의해 결정될 수 있다[11]. 크기가 3~4 cm 이상인 낭성종양의 경우 악성화 위험이 증가한다는 사실이 알려져 있다[3]. 대개 낭성종양의 직경이 3~4 cm 미만인 경우 내시경적 치료가 성공할 확률이 높고, 반면 내시경적 치료의 시행 가능성과 시술의 안전성을 보장 할 수 있는 최소 크기는 2 cm 내외로 생각되고 있다. 췌장 낭성종양의 분류에 따라 내시경적 시술의 시행 여부를 결정하는 것도 중요한데, 점액성 낭성종양(mucinous cystic neoplasm, MCN)은 악성화 가능성이 있고 대부분 단방 낭성종양으로 존재하기 때문에, 내시경적 치료의 적합한 대상으로 고려되고 있다. 장액성 낭성종양(serous cystic neoplasm, SCN)은 악성화 위험이 거의 없는 것으로 알려져 있으나, 일부 장액성 낭성종양의 경우 크기가 증가 하며 증상을 유발할 수 있다. 따라서, 추적 관찰 기간 동안 크기가 증가하는 대포낭(macrocystic) 형태의 장액성 낭성종양에 대해서는 내시경적 치료를 고려할 수 있다[12]. 그러나 점액성 낭성종양과 장액성 낭성종양을 구별하는 것이 임상적으로 쉽지 않은 경우가 많은 것이 사실이다[3]. 대부분의 췌장 낭성종양의 진단은 조직학적 진단이 불가능하기 때문에 낭성종양 내액 분석과 영상 진단에 의존해서 진단을 내리게 되는 경우가 많다. 종양 내액의 CEA 마커 수준이 점액성 낭성종양과 장액성 낭성종양을 구별하기 위해 주로 이용되지만, 이 또한 점액성 낭성종양과 췌장관내 유두상 점액종(intraductal papillary mucinous neoplasm, IPMN)에서 공통적으로 종양 내액의 아밀라아제 수준이 낮게 측정되기 때문에, CEA 마커 수준만으로 점액성 낭성종양과 췌장관내 유두상 점액종을 구별해내는 것이 불가능하다[13]. 낭성종양과 주췌관 사이에 연결이 있을 때에는 약물이 주췌관 내로 유출될 수 있기 때문에 치료 효과를 기대하기 힘들거나, 췌장염 등의 시술 관련 합병증 발생 위험이 있어 주췌관과의 연결이 있는 췌장관내 유두상 점액종이 의심되는 경우 초음파 내시경 유도하 세침 주입술과 같이 낭성종양 내로의 약물 주입을 위한 내시경적 치료를 시행하지 않도록 하여야 한다[9]. 실제 연구에서 낭성종양의 내액 분석에 따른 진단 분류에 따라 내시경적 치료 성공률에서 크게 차이를 보였다(장액성 낭성종양 58%, 점액성 낭성종양 50%, 췌장관내 유두상 점액종

11%, 분류되지 않은 낭성종양 39%, $P < 0.0001$)[9]. 결론적으로 악성 종양 가능성이 있으나 주췌관과의 연결이 없는 췌장 낭성종양 환자 중, 환자가 수술에 적합하지 않다고 판단되는 경우 초음파 내시경 유도하 세침 주입술과 같은 내시경적 치료를 고려해 볼 수 있다[14].

2. 시술 방법

초음파 내시경 유도하 세침 주입술은 낭성종양에 세포독성제제(cytotoxic agent)를 주입하여 낭종 상피(cyst epithelium)의 조직 괴사를 초래하는 원리를 근거로 한다. 최근 췌장 낭성종양 환자를 대상으로 하여 에탄올 및 파클리탁셀을 이용한 초음파 내시경 유도하 세침 주입술에 대한 치료 경험들이 보고된 바 있다[15-17]. 에탄올은 이미 신장, 간, 비장, 갑상선 및 부갑상선을 포함한 다른 여러 장기의 낭성 질환에 광범위하게 사용된 바 있고, 주입이 쉬우며, 비용 대비 효과가 높기 때문에 가장 일반적으로 사용되는 절제 약물(ablative agent)이다[18]. 에탄올은 세포막 용해, 단백질 변성 및 혈관 폐색을 유발함으로써 신속한 절제를 유도할 수 있다. 몇몇 임상 연구를 통해 췌장 낭성종양 환자에서 에탄올 주입에 의한 낭성종양의 크기 감소 효과를 확인할 수 있었다[17,19]. 이후 치료 효과를 증가시키기 위해 에탄올 세척 후 파클리탁셀을 낭성종양 내에 추가로 주입하는 치료 방법이 새롭게 제시되었으며, 파클리탁셀 추가 주입을 통한 치료 성공률의 향상 여부를 확인하기 위한 임상 연구들이 진행 되었다[11,20]. 구체적인 시술 방법을 살펴보면, 먼저 시술 전 예방적 항생제를 투여한 후 초음파내시경 유도하 세침 흡인을 통해 가능한 많은 양의 낭성종양 내액을 제거하게 되는데, 이렇게 얻은 액체를 가지고 진단을 위해 육안적으로 액체의 점도를 확인하고, 세포진 검사 및 내액의 CEA 마커와 아밀라아제 수준을 측정한다. 이후 초음파 모니터링하에 낭성종양 내의 액체 성분이 충분히 제거되었다고 판단되면, 낭성종양의 내액을 제거하기 위해 사용하였던 동일한 세침 바늘을 통해 낭성종양 내로 세포독성제제를 주입하게 된다. 주입하는 에탄올의 양은 흡인된 낭성종양 내액의 양과 동일하게 하고, 낭성종양 상피의 괴사를 유도하기 위해 에탄올을 낭성종양 내에 일정 시간 방치하였다가 최종적으로 제거하게 되는데, 방치하는 시간에 대한 기준은 연구마다 상이하다[21]. 직경이 1~2 cm인 단방 낭종은 1~2회의 치료로 쉽게 치료할 수 있으나, 종양의 크기가 크고 방이 여러 개로 이루어진 복잡한 모양의 낭성종양일 경우 여러 번에 걸친 세척이 필요할 수 있다[17].

3. 치료 성적

췌장 낭성종양의 치료에 있어 내시경적 치료는 외과적 절제술과 비교하여 안전할 뿐만 아니라 췌장의 기능을 보존할 수 있다는 장점을 가지고 있다. 하지만 아직까지 내시경적 치료 이후 췌장 낭성종양의 치료 성공률은 9~79%까지 다양하게 보고되고 있다[18,21,22]. 연구에 따라 치료 성공률이 이렇게 상이하게 보고되고 있는 이유는 사용되는 에탄올의 농도, 낭성종양의 세척 시간, 또는 파클리탁셀과와 같은 다른 약물의 추가 사용 여부 등 치료 방법이 표준화되어 있지 않고, 치료 성공에 대한 정의가 다르기 때문으로 생각된다[14]. 분명한 것은 보다 광범위한 낭성종양 상피의 괴사를 통해 낭성종양의 재발을 일으키는 잠재적인 잔여 상피 세포를 최소화할 수 있다는 것이다. 췌장 낭성종양에 대한 초음파 내시경 유도하 에탄올 주입시술은 원래 낮은 농도의 에탄올을 사용하여 시행되었다[19]. 초창기 연구에서, 세포독성제제 주입을 통한 낭성종양 절제술의 안전성을 확인하기 위해 염분 용액을 시작으로 더 진한 농도의 에탄올을 주입하는 방식으로 실험을 진행한 결과, 에탄올의 농도를 80%까지 주입한 경우에도 췌장염 발생의 증거는 없었다[19]. 이후 무작위, 전향적, 다기관 임상 연구에서 식염수 세척과 비교하여 에탄올 세척을 통해 낭성

종양이 의미 있게 감소함을 확인할 수 있었다[22]. 연구에 참여한 환자 중 최종적으로 수술을 시행받은 일부의 환자에서 50~100%의 상피 괴사를 병리학적으로 확인할 수 있었다. 42명의 환자 중 한 환자에서 시술 후 일과성 췌장염이 발생했으며, 약 20%의 환자에서 시술 당일 경도의 복통을 경험했다. 한 차례의 에탄올 세척 후에 완치된 12명을 추적 관찰한 결과, 중앙 추적 기간 26개월(13~39개월) 동안 낭성종양이 재발한 환자는 없었다[16]. 또 다른 연구에서 다양한 종류의 췌장 낭성종양 환자를 대상으로 에탄올과 함께 파클리탁셀 세척의 효과를 조사하였다[23]. 평균 추적 기간 21.7개월 동안 에탄올과 파클리탁셀을 함께 주입한 결과 총 47명 중 29명(62%)의 환자에서 CT상 낭성종양이 소실되었다고 보고하였다. 최근 낭성종양 절제술 2~3개월 후 초음파 소견과 낭성종양 내액의 세포학 검사 상 변화를 관찰하는 연구 결과, 시술 후 낭종의 지름과 격벽의 수가 감소하고, 낭종 내 찌꺼기가 증가하며, 벽 결절이 소실되고 새로운 칼슘 침착이 관찰되었다. 또한 상피세포가 증가하고 이형성 정도가 감소하였으며, 염증세포가 증가하는 세포학적 변화를 보고하였다[24]. 낭성종양 환자에서 초음파 내시경 유도하 세침 주입술의 치료 성공을 예측하는 인자로는 격벽이 없고, 크기가 35 mm 이하인 작은 낭성종양 등이 제시되고 있다[21].

단 최근 연구 결과에서 에탄올 주입을 통한 췌장 낭성종양 절제술 후 10% 미만의 환자에서만 완전한 낭성종양 소실을 관찰할 수 있었으며(그림 53-1-1), 치료된 낭성종양에서 발생한 췌장선암으로 사망한 경우까지 보고하고 있어 치료 효과 및 안전성에 대해서는 추가적인 연구가 필요하다[25]. 특히 단기간의 치료 성공률을 조사하는 것 만으로 재발 없는 장기간 치료 효과가 유지 되는지 여부를 담보할 수 없고, 장기간 추적 기간 동안 악성화 예방 또한 확신할 수 없기 때문에 췌장 낭성종양 환자에서 내시경적 치료가 표준 치료로 자리 잡기 위해서는 추후 췌장 낭성종양의 내시경적 치료 후 장기적인 치료 효과를 확인하는 대규모 연구가 선행되어야 한다[12,25].

4. 합병증

다른 국소 치료법과 마찬가지로 췌장 낭성종양의 내시경적 치료에 있어서도 안전성은 가장 중요한 고려 사항이다. 초음파 내시경 유도하 에탄올 주입시술과 관

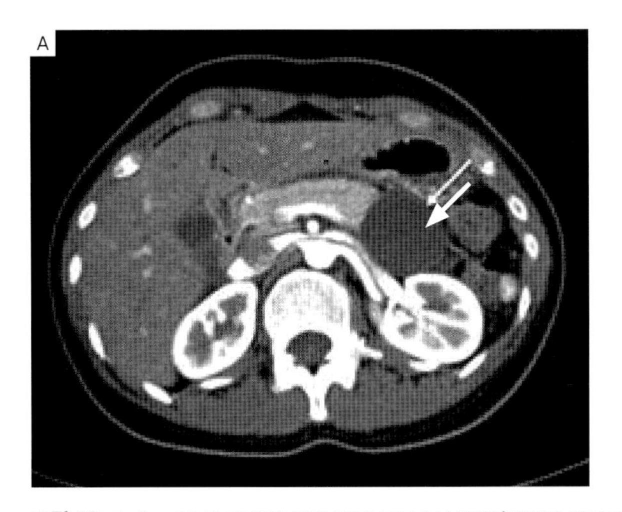

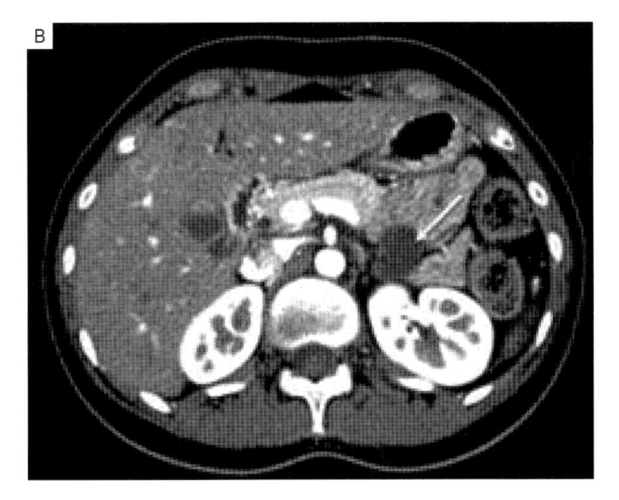

그림 53-1-1. **32세 여성의 췌장 꼬리 부분 낭성종양(하얀색 화살표).**
초음파 내시경 유도하 에탄올 주입시술(A)과 시술 1년 후(B)의 CT 소견. 낭성종양의 크기가 감소한 상태로 유지되고 있음.

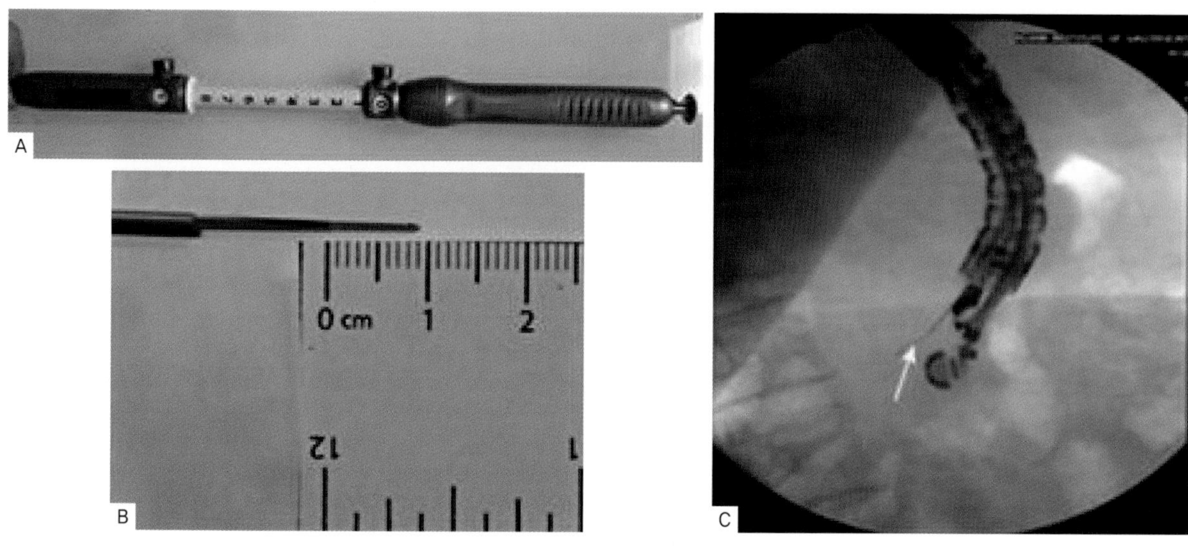

그림 53-1-2. **개발 중에 있는 고주파 열치료 바늘.**
A, B. 기존의 치료용 니들을 변형하여 1 cm의 소작용 전극 팁을 장착한 모습[29].
C. 고주파 열치료 바늘(Habib EUS radiofrequency ablation catheter)의 X-선 투시 영상.
Adopted from Endosonography, Third Edition.

련하여 발생할 수 있는 합병증으로는 복통, 췌장염, 농양, 낭성종양 내 출혈, 비장 정맥 혈전증, 내액 누출, 일시적인 저혈압 등이다[18,19,22,26]. 급성췌장염은 대개 주췌관이 에탄올에 노출되어 에탄올의 세포 독성에 의해 효소원(zymogen)이 활성화되어 발생되는 것으로 생각된다[4,17]. 시술 후 2~10%의 비교적 높은 비율로 급성췌장염이 발생한다고 보고되고 있으며, 이는 추가적인 입원 치료가 필요할 만큼 심각할 수 있다[26]. 시술 후 발생하는 혈전증은 낭성종양 주변의 광범위한 염증에서 유래할 수 있으며, 에탄올 등의 약물이 낭성종양 외로 누출되면서 인접한 혈관 구조로 염증이 퍼져 나가면서 발생할 수 있다. 따라서 낭성종양이 문맥 또는 비장 정맥에 인접해 있는 경우, 약물이 낭성종양 외로 누출 되어 염증이 발생하는 위험을 최소화하기 위하여, 주입하는 에탄올의 양을 줄이는 것을 고려하여야 하며, 적극적인 세척 과정을 자제하여야 한다[27,28]. 또한 시술 중 주췌관이 천공 되지 않도록 세침의 위치를 초음파 영상을 통해 지속적으로 관찰하여야 한다. 특히 낭성종양과 주체관 간에 연결이 있는지를 확인한 후 약물을 주입함으로써 췌장염 발생을 예방할 수 있는데, 낭성종양 내액을 제거한 후 낭성종양 내에 조영제를 주사하여 췌장 실질로의 누출이나 췌관과의 연결 여부를 확인할 수 있다[25].

5. 향후 전망

췌장 낭성종양의 치료 방법으로서 내시경적 치료가 표준 치료 방법으로 자리 잡기 위해서는 아직까지 개선해야 할 부분이 많이 남아 있다. 보다 정확하게 낭성종양의 악성화를 예측할 수 있는 낭성종양 내액의 생화학적 지표 개발이 요구된다. 시술 후 낭성종양의 재발을 감시할 수 있는 진단법의 개선도 필요하다. 또한 치료에 대한 반응의 정도를 확인하여 필요한 경우 후속 치료 일정을 결정하기 위해 낭성종양 상피의 절제 정도를 제어할 수 있어야 한다. 이를 위해 초음파 내시경 유도하 약물 주입 시술의 효과에 대해 실시간 모니터링을 제공할 수 있는 공초점 레이저 내시경(confocal laser endomicroscopy)의 도입을 제안하는 의견도 있다[14]. 최근에 미리 정한 온도 범위 내에서 열 발생을 제어할 수 있는 고주파 열치료 바늘이 개발되어 췌장 병변의 국소 치료 방법으로 연구되고 있다[29-31](그림 53-1-2). 현재 고주파 열치료 바늘은 대부분 췌장의 고형 종양의 치료를 위해 이용되고 있지만, 소수의 환자를 대상으로 췌장 낭성종양의 국소 치료 방법으로 시도되고 있어, 추후 안전성 및 효용성에 대한 연구 결과를 지켜봐야 할 것으로 생각된다[30].

향후 내시경적 치료가 췌장 낭성종양의 표준 치료로 받아들여지기 위해서는 시술 방법, 시술 기구, 주입 약물 등에 대한 더 많은 연구가 필요할 것으로 생각되며, 장기 추적 관찰을 통해 치료 효과의 지속성과 시술의 안정성을 뒷받침할 수 있는 무작위 전향적 연구가 필요하다.

References

1. Allen PJ, D'Angelica M, Gonen M, et al. A selective approach to the resection of cystic lesions of the pancreas: results from 539 consecutive patients. Ann Surg 2006;244:572-82.
2. Goh BK, Tan YM, Cheow PC, et al. Cystic lesions of the pancreas: an appraisal of an aggressive resectional policy adopted at a single institution during 15 years. Am J Surg 2006;192:148-54.
3. Stark A, Donahue TR, Reber HA, Hines OJ. Pancreatic Cyst Disease: A Review. JAMA 2016;315:1882-93.
4. Moyer MT, Dye CE, Sharzehi S, et al. Is alcohol required for effective pancreatic cyst ablation? The prospective randomized CHARM trial pilot study. Endosc Int Open 2016;4:E603-7.
5. Zhang WY, Li ZS, Jin ZD. Endoscopic ultrasound-guided ethanol ablation therapy for tumors. World J Gastroenterol 2013;19:3397-403.
6. Adler DG, Jacobson BC, Davila RE, et al. ASGE guideline: complications of EUS. Gastrointest Endosc 2005;61:8-12.
7. Tanaka M, Fernandez-del Castillo C, Adsay V, et al. International consensus guidelines 2012 for the management of IPMN and MCN of the pancreas. Pancreatology 2012;12:183-97.
8. Vege SS, Ziring B, Jain R, Moayyedi P. American gastroenterological association institute guideline on the diagnosis and management of asymptomatic neoplastic pancreatic cysts. Gastroenterology 2015;148:819-22; quize12-3.
9. Park JK, Song BJ, Ryu JK,et al. Clinical Outcomes of Endoscopic Ultrasonography-Guided Pancreatic Cyst Ablation. Pancreas 2016;45:889-94.
10. Fernandez-Del Castillo C. EUS treatment of pancreatic cysts: let's keep the alcohol (and the chemotherapy) locked in the cupboard. Gastroenterology 2011;140:2144-5.
11. Oh HC, Brugge WR. EUS-guided pancreatic cyst ablation: a critical review (with video). Gastrointest Endosc 2013;77:526-33.
12. Oh HC, Seo DW. Endoscopic ultrasonography-guided pancreatic cyst ablation (with video). J Hepatobiliary Pancreat Sci 2015;22:16-9.
13. Nagula S, Kennedy T, Schattner MA, et al. Evaluation of cyst fluid CEA analysis in the diagnosis of mucinous cysts of the pancreas. J Gastrointest Surg 2010;14:1997-2003.
14. Vazquez-Sequeiros E, Maluf-Filho F. Endosonography-guided ablation of pancreatic cystic tumors: Is it justified? Gastrointest Endosc 2016;83:921-3.
15. Oh HC, Seo DW, Kim SH, Min B, Kim J. Systemic effect of endoscopic ultrasonography-guided pancreatic cyst ablation with ethanol and paclitaxel. Dig Dis Sci 2014;59:1573-7.

16. DeWitt J, DiMaio CJ, Brugge WR. Long-term follow-up of pancreatic cysts that resolve radiologically after EUS-guided ethanol ablation. Gastrointest Endosc 2010;72:862-6.
17. DiMaio CJ, DeWitt JM, Brugge WR. Ablation of pancreatic cystic lesions: the use of multiple endoscopic ultrasound-guided ethanol lavage sessions. Pancreas 2011;40:664-8.
18. Kandula M, Moole H, Cashman M, Volmar FH, Bechtold ML, Puli SR. Success of endoscopic ultrasound-guided ethanol ablation of pancreatic cysts: a meta-analysis and systematic review. Indian J Gastroenterol 2015;34:193-9.
19. Gan SI, Thompson CC, Lauwers GY, Bounds BC, Brugge WR. Ethanol lavage of pancreatic cystic lesions: initial pilot study. Gastrointest Endosc 2005;61:746-52.
20. Oh HC, Seo DW, Lee TY, et al. New treatment for cystic tumors of the pancreas: EUS-guided ethanol lavage with paclitaxel injection. Gastrointest Endosc 2008;67:636-42.
21. Choi JH, Seo DW, Song TJ, et al. Long-term outcomes after endoscopic ultrasound-guided ablation of pancreatic cysts. Endoscopy 2017; doi:10.1055/s-0043-110030.
22. DeWitt J, McGreevy K, Schmidt CM, Brugge WR. EUS-guided ethanol versus saline solution lavage for pancreatic cysts: a randomized, double-blind study. Gastrointest Endosc 2009;70:710-23.
23. Oh HC, Seo DW, Song TJ, et al. Endoscopic ultrasonography-guided ethanol lavage with paclitaxel injection treats patients with pancreatic cysts. Gastroenterology 2011;140:172-9.
24. Kim KH, McGreevy K, La Fortune K, Cramer H, DeWitt J. Sonographic and cyst fluid cytologic changes after EUS-guided pancreatic cyst ablation. Gastrointest Endosc 2016; doi:10.1016/j.gie.2016.09.011.
25. Gomez V, Takahashi N, Levy MJ, et al. EUS-guided ethanol lavage does not reliably ablate pancreatic cystic neoplasms (with video). Gastrointest Endosc 2016;83:914-20.
26. DeWitt JM, Al-Haddad M, Sherman S, et al. Alterations in cyst fluid genetics following endoscopic ultrasound-guided pancreatic cyst ablation with ethanol and paclitaxel. Endoscopy 2014;46:457-64.
27. Oh HC, Seo DW, Kim SC. Portal vein thrombosis after EUS-guided pancreatic cyst ablation. Dig Dis Sci 2012;57:1965-7.
28. Cho MK, Choi JH, Seo DW. Endoscopic ultrasound-guided ablation therapy for pancreatic cysts. Endosc Ultrasound 2015;4:293-8.
29. Moris M, Atar M, Kadayifci A, et al. Thermal ablation of pancreatic cyst with a prototype endoscopic ultrasound capable radiofrequency needle device: A pilot feasibility study. Endosc Ultrasound 2017;6:123-30.
30. Pai M, Habib N, Senturk H, et al. Endoscopic ultrasound guided radiofrequency ablation, for pancreatic cystic neoplasms and neuroendocrine tumors. World J Gastrointest Surg 2015;7:52-9.
31. Rustagi T, Chhoda A. Endoscopic Radiofrequency Ablation of the Pancreas. Dig Dis Sci 2017;62:843-50.

53-2 췌장 낭성종양의 외과적 치료(Surgical treatment of cystic tumors of the pancreas)

강창무

서론

최근 사회 경제적인 여건의 향상과 더불어 국민들의 건강에 대한 관심이 높아지면서, 규칙적으로 건강검진을 받는 경우가 많다. 특히 영상의학적 진단방법(초음파 및 전산화 단층촬영)의 저변확대와 정밀도의 향상으로 증상이 없는 상태에서 우연히 발견된 췌장의 낭성종양이 증가하는 추세이다. 췌장에서 발생한 낭성종양은 대부분 양성일 가능성이 높으므로, 단순히 추적관찰을 하게 되겠지만, 경계성 종양 혹은 저등급 악성 종양인 경우 적절한 수술 적응증이 된다면 췌장절제술을 고려해야 한다.

췌장의 낭성종양에 대한 외과적 접근에 있어 고려되어야 할 점은, 첫째, 기능보존 미세침습적 췌장절제술이다. 일반적으로 알려진 췌장암과 비교하였을 때, 췌장의 낭성종양 환자들은 수술 후 장기생존을 기대하기 때문에, 수술의 방법과 범위를 고려함에 있어서, 환자의 삶의 질을 고려한 수술을 선택할 필요가 있다. 복강경 수술은 기존의 개복수술과 비교하여 상처가 작아 미용효과 면에서 우수할 뿐 아니라, 수술 후 통증이 적어 빨리 회복하게 되어 사회복귀가 빠르다. 하지만 복강경 수술이 가지고 있는 근본적인 단점들(2차원의 수술시야, 원근감 결여, 움직임의 제한, 지렛대 원리 등)로 능숙한 수술술기를 구사하기 위해서는 많은 시간과 경험이 필요하지만, 3차원의 수술시야, 자유로운 손목 움직임, 손떨림 현상이 없는 것 등의 장점들을 탑재한 로봇 수술의 도입은 더 효율적인 미세침습적 수술을 제공할 수 있게 되었다. 기능보존 췌장절제술은 대부분 수술술기가 복잡하고 어려워서 일반적인 복강경으로 수술하기가 쉽지 않은데, 로봇 수술은 이러한 이론적인 장점을 내포하고 있어 기능보존 미세침습적 췌장절제술에 유용하게 적용될 가능성이 높다. 특히 췌장은 우리 몸에서 소화를 하는데 필요한 중요한 소화효소를 분비하는 소화기관이면서 혈당을 조절하는 내분비 기관이기 때문에, 이러한 기능을 보존하는 췌장절제술의 중요성이 높아진다고 할 수 있다.

둘째, 췌장에서 발생한 낭성종양의 수술 시점을 결정하는 데 의견이 있을 수 있겠지만, 영상의학적인 검사에서 관찰되는 특징적인 형태로 대부분 수술 전 진단이 가능하여, 췌장 낭종의 의심되는 진단의 특성에 따라 적절한 외과적 조치를 구상할 수 있다[1,2]. 일반적으로 췌장의 낭성종양이 현재 암과 동반되어 있다고 판단된 경우 수술을 고려하는 것은 두말할 나위 없겠지만, 환자의 증상과 동반된 경우, 혹은 암으로 변성할 가능성이 높다고 판단되는 경우에는, 늦어도 췌장암 초기 단계(high grade dysplasia, carcinoma in situ)에서 수술을 진행하는 것을 목표로 한다(그림 53-2-1). 췌장에서 발생하는 낭성종양 중, 점액을 분비하는 종양(예를 들어, MCN이나 IPMN)인 경우는 양성에서 악성으로 변성할 수 있는 능력이 있는 암전구병변이므로, 주기적인 추적관찰을 통하여 악성으로의 변성이 의심되는 경우에는 적극적인 정밀 검사 및 수술을 고려해야 한다(표 53-2-1). 추적관찰을 하던 중 수술을 하였는데, 췌장암과 동반되었다면 이는 추적관찰 실패로 간주되어야 할 것이다.

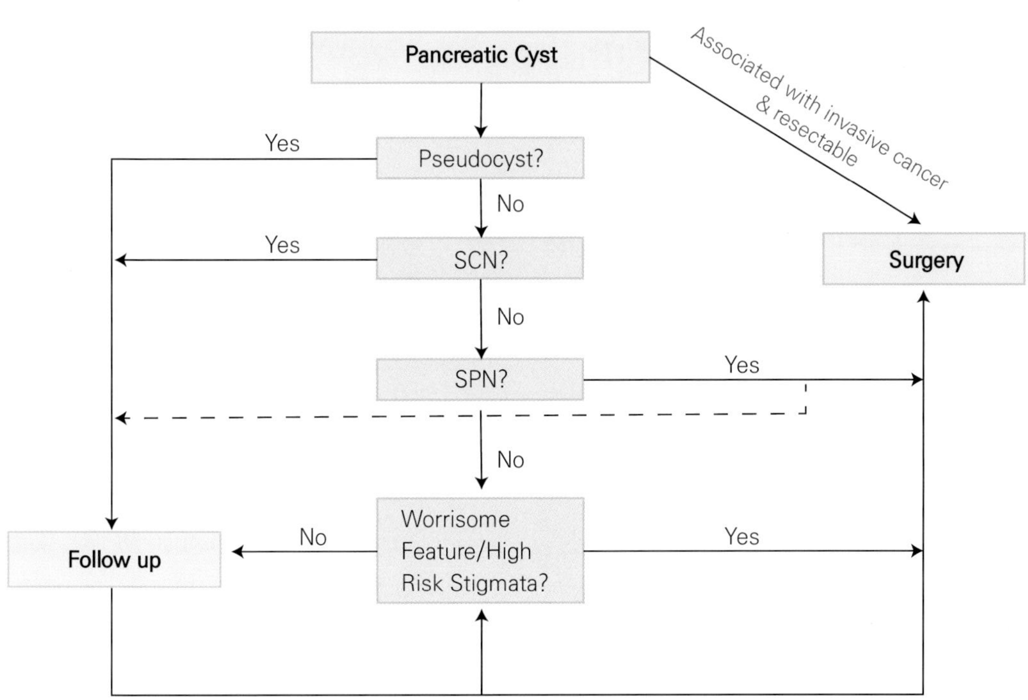

그림 53-2-1. **췌장에서 발생한 낭성종양에 대한 외과적 접근.**
췌장의 낭종은 검진이나 우연히 다른 검사 도중 발견되는 경우가 많은데, 대부분은 크기가 작은 낭종으로 특별한 조치 없이 추적관찰을 해야 하는 경우가 많다. 하지만, 영상의학적인 관점에서 확연히 특징지어지는 양상을 가지고 있는 낭종인 경우는 진단 당시 암과 연관이 되어 있어 보이지 않는 이상 추적관찰을 하게 되는데, 추적관찰 중 낭종의 모양과 크기의 변화, 종양표지자의 변화, 증상의 발생, 그리고 환자의 일반적인 상태를 고려하여, 암이 발생하기 전 수술을 고려하는 것을 추적관찰과 치료의 개념으로 환자를 관리하는 것이 중요하다. 경우에 따라, SPN인 경우에는 대부분 젊은 여성들에서 발생하지만 매우 느리게 성장하기 때문에, 임상적으로 환자들의 여건에 맞추어 추적관찰을 하면서 계획적인 수술을 하는 경우도 있을 수 있다. 또한, 우연히 발견된 혹은 추적관찰 중 낭종에 의미가 있어 보이는 변화가 이미 동반되어 있는 경우 대부분 수술을 권하게 되지만, 여건이 허락되지 않는 환자들은 추적관찰의 시기를 단축한다거나, 다른 영상의학적인 진단 방법을 추가하면서, 그동안 수술을 해야 하는 충분한 환자 교육과 함께 수술의 결정을 환자 및 보호자와 결정해야 하는 경우도 있다.

표 53-2-1. **추가적인 평가, 관찰, 수술의 가이드라인(guidelines for further evaluation, surveillance, and surgery)**

Fukuoka guideline[3]	American of Gastroenterology Association guideline[4]
Worrisome features	Size greater than 30 mm Dilatation of the main pancreatic duct Solid component
Cyst > 3 cm, Thickened/enhanced cyst wall Main pancreatic duct size: 5~9 mm Non-enhancing mural nodule Abrupt change in caliber of pancreatic duct with distal pancreatic atrophy	
High risk stigmata	
Obstructive jaundice Enhancing solid component Main pancreatic duct > 10 mm	

왜냐하면, 췌장암은 근치적 수술이 된다 하더라도 대부분 1~2년이내에 재발하여, 5년 생존율 20%에 머물러 있는 예후가 매우 불량한 암이기 때문이다. 따라서, 췌장의 낭성종양에 있어서 추적관찰의 목표는 침습적 암이 되기 전, 수술을 통하여 암을 예방한다는 개념이 중요하다.

마지막으로, 환자 및 보호자들로 하여금 환자들이 가지고 있는 췌장의 낭성종양의 자연경과에 대한 인식을 바로 시키는 일이다. 추적관찰 기간 동안, 필요한 경우 언젠가 수술적 치료를 고려해야 하는 이유와 근거를 환자들에게 충분히 이해시키고 인식시키는 것이 임상적으로 중요하다. 아무리 수술 술기의 발전과 수술 후 관리의 향상으로 췌장절제술이 안전한 술식으로 받아들여지고 있지만, 중요한 수술관련 합병증의 위험성과 수술 후 조직검사상 양성에서 악성까지의 광범위한 조직검사 결과가 나올 수 있는 가능성을 고려했을 때, 수술 후 조직학적 검사의 결과가 의사 환자관계의 유지에 매우 중요한 요소로 작용할 수 있기 때문이다. 따라서 외과의사들은 임상적으로 현재까지 진행된 연구와 경험을 바탕으로 한 수술 전 충분한 정보와 교육으로 환자들이 적절한 의학적 관리와 치료를 받을 수 있도록 도와주어야 할 것이다.

1. 미세침습적 핵절제술

췌장에서 발생한 낭성종양에 대한 핵절제술(그림 53-2-2)은 수술 중 낭종의 파열과 동반된 복강내 종양세포의 파급을 우려하여 이에 대한 연구는 그리 활발하지 않아 보인다. Cauley 등[5]은 1988년부터 2010년까지 시행한 45명의 핵절제술을 받은 환자와 기존의 췌장절제술, 즉 췌십이지장절제술과 췌미부절제술과 비교해 보았을 때, 전체 환자 중 낭성종양의 예는 연구대상자의 53%를 차지하고 있었지만, 췌장핵절제술은 짧은 수술시간, 적은 출혈량, 그리고 적은 수술 후 중환자실에 입실한 횟수와 관련 있었으며, 수술 후 췌장의 내분비 및 외분비 기능의 유지에 훨씬 유용하다고 보고하여, 낭성종양에서 췌장핵절제술이 기능보존술식으로 유용할 수 있음을 제시하였다. 최근 Thomas 등[6]은 IPMN에서 미세침습적 손-보조적(hand-assisted) 핵절제술을 보고한 바 있는데, 17명 중 12명이 핵절제술을 성공적으로 받았으며, 안전하고 효과적인 술식임을 제시하였다. Zhou 등[7]은 1990년부터 2016년까지 발표된 췌장의 핵절제술에 대한 연구를 분석한 결과, 1,316명의 환자 중 수술관련 사망률 0.3%, 합병율 50.3%(특히, 췌장루 postoperative pancreatic fistula, 38.1%), 내분비 및 외분비기능저하는 각각 2.4% 및 1.1%로, 잘 선택된 양성 혹은 저등급악성 종양에서 적절한 치료가 될 수 있음을 보고하였다. 본 기관에서는 현재까지 췌장의 낭성종양에서 시행한 췌장핵절제술의 예는 9예였으며, 수술 중 종양의 파열이 4예에서 생겼으나, 장기간 추적관찰(중앙값, 34개월, 6~136개월)을 시행해 보았을 때, 재발한 바가 없는 것으로 보여, 잘 선택된 췌장의 낭성종양 환자에서 기능보존 미세침습적 방법으로서의 가능성을 잘 보여주고 있다. 향후 이 분야에 대해서는 더 많은 자료를 바탕으로 임상연구가 필요할 것으로 사료된다.

2. 미세침습적 비장보존 췌미부절제술

해부학적 특성상 원위부 췌장과 비장의 혈류공급은 비장동맥 및 비장정맥을 공유하고 있는 특이한 구조를 하고 있다. 따라서, 과거 췌미부절제술을 시행할 때, 이러한 해부학적인 밀접성 때문에 수술 편의상 비장을 동반 절제하는 경우가 대부분이었다. 비장은 우리 몸에 있어서 가장 큰 면역기관으로 항체기반 면역기능에 매우 중요한 역할을 한다. 여러 가지 이유로 비장절제가 된 경우, 빈도는 낮지만 높은 사망률을 보일 수 있는 심각한 패혈증(overwhelming postsplenectomy infection)이 합병될 수 있다[8,9]. 특히, Shoup 등[10]은 췌장

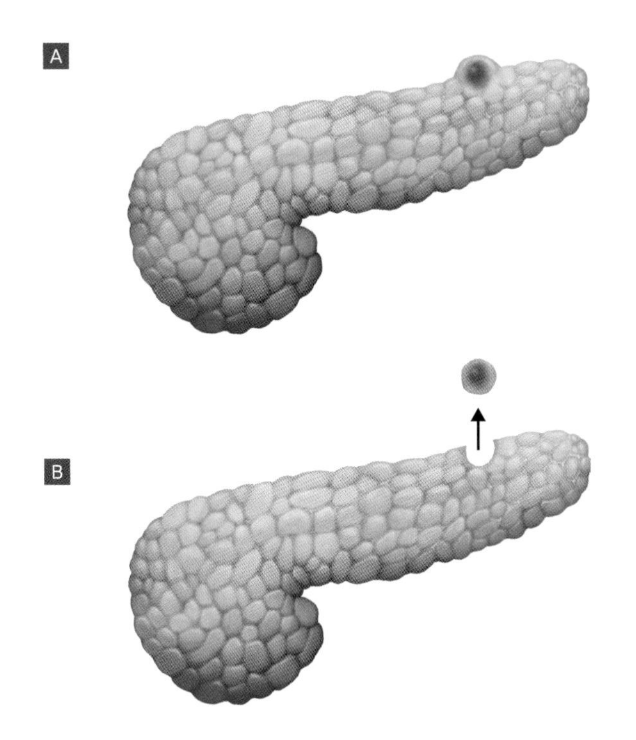

그림 53-2-2. **췌장종양의 핵절제술**
(enucleation of the pancreatic tumor).
A. Superficial pancreatic tumor.
B. Enucleation.

미부절제술에 있어서 비장보존 술식이 수술 후 감염관련 합병증뿐 아니라 심각한 합병 및 입원기간을 줄이는 데 매우 중요한 역할을 한다는 연구를 발표하였다. 이후 많은 외과의사들이 비장의 중요성에 대한 인식을 서서히 전환하면서, 현재 췌미부절제술을 시행할 때, 췌장암이 아닌 이상 비장기능을 보존하려는 노력을 하고 있다. 저자 역시 췌미부절제술 시 비장을 보존하는 것이 수술 후 췌장루의 합병을 줄이고[11], 삶의 질을 높일 수 있음[12]을 보고한 바 있다.

일반적으로, 췌미부절제술을 시행할 때, 비장을 보존하는 방법으로 비장동맥과 비장정맥을 모두 유지하면서 비장을 보존하는 방식[13]과, 비장동맥과 비장정맥을 췌장의 몸통과 꼬리 부분과 같이 절제하고, 비장의 혈류공급은 비장주위의 측부순환혈류로 유지시키는 술식[14]이 있다(그림 53-2-3). 비장동맥과 비장정맥을 유지하는 비장보존 방법은 비장으로 가는 혈류공급을 확실히 유지함으로써 비장기능을 보존할 수 있는 가능성이 높은 반면, 수술이 매우 복잡하고 어려워, 이를 미세침습적 방법으로 성공하기 위해서는 능숙한 술기가 필요로 한다. 이에 비해 비장동맥과 비장정맥을 동반 절제하는 방식은 수술은 비교적 상대적이로 쉬운 편이지만, 비장을 공급하는 주 혈관이 모두 차단되기 때문에 비장 허혈 및 경색의 합병이 동반될 수 있으며[15], 장기간 추적관찰 하면서 발행하는 위정맥류의 위험성[16]을 고려해야 한다. 저자는 양성 및 경계성 췌장종양에 있어서 췌미부절제술을 시행할 때, 로봇을 이용하여 높은 비장 보존성공률(94.7%)을 보고한 바 있으며[17,18], 비장동맥과 비장정맥을 동반 절제하는 비장보존 췌미부절제술과 비장동맥 및 비장정맥을 보존하는 술식과 비교하였을 때, 비장경색 및 위 주변의 측부혈관이 많이 발생하지만, 장기간 추적관찰하더라도, 무증상으로 임상적인 문제를 일으키지 않는 것을 확인하여, 비장보존율을 높일 수 있는 안전한 비장보존 술식으로 받아들여질 수 있음을 제시하였다[19]. 경험적으로 비장혈관을 절제하면서 비장을 보존하는 술식은 낭성종양이 커서 비장혈관과 접하는 부분이 넓어 박리 도중 파열의 가능성이 있거나, 주변에 만성췌장염으로 췌장과 혈관의 박리가 힘든 경우 적절히 구사할 수 있는 미세침습적 기능보존 췌장절제술의 하나로 사료된다[20].

3. 미세침습적 췌장중앙절제술

췌장의 목 부분이나, 이와 인접한 근위부 췌장 몸통에 양성, 혹은 저등급 악성 종양이 있는 경우, 수술의 범위를 결정하는 것은 그리 간단하지 않다. 췌장 원위부(췌미부절제술)를 절제하는 경우는 상당히 많은 부분의 정상췌장을 절제해야 하므로, 수술 후 췌장이 가지고 있는 외분비 및 내분비 기이 떨어질 가능성이 높고, 췌장 근위부(췌십이지장절제술)를 절제하는 경우는 중요한 소화기관인 십이지장, 담도, 담낭을 제거해야 할

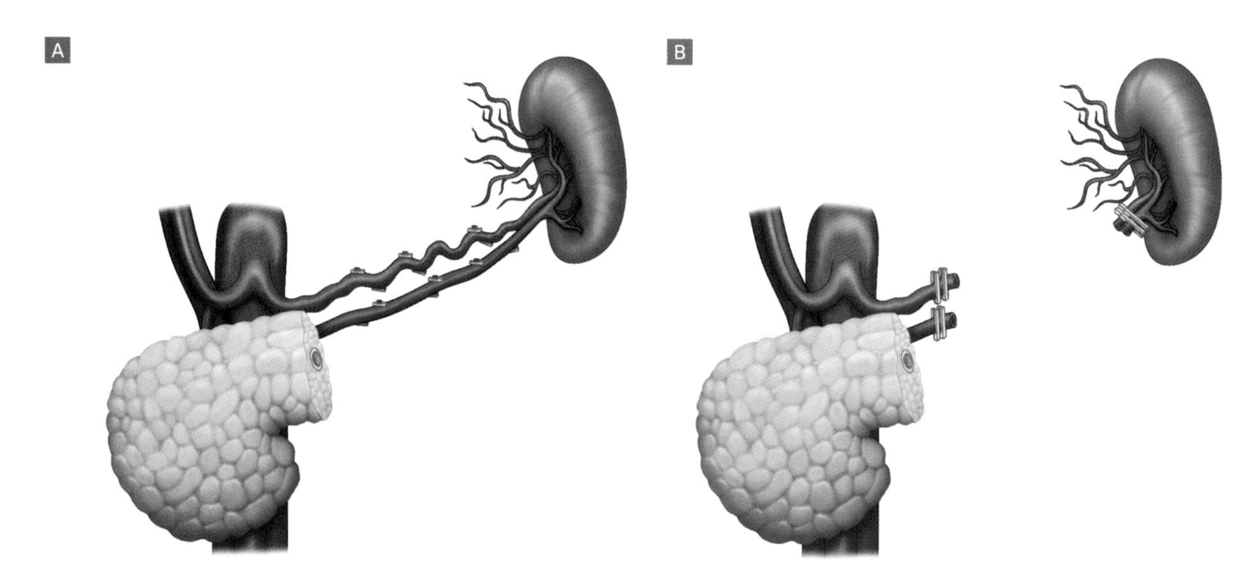

그림 53-2-3. **비장보존 췌미부절제술(spleen-preserving distal pancreatectomy).**
A. Splenic vessles-conserving procedure.
B. Splenic vessels-sacrificing procedure.

뿐 아니라, 수술관련 높은 합병증을 고려해야 하기 때문이다. 췌장중앙절제술은 이러한 경우 종양이 있는 췌장의 일부분만 부분절제하고, 남아 있는 원위부 췌장 부위를 소장이나 위에 연결해 주는 기능보존 췌장절제술의 대표적인 술식이다(그림 53-2-4). 단, 췌장을 두 번 절제해야 하기 때문에 수술 후 췌장루의 합병증이 높아질 수 있지만, 수술 후 관리 및 중재영상의학의 발전으로 대부분 대증치료로 회복이 가능하게 되면서[21,22], 최근 다시 관심의 대상이 되고 있다[23,24]. Machado 등[25]은 51명의 양성 및 경계성 종양에서 시행한 미세침습적 췌장중앙절제술을 보고하면서 수술 후 췌장루의 합병은 높았으나, 수술관련 사망은 없었으며, 수술 후 내분비 및 외분비 기능저하가 없음을 발표하였고, 이와 비슷하게 국내에서는 Song 등[26]이 복강경췌장중앙절제술은 일반적인 확대 췌미부절제술과 비교하여 수술시간이 길고, 수술 후 합병증은 많이 발행하지만, 대부분 대증치료가 가능하였으며, 수술 후 새롭게 발생하는 당뇨발생률이 현저히 적음을 발표하였다.

췌장중앙절제술은 절제뿐 아니라 췌장과 소화관을 재건해야 하는 정교한 작업이 필요하기 때문에 복강경수술로 진행하기보다는 로봇을 이용한 수술적 접근이 훨씬 유리할 수 있어, 로봇을 이용한 췌장중앙절제술의 유용성을 연구한 보고도 늘어가고 있다. 저자는 일반적으로 복강경으로 시행하기 어려운 췌장중앙절제술을 시행할 때, 로봇을 이용하고 있으며, 이러한 선별적인 접근방법은 개복수술에 비하여 수술 중 적은 출혈량과 짧은 입원기간의 치료성적을 보일 수 있음을 보고한바 있다[27,28]. 로봇수술에 있어서는 아직 비용-효율문제가 존재하기는 하지만, 잘 선택한 환자에서는 효율적인 기능보존 미세침습적 췌장절제술을 시행하는 데 유용하게 사용될 수 있어 이에 대한 연구는 앞으로 계속 진행될 전망이다. 특히, Chen 등[29] 2011~2015년까지 췌장중앙절제술을 받아야 하는 100명의 환자를 대상으로 로봇과 개복 수술의 비교분석을 전향적으로 시행하여, 개복수술에 비교하여 로봇수술이 입원기간을 단축시키고, 수술시간 및 출혈, 그리고 임상적으로 중요한 췌장루의 발생을 줄이는 효과가 있음을 보고함으로써, 로봇수술의 유용성을 주장하였다.

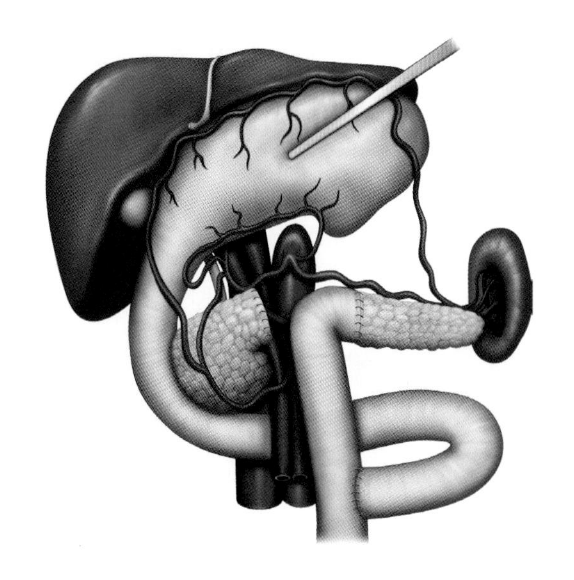

그림 53-2-4. **췌장종양절제술(central pancreatectomy).**

4. 미세침습적 췌십이지장절제술

지금까지 전향적 무작위 비교임상연구는 없는 상태이지만, 복강경 췌미부절제술은 그 동안의 수많은 경험과 임상연구들을 바탕으로 췌장에서 발생하는 양성 혹은 저등급 악성 종양에 대해 매우 안전하고 효율적인 치료로 받아들여 지고 있는 지금의 상황[30]과는 다르게 췌십이지장절제술에 있어서 복강경수술의 가능성 및 유용성에 대해서는 아직 논란의 여지가 있다. 췌십이지장절제술은 크게 절제부분(resection-phase)과 재건부분(reconstruction-phase)으로 나뉘어지는데(그림 53-2-5), 특히, 양성 및 저등급 악성 종양에서 시행되는 췌십이지장절제술은 복강경으로 절제하기에는 종양의 직접적인 주변혈관으로의 침습이 없고, 담도염이나 췌장염과 동반되지 않는 경우가 많기 때문에 큰 무리가 없을 수 있겠으나, 절제 후 1cm 이내의 정상 담도 및 1~2 mm의 췌관을 포함한 부드러운 실질(soft pancreas)의 잔존 췌장을 복강경으로 재건한다는 것이 매우 어렵고 위험할 수 있기 때문이다[31].

대부분 이 분야에서 진행되고 있는 메타분석 및 종설은 팽대부주위암에서 시행된 경우가 많은데, Liao 등[32]은 최근 26개의 발표된 연구논문을 바탕으로 780명의 복강경 췌십이지장절제술과 248명의 로봇 췌십이지장절제술을 대상으로 한 분석에서, 개복으로의 전환율은 9.1%, 평균 수술시간 422.6분, 평균출혈량 321.1 ml, 수술관련 합병률은 35.9%, 사망률 2.2%, 그리고 특히 수술 후 췌장루는 17%임을 보고하면서, 잘 선택된 환자에서 유용한 수술적 접근이 될 수 있음을 주장하였다. 국내에서 신 등[33]은 복강경과 개복 췌십이지장절제술을 비교하였을 때, 복강경 췌십이지장절제술은 수술시간이 길었으나, 입원기간은 짧고 수술관련 합병증과 췌장루의 발생에는 두 군 간의 큰 차이가 없음을 보고하였다. 향후 근거중심의 수술적 접근을 위해서 전향적인 무작위 비교연구의 필요성이 대두되고 있기는 하지만, 이러한 연구들은 복강경 혹은 로봇을 이용한 췌십이지장절제술이 안전하고 유용하게 임상에 적용될 수 있음을 간접적으로 제시하고 있어, 향후 이에 대한 더 많은 임상연구가 진행될 전망이다.

5. 미세침습적 췌장전절제술

미세침습적 췌장전절세술을 시행하는 경우는 그리 흔한 경우는 아니지만, main duct type의 IPMN인 경우, 혹은 MEN-1형으로 다발성으로 신경내분비 종양이 췌장에 발생하였을 때, 적절히 구사할 수 있는 술 식이다. 저자는 main duct type의 IPMN에서 복강경 췌장전절제술의 가능성을 최초로 보고한 바 있으며[34], 특히 비장 및 유문을 보존하면서 시행한 복강경 췌장전절제술을 보고하면서, 장기생존이 가능한 환자에서 환자의 삶의 질을 고려한 기능보존 미세침습적 췌장절제술의 의미를 피력한 바 있다[35]. 이와 비슷하게 Wang 등[36] 및 Zakarita 등[37]도 잘 선택된 환자에 있어서 최근 복강경 췌장전절세술의 가능성과 안전성을 보고하고 있다.

췌장전절제술을 시행 받은 환자에서 적극적인 당뇨

조절 및 대증요법으로 삶의 질을 유지할 수 있다[38-42]고는 하지만 실제 임상에서는 많은 환자들이 당뇨조절 및 소화문제로 불편을 호소하는 경우가 많아, 이 술식은 꼭 필요한 경우에만 시행하고, 되도록 췌장의 기능을 보존하고 유지하는 수술을 고려해야 할 것으로 사료된다[43,44].

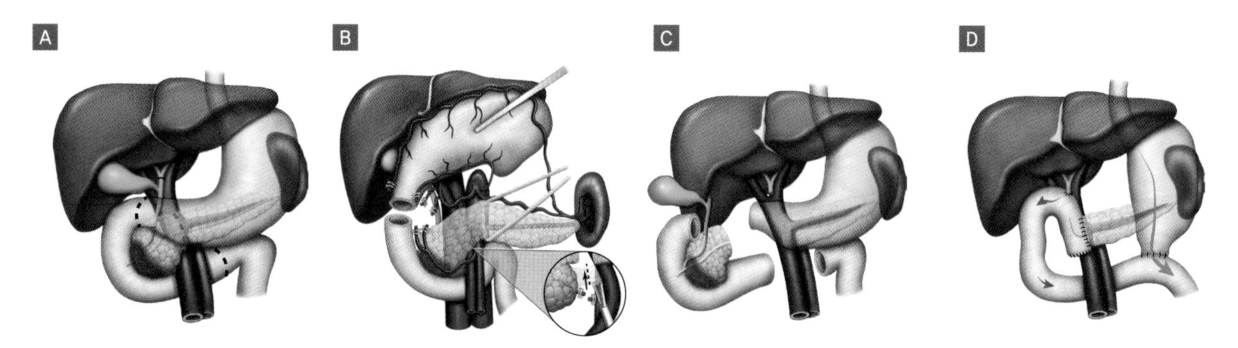

그림 53-2-5. **췌십이지장절제술(pancreaticoduodenectomy).**
A. Periampullary pathologic condition requiring pancreaticoduodenectomy.
B. Clearance of uncinate process near the superior mesenteric artery is critical in securing margin-negative resection.
C. Resection phase.
D. Reconstruction phase.

References

1. Hwang HK, Kim H, Kang CM, Lee WJ. Serous cyst adenoma of the pancreas: appraisal of active surgical strategy before it causes problems. Surg Endosc 2012;26:1560-5.
2. Kang CM, Choi SH, Hwang HK, Lee WJ, Chi HS. Minimally invasive (laparoscopic and robot-assisted) approach for solid pseudopapillary tumor of the distal pancreas: a single-center experience. J Hepatobiliary Pancreat Sci 2011;18:87-93.
3. Tanaka M, Fernandez-del Castillo C, Adsay V, et al. International consensus guidelines 2012 for the management of IPMN and MCN of the pancreas. Pancreatology 2012;12:183-97.
4. Vege SS, Ziring B, Jain R, Moayyedi P, Clinical Guidelines C, American Gastroenterology A. American gastroenterological association institute guideline on the diagnosis and management of asymptomatic neoplastic pancreatic cysts. Gastroenterology 2015;148:819-22; quize812-3.
5. Cauley CE, Pitt HA, Ziegler KM, et al. Pancreatic enucleation: improved outcomes compared to resection. J Gastrointest Surg 2012;16:1347-53.
6. Thomas E, Matsuoka L, Alexopoulos S, Selby R, Parekh D. Laparoscopic Hand-Assisted Parenchymal-Sparing Resections for Presumed Side-Branch Intraductal Papillary Mucinous Neoplasms. J Laparoendosc Adv Surg Tech A 2015;25:668-71.
7. Zhou Y, Zhao M, Wu L, Ye F, Si X. Short- and long-term outcomes after enucleation of pancreatic tumors: An evidence-based assessment. Pancreatology

2016;16:1092-98.
8. Waghorn DJ. Overwhelming infection in asplenic patients: current best practice preventive measures are not being followed. J Clin Pathol 2001;54:214-8.
9. Hansen K, Singer DB. Asplenic-hyposplenic overwhelming sepsis: postsplenectomy sepsis revisited. Pediatr Dev Pathol 2001;4:105-21.
10. Shoup M, Brennan MF, McWhite K, Leung DH, Klimstra D, Conlon KC. The value of splenic preservation with distal pancreatectomy. Arch Surg 2002;137:164-8.
11. Kang CM, Chung YE, Jung MJ, Hwang HK, Choi SH, Lee WJ. Splenic vein thrombosis and pancreatic fistula after minimally invasive distal pancreatectomy. Br J Surg 2014;101:114-9.
12. Choi SH, Seo MA, Hwang HK, Kang CM, Lee WJ. Is it worthwhile to preserve adult spleen in laparoscopic distal pancreatectomy? Perioperative and patient-reported outcome analysis. Surg Endosc 2012;26:3149-56.
13. Kimura W, Inoue T, Futakawa N, Shinkai H, Han I, Muto T. Spleen-preserving distal pancreatectomy with conservation of the splenic artery and vein. Surgery 1996;120:885-90.
14. Warshaw AL. Conservation of the spleen with distal pancreatectomy. Arch Surg 1988;123:550-3.
15. Partelli S, Cirocchi R, Randolph J, Parisi A, Coratti A, Falconi M. A systematic review and meta-analysis of spleen-preserving distal pancreatectomy with preservation or ligation of the splenic artery and vein. Surgeon 2016;14:109-18.
16. Tien YW, Liu KL, Hu RH, Wang HP, Chang KJ, Lee PH. Risk of varices bleeding after spleen-preserving distal pancreatectomy with excision of splenic artery and vein. Ann Surg Oncol 2010;17:2193-8.
17. Kang CM, Kim DH, Lee WJ, Chi HS. Conventional laparoscopic and robot-assisted spleen-preserving pancreatectomy: does da Vinci have clinical advantages? Surg Endosc 2011;25:2004-9.
18. Choi SH, Kang CM, Lee WJ, Chi HS. Robot-assisted spleen-preserving laparoscopic distal pancreatectomy. Ann Surg Oncol 2011;18:3623.
19. Lee LS, Hwang HK, Kang CM, Lee WJ. Minimally Invasive Approach for Spleen-Preserving Distal Pancreatectomy: a Comparative Analysis of Postoperative Complication Between Splenic Vessel Conserving and Warshaw's Technique. J Gastrointest Surg 2016;20:1464-70.
20. Choi SH, Kang CM, Kim JY, Hwang HK, Lee WJ. Laparoscopic extended (subtotal) distal pancreatectomy with resection of both splenic artery and vein. Surg Endosc 2013;27:1412-3.
21. Kazanjian KK, Hines OJ, Eibl G, Reber HA. Management of pancreatic fistulas after pancreaticoduodenectomy: Results in 437 consecutive patients. Arch Surg 2005;140:849-55.
22. Sanjay P, Kellner M, Tait IS. The role of interventional radiology in the management of surgical complications after pancreatoduodenectomy. HPB 2012;14:812-7.
23. Kang CM, Lee JH, Lee WJ. Minimally invasive central pancreatectomy: current status and future directions. J Hepatobiliary Pancreat Sci 2014;21:831-40.
24. Iacono C, Verlato G, Ruzzenente A, et al. Systematic review of central pancreatectomy and meta-analysis of central versus distal pancreatectomy. Br J Surg 2013;100:873-85.
25. Machado MA, Surjan RC, Epstein MG, Makdissi FF. Laparoscopic central pancreatectomy: a review of 51 cases. Surg Laparosc Endosc Percutan Tech 2013;23:486-90.
26. Song KB, Kim SC, Park KM, et al. Laparoscopic central pancreatectomy for benign or low-grade malignant lesions in the pancreatic neck and proximal body. Surg Endosc 2015;29:937-46.
27. Kim DH, Kang CM, Lee WJ, Chi HS. Robotic central pancreatectomy with pancreaticogastrostomy

(transgastric approach) in a solid pseudopapillary tumor of the pancreas. Hepatogastroenterology 2011;58:1805-8.
28. Kang CM, Kim DH, Lee WJ, Chi HS. Initial experiences using robot-assisted central pancreatectomy with pancreaticogastrostomy: a potential way to advanced laparoscopic pancreatectomy. Surg Endosc 2011;25:1101-6.
29. Chen S, Zhan Q, Jin JB, et al. Robot-assisted laparoscopic versus open middle pancreatectomy: short-term results of a randomized controlled trial. Surg Endosc 2017;31:962-71.
30. Mehrabi A, Hafezi M, Arvin J, et al. A systematic review and meta-analysis of laparoscopic versus open distal pancreatectomy for benign and malignant lesions of the pancreas: it's time to randomize. Surgery 2015;157:45-55.
31. Kang CM, Lee SH, Chung MJ, Hwang HK, Lee WJ. Laparoscopic pancreatic reconstruction technique following laparoscopic pancreaticoduodenectomy. J Hepatobiliary Pancreat Sci 2015;22:202-10.
32. Liao CH, Wu YT, Liu YY, et al. Systemic Review of the Feasibility and Advantage of Minimally Invasive Pancreaticoduodenectomy. World J Surg 2016;40:1218-25.
33. Shin SH, Kim YJ, Song KB, et al. Totally laparoscopic or robot-assisted pancreaticoduodenectomy versus open surgery for periampullary neoplasms: separate systematic reviews and meta-analyses. Surg Endosc 2017;31(9):3459-74.
34. Kim DH, Kang CM, Lee WJ. Laparoscopic-assisted spleen-preserving and pylorus-preserving total pancreatectomy for main duct type intraductal papillary mucinous tumors of the pancreas: a case report. Surg Laparosc Endosc Percutan Tech 2011;21:e179-82.
35. Choi SH, Hwang HK, Kang CM, Yoon CI, Lee WJ. Pylorus- and spleen-preserving total pancreatoduodenectomy with resection of both whole splenic vessels: feasibility and laparoscopic application to intraductal papillary mucin-producing tumors of the pancreas. Surg Endosc 2012;26:2072-7.
36. Wang X, Li Y, Cai Y, Liu X, Peng B. Laparoscopic total pancreatectomy: Case report and literature review. Medicine (Baltimore) 2017;96:e5869.
37. Zakaria HM, Stauffer JA, Raimondo M, Woodward TA, Wallace MB, Asbun HJ. Total pancreatectomy: Short- and long-term outcomes at a high-volume pancreas center. World J Gastrointest Surg 2016;8:634-42.
38. Casadei R, Ricci C, Taffurelli G, et al. Is total pancreatectomy as feasible, safe, efficacious, and cost-effective as pancreaticoduodenectomy? A single center, prospective, observational study. J Gastrointest Surg 2016;20:1595-607.
39. Griffin JF, Poruk KE, Wolfgang CL. Is It Time to Expand the Role of Total Pancreatectomy for IPMN? Dig Surg 2016;33:335-42.
40. Wu W, Dodson R, Makary MA, et al. A Contemporary Evaluation of the Cause of Death and Long-Term Quality of Life After Total Pancreatectomy. World J Surg 2016;40:2513-8.
41. Epelboym I, Winner M, DiNorcia J, et al. Quality of life in patients after total pancreatectomy is comparable with quality of life in patients who undergo a partial pancreatic resection. J Surg Res 2014;187:189-96.
42. Muller MW, Friess H, Kleeff J, et al. Is there still a role for total pancreatectomy? Ann Surg 2007;246:966-974; discussion 974-65.
43. Belyaev O, Herzog T, Chromik AM, Meurer K, Uhl W. Early and late postoperative changes in the quality of life after pancreatic surgery. Langenbecks Arch Surg 2013;398:547-55.
44. Barbier L, Jamal W, Dokmak S, et al. Impact of total pancreatectomy: short- and long-term assessment. HPB (Oxford) 2013;15:882-92.

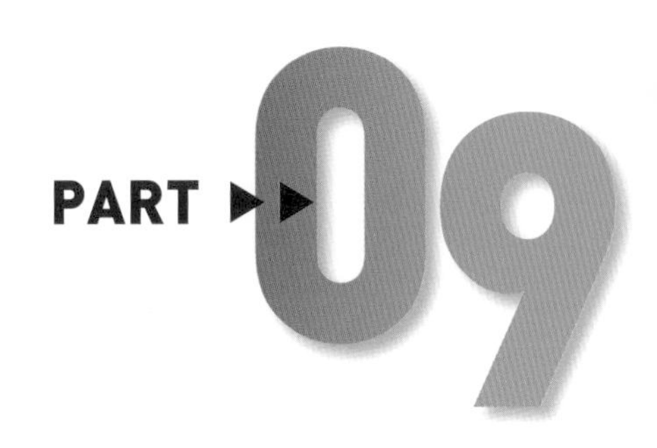

췌장 손상

PANCREATIC INJURY

CHAPTER

54 췌장 손상의 진단 및 치료

Diagnosis and treatment of pancreatic injury

54-1 췌장 손상의 진단 및 내시경적 치료(Diagnosis and endoscopic treatment of pancreatic injury)

이동기

1. 췌장 손상의 병리 기전

췌장 외상의 20~30%는 총상 자상 등에 의한 관통상이고 나머지는 둔상(blunt trauma)이다[1]. 췌장은 후복막 장기이라 복부 외상에서 비교적 보호를 받는 장기이다. 하지만 췌장 뒤에는 요추(L1-2)가 위치하고 있어 급작스런 복부 충격이 있으면 췌장 손상이 가능하다. 예를 들면 성인에서는 자동차 시트벨트에 의한 steering wheel 손상과 소아에서는 자전거를 타다가 핸들에 부딪히는 경우 혹은 직접 상복부 가격을 당한 경우 등이다[2]. 소아에서는 성인에서 보다는 췌장 주위를 싸고 있는 지방층이 적어 췌장 손상에 더 취약하다[3]. 이러한 이유로 췌장 손상의 발생 빈도는 췌장의 몸통, 머리 그리고 꼬리 순이다. 췌장 손상은 단독으로 발생하는 경우보다는 다른 복부 장기 손상을 동반한다. 60%에서는 십이지장과 췌장 손상이 동반되고 90%에서는 적어도 한 개 이상의 다른 복부 장기 손상과 동반된다. 따라서 다발성 복부 장기 외상이 있는 경우 항상 췌장 손상을 염두에 두어야 한다[4].

2. 임상 및 검사실 소견

많은 환자에서 급성췌장염 소견을 보인다. 상복부 통증, 백혈구와 혈청 췌장 효소 수치의 증가 소견을 보인다. 하지만 외상 후 하루 혹은 수일까지 이러한 증상이 안 나타날 수도 있다[5,6]. 췌장 손상 진단이 어려운 것은 대부분 타 장기 손상이 동반되어 증상이 가려질 수 있고 췌장이 후복막 장기라 복막 자극과 같은 뚜렷한 증상이 없거나 불분명하고 늦게 나타나기 때문이다. 이러한 이유로 췌장 손상의 진단이 지연되는 경우가 많고, 이는 환자의 예후에 악영향을 미친다. 췌장 손상 진단의 지연이 치명적일 수 있어 복부 외상 환자에서 췌장 손상을 항상 의심하고 조기 진단에 주의를 기울여야 한다.

혈청 혹은 diagnostic peritoneal lavage (DPL) 액에서 아밀라아제 수치의 상승이 진단에 유용하다[7]. 하지만, 안면 손상으로 침샘 손상이 같이 있거나 십이지장 혹은 간 손상 등에서도 수치가 올라갈 수 있다. 아밀라아제 수치 상승은 시간 의존적이며 지속적으로 그 수치가 상승되어 있으면 췌장 손상을 더 의심하여야 한다. 하지만 췌장 손상 정도와는 일치하지 않는다. 외상 환자에서 DPL에서 아밀라아제 상승을 확인하는 것이 혈청 수치보다 더 예민하다.

3. 영상 검사

초음파는 외상 환자에서 즉각적으로 쉽게 사용할 수 있는 검사 수단이다. 췌장의 부종, 복강내 액체저류 소견은 쉽게 발견할 수 있고, 경우에 따라 췌장 실질 절단 소견 등의 진단도 가능하다. 하지만, 장가스, 초음파 window 등에 따라 검사 결과의 차이가 있어 초음파 단독으로 췌장 손상의 정도와 범위를 결정할 수 없다[8].

CT는 특별한 검사의 금기 사항이 없다면 거의 모든 복부 손상 환자에서 비침습적으로 쉽게 진행하는 검사이다. 주의할 것은 외상 12시간 이내에는 20~40% 췌장 손상 환자에서 췌장이 정상 소견을 보인다. 이는 외상 초기에는 CT에서 췌장 실질의 변화가 뚜렷하지 않은 경우가 있기 때문이다[4,9]. Shearing injury에서 가장 흔히 발견되는 췌장 체부와 미부 경계의 췌장 실질의 열상, 열상과 연결된 가성낭종이나 혈종과 같은 체액 저류 등은 CT 검사로 예민하게 발견할 수 있다[1]. 문제는 치료 방침 결정에 중요한 췌장 골절(pancreatic fracture)의 진단이다. 하지만 CT만으로 췌관 손상을 정확히 평가하는 데에는 한계가 있다. 특히, 췌관의 온전함이(intergrity) 췌장 외상 환자의 치료 결과와 밀접한 관계가 있기 때문에 이의 평가는 치료 방침 결정에 매우 중요하다. MRCP는 비침습적으로 췌관의 온전함을 확인하는데 유용하다. MRCP로 주췌관은 췌장 두부는 97%까지, 췌장 미부는 83%까지 확인이 가능하다[10]. 또한, 절단된 췌장으로 초래된 췌장액 저류도 쉽게 발견할 수 있다. Secretin MRCP를 이용하면 췌장 누출을 좀 더 명확히 확인할 수 있다(그림 54-1-1).

4. 내시경역행담췌관조영술(endoscopic retrograde cholangiopancreatography, ERCP)

1) 췌장 손상의 진단

CT나 MRI 같은 비침습적 영상 검사로 췌장 손상을 진단할 수는 있으나, 외과 의사 입장에서는 췌관의 온전함 여부와 췌장골절의 정확한 진단이 되어야 수술을 할 것인지 한다면 어떤 수술을 할 것인지를 판단 할 수 있다. 즉, image-guided therapy를 위해서는 환자의 상태가 허락한다면 ERCP를 시행하여 주췌관과 췌장막의 온전함 여부와 췌장 손상 부위를 정확히 확인할 수 있다. ERCP로 주췌관에서 조영제가 췌장 실질로 새어 나오는지를 확인하고, 이런 누출이 있다면 주췌관이 완전히 절단되었는지 부분적 손상인지의 감별도 가능하다. 또한, 주췌관 손상으로 누출되는 조영제가 췌장을 싸고 있는 피막(capsule)에 국한되는지 췌장 바깥으로 새는지 등이 검사 중에 확인이 된다. 주췌관이 완전히 절단되었거나, 완전 절단은 아니더라도 주췌관 손상과 함께 조영제가 췌장 밖으로 샌다면 수술적 치료가 필요하다(그림 54-1-2). 그러나 주췌관이 완전 절단된 상태가 아

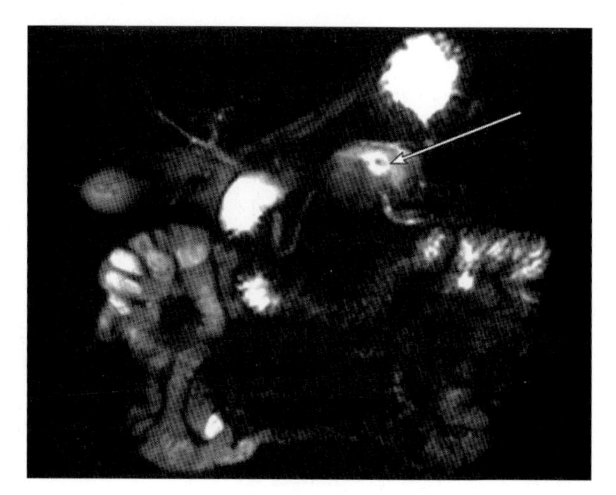

그림 54-1-1. **Secretin MRCP.**
주췌관 손상 부위 췌장액 누출이 관찰됨.
Adapted from AJR 2006;186:499.

니라 일부 손상이며 췌장막이 온전하다면 췌관 배액관 삽입 등의 방법으로 보존적 치료가 가능하다(그림 54-1-3). 특히, 췌장 손상이 외상 후 늦게 의심되는 경우는 ERCP를 통하여 췌관으로부터의 조영제 누출 및 췌관의 끊김 등을 통하여 췌장 손상을 가장 정확히 판단할 수 있다[11]. 췌관조영은 수술 전, 수술 중 혹은 수술 후 모두 필요에 따라 시행할 수 있고 각각의 상황에 유효한 정보를 얻을 수 있다.

Takishima 등[12]은 췌관조영술에 따른 췌장 손상의 정도를 분류(표 54-1-1)하여 치료 방침을 결정하는 데 도움을 주고 있다. 40명의 췌장 손상 환자의 췌관조영(37명은 ERP, 4명은 transdudenal pancreatography)을 후향적으로 분류하여 치료 방침을 결정하게 하였다. Class 1과 2a 손상은 비수술적으로 치료가 가능하고, Class 2b 손상은 적어도 drainage laparotomy가 필요하다. Class 3a 손상은 췌장원위부절제술, 3b 손상은 Roux-en-Y 췌장공장문합술이 필요하다. 췌관조영술을 통하여 불필요한 개복술을 예방할 수 있고 적절한 수술 방법을 결정하는데 중요한 역할을 할 수 있다.

필자 등[13]은 23명의 췌장 손상 환자를 전향적으로 CT와 ERCP를 시행하여 췌장 손상의 진단과 치료에 이들 검사의 정확성과 유용성을 보고한 바 있다. 외상 후 ERCP를 시행하기까지 평균 시간은 72시간(범위, 15시간에서 28일)이었다. ERCP에 따른 합병증은 없었다. 23명의 CT 소견은 8명이 췌장 골절, 7명이 췌장의 부종, 5명이 췌장주위 액체저류, 1명이 췌장 혈종 그리고 2명

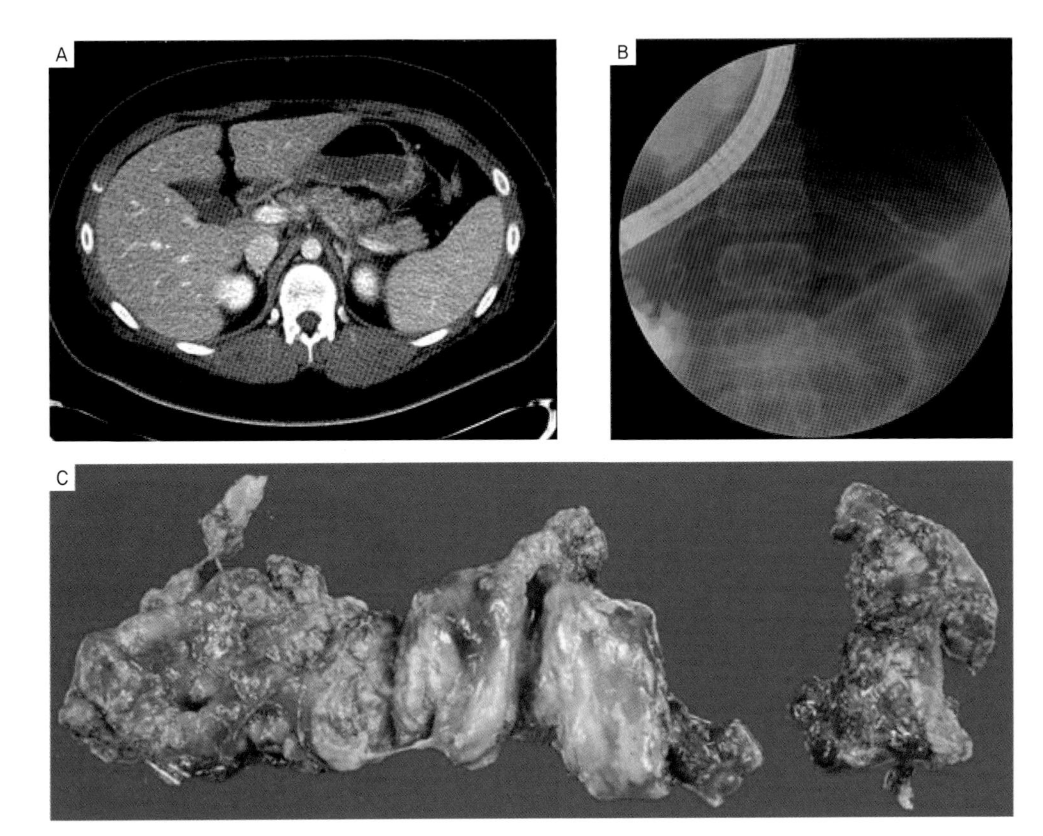

그림 54-1-2. **14세 남자 환자(둔상 후).**
A. 복부 CT에서 췌장 미부 열상이 의심됨.
B. ERP로 췌장 미부에서 조영제가 췌장 밖으로 새는 것이 관찰됨.
C. 췌장 원위부 절제술 조직 소견. 절단된 췌장 미부.

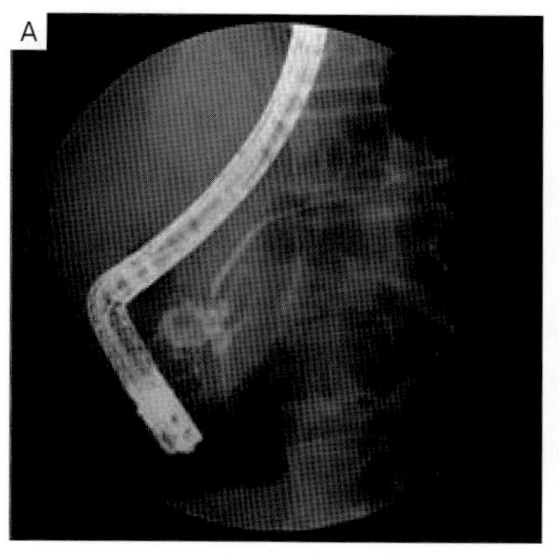

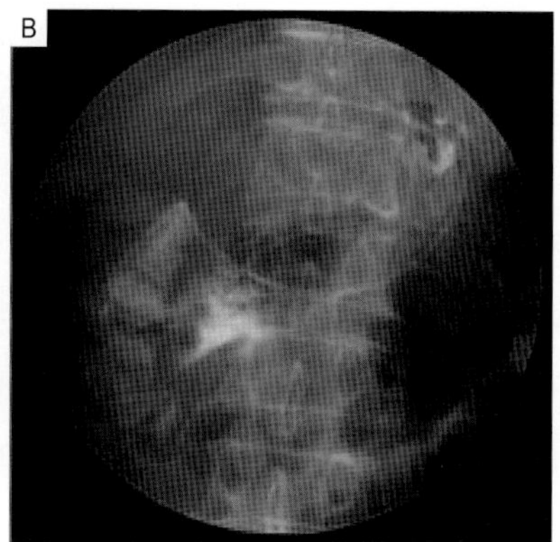

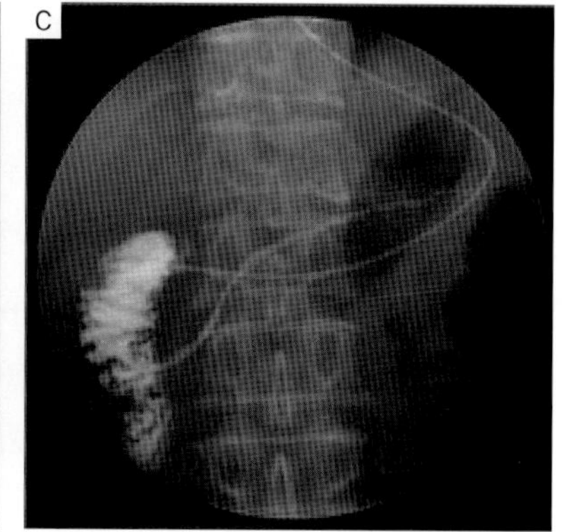

그림 54-1-3. **60세 여자 환자.**
교통사고 후 ERP 사진.
A. 췌장 두부 주췌관에서 조영제 누출이 있지만 췌장 막 내에 국한되어 있음.
B. ENPD 삽입.
C. 주췌관 조영제 누출이 없이 정상 모양을 보임(울산대 이성구 선생님 제공).

표 54-1-1. **현재 분류에 따른 치료 방법 선택**[11]

Classification of injury to the pancreatic ducts	Panreatic organ injury scale by AAST†	Modality of treatment
Class 1	I or II	Nonsurgical (laparotomy without pancreatic resection‡ when duodenal injury is associated)
Class 2a	Unclassified	Nonsurgical (laparotomy without pancreatic resection‡ when duodenal injury is associated)
Class 2b	Unclassified	Laparotomy: drainage (laparotomy without pancreatic resection‡ when duodenal injury is associated) Laparotomy: distal pancreatectomy
Class 3a	III	Laparotomy: Roux-en-Y pancreaticojejunostomy,
Class 3b	IV or V	pancreaticoduodenectomy

† AAST: American Association for the Surgery of Trauma.
‡ Laparotomy without pancreatic resection includes either pyloric exclusion or duodenal diverticularization.

이 정상 췌장 소견을 보였다. CT는 주췌관 손상을 11명 중 5명(55%)에서 예측하였다. 3명의 환자에서는 주췌관 손상을 발견하지 못하였고, 2명의 환자에서는 위양성 결과를 보고하였다. 대상 환자 중 13명(55%)에서 췌장의 합병증이 발생하였고 8.7% 환자가 사망하였다. 외상 후 ERCP 시행까지 72시간 이내(early group)와 이후(late group)로 환자를 나누어 비교해보았을 때, late group에서 의미 있게 췌장과 연관된 합병증이 높았고(100% vs. 22%; p = 0.02), 입원 기간도 길었다(평균 48일 vs. 20일). 따라서 ERCP가 주췌관 손상을 진단하는데 가장 유용한 수단이며 주췌관 손상의 조기 진단이 환자 예후에 중요함을 보고하였다.

2) 췌장 손상의 내시경 치료

췌장 외상환자는 진단되는 대로 췌장 손상의 정도에 따라 수술을 시행받거나 보존적 치료를 하게 된다. 수술 술식의 선택은 주췌관의 온전한 정도와 췌장 실질 손상 정도 그리고 손상의 해부학적 위치에 따라 결정된다. 미국 외상외과 협회의 장기손상 scaling 위원회에서 작성한 췌장 손상 등급표(표 54-1-2)가 치료에 널리 이용되고 있다[14]. 지금까지 내시경적 경유두적 췌관 배액관 삽입술(endoscopic transpapillary pancreatic duct stenting) 혹은 경비적췌관배액술(nasopancreatic drainage, NPD)이 췌관 파열(disruption)의 치료에 널리 이용되었다. 이 방법은 손상되어 췌액이 누출되는 췌관을 막아주고, 췌관 파열의 브리징이 되며 췌관 괄약근을 bypass시켜 췌장액을 십이지장으로 원활히 흐르게 함으로써 췌관 파열의 치유를 도모하게 된다[15]. 똑같은 치료 기전으로 췌관의 배액관 삽입술이 췌장 손상 치료에 사용된다.

필자 등[13]은 14명의 췌관 손상 환자를 분석하였다. 이 중 8명은 조영제가 주췌관에서 복강내로 누출이 있어 ERCP 시행 즉시 수술을 시행하였다. 3명은 조영제 누출이 췌장 실질에 국한됨이 확인되어 7 Fr. 배액관을 삽입하였다. 외상 후 배액관 삽입까지 시간은 24~96시간이었다. 이들 3명의 주췌관 조영 소견은 각각 한 명씩, 협착이 없이 조영제 누출만 있거나, 주췌관 협착 소견과 주췌관의 완전 폐쇄 소견을 보였다. 모든 환자에서 3달 후 배액관 제거를 하였으며 주췌관 손상이 모두 해결되어 수술 없이 완치 되었다. 1년 이상 경과 관찰에서 문제가 없음을 확인하였다. 나머지 3명은 주췌관은 정상이었고 손상된 분지췌관에서 조영제가 췌실질 불투명화(opacification)만 관찰되어 특별한 치료가 필요 없었다.

췌장 손상에 따른 후기 합병증의 치료에도 ERCP가 역할을 할 수 있다. 외상 후 가성낭종은 주췌관과 교통이 있는 경우가 대부분이라 ERPD로 치료 가능한 경우가 많다. 췌관 손상에 의한 복수 흉수 누출 혹은 췌장 누공 등도 췌관 배액관 삽입술의 좋은 적응증이 된다[16-21]. 만약 가성낭종과 주췌관의 연결이 없어 경유두적 배액관 삽입술이 효과적이지 않다면 내시경초음파를 이용한 경벽적 배액술도 효과적인 치료이다.

5. 췌장 손상의 합병증

췌장 손상 환자의 조기 진단과 치료는 환자의 예후에 영향을 미친다. 췌장 손상 환자의 사망률은 20%에 이르고 그 원인은 일차적으로 손상에 따른 출혈과 패혈증이다[22,23]. 췌장 손상과 소대장 손상이 같이 있으면 감염의 위험이 더 높다. 외상으로 췌관으로 부터의 누출이 없다면 보존적 치료가 가능하지만 췌관 손상이 있는 환자는 이의 적절한 치료 여부가 합병증 발생에 지대한 영향을 미친다. 누공 형성이 가장 흔한 합병증이고, 가성

표 54-1-2. **췌장 기관 손상 규모[14]**

	Grade*	Injury Description	ICD-9	AIS-85	AIS-90
I	Hematoma	Minor contusion without duct injury	863.81-863.84	2	2
	Laceration	Superficial laceration without duct injury		2	2
II	Hematoma	Major contusion without duct injury or tissue loss	863.81-863.84	3	2
	Laceration	Major laceration without duct injury or tissue loss		3	3
III	Laceration	Distal transection or parenchymal injury with duct injury	863.92-863.94	3	3
IV	Laceration	Proximal transection or parenchymal injury involving ampulla	863.91	3	4
V	Laceration	Massive disruption of pancreatic head	863.91	5	5

Advance one grade for multiple injuries to the same organ.
Based on most accurate assessment at autopsy, laparotomy, or radiologic study.

낭종, 농양 및 췌관 협착 등의 합병증이 있다. 이외에 복막염, 장폐쇄, 위장관 출혈, 췌장기능부전 등이 초래될 수 있다[24,25].

6. 췌장 손상 환자의 진단 전략

췌장 손상의 진단이 지연되면 환자 예후에 나쁜 영향을 미치기 때문에 복부 손상, 다장기 외상 환자에서 췌장 손상을 의심하고 조기 진단하는 것은 매우 중요하다. 복부 CT에서 췌장 손상이 의심되면 MRCP를 시행하여 췌관의 온전함이 확인되면 보존적 치료를 하고 췌관 손상이 의심되면 적극적으로 ERCP를 시행하여 췌관 손상을 평가하는 것이 좋다[13,26-28].

ERCP 시행 때 췌관 손상으로 조영제가 복강내로 누출되는 것을 녹화 영상으로 남기는 것도 반복적으로 조영제 주입을 피할 수 있는 방법으로 도움이 된다. 다장기 손상으로 환자의 상태가 엎드린 자세로 ERCP를 제대로 시행받기 어려운 경우에는 바로 누운 자세로 시행해야 할 때도 있다. 또한 복부 외상 초기에는 십이지장과 주위 부종으로 십이지장 내강이 좁은 경우도 있어 내시경은 치료용 십이지장경보다는 가는 진단 검사용 십이지장경을 이용하는 것이 유리하다. 복부 손상 환자 중 소아가 많아 이들 ERCP를 제대로 수행하기 위해서는 마취과와 협진하는 것이 좋고 시술 중 장내 공기 주입은 가능한 적게, 시술 시간은 짧게 하여야 한다.

References

1. Debi U, Kaur R, Prasad KK, Sinha SK, Sinha A, Singh K. Pancreatic trauma: a concise review. World J Gastroenterol 2013;19:9003-11.
2. Venkatesh SK, Wan JM. CT of blunt pancreatic trauma: a pictorial essay. Eur J Radiol 2008;67:311-20.
3. Gupta A, Stuhlfaut JW, Fleming KW, Lucey BC, Soto JA. Blunt trauma of the pancreas and biliary tract: a multimodality imaging approach to diagnosis. Radiographics 2004;24:1381-95.
4. Cirillo RL, Jr., Koniaris LG. Detecting blunt pancreatic injuries. J Gastrointest Surg 2002;6:587-98.
5. Linsenmaier U, Wirth S, Reiser M, Korner M. Diagnosis and classification of pancreatic and duodenal injuries in emergency radiology. Radiographics 2008;28:1591-602.
6. Meredith JW, Trunkey DD. CT scanning in acute abdominal injuries. Surg Clin North Am 1988;68:255-68.
7. Ilahi O, Bochicchio GV, Scalea TM. Efficacy of computed tomography in the diagnosis of pancreatic injury in adult blunt trauma patients: a single-institutional study. Am Surg 2002;68:704-7; discussion 7-8.
8. Jeffrey RB, Laing FC, Wing VW. Ultrasound in acute pancreatic trauma. Gastrointest Radiol 1986;11:44-6.
9. Jeffrey RB, Jr., Federle MP, Crass RA. Computed tomography of pancreatic trauma. Radiology 1983;147:491-4.
10. Fulcher AS, Turner MA, Capps GW, Zfass AM, Baker KM. Half-Fourier RARE MR cholangiopancreatography: experience in 300 subjects. Radiology 1998;207:21-32.
11. Buccimazza I, Thomson SR, Anderson F, Naidoo NM, Clarke DL. Isolated main pancreatic duct injuries spectrum and management. Am J Surg 2006;191:448-52.

12. Takishima T, Hirata M, Kataoka Y et al. Pancreatographic classification of pancreatic ductal injuries caused by blunt injury to the pancreas. J Trauma 2000;48:745-51; discussion 51-2.
13. Kim HS, Lee DK, Kim IW, et al. The role of endoscopic retrograde pancreatography in the treatment of traumatic pancreatic duct injury. Gastrointest Endosc 2001;54:49-55.
14. Moore EE, Cogbill TH, Malangoni MA, et al. Organ injury scaling, II: Pancreas, duodenum, small bowel, colon, and rectum. J Trauma 1990;30:1427-9.
15. Carr-Locke DL, Gregg JA. Endoscopic manometry of pancreatic and biliary sphincter zones in man. Basal results in healthy volunteers. Dig Dis Sci 1981; 26:7-15.
16. Telford JJ, Farrell JJ, Saltzman JR, et al. Pancreatic stent placement for duct disruption. Gastrointest Endosc 2002;56:18-24.
17. Varadarajulu S, Noone TC, Tutuian R, Hawes RH, Cotton PB. Predictors of outcome in pancreatic duct disruption managed by endoscopic transpapillary stent placement. Gastrointest Endosc 2005;61:568-75.
18. Bhasin DK, Rana SS, Udawat HP, Thapa BR, Sinha SK, Nagi B. Management of multiple and large pancreatic pseudocysts by endoscopic transpapillary nasopancreatic drainage alone. Am J Gastroenterol 2006;101:1780-6.
19. Bracher GA, Manocha AP, DeBanto JR, et al. Endoscopic pancreatic duct stenting to treat pancreatic ascites. Gastrointest Endosc 1999;49:710-5.
20. Bhasin DK, Rana SS, Siyad I, et al. Endoscopic transpapillary nasopancreatic drainage alone to treat pancreatic ascites and pleural effusion. J Gastroenterol Hepatol 2006;21:1059-64.
21. Saeed ZA, Ramirez FC, Hepps KS. Endoscopic stent placement for internal and external pancreatic fistulas. Gastroenterology 1993;105:1213-7.
22. Heitsch RC, Knutson CO, Fulton RL, Jones CE. Delineation of critical factors in the treatment of pancreatic trauma. Surgery 1976;80:523-9.
23. Jones RC. Management of pancreatic trauma. Ann Surg 1978;187:555-64.
24. Bradley EL. 3rd, Young PR. Jr., Chang MC, et al. Diagnosis and initial management of blunt pancreatic trauma: guidelines from a multiinstitutional review. Ann Surg 1998;227:861-9.
25. Madiba TE, Mokoena TR. Favourable prognosis after surgical drainage of gunshot, stab or blunt trauma of the pancreas. Br J Surg 1995;82:1236-9.
26. Bhasin DK, Rana SS, Rawal P. Endoscopic retrograde pancreatography in pancreatic trauma: need to break the mental barrier. J Gastroenterol Hepatol 2009;24:720-8.
27. Jeroukhimov I, Zoarets I, Wiser I, et al. Diagnostic Use of Endoscopic Retrograde Cholangiopancreatectography for Pancreatic Duct Injury in Trauma Patients. Isr Med Assoc J 2015;17: 401-4.
28. Potoka DA, Gaines BA, Leppaniemi A, Peitzman AB. Management of blunt pancreatic trauma: what's new? Eur J Trauma Emerg Surg 2015;41:239-50.

54-2 췌장 손상의 외과적 치료(Surgical treatment of pancreatic injury)

이재길

서론

췌장의 외상에 의한 손상은 전체 복부 외상의 약 3~12%를 차지하고 있어, 비교적 드물게 발생한다[1-3]. 특히 췌장은 후복막에 위치하고 있어, 타 장기 손상이 동반되는 경우가 많아 진단이 쉽지 않다[4-10]. 최근에는 췌장 손상이 있는 경우 내시경역행성담췌관조영술(endoscopic retrograde cholangiopancreatography, ERCP)이나 자기공명 담췌관조영술(magnetic resonance cholangio-pancreatography, MRCP) 등을 이용한 주췌관의 손상을 미리 발견하여, 췌관내에 스텐트를 삽입하는 등의 비수술적 치료가 비교적 안전하게 시행된다는 보고가 많아지고 있다[1,11-19].

그러나 비수술적이 치료를 시행한 환자에서 합병증이 발생하거나, 손상 초기부터 복강내 타 장기 손상이 동반되어 있는 경우 등에서는 수술적 치료를 시행할 수 있다[2,4,5,7-9,20-23]. 췌장 손상에 대한 수술은 손상의 정도, 환자의 혈역학적 상태, 동반 손상 등을 고려하여 결정하여야 한다.

췌장 손상의 수술은 단순 손상인 경우에는 배액술만 시행하기도 하며, 손상이 심한 경우에는 절제술 등 여러 가지 다양한 방법으로 이루어질 수 있다. 췌장 손상에서 수술의 중요한 원칙은 지혈, 괴사조직의 제거 및 적절한 배액술이다[2,7,8,10,22]. 수술을 시행받는 모든 환자에서 항생제와 비위관을 통한 감압이 필요하며, 영양공급을 위한 급식관(feeding jejunostomy) 등을 고려하여야 한다. 췌장 손상은 타 장기 손상을 동반하는 경우가 많아, 수술할 때 이를 고려하여야 하며, 손상된 췌장에 대한 수술 계획뿐만 아니라 타 장기 손상 등을 파악하여 수술방법을 결정하여야 한다. 특히 혈역학적으로 불안정하거나, 저체온증, 응고장애 및 대사성 산증이 동반된 경우에는 적극적인 수술보다는 지혈을 먼저 한 후 단계적으로 췌장에 대한 수술을 하는 방법 등을 고려한다[2,5,7-10,22,24].

1. 수술적 치료 접근법

췌장 손상이 의심되는 환자에서 수술을 시행할 때 췌장을 적절하게 노출시켜 손상 유무를 확인하여야 한다. 먼저 오른창자굽이(hepatic flexure)를 열고 십이지장을 노출시킨다. 십이지장의 후복막 연결부위에 절개를 가해 Kocher 술식으로 후복막에 붙어있는 십이지장을 박리하여, 췌두부의 뒷면을 확인할 수 있으며, 하대정맥의 내측으로 접근하면 갈고리돌기(uncinate process)까지 확인이 가능하다. 위결장인대를 절개하여 대망을 가로결장의 장간막에서 분리하면 췌장 앞쪽으로 접근할 수 있다. 췌장의 손상을 확인하기 위해 전면부 전체를 확인하며, 주변 조직의 손상 여부를 같이 확인하여야 한다. 췌장을 노출시킨 후 췌관의 손상 여부를 확인하여야 하며, 이는 췌관 손상 유무에 따라 수술 방법이 달라지기 때문이다. 수술 중 췌관 손상이 의심되는 경우에 시행할 수 있는 검사 방법으로 담낭에 조영제를 주입하여 X-ray 투시기로 영상을 확인할 수 있다. 다른 방법으로 십이지장을 절개하고 팽대부를 노출시킨

후 췌관내에 관을 삽입하여 조영제를 주입한 췌관조영술도 사용할 수 있다[7-10, 22]. 최근 연구에서는 수술 중 초음파를 이용하여 췌관 손상 여부를 확인하는 데 도움이 된다는 보고도 있다[25]. 췌관 손상의 여부는 췌장에 대한 수술 방법, 수술 후 예후와도 연관이 되어 있기 때문에, 췌관손상이 의심되지만 뚜렷하지 않은 경우에는 위에서 설명한 바와 같이 적극적인 검사를 통해 확인할 필요가 있다.

우선적으로 비수술적 치료를 고려하는 경우에는 췌관 손상을 확인하여야 하며, 이때는 전산화단층촬영이나 자기공명영상 등을 이용한 비침습적인 췌담도조영술을 시행할 수 있다[1,3,12,21,26]. 내시경적 역핵성췌담관조영술은 췌관 손상을 확인하는데 도움이 될 뿐만 아니라, 췌관 스텐트를 통해 비수술적인 치료를 가능하게 도움을 줄 수 있다[13-15,17,21].

2. 췌장 손상 정도에 따른 수술 방법

췌장 손상의 정도에 따라 수술 방법이 다양하며, 단순 배액술부터 손상이 심한 경우에는 췌십이지장절제술을 시행할 수 있다(표 54-2-1). 환자의 상태가 불안정한 경우에는 일반적인 외상환자의 수술적 치료와 같다. 혈역학적으로 불안정한 환자에서 초기 지혈 및 응고장애를 교정하기 위한 수술적 방법인 손상통제수술(damage control surgery)을 시행한다. 췌장 손상 부위 주변의 괴사조직은 제거하며, 출혈이 있는 혈관을 결찰하여 지혈을 하며, 광범위한 출혈이 있는 경우에는 거즈충전 및 임시 폐복을 시행한다. 이후 환자의 상태가 안정된 이후 손상에 맞는 치료방법을 선택하여 시행한다. 이런 손상통제수술 후 췌장 손상에 대한 수술적 치료를 시행하여 치료 결과를 높일 수 있다.

표 54-2-1. 췌장 손상 정도에 따른 수술 방법

손상 정도(Grade)	수술 방법
I	배액술
II	괴사조직 제거술 및 배액술
III	췌미부절제술
IV	췌미부절제술 말단췌관공장문합술
V	췌십이지장절제술

1) Grade I/II

췌관 손상이 없는 췌장의 좌상이나 피막의 손상이 동반된 췌장 손상은 혈역학적으로 안정되어 있다면 수술적 치료는 필요하지 않다. 췌장 손상과 함께 복강내 장기 손상이 같이 있는 경우에 우선적으로 출혈부위를 지혈하고, 췌장 손상부위에 대해서는 배액술을 고려한다. 췌장 주위에 혈종이 있다면 제거하여 췌관 손상 유무를 확인하며, 손상된 조직은 제거하고 폐쇄성 흡인배액관을 손상된 췌장의 위아래에 거치한다. 배액기간은 대체적으로 약 7~10일 정도 유지하지만 필요시에는 더 길게 유지할 수 있다.

2) Grade III

췌관 손상이 동반된 Grade III의 췌장 손상은 단순 배액술로 치료가 가능한 경우도 있으나 대부분 절제술을 시행하게 된다. 원위부 췌장 절제술이나 췌미부절제술을 시행하며, 근위부 췌관은 결찰한다(그림 54-2-1). 기존에는 외상환자에서 원위부 췌장절제술을 시행할 때 비장을 같이 제거하였으나, 최근 연구에서는 젊고 손상이 심하지 않은 환자에서 비장보존 원위부 췌장절제술이 비장기능을 보존하고 입원기간을 줄인다고 보고하였다[27]. 약 80% 이상의 췌장이 절제되는 경우에는 췌장 기능부전 및 당뇨병을 유발할 수 있으므로, 이때는 근위부 췌장에 공장을 연결해주는 췌공장문합술을 시행하여 기능을 보존하기도 한다[28-31](그림 54-2-2). 또한 췌장 손상부위가 비교적 깨끗하고 원위부절제술시에 췌장기능의 손실 가능성이 높은 경우에는 췌관의 단단문합술(end to end anastomosis)을 성공적으로 시행하였다는 보고도 있다[30,31]. Grade III 손상의 경우 수술 후 합병증은 약 15~20% 정도에서 발생하며, 대부분은 잘 치유된다.

3) Grade IV

췌관 손상을 동반한 췌두부 손상은 치료 방법을 선택할 때 매우 어려운 부위이다. 만약 ampulla가 손상되지 않았다면 원위부 췌장 절제술을 시행하거나, 원위부 췌장을 공장과 문합하는 수술을 통해 기능을 보존하기도 한다[29-32]. 또한 췌두부의 손상이 심한 경우[33]에는 십이지장 보존 췌두부 절제술 또는 괴사조직 제거술을 시행하기도 하며, 이때는 췌장내 담관이 손상되지 않도록 주의한다. 췌장내 담관이 동반되어 손상되는 경우에는 췌십이지장절제술을 시행할 수도 있다.

4) Grade V

십이지장 및 ampulla의 손상을 동반한 췌장 손상이나, 췌두부의 광범위한 손상이 있는 경우에는 췌십이지장절제술을 고려할 수 있다. 그러나 Grade V의 췌장 손상은 복강내 타 장기 손상을 동반하는 경우가 많아 환자 상태를 고려하여 수술 시기를 고려하여야 한다. 환자 상태가 불안정한 경우에는 일차적으로 손상통제수술을 통해 지혈 및 오염을 조절한 후 환자 상태가 안정된 후 이차 수술을 통해 치료를 시행할 수 있다. 최근의 연구결과에서 췌두부 손상이 있는 환자에서 췌십이지장절제술은 환자의 치료결과에 큰 영향을 주지 않으므로 보존적인 수술방법을 고려하는 것이 좋다고 보고하였다[22,34-37].

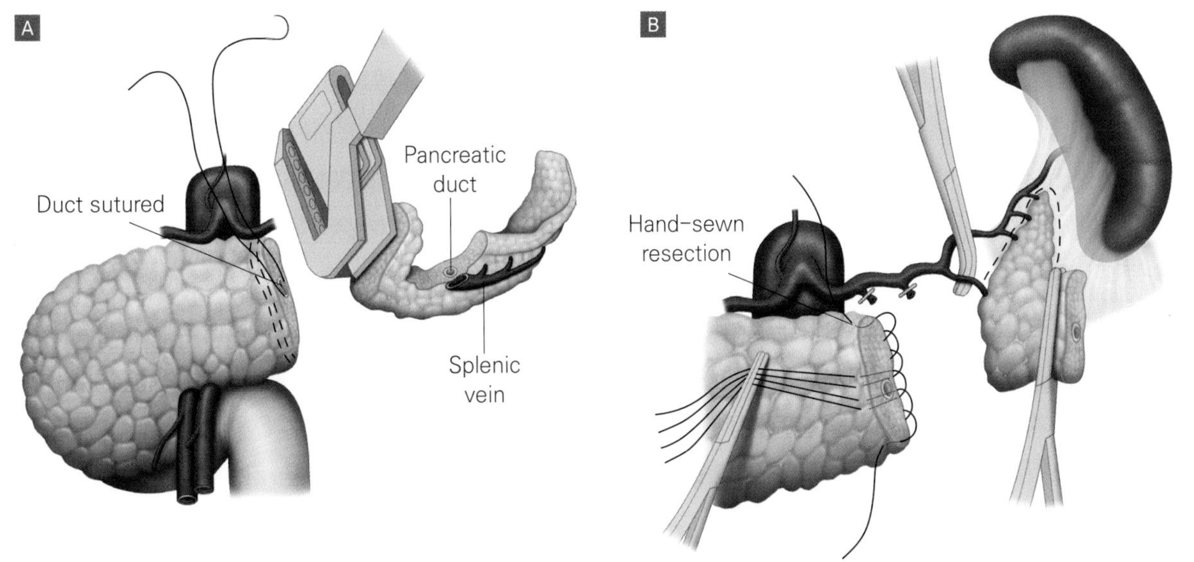

그림 54-2-1. 원위부 췌장절제술.
원위부 췌장은 외과적 스테플러를 이용하여 절단하거나 봉합하여 제거한다. 근위부의 췌관은 따라 박리하여 결찰하는 것이 수술 후 췌장루 발생을 줄이는 데 도움이 된다[10].
Adopted from the Cioffi, et al. Atlas of Trauma/Emergency Surgical Techiniques.

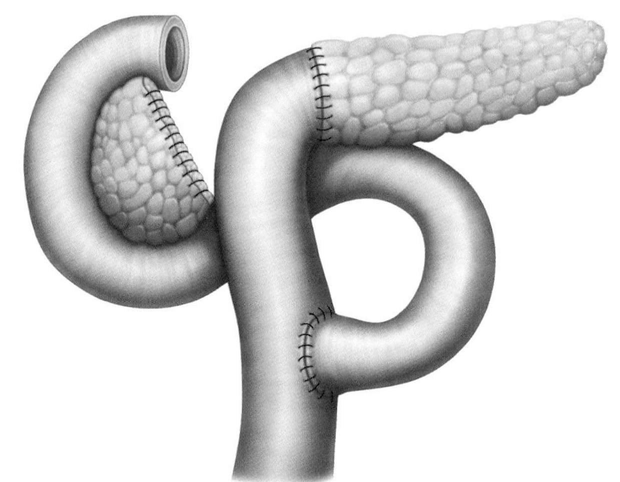

그림 54-2-2. **원위부 췌-공장 문합술.**
근위부 췌장은 결찰하고, 원위부 췌장은 공장과 문합하여 췌장 기능을 보존할 수 있다[10].
Adopted from the Cioffi, et al. Atlas of Trauma/Emergency Surgical Techiniques.

3. 수술 후 합병증

췌장 손상환자에서 수술 후 합병증은 약 50~ 70% 정도로 상당히 높은 비율로 발생하며 대부분은 보존적 치료를 통해서 회복된다[3,7,38-40]. 그러나 약 10~15% 정도에서 사망률을 보이며, 이는 췌장 손상보다는 대부분 동반된 손상이나 다장기부전증 등에 의해 발생한다[16,38,41].

국내의 췌장 손상에 대한 문헌고찰에서는 합병증이 약 55%에서 발생하고, 주로 복강내 농양, 췌장루, 가성낭종 등 췌장 관련 합병증이 주로 발생하였고, 비췌장성 합병증 등으로 호흡기계 합병증 및 창상 감염이 가장 흔하게 발생하였다. 또한 췌장 손상에 의한 사망률은 10.2%로 보고되었으며, 수술 후 예후와 관련된 인자로 수혈량, AAST 손상 정도, 십이지장 손상 동반 여부, 염기 결핍, APACHE II 점수, 수술의 종류, 수술 시간, RTS 등이 의미 있는 인자로 판명되었다[3,16,40].

가장 흔한 합병증은 수술 후 췌장루로 진단기준이 서로 다르게 보고하고 있지만 전체적으로 약 10~20% 정도에서 발생하는 것으로 알려져 있다[20,21,42,43]. 췌장루는 적절한 배액만으로도 치료되는 경우가 많으며, 필요시에는 경피적배액관을 삽입하기도 한다. 최근에는 수술 전 췌담관조영술과 마찬가지로 수술 후 내시경역행성 췌담관조영술을 통해 췌관스텐트를 삽입하는 것이 치료에 도움이 되기도 한다. 췌장 손상환자에서 수술 후 소마토스타틴을 사용하는 것에 대한 효과는 확실하지 않지만 췌장액의 분비를 줄이는데 도움이 될 수 있다[5,13,44-46].

췌장 손상 후 발생하는 농양은 췌장 절제술에 의한 것뿐만 아니라 주변장기 손상과 복합되어 나타날 수 있다. 발생률은 5~30% 정도로 다양하게 보고하고 있으며, 대부분은 경피적 배액관 삽입 등의 비수술적인 치료로 호전되지만 수술적인 배액술이 필요한 경우도 있다.

췌장 가성낭종은 대부분 비수술적인 치료로 호전이 되며, 내시경을 통한 위낭종-조루술 등을 시행하여 치료하기도 한다. 또한 역행성내시경 췌관 스텐트 삽입술이 도움이 되기도 한다.

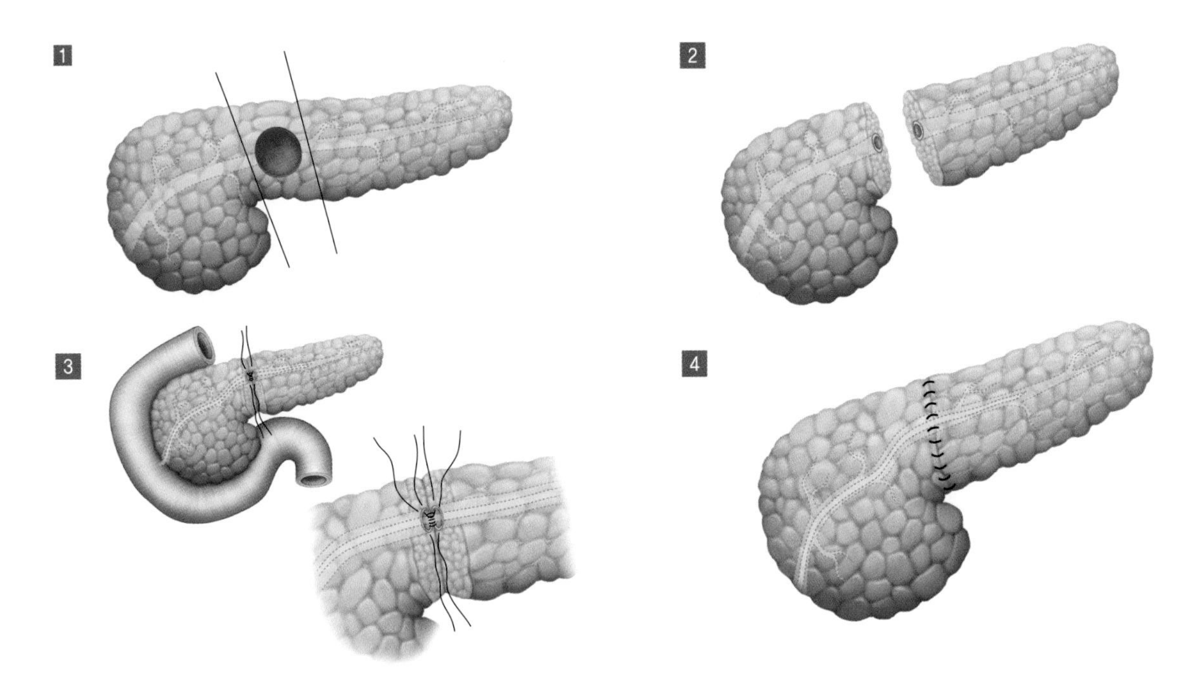

그림 54-2-3. **췌장의 단단문합술(End to End anastomosis of pancreas).**
손상된 췌관을 따라 박리하여 단단문합술을 시행하고, 췌장 기능을 보존할 수 있다[30].
Adopted from the Ramesh H. End to end anastomosis of pancreas.

References

1. Gordon RW, Anderson SW, Ozonoff A, Rekhi S, Soto JA. Blunt pancreatic trauma: evaluation with MDCT technology. Emerg Radiol 2013;20:259-66.
2. Lee SH, Jang JY, Lee JG. Management of Traumatic Pancreas Injury. J Acute Care Surg 2013;3:44-8.
3. Lee SH, Jang JY, Shim H, Lee JG. Management of traumatic pancreas injury in Korea: Literature review. J Trauma Injury 2013;26:207-13.
4. Girard E, Abba J, Arvieux C, et al. Management of pancreatic trauma. J Visc Surg 2016;153:259-68.
5. Iacono C, Zicari M, Conci S, et al. Management of pancreatic trauma: A pancreatic surgeon's point of view. Pancreatology 2016;16:302-8.
6. Jones RC. Management of pancreatic trauma. Am J Surg 1985;150(6):698-704.
7. Leppäniemi AK. Surgical Treatment of Pancreatic Trauma. In: Di Saverio S, Tugnoli G, Catena F, Ansaloni L, Naidoo N, editors. Trauma Surgery: Volume 2: Thoracic and Abdominal Trauma. Milano: Springer Milan; 2014. p. 151-62.
8. Rushing AP, Cornwell EE. Pancreatic Trauma. In: Yeo C, editor. Shackelford's Surgery of the Alimentary Tract. 7th ed: Elsevier.; 2013.
9. Asensio JA, Petrone P, Britt LD. Pancreas. In: Britt LD, Trunkey DD, Feliciano DV, editors. Acute Care Surgery: Principles and Practice: Springer Link.; 2007.
10. Evans HL, Jurkovich GJ. Pancreatic Injury. Repair and Resection Techniques. In: Cioffi WG, Aasensio JA, editors. Atlas of Trauma/Emergency Surgical

Techniques Elsevier/Saunders.; 2013.

11. Addison P, Iurcotta T, Amodu LI, et al. Outcomes following operative vs. non-operative management of blunt traumatic pancreatic injuries: a retrospective multi-institutional study. Burns Trauma 2016;4:39. Doi:10.1186/s41038-016-0065-5.
12. Bradley 3rd E, Young Jr PR, Chang MC, Allen JE, Baker CC, Meredith W, et al. Diagnosis and initial management of blunt pancreatic trauma: guidelines from a multiinstitutional review. Ann Surg 1998; 227(6):861.
13. Ho VP, Patel NJ, Bokhari F, et al. Management of adult pancreatic injuries: A practice management guideline from the Eastern Association for the Surgery of Trauma. J Trauma Acute Care Surg 2017; 82(1):185-99.
14. Iqbal CW, St Peter SD, Tsao K, et al. Operative vs nonoperative management for blunt pancreatic transection in children: multi-institutional outcomes. J Am Coll Surg 2014;218(2):157-62.
15. Jahromi AH, D'Agostino HR, Zibari GB, Chu QD, Clark C, Shokouh-Amiri H. Surgical versus nonsurgical management of traumatic major pancreatic duct transection: institutional experience and review of the literature. Pancreas 2013;42(1):76-87.
16. Jang H, Shim HJ, Cha SW, Lee JG. Management of Traumatic Pancreas Injury in Multiple Trauma: Single Center Experience. J Korean Soc Trauma 2011;24:111-7.
17. Kawahara I, Maeda K, Ono S, et al. Surgical reconstruction and endoscopic pancreatic stent for traumatic pancreatic duct disruption. Ped Surg Internat 2014;30:951-6.
18. Park KB, You DD, Hong TH, et al. Comparison between operative versus non-operative management of traumatic liver injury. Korean J Hepato-Biliary-Pancreatic Surg 2015;19(3):103-8.
19. Sharpe JP, Magnotti LJ, Weinberg JA, et al. Impact of a defined management algorithm on outcome after traumatic pancreatic injury. J Trauma Acute Care Surg 2012;72:100-5.
20. Degiannis E, Glapa M, Loukogeorgakis S, Smith M. Management of pancreatic trauma. Injury 2008;39: 21-9.
21. Hamidian Jahromi A, D'Agostino HR, Zibari GB, et al. Surgical versus nonsurgical management of traumatic major pancreatic duct transection: institutional experience and review of the literature. Pancreas 2013;42:76-87.
22. Magnotti LJ, Croce MA. Pancreatic Injuries and Pancreaticoduodenectomy. In: Asensio J, editor. Current therapy of trauma and surgical critical care. 2nd ed: Mosby.; 2016.
23. Subramanian A, Dente CJ, Feliciano DV. The management of pancreatic trauma in the modern era. Surg Clin North Am 2007;87:1515-32.
24. Biffl WL, Moore E, Croce M, et al. Western Trauma Association critical decisions in trauma: management of pancreatic injuries. J Trauma Acute Care Surg 2013;75:941-6.
25. Hofmann LJ, Learn PA, Cannon JW. Intraoperative ultrasound to assess for pancreatic duct injuries. J Ttrauma Acute Care Surg 2015;78:888-91.
26. Vasquez JC, Coimbra R, Hoyt DB, Fortlage D. Management of penetrating pancreatic trauma: an 11-year experience of a level-1 trauma center. Injury 2001;32:753-9.
27. Schellenberg M, Inaba K, Cheng V, et al. Spleen-Preserving Distal Pancreatectomy in Trauma. J Trauma Acute Care Surg 2017.
28. Borkon MJ, Morrow SE, Koehler EA, et al. Operative intervention for complete pancreatic transection in children sustaining blunt abdominal trauma: revisiting an organ salvage technique. Am Surg 2011;77(5):612-20.
29. Bhat S, Azad TP, Kaur M. Pancreaticojejunostomy in proximal pancreatic transection: A viable option. N

Am J Med Sci 2011;3(1):46-7.
30. Ramesh H. End-to-end anastomosis of pancreas. Surgery 2002;131:691-3.
31. Hashimoto T, Otobe Y, Matsuo Y, et al. Successful primary repair of complete pancreatic disruption caused by blunt abdominal trauma: a report of two cases. Surgery 1998;123:702-5.
32. Doley RP, Yadav TD, Kang M, et al. Traumatic Transection of Pancreas at the Neck: Feasibility of Parenchymal Preserving Strategy. Gastroenterol Res 2010;3:79-85.
33. Suzuki M, Shimizu T, Kudo T, Shoji H, Ohtsuka Y, Yamashiro Y. Octreotide prevents L-asparaginase-induced pancreatic injury in rats. Exp Hem 2008;36:172-80.
34. Krige JE, Navsaria PH, Nicol AJ. Damage control laparotomy and delayed pancreatoduodenectomy for complex combined pancreatoduodenal and venous injuries. Eur J Trauma Emerg Surg 2016;42:225-30.
35. Krige JE, Nicol AJ, Navsaria PH. Emergency pancreatoduodenectomy for complex injuries of the pancreas and duodenum. HPB. 2014;16:1043-9.
36. van der Wilden GM, Yeh DD, Hwabejire JO, et al. Trauma Whipple: do or don't after severe pancreatic-oduodenal injuries? An analysis of the National Trauma Data Bank (NTDB). World J Surg 2014;38: 335-40.
37. Thompson CM, Shalhub S, DeBoard ZM, Maier RV. Revisiting the pancreaticoduodenectomy for trauma: a single institution's experience. J Trauma Acute Care Surg 2013;75:225-8.
38. Krige JE, Kotze UK, Nicol AJ, Navsaria PH. Morbidity and mortality after distal pancreatectomy for trauma: a critical appraisal of 107 consecutive patients undergoing resection at a Level 1 Trauma Centre. Injury 2014;45:1401-8.
39. Hwangbo SM, Kwon YB, Yun KJ, , et al. Clinical Analysis of Traumatic Pancreatic Injury. J Korean Soc Trauma 2011;24:68-74.
40. Hwang SY, Choi YC. Prognostic determinants in patients with traumatic pancreatic injuries. J Korean Med Sci 2008;23(1):126-30.
41. Krige J, Kotze U, Setshedi M, Nicol A, Navsaria P. Prognostic factors, morbidity and mortality in pancreatic trauma: a critical appraisal of 432 consecutive patients treated at a Level 1 Trauma Centre. Injury 2015;46:830-6.
42. Lahiri R, Bhattacharya S. Pancreatic trauma. Ann Royal Coll Surg Eng 2013;95:241-5.
43. Stawicki SP, Schwab CW. Pancreatic trauma: demographics, diagnosis, and management. Am Surg 2008;74:1133-45.
44. Lochan R, Sen G, Barrett AM, Scott J, Charnley RM. Management strategies in isolated pancreatic trauma. J Hepatobiliary Pancreat Surg 2009;16:189-96.
45. Shan Y, Sy ED, Tsai H, Liou C, Lin P. Nonsurgical management of main pancreatic duct transection associated with pseudocyst after blunt abdominal injury. Pancreas 2002;25:210-3.
46. Zhang XP, Zhang L, Yang P, et al. Protective effects of baicalin and octreotide on multiple organ injury in severe acute pancreatitis. Dig Dis Sci 2008;53:581-91.

췌장이식

PANCREAS TRANSPLANTATION

CHAPTER 55

췌장이식

Transplantation of the pancreas

주동진, 김순일

1. 개요

1920년대 당뇨에 대한 인슐린 치료법이 소개된 이후 당뇨를 치료하기 위한 많은 노력들이 있었고, 지금도 당뇨병을 정복하기 위한 노력들은 여전히 진행 중이다. 당뇨병의 발생기전과 치료법을 밝히고자 하는 다양한 노력들이 있었음에도 외인성 인슐린을 필요로 하는 환자들에게 인슐린을 끊을 수 있는 근본적인 치료법은 아직까지 췌장이식과 췌도이식이 유일하다.

최초의 췌장이식은 1966년 미네소타 대학병원의 리처드 릴리하이와 윌리엄 켈리에 의해 시행되었다[1]. 최초의 환자는 제1형 당뇨병을 앓고 있던 28세 여자였다. 이식 후 췌장의 기능은 잘 유지되어 인슐린 중단 상태를 유지할 수 있었으나, 수술 합병증으로 인한 폐색전증으로 환자는 수술 후 3개월 만에 사망하였다[1,2]. 인슐린 분비와 같은 내분비 기능뿐만 아니라 췌장액을 분비하는 외분비(exocrine) 기능도 함께 가지고 있는 췌장의 특성상, 췌장액의 배출구를 만들어 주어야 하는데, 이에 대한 술기의 부족으로 췌장이식이 정착하기까지는 많은 시간과 노력이 소요되었다. 또한 초창기 췌장이식은 효과적인 면역억제제 없이 진행이 되어 거부반응 발생에 취약한 상태였다. 수술에 따른 위험과 장기부족 등 많은 장애물에도 불구하고 췌장이식은 당뇨환자에서 인슐린 치료를 중단할 수 있는 획기적이고 유일한 치료법이기에, 이를 극복하기 위한 연구가 끊임 없이 지속되고 있다. 현재는 다양한 술기의 발달과 면역억제제의 개발로 인하여 수술 합병증이 감소되고 거부반응을 효과적으로 방지함으로써 이식 췌장의 장기 생존을 기대할 수 있게 되어, 췌장이식은 제1형 당뇨병의 근본적인 치료로 자리를 잡게 되었다.

2. 수술 술기의 발달

1966년 첫번째 시행된 췌장이식은 장골정맥(iliac vein)에 문맥(portal vein)과 상장간막정맥(superior mesenteric vein)을 문합하고, 장골동맥(iliac artery)에 복강동맥(celiac artery)을 문합하였으며 췌도관은 결찰한 채로 유지하였다. 그러나, 췌장액의 배액의 필요성을 알고 난 후 췌장이식은 이식편 췌장두부를 감싸고 있는 기증자의 십이지장을 이용하여 외분비 기능을 배출시키는 방향으로 발전하였다. 초기에는 이식된 십이지장을 복벽에 노출시키는 장루를 만들어 경피적 배액을 시행하기도 하였으나 이후 루앵Y(Roux-en-Y) 공장-십이지장 문합술을 통해 체내 배액을 시행하였다. 이후 1980년대까지 많은 술기적 시도들이 있었으나 가장 획기적인 것은 바로 솔링거 등에 의해 소개된 췌장-방광 문합술이었다[3]. 이전까지는 췌장액의 누출로 인해 수술 후 심각한 합병증의 발생이 많았으나 췌장액의 방광 배액을 시행한 이후로는 이러한 급성 합병증을 현저히 줄일 수 있게 되었다. 이후 아이오와 대학의 니윰과 코리 등에 의해 이식편의 십이지장을 방광에 직접 문합하는 십이지장-방광 문합술이 발표된 이후 1990년대 들어 대부분의 미국 내 이식센터에서 이 방법을 활용하게 되었다[4,5]. 방광문합술의 큰 장점은 장관문합술에 비해 수술 관련 합병증의 빈도가 적고, 수술 이후 소변으로부터 아밀라아제를 확인함으로써 손쉽게 이식된 췌장의 기능을 확인할 수 있다는 점이다. 이는 특히 췌장 단독 이식에 있어서 손쉽게 이식편의 기능을 평가할 수 있는 유용한 방법이 되었다. 그러나, 십이지장-방광문합술이 초기 수술 성적을 향상시키는 데에는 기여하였으나, 수술 이후 10~24%의 환자에서 발생하는 감염, 혈뇨, 대사성산증 및 탈수 등의 만성적 합병증의 조절이 어려워 췌장이식 후 5년 이내에 다시 장관문합술로 전환이 필요한 환자들이 발생하게 되었다[6,7]. 최근에는 장관문합술을 표준으로 삼은 이식 기관들이 더 많지만, 아직도 방광문합술은 그 안전성으로 인해 여러 기관에서 지속적으로 시행되고 있다. 이식 췌장의 위치에 대해서는, 췌장액 배액의 방법에 관계없이 현재까지도 여전히 골반강 내에 이식 췌장을 위치시키는 것이 가장 일반적인 방법이지만, 1980년대부터 1990년대에 이르기까지 이식 췌장을 위한 최적의 위치를 찾고자 하는 다양한 노력들이 있었다. 이식된 최장의 정맥혈 배출을 위한 혈관으로 장골정맥 대신에 간문맥이나 비장정맥을 이용하여 문합한 시도들도 있었고, 이렇게 위치시키기 위해서 부분 이식편 췌장의 외분비 배액을 위(胃)벽에 문합하는 시도들도 있었다[2].

1960년대 시작한 췌장이식은 1970년대 초반까지는 십이지장을 포함한 전체 췌장을 주로 방광에 문합하는 술식을 사용하였으나, 이후 1970년대 후반부터 1980년 초반까지는 부분 췌장을 이식하면서 장관문합을 주로 시행하게 되었다가 1980년대 이후 다시 전체 췌장을 이용하면서 외분비 배액에 장관문합을 이용하는 형태로 변화하게 되었다. 그러나, 아직까지도 췌장이식의 술기는 발전 과정에 있으며, 최근에는 외분비 배액을 수혜자의 십이지장에 문합하는 십이지장-십이지장 문합술 시행이 많은 기관에서 시도되고 있다[8,9].

3. 췌장이식의 현황

수술기법의 발달과 더불어 환자의 생존율이 증가하면서 췌장이식수술도 함께 증가하게 되어 미국에서는 2016년 현재 연간 1,000여 건이 넘는 췌장이식수술이 시행되고 있다[10]. 국내에서는 1992년 처음으로 췌장-신장 동시이식이 시행되었으나 국내 뇌사자 장기기증의 수가 적어 크게 활성화되지 못하다가, 2000년 국립장기이식관리센터(KONOS)의 출범 이후 2016년 12월까지 총 507건의 췌장이식과 16건의 췌도이식 수술이 시행되는 등 지속적으로 그 수가 증가하고 있다. 국내에서 2016년 한 해에만 74건의 췌장이식이 시행되었고, 2건의 췌도이식이 이루어졌다[11]. 그러나 아직도 췌장이식이 필요한 환자에 비하여 기증 장기가 부족한 상태이며, 이를 극복하기 위해 생체 공여자의 췌장을 이용한 췌장이식 수술도 함께 진행되고 있다.

췌장이식의 형태별 현황을 보면, 당뇨와 함께 말기 신부전을 동반한 환자들을 위한 신장-췌장 동시이식(SPK, simultaneous pancreas-kidney transplantation)이 전체 췌장이식의 75% 정도를 차지하고 있다. 그 외 약 15% 정도는 이미 성공적으로 신장이식을 먼저 시행받은 환자에게 시간을 두고 췌장을 단독으로 이식하는 신장이식 후 췌장이식(pancreas after kidney, PAK)의 형태이고, 나머지 10% 정도는 신장기능이 잘 유지되는 환자에서 신장이식과 무관하게 췌장을 단독이식(PTA, pancreas transplantation alone)하는 것이다[12].

4. 췌장이식의 적응증

췌장이식은 인슐린의존성 당뇨병의 치료에 있어서 가장 효과적이고 적절한 치료법으로 자리를 잡아가고 있지만, 모든 당뇨 환자에게 시행될 수 있는 것은 아니다. 췌장이식 수술 자체의 합병증 가능성과 수술 이후 만성 합병증 및 면역억제 상태로 인한 감염 위험 등을 고려하여 췌장이식 수술을 통해 큰 혜택을 받을 것으로 예상되는 최적의 이식 대상자를 선정하는 것이 매우 중요하다. 환자의 전신상태와 함께 현재의 당뇨가 환자에게 영향을 미치는 정도, 당뇨 관련 합병증의 발생 유무 등을 잘 고려하여 췌장이식을 통해 얻을 수 있는 이득이 수술에 따른 위험보다 크다고 판단이 될 때 이식수술을 진행할 수 있게 된다.

췌장이식이 필요한 환자들은 크게 아래의 세 가지로 분류할 수 있다[13,14].

1. 신부전을 동반한 당뇨 환자
2. 이식신장의 기능이 유지되는 당뇨 환자
3. 말기신부전을 동반하지 않은 당뇨 환자

첫 번째, 분류에 해당되는 환자들은 신-췌장 동시이식(SPK)을 준비해야 하고, 두 번째, 이미 신장이식을 받고 신기능이 잘 유지되는 환자들은 신장이식 후 췌장이식(PAK)을, 세 번째, 신부전이 없는 당뇨 환자의 경우에는 췌장 단독이식(PTA)을 고려해 볼 수 있다. 첫 번째와 두 번째 환자군에서의 이식은 각 개별 환자들의 수술에 대한 위험성과 이익에 대해서만 고려하여 췌장이식을 진행할 수 있지만, 세 번째 췌장 단독 이식의 경우에는 췌장이식이 꼭 필요한지에 대한 좀 더 면밀한 검토가 이루어져야 한다. 췌장 단독이식을 고려할 때에는 반드시 다음 조건들을 만족하는지 확인해야 한다[14]. 1) 빈번하게 급성으로 발생하는 심각한 대사성 합병증의 병력이 있었는지, 2) 외인성 인슐린 치료에 대한, 일상생활에 지장을 초래할 정도로 심각한 임상적 혹은 감정적 문제가 있는지, 3) 인슐린 치료에 지속적으로 실패하는 경우인지 등을 반드시 확인하여야 한다. 이에 해당되지 않는 경우, 즉 현재의 인슐린 치료에 안정적으로 반응하고 추가적인 합병증의 발생이 없을 때에는 췌장이식을 고려하기 보다는 내과적 치료를 우선하는 것이 원칙이다.

췌장이식은 인슐린에 저항성을 보이지 않는 제1형 당뇨병의 치료를 목적으로 하지만, 최근에는 제2형 당뇨 환자에게도 조심스럽게 췌장이식이 적용이 되고 있다. 아직은 이에 대한 논란이 있으며, 인슐린 요구량이나 비만도, 합병증 발생여부 등을 고려하여 수혜자 선정에 대해서 엄격한 기준 마련이 필요한 상태이다[15].

5. 수술 술기

앞서 기술하였듯이, 췌장이식은 기증자에 따라 혹은 수혜자의 상태에 따라 다양한 수술방법이 적용된다. 다양한 수술 술기들이 있으나 여기서는 가장 보편적으로 시행이 되고 있는 대표적인 술식들만 몇 가지 소개하고자 한다.

1) 췌장 구득 및 벤치 술기

뇌사 기증자로부터 췌장을 구득하는 경우는 췌장의 손상을 최소화하고 구득 시간을 단축하기 위해 췌장 두부를 감싸고 있는 십이지장과 췌장 미부에 연결된 비장을 포함해 췌장 전체를 이식편으로 가져오게 된다. 생체 기증자를 이용한 췌장이식이나 드물지만 뇌사자에서도 원위부 췌장을 절제하여 사용하는 경우도 있다[7] (그림 55-1).

구득된 췌장은 수술실 내 벤치에서 안전한 이식을 위

한 확인 및 혈관 문합을 위한 혈관 성형술의 과정을 거쳐야 한다. 이는 이식 수술 중 재관류 이후의 과다한 출혈을 방지하고 복강내에서의 혈관 문합 시간을 단축함으로써 온허혈시간(warm ischemia time)을 최소화하기 위한 과정이다. 다른 모든 장기와 마찬가지로 췌장도 구득 시에는 장기의 손상을 막기 위해 최소한의 조작을 가하면서 주변 조직을 어느 정도 포함하여 절제를 하여야 하므로, 벤치에서의 사전 수술 과정이 매우 중요하다. 또한, 허혈시간을 최소화하기 위해 췌장 구득의 과정은 신속하게 이루어져야 하는데, 췌장은 보존액 관류 후 20시간 이상이 지나가면 이식 후 합병증의 발생이 증가한다[16]. 벤치 술식에서 중요한 부분은 췌장으로 혈관을 공급하는 두 동맥을 Y자 모양 혈관을 이용하여 문합하는 것이다. 췌장 이식편에는 상장간동맥과 비장동맥의 두 개의 절단면이 존재하므로 복강내에서의 문합 시간을 단축하기 위해서는 하나의 동맥 문합부를 만드는 것이 필요하다. 따라서, 췌장 구득팀은 뇌사 기증자로부터 Y자 모양의 장골동맥을 함께 구득해 와야 한다. 이를 가지고 상장간동맥과 비장동맥에 각각 단단문합 함으로써 충분한 길이의 동맥 연결부위를 만들게 된다[16](그림 55-2).

A

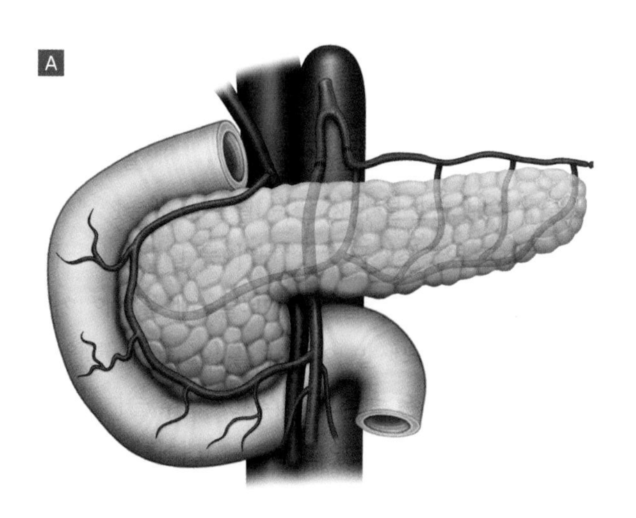

B

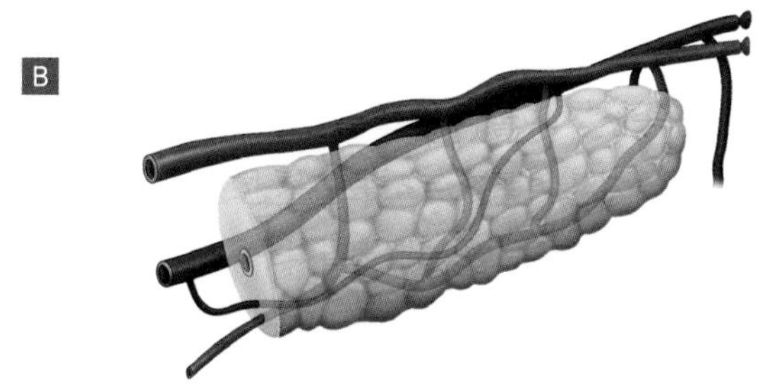

그림 55-1. **췌장 이식편의 종류.**
A. 췌장 전체를 이식편으로 사용하는 경우. 이식편의 상장간막동맥과 비장동맥에 Y-모양 장골동맥 이식편을 문합하여 하나의 동맥 문합 부위가 나오도록 혈관 성형술을 시행한다.
B. 부분 췌장 이식편을 사용하는 경우. 췌장 원위부를 절제하여 비장동맥과 비장정맥을 문합한다.

2) 신장-췌장 동시이식(SPK), 장관문합술

신장과 췌장을 동시에 이식하는 방법으로, 췌장이식의 가장 흔한 형태의 수술 방법이다. 골반강 내에 췌장을 위치시키고, 이식편에 있는 비장정맥을 수혜자의 장골정맥에 먼저 문합한다. 벤치에서 기증자의 Y자 모형 장골동맥으로 미리 만든 췌장 이식편의 동맥을 수혜자의 장골동맥에 문합하여 전신적으로 내분비 기능을 유지할 수 있도록 한다. 또한, 췌장 이식편에 연결된 기증자의 십이지장을 수혜자의 공장에 문합하여 외분비 배액을 유지한다. 이식편의 짧은 비장정맥과 골반강 내의 해부학적 구조의 이점을 고려할 때, 췌장은 주로 우측 골반강에 위치시키고, 신장은 좌측 골반강에 위치시키게 된다[16](그림 55-3).

3) 방광문합술

췌장 단독이식을 시행하거나 방광문합술을 선호하는 경우, 이식편의 십이지장을 수혜자의 방광에 문합할 수 있다[16](그림 55-4). 방광문합술은 장관문합술에 비하여 췌장 문합부위 누출에 의한 심각한 합병증의 발생 가능성을 줄일 수 있다. 또한, 췌장 단독이식의 경우 함께 신장이식이 이루어지지 않기 때문에, 췌장 이식편의 기능 평가를 위해 간접적으로 신장 기능에 의존하지 않

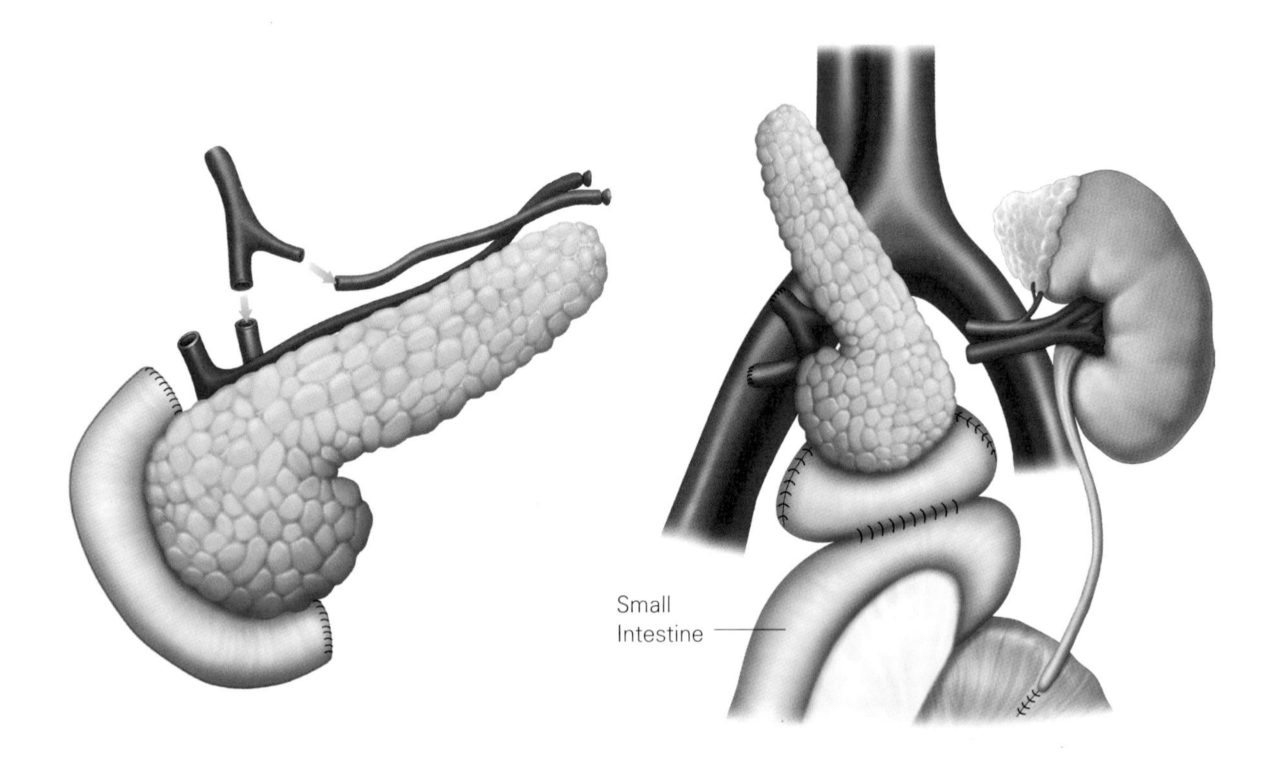

그림 55-2. **췌장 이식편의 동맥 성형술.**
동맥 문합의 시간을 단축하고 충분한 길이의 동맥을 만들기 위해 Y형 장골동맥을 이용하여 상장간막동맥(좌측 화살표)과 비장동맥(우측 화살표)에 단단문합을 시행한다.

그림 55-3. **신장-췌장 동시이식(SPK).**
장골동맥/정맥을 이용하여 내분비 기능의 혈액순환을 형성하고, 장관문합을 통해 외분비 배액을 형성한다.

고 소변으로 배설되는 아밀라아제를 측정함으로써 직접 확인할 수 있다는 장점이 있다. 그러나 췌장액의 외부 소실로 인한 대사성산증, 탈수, 방광염 등의 만성적 합병증을 유발할 수 있다.

4) 십이지장–십이지장 문합술

이식편 췌장을 원래 위치였던 후복강에 위치시키고, 외분비 배액을 수혜자의 십이지장에 문합하는 십이지장-십이지장 문합술이 최근에 많이 시도되고 있다[8,9] (그림 55-5). 이는 췌장의 생리적인 위치를 그대로 유지하게 되는 장점뿐만 아니라, 이식 후 상부위장관 내시경을 통하여 이식 췌장을 모니터링할 수 있다는 큰 장점이 있다. 현재까지 보고된 초기 경험들에서는 수술의 합병증이 다른 문합 방법에 비하여 크지 않고 안전하게 시행이 될 수 있다고 보고하고 있으나, 췌장액 누출의 경우 매우 심각한 합병증을 초래할 수 있다는 위험요소도 고려해야 한다[8,9].

6. 췌장이식 후 관리

일반적으로 췌장이식 환자는 수술 직후 중환자실과 같은 집중적인 관리를 요하지 않고, 신장이식 환자에 준하여 수술 후 관리를 진행하게 된다. 그러나, 후복강으로 접근하는 신장이식과 달리 복강내 장관을 조작하기 때문에, 장 활동이 돌아오기까지 금식이 필요할 수 있다. 수술 직후 관리 및 면역억제제 사용은 신장이식 환자에 준하여 시행될 수 있다. 이식 직후 정상 혈당으

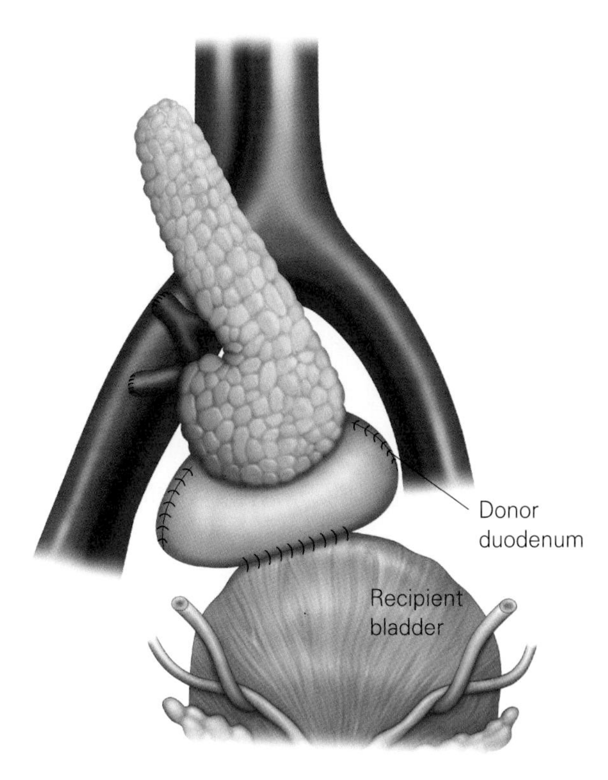

그림 55-4. **십이지장-방광문합술.**
췌장 이식편에 붙어 있는 십이지장을 수혜자의 방광에 문합하는 술식

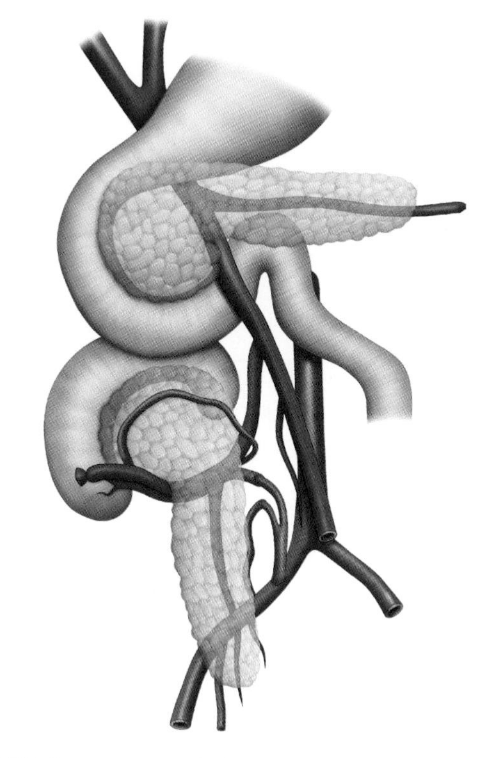

그림 55-5. **십이지장-십이지장 문합술.**
이식 췌장을 후복강에 위치시키고, 이식편 비장정맥을 수혜자의 문맥을 통해 배액시키면서, 외분비 배액은 수혜장의 십이지장을 통해 이루어진다.

로 바로 돌아오는 경우들도 있지만, 그렇지 못한 경우에는 인슐린을 유지하면서 혈당이 150 mg/dL 이하로 유지되도록 조절해 준다. 이는 고혈당 자체로 이식 받은 췌장의 베타 세포가 손상되는 것을 막기 위한 것이다. 장관문합술을 시행한 경우에는 문합부위의 췌장액 누출과 같은 수술 후 초기 합병증 관리에 주의를 기울여야 하고, 방광문합술을 시행한 경우에는 대사성산증과 같은 만성적 합병증 관리에 좀 더 주의를 기울여야 한다[16].

이식받은 췌장을 장기적으로 유지하기 위해서는 면역학적인 거부반응에 대한 모니터링이 매우 중요한데, 신장-췌장 동시이식을 받은 경우에는 이식 신장의 기능을 통해 이식 췌장의 기능도 가늠해 볼 수 있다. 췌장 단독이식을 시행 받으면서 방광문합술을 사용한 경우에는 소변 검사를 통해 아밀라아제의 배출이 원활한지 확인함으로써 이식 췌장의 기능을 확인할 수 있다. 이식받은 췌장의 기능이 유지되는 한 환자들은 지속적으로 면역억제제를 복용하여야 한다. 면역억제제는 타 장기 이식과 마찬가지로 칼시뉴린 억제제의 일종인 타크로리무스나 싸이크로스포린을 기본으로 하고 추가적으로 스테로이드와 인터루킨-2 억제제 같은 대사길항제 등을 병용하는 면역억제요법을 주로 사용하고 있다. 면역억제제의 사용으로 인한 기회감염 발생에 유의하면서 감염관리에 주의를 기울여야 하며, 장기적으로 이식편의 기능을 확인하고 면역억제제의 부작용이 나타나는지 주기적으로 외래 추적관찰을 해야 한다.

7. 췌장이식의 예후

국제 췌장이식 등록사업(IPTR, the international pancreas transplant registry)의 자료에 의하면, 췌장이식의 성적은 1980년대 이후 지속적으로 향상되어, 최근에는 3가지 종류의 췌장이식 범주 모두에서 3년 환자 생존율이 90%를 넘어서고 있다. 사망 원인으로는 이식 전 유병되어 있는 심혈관질환이 가장 흔하다. 췌장이식 수술 자체의 사망률은 매우 낮으며, 췌장 단독이식의 경우 1년 환자 생존율은 95%를 넘어서고 있다. 세 가지 범주의 수술 중 현재까지는 신장-췌장 동시이식(SPK)의 이식 성적이 다른 두 가지(PAK, PTA) 췌장이식보다 더 좋은 것으로 보고되고 있으나, 이식된 췌장 이식편의 1년 생존율은 모두 80% 이상으로 보고되고 있다[16,17]. 최근 면역억제제와 수술 술기의 발달로 인하여 췌장 이식 후 거부반응 및 합병증의 발생이 크게 줄어들면서 향후에는 더 좋은 결과를 기대할 수 있게 되었다.

8. 췌도이식

세포치료를 임상에 적용하기 위한 인류의 많은 노력에도 불구하고, 효과적이고 지속적으로 임상에 도입된 치료법이 그리 많지는 않다. 췌장의 내분비 기능이 밝혀지고 제1형 당뇨병 치료에 췌장의 외분비 기능이 필요치 않음은 이미 1920년대 인슐린이 발견되기 전부터 알려져 있었다[18]. 그러나 동물모델에서 인슐린 분비에 대한 연구를 위해 시도된 췌도 분리는 1960년대에 들어서야 성공하게 된다. 이후 다양한 동물 모형들에서 췌도이식이 성공하면서, 췌도이식은 비약적으로 발전을 이룩하여, 1974년 미네소타 대학의 데이비드 서더랜드에 의해 최초로 췌도이식이 임상에 적용되었으나 이식된 췌도의 기능은 그리 오래가지 못했다[2]. 이처럼 이식된 췌도의 기능이 유지되지 못하는 상태에서 임상적용에 큰 성과를 거두지 못하고 있던 췌도이식은 2000년 캐나다의 에드몬튼 그룹을 통해 새로운 전환점을 맞게 된다. 이들은 글루코코티코이드를 사용하지 않고 시롤리무스와 타크로리무스를 병용하면서 항CD25 단일항체인 다크리주맵을 사용하는 면역억제 요법과 효율적인 췌도 분리 방법에 대한 프로토콜을 발표하면서 7명의 환자에게 2~3회의 반복적인 췌도이식을 시행하여 장기적으로 인슐린 치료를 중단할 수 있었음을 보고하였다[19]. 이들은 이를 바탕으로 다기관 임상시험을 시행하여 36명의 환자에게 췌도이식을 시행하여 16명(44%)의 환자에서 1년간 지속적인 인슐린 치료의 중단을 유지할 수 있었다. 그러나, 2년이 지난 시점에서 76%의 환자들은 다시 인슐린 치료로 회귀하였다[20]. 에드몬튼 프로토콜 이후 현재까지도 여전히 효율이 높고 장기적으로 생존할 수 있는 췌도를 분리해 내는 것이 여전히 큰 장벽으로 남아 있다. 그러나, 가장 임상 적용에 접근한 세포치료로서의 췌도이식은 짧은 기간 동안 동물실험에서 임상적용에까지 이르렀고 아직도 지속적으로 발전하고 있는 분야이다.

성공적인 췌도이식을 위해서는 다량의 췌도가 필요한데, 한 명의 환자에게 충분한 양의 췌도이식을 하기 위해서는 2~3명의 기증자로부터 췌도를 분리해야 하는 점도 췌도이식이 가지고 있는 큰 장벽 중 하나이다. 장기 기증이 충분치 않은 현재의 상황에서 이를 극복하기 위해 이종 간 췌도이식(xenotransplantation) 및 줄기세포를 이용한 베타세포로의 분화 등이 꾸준히 연구되고 있다. 향후 이러한 노력들을 통해 당뇨병 환자들의 치료에 효과적인 췌도이식이 이루어지기를 기대해 본다.

References

1. Kelly WD, Lillehei RC, Merkel FK, Idezuki Y, Goetz FC. Allotransplantation of the pancreas and duodenum along with the kidney in diabetic nephropathy. Surgery 1967;61:827-37.
2. Surtherland DER, Groth CG. History of pancreas transplantation. In: Hakim NS, Stratta RJ, Gray D, Friend P, Colman A, eds. Pancreas, islet, and stem cell transplantation for diabetes. 2nd ed. p.1-17, New York, Oxford, 2010.
3. Sollinger HW, Cook K, Kamps D, Glass NR, Belzer FO. Clinical and experimental experience with pancreaticocystostomy for exocrine pancreatic drainage in pancreas transplantation. Transplant Proc 1984;16:749-51.
4. Hakim NS, Stratta RJ, Gray D, Friend P, Colman A. Pancreas, islet, and stem cell transplantation for diabetes. 2nd ed. New York, Oxford, 2010.
5. Nghiem DD, Corry RJ. Technique of simultaneous renal pancreatoduodenal transplantation with urinary drainage of pancreatic secretion. Am J Surg 1987;153:405-6.
6. Gruessner AC, Sutherland DE. Pancreas transplant outcomes for United States (US) cases as reported to the United Network for Organ Sharing (UNOS) and the International Pancreas Transplant Registry (IPTR). In: Cecka J, Terasaki P, eds. Clinical transplants 2008. p.45-56, Los Angeles, Terasaki Foundation Laboratory, 2009.
7. Boggi U, Amorese G, Marchetti P. Surgical techniques for pancreas transplantation. Curr Opin Organ Transplant 2010;15:102-11.
8. De Roover A, Coimbra C, Detry O, et al. Pancreas graft drainage in recipient duodenum: preliminary experience. Transplantation 2007;84:795-7.
9. Gunasekaran G, Wee A, Rabets J, Winans C, Krishnamurthi V. Duodenoduodenostomy in pancreas transplantation. Clin Transplant 2012;26:550-7.
10. UNOS. Transplants By Organ Type, online report. Available at https://www.unos.org
11. KONOS. 질병관리본부 장기이식관리센터 연보. Available at https://www.konos.go.kr
12. Knight RJ, Lawless A, Patel SJ, Gaber AO. Simultaneous kidney-pancreas transplantation for end-stage renal disease patients with insulin-dependent diabetes and detectable C-peptide. Transplant Proc 2010;42:4195-6.
13. Larsen JL. Pancreas transplantation: indications and consequences. Endocr Rev 2004;25:919-46.
14. Smith R, Friend P. Indications, patient evaluation, and selection. In: Hakim NS, Stratta RJ, Gray D, Friend P, Colman A, eds. Pancreas, islet, and stem cell transplantation for diabetes. 2nd ed. p.51-62, New York, Oxford, 2010.
15. Sener A, Cooper M, Bartlett ST. Is there a role for pancreas transplantation in type 2 diabetes mellitus? Transplantation 2010;90:121-3.
16. Humar A, Khwaja KO, Sutherland DER. Pancreas transplantation. In: Humar A, Matas AJ, Payne WD, eds. Atlas of Organ Transplantation. p.133-95, London, Springer-Verlag, 2006.
17. Gruessner AC, Sutherland DER. Pancreas-transplant outcomes for United States (US) cases as reported to the United Network for Organ Sharing (UNOS) and the International Pancreas Transplant Registry (IPTR). In: Hakim NS, Stratta RJ, Gray D, Friend P, Colman A, eds. Pancreas, islet, and stem cell transplantation for diabetes. 2 ed. p.299-316, New York, Oxford, 2010.
18. Gray D. A historical view of the development of islet transplantation. In: Hakim NS, Stratta RJ, Gray D, Friend P, Colman A, eds. Pancreas, islet, and stem cell transplantation for diabetes. 2nd ed. p.331-50,

New York, Oxford, 2010.

19. Shapiro AM, Lakey JR, Ryan EA, et al. Islet transplantation in seven patients with type 1 diabetes mellitus using a glucocorticoid-free immunosuppressive regimen. N Engl J Med 2000; 343:230-8.
20. Shapiro AM, Ricordi C, Hering BJ, et al. International trial of the Edmonton protocol for islet transplantation. N Engl J Med 2006;355:1318-30.

찾아보기

Index

ㄱ

ㄹ

ㅁ

ㅂ

ㅅ

ㅇ

ㅈ

ㅊ

ㅋ

ㅌ

A

B

C

D

E

F

G

H

I

J

K

L

M

N

O

P

Q

R

S

T

기타